鉄筋コンクリート構造
計算規準・同解説

2024 改　定

AIJ Standard for Structural Calculation

of Reinforced Concrete Structures

revised 2024

日本建築学会

本書のご利用にあたって
　本書は，作成時点での最新の学術的知見をもとに，技術者の判断に資する技術の考え方や可能性を示したものであり，法令等の補完や根拠を示すものではありません．また，本書の数値は推奨値であり，それを満足しないことが直ちに建築物の安全性を脅かすものでもありません．ご利用に際しては，本書が最新版であることをご確認ください．本会は，本書に起因する損害に対しては一切を責任を有しません．

ご案内
　本書の著作権・出版権は(一社)日本建築学会にあります．本書より著書・論文等への引用・転載にあたっては必ず本会の許諾を得てください．
Ⓡ〈学術著作権協会委託出版物〉
　本書の無断複写は，著作権法上での例外を除き禁じられています．本書を複写される場合は，学術著作権協会（03-3475-5618）の許諾を受けてください．

一般社団法人　日本建築学会

第 13 次改定の序

　本規準は 2018 年の改定から 6 年が経過した．この間，Q&A サイトなどを通じて，さまざまなご意見をいただいた．また，本会から「鉄筋コンクリート構造保有水平耐力計算規準・同解説」や「鉄筋コンクリート造建物の等価線形化法に基づく耐震性能評価型設計指針・同解説」が刊行されており，これらとの関係を整理して整合を取る必要がある．以上を踏まえ，今回，次のような改定を行った．

	改定内容（誤記の修正や規準類の年版の更新など，軽微なものは除く）
1 条	解説中に掲載されていた目標性能の定義を本文へ移し，目標性能の解説文を見直した．
2 条	1 条解説中に掲載されていた用語の説明を本文に移した．
3 条	JASS 5 の改定に伴い，解説中の JASS 5 における高強度コンクリートの範囲を修正した．
4 条	JIS G 3112 の改定に伴い，使用する鉄筋を明記した．解説中に注意事項を示し，全文を通して SD 295A を SD 295 に修正し，SD 295B を削除した．
7 条	地震動に対する「鉄筋コンクリート造建物の等価線形化法に基づく耐震性能評価型設計指針・同解説」の損傷限界状態の限界値として，損傷制御用のものを用いてよいことを解説に追記した．
11 条	・フラットスラブ構造およびフラットプレート構造のパンチングシア破壊について，近年の地震被害からの教訓や研究成果を取り入れて解説を充実させた． ・短期許容曲げモーメントについて「壁式鉄筋コンクリート厚肉床壁構造設計指針（案）・同解説」との違いを解説に追記した．
13 条	解説中の T 形梁の許容曲げモーメントの略算式について，説明を追記した．
15 条	「鉄筋コンクリート造配筋指針・同解説」の改定に伴い，解説図 15.22 柱梁接合部の範囲を修正した．
16 条	・付着強度評価式の精度の説明を解説に追記した． ・安全性を検討する場合のカットオフ筋に関する注意点を解説に追記した． ・「鉄筋コンクリート造配筋指針・同解説」の改定に伴い，あき重ね継手に関する解説を追記した． ・スラブ筋の直線定着の検討について，17 条解説の内容を 16 条解説にも記載した．
17 条	・非耐震部材で長期荷重にのみ引張応力を受ける鉄筋の定着について，解説文を見直した．
18 条	・解説中の片持スラブの長期たわみ増大率について，実験研究を根拠に，16 倍としてよいと修正した． ・周辺支持スラブ隅角部や片持スラブの設計における配慮事項に関する解説文を修正し，隅角部配筋の解説図を削除した．
19 条	・開口の高さによる低減率の定義と適用方法をより明確にし，近年の研究成果を取り入れて解説を充実させた． ・開口補強の計算例について，開口補強筋を見直し，解説を追記した．
20 条	・解説中の杭基礎の二方向偏心について，近年の研究成果を取り入れ，応力伝達の考え方を解説し，計算例 4 を削除した． ・杭基礎で基礎梁のない場合の注意点を解説に追記した． ・基礎スラブの許容曲げモーメントの低減率について解説を追記した． ・杭基礎スラブの複筋比や短期許容せん断力についての解説を追記した． ・「鉄筋コンクリート基礎構造部材の耐震設計指針（案）・同解説」が「基礎部材の強度と変形性能」に改定されたことに伴い，マットスラブの検討についての解説を削除した． ・2 本ないし 4 本の杭が接合された基礎スラブの配筋について，解説を追記した．

21条	JASS 5の改定に伴い，かぶり厚さの規定値に関する解説表21.1を修正した．
22条	・解説中の梁貫通孔周囲の補強について，単独の円形孔を有する梁の長期および短期許容せん断力，および近接する複数孔を有する梁または長方形孔を有する梁の長期および短期許容せん断力ならびにせん断終局強度を改定した．また，単独の正方形孔を単独の円形孔と同様に検討できるように改定した． ・大梁のねじりに対する検討の計算例において，(解22.13)式の確認を追記した．
付2	・大地震時の安全性の検討をⅢ章に移動させ，さらに「鉄筋コンクリート構造保有水平耐力計算規準・同解説」との整合性についての解説を追加した．それに伴い，構造図面をⅣ章に移動させた． ・柱梁接合部の検討に基づいて柱リストのせん断補強筋を修正した． ・部材ランクの変更等によるD_s値の見直しと鉄筋納まりの修正を行った．
付7	・梁のひび割れ幅から定まる鉄筋応力度の曲げひび割れ幅算定式における(付7.6)，(付7.7)式について解説を追記した． ・乾燥収縮ひずみに対する部材寸法の影響について，解説を追記した．
付13	「鉄筋コンクリート造配筋指針・同解説」の改定に伴い，部材幅の最小寸法を修正した．

　以上のように今回は，主に解説部分の改定となっている．今後は，マットスラブなどの偏平な部材，柱梁接合部，長期荷重に対する鉄筋の定着，下階が柱となる耐震壁の枠梁，太径鉄筋の重ね継手などの検討が望まれる．

　なお，本会の「鉄筋コンクリート構造計算規準・同解説」，「鉄筋コンクリート構造保有水平耐力計算規準・同解説」および「鉄筋コンクリート造建物の等価線形化法に基づく耐震性能評価型設計指針・同解説」には，重複する部分があり，今後も整理を進める必要がある．

2024年12月

日本建築学会

2007年には建築基準法が改正され，鉄筋コンクリート構造の設計に，より厳密なモデル化と検証が要求されるようになった．そこで，2010年には，耐震壁の規定を充実し，非耐震部材の定着規定を緩和した．また，修復性を考慮した柱と梁のせん断・付着検定式を追加した．

 2018年には，通し筋やカットオフ筋の付着に関する知見を規定に反映させるとともに検定方法を単純化した．また，せん断補強筋など特別の条件を満たす基礎に限定してアーチ機構を考慮できるようにした．

 その後，本会「鉄筋コンクリート構造保有水平耐力計算基準・同解説」および「鉄筋コンクリート造建物の等価線形化法に基づく耐震性能評価型設計指針・同解説」がそれぞれ2021年と2023年に刊行されたことに伴い，2024年には，目標性能の定義を明確にした．また，JIS（鉄筋関係）の改定を踏まえて使用する鉄筋を明記した．さらに，壁部材の許容耐力の算定において，開口の高さによる低減率の定義と適用方法を明確にした．

鉄筋コンクリート構造計算規準の変遷

　1933 年（昭和 8 年）4 月，本会標準仕様調査委員会は「鉄筋コンクリート構造計算規準」を制定，別に定めた「コンクリートおよび鉄筋コンクリート標準仕様書」と一括して解説を付し刊行した．水平震度は 0.1，コンクリートの許容圧縮応力度は 4 週強度の 1/3 であった．その後，1937 年（昭和 12 年）6 月の市街地建築物法施行規則の構造規定改正により，同 12 月改定を加えたのをはじめ，逐次改定を重ねた．

　1947 年，本会が原案作成を担当した日本建築規格建築 3001「建築物の構造計算」が制定された．その具体的運用を助けるための細則として，構造標準委員会鉄筋コンクリート構造分科会は，同年 11 月に「鉄筋コンクリート構造計算規準」を発表した．ここで，荷重外力と許容応力度の両者に長期と短期の概念が導入された．コンクリートの短期許容圧縮応力度は 4 週強度の 2/3 とされた．1949 年 9 月に最初の増補改定を行い，1958 年 11 月に広範囲に改定補足した．1962 年 11 月，構造用天然軽量骨材コンクリートの組入れと，付録設計資料の増強に伴う二分冊への整理のための改定を行った．

　1971 年 5 月には，コンクリートおよび鉄筋の品種の著しい拡張と，新潟および十勝沖地震による被害の検討の結果，1) 断面算定用のヤング係数比を応力の長期・短期，コンクリートの強度と種別に関係なく一律 $n=15$ とすること，2) 部材のせん断力に対する設計に限っては，その部材を含むラーメン局部の曲げ降伏時せん断力を限度として設計せん断力を割増し，地震の交番繰返しの影響を見込んだ許容せん断力を用いる，の 2 点を中心とする大幅な改定を行った．この版から「コンクリートの設計基準強度」という用語が用いられるようになる．

　その後，建築基礎構造設計規準，JASS 5 および JIS（鉄筋コンクリート関係）の改定，ならびに建築物荷重規準案の公表に伴い，1975 年に改定を行った．さらに杭打ち基礎の普及に伴い，直接基礎，杭打ち基礎の両者を含めて 1979 年に 19 条「基礎」の改定を行った．

　1980 年，建築基準法施行令の大幅改正（いわゆる新耐震設計法）が公布され 1981 年から施行されたが，本規準では，付録の計算例を改定して対処することとし，あわせてスラブ上面に沿う過大ひび割れと過大たわみの発生防止を目的とした 13 条「床スラブ」を中心とする改定を 1982 年に行った．

　1986 年から 1987 年にかけて，JASS 5，JIS（鉄筋コンクリート関係）などが改定され，それらに整合させる必要が生じた．併せてそれまでに得られた新しい知見を付録に盛り込み，古くなった解説や付録の整理・補正を行って，1988 年に改定した．さらに，せん断補強筋 SD 35，SD 40 の短期許容応力度を $3\,500\,\text{kg/cm}^2$，$4\,000\,\text{kg/cm}^2$ とする改定を 1991 年に行った．

　1999 年には，単位系を SI 単位系とするとともに，JASS 5 の改定を踏まえ，コンクリートの設計基準強度の範囲を $60\,\text{N/mm}^2$ まで拡張した．また，1995 年兵庫県南部地震の被害に鑑みて，柱梁接合部の短期許容せん断力式を追加した．さらに，付着・継手・定着の検定を，割裂ひび割れを考慮した手法に変更した．

規準作成関係委員
— (五十音順・敬称略) —

構造委員会
 委　員　長　　五十田　　博
 幹　　　事　　楠　　浩　一　　永　野　正　行　　山　田　　哲
 委　　　員　　（略）

鉄筋コンクリート構造運営委員会
 主　　　査　　楠　　浩　一
 幹　　　事　　伊　藤　　央　　壁谷澤　寿　一　　真　田　靖　士
 委　　　員　　（略）

RC 規準改定小委員会
 主　　　査　　西　村　康志郎
 幹　　　事　　壁谷澤　寿　一　　花　井　伸　明
 委　　　員　　飯　塚　正　義　　市之瀬　敏　勝　　岩　田　樹　美　　上　田　博　之
 　　　　　　　大　西　直　毅　　小野里　憲　一　　楠　　浩　一　　楠　原　文　雄
 　　　　　　　黒　瀬　行　信　　河　野　　進　　真　田　靖　士　　向　井　智　久

同　扁平梁スラブの構造設計法検討ワーキンググループ
 主　　　査　　壁谷澤　寿　一
 幹　　　事　　松　井　智　哉
 委　　　員　　磯　　雅　人　　市之瀬　敏　勝　　壁谷澤　寿　海　　津　田　和　明
 　　　　　　　田　尻　清太郎　　中　村　聡　宏　　濱　田　　聡

2024年版の原案執筆担当

RC規準改定小委員会において2018年版に加筆修正を行った．見直し担当は以下のとおりである．

1条	西村　康志郎
2条	西村　康志郎　　大西　直毅
4条	西村　康志郎
7条	西村　康志郎
11条	壁谷澤　寿一
16条	西村　康志郎
18条	岩田　樹美
19条	真田　靖士　　市之瀬　敏勝
20条	花井　伸明　　市之瀬　敏勝
22条	花井　伸明　　黒瀬　行信　　西村　康志郎
付2	上田　博之
付7	岩田　樹美

なお，2018年版は2010年版を小改定したものであり，2018年版の作成に関わった小委員会および見直し担当は以下のとおりである．

RC規準改定小委員会（2015年4月～2019年3月）

主　査	市之瀬　敏勝
幹　事	花井　伸明
委　員	飯塚　正義　　岩田　樹美　　小野里　憲一　　壁谷澤　寿海
	楠　浩一　　黒瀬　行信　　河野　進　　真田　靖士
	角　彰　　西村　康志郎　　向井　智久

2018年版見直し担当

1条（壁谷澤寿海），2条（西村康志郎，花井伸明，真田靖士），3条（花井伸明），6条（花井伸明），14条（河野　進），16条（西村康志郎，黒瀬行信，市之瀬敏勝），17条（西村康志郎，向井智久，市之瀬敏勝），18条（岩田樹美），19条（真田靖士，壁谷澤寿海），20条（黒瀬行信，花井伸明，角　彰），22条（花井伸明），付7（岩田樹美），付10（市之瀬敏勝），付11（西村康志郎），付14（市之瀬敏勝）

また，2010年版の作成に関わった小委員会および原案執筆担当は以下のとおりである．

鉄筋コンクリート構造計算規準改定小委員会（2006年4月～2009年3月）

主　　査	市之瀬　敏　勝	
幹　　事	北　山　和　宏	
委　　員	飯　塚　正　義　　植　木　暁　司　　勝　俣　英　雄　　加　藤　大　介	
	壁谷澤　寿　海　　黒　瀬　行　信　　後　藤　康　明　　塩　原　　　等	
	（末　兼　徹　也）鈴　木　幹　夫　　角　　　　　彰　　田　中　仁　史	
	福　島　順　一　　福　山　　　洋	
協　　力	井　上　芳　夫　　奥　薗　敏　文　　倉　本　　　洋　　小　林　克　巳	
	堀　田　久　人	

＊（　）は元委員

2010年版原案執筆担当

解析ワーキンググループ：1条，2条，3条，4条，5条，7条，8条，9条，11条，付2，付10
　　主　　査　　角　　　　　彰
　　幹　　事　　上　田　博　之
　　委　　員　　（略）

耐震壁ワーキンググループ：19条，20条，付12
　　主　　査　　壁谷澤　寿　海
　　幹　　事　　加　藤　大　介
　　委　　員　　（略）

定着ワーキンググループ：17条，21条，22条，付11
　　主　　査　　後　藤　康　明
　　幹　　事　　飯　塚　正　義
　　委　　員　　（略）

柱梁ワーキンググループ：6条，12条，13条，14条，15条，16条，付3，付4，付8，付9
　　主　　査　　黒　瀬　行　信
　　幹　　事　　北　山　和　宏
　　委　　員　　（略）

二次設計ワーキンググループ：付1，付13，付14
　　主　　査　　福　島　順　一
　　幹　　事　　角　　　　　彰
　　委　　員　　（略）

長期性能検討小委員会：10条，18条，付5，付6，付7
　　主　　査　　大　野　義　照
　　幹　　事　　岸　本　一　蔵
　　委　　員　　（略）

鉄筋コンクリート構造計算規準・同解説

目　　次

本文ページ　解説ページ

1章　総　　則

　　1条　適用範囲と目標性能……………………………………………………1……45
　　2条　用語と記号………………………………………………………………1……47

2章　材料および許容応力度

　　3条　コンクリートの種類・品質および材料…………………………………8……53
　　4条　鉄筋の品質・形状および寸法……………………………………………8……55
　　5条　材料の定数………………………………………………………………8……57
　　6条　許容応力度………………………………………………………………9……60

3章　荷重および応力・変形の算定

　　7条　荷重および外力とその組合せ…………………………………………10……66
　　8条　構造解析の基本事項……………………………………………………10……70
　　9条　骨組の解析………………………………………………………………11……90
　　10条　スラブの解析…………………………………………………………13……104
　　11条　フラットスラブ構造・フラットプレート構造………………………14……108

4章　部材の算定

　　12条　曲げ材の断面算定における基本仮定…………………………………17……125
　　13条　梁の曲げに対する断面算定……………………………………………17……130
　　14条　柱の軸方向力と曲げに対する断面算定………………………………19……144
　　15条　梁・柱および柱梁接合部のせん断に対する算定……………………19……160
　　16条　付着および継手…………………………………………………………24……208
　　17条　定　　着………………………………………………………………30……249
　　18条　床スラブ………………………………………………………………32……276
　　19条　壁部材の算定…………………………………………………………33……294
　　20条　基　　礎………………………………………………………………41……354
　　21条　鉄筋のかぶり厚さ……………………………………………………44……393
　　22条　特殊な応力その他に対する構造部材の補強…………………………44……396

付　　録

付 1． 鉄筋コンクリート構造物の耐震対策
　　　　—阪神・淡路大震災と今後の鉄筋コンクリート構造設計— ······················· 425
付 2． 構造設計例 ·· 429
付 3． フラットスラブ構造計算例 ··· 498
付 4． 断面二次モーメント計算式 ··· 506
付 5． 床スラブの振動評価 ··· 507
付 6． 鉄筋コンクリート床梁応力計算式 ··· 511
付 7． 長期荷重時におけるひび割れと変形 ·· 513
付 8． 梁の断面算定 ·· 539
付 9． 長方形断面柱の断面算定 ·· 542
付10． 壁付き部材の復元力モデルと許容曲げモーメント ······························· 545
付11． 配　筋　標　準 ··· 553
付12． 鉄筋の断面積・周長および定尺表 ··· 562
付13． 鉄筋本数と部材幅の最小寸法 ·· 563
付14． 耐震壁の基礎回転の計算資料 ·· 565
付15． 長方形スラブの応力とたわみ ·· 570

鉄筋コンクリート構造計算規準

(2024)

鉄筋コンクリート構造計算規準

1章　総　　　則

1条　適用範囲と目標性能

1. 本規準は，3条に規定するコンクリートおよび4条に規定する鉄筋を用いた鉄筋コンクリート造建物の構造計算に適用する．ただし，特別な調査研究により本規準と同等の構造性能が確認できる場合は，本規準の一部の適用を除外することができる．
2. 本規準は，鉄筋コンクリート造建物の性能における，主として，使用性，損傷制御性の確保を目標とする．一部の条項は，安全性の確保も目標としている．
（1）使用性に関する性能は，長期間作用する荷重によって使用上の支障を生じない性能とする．
（2）損傷制御性に関する性能は，数十年に1回遭遇する程度の地震，台風，積雪を受けても，建物は補修せずに継続使用できる性能とする．
（3）安全性に関する性能は，数百年に1回遭遇する程度の大地震が生じても，建物の転倒・崩壊を防止し，人命の安全を確保できる性能とする．

2条　用語と記号

1. 本規準の主な用語は以下のように定義する．

　　使　用　性　：長期間作用する荷重によって，過大なたわみ，ひび割れ，建物の沈下・傾斜など，使用上の支障が生じないという性能．

　　損傷制御性　：数十年に1回遭遇する程度の地震，台風，積雪後においても，建物を補修せずに継続使用できるという性能．

　　安　全　性　：数百年に1回遭遇する程度の大地震時において，建物の転倒・崩壊を防止することにより人命の安全を確保できるという性能．

　　柱　　　　　：14条および15条2項の規定を満足する鉛直部材．

　　梁　　　　　：13条および15条2項の規定を満足する水平部材．

　　柱梁接合部　：柱と梁が交差する領域．「接合部」と省略する場合もある．

　　十字形接合部：上下の柱主筋と左右の梁主筋のほとんどが通し配筋される接合部．

　　T形接合部　：左右の梁主筋で曲げに必要なものが通し配筋され，上部または下部の柱がなく，柱主筋が定着される接合部．

　　ト形接合部　：上下の柱主筋で曲げに必要なものが通し配筋され，左側または右側の梁がなく，梁主筋が定着される接合部．

　　L形接合部　：左側または右側の梁がなく，梁主筋が定着され，かつ上部または下部の柱がなく，柱主筋が定着される接合部．

壁　部　材：19条の規定を満足する壁．

耐　震　壁：枠柱および枠梁が設けられる壁部材（建築基準法施行令で規定される「耐力壁」と枠柱・枠梁で構成される部材に対する本規準における呼称）．

柱型拘束域：壁の水平断面端部または中間において柱と同様の配筋によってコンクリートが拘束される部位．

梁型拘束域：壁の鉛直断面端部または中間において梁と同様の配筋によってコンクリートが拘束される部位．

枠　　　柱：壁の水平断面端部に設けられる柱または柱型拘束域のうち，壁板を有効に拘束するために必要な要件を満足する場合の呼称．

枠　　　梁：壁の鉛直断面端部に設けられる梁または梁型拘束域のうち，壁板を有効に拘束するために必要な要件を満足する場合の呼称．

基　　　礎：基礎スラブ，パイルキャップならびに杭．

主　　　筋：曲げモーメントまたは軸力を負担するために配置される鉄筋．

帯　　　筋：主にせん断力に抵抗するため，柱または柱梁接合部の主筋を包含するように配置される鉄筋．

あ ば ら 筋：主にせん断力に抵抗するため，梁の主筋を包含するように配置される鉄筋．

横 補 強 筋：帯筋とあばら筋の総称．

カットオフ筋：部材の途中で切断され，減じられる主筋．

定　　　着：鉄筋の端部をコンクリートに埋め込んで固定すること．

標準フック　：17条2項に従った鉄筋端部の折曲げ．

2．本規準の記号は以下による．

A_{cut}：カットオフされる引張鉄筋の断面積（16条）

A_d：開口周囲の斜め筋の断面積（19条）

A_h：開口周囲の付加斜張力を負担する横筋の断面積（下記のA_{h0}や梁主筋を含む）（19条）

A_v：開口周囲の付加斜張力を負担する縦筋の断面積（下記のA_{v0}や柱主筋を含む）（19条）

A_{h0}：開口補強の目的で通常の横筋とは別に配筋される横筋の断面積（19条）

A_{v0}：開口補強の目的で通常の縦筋とは別に配筋される縦筋の断面積（19条）

A_{st}：付着割裂面を横切る1組の横補強筋全断面積（16条）

A_{total}：引張鉄筋の総断面積（16条）

a：並列T形梁では側面から相隣る材の側面までの距離，単独T形材ではその片側のフランジ幅の2倍（8条）

　　独立フーチング長辺方向の柱のせい（20条）

a'：独立フーチング短辺方向の柱のせい（20条）

a_c：圧縮鉄筋の断面積（13条）

a_p：柱芯から杭芯までの距離（20条）
a_t：引張鉄筋の断面積（13条，20条）
a_w：1組のあばら筋または帯筋の断面積（15条）
　　　1組のせん断補強筋の断面積（19条，20条）
a_w'：1組のせん断補強筋の断面積（20条）
a_{w1}：せん断補強筋の1本あたりの断面積（20条）
a_{wv}：壁板の1組の縦筋の断面積（19条）
a_{wh}：壁板の1組の横筋の断面積（19条）
B：T形断面部材の有効幅（8条，13条）
b：T形断面をもつ材のウェブ幅（8条，13条，15条）
　　長方形梁または柱の幅（13条，15条，16条，19条）
b_0：独立フーチング基礎のパンチングシアに対する設計用せん断力算定断面の延べ幅（20条）
b_a：T形断面部材の板部の協力幅（片側）（8条）
b_{ai}：$b_i/2$ と $D/4$ の小さいほうの数値（15条）
b_b：梁幅（15条）
b_i：梁両側面からこれに平行な柱側面までの長さ（15条）
b_j：柱梁接合部の有効幅（15条）
C：付着検定断面位置における鉄筋間のあき，または最小かぶり厚さの3倍のうちの小さいほうの数値（16条）
$C_{\min}$：鉄筋の最小かぶり厚さ（16条）
D：曲げ材の全せい（13条）
　　柱せい（15条）
　　通し配筋される接合部材の全せい（17条）
　　鉄筋の折曲げ内法直径（17条）
　　柱（または梁）のせい（19条）
　　独立フーチング基礎スラブの厚さ（20条）
d：曲げ材の圧縮縁から引張鉄筋重心までの距離（有効せい）（13条，15条，16条）
　　柱（または梁）の有効せい（19条）
　　基礎スラブの算定断面有効せい（20条）
d_b：異形鉄筋の呼び名に用いた数値（16条，17条，20条）
$\sum d_b$：付着割裂面における鉄筋径の総和（16条）
d_c：曲げ材の圧縮縁から圧縮鉄筋重心までの距離（13条）
d_t：曲げ材の引張縁から引張鉄筋重心までの距離（13条）
F_c：コンクリートの設計基準強度（5条，6条，7条，12条，14条，16条，17条）
f_a：許容付着応力度（16条）

$_Lf_a$：長期許容付着応力度（16条）

$_sf_a$：短期許容付着応力度（16条）

f_b：付着割裂の基準となる強度（16条，17条）

f_c：コンクリートの許容圧縮応力度（13条，14条，19条）

$_rf_c$：鉄筋の許容圧縮応力度（14条）

f_s：コンクリートの許容せん断応力度（15条，19条，20条）

f_t：鉄筋の許容引張応力度（13条，14条，19条，20条）

定着検定される接合部通し筋の短期許容引張応力度（17条）

壁筋のせん断補強用短期許容引張応力度（19条）

$_wf_t$：あばら筋または帯筋のせん断補強用許容引張応力度（15条）

あばら筋または帯筋のせん断補強用短期許容引張応力度（19条）

H_c：接合部上下の柱の高さの平均（15条）

h：階高（11条）

当該層の壁部材の高さ（19条）

$\sum h$：連層耐震壁の当該層から最上層までの高さ（19条）

$\sum h_0$：開口上下の破壊の原因となりうる開口部高さの和（19条）

h'：柱の内法高さ（15条）

h_0：壁部材の開口部の高さ（複数開口の場合は個別の開口高さ）（19条）

h_{0p}：壁部材の開口部の高さ（複数開口の場合は鉛直断面への投影高さの和）（19条）

j：曲げ材の応力中心距離（13条，15条，16条，19条）

基礎スラブの応力中心距離（20条）

K：付着割裂の基準となる強度を割り増すための係数（16条）

L：曲げ材の内法長さ（16条）

L'：通し筋の付着長さ（16条）

L_b：柱梁接合部の左右の梁の長さの平均（15条）

l：骨組または連続梁のスパン長さ（8条）

柱中心間の距離（11条）

重ね継手長さ（16条）

部材内定着される鉄筋の定着長さ（16条）

柱（または梁）を含む壁部材の全せい（19条）

基礎スラブの全幅（20条）

l'：梁の内法スパン長さ（15条）

付着検定断面からカットオフ筋が計算上不要となる断面までの距離（16条）

壁板の内法長さ（19条）

基礎スラブの全幅（20条）

l_a：曲げ補強鉄筋の定着起点から定着に有効な部分の投影長さ（17条）

l_{ab}：必要定着長さ（17条）

l_e：壁板の有効長さ（19条）

l_d：鉄筋の付着長さ（16条）

l_{dh}：フック付き（折曲げ）定着鉄筋の投影定着長さ（鉄筋の仕口面からフック開始点までの直線長さ＋フック内法半径＋鉄筋径）（17条）

l_p：柱フェイスから杭芯までの距離（20条）

l_0：単純梁のスパン長さ（8条）

開口部の長さ（複数開口の場合は個別の開口長さ）（19条）

l_{0p}：開口部の長さ（複数開口の場合は水平断面への投影長さの和）（19条）

l_x：長方形スラブの短辺有効スパン長さ（10条，18条）

フラットスラブのx方向柱中心距離（11条）

l_y：長方形スラブの長辺有効スパン長さ（10条，18条）

フラットスラブのy方向柱中心距離（11条）

M：梁または柱の許容曲げモーメント（13条，14条）

設計する梁または柱の最大曲げモーメント（15条）

M'：カットオフ筋が計算上不要となる断面の曲げモーメント（16条）

M_A：基礎スラブの許容曲げモーメント（20条）

M_1：フラットスラブ仮想梁の端部最大負曲げモーメント（11条）

M_2：フラットスラブ仮想梁の中央部最大正曲げモーメント（11条）

M_{x1}：長方形スラブの短辺方向の両端最大負曲げモーメント（10条）

M_{x2}：長方形スラブの短辺方向の中央部最大正曲げモーメント（10条）

M_{y1}：長方形スラブの長辺方向の両端最大負曲げモーメント（10条）

M_{y2}：長方形スラブの長辺方向の中央部最大正曲げモーメント（10条）

$\sum_B M_y$：梁の両端の降伏曲げモーメントの絶対値の和（15条）

$\sum_C M_y$：柱頭および柱脚の降伏曲げモーメントの絶対値の和（15条）

$\dfrac{M}{Qd}$：梁，柱のせん断スパン比（15条）

基礎スラブのせん断スパン比（20条）

$\sum \dfrac{M_y}{j}$：柱梁接合部の左右の梁の降伏曲げモーメントの絶対値をそれぞれの応力中心間距離jで除した和（15条）

N：付着割裂面における鉄筋本数（16条）

n：ヤング係数比（12条）

水平荷重時せん断力の割増係数（15条，16条）

n_h：当該層で水平方向に並ぶ開口の数（19条）

n_v：当該層で鉛直方向に並ぶ開口の数（19条）

p_s：壁板の直交する各方向のせん断補強筋比（19条）

p_{sv}：壁板の縦筋の補強筋比（19条）

p_{sh}：壁板の横筋の補強筋比（19条）

p_w：あばら筋比または帯筋比（a_w/bx）（15条，19条）

　　　基礎スラブのせん断補強筋比（20条）

Q：設計する梁または柱の最大せん断力（15条）

Q_1：壁板のコンクリートの許容応力度による壁部材の短期許容せん断力Q_A（19条）

Q_2：柱と壁板の許容せん断力の累加による壁部材の短期許容せん断力Q_A（19条）

Q_A：梁，柱の安全性確保のための許容せん断力（15条）

　　　水平荷重を受ける壁部材の短期許容せん断力（19条）

　　　基礎スラブの許容せん断力（20条）

Q_{A0}：開口がある壁部材の短期許容せん断力（19条）

Q_{Aj}：柱梁接合部の安全性確保のための許容せん断力（15条）

Q_{AL}：梁または柱の長期許容せん断力（15条）

　　　壁部材の長期許容せん断力（19条）

Q_{AS}：梁または柱の短期許容せん断力（15条）

Q_c：壁板周辺の柱（1本）が負担できる短期許容せん断力（19条）

Q_D：梁または柱の安全性確保のための設計用せん断力（15条）

　　　壁部材の設計用水平せん断力（19条）

Q_{DS}：梁または柱の短期設計用せん断力（15条）

Q_{Dj}：柱梁接合部の安全性確保のための設計用せん断力（15条）

Q_L：梁または柱の長期荷重によるせん断力（15条，16条）

Q_E：梁または柱の水平荷重によるせん断力（15条，16条）

Q_{PA}：独立フーチング基礎スラブのパンチングシアに対する許容せん断力（20条）

Q_w：無開口の壁板の壁筋が負担できる短期許容せん断力（19条）

r：壁部材の許容せん断力に対する開口による低減率（19条）

r_1：壁部材の許容せん断力に対する開口の水平断面積による低減率（19条）

r_2：壁部材の許容せん断力に対する開口の見付面積による低減率（19条）

r_3：壁部材の許容せん断力に対する開口の鉛直断面積による低減率（19条）

S：必要定着長さの修正係数（17条）

s：付着割裂面を横切る1組の横補強筋の間隔（16条）

　　　せん断補強筋の間隔（19条，20条）

s'：せん断補強筋の間隔（20条）

t：スラブ厚さ（11条，13条，18条）

　　　壁板の厚さ（19条）

W：付着割裂面を横切る横補強筋効果を表す換算長さ（16条）

w：長方形スラブの単位面積についての全荷重（10条）

w_p：長方形スラブの単位面積についての積載荷重と仕上荷重との和（18条）

w_x：長方形スラブの短辺方向仮想梁の単位面積あたりの分担荷重（$l_y{}^4 w/(l_x{}^4+l_y{}^4)$）（10条）

x：あばら筋または帯筋の間隔（15条）

x_n：曲げ材の圧縮縁から中立軸までの距離（13条）

a：せん断スパン比 $M/(Qd)$ による割増係数（15条，20条）

　　必要定着長さに関する係数（17条）

　　壁板周辺の柱の短期許容せん断力 Q_c を計算するときの係数（19条）

α_1：通し筋の応力状態を表す係数（16条）

α_2：カットオフ筋の応力状態を表す係数（16条）

γ：コンクリートの気乾単位体積重量（5条）

θ：鉄筋方向と算定断面の法線との角度（12条）

κ_A：柱梁接合部の形状による係数（15条）

λ：スラブの辺長比（l_y/l_x）（18条）

　　当該階から下の壁または基礎梁が変形しないと仮定することに伴う係数（19条）

　　独立フーチング基礎における長方形基礎スラブの長辺の短辺に対する比（20条）

ξ：架構の形状に関する係数（15条）

σ_c：圧縮鉄筋の継手部分の最大存在応力度（16条）

σ_D：付着検定断面位置における安全性検討用の鉄筋引張応力度（16条）

σ_t：引張鉄筋の重ね継手部分の最大存在応力度（16条）

　　仕口面における鉄筋の応力度（17条）

${}_E\sigma_t$：付着検定断面位置における水平荷重時の鉄筋の存在応力度（16条）

${}_L\sigma_t$：付着検定断面位置における長期荷重時の鉄筋の存在応力度（16条）

${}_S\sigma_t$：付着検定断面位置における短期荷重時の鉄筋の存在応力度（16条）

σ_y：鉄筋の降伏強度（16条）

τ_{a1}：引張鉄筋の曲げ付着応力度（16条）

τ_{a2}：引張鉄筋の平均付着応力度（16条）

τ_D：安全性検討用の平均付着応力度（16条）

ψ：付着検定される鉄筋の周長（16条）

2章　材料および許容応力度

3条　コンクリートの種類・品質および材料
1. コンクリートの種類および品質は，下記による．
 （1）　コンクリートの種類および品質は，本会「建築工事標準仕様書・同解説　JASS 5　鉄筋コンクリート工事」（以下，JASS 5 と略記）に定めるところによる．
 （2）　コンクリートの調合，製造，運搬，打込み，養生，型枠および品質管理は，JASS 5 に定めるところによる．
2. コンクリートに使用する材料は，JASS 5 に規定する材料による．

4条　鉄筋の品質・形状および寸法
　鉄筋は，原則として，JIS G 3112「鉄筋コンクリート用棒鋼」の規格に定めたもので，丸鋼では径 19 mm 以下の SR 235 および SR 295，異形鉄筋では D 41 以下の SD 295，SD 345，SD 390 および SD 490 とする．また，JIS G 3551「溶接金網及び異形鉄筋格子」に規定する金網のうち，鉄線の径が 6 mm 以上のものを用いることができる．

5条　材料の定数
　鉄筋とコンクリートの定数は，通常の場合，表 5.1 による．

表 5.1　材料の定数

材料	ヤング係数（N/mm²）	ポアソン比	線膨張係数（1/℃）
鉄筋	2.05×10^5	—	1×10^{-5}
コンクリート	$3.35 \times 10^4 \times \left(\dfrac{\gamma}{24}\right)^2 \times \left(\dfrac{F_c}{60}\right)^{\frac{1}{3}}$	0.2	1×10^{-5}

［注］　γ：コンクリートの気乾単位体積重量（kN/m³）で，特に調査しない場合は表 7.1 の数値から 1.0 を減じたものとすることができる．
　　　F_c：コンクリートの設計基準強度（N/mm²）

6条　許容応力度

コンクリートおよび鉄筋の許容応力度は，通常の場合，表6.1，6.2および表6.3による．

表6.1　コンクリートの許容応力度　(N/mm²)

	長　期			短　期		
	圧縮	引張	せん断	圧縮	引張	せん断
普通コンクリート	$\frac{1}{3}F_c$	—	$\frac{1}{30}F_c$ かつ $\left(0.49+\frac{1}{100}F_c\right)$ 以下	長期に対する値の2倍	—	長期に対する値の1.5倍
軽量コンクリート1種および2種			普通コンクリートに対する値の0.9倍			

[注]　F_c は，コンクリートの設計基準強度（N/mm²）を表す．

表6.2　鉄筋の許容応力度　(N/mm²)

	長　期		短　期	
	引張および圧縮	せん断補強	引張および圧縮	せん断補強
SR 235	155	155	235	235
SR 295	155	195	295	295
SD 295	195	195	295	295
SD 345	215 (*195)	195	345	345
SD 390	215 (*195)	195	390	390
SD 490	215 (*195)	195	490	490 (**390)
溶接金網	195	195	***295	295

[注]　＊：D 29以上の太さの鉄筋に対しては（　）内の数値とする．
　　　＊＊：損傷制御のための検討においては（　）内の数値とする．
　　　＊＊＊：スラブ筋として引張鉄筋に用いる場合に限る．

表6.3　鉄筋のコンクリートに対する許容付着応力度　(N/mm²)

	長　期		短　期
	上端筋	その他の鉄筋	
異形鉄筋	$\frac{1}{15}F_c$ かつ $\left(0.9+\frac{2}{75}F_c\right)$ 以下	$\frac{1}{10}F_c$ かつ $\left(1.35+\frac{1}{25}F_c\right)$ 以下	長期に対する値の1.5倍
丸　鋼	$\frac{4}{100}F_c$ かつ 0.9 以下	$\frac{6}{100}F_c$ かつ 1.35 以下	

[注]　1)　上端筋とは曲げ材にあってその鉄筋の下に300 mm以上のコンクリートが打ち込まれる場合の水平鉄筋をいう．
　　　2)　F_c は，コンクリートの設計基準強度（N/mm²）を表す．
　　　3)　異形鉄筋で，鉄筋までのコンクリートかぶり厚さが鉄筋の径の1.5倍未満の場合には，許容付着応力度は，この表の値に「かぶり厚さ/(鉄筋径の1.5倍)」を乗じた値とする．

3章　荷重および応力・変形の算定

7条　荷重および外力とその組合せ

1. 構造計算に採用する荷重および外力とその組合せは，建築基準法施行令および建設省告示，国土交通省告示または本会「建築物荷重指針・同解説」，「建築基礎構造設計指針」に定めるところによる．
2. 鉄筋コンクリートの単位体積重量は実状による．特に調査しない場合は，表7.1によってもよい．

表7.1　鉄筋コンクリートの単位体積重量

コンクリートの種類	設計基準強度の範囲 (N/mm²)	鉄筋コンクリートの単位体積重量 (kN/m³)
普通コンクリート	$F_c \leq 36$ $36 < F_c \leq 48$ $48 < F_c \leq 60$	24 24.5 25
軽量コンクリート1種	$F_c \leq 27$ $27 < F_c \leq 36$	20 22
軽量コンクリート2種	$F_c \leq 27$	18

8条　構造解析の基本事項

1. 建物全体および各部の応力と変形は，下記の仮定に基づき算定する．
   (1) 応力および変形の算定は，一般には弾性剛性に立脚した計算によるが，解析の目的や各部材の応力レベルに応じてコンクリートのひび割れ等の影響による剛性低下を適切に考慮する．
   (2) 材料のヤング係数は，表5.1による．ただし，長期荷重によるクリープの影響を考慮する場合は，この限りではない．
2. 柱・梁の剛性評価
   (1) 曲げ変形，せん断変形および軸方向変形に対する弾性剛性を算定する際は，基本となる断面積および断面二次モーメントは全断面について求める．これらの計算に鉄筋の影響を無視することができない場合は，これを適切に考慮する．
   (2) スラブ付き梁，壁付き柱などのT形断面を有する材の曲げ変形に対する板部の有効幅は，ウェブ幅に，その両側または片側に板部の協力幅をそれぞれ加えたものとする．板部の協力幅は，(8.1)式または(8.2)式により算定する．

   ＜両端剛接合の梁および連続梁の場合＞

$$\frac{a}{l} < 0.5 \text{ の場合} \quad b_a = \left(0.5 - 0.6\frac{a}{l}\right)a \tag{8.1}$$

$\dfrac{a}{l} \geqq 0.5$ の場合　　$b_a = 0.1l$

＜単純梁の場合＞

$\dfrac{a}{l_0} < 1$ の場合　　$b_a = (0.5 - 0.3\dfrac{a}{l_0})a$　　　　　　　　　　　(8.2)

$\dfrac{a}{l_0} \geqq 1$ の場合　　$b_a = 0.2l_0$

記号

　　a：並列 T 形断面部材では材の側面から隣の材の側面までの距離〔図 8.1 参照〕
　　　　単独 T 形断面部材ではその片側フランジ幅の 2 倍
　　l：骨組または連続梁のスパン長さ
　　l_0：単純梁のスパン長さ

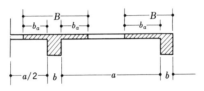

図8.1　T形断面部材の板部の有効幅

（3）　部材の変形は，原則として曲げモーメントおよびせん断力による変形を考慮し，必要に応じて軸方向力による変形を考慮する．この場合，応力計算を簡略化するために，せいに比べて長さが長い線材では，せん断力による変形を無視することができる．

（4）　部材に局部的なひび割れが生じ，剛性低下の影響が無視できない場合は，適切な復元力特性を設定して非線形解析を行い，各部の応力，変形を算定する．

3．壁の剛性評価

耐震壁や壁状の部材には曲げ変形，せん断変形および必要に応じて軸方向変形を考慮するとともに，解析の目的とその応力レベルに基づき，これらの各変形に対応する弾性剛性に対する剛性低下を適切に評価する．

9条　骨組の解析

1．スラブから梁に加わる鉛直荷重は，スラブ上の荷重状態およびスラブの周辺条件を考慮して定める．等分布荷重を受ける長方形スラブを支える梁は，梁の交点から描いた 2 等分線および梁に平行な直線から作られる台形または三角形の部分の荷重を受けるものと見なすことができる〔図 9.1 参照〕．

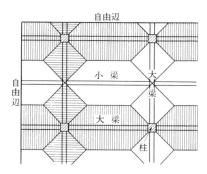

図9.1 等分布荷重を受ける長方形スラブを支える大梁および小梁荷重負担例

2. 骨組内にある壁体の重量は，直接柱に伝わるものと見なすことができる．ただし，基礎梁や基礎スラブ（杭基礎の場合は，パイルキャップおよび杭）の配置，壁体の開口状況，ならびに構造スリットの有無などにより，梁が支持するなど適切に考慮する．
3. 積載荷重については，満載時について算定するほか，必要に応じ部分的載荷による影響を考慮する．
4. 大梁に剛接合される小梁の曲げモーメントは，必要に応じて大梁のねじれ抵抗による拘束を考慮し，連続梁として算定する．
5. 骨組のモデル化は下記による．
（1） 柱・梁のモデル化

柱・梁は，8条の2に示す剛性を有する線材等に置換する．なお，以下の項目を適切に考慮する．

ⅰ）剛域の考慮

柱梁接合部などの部材の接合部，ハンチの部分，腰壁・垂れ壁が部材に接する部分などが応力に及ぼす影響については，部材を適切な剛域と線材の変断面材から構成されるものと考えて評価する．ただし，この影響が小さい場合には，これを無視した場合の応力を適切に増大させる方法でもよい．

ⅱ）接合部の考慮

柱梁接合部のモデル化に際しては，これを剛域と仮定するか，もしくはせん断変形のみを考慮するか，いずれかとする．

ⅲ）特殊な骨組では，発生する応力・変形を考え，適切なモデルを考慮する．

（2） 耐震壁のモデル化

耐震壁は，8条の3に示す剛性を持つモデルに置換し骨組解析を行う．この際，必要に応じて基礎回転の影響を適切にモデル化する．

6. **地震力を受ける骨組の解析**

地震力を受ける柱・梁および耐震壁から構成される骨組の応力・変形解析にあたっては，下記によることができる．

（1） 水平力は，一般には骨組の方向となる互いに直交する二方向に別々に作用するものとする．

ただし，建物の平面が特殊な形状の場合などでは，必要に応じて，特に不利な方向に作用する場合も考える．
（2） 水平力は，床の位置に集中して作用するものとする．層の中間に作用する力の影響が大きいときは，別にその影響を加算する．
（3） 一般に，床は水平面内に剛なものと仮定する．特に，剛なものと考えられない場合には，床の変形を考慮するかまたはその影響を考慮した適切な補正を行う．
（4） 各層の水平力の作用中心と，その層の剛性の中心（剛心）とは原則として一致させるように計画する．ただし，両者が一致せず，それによるねじれの影響が無視できない場合にあっては，その影響を適切に考慮する．
（5） 直交梁・直交壁が柱の軸方向変形を拘束する場合で，かつその影響が無視できない場合には，その影響を適切に考慮する．
（6） 片持ちのスラブ等の建物本体から突出する部分については，地震時鉛直力の影響を適切に考慮する．
（7） 軸力や水平変位が大きい場合は $P-\Delta$ 効果の影響を適切に考慮する．

7． コンクリートのひび割れによる剛性低下の影響を適切に考慮した解析

部材のひび割れ強度を上回る応力が生じる部材を有する骨組解析に際しては，ひび割れによる剛性低下の影響を適切に考慮した部材の力と変形関係に基づく増分解析を行うことが望ましい．

10条　スラブの解析

1． 長方形スラブの曲げモーメントおよびせん断力は，周辺の固定度に応じて弾性理論により求める．
2． 周辺固定と見なすことのできる長方形スラブが等分布荷重を受けるときは，（10.1），（10.2）式により二方向の曲げモーメントを算定する〔図10.1参照〕．

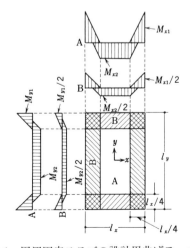

図10.1　周辺固定スラブの設計用曲げモーメント

短辺 x 方向の曲げモーメント（単位幅につき）

両端最大負曲げモーメント

$$M_{x1} = -\frac{1}{12} w_x l_x^2$$

中央部最大正曲げモーメント

$$M_{x2} = \frac{1}{18} w_x l_x^2$$

(10.1)

長辺 y 方向の曲げモーメント（単位幅につき）

両端最大負曲げモーメント

$$M_{y1} = -\frac{1}{24} w l_x^2$$

中央部最大正曲げモーメント

$$M_{y2} = \frac{1}{36} w l_x^2$$

(10.2)

記号　l_x：短辺有効スパン

　　　l_y：長辺有効スパン

　　　w：単位面積についての全荷重

$$w_x = \frac{l_y^4}{l_x^4 + l_y^4} w$$

ただし，有効スパンとは，支持部材間の内法寸法をいう．周辺より $l_x/4$ 幅の部分（図10.1のB部）については，(10.1), (10.2)式中，周辺に平行な方向の M_x, M_y の値を半減することができる．

11条　フラットスラブ構造・フラットプレート構造

1. 本条は，スラブが梁の仲介なく直接柱と一体化された構造に適用する．このうち5項（3）で示す柱頭，または柱頭と支板を設けるものをフラットスラブ構造とし，それらがなく直接一体化されるものをフラットプレート構造と呼ぶ．詳細な計算または特別な実験に基づいて構造安全性を確認できる場合は，本条の一部を適用しないことができる．

2. 鉛直荷重に対する計算は，次の仮定によることができる．

（1）フラットスラブ構造・フラットプレート構造は互いに直交する2つの梁に置換し，それぞれの方向において柱とともに骨組を構成する2方向の置換柱梁骨組として取り扱う．

（2）置換柱梁骨組は，全荷重をそれぞれの方向において別々に負担するものとして算定する．この置換柱梁骨組の梁は，スパン長さ l_x, l_y, 断面幅 l_y, l_x およびせい t とする．積載荷重については，満載荷重時について算定するほか，必要に応じ，部分的載荷による影響を考慮する．

（3）置換柱梁骨組の曲げモーメントのスラブ内における配分は，スラブ面を幅 $l/2$（l：検討方

向の柱スパンの長さ）の柱間帯〔図11.1中のABDC〕と，幅$l/4$の柱列帯〔図11.1中のABFEおよびCDHG〕に分け，それぞれにおいて図11.1の数値を採用する．支持縁に平行な外側柱列帯の単位幅の曲げモーメントは一般柱列帯の1/2の数値を，これに接続する柱間帯の単位幅の曲げモーメントは一般柱間帯の3/4の数値をとってよい．

なお，柱頭まわりのせん断力の分布は一様としてよい．

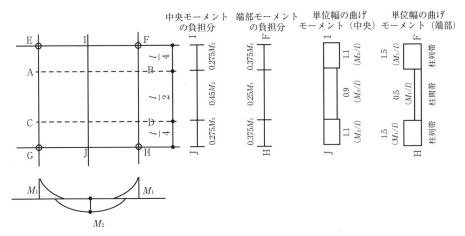

図11.1 鉛直荷重による曲げモーメントの配分

3. 水平力に対する計算は，次の仮定によることができる．
(1) 前項と同様に，二方向の置換柱梁骨組として取り扱う．
(2) 置換柱梁骨組は，水平力をそれぞれの方向において別々に負担するものとして算定する．この置換柱梁骨組の梁は，スパン長さ l_x, l_y, 断面幅$(3/4)l_y$，$(3/4)l_x$およびせいtとする．
(3) 置換柱梁骨組の曲げモーメントのスラブ内における配分は，柱列帯（幅$l_y/2$および$l_x/2$）0.7，柱間帯（幅$l_y/2$および$l_x/2$）0.3の割合とする．

4. フラットスラブ構造・フラットプレート構造は柱頭まわりでのせん断破壊（パンチング破壊）を起こさないように設計する．

5. 前各項によるほか，フラットスラブ構造・フラットプレート構造は次の（1）から（3）による．
(1) スラブ厚さtは150 mm以上とする．屋根スラブではこの制限に従わなくてもよいが，18条5.の構造規定を満たすものとする．
(2) 柱のせい（円形柱では直径）は，それぞれの方向の柱中心距離l_x, l_yの1/20以上，300 mm以上，かつ階高hの1/15以上とする．
(3) フラットスラブ構造では，図11.3に示す柱頭または柱頭と支板を設ける．ただし，スラブに対して傾きが45°以下の柱頭部分は，応力分担を行わないものとする．

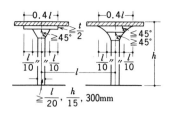

図11.2 フラットプレート構造の柱頭部　　**図11.3** フラットスラブ構造の柱頭部

4章 部材の算定

12条 曲げ材の断面算定における基本仮定

　鉄筋コンクリート造部材の曲げモーメントに対する断面算定は，通常の場合，次の仮定に基づいて行う．
（1）　コンクリートの引張応力度は無視する．
（2）　曲げ材の各断面は材のわん曲後も平面を保ち，コンクリートの圧縮応力度は中立軸からの距離に比例する．
（3）　コンクリートに対する鉄筋のヤング係数比 n は，コンクリートの種類，荷重の長期・短期にかかわらず同一とし，コンクリートの設計基準強度 F_c に応じて，表12.1に示す値とする．

表12.1　コンクリートに対する鉄筋のヤング係数比

コンクリート設計基準強度 F_c (N/mm²)	ヤング係数比 n
$F_c \leq 27$	15
$27 < F_c \leq 36$	13
$36 < F_c \leq 48$	11
$48 < F_c \leq 60$	9

（4）　算定断面に対して直交しない鉄筋については，その断面積に $\cos\theta$ を乗じたものを有効断面積と見なす〔図12.1参照〕．

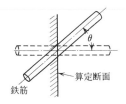

図12.1　算定断面に直交しない鉄筋

13条 梁の曲げに対する断面算定

1. 梁の設計用曲げモーメントは，以下の考え方に基づいて計算する．
（1）　使用性確保のための長期設計用曲げモーメントは，その梁に長期荷重が作用した場合の最大曲げモーメントとする．
（2）　損傷制御のための短期設計用曲げモーメントは，その梁に短期荷重が作用した場合の最大曲げモーメントとする．
2. 長方形梁の許容曲げモーメントは，12条の基本仮定に基づき，圧縮縁がコンクリートの許容圧縮応力度 f_c に達したとき，あるいは引張側鉄筋が鉄筋の許容引張応力度 f_t に達したとき

に対して求まる値のうち，小さいほうの数値とする．

3. 長方形梁とスラブが一体となった構造と見なされるT形梁において，スラブが圧縮側になる場合には，次の規定に従って算定する．スラブが引張側になる場合は，スラブを無視した長方形梁として本条2項の規定に従って算定する．

（1） T形梁の有効幅Bは，通常の場合，8条2項（2）によることができる．

（2） T形梁の許容曲げモーメントは，次のⅰ）またはⅱ）による．

　ⅰ）中立軸がスラブ内にある場合

　　　T形梁の有効幅Bを幅とする長方形梁として本条2項による．

　ⅱ）中立軸がスラブ外にある場合

　　　12条の基本仮定に基づいてT形断面を評価し，圧縮縁がコンクリートの許容圧縮応力度f_cに達したとき，あるいは引張側鉄筋が鉄筋の許容引張応力度f_tに達したときに対して求まる数値のうち，小さいほうの数値とする．

4. 梁の引張鉄筋比が釣合鉄筋比以下のときは，許容曲げモーメントは（13.1）式によることができる．

$$M = a_t f_t j \tag{13.1}$$

　　記号　M：梁の引張鉄筋比が釣合鉄筋比以下の場合の許容曲げモーメント

　　　　　a_t：引張鉄筋断面積

　　　　　f_t：引張鉄筋の許容引張応力度

　　　　　j：梁の応力中心距離で，$(7/8)d$としてよい

　　　　　d：梁の有効せい

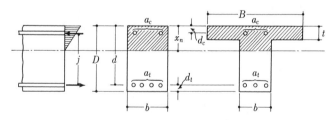

図13.1　梁 の 断 面

5. 前各項の算定のほか，梁は次の（1）から（5）に従うこと．

（1） 長期荷重時に正負最大曲げモーメントを受ける部分の引張鉄筋断面積は，$0.004bd$（b：梁幅，d：梁の有効せい）または存在応力によって必要とされる量の4/3倍のうち，小さいほうの数値以上とする．

（2） 主要な梁は，全スパンにわたり複筋梁とする．ただし，軽量コンクリートを用いた梁の圧縮鉄筋断面積は，所要引張鉄筋断面積の0.4倍以上とする．

（3） 主筋は，D13以上の異形鉄筋とする．

（4） 主筋のあきは，25mm以上，かつ異形鉄筋の径（呼び名の数値mm）の1.5倍以上とする．

（5） 主筋の配置は，特別の場合を除き，2段以下とする．

14条　柱の軸方向力と曲げに対する断面算定

1. 柱の設計用曲げモーメントは，以下の考え方に基づいて計算する．
（1） 使用性確保のための長期設計用曲げモーメントは，その柱に長期荷重が作用した場合の最大曲げモーメントとする．
（2） 損傷制御のための短期設計用曲げモーメントは，その柱に短期荷重が作用した場合の最大曲げモーメントとする．
2. 軸方向力と曲げモーメントを同時に受ける柱においては，12条の基本仮定に基づいて断面内の応力度を算定し，圧縮縁がコンクリートの許容圧縮応力度 f_c に達したとき，圧縮側鉄筋が鉄筋の許容圧縮応力度 $_rf_c$ に達したとき，または引張鉄筋が鉄筋の許容引張応力度 f_t に達したときに対して求めたそれぞれの曲げモーメントのうち，最小値を許容曲げモーメント M とする．
3. 地震時に曲げモーメントが特に増大するおそれのある柱では，短期軸方向力を柱のコンクリート全断面積で除した値は $(1/3)F_c$ 以下とすることが望ましい．
4. 前各項の算定のほか，柱は次の（1）から（4）に従うこと．
（1） 材の最小径とその主要支点間距離の比は，普通コンクリートを使用する場合は 1/15 以上，軽量コンクリートを使用する場合は 1/10 以上とする．ただし，柱の有効細長比を考慮した構造計算によって，構造耐力上安全であることが確かめられた場合においては，この限りではない．
（2） コンクリート全断面積に対する主筋全断面積の割合は，0.8％以上とする．
（3） 主筋は，D13以上の異形鉄筋を4本以上配置する．
（4） 主筋のあきは，25 mm 以上，かつ異形鉄筋の径（呼び名の数値 mm）の 1.5 倍以上とする．

15条　梁・柱および柱梁接合部のせん断に対する算定

1. 長方形およびT形断面の梁，柱ならびに柱梁接合部のせん断力に関する算定は，本条による．その他の断面形の場合は，本条に準じて算定する．ただし，実験などでせん断補強効果が十分であることが確かめられた場合の許容せん断力は，本条によらなくてもよい．
2. 梁・柱のせん断補強
（1） 長期荷重時のせん断力に対する使用性の確保のための検討は，下記による．
ⅰ）使用性確保のための梁，柱の長期許容せん断力は，(15.1)式による．

$$Q_{AL} = bj\alpha f_s \tag{15.1}$$

ただし，

$$\alpha = \frac{4}{\frac{M}{Qd}+1} \quad \text{かつ} \quad 1 \leq \alpha \leq 2 \quad (\text{柱は } 1 \leq \alpha \leq 1.5)$$

記号

b：梁，柱の幅．T形梁の場合はウェブの幅

j：梁，柱の応力中心距離で$(7/8)d$とすることができる．

d：梁，柱の有効せい

f_s：コンクリートの長期許容せん断応力度

α：梁，柱のせん断スパン比$\dfrac{M}{Qd}$による割増係数

M：設計する梁，柱の長期荷重による最大曲げモーメント

Q：設計する梁，柱の長期荷重による最大せん断力

なお，梁の長期許容せん断力は，長期荷重によるせん断ひび割れを許容する場合には，(15.2)式により算定してよい．

$$Q_{AL} = bj\{\alpha f_s + 0.5_w f_t (p_w - 0.002)\} \tag{15.2}$$

p_wの値が0.6%を超える場合は，0.6%として許容せん断力を計算する．

記号

p_w：梁のあばら筋比で，次式による

$$p_w = \dfrac{a_w}{bx}$$

a_w：1組のあばら筋の断面積

x：あばら筋の間隔

$_w f_t$：あばら筋のせん断補強用長期許容引張応力度

その他の記号は前出による．

ⅱ）梁，柱の長期設計用せん断力は，その部材の長期荷重による最大せん断力とする．

（2） 短期荷重時のせん断力に対する損傷制御のための検討は，下記による．なお，本条2項（3）によって短期設計を行う場合は，下記の算定を省略してもよい．

ⅰ）損傷制御のための梁，柱の短期許容せん断力は，(15.3)式による．

$$Q_{AS} = bj\left\{\dfrac{2}{3}\alpha f_s + 0.5_w f_t (p_w - 0.002)\right\} \tag{15.3}$$

ただし，

$$\alpha = \dfrac{4}{\dfrac{M}{Qd}+1} \quad \text{かつ} \quad 1 \leq \alpha \leq 2 \quad (\text{柱は} 1 \leq \alpha \leq 1.5)$$

p_wの値が1.2%を超える場合は，1.2%として許容せん断力を計算する．

記号

b：梁，柱の幅．T形梁の場合はウェブの幅

j：梁，柱の応力中心距離で，$(7/8)d$とすることができる．

d：梁，柱の有効せい

p_w：梁，柱のせん断補強筋比で，次式による．

$$p_w = \frac{a_w}{bx}$$

a_w：1組のせん断補強筋の断面積

x：せん断補強筋の間隔

f_s：コンクリートの短期許容せん断応力度

$_wf_t$：せん断補強筋の短期許容引張応力度で，390 N/mm² を超える場合は 390 N/mm² として許容せん断力を計算する．

α：梁，柱のせん断スパン比 $\dfrac{M}{Qd}$ による割増係数

M：設計する梁，柱の最大曲げモーメント

Q：設計する梁，柱の最大せん断力

ⅱ）損傷制御のための梁，柱の短期設計用せん断力は，(15.4) 式による．

$$Q_{DS} = Q_L + Q_E \tag{15.4}$$

記号

Q_{DS}：梁，柱の設計用せん断力

Q_L：設計する梁，柱の長期荷重によるせん断力

Q_E：設計する梁，柱の水平荷重によるせん断力

（3）大地震動に対する安全性の確保のための検討は，下記による．なお，本条2項（2）によって短期設計を行い，かつ梁，柱のせん断終局強度に基づいてせん断破壊に対する安全性の検討を行う場合は，下記の算定を省略してもよい．

ⅰ）安全性確保のための許容せん断力は，梁が (15.5) 式，柱が (15.6) 式による．

$$Q_A = bj\{\alpha f_s + 0.5_wf_t(p_w - 0.002)\} \tag{15.5}$$
$$Q_A = bj\{f_s + 0.5_wf_t(p_w - 0.002)\} \tag{15.6}$$

ただし，

$$\alpha = \frac{4}{\dfrac{M}{Qd} + 1} \quad \text{かつ} \quad 1 \leq \alpha \leq 2$$

p_w の値が1.2%を超える場合は，1.2%として許容せん断力を計算する．

記号

b：梁，柱の幅．T形梁の場合はウェブの幅

j：梁，柱の応力中心距離で，$(7/8)d$ とすることができる．

d：梁，柱の有効せい

p_w：梁，柱のせん断補強筋比で，次式による．

$$p_w = \frac{a_w}{bx}$$

a_w：1組のせん断補強筋の断面積

x：せん断補強筋の間隔

f_s：コンクリートの短期許容せん断応力度

$_wf_t$：せん断補強筋の短期許容引張応力度

α：梁のせん断スパン比 $\dfrac{M}{Qd}$ による割増係数

M：設計する梁の最大曲げモーメント

Q：設計する梁の最大せん断力

ii）安全性確保のための設計用せん断力は，梁が（15.7）式，柱が（15.8）式による．

$$Q_D = Q_L + \frac{\sum_B M_y}{l'} \tag{15.7}$$

$$Q_D = \frac{\sum_C M_y}{h'} \tag{15.8}$$

ただし，（15.9）式の n を 1.5 以上として使用する場合には（15.7），（15.8）式によらなくてよい．

$$Q_D = Q_L + n \cdot Q_E \tag{15.9}$$

記号

Q_L：設計する部材の長期荷重によるせん断力で，（15.7）式においては単純梁として算定した値を用いてよい．

$\sum_B M_y$：せん断力が最大となるような梁両端の降伏曲げモーメントの絶対値の和

l'：梁の内法スパン長さ

$\sum_C M_y$：柱頭・柱脚の降伏曲げモーメントの絶対値の和．この場合，柱頭の降伏曲げモーメントの絶対値よりも，柱頭に連なる梁の降伏曲げモーメントの絶対値の和の 1/2 が小さい場合には，小さいほうの数値を柱頭の降伏曲げモーメントとしてよい．ただし，最上階の柱では 1/2 を省くものとする．

h'：柱の内法高さ

Q_E：設計する梁，柱の水平荷重によるせん断力

n：水平荷重時せん断力の割増係数

（4）上記算定のほか，梁，柱のせん断補強筋は次の各項に従うこと．ただし，特別な調査・研究によって支障ないことが確かめられた場合は，この限りでない．

 i）梁，柱のせん断補強筋は，直径 9 mm 以上の丸鋼，または D 10 以上の異形鉄筋を用いる．

 ii）梁，柱のせん断補強筋比は，0.2 % 以上とする．

 iii）梁のせん断補強筋（あばら筋）の間隔は，梁せいの 1/2 以下，かつ 250 mm 以下とする．

 iv）柱のせん断補強筋（帯筋）の間隔は，100 mm 以下とする．ただし，柱の上下端より柱の最大径の 1.5 倍または最小径の 2 倍のいずれか大きいほうの範囲外では，帯筋間隔を前記数値の 1.5 倍まで増大することができる．

 v）せん断補強筋は主筋を包含し，主筋内部のコンクリートを十分に拘束するように配置し，その末端は 135° 以上に曲げて定着するか，または相互に溶接する．

vi）幅の広い梁や主筋が一段に多数並ぶ梁などでは，副あばら筋を使用するなど，靱性を確保できるようにすることが望ましい．

vii）せん断力や圧縮力が特に増大するおそれのある柱には，鉄筋端部を溶接した閉鎖形帯筋を主筋を包含するように配置したり，副帯筋を使用するなど，靱性を確保できるようにすることが望ましい．

3. 柱梁接合部

（1）純ラーメン部分の柱梁接合部の大地震動に対する安全性の確保のための検討は，下記による．なお，柱梁接合部のせん断終局強度に基づいてせん断破壊に対する安全性の検討を行う場合は，下記の算定を省略してもよい．

（2）柱梁接合部の安全性確保のための許容せん断力は，（15.10）式による．

$$Q_{Aj} = \kappa_A (f_s - 0.5) b_j D \tag{15.10}$$

記号

κ_A：柱梁接合部の形状による係数

$\kappa_A = 10$（十字形接合部）

$\kappa_A = 7$（T形接合部）

$\kappa_A = 5$（ト形接合部）

$\kappa_A = 3$（L形接合部）

f_s：コンクリートの短期許容せん断応力度

b_j：柱梁接合部の有効幅で，次式による．

$b_j = b_b + b_{a1} + b_{a2}$

ここに，b_b は梁幅，b_{ai} は $b_i/2$ または $D/4$ の小さいほうとし，b_i は梁両側面からこれに平行する柱側面までの長さとする．

D：柱せい

（3）柱梁接合部の安全性確保のための設計用せん断力は（15.11）式による．なお，（15.9）式において n を1.5以上として柱の設計用せん断力 Q_D を算定する場合は，（15.12）式を用いてよい．

$$Q_{Dj} = \sum \frac{M_y}{j}(1-\xi) \tag{15.11}$$

$$Q_{Dj} = Q_D \frac{1-\xi}{\xi} \tag{15.12}$$

ただし，ξ は架構の形状に関する係数で，（15.13）式による．

$$\xi = \frac{j}{H_c\left(1 - \dfrac{D}{L_b}\right)} \tag{15.13}$$

記号

$\sum \dfrac{M_y}{j}$：柱梁接合部の左右の梁の降伏曲げモーメントの絶対値をそれぞれの応力中心距離 j で除した和．ただし，梁は一方が上端引張，他方が下端引張とす

る．

Q_D：本条2項（3）による柱の安全性確保のための設計用せん断力で，n を 1.5 以上として（15.9）式より算定した各階の数値を用いて，一般階の柱梁接合部では接合部の上下の柱の設計用せん断力の平均値，最上階の柱梁接合部では接合部直下の柱の設計用せん断力の値とする．

D：柱せい

j：梁の応力中心距離で，（15.13）式では柱梁接合部の左右の梁の平均値とする．

H_c：柱梁接合部の上下の柱の平均高さで，最上階の接合部では最上階の柱の高さの 1/2 とする．柱の高さは上下階の梁の中心間距離とする．

L_b：柱梁接合部の左右の梁の平均長さで，外端の接合部では外端の梁の長さとする．梁の長さは梁両端の柱の中心間距離とする．

（4）柱梁接合部内の帯筋は，以下の各項に従うこと．ただし，特別な調査・研究によって支障ないことが確かめられた場合は，この限りでない．

ⅰ）帯筋は，直径 9 mm 以上の丸鋼または D 10 以上の異形鉄筋を用いる．

ⅱ）帯筋比は 0.2% 以上とする．

ⅲ）帯筋間隔は 150 mm 以下とし，かつ隣接する柱の帯筋間隔の 1.5 倍以下とする．

16 条　付着および継手

1．付　　着

（1）曲げ材の引張鉄筋ではスパン内において付着応力度の算定を行い，本条1項（3）によって長期荷重に対する使用性確保，短期荷重に対する損傷制御，大地震動に対する安全性確保のための検討を行う．ただし，束ね筋は断面の等価な1本の鉄筋として取り扱う．

（2）本条1項（3）の平均付着応力度の算定において，曲げ材の引張鉄筋の付着検定断面と付着長さ l_d は以下による．

1）付着検定断面は，スパン内で最大曲げモーメントとなる断面とする．

2）スパン途中でカットオフされる鉄筋（以下，カットオフ筋と略記）の付着長さ l_d は，付着検定断面から鉄筋端までの長さ〔図 16.1〕とし，鉄筋端部に標準フック（17 条に規定）を設ける場合は，折曲げ開始点までの長さとする．

3）長期荷重および短期荷重に対する検討において，スパン内に通し配筋される鉄筋（以下，通し筋と略記）の付着長さ l_d は，曲げ材の内法長さ L とする．

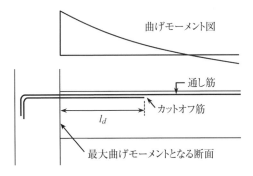

図 16.1　カットオフ筋の付着長さ

（3）　曲げ材の引張鉄筋の付着応力度の検討は，以下の各項による．

1）　長期荷重に対する使用性確保のための検討は，(16.1) 式または (16.2) 式による．

$$\tau_{a1} = \frac{Q_L}{\sum \phi \cdot j} \leq {}_L f_a \tag{16.1}$$

$$\tau_{a2} = \frac{{}_L \sigma_t \cdot d_b}{4(l_d - d)} \leq 0.8 {}_L f_a \tag{16.2}$$

2）　短期荷重に対する損傷制御のための検討は，(16.3) 式または (16.4) 式による．

$$\tau_{a1} = \frac{Q_L + Q_E}{\sum \phi \cdot j} \leq {}_S f_a \tag{16.3}$$

$$\tau_{a2} = \frac{{}_S \sigma_t \cdot d_b}{4(l_d - d)} \leq 0.8 {}_S f_a \tag{16.4}$$

3）　大地震動に対する安全性確保のための検討は，通し筋は (16.5) 式，カットオフ筋は (16.6) 式による．なお，大地震動に対しても付着割裂破壊を生じないことが明らかな曲げ材の場合，および付着割裂強度に基づいて付着割裂破壊に対する安全性の検討を別途行う場合には，下記の検討を省略できる．

$$\tau_D = \alpha_1 \times \frac{\sigma_D \cdot d_b}{4(L' - d)} \leq K f_b \tag{16.5}$$

$$\tau_D = \alpha_2 \times \frac{\sigma_D \cdot d_b}{4(l_d - d)} \leq K f_b \tag{16.6}$$

　　　　ただし，$l_d \geq l' + d$

記号　　τ_{a1}：引張鉄筋の曲げ付着応力度
　　　　τ_{a2}：引張鉄筋の平均付着応力度
　　　　τ_D：安全性検討用の平均付着応力度
　　　　Q_L：長期荷重時せん断力
　　　　Q_E：水平荷重時せん断力
　　　　ϕ：鉄筋の周長
　　　　d：曲げ材の有効せい

j：曲げ材の応力中心距離で，$j=(7/8)d$ とすることができる．

l_d：引張鉄筋の付着長さで，(16.2)，(16.4)，(16.6) の各式においては，対象とする荷重の作用により曲げ材にせん断ひび割れを生じないことが確かめられた場合には，式中の l_d-d を l_d としてよい．

d_b：曲げ補強鉄筋径で，異形鉄筋では呼び名の数値とする．

$_L\sigma_t$：付着検定断面位置における長期荷重時の鉄筋存在応力度で，鉄筋端に標準フックを設ける場合にはその値の 2/3 倍とすることができる．

$_S\sigma_t$：付着検定断面位置における短期荷重時の鉄筋存在応力度で，鉄筋端に標準フックを設ける場合にはその値の 2/3 倍とすることができる．

$_Lf_a$：長期許容付着応力度で，6条による．

$_Sf_a$：短期許容付着応力度で，6条による．

σ_D：付着検定断面位置における安全性検討用の鉄筋引張応力度で以下による．

　　　曲げ降伏する部材：$\sigma_D=\sigma_y$

　　　上記以外の部材：$\sigma_D={_L\sigma_t}+n\times{_E\sigma_t}\leqq\sigma_y$

σ_y：付着検定断面位置における鉄筋の降伏強度で，鉄筋端に標準フックを設ける場合には，その値の 2/3 倍とすることができる．

$_E\sigma_t$：付着検定断面位置における水平荷重時の鉄筋存在応力度で，鉄筋端に標準フックを設ける場合には，その値の 2/3 倍とすることができる．

n：水平荷重時せん断力の割増係数で 1.5 以上の数値

f_b：付着割裂の基準となる強度で，表 16.1 による．

α_1：通し筋の応力状態を表す係数で，表 16.2 による．

α_2：カットオフ筋の応力状態を表す係数で，表 16.3 による．

L'：通し筋の付着長さで，付着検定断面において，カットオフ筋がなく通し筋のみの場合は $L'=L$，通し筋とカットオフ筋の両方がある場合は $L'=L-l'$ とする．なお，(16.5)式において，対象とする荷重の作用により曲げ材にせん断ひび割れを生じないことが確かめられた場合には，式中の $L'-d$ を L' としてよい．

L：曲げ材の内法長さ

l'：付着検定断面からカットオフ筋が設計用曲げモーメントに対して計算上不要となる断面（以下，計算上不要となる断面と略記）までの距離で，両端が曲げ降伏する部材では (16.7) 式，一端が曲げ降伏で他端が弾性の部材では (16.8) 式で計算してよい．

$$両端曲げ降伏部材：l'=\frac{A_{cut}}{A_{total}}\times\frac{L}{2} \qquad (16.7)$$

$$一端曲げ降伏・他端弾性部材：l'=\frac{A_{cut}}{A_{total}}\times L \qquad (16.8)$$

A_{cut}：カットオフされる引張鉄筋の断面積

A_{total}：引張鉄筋の総断面積

K：鉄筋配置と横補強筋による修正係数で（16.9）式による．

$$K = 0.3\left(\frac{C+W}{d_b}\right) + 0.4 \leq 2.5 \tag{16.9}$$

C：計算する断面における鉄筋間のあき，または最小かぶり厚さの3倍のうちの小さいほうの数値で，$5d_b$ 以下とする．なお，（16.10）式で C を算定してもよい．

$$C = \frac{b - N \cdot d_b}{N} \leq \min(3C_{\min}, 5d_b) \tag{16.10}$$

N：当該鉄筋列の想定される付着割裂面における鉄筋本数

b：部材の幅

$C_{\min}$：当該鉄筋の最小かぶり厚さ

W：付着割裂面を横切る横補強筋効果を表す換算長さで，（16.11）式による．

$$W = 80\frac{A_{st}}{sN} \leq 2.5\,d_b \tag{16.11}$$

A_{st}：当該鉄筋列の想定される付着割裂面を横切る一組の横補強筋全断面積

s：一組の横補強筋（断面積 A_{st}）の間隔

表16.1 付着割裂の基準となる強度 f_b

	安全性確保のための検討	
	上端筋	その他の鉄筋
普通コンクリート	$0.8 \times \left(\frac{F_c}{40} + 0.9\right)$	$\frac{F_c}{40} + 0.9$
軽量コンクリート	普通コンクリートに対する値の0.8倍	

［注］
1) 上端筋とは，曲げ材にあってその鉄筋の下に300 mm 以上のコンクリートが打ち込まれる場合の水平鉄筋をいう．
2) F_c はコンクリートの設計基準強度（N/mm²）を表す．
3) 多段配筋の1段目（断面外側）以外の鉄筋に対しては，上表の値に0.6を乗じる．

表16.2 通し筋の応力状態を表す係数 α_1

両端が曲げ降伏する部材の通し筋	1段目の鉄筋	2
	多段配筋の2段目以降の鉄筋	1.5
一端曲げ降伏で他端弾性の部材の通し筋		1

表16.3 カットオフ筋の応力状態を表す係数 α_2

付着長さが $L/2$ 以下のカットオフ筋	1段目の鉄筋	1
	多段配筋の2段目以降の鉄筋	0.75
付着長さが $L/2$ を超えるカットオフ筋		1

（4） 付着に関する構造規定
1） カットオフ鉄筋は，計算上不要となる断面を超えて部材有効せい d 以上延長する．

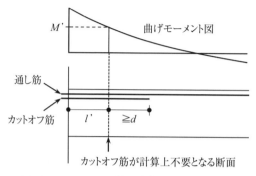

図 16.2　カットオフ筋が計算上不要となる断面

　　記号　M'：カットオフ筋が計算上不要となる断面の曲げモーメントで，カットオフされる引張鉄筋を除いた断面に基づく許容曲げモーメントとしてよい．
　他の記号は前出のとおりである．

2） 引張を受ける上端筋の 1/3 以上は部材全長に連続して，あるいは継手を設けて配する．
3） 引張を受ける下端筋の 1/3 以上は部材全長に連続して，あるいは継手を設けて配する．
4） 引張鉄筋の付着長さは原則として 300 mm を下回ってはならない．
5） 柱および梁（基礎梁を除く）の出隅部分および煙突においては，原則として鉄筋の末端に標準フックを設ける．

2. 継　手

（1） 鉄筋の継手には，重ね継手，ガス圧接継手，溶接継手，または機械式継手を用いる．ただし本条では，以下に重ね継手について規定する．
（2） D 35 以上の鉄筋には原則として重ね継手を用いない．
（3） 鉄筋の重ね継手は，部材応力ならびに鉄筋存在応力度の小さい箇所に設けることとし，同一断面で全引張鉄筋の継手（全数継手）としないことを原則とする．
（4） 曲げ補強鉄筋の重ね継手長さは，以下の各項を満足するように設定する．ただし，200 mm および鉄筋径の 20 倍を下回る継手長さとしてはならない．
1） 重ね継手の長期荷重に対する使用性確保や短期荷重に対する損傷制御のための検討は，引張鉄筋に対しては（16.12）式により，圧縮鉄筋に対しては（16.13）式により行う．

$$\frac{\sigma_t \cdot d_b}{4l} \leq f_a \tag{16.12}$$

$$\frac{\sigma_c \cdot d_b}{4l} \leq 1.5 f_a \tag{16.13}$$

2） 重ね継手の大地震動に対する安全性確保のための検討は，（16.14）式による．なお，付着割裂強度に基づく計算によって重ね継手長さを定める場合，および曲げ降伏を生じるおそれ

のない曲げ補強鉄筋（D 25 以下に限る）の重ね継手を存在応力度の小さい箇所に設ける場合は，下式によらなくてもよい．

$$\frac{\sigma_y \cdot d_b}{4l} \leq K f_b \tag{16.14}$$

記号　l：重ね継手長さ．鉄筋端に標準フック（17 条に規定）を設ける場合には，フックを除いた長さとする．

σ_t：引張鉄筋の継手部分の最大存在応力度で，鉄筋端に標準フックを設ける場合には，その値の 2/3 倍とすることができる．

σ_c：圧縮鉄筋の継手部分の最大存在応力度

σ_y：引張鉄筋の継手部分の降伏強度で，鉄筋端に標準フックを設ける場合には，その値の 2/3 倍とすることができる．

d_b：曲げ補強鉄筋径で，異形鉄筋では呼び名の数値とする．

f_a：許容付着応力度で，鉄筋の位置にかかわらず 6 条の表 6.3 の上端筋に対する値を用いる．

f_b：付着割裂の基準となる強度で，表 16.1 による．

K：鉄筋配置と横補強筋による修正係数で（16.9）式による．なお，（16.9）式における係数 C は（16.15）式によって算出してよい．ただし，係数 K，C，W の計算では，鉄筋が密着しない場合であっても鉄筋が密着した継手として扱い，鉄筋本数 N は想定される付着割裂面における全鉄筋本数から継手組数を減じた値とする．

$$C = \frac{b - \sum d_b}{N} \leq \min(3\,C_{\min},\ 5\,d_b) \tag{16.15}$$

$\sum d_b$：当該鉄筋列の想定される付着割裂面における鉄筋径の総和で，継手の鉄筋も含める．

他の記号は前出のとおりである．

（5）　重ね継手は，曲げひび割れが継手筋に沿って生じるような部位に設けてはならない．

（6）　溶接金網の重ね継手は，重ね長さを最外端の横筋間で測った距離とし，横筋間隔に 50 mm を加えた長さ以上かつ 150 mm 以上とする．

3．鉄筋の部材内定着

（1）　引張鉄筋の部材内への定着は，（16.12）式および（16.14）式により検討を行う．ただし，両式内の記号 l を定着長さと置き換える．また，σ_t，σ_y は，引張鉄筋の最大存在応力度または許容引張応力度，および降伏強度とし，鉄筋端に標準フックを設ける場合には，その値の 2/3 倍とすることができる．

（2）　引張鉄筋の仕口内への定着は，17 条によって検討する．

17条 定 着

1. 定 着

(1) 一般事項

本条は，定着破壊に対する安全性の確保を目標とし，異形鉄筋の仕口への定着を対象とする．

異形鉄筋の仕口への定着は，(17.1) 式により必要定着長さ l_{ab} 以上の定着長さ l_a を確保する．通し配筋定着する場合は後述の (4) による．

$$l_a \geqq l_{ab} \tag{17.1}$$

(2) 定着長さ l_a

直線定着する場合の定着長さ l_a は，定着起点から当該鉄筋端までの長さとする〔図 17.1〕．本条 2. に規定する標準フックを鉄筋端に設ける場合は，定着起点からフックまでの投影定着長さ〔図 17.2 の網掛け部分の投影長さ l_{dh}〕を l_a とする．信頼できる機械式定着具を鉄筋端に設ける場合は，定着起点から定着具突起までの長さを l_a とする〔図 17.2〕．

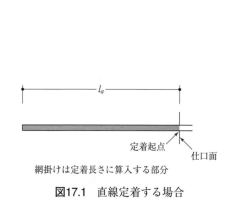

図17.1　直線定着する場合

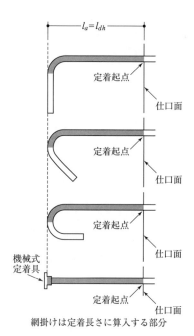

図17.2　標準フック等を設ける場合

(3) 必要定着長さ l_{ab}

異形鉄筋による引張鉄筋の必要定着長さ l_{ab} は，(17.2) 式より算定する．

$$l_{ab} = \alpha \frac{S\sigma_t d_b}{10 f_b} \tag{17.2}$$

記号

f_b：付着割裂の基準となる強度で，16 条の表 16.1 のうち「その他の鉄筋」欄の数値

σ_t：仕口面における鉄筋の応力度．当該鉄筋の短期許容応力度を用いることを原則とする．設計で長期応力のみ負担すると考えた部材にあっては，当該鉄筋の存在応力度の 1.5 倍を用いてよい．

d_b：異形鉄筋の呼び名に用いた数値（mm）

α：横補強筋で拘束されたコア内に定着する場合は 1.0，それ以外の場合は 1.25 とする．

S：必要定着長さの修正係数で，表 17.1 による．

表 17.1　必要定着長さの修正係数

種類			S
直線定着	耐震部材（柱，大梁，耐震壁，基礎など）		1.25
	非耐震部材（小梁，スラブ，非構造壁など）	片持形式	
		上記以外	1.0
	その他の部材		
標準フックまたは信頼できる機械式定着具	耐震部材（柱，大梁，耐震壁，基礎など）		0.7
	非耐震部材（小梁，スラブ，非構造壁など）	片持形式	
		上記以外	0.5
	その他の部材		

（4）通し配筋定着する場合の制限

純ラーメン部分の柱梁接合部内を通して配される梁および柱主筋の径は，(17.3) 式を満たすことを原則とする．ただし，主筋の降伏が生じない部材では，これを緩和してよい．

$$\frac{d_b}{D} \leqq 3.6 \frac{1.5 + 0.1 F_c}{f_t} \tag{17.3}$$

記号　D：当該鉄筋が通し配筋される部材の全せい（mm）

　　　F_c：コンクリートの設計基準強度（N/mm²）

　　　f_t：当該鉄筋の短期許容引張応力度（N/mm²）

（5）定着に関する構造規定

1) 引張応力を受ける鉄筋の直線定着長さは原則として 300 mm 以上とする．

2) 折曲げ定着の場合は，原則として投影定着長さを $8d_b$ かつ 150 mm 以上とする．ただし，設計で長期応力のみ負担すると考えた部材で特別な配慮をした場合はこの限りでない．

3) 折曲げによる梁主筋の柱への定着および柱主筋の梁への定着における投影定着長さは，仕口部材断面全せいの 0.75 倍以上を基本とし，接合部パネルゾーン側へ折り曲げることを原則とする．ただし，仕口部材断面せいが十分に大きい場合，あるいは，特別な配慮をした場合はこの限りでない．

4) 機械式定着具は横補強筋で拘束されたコア内で用いることを原則とする．

5) 特殊な定着箇所においては，応力が無理なく伝達されるようなディテールとする．

6) 圧縮応力のみを受ける鉄筋の仕口への定着は，原則として投影定着長さを $8d_b$ 以上とする．

7) 部材固定端における溶接金網の定着では，仕口面から最外端の横筋までの長さを横筋間隔に 50 mm を加えた長さ以上かつ 150 mm 以上とする．

2. **標準フック**

本条によって定着の検定を行う折曲げ定着筋の標準フックの余長は，90°折曲げの場合鉄筋径の 8 倍以上，135°折曲げの場合は鉄筋径の 6 倍以上，180°折曲げの場合は鉄筋径の 4 倍以上とする．折曲げ部の折曲げ内法直径の最小値は，表 17.2 による．また，標準フックの鉄筋側面からコンクリート表面までの側面かぶり厚さの最小値は，表 17.3 による．

表 17.2 標準フックの内法直径

折曲げ角度	鉄筋種類	鉄筋径による区分	鉄筋の折曲げ内法直径(D)
180° 135° 90°	SD 295 SD 345	D 16 以下	$3d_b$ 以上
		D 19～D 41	$4d_b$ 以上
	SD 390	D 41 以下	$5d_b$ 以上
90°*	SD 490	D 25 以下	
		D 29～D 41	$6d_b$ 以上

[注] d_b：定着する鉄筋の呼び名に用いた数値(mm)
＊SD 490 を 90°を超えて折り曲げる場合は，曲げ試験を行う

表 17.3 標準フックの側面かぶり厚さ

$S=0.5$ とする場合	$2d_b$ 以上かつ 65 mm 以上
$S=0.7$ とする場合	$1.5d_b$ 以上かつ 50 mm 以上

18 条　床スラブ

1. 床スラブの厚さは通常の場合，表 18.1 に示す値以上，かつ 80 mm 以上とする．ただし，軽量コンクリート床スラブでは表 18.1 に示す値の 1.1 倍以上，かつ 100 mm 以上とする．周辺固定条件が異なる場合または表 18.1 によらない場合は，適切な計算，または実験によってスラブに有害なたわみ，ひび割れ，あるいは振動障害を生じないことを確認する．

表 18.1　床スラブの厚さの最小値

支持条件	スラブ厚さ t （mm）
周辺固定	$t = 0.02\left(\dfrac{\lambda - 0.7}{\lambda - 0.6}\right)\left(1 + \dfrac{w_p}{10} + \dfrac{l_x}{10\,000}\right)l_x$
片持ち	$t = \dfrac{l_x}{10}$

［注］　1）　$\lambda = l_y / l_x$
　　　　　　　l_x：短辺有効スパン長さ（mm）
　　　　　　　l_y：長辺有効スパン長さ（mm）
　　　　　　　　　ただし，有効スパン長さとは，梁，その他支持部
　　　　　　　　　材間の内法寸法をいう．
　　　　2）　w_p：積載荷重と仕上荷重との和（kN/m²）
　　　　3）　片持スラブの厚さは支持端について制限する．
　　　　　　その他の部分の厚さは適切に低減してよい．

2．　小梁付き床スラブにあっては，小梁の過大たわみおよび大梁に沿った床スラブの過大ひび割れを防止するため，小梁に十分な曲げ剛性を確保するものとする．

3．　曲げモーメントに対する断面の算定は，13 条の 4. によって算定してよい．

4．　せん断力および付着・定着に対する算定は，15 条，16 条および 17 条に準じる．

5．　スラブの配筋は前各項によるほか，次の（1）および（2）による．ただし，軽微なスラブまたは特殊なスラブは，この限りでない．

（1）　スラブの引張鉄筋は，D 10 以上の異形鉄筋あるいは鉄線の径が 6 mm 以上の溶接金網を用い，正負最大曲げモーメントを受ける部分にあっては，その間隔を表 18.2 に示す値とする．

表 18.2　床スラブの配筋

	普通コンクリート	軽量コンクリート（一種，二種）
短辺方向	200 mm 以下 径 9 mm 未満の溶接金網では 150 mm 以下	200 mm 以下 径 9 mm 未満の溶接金網では 150 mm 以下
長辺方向	300 mm 以下，かつスラブ厚さの 3 倍以下 径 9 mm 未満の溶接金網では 200 mm 以下	250 mm 以下 径 9 mm 未満の溶接金網では 200 mm 以下

（2）　スラブ各方向の全幅について，鉄筋全断面積のコンクリート全断面積に対する割合は 0.2％以上とする．

19 条　壁部材の算定

1．　一 般 事 項

壁部材の許容耐力の算定および詳細は本条による．壁部材とは，壁板と柱，梁を一体化した

部材または壁板の総称で，以下の（a）〜（d）に分類して適用する．

(a) 耐震壁（両側柱付き壁）〔図19.1（a-1）（a-2）（a-3）参照〕
(b) 袖壁付き柱（柱付き壁）〔図19.1（b）参照〕
(c) 壁板（柱なし壁）〔図19.1（c）参照〕
(d) 腰壁・垂壁付き梁（梁付き壁）〔図19.1（d）参照〕

壁部材の許容耐力の算定および構造規定は本条による．上記以外に床スラブの面内許容せん断耐力の算定にも本条を適用してよい．なお，当該壁部材および他の部材の挙動に対して壁板の影響が小さい場合は，袖壁付き柱，腰壁・垂壁付き梁については壁板を無視して13条，14条および15条により検討してよい．さらに，曲げ挙動に関しては壁板を考慮する場合であっても，許容せん断力の算定においては，壁板を無視して15条の式を適用してよい．

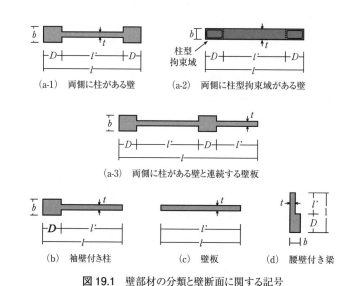

図 19.1 壁部材の分類と壁断面に関する記号

2. 許容曲げモーメント

壁部材の許容曲げモーメントは，12条の基本仮定に基づき，圧縮縁がコンクリートの許容圧縮応力度 f_c に達したとき，あるいは引張側鉄筋が鉄筋の許容引張応力度 f_t に達したときに対して算定される値のうち，小さいほうによる．

3. 許容せん断力

（1）長期許容せん断力

壁部材の使用性の検討に用いる長期許容せん断力 Q_{AL} は，(19.1) 式で算定することができる．

$$Q_{AL} = t l f_s \tag{19.1}$$

記号

t ：壁板の厚さ

l ：柱（または梁）を含む壁部材の全せい〔図19.1参照〕

f_s：コンクリートの許容せん断応力度

（2） 短期許容せん断力

壁部材の損傷制御の検討に用いる短期許容せん断力 Q_A は，(19.2) 式で算定することができる．すなわち，(19.3) 式による Q_1，(19.4) 式による Q_2 のうち，いずれか大きいほうの値としてよい．

$$Q_A = \max(Q_1, Q_2) \tag{19.2}$$

$$Q_1 = tl f_s \tag{19.3}$$

$$Q_2 = \sum Q_w + \sum Q_c \tag{19.4}$$

ここで，Q_w および Q_c は，それぞれ壁部材に含まれる壁板1枚および柱（または梁）1本が負担できる許容せん断力で，(19.5) 式および (19.6) 式によることができる．

$$Q_w = p_s t l_e f_t \tag{19.5}$$

$$Q_c = bj\{\alpha f_s + 0.5 {}_w f_t (p_w - 0.002)\} \tag{19.6}$$

記号

l_e：壁板の有効長さで，両側に柱がある場合 $l_e = l'$，

片側に柱がある場合 $l_e = 0.9 l'$，柱がない場合 $l_e = 0.8 l'$ とする．

l'：壁板の（内法）長さ〔図 19.1 参照〕

b：柱（または梁）の幅

j：柱（または梁）の応力中心間距離（$= (7/8) d$ または $0.8 D$ としてよい）

D：柱（または梁）のせい

d：柱（または梁）の有効せい

f_t：壁筋のせん断補強用短期許容引張応力度で，390 N/mm² を超える場合は 390 N/mm² として許容せん断力を計算する．ただし，本項（3）の安全性の検討においてはこの限りではない．

${}_w f_t$：柱帯筋（または梁あばら筋）のせん断補強用短期許容引張応力度で，390 N/mm² を超える場合は 390 N/mm² として許容せん断力を計算する．ただし，本項（3）の安全性の検討においてはこの限りではない．

p_s：壁板のせん断補強筋比で，次式以下による．

$$p_s = \frac{a_w}{ts}$$

a_w：壁板の1組のせん断補強筋の断面積

s：壁板のせん断補強筋の間隔

・両側に柱がある壁板で p_s が 0.012 以上の場合は $p_s = 0.012$ として計算する．

・上記以外の壁板で p_s が 0.006 以上の場合は $p_s = 0.006$ として計算する．

・p_s が $p_w b/t$ 以上の場合は $p_s = p_w b/t$ として計算する．

・壁板の縦横の補強筋比が異なる場合，p_s は横筋比を用いて計算してよいが，p_s は縦筋比の2倍を上限として計算する．鉛直方向のせん

断力の検討（開口上下の部材の検討を含む）をする場合は，縦横を読み替えて適用する．

・床の算定では梁に有効に定着されたスラブ筋のスラブ厚さに対する比率とする．

p_w：柱の帯筋比（腰壁・垂壁付き梁の場合は梁のあばら筋比）で，0.012以上の場合は0.012として計算する．
（柱の帯筋比の算定式は15条による）

α：拘束効果による割増係数で，（a）両側柱付き壁の柱では$\alpha=1.5$とする．
（b）袖壁付き柱，（d）腰壁・垂壁付き梁，床の算定では$\alpha=1.0$とする．

（3） 短期許容せん断力による安全性の検討

壁部材のせん断破壊に対する安全性は，(19.2)式による短期許容せん断力を用いて検討することができる．設計用せん断力は，15条2.(3)iiを準用して，部材両端の曲げ降伏モーメントに基づいて算出するか，あるいは水平荷重によるせん断力に割増係数を考慮して算出してよい．ただし，壁部材の終局強度と靭性に基づいて安全性の検討を別途行う場合は，この検討を省略することができる．

4. 開口による低減

壁板に開口がある壁部材の許容せん断力Q_{A0}は，5項に定める開口補強がされている場合，(19.7)式のように無開口壁部材の許容せん断力Q_Aに(19.8)式による低減率rを乗じて算定することができる．ただし，原則として（a）耐震壁に対しては1スパンごとに算定されるr_2が0.6以上，（b）袖壁付き柱，（c）壁板および（d）腰壁・垂壁付き梁では各部材で算定されるr_2が0.7以上の場合に適用する．矩形以外の開口は等価な矩形に置換して低減率を適用してよい．

$$Q_{A0}= rQ_A \tag{19.7}$$

$$r=\min (r_1, r_2, r_3) \tag{19.8}$$

r_1は開口の幅による低減率で，(19.9)式による．

$$r_1=1-1.1\times \frac{l_{0p}}{l} \tag{19.9}$$

l ：柱（または梁）を含む壁部材の全せい〔図19.2参照〕

l_{0p}：開口部の水平断面への投影長さの和〔図19.2参照〕

r_2は開口の見付面積による低減率で，(19.10)式による．

$$r_2=1-1.1\times \sqrt{\frac{h_{0p}l_{0p}}{hl}} \tag{19.10}$$

h_{0p}：開口部の鉛直断面への投影高さの和〔図19.2参照〕

h ：当該階の壁部材の高さ（上階の水平力作用位置から下階の水平反力位置までの距離で，原則として下階床から上階床までの距離とする．〔図19.2参照〕）

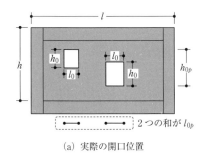
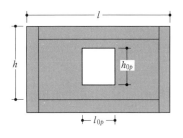

(a) 実際の開口位置　　　　　　　(b) 等価な中央開口

図19.2 壁と開口の寸法に関する記号（r_1, r_2関連）

r_3 は開口の高さによる低減率で（19.11）式による．

$$r_3 = 1 - \lambda \frac{\sum h_0}{\sum h} \tag{19.11}$$

$$\lambda = \frac{1}{2}\left(1 + \frac{l_0}{l}\right) \tag{19.12}$$

λ：安全性について開口の高さによる低減率を緩和する係数である．損傷制御の検討では $\lambda=1$ とする．ピロティの直上階〔図 19.3(d)〕および中間階の単層壁〔図 19.3(f)〕の安全性の検討では $\lambda=1$ とする．上記を除く耐震壁の安全性の検討では，開口がほぼ縦一列の場合に(19.12)式の導出過程を踏まえて適用可能と判断できる場合に λ を用いてよい．判断できない場合は $\lambda=1$ とする．

$\sum h_0$：当該壁部材において開口上下の破壊の原因となりえる開口部高さの和で，$\sum$ は当該階から当該壁部材の最上階までとする．開口が上下に連続する場合は①による．不規則な配置の場合は②を下限として想定される損傷や破壊モードに応じて低減してよい．

① 開口部の鉛直断面への投影高さ〔図 19.3 の h_{0p}〕の和

② 水平断面に投影したとき当該階の開口と重なる開口の高さ〔図 19.3 の h_0〕の和

$\sum h$：当該階の下枠梁下面（下枠梁が基礎梁の場合は上面）から当該壁部材の最上階の梁上端までの和とする．ただし，(19.12)式の λ を適用する場合は，当該階の下枠梁上面から当該壁部材の最上階の梁上端までの和とする．

l_0：r_3 の算出で該当する開口部の長さ〔図 19.3 参照〕

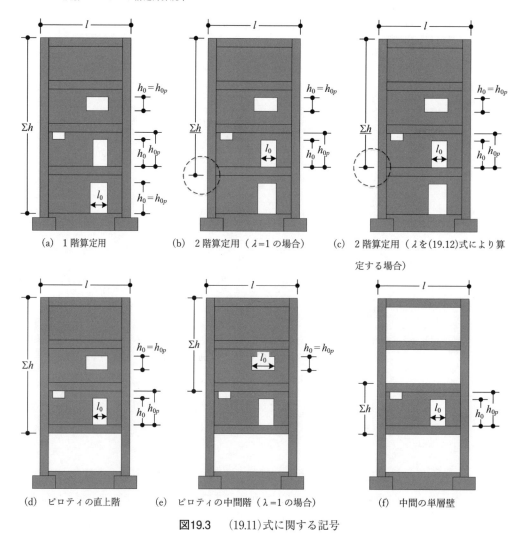

(a) 1 階算定用　　(b) 2 階算定用（$\lambda=1$ の場合）　　(c) 2 階算定用（λ を(19.12)式により算定する場合）

(d) ピロティの直上階　　(e) ピロティの中間階（$\lambda=1$ の場合）　　(f) 中間の単層壁

図19.3　(19.11)式に関する記号

5. 開口補強

　壁部材の壁板の開口補強筋は，各階の設計用せん断力 Q_D によって生じる開口隅角部の付加斜張力および周辺部材の付加曲げモーメントに抵抗できるように，開口周囲に有効に配置する．開口周囲は，図 19.4 に破線で示す範囲，すなわち，開口から 500 mm 以内，かつ開口端と壁端もしくは隣接開口端との中間線を越えない範囲とする．

　付加斜張力については，(19.13) 式が満足されることを確認する．

　付加曲げモーメントについては，(19.14) 式および (19.15) 式が満足されることを確認する．(19.14) 式および (19.15) 式によらない場合は，個々の周辺部材の付加曲げモーメントに対して許容曲げモーメントが上回ることを確認してもよい．

（1）　開口隅角部の付加斜張力に対する検討

$$A_d f_t + \frac{A_v f_t + A_h f_t}{\sqrt{2}} \geq \frac{h_0 + l_0}{2\sqrt{2}\,l} Q_D \tag{19.13}$$

（2） 開口左右の付加曲げモーメントに対する検討

$$(l-l_{0p})\left(\frac{A_d f_t}{\sqrt{2}}+A_{v0}f_t\right)+\frac{t(l-l_{0p})^2}{4(n_h+1)}p_{sv}f_t \geqq \frac{h_0}{2}Q_D \qquad (19.14)$$

（3） 開口上下の付加曲げモーメントに対する検討（ただし，単層壁およびピロティ壁の最下層では左辺第2項の n_v を (n_v+1) で置き換える）

$$(h-h_{0p})\left(\frac{A_d f_t}{\sqrt{2}}+A_{h0}f_t\right)+\frac{t(h-h_{0p})^2}{4n_v}p_{sh}f_t \geqq \frac{l_0}{2}\frac{h}{l}Q_D \qquad (19.15)$$

記号

- l_0 ：当該開口部の長さ
- h_0 ：当該開口部の高さ
- A_d ：開口周囲の斜め筋の断面積
- A_v ：開口周囲の付加斜張力を負担する縦筋の断面積（下記の A_{v0} や柱主筋を含む）
- A_h ：開口周囲の付加斜張力を負担する横筋の断面積（下記の A_{h0} や梁主筋を含む）
- A_{v0}：開口補強の目的で通常の縦筋とは別に配筋される縦筋の断面積
- A_{h0}：開口補強の目的で通常の横筋とは別に配筋される横筋の断面積
- f_t ：鉄筋の短期許容応力度
- n_h ：当該層で水平方向に並ぶ開口の数
- n_v ：当該層で鉛直方向に並ぶ開口の数
- p_{sv}：壁板の縦筋の補強筋比（縦筋比）

$$p_{sv}=\frac{a_{wv}}{ts}$$

- a_{wv}：壁板の1組の縦筋の断面積
- s ：壁板の縦筋の間隔

- p_{sh}：壁板の横筋の補強筋比（横筋比）

$$p_{sh}=\frac{a_{wh}}{ts}$$

- a_{wh}：壁板の1組の横筋の断面積
- s ：壁板の横筋の間隔

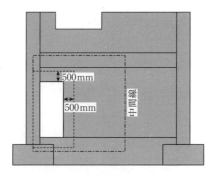

図19.4　開口補強筋の有効範囲

6. 壁板周囲の柱，梁，拘束域の断面と配筋

耐震壁あるいは耐震壁と同様に算定する袖壁付き柱では，壁板水平断面の端部に枠柱〔柱または柱型拘束域，図19.5参照〕を設けて必要な断面を確保するとともに配筋の検討をする．連層耐震壁の最上層および最下層では，枠梁〔梁または梁型拘束域，図19.5および図19.6（a）（b）参照〕を設けて，必要な断面を確保するとともに配筋の検討をする．また，床スラブ〔図19.6（c）参照〕あるいは境界梁などの境界部材との応力伝達と配筋詳細について必要な検討をする．

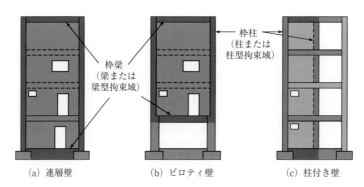

図 19.5　断面と配筋の検討が必要になる枠柱および枠梁

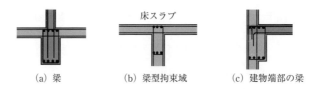

図 19.6　梁または梁型拘束域の例

7. 構造規定

前各項の算定のほか，次の各項に従う．

（1）　壁板の厚さは，原則として 120 mm 以上，かつ壁板の内法高さの 1/30 以上とする．

（2）　壁板のせん断補強筋比は，直交する各方向に関してそれぞれ 0.0025 以上とする．

（3） 壁板の厚さが 200 mm 以上の場合は，壁筋を複筋配置とする．
（4） 壁筋は，D 10 以上の異形鉄筋を用いる．見付面に対する壁筋の間隔は 300 mm 以下とする．ただし，千鳥状に複配筋とする場合は，片面の壁筋の間隔は 450 mm 以下とする．
（5） 開口周囲および壁端部の補強筋は，D 13 以上（複配筋の場合は 2－D 13 以上）の異形鉄筋を用いる．
（6） 壁筋は開口周囲および壁端部での定着が有効な配筋詳細とする．
（7） 柱型拘束域および梁型拘束域の主筋は，原則として 13 条 5 項（2）～（5）および 14 条 4 項（2）～（4）の規定に従う．特に検討をしない場合，梁型拘束域の主筋全断面積は，本条第 6 項の検討により必要とされる梁型拘束域の断面積の 0.008 倍以上とする．
（8） 柱型拘束域および梁型拘束域のせん断補強筋は，15 条 2 項（4）に従う．
（9） 開口に近接する柱（開口端から柱端までの距離が 300 mm 未満）のせん断補強筋比は原則として 0.004 以上とする．
（10） 柱付き壁（袖壁付き柱）では，柱のせん断補強筋比は原則として 0.003 以上とする．
（11） 軸力を負担させる（c）柱なし壁（壁板）では，上記（1）～（6）のほか，原則として壁筋を複配筋とする．

20条 基 礎

1. 独立フーチング基礎

（1） 長方形基礎スラブの任意鉛直断面に作用する設計用せん断力および設計用曲げモーメントは，その断面の外側に作用するすべての外力について算定する．柱が長方形の場合，柱の辺に平行な鉛直断面について算定してよい〔図 20.1(a)参照〕．
（2） 柱直下のパンチングシア算定断面は，柱の表面から基礎スラブ有効せいの 1/2 の点を連ねた曲線を通る鉛直断面〔図 20.1(b)参照〕とし，その外側に作用するすべての外力について算定する．

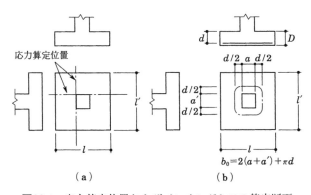

図20.1 応力算定位置およびパンチングシアの算定断面

（3） 許容曲げモーメントに対する算定は13条2., 4. によって行い，16条1. の付着応力度の検定を満たすものとする．算定断面の幅は基礎スラブの全幅をとってよい．

（4） 許容せん断力に対する算定は以下による．

　　ⅰ）基礎スラブの許容せん断力 Q_A は，（20.1）式による．算定断面の幅は全幅をとってよい．

$$Q_A = l j f_s \text{ または } Q_A = l' j f_s \tag{20.1}$$

　　　　記号　l または l'：基礎スラブの全幅
　　　　　　　d：基礎スラブの算定断面有効せい
　　　　　　　j：基礎スラブの応力中心距離で $(7/8)d$ とすることができる．
　　　　　　　f_s：コンクリートの許容せん断応力度

　　ⅱ）基礎スラブのパンチングシアに対する許容せん断力 Q_{PA} は，（20.2）式による．

$$Q_{PA} = 1.5 b_0 j f_s \tag{20.2}$$

　　　　記号　b_0：本条1.(2) によるパンチングシアに対する設計用せん断力算定断面の延べ幅
　　　　　　　j：基礎スラブの応力中心距離で $(7/8)d$ とすることができる．
　　　　　　　d：基礎スラブの算定断面有効せい
　　　　　　　f_s：コンクリートの許容せん断応力度

（5） 長方形基礎スラブの長辺方向の鉄筋は短辺の幅に等間隔に配置し，短辺方向の鉄筋は，長辺の中央部の短辺の長さに相当する幅の中に，（20.3）式で求められる鉄筋量を等間隔に，残りをその両側に等間隔に配置する．

$$\frac{\text{短辺長さ相当幅に入れる鉄筋量}}{\text{短辺方向の鉄筋全所用量}} = \frac{2}{\lambda + 1} \tag{20.3}$$

　　　　記号　λ：辺長比（＝長辺長さ/短辺長さ）

2. 複合フーチング基礎

基礎スラブの設計用のせん断力と曲げモーメントは基礎スラブを柱脚において支持または固定され，下方より接地圧を受ける梁として算定し，基礎スラブの断面および配筋の算定は前記の応力に対して独立フーチング基礎に準じて行う．

3. 連続フーチング基礎

（1） 連続フーチング基礎における基礎スラブ部分の設計用のせん断力と曲げモーメントは，基礎スラブ部分を基礎梁の側面で固定され下方より接地圧を受ける片持梁として算定し，基礎スラブ部分の断面および配筋の算定は，上記の応力に対して独立フーチング基礎に準じて行う．

（2） 連続フーチング基礎における基礎梁部分の設計用のせん断力と曲げモーメントは，基礎梁部分を柱脚で固定または支持された連続梁と見なして算定し，基礎梁部分の断面および配筋の算定は13条，15条，16条によって行う．

4. べた基礎

基礎スラブ部分の設計用のせん断力と曲げモーメントは，下方より一様な接地圧を受ける周

辺固定長方形スラブと見なして算定し，断面および配筋の算定は10条，18条によって行う．

5. 杭 基 礎

（1） 杭の反力を基礎底面に作用する集中荷重とし，原則として前各項に準じて算定する．

（2） 杭基礎を連結する基礎梁の設計用せん断力と曲げモーメントには，長期荷重のほかに地震時荷重によって生じる柱脚および杭頭の応力を考慮するものとし，断面および配筋の算定は13条，15条，16条によって行う．

（3） 複数の杭が剛接合された基礎スラブは，以下の各項により算定してもよい．この場合の基礎スラブは，原則として，正方形ないし長方形の平面形状を有し，杭の配置が柱芯に対して左右対称なものを対象とする．

　 ⅰ）基礎スラブの断面算定では，柱フェイス位置の設計用応力に対して，許容曲げモーメント M_A は（20.4）式，許容せん断力 Q_A は（20.5）式により算定する．

$$M_A = a_t f_t j \tag{20.4}$$

　　　　ただし，$d/l_p < 2.0$ かつ釣合鉄筋比以下

$$Q_A = lj\alpha f_s \text{ または } l'j\alpha f_s \tag{20.5}$$

　　　　ただし，$0 \leq p_w < 0.2\%$ の場合：$\alpha = 1$

$$p_w \geq 0.2\% \text{ の場合：} \alpha = \frac{4}{\frac{M}{Qd}+1} \text{ かつ } 1 \leq \alpha \leq 2$$

　　　記号　　a_t：基礎スラブの引張鉄筋断面積
　　　　　　　f_t：引張鉄筋の許容応力度
　　　　　　　j：基礎スラブの応力中心距離で $(7/8)d$ とすることができる．
　　　　　　　d：基礎スラブの算定断面有効せい
　　　　　　　l_p：柱フェイスから杭芯までの距離
　　　l または l'：基礎スラブの全幅で図20.2による．
　　　　　　　f_s：コンクリートの許容せん断応力度
　　　　　　　p_w：基礎スラブのせん断補強筋比で，次式による．

　　　　　　一方向配筋の場合：$p_w = \dfrac{a_w}{l \cdot s}$ または $\dfrac{a_w{'}}{l' \cdot s'}$

　　　　　　二方向配筋の場合：$p_w = \dfrac{a_{w1}}{s \cdot s'}$

　　a_w または $a_w{'}$：1組のせん断補強筋の断面積で，基礎梁を有する基礎スラブでは，基礎梁のせいが基礎スラブと3/4以上重なる場合は，基礎梁と重なる部分を除いた断面について p_w を算定してよい．
　　　　　　a_{w1}：せん断補強筋の1本あたりの断面積
　　s または s'：せん断補強筋の間隔で図20.2による．

　　　　$\dfrac{M}{Qd}$：基礎スラブのせん断スパン比で $\dfrac{a_p}{d}$ としてよい．
　　　　　　a_p：柱芯から杭芯までの距離

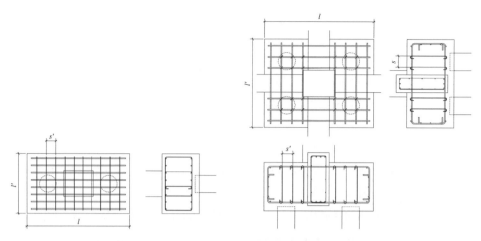

(a) 一方向配筋で基礎梁なしの場合　　(b) 二方向配筋で基礎梁ありの場合

図 20.2　せん断補強筋比の算定方法

ⅱ）基礎スラブの主筋の付着は 16 条に従って検定を行う．

ⅲ）基礎スラブの構造規定は以下の各項による．

　　a）基礎スラブは，上下の主筋を有する複筋梁とし，複筋比は 0.5 以上とする．上下の主筋の外端部は，90°折曲げにより上端筋は曲げ下げ，下端筋は曲げ上げて，基礎スラブのせいの中心を越えて主筋径の 10 倍（$10\,d_b$）以上延長することを原則とする．また，上端筋の曲下げ部と下端筋の曲上げ部の末端には余長 $4\,d_b$ 以上の 90°フックを設ける．

　　b）基礎スラブにせん断補強筋を配筋する場合は，基礎スラブせいの 1/2 以下の間隔とし，せん断補強筋の端部は，135°以上に折り曲げて定着するか，継手を設けて接合する．

21 条　鉄筋のかぶり厚さ

鉄筋に対するコンクリートのかぶり厚さは，JASS 5 に定めるところによる．ただし，梁および柱の主筋では，そのかぶり厚さを主筋の呼び名の数値（mm）の 1.5 倍以上とすることが望ましい．

22 条　特殊な応力その他に対する構造部材の補強

1. 構造物の各部は，21 条までの各条に基づく算定のほか，建物の不同沈下による応力，コンクリートの自己収縮および温度変化などによる自己ひずみ応力，ねじり応力などを考慮し，特に問題となるものについては，必要に応じて構造部材を補強する．

2. 構造物の各部は，採用したモデルによる応力・変形解析結果の変動，過積載や偏荷重による影響，施工条件，ならびに材料特性のばらつき，腐食・摩耗などによる断面性能の低下などを考慮し，特に問題となるものについては必要に応じて構造部材を補強する．

鉄筋コンクリート構造計算規準・解説

(2024)

鉄筋コンクリート構造計算規準・解説

1章 総 則

1条 適用範囲と目標性能

> 1. 本規準は，3条に規定するコンクリートおよび4条に規定する鉄筋を用いた鉄筋コンクリート造建物の構造計算に適用する．ただし，特別な調査研究により本規準と同等の構造性能が確認できる場合は，本規準の一部の適用を除外することができる．
> 2. 本規準は，鉄筋コンクリート造建物の性能における，主として，使用性，損傷制御性の確保を目標とする．一部の条項は，安全性の確保も目標としている．
> (1) 使用性に関する性能は，長期間作用する荷重によって使用上の支障を生じない性能とする．
> (2) 損傷制御性に関する性能は，数十年に1回遭遇する程度の地震，台風，積雪を受けても，建物は補修せずに継続使用できる性能とする．
> (3) 安全性に関する性能は，数百年に1回遭遇する程度の大地震が生じても，建物の転倒・崩壊を防止し，人命の安全を確保できる性能とする．

1. 適用範囲

本規準は，一般の鉄筋コンクリート造建物に適用するもので，シェル構造や容器構造など，特殊な構造物には適用しない．プレキャスト鉄筋コンクリート造建物に適用する場合には，プレキャスト部材の接合部における応力の伝達やすべりの影響などさらに検討しなければならない．プレストレストコンクリート造建物の設計と施工に関しては，本会より別の規準が刊行されている．

なお，構造実験や特別な解析などにより，構造性能（使用性・損傷制御性・安全性）が確かめられている場合には，本規準の一部の適用を除外することができる．

2. 目標性能

鉄筋コンクリート造建物の構造計算では，本条2項の3つの性能を考慮する．

第1の「使用性」を確保するために，本規準では，長期荷重時の応力度が許容応力度以下となることの確認や構造規定の順守などを求めている．本来ならば，たわみ，ひび割れに関する数値目標を規定することが望ましいが，現段階では，許容値を定めて使用上の支障を生じない性能を評価することは技術的に困難であるため，このような要求としている．

第2の「損傷制御性」と第3の「安全性」に関して，本規準の立場はやや複雑である．梁・柱の曲げに関しては，短期荷重時の応力度が許容応力度以下となることの確認などにより，損傷を制御する．損傷制御性についても，例えば「短期荷重後の残留ひび割れ幅が建築物の室内側など内面で0.3～0.4mm程度になること」といった明確な数値目標を設定することが望ましいが，現段階では，許容値を定めて残留ひび割れ幅を評価することは技術的に困難であるため，このような要求としている．安全性を直接的に検討するためには文献1),2)などを参照する必要がある．耐震壁や基礎の曲げ・せん断についても同様である．梁・柱のせん断に関しては，

解説表 1.1 性能に関する記述状況

		使 用 性	損傷制御性	安 全 性
梁・柱の曲げ		○	○	別途計算
梁・柱のせん断	旧来の方法	○	検定不要	○
	新しい方法		○	○（別途計算も可）
柱梁接合部のせん断		検定不要	検定不要	○（別途計算も可）
付着・継手		○	○	○（別途計算も可）
壁部材の曲げ		○	○	別途計算
壁部材のせん断		○	○	別途計算（規準式の準用も可）
定　着		検定不要	検定不要	○
ス ラ ブ		○	通常不要	通常不要
フラットスラブフラットプレート		○	○	別途計算（パンチングシアについては解説に記述）
基　礎		○	○	別途計算

・旧来からの方法：大地震時のせん断力に対して安全性を確認することにより，損傷制御性についても確保されると見なす．

・2010年提案の方法：短期荷重時の作用せん断力に対する損傷制御性のみを検討して，安全性については文献 1），2）などを参照して別途検討する．

という二通りの方法を示している．付着および継手に関しては，短期荷重時の付着応力度に対する損傷制御性を検討し，安全性については大地震時の付着応力度に対して検討するか，文献 2）などを参照して別途検討する．梁・柱の定着および柱梁接合部のせん断に関しては，安全性（終局強度）を確認することによって，使用性と損傷制御性が確保されるものと想定している．これらの性能に関する本規準の記述状況を解説表 1.1 に示す．

建物全体の損傷制御性を実現するためには，建築基準法施行令第 82 条の 2 に示された層間変形角の確認も必要となる場合がある．また，安全性を確保するためには，同施行令第 82 条の 3（剛性率，偏心率等）および第 82 条の 4（保有水平耐力）の確認も必要となる場合もある．これらについては文献 1），2）を参照されたい．

損傷制御性を判断するうえで難しいのは，袖壁，垂壁，腰壁などの扱いである．現在，壁量の多い建物では，応力解析での剛性評価においてこれらの壁を考慮しているが，許容曲げモーメントや許容せん断力の算定ではこれらの壁を無視している場合が多い．つまり，これらの壁の端部で鉄筋やコンクリートが許容応力度以下であるかどうかは問題とされていないが，これまでの地震被害例などでは，このような強度抵抗型の建物の損傷は比較的小さい場合も少なくない．壁量の少ない建

---

1) 日本建築学会：鉄筋コンクリート構造保有水平耐力計算規準・同解説，2021
2) 国土交通省住宅局建築指導課ほか：2020年度版　建築物の構造関係技術基準解説書，全国官報販売協同組合

物の設計では問題が複雑になる．これらの壁が長期や短期の荷重を負担するものとして設計を行う場合には，端部の鉄筋やコンクリートが許容応力度以下であることを確認しているが，許容応力度を超える状態が「許容できない損傷」といえるかどうかは議論の余地がある．例えば，短期荷重時の曲げモーメントによって生じる壁筋の引張降伏は，袖壁などの端部にスリットを設ける設計に比べれば，許容応力度の若干の超過を認める設計のほうが損傷制御上有利な場合もありうる．現段階では，そのような損傷評価について具体的な数値目標を設定することは困難であるが，これらの壁の有効な活用に資するよう，本規準の19条，付2，付10では，これらの壁の端部で鉄筋が許容引張応力度を超えないこと，そしてコンクリートが許容圧縮応力度を超えないことを前提とした設計法を提示している．

2条　用語と記号

1. 本規準の主な用語は以下のように定義する．

    使　用　性　：長期間作用する荷重によって，過大なたわみ，ひび割れ，建物の沈下・傾斜など，使用上の支障が生じないという性能．

    損傷制御性　：数十年に1回遭遇する程度の地震，台風，積雪後においても，建物を補修せずに継続使用できるという性能．

    安　全　性　：数百年に1回遭遇する程度の大地震時において，建物の転倒・崩壊を防止することにより人命の安全を確保できるという性能．

    柱　　　　　：14条および15条2項の規定を満足する鉛直部材．

    梁　　　　　：13条および15条2項の規定を満足する水平部材．

    柱梁接合部　：柱と梁が交差する領域．「接合部」と省略する場合もある．

    十字形接合部：上下の柱主筋と左右の梁主筋のほとんどが通し配筋される接合部．

    T形接合部　：左右の梁主筋で曲げに必要なものが通し配筋され，上部または下部の柱がなく，柱主筋が定着される接合部．

    ト形接合部　：上下の柱主筋で曲げに必要なものが通し配筋され，左側または右側の梁がなく，梁主筋が定着される接合部．

    L形接合部　：左側または右側の梁がなく，梁主筋が定着され，かつ上部または下部の柱がなく，柱主筋が定着される接合部．

    壁　部　材　：19条の規定を満足する壁．

    耐　震　壁　：枠柱および枠梁が設けられる壁部材（建築基準法施行令で規定される「耐力壁」と枠柱・枠梁で構成される部材に対する本規準における呼称）．

    柱型拘束域　：壁の水平断面端部または中間において柱と同様の配筋によってコンクリートが拘束される部位．

    梁型拘束域　：壁の鉛直断面端部または中間において梁と同様の配筋によってコンクリートが拘束される部位．

    枠　　　柱　：壁の水平断面端部に設けられる柱または柱型拘束域のうち，壁板を有効に拘束するために必要な要件を満足する場合の呼称．

    枠　　　梁　：壁の鉛直断面端部に設けられる梁または梁型拘束域のうち，壁板を有効に拘束するために必要な要件を満足する場合の呼称．

    基　　　礎　：基礎スラブ，パイルキャップならびに杭．

    主　　　筋　：曲げモーメントまたは軸力を負担するために配置される鉄筋．

    帯　　　筋　：主にせん断力に抵抗するため，柱または柱梁接合部の主筋を包含するように配置される鉄

筋.
あ ば ら 筋：主にせん断力に抵抗するため，梁の主筋を包含するように配置される鉄筋.
横 補 強 筋：帯筋とあばら筋の総称.
カットオフ筋：部材の途中で切断され，減じられる主筋.
定　　　着：鉄筋の端部をコンクリートに埋め込んで固定すること.
標 準 フ ッ ク：17条2項に従った鉄筋端部の折曲げ.

2．本規準の記号は以下による.

A_{cut}：カットオフされる引張鉄筋の断面積（16条）
A_d：開口周囲の斜め筋の断面積（19条）
A_h：開口周囲の付加斜張力を負担する横筋の断面積（下記のA_{h0}や梁主筋を含む）（19条）
A_v：開口周囲の付加斜張力を負担する縦筋の断面積（下記のA_{v0}や柱主筋を含む）（19条）
A_{h0}：開口補強の目的で通常の横筋とは別に配筋される横筋の断面積（19条）
A_{v0}：開口補強の目的で通常の縦筋とは別に配筋される縦筋の断面積（19条）
A_{st}：付着割裂面を横切る1組の横補強筋全断面積（16条）
A_{total}：引張鉄筋の総断面積（16条）
a：並列T形梁では側面から相隣る材の側面までの距離，単独T形材ではその片側のフランジ幅の2倍（8条）
　　独立フーチング長辺方向の柱のせい（20条）
a'：独立フーチング短辺方向の柱のせい（20条）
a_c：圧縮鉄筋の断面積（13条）
a_p：柱芯から杭芯までの距離（20条）
a_t：引張鉄筋の断面積（13条，20条）
a_w：1組のあばら筋または帯筋の断面積（15条）
　　　1組のせん断補強筋の断面積（19条，20条）
a_w'：1組のせん断補強筋の断面積（20条）
a_{w1}：せん断補強筋の1本あたりの断面積（20条）
a_{wv}：壁板の1組の縦筋の断面積（19条）
a_{wh}：壁板の1組の横筋の断面積（19条）
B：T形断面部材の有効幅（8条，13条）
b：T形断面をもつ材のウェブ幅（8条，13条，15条）
　　長方形梁または柱の幅（13条，15条，16条，19条）
b_0：独立フーチング基礎のパンチングシアに対する設計用せん断力算定断面の延べ幅（20条）
b_a：T形断面部材の板部の協力幅（片側）（8条）
b_{ai}：$b_i/2$と$D/4$の小さいほうの数値（15条）
b_b：梁幅（15条）
b_i：梁両側面からこれに平行な柱側面までの長さ（15条）
b_j：柱梁接合部の有効幅（15条）
C：付着検定断面位置における鉄筋間のあき，または最小かぶり厚さの3倍のうちの小さいほうの数値（16条）
C_{min}：鉄筋の最小かぶり厚さ（16条）
D：曲げ材の全せい（13条）
　　柱せい（15条）
　　通し配筋される接合部材の全せい（17条）
　　鉄筋の折曲げ内法直径（17条）
　　柱（または梁）のせい（19条）
　　独立フーチング基礎スラブの厚さ（20条）

d ：曲げ材の圧縮縁から引張鉄筋重心までの距離（有効せい）（13条，15条，16条）
　　　柱（または梁）の有効せい（19条）
　　　基礎スラブの算定断面有効せい（20条）
d_b ：異形鉄筋の呼び名に用いた数値（16条，17条，20条）
$\sum d_b$ ：付着割裂面における鉄筋径の総和（16条）
d_c ：曲げ材の圧縮縁から圧縮鉄筋重心までの距離（13条）
d_t ：曲げ材の引張縁から引張鉄筋重心までの距離（13条）
F_c ：コンクリートの設計基準強度（5条，6条，7条，12条，14条，16条，17条）
f_a ：許容付着応力度（16条）
$_L f_a$ ：長期許容付着応力度（16条）
$_S f_a$ ：短期許容付着応力度（16条）
f_b ：付着割裂の基準となる強度（16条，17条）
f_c ：コンクリートの許容圧縮応力度（13条，14条，19条）
$_r f_c$ ：鉄筋の許容圧縮応力度（14条）
f_s ：コンクリートの許容せん断応力度（15条，19条，20条）
f_t ：鉄筋の許容引張応力度（13条，14条，19条，20条）
　　　定着検定される接合部通し筋の短期許容引張応力度（17条）
　　　壁筋のせん断補強用短期許容引張応力度（19条）
$_w f_t$ ：あばら筋または帯筋のせん断補強用許容引張応力度（15条）
　　　あばら筋または帯筋のせん断補強用短期許容引張応力度（19条）
H_c ：接合部上下の柱の高さの平均（15条）
h ：階高（11条）
　　　当該層の壁部材の高さ（19条）
$\sum h$ ：連層耐震壁の当該層から最上層までの高さ（19条）
$\sum h_0$ ：開口上下の破壊の原因となりうる開口部高さの和（19条）
h' ：柱の内法高さ（15条）
h_0 ：壁部材の開口部の高さ（複数開口の場合は個別の開口高さ）（19条）
h_{op} ：壁部材の開口部の高さ（複数開口の場合は鉛直断面への投影高さの和）（19条）
j ：曲げ材の応力中心距離（13条，15条，16条，19条）
　　　基礎スラブの応力中心距離（20条）
K ：付着割裂の基準となる強度を割り増すための係数（16条）
L ：曲げ材の内法長さ（16条）
L' ：通し筋の付着長さ（16条）
L_b ：柱梁接合部の左右の梁の長さの平均（15条）
l ：骨組または連続梁のスパン長さ（8条）
　　　柱中心間の距離（11条）
　　　重ね継手長さ（16条）
　　　部材内定着される鉄筋の定着長さ（16条）
　　　柱（または梁）を含む壁部材の全せい（19条）
　　　基礎スラブの全幅（20条）
l' ：梁の内法スパン長さ（15条）
　　　付着検定断面からカットオフ筋が計算上不要となる断面までの距離（16条）
　　　壁板の内法長さ（19条）
　　　基礎スラブの全幅（20条）
l_a ：曲げ補強鉄筋の定着起点から定着に有効な部分の投影長さ（17条）
l_{ab} ：必要定着長さ（17条）

l_e：壁板の有効長さ（19条）
l_d：鉄筋の付着長さ（16条）
l_{dh}：フック付き（折曲げ）定着鉄筋の投影定着長さ（鉄筋の仕口面からフック開始点までの直線長さ＋フック内法半径＋鉄筋径）（17条）
l_p：柱フェイスから杭芯までの距離（20条）
l_0：単純梁のスパン長さ（8条）
　　　開口部の長さ（複数開口の場合は個別の開口長さ）（19条）
l_{0p}：開口部の長さ（複数開口の場合は水平断面への投影長さの和）（19条）
l_x：長方形スラブの短辺有効スパン長さ（10条，18条）
　　　フラットスラブのx方向柱中心距離（11条）
l_y：長方形スラブの長辺有効スパン長さ（10条，18条）
　　　フラットスラブのy方向柱中心距離（11条）
M：梁または柱の許容曲げモーメント（13条，14条）
　　　設計する梁または柱の最大曲げモーメント（15条）
M'：カットオフ筋が計算上不要となる断面の曲げモーメント（16条）
M_A：基礎スラブの許容曲げモーメント（20条）
M_1：フラットスラブ仮想梁の端部最大負曲げモーメント（11条）
M_2：フラットスラブ仮想梁の中央部最大正曲げモーメント（11条）
M_{x1}：長方形スラブの短辺方向の両端最大負曲げモーメント（10条）
M_{x2}：長方形スラブの短辺方向の中央部最大正曲げモーメント（10条）
M_{y1}：長方形スラブの長辺方向の両端最大負曲げモーメント（10条）
M_{y2}：長方形スラブの長辺方向の中央部最大正曲げモーメント（10条）
$\sum_B M_y$：梁の両端の降伏曲げモーメントの絶対値の和（15条）
$\sum_C M_y$：柱頭および柱脚の降伏曲げモーメントの絶対値の和（15条）
$\dfrac{M}{Qd}$：梁，柱のせん断スパン比（15条）
　　　基礎スラブのせん断スパン比（20条）
$\sum \dfrac{M_y}{j}$：柱梁接合部の左右の梁の降伏曲げモーメントの絶対値をそれぞれの応力中心間距離jで除した和（15条）
N：付着割裂面における鉄筋本数（16条）
n：ヤング係数比（12条）
　　　水平荷重時せん断力の割増係数（15条，16条）
n_h：当該層で水平方向に並ぶ開口の数（19条）
n_v：当該層で鉛直方向に並ぶ開口の数（19条）
p_s：壁板の直交する各方向のせん断補強筋比（19条）
p_{sv}：壁板の縦筋の補強筋比（19条）
p_{sh}：壁板の横筋の補強筋比（19条）
p_w：あばら筋比または帯筋比（a_w/bx）（15条，19条）
　　　基礎スラブのせん断補強筋比（20条）
Q：設計する梁または柱の最大せん断力（15条）
Q_1：壁板のコンクリートの許容応力度による壁部材の短期許容せん断力Q_A（19条）
Q_2：柱と壁板の許容せん断力の累加による壁部材の短期許容せん断力Q_A（19条）
Q_A：梁，柱の安全性確保のための許容せん断力（15条）
　　　水平荷重を受ける壁部材の短期許容せん断力（19条）
　　　基礎スラブの許容せん断力（20条）
Q_{A0}：開口がある壁部材の短期許容せん断力（19条）
Q_{Aj}：柱梁接合部の安全性確保のための許容せん断力（15条）

Q_{AL}：梁または柱の長期許容せん断力（15条）
　　　　壁部材の長期許容せん断力（19条）
Q_{AS}：梁または柱の短期許容せん断力（15条）
Q_c：壁板周辺の柱（1本）が負担できる短期許容せん断力（19条）
Q_D：梁または柱の安全性確保のための設計用せん断力（15条）
　　　　壁部材の設計用水平せん断力（19条）
Q_{DS}：梁または柱の短期設計用せん断力（15条）
Q_{Dj}：柱梁接合部の安全性確保のための設計用せん断力（15条）
Q_L：梁または柱の長期荷重によるせん断力（15条，16条）
Q_E：梁または柱の水平荷重によるせん断力（15条，16条）
Q_{PA}：独立フーチング基礎スラブのパンチングシアに対する許容せん断力（20条）
Q_w：無開口の壁板の壁筋が負担できる短期許容せん断力（19条）
r：壁部材の許容せん断力に対する開口による低減率（19条）
r_1：壁部材の許容せん断力に対する開口の水平断面積による低減率（19条）
r_2：壁部材の許容せん断力に対する開口の見付面積による低減率（19条）
r_3：壁部材の許容せん断力に対する開口の鉛直断面積による低減率（19条）
S：必要定着長さの修正係数（17条）
s：付着割裂面を横切る1組の横補強筋の間隔（16条）
　　　　せん断補強筋の間隔（19条，20条）
s'：せん断補強筋の間隔（20条）
t：スラブ厚さ（11条，13条，18条）
　　　　壁板の厚さ（19条）
W：付着割裂面を横切る横補強筋効果を表す換算長さ（16条）
w：長方形スラブの単位面積についての全荷重（10条）
w_p：長方形スラブの単位面積についての積載荷重と仕上荷重との和（18条）
w_x：長方形スラブの短辺方向仮想梁の単位面積あたりの分担荷重（$l_y^4 w/(l_x^4 + l_y^4)$）（10条）
x：あばら筋または帯筋の間隔（15条）
x_n：曲げ材の圧縮縁から中立軸までの距離（13条）
α：せん断スパン比 $M/(Qd)$ による割増係数（15条，20条）
　　　　必要定着長さに関する係数（17条）
　　　　壁板周辺の柱の短期許容せん断力 Q_c を計算するときの係数（19条）
α_1：通し筋の応力状態を表す係数（16条）
α_2：カットオフ筋の応力状態を表す係数（16条）
γ：コンクリートの気乾単位体積重量（5条）
θ：鉄筋方向と算定断面の法線との角度（12条）
κ_A：柱梁接合部の形状による係数（15条）
λ：スラブの辺長比（l_y/l_x）（18条）
　　　　当該階から下の壁または基礎梁が変形しないと仮定することに伴う係数（19条）
　　　　独立フーチング基礎における長方形基礎スラブの長辺の短辺に対する比（20条）
ξ：架構の形状に関する係数（15条）
σ_c：圧縮鉄筋の継手部分の最大存在応力度（16条）
σ_D：付着検定断面位置における安全性検討用の鉄筋引張応力度（16条）
σ_t：引張鉄筋の重ね継手部分の最大存在応力度（16条）
　　　　仕口面における鉄筋の応力度（17条）
$_E\sigma_t$：付着検定断面位置における水平荷重時の鉄筋の存在応力度（16条）
$_L\sigma_t$：付着検定断面位置における長期荷重時の鉄筋の存在応力度（16条）

$_s\sigma_t$：付着検定断面位置における短期荷重時の鉄筋の存在応力度（16条）
σ_y：鉄筋の降伏強度（16条）
τ_{a1}：引張鉄筋の曲げ付着応力度（16条）
τ_{a2}：引張鉄筋の平均付着応力度（16条）
τ_D：安全性検討用の平均付着応力度（16条）
ϕ：付着検定される鉄筋の周長（16条）

2章 材料および許容応力度

3条 コンクリートの種類・品質および材料

> 1. コンクリートの種類および品質は，下記による．
> （1） コンクリートの種類および品質は，本会「建築工事標準仕様書・同解説 JASS 5 鉄筋コンクリート工事」（以下，JASS 5 と略記）に定めるところによる．
> （2） コンクリートの調合，製造，運搬，打込み，養生，型枠および品質管理は，JASS 5 に定めるところによる．
> 2. コンクリートに使用する材料は，JASS 5 に規定する材料による．

1. コンクリートの種類および品質

（1） コンクリートの種類・品質および使用する材料は，JASS 5 によることを原則とする．また，コンクリートの品質を確保するためのコンクリートの調合，製造・運搬・受入れ，打込み・締固め，養生，鉄筋・型枠工事および品質管理・検査の方法も JASS 5 によることとする．

しかしながら，JASS 5 は建築基準法に定めるところの鉄筋コンクリート造建物のすべてを対象にしているわけではなく，また，特殊な材料・工法，新しく開発された材料・工法は取り扱っていないものがある．つまり，JASS 5 に規定していない鉄筋コンクリート造建物もありうるが，その場合もコンクリートの品質，使用材料および工法を適切に選定して本規準を適用することは差し支えない．しかしその場合でも，できるだけ JASS 5 の規定を準用することが望ましい．

（2） JASS 5（2022）では，使用骨材，その他の使用材料，施工条件，要求性能などによってコンクリートの種類分けをしており，コンクリートの使用箇所・施工時期などの別にその種類を特記することにしている．コンクリートの使用骨材による種類は，普通コンクリート，軽量コンクリート1種および軽量コンクリート2種などである．

（3） コンクリートの品質については，JASS 5 の3節に一般的なコンクリートについての要求品質が定められており，この要求品質を満足させるために必要な技術的事項が，材料，調合，発注・製造，受入れ，運搬・打込み・締固め，養生・仕上がり，鉄筋工事，型枠工事，品質管理，検査の各項目別に詳細に規定されている（基本仕様）．また，特殊な種類のコンクリートについては，基本仕様の要求品質に付加または代替して，各種類のコンクリートの項に品質規定，技術規定がなされている．

（4） コンクリートの設計基準強度は，構造計算において基準としたコンクリートの圧縮強度であり，コンクリートの各種許容応力度の基本となるものである．本規準では $18\,\text{N/mm}^2$ を下限値とし，上限値を普通コンクリートで $60\,\text{N/mm}^2$，軽量コンクリート1種で $36\,\text{N/mm}^2$ および2種で $27\,\text{N/mm}^2$ までとして，これらの範囲について設計式などを検討している．特に，軽量コンクリートに関しては，文献1）を参考にしている．

---

1) 日本建築学会：高強度人工軽量骨材コンクリートを用いた建築物の設計と施工，1992

解説表 3.1 コンクリートの設計基準強度およびレディーミクストコンクリートの呼び強度の範囲

設計基準強度 (N/mm²)	本規準 普通コンクリート	本規準 軽量コンクリート 1種	本規準 軽量コンクリート 2種	JASS 5-2022（抜粋） 普通コンクリート 基本仕様	JASS 5-2022（抜粋） 普通コンクリート 高強度	JASS 5-2022（抜粋） 軽量コンクリート 1種	JASS 5-2022（抜粋） 軽量コンクリート 2種	JIS A 5308-2019 普通コンクリート	JIS A 5308-2019 軽量コンクリート	呼び強度
18	18 ↑	18 ↑	18 ↑	18 ↑		18 ↑	18 ↑	○	○	18
21	↕	↕	↕	↕		↕	↕	○	○	21
24	↕	↕	↕	↕		↕	↕	○	○	24
27	↕	↕	27	↕		↕	27	○	○	27
30	↕	↕		↕		↕		○	○	30
33	↕	↕		↕		↕		○	○	33
36	↕	36		↕		36		○	○	36
39	↕			↕				○		40
42	↕			↕				○	高強度コンクリート	42
45	↕			↕				○		45
48	↕			48	48 ↑				○	50
51	↕				↕					
54	↕				↕				○	55
57	↕				↕					
60	60				↕				○	60
80					80					

しかし，JASS 5 では，48 N/mm² を超え 80 N/mm² 以下の範囲は高強度コンクリートとして別節を設けて記述されており，材料，調合などに特に注意を要する．

本規準および JASS 5（2022）に示されている設計基準強度，ならびに JIS A 5308-2019（レディーミクストコンクリート）に規定されているレディーミクストコンクリートの呼び強度（数値）の範囲を解説表 3.1 に示す．

2. 使用材料

（1） JASS 5 では，使用するセメントとしてポルトランドセメント，高炉セメント，シリカセメント，フライアッシュセメント等を規定しており，それらの特性・用途について記述されている．使用するセメントの種類は，コンクリートの使用箇所別に特記で定めるのが原則である．

（2） コンクリート用骨材は，普通骨材（砂利・砂・砕石・砕砂・スラグ骨材）および人工軽量骨材の2種に大別できる．JASS 5 では，普通骨材のうち JIS に定められている砕石・砕砂（JIS A 5005），スラグ骨材（JIS A 5011）については，それぞれの JIS によることとし，砂利・砂については JASS 5 に定める品質基準を満たすものを用いることとしている．

軽量骨材については，JIS A 5002 の基準に適合し，かつ JASS 5 T-204（人工軽量骨材の性能判定基準）による品質基準に適合するものを用いることとしている．

また，JASS 5 では鉄筋が組み立てられた型枠内にコンクリートが支障なく打ち込めるように，粗骨材の最大寸法を使用箇所別・骨材種類別に定めている．

4条　鉄筋の品質・形状および寸法

> 鉄筋は，原則として，JIS G 3112「鉄筋コンクリート用棒鋼」の規格に定めたもので，丸鋼では径19mm以下のSR 235およびSR 295，異形鉄筋ではD 41以下のSD 295，SD 345，SD 390およびSD 490とする．また，JIS G 3551「溶接金網及び異形鉄筋格子」に規定する金網のうち，鉄線の径が6mm以上のものを用いることができる．

1. 使用する鉄筋の品質

鉄筋は，原則として解説表4.1に示されるJISに定められたものを使用しなければならない．

解説表4.1　鉄筋の種別

規格番号	名　　称	区分，種類の記号	
JIS G 3112	鉄筋コンクリート用棒鋼	丸　　鋼	SR 235 SR 295
		異形棒鋼	SD 295 SD 345 SD 390 SD 490
JIS G 3551	溶接金網		

JIS G 3112「鉄筋コンクリート用棒鋼」は，溶鋼から熱間圧延によって作られる棒鋼である．JIS G 3112－2020に適合する棒鋼のうち，本規準が許容応力度を規定する鉄筋の降伏点・引張強さの下限，上限を解説表4.2に示す．同表のほか機械的性質の曲げ性は，SD 490のみ曲げ角度が90°で，それ以外は180°である．なお，建築基準法第37条によれば，鉄筋は国土交通大臣の指定する日本産業規格（JIS G 3112－1987）に適合する棒鋼か，または国土交通大臣の認定を受けたものでなければならない[1]．例えば高強度の棒鋼などJIS G 3112－2020に規定された棒鋼であっても，JIS G 3112－1987に適合しないものは建築基準法第37条による大臣の認定を受ける必要がある．

解説表4.2　鉄筋コンクリート用棒鋼の降伏点，引張強さ

種類の記号	降伏点または0.2%耐力(N/mm^2)	引張強さ (N/mm^2)
SR 235	235以上	380〜520
SR 295	295以上	440〜600
SD 295	295以上	440〜600
SD 345	345〜440	490以上
SD 390	390〜510	560以上
SD 490	490〜625	620以上

---

1) 国土交通省住宅局建築指導課ほか：2020年度版　建築物の構造関係技術基準解説書，全国官報販売協同組合

JIS G 3117には,「鉄筋コンクリート用再生棒鋼」が規定されているが,伸びが小さく,コンクリートブロック構造以外に使用されている例はほとんどないので,本規準では「鉄筋コンクリート用再生棒鋼」は適用外とした.

2. 使用鉄筋の最大径

JIS G 3112では鉄筋の太さはD 51まで規定されており,JASS 5では丸鋼で19 mm,異形棒鋼でD 41までについて取扱い規定が示されている.本規準では,JASS 5の範囲を対象とする.D 38を超えるような太径異形鉄筋の利用に関する研究も,特に大型構造物の部材補強に関してかなりの蓄積がある[2)〜4)].

3. 鉄筋とコンクリートの組合せ

解説表4.1のうち,組み合わせるコンクリートは,SD 390については設計基準強度21 N/mm^{2}以上,SD 490については設計基準強度24 N/mm^{2}以上の普通コンクリートとすることが望ましい.SD 490の利用に関する研究としては文献5)などがある.また,JIS G 3112の強度範囲を超える高強度,高品質の鉄筋も開発されており,SD 490を超える高強度鉄筋は,超高層鉄筋コンクリート造建物などに高強度コンクリートと組み合わせて使用される例も増えてきたが,これらは十分な調査研究に基づき,建築基準法第37条の認定を得て利用されている.しかしながら,本規準をこれらの材料を用いた部材の強度算定に使用することはできない.

4. 溶 接 金 網

溶接金網は,スラブ筋として利用され,また,適切な定着法をとれば,あばら筋・壁筋などせん断補強筋として利用できる[6),7)].鉄線には降伏点の規定はなく,引張強さが490 N/mm^{2}以上と規定されているが,これは降伏点として約390 N/mm^{2}に相当する.品質として,交点溶接部のせん断強度の確保は重要であり,1溶接点あたりのせん断強度は主筋方向の鉄線の断面積あたり,250 N/mm^{2}以上が必要である[8)].

---

2) 矢野明義ほか:太径鉄筋継手の構造特性に関する実験的研究(その1-5,その6-12,その13-19),日本建築学会大会学術講演梗概集,1984-1986
3) 山田 紘ほか:極太径ネジフシ異形鉄筋(D64)を用いたRCばりの実験的研究(その2 D64のかぶり部に鉄筋格子を配置したRCばりのひび割れ性状),日本建築学会大会学術講演梗概集,1987
4) 城 攻ほか:高強度太径異形鉄筋の定着性状,日本建築学会大会学術講演梗概集,1987
5) 高 洪・田中礼治ほか:高強度鉄筋SD 490の重ね継手に関する実験的研究(その2),日本建築学会大会学術講演梗概集,1996
6) 黒正清治ほか:溶接金網を用いた鉄筋コンクリートスラブの曲げ性状に関する実験報告,日本建築学会関東支部発表会,1968
7) 狩野芳一ほか:溶接金網を使用する鉄筋コンクリート部材の力学的性状に関する研究(その1,その2),日本建築学会大会論文報告集号外以降の関連論文,1968
8) JIS G 3551によると,縦線と横線の径が異なり,かつ縦線と横線の断面積比が2.0を超えるものにはこの規定を適用しないと規定されている.

5条　材料の定数

鉄筋とコンクリートの定数は，通常の場合，表5.1による．

表5.1　材料の定数

材料	ヤング係数（N/mm²）	ポアソン比	線膨張係数（1/℃）
鉄筋	2.05×10^5	—	1×10^{-5}
コンクリート	$3.35 \times 10^4 \times \left(\dfrac{\gamma}{24}\right)^2 \times \left(\dfrac{F_c}{60}\right)^{\frac{1}{3}}$	0.2	1×10^{-5}

［注］　γ：コンクリートの気乾単位体積重量（kN/m³）で，特に調査しない場合は表7.1の数値から1.0を減じたものとすることができる．
　　　F_c：コンクリートの設計基準強度（N/mm²）

1. 鉄筋のヤング係数

鉄筋のヤング係数は，特別のものを除き，通常使用されている鉄筋コンクリート用棒鋼（JIS G 3112）のような材質のものは 2.05×10^5 N/mm² とほぼ一定の値である．

2. コンクリートのヤング係数

コンクリートの応力度-ひずみ度曲線は解説図5.1のようであって，ヤング係数は一般にセカントモジュラス（応力度-ひずみ度曲線上の点と原点を結んだ直線の傾斜）で表されている．このセカントモジュラスは通常の場合，コンクリート強度の1/4または1/3の応力度の点を採用することが多い．コンクリートのヤング係数は，応力度の大きい点をとるほど小さい値となって，鉄筋のように一定ではない．コンクリートの応力度-ひずみ度曲線を表す式としては，二次式・三次式・放物線式・e関数式など各種のものが提案されている．

以下に，コンクリートの設計基準強度 36 N/mm² を境に，従来から用いられてきた1991年版本規準式と New RC 式[1] を示す．

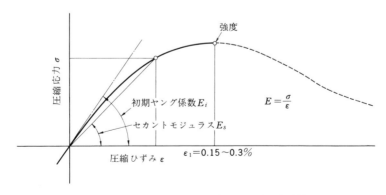

解説図5.1　コンクリートの応力度-ひずみ度曲線

$$E = 21\,000 \times \left(\frac{\gamma}{23}\right)^{1.5} \times \sqrt{\frac{F_c}{20}} \text{ (N/mm}^2\text{)} \quad (F_c \leq 36 \text{ N/mm}^2) \quad \text{(1991 年版本規準式)} \quad \text{(解 5.1)}$$

$$E = 33\,500 \times k_1 \times k_2 \left(\frac{\gamma}{24}\right)^2 \times \left(\frac{F_c}{60}\right)^{\frac{1}{3}} \text{ (N/mm}^2\text{)} \quad (F_c > 36 \text{ N/mm}^2) \quad \text{(New RC 式)} \quad \text{(解 5.2)}$$

本規準では，上式において $k_1 = k_2 = 1.0$ として示したが，使用骨材，混和剤などにより k_1，k_2 に適切な値を用いてもよい．New RC 式[1]では以下の値が示されている．

$k_1 = 0.95$：石英片岩砕石，安山岩砕石，玉石砕石，玄武岩砕石，粘板岩砕石
　　$= 1.2$　：石灰岩砕石，か焼ボーキサイト
　　$= 1.0$　：その他の粗骨材
$k_2 = 0.95$：シリカフューム，高炉スラグ微粉末，フライアッシュ起源微粉末
　　$= 1.1$　：フライアッシュ
　　$= 1.0$　：混和材を使用しない場合

この2式を用いた結果を解説図5.2に示す．図中の記号は骨材の種類を表す．例えば○は川砂利，▲は粘板岩砕石，＋と×は軽量骨材である．

また，（解5.1）式と（解5.2）式（$k_1 = k_2 = 1.0$）で求めたヤング係数の値を解説図5.3に示す．高強度になるにつれ両者に大きな差が見られ，（解5.1）式は，高強度でコンクリートのヤング係数を大きめに算定してしまうことがわかる．

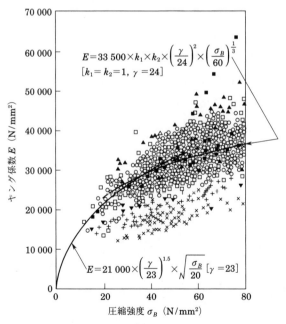

解説図5.2 コンクリートのヤング係数[1]

---

1) 建設省：建設省総合技術開発プロジェクト「鉄筋コンクリート造建築物の超軽量・超高層化技術の開発」報告書，1993.10

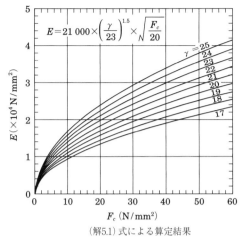
（解5.1）式による算定結果

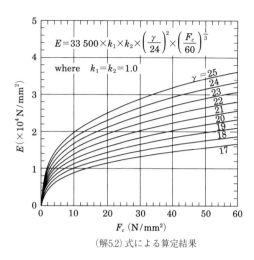
（解5.2）式による算定結果

解説図5.3 コンクリートのヤング係数の算定結果

本規準では，コンクリート強度の高い範囲で適用性のよい（解5.2）式を採用することとした．

3．コンクリートのポアソン比

ポアソン比は，1991年版の本規準では1/6としていたが，本規準では1999年版と同様に高強度コンクリートまで含めて0.20とした．ポアソン比は，コンクリートの種類・調合・材齢・強度などによって若干異なる．例えば，普通コンクリートのポアソン比が0.18～0.20に対して，人工軽量骨材コンクリートのそれは0.20～0.22，高強度コンクリートでは0.20～0.23[2]という値が示されている．圧縮強度の80％程度からポアソン比は急増し，0.5に近づく．本規準では，弾性構造解析を前提としており，ポアソン比による応力分布への影響は小さいとして，平均的な値である0.20を用いることとしている．

4．コンクリートのせん断弾性係数

コンクリートのせん断弾性係数 G は，一般の弾性論で知られている下式によって求めることができる．

$$G = \frac{E}{2(1+\nu)}$$

記号　E：コンクリートのヤング係数
　　　ν：ポアソン比（＝0.2）

5．線膨張係数

一般の鋼材の線膨張係数は 1×10^{-5}/℃である．常温における普通コンクリートの線膨張係数は，一般に $1.2 \sim 1.5 \times 10^{-5}$/℃といわれているが，設計上は簡単のために一般の鋼材と同じ値として，普通コンクリート・軽量コンクリート両者とも 1×10^{-5}/℃とした．

---

[2]　日本コンクリート工学協会：コンクリート便覧　第二版，p.962，技報堂出版，1996

6条　許容応力度

コンクリートおよび鉄筋の許容応力度は，通常の場合，表6.1，6.2および表6.3による．

表6.1　コンクリートの許容応力度　(N/mm²)

	長期			短期		
	圧縮	引張	せん断	圧縮	引張	せん断
普通コンクリート	$\frac{1}{3}F_c$	—	$\frac{1}{30}F_c$ かつ $\left(0.49+\frac{1}{100}F_c\right)$ 以下	長期に対する値の2倍	—	長期に対する値の1.5倍
軽量コンクリート1種および2種			普通コンクリートに対する値の0.9倍			

[注]　F_c は，コンクリートの設計基準強度（N/mm²）を表す．

表6.2　鉄筋の許容応力度　(N/mm²)

	長期		短期	
	引張および圧縮	せん断補強	引張および圧縮	せん断補強
SR 235	155	155	235	235
SR 295	155	195	295	295
SD 295	195	195	295	295
SD 345	215 (*195)	195	345	345
SD 390	215 (*195)	195	390	390
SD 490	215 (*195)	195	490	490 (**390)
溶接金網	195	195	***295	295

[注]　＊：D 29以上の太さの鉄筋に対しては（　）内の数値とする．
　　＊＊：損傷制御のための検討においては（　）内の数値とする．
　　＊＊＊：スラブ筋として引張鉄筋に用いる場合に限る．

表6.3　鉄筋のコンクリートに対する許容付着応力度　(N/mm²)

	長期		短期
	上端筋	その他の鉄筋	
異形鉄筋	$\frac{1}{15}F_c$ かつ $\left(0.9+\frac{2}{75}F_c\right)$ 以下	$\frac{1}{10}F_c$ かつ $\left(1.35+\frac{1}{25}F_c\right)$ 以下	長期に対する値の1.5倍
丸鋼	$\frac{4}{100}F_c$ かつ 0.9以下	$\frac{6}{100}F_c$ かつ 1.35以下	

[注]　1)　上端筋とは曲げ材にあってその鉄筋の下に300 mm以上のコンクリートが打ち込まれる場合の水平鉄筋をいう．
　　2)　F_c は，コンクリートの設計基準強度（N/mm²）を表す．
　　3)　異形鉄筋で，鉄筋までのコンクリートかぶり厚さが鉄筋の径の1.5倍未満の場合には，許容付着応力度は，この表の値に「かぶり厚さ/(鉄筋径の1.5倍)」を乗じた値とする．

(1) 本規準における許容応力度の意義

本規準では，長期・短期許容応力度を設定したいわゆる許容応力度設計の形をとっている．すなわち，与えられた荷重・外力に基づき，弾性体と見なした部材の剛性に従って，場合によってはコンクリートのひび割れや，コンクリートの非弾性ひずみを考慮した剛性低下を部分的に認めながら応力計算を行い，得られた応力による部材各部の応力度が，対応する各種の許容応力度を超えないように断面寸法や曲げ補強筋量あるいはせん断補強筋量を決定するという方法である．

長期許容応力度は，荷重が長期間持続する荷重であることを考えて，建物の長期間の使用に対して支障をきたさないという使用性および耐久性の確保を基本的な要求として，その値が定められている．一方，短期許容応力度は，主として地震力，場合により風圧力による応力に対して，間接的に部材の終局強度を確保すること，あるいは過度の損傷を抑制することを基本的な方針としてその数値を定めてきた．すなわち，二次設計を行う場合には，柱と梁については短期に対して安全性の検討を行うことに代えて，損傷制御に対する検討を行う．

しかし，いずれの場合も，鉄筋コンクリート造部材はコンクリートと鉄筋の複合材料であり，コンクリートのひび割れ，圧縮に対する弾塑性とクリープ，鉄筋の降伏以降の完全塑性などの効果で，断面内において複雑な応力分布を示すので，設計でチェックされる弾性体としての応力度は見かけの応力度であり，真の応力度ではないことに注意しなければならない．したがって，本規準で規定した許容応力度によって算出される断面の許容耐力（曲げモーメント・軸方向力・せん断力）が，荷重・外力による部材の設計応力とどのような関係にあるかを確認するものとして，許容応力度が意義を有するものと考えられたい．

1999年版におけるコンクリートと鉄筋の許容応力度の数値は，その後改正された建築基準法施行令第90条や平成12年建設省告示第1450号に規定された数値とわずかに異なっていた．これはSI単位系に移行した際の数値の丸め方の違いによって生じており，工学的には特に意味はないことから，本規準の2010年の改定において政令や告示の数値に整合させた．

なお，コンクリートの短期許容せん断応力度は建築基準法施行令第91条の規定により長期に対する値の2倍と規定され，また，鉄筋のコンクリートに対する短期許容付着応力度は，異形鉄筋にあっては平成12年建設省告示第1450号，丸鋼にあっては平成13年国土交通省告示第1024号（平成19年国土交通省告示第625号により追加）の規定により長期に対する値の2倍としているが，本規準ではそれぞれ長期に対する値の1.5倍としており，整合していない．これは，本規準は許容せん断耐力との関係で長期に対する値の1.5倍と定めているのに対して，建築基準法施行令は材料特性の観点から（損傷限界等に照らし合わせて）許容応力度を定めていることによる．このように，短期許容せん断応力度を定める背景が両者で異なっているため，単純に比較できるものではない．当然のことながら，本規準に定める許容耐力式を使用する場合には，法令および告示の規定にかかわらず，本規準に規定する許容応力度を用いる必要がある．

(2) コンクリートの許容圧縮応力度

コンクリートの許容圧縮応力度は，コンクリート圧縮強度のばらつき，クリープ，繰返し荷重，動的荷重の影響などを考慮しながら，曲げや曲げ圧縮を受ける断面の設計で，適切な寸法と配筋が

行われるように決められるべきものである．許容応力度の決定は，断面の弾性応力分布を仮定しているので，ヤング係数比 n の数値と関連を有しており，その決め方と意義については12条「曲げ材の断面算定における基本仮定」の解説を参照されたい．

本規準では，許容圧縮応力度 f_c は従来どおり次のように決めている．

$$\text{長期} \quad f_c = \frac{1}{3} F_c, \quad \text{短期} \quad f_c = \frac{2}{3} F_c$$

ここに，F_c はコンクリートの設計基準強度である．

（3）コンクリートの許容引張応力度

コンクリートの引張強度は，圧縮強度のおよそ1/10内外で非常に小さく，また，その乾燥収縮ひずみは，引張破壊ひずみを上回ることがあり，変形を拘束されている部材では常にひび割れ発生を予期しなければならない．そこで，純粋引張材あるいは曲げ材の引張側ではコンクリートの引張強度は無視することとし，許容引張応力度については規定していない．特殊な構造物の場合，例えば，サイロ・水タンクなどでコンクリートの引張強度を期待する場合は，1条「目的と適用範囲」の解説にも記したように本規準の適用範囲外であるが，これらの構造物の設計においては，適切に許容引張応力度を定めることが必要である．

（4）コンクリートの許容せん断応力度

曲げとせん断の組合せ応力によって生じる引張主応力がある値に達すると，材軸に斜めにせん断ひび割れが生じる．

せん断ひび割れ発生後は，部材のせん断剛性が低下し，特にせん断補強筋量が少ない場合には靱性に乏しく，せん断破壊を生じやすいことから，長期に対してはせん断ひび割れの発生はできるだけ避けるのが望ましい．

また，せん断ひび割れが発生してもひび割れ幅が拡大しないように，せん断補強筋を配置すべきである．この補強計算の要否を判定する目安として，許容せん断応力度が定められている．梁に関する実験によれば，せん断ひび割れ強度 τ_c には，コンクリート圧縮強度 σ_B のほか，曲げモーメントとせん断力の比を有効せいで除したシアスパン比 $M/(Qd)$ および断面寸法が関係する．そこで，長期に対しては，せん断ひび割れを発生させないことを前提として，$M/(Qd) = 3$ における τ_c のはば下限として $(0.49 + F_c/100)$ (N/mm^2) を採用した．この値によれば，従来の値 $F_c/30$ は，F_c が 21 N/mm^2 以下では十分に安全なので，$F_c/30$ はそのまま残すことにした．

また，短期に対しては，せん断ひび割れは予期するが，せん断補強筋比が0.1%の場合では破壊しないことを条件に，$M/(Qd) = 3$ における τ_u の下限値を採用した．また，本規準に定めた短期許容せん断応力度は，耐震壁のせん断ひび割れ強度（実験値）のほぼ下限値にも相当することが解説図19.4中の実線（$0.05 \sigma_B$ は $1.5 \times F_c/30$，$0.75 + 0.015 \sigma_B$ は $1.5 \times (0.49 + F_c/100)$ と読み替える）で示されていることから，長期に対する数値の1.5倍の数値としてよいと考えられる．

以上の記述は $F_c \leq 36$ N/mm^2 の場合のものであるが，36 N/mm$^2 < F_c \leq 60$ N/mm^2 の範囲においても本条に規定する許容応力度で安全側の評価を与えることが確認されている[1]．

軽量コンクリート1種および2種の許容せん断応力度は，普通コンクリートに比べて0.9倍と低

減させているが，これは，梁および柱の比較実験結果[2)~5)]から導かれたものである．

（5）鉄筋の許容応力度

ⅰ）鉄筋の長期許容応力度

鉄筋の長期許容応力度は，使用性の確保を目標とし，長期荷重下で引張側のコンクリートひび割れ幅を大きくしないことと，降伏点に対する一定の安全率を確保するという観点より表6.2のように定めた．

ひび割れ幅に関しては，国内外に多くの研究[6),7)]がある．一般に，鉄筋応力が一定であれば，梁の引張側における鉄筋1本あたりのコンクリート断面積が大きいほど，コンクリートかぶりが厚いほど，鉄筋径が太いほど，また，付着強度が低いほどひび割れ幅は大きくなるといわれている．また一方，ひび割れ幅の制限としては，

　　　建物外面では　0.2〜0.25 mm

　　　建物内面では　0.3〜0.4 mm

程度の数値が示されることが多い[8),9)]．

海外では，ひび割れ幅の算定式と許容ひび割れ幅を与えて長期応力をチェックするような規準も見られる．しかし，本規準では，本文の表6.2のように各種鉄筋に対する長期許容応力度を定めた．

太径の鉄筋では，付着強度が相対的に低くなり，ひび割れ幅が大きくなることを考慮して，許容応力度を厳しく制限した．これにより，最大ひび割れ幅は通常の場合0.3 mm程度には制御されると考えられる．

SD 490については，近年，高強度鉄筋を使用した部材の実験資料も蓄積されてきており，また，平成13年国土交通省告示第1024号において許容応力度および材料強度が定められたので，これによった．

溶接金網は，一般に径が細く，また，付着も丸鋼よりは異形鉄筋に近いので，$f_t = (2/3)\sigma_y$および195 N/mm²のうちの小さいほうとして，195 N/mm²に決められている．なお，梁・スラブについて乾燥収縮の影響も考慮した設定最大ひび割れ幅に対する鉄筋応力の算定図，その曲げモーメン

---

1) 例えば　香田伸次・黒瀬行信・山野辺宏治・金本清臣：超高強度鉄筋コンクリート造架構の構造特性（その2　柱実験），日本建築学会大会学術講演梗概集，1994
2) 黒正清治・鈴木貞男・深井　豊：軽量骨材を用いた鉄筋コンクリートばりのせん断破壊試験報告，日本建築学会論文報告集，号外，1966.10
3) 広沢雅也・山田国正・池田昭男：軽量骨材を用いた鉄筋コンクリート柱の破壊試験報告，その1，その2，日本建築学会論文報告集，号外，1967.10
4) 荒川　卓：鉄筋コンクリートばりの許容せん断応力度とせん断補強について，コンクリートジャーナル，1970.7
5) 日本建築学会：高強度人工軽量骨材コンクリートを用いた建築物の設計と施工，1992
6) 森田司郎：ひび割れ幅制限できまる鉄筋の長期許容応力度，日本建築学会大会学術講演梗概集，1968
7) 鈴木計夫・大野義照：プレストレスト鉄筋コンクリートはりの曲げひび割れ幅に関する研究（その1,2），日本建築学会論文報告集，No. 303, No. 305，1981
8) 日本建築学会：鉄筋コンクリート造建築物の収縮ひび割れ制御設計・施工指針・同解説，2023
9) 日本建築学会：プレストレスト鉄筋コンクリート（Ⅲ種PC）構造設計・施工指針・同解説，2003

トの略算法が付 7 に示されているので参照されたい.

丸鋼は溶接金網として用いられるほか,せん断補強筋,横補強筋,アンカーボルト等に用いる場合がある.丸鋼は原則として曲げ補強筋として用いないので,定着の確保のみが検定の対象となる.必ず端部フックとする必要があるが,許容付着応力度を用いた計算によらず,構造規定で常用の定着長さやフックの仕様によることで対応が可能であり,17 条にこれを規定している.

ⅱ）鉄筋の短期許容応力度

鉄筋はその降伏点まで,ほぼ弾性的に変形し,規格降伏点 235〜490 N/mm² の鉄筋に対して降伏ひずみ ε_y は $0.12〜0.30\times10^{-2}$ 程度で,これはコンクリートの圧縮強度時のひずみの $0.15〜0.30\times10^{-2}$（普通コンクリート）,$0.15〜0.36\times10^{-2}$（軽量コンクリート）にほぼ対応しており,降伏後は著しく大きい延性を有している.また,通常の設計で使われる程度の鉄筋量の梁や柱では,その終局強度時には,鉄筋はいずれも降伏することが実験的にも理論的にも確認されている.このように,鉄筋コンクリート造部材として,鉄筋の降伏点は,引張にはもちろん圧縮にも十分に利用できる応力度であり,このような理由から,短期許容応力度は,一般には JIS に定められた最小の規格降伏点の数値としている.

本規準による鉄筋の許容引張応力度で決まる許容曲げモーメントは,梁でも柱でも,その終局強度に比べて強度的にはせいぜい 1 割程度の安全率しか有しないが,一般的には,鉄筋が許容応力度すなわち降伏点に到達後,圧縮側のコンクリートが圧壊して完全に耐力を失うまでには十分な変形能を有しており,いわゆる十分な靱性が確保されている.靱性を安全率の一要素と考えれば,規格降伏点の数値を短期許容応力度に採用しても十分に安全である.

溶接金網を梁・柱の主筋に用いることについては,十分な研究がないことから,本規準では取り扱わない.また,4 条の解説(4)にも記述しているが,スラブ筋としては利用するので,短期の梁曲げモーメントに対して協力するスラブに溶接金網を用いる場合の短期許容引張応力度を定めている.この場合以外は,あばら筋・壁筋などせん断補強筋としてのみ利用されることから,せん断補強に用いる場合の短期許容引張応力度を定めている.

ⅲ）せん断補強筋の許容応力度

先にも述べたように,長期許容応力度は,荷重が長期間持続する荷重であることを考えて,建物の長期間使用に対して支障をきたさないという条件の確保を基本的な方針として,その数値が定められている.一方,短期許容応力度は,主として地震力,場合により風圧力による応力に対して,間接的に部材の終局強度を確保することを基本的な方針としてその数値を定めてきた.これは,1968 年十勝沖地震で鉄筋コンクリート造建物の柱にせん断破壊が生じたことに対する反省として,1971 年のせん断設計法の改定で取り入れられた考え方であり,構造物のメカニズム時においてせん断破壊が生じないような強度を確保するもので,短期許容せん断力の算定式としては,部材のせん断終局強度算定式を許容応力度設計体系に対応可能なように修正した式を用いている.

なお,二次設計を行う場合には上記のような終局強度の確保が二次設計で検証されることから,2010 年の改定では,二次設計を行う場合の短期許容応力度設計の意義が短期に対する損傷制御を目標としているとして,従来と同じ値の短期許容引張応力度を使用して残留せん断ひび割れ幅が一

定程度以下におさまるように，柱と梁の短期許容せん断力の算定式を規定した．また，2010 年版では 15 条の梁・柱の短期荷重時のせん断力に対する損傷制御のための検討において，せん断補強筋の短期許容引張応力度が 390 N/mm² を超える場合は 390 N/mm² として許容せん断力を計算することとなっていたが，19 条の壁部材の損傷制御の検討に用いる短期許容せん断力の算定においては 390 N/mm² の制限がなく，不連続が生じていた．これを是正するため，2018 年の改定で規準 6 条においてせん断補強筋の短期許容応力度の上限値について規定された．詳細は 15 条解説を参照されたい．

(6) 鉄筋のコンクリートに対する許容付着応力度

ⅰ) 許容付着応力度

1999 年版の本規準では，1991 年版までの曲げ付着検定を廃止し平均付着応力度による検定方法に改定した．1999 年版における許容付着応力度の数値は，異形鉄筋の付着強度に関わるものとして与えられており，16 条で修正係数を乗じて使用していたものである．

2010 年版では，曲げ材の引張鉄筋の付着に関する設計は，長期に対する使用性ならびに短期に対する損傷制御を目標とした付着応力度の検討と，付着割裂破壊に対する安全性の確保を目標とした付着割裂強度の検討に改定された．このため，長期に対する使用性ならびに短期に対する損傷制御の検討では，1991 年版での許容付着応力度以下であることを確認することとし，これを表 6.3 に示した．また，付着割裂破壊に対する安全性の検討では，1999 年版で掲げていた許容付着応力度を 16 条中に「付着割裂の基準となる強度」として提示した．なお，$F_c=36$ N/mm² までを適用範囲とする 1991 年版の付着の規定を $F_c=60$ N/mm² までに拡大することになるための妥当性の検証などについては，16 条の解説 1.(3) ⅰ) 項に記載されている．

重ね継手についても，原則として表 6.3 の許容付着応力度以下となることを確認する．ただし，付着割裂破壊のおそれがある場合には，16 条でさらに付着割裂強度の検討も行うことを規定した．

ⅱ) コンクリートのかぶり厚さが薄い場合の異形鉄筋の許容付着応力度の低減

異形鉄筋では，対象とする鉄筋までのコンクリートのかぶり厚さが相対的に薄い場合には，本規準で想定する付着強度が発揮されるまでにかぶりコンクリートの割裂が先行するおそれがある．そこで，その鉄筋までのコンクリートかぶりの厚さが鉄筋径の 1.5 倍未満の場合には，表 6.3 の注 3) により許容付着応力度を低減させるものとする．特に，太径の異形鉄筋を用いる場合に注意が必要といえる．

3章 荷重および応力・変形の算定

7条 荷重および外力とその組合せ

1. 構造計算に採用する荷重および外力とその組合せは，建築基準法施行令および建設省告示，国土交通省告示または本会「建築物荷重指針・同解説」，「建築基礎構造設計指針」に定めるところによる．
2. 鉄筋コンクリートの単位体積重量は実状による．特に調査しない場合は，表7.1によってもよい．

表7.1 鉄筋コンクリートの単位体積重量

コンクリートの種類	設計基準強度の範囲 (N/mm²)	鉄筋コンクリートの単位体積重量 (kN/m³)
普通コンクリート	$F_c \leq 36$ $36 < F_c \leq 48$ $48 < F_c \leq 60$	24 24.5 25
軽量コンクリート1種	$F_c \leq 27$ $27 < F_c \leq 36$	20 22
軽量コンクリート2種	$F_c \leq 27$	18

1. 荷重および外力とその組合せ

構造計算に採用する荷重および外力とその組合せは，建築基準法施行令および建設省告示，国土交通省告示によるか，本会「建築物荷重指針・同解説 2015」[1]，「建築基礎構造設計指針」(2019)[2]による．すなわち，建築基準法施行令による場合，法令および建設省告示，国土交通省告示に規定された数値に基づいて算定し，応力の組合せも同様に同施行令による．一方，施行令または建設省告示，国土交通省告示に数値の規定のない土圧力および水圧力などは本会「建築基礎構造設計指針」に，建物屋上より突出する塔の風圧力などは本会「塔状鋼構造設計指針・同解説」[3]にそれぞれよればよい．「建築物荷重指針・同解説 2015」による場合は，荷重レベルと応力の組合せとしては許容応力度設計用のものを採用すればよい．また，地震動に対して本会「鉄筋コンクリート造建物の等価線形化法に基づく耐震性能評価型設計指針・同解説」[4]により性能評価を行う場合，当該指針の損傷限界状態の限界値として本規準の損傷制御用のものを用いてもよい．詳細は同指針[4]を参照されたい．

解説表7.1に，建築基準法施行令，建設省告示，国土交通省告示と本会制定の指針との関係を示す．通常の場合，鉄筋コンクリート造建物の構造計算に用いる荷重と応力の組合せを解説表7.2に

---

1) 日本建築学会：建築物荷重指針・同解説 2015，2015
2) 日本建築学会：建築基礎構造設計指針，2019
3) 日本建築学会：塔状鋼構造設計指針・同解説，1980
4) 日本建築学会：鉄筋コンクリート造建物の等価線形化法に基づく耐震性能評価型設計指針・同解説，2023

解説表 7.1 荷重および外力における建築基準法施行令と本会制定の指針との関係

法令・告示・指針 荷重の種類	建築基準法施行令	建設省告示 国土交通省告示	建築物 荷重指針 2015	建築基礎構造 設計指針
固定荷重	第84条[注1]	—	3章	—
積載荷重	第85条 (エレベーター および エスカレーターは 第129条の5,12)	—	4章	—
雪荷重	第86条	多雪区域を指定する基準等 平成12.5.31（建告第1455号）	5章	—
風荷重	第87条	E の数値を算出する方法等 平成12.5.31（建告第1454号）	6章	—
地震力	第88条	Z の数値，R_t および A_i の算出 方法ならびに地盤が著しく軟弱 な区域を定める基準 昭和55.11.27(建告第1793号) ※最終改正平成19.5.18 （国告第597号）	7章	—
土圧・水圧	第83条[注2]	—	9章	第4章
特殊な荷重	第83条[注2]	—	12章	

[注] 1) 固定荷重は，当該建築物の実況に応じて計算した場合は建築基準法施行令第84条の表によらなくてもよい．本会「建築物荷重指針・同解説2015」第3章には，各種の床仕上げ・壁仕上げ・天井仕上げおよび屋根仕上げによる重量を算出したものが示されている．
2) 建築基準法施行令第83条には，土圧・水圧および特殊な荷重についての数値は規定していないので実状に応じた数値を採用すること．

解説表 7.2 荷重と応力の組合せ

設計用荷重の種類	設計用荷重について想定する状態	応力の組合せ
長期の荷重	常　　時	$G+P+S$
短期の荷重	地　震　時	$G+P+S+K$

記号　G：固定荷重による応力
　　　P：積載荷重による応力
　　　S：雪荷重による応力(特定行政庁が指定する多雪地域の建築物のみに考慮する)
　　　K：地震力による応力

示す．

　風圧による応力は，一般の鉄筋コンクリート造建物では，地震による応力に比べて小さいので，荷重の組合せ表の中には入れていない．ただし，軽い煙突，その他の特殊なもので，特に転倒を検討する場合には，風圧力で決まる場合があるので，その点の考慮が必要である．

　土圧力・水圧力については，「建築基礎構造設計指針」の第4章または，「建築物荷重指針・同解説2015」の第9章により定めることとする．その他の特殊な荷重としては，運搬設備および装置による荷重があり，動力連動装置の据付けによる荷重と，これに伴う振動・衝撃によるもの，また，

建物の種類や形状により，温度変化のため特に大きな応力を受ける場合などがある．運搬設備および装置による荷重として，鉄筋コンクリート造建物に比較的多く取り入れられているエレベーター・エスカレーターの荷重や連動装置によるものについては，「建築物荷重指針・同解説 2015」の12章を参照されたい．また，走行クレーンおよび動力連動装置などに関する荷重については，本会「鋼構造許容応力度設計規準」[5]および「建築物荷重指針・同解説 2015」の12章を参照されたい．温度変化についての取扱いは，本規準22条の解説および「建築物荷重指針・同解説 2015」の8章を参照されたい．

なお，建物に付帯する諸設備の全荷重は，その形状・規格およびメーカーにより違いがあり，標準値を示すことは困難であるので，各メーカーのカタログなどを参照されたい．特に，機械室の天井などには，場合により相当な荷重が付加されることがあるので注意を要する．

2. 鉄筋コンクリートの単位体積重量

構造計算に採用する鉄筋コンクリートの単位体積重量は，コンクリートの気乾単位容積重量にコンクリート断面内に配筋される鉄筋の重量を加算して定めることとなるが，コンクリートの気乾単位容積重量は，使用する骨材の比重や調合によって異なるので基本的には実況によることとした．しかしながら，構造計算の早期の段階から鉄筋コンクリートの重量を算定することが必要なので，特に調査しない場合には表7.1によってよいこととした．表7.1に示した鉄筋コンクリートの単位体積重量は，解説表7.3に示す無筋コンクリートの気乾状態の単位容積質量に基づいて無筋コンクリートの単位体積重量をそれぞれの設計基準強度の範囲内でほぼ上限になる値として設定し，これに鉄筋による重量増分値 $1\,\mathrm{kN/m^3}$ を加算して本規準として示したものである．解説表7.3の普通コンクリートと軽量コンクリートの気乾状態の単位容積質量は，それぞれ JASS 5[6] の3節の3.5と14節の14.3によった．

また，鉄筋による単位体積あたりの無筋コンクリートに加算する重量増分を，柱，梁，壁とスラ

解説表 7.3　鉄筋コンクリートの単位体積重量

コンクリートの種類	気乾状態のコンクリートの単位容積質量 $(\mathrm{t/m^3})$	本規準における数値		
		F_c の範囲 $(\mathrm{N/mm^2})$	採用した無筋コンクリートの単位体積重量 $(\mathrm{kN/m^3})$	鉄筋コンクリートの単位体積重量 $(\mathrm{kN/m^3})$
普通コンクリート	2.1〜2.5	$F_c \leq 36$ $36 < F_c \leq 48$ $48 < F_c \leq 60$	23 23.5 24	24 24.5 25
軽量コンクリート1種	1.8〜2.1	$F_c \leq 27$ $27 < F_c \leq 36$	19 21	20 22
軽量コンクリート2種	1.4〜1.8	$F_c \leq 27$	17	18

［記号］　F_c：コンクリートの設計基準強度

---

5) 日本建築学会：鋼構造許容応力度設計規準，2019
6) 日本建築学会：建築工事標準仕様書・同解説　JASS 5　鉄筋コンクリート工事，2022

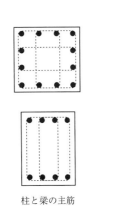
柱と梁の主筋

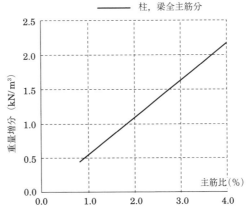

注) 主筋比は部材断面積に対する全主筋断面積の割合

（a）柱，梁部材の全主筋による単位体積あたり重量増分

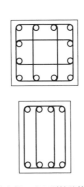
柱と梁のせん断補強筋

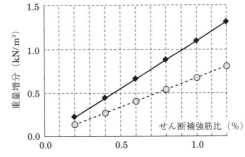

注) 柱ではせん断補強筋比は X, Y 方向同量で一方向分の比率で示している．

（b）柱，梁部材のせん断補強筋による重量増分

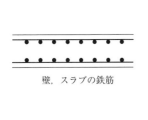
壁，スラブの鉄筋

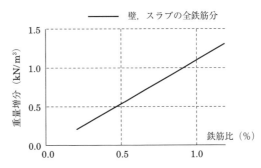

注) 壁およびスラブでは鉄筋比は X, Y 方向同量で一方向分の比率で示している．

（c）壁，スラブの全鉄筋による重量増分

解説図7.1 単位体積あたりの無筋コンクリートに加算する鉄筋による重量増分

ブに関して，それらの標準的な配筋を対象に，主筋比と補強筋比をパラメータとして計算し，解説図 7.1 に示す．これらの計算では無筋コンクリートと鉄筋の単位体積あたりの重量をそれぞれ 23 kN/m³ と 77.1 kN/m³ としている．また，柱，梁および壁，スラブの主筋に関する重量増分は，主筋比により部材寸法に関係なく算定されるが，柱の帯筋比と梁のあばら筋比に関する重量増分は，その補強筋比だけでは決まらず断面の寸法や辺長比が若干影響する．これらの補強筋をパラメータとした場合の重量増分計算では，柱の寸法は 700 mm × 700 mm とし，梁の寸法は 500 mm × 700 mm と仮定した．したがって，柱の帯筋比と梁のあばら筋比に関する重量増分は，上記仮定値と断面寸法や辺長比が著しく異なる場合は別途検討の必要がある．これによると，鉄筋による単位体積あたりの無筋コンクリートに加算する重量増分は，柱と梁に関しては主筋と補強筋を加算すると 1 kN/m³ より大きくなる可能性が高く，壁とスラブに関しては 1 kN/m³ より小さくなる可能性が高い．その結果を平均して考えると，本規準でも想定し，これまでも採用されてきた鉄筋による重量増分に相当する値 1 kN/m³ はほぼ妥当なものと判断される．しかし，特別高密度な配筋を設定したり，高強度コンクリートを採用してコンクリート断面を小さく想定したりする場合は，鉄筋による重量増分が 1 kN/m³ より相当大きくなる可能性が高いので，その場合には，実状により算定する必要がある．

8 条　構造解析の基本事項

1. 建物全体および各部の応力と変形は，下記の仮定に基づき算定する．
（1）応力および変形の算定は，一般には弾性剛性に立脚した計算によるが，解析の目的や各部材の応力レベルに応じてコンクリートのひび割れ等の影響による剛性低下を適切に考慮する．
（2）材料のヤング係数は，表 5.1 による．ただし，長期荷重によるクリープの影響を考慮する場合は，この限りではない．

2. 柱・梁の剛性評価
（1）曲げ変形，せん断変形および軸方向変形に対する弾性剛性を算定する際は，基本となる断面積および断面二次モーメントは全断面について求める．これらの計算に鉄筋の影響を無視することができない場合は，これを適切に考慮する．
（2）スラブ付き梁，壁付き柱などの T 形断面を有する材の曲げ変形に対する板部の有効幅は，ウェブ幅に，その両側または片側に板部の協力幅をそれぞれ加えたものとする．板部の協力幅は，(8.1) 式または (8.2) 式により算定する．

＜両端剛接合の梁および連続梁の場合＞

$\dfrac{a}{l} < 0.5$ の場合　　$b_a = (0.5 - 0.6 \dfrac{a}{l}) a$ 　　　　　　　(8.1)

$\dfrac{a}{l} \geq 0.5$ の場合　　$b_a = 0.1 l$

＜単純梁の場合＞

$\dfrac{a}{l_0} < 1$ の場合　　$b_a = (0.5 - 0.3 \dfrac{a}{l_0}) a$ 　　　　　　　(8.2)

$\dfrac{a}{l_0} \geq 1$ の場合　　$b_a = 0.2 l_0$

記号
　　a：並列 T 形断面部材では材の側面から隣の材の側面までの距離〔図 8.1 参照〕

単独T形断面部材ではその片側フランジ幅の2倍
l ：骨組または連続梁のスパン長さ
l_0 ：単純梁のスパン長さ

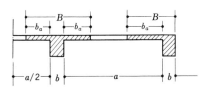

図8.1 T形断面部材の板部の有効幅

（3） 部材の変形は，原則として曲げモーメントおよびせん断力による変形を考慮し，必要に応じて軸方向力による変形を考慮する．この場合，応力計算を簡略化するために，せいに比べて長さが長い線材では，せん断力による変形を無視することができる．

（4） 部材に局部的なひび割れが生じ，剛性低下の影響が無視できない場合は，適切な復元力特性を設定して非線形解析を行い，各部の応力，変形を算定する．

3. 壁の剛性評価

耐震壁や壁状の部材には曲げ変形，せん断変形および必要に応じて軸方向変形を考慮するとともに，解析の目的とその応力レベルに基づき，これらの各変形に対応する弾性剛性に対する剛性低下を適切に評価する．

1. 建物の全体および各部の応力と変形の算定

（1） RC部材の剛性低下

鉄筋コンクリート造建物の不静定骨組の構造解析において，弾性理論による部材の曲げ剛性やせん断剛性および軸方向剛性に基づいた弾性解析により，部材応力を算出する場合がある．長期荷重に対する構造解析では，クリープの問題を別にすれば[1),2)]，材料はほぼ弾性範囲にあると考えてよい．しかし，応力度が短期許容応力度程度に大きくなったり，地震時などでそれを超えるような段階になると，部材には局部的にひび割れが生じ，弾性剛性よりかなり低い剛性を示すようになる．この現象は一般に剛性低下と呼ばれる．

静定構造物であれば，剛性の変化は応力分布や耐力には無関係であるが，不静定骨組では剛性低下により部材応力の分布が変化する．また，建物全体や部材の変形は，剛性低下の考慮の有無により大きく異なる．

一般的には，弾性解析により応力や変形を算出するが，解析の目的や各部材の応力レベルに応じて，ひび割れによる剛性低下を適切に評価した解析に基づき，部材応力や変形を算出することが望ましい．特に，本規準では，鉄筋コンクリート造建物の損傷制御性の確保を目標として，短期荷重時応力度が短期許容応力度以下となることを定めている．そのためには，短期荷重時応力度を実状に即した部材剛性に基づく解析により算出する必要がある．

（2） 自己ひずみ応力の考慮

構造物の微小変形・微小振動あるいは不同沈下・温度変化，コンクリートの収縮などに基づく自

---

1) 坂　静雄：鉄筋コンクリートの研究，産業図書，1954
2) 大崎順彦：鉄筋コンクリート匍匐応力計算法，日本建築学会論文集，No. 42，1951.2

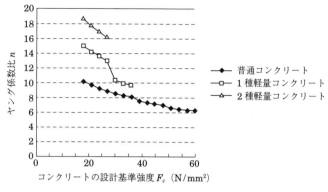

解説図8.1 応力解析用ヤング係数比 n

己ひずみ応力を扱う場合には，5条の表5.1に示した弾性係数を用いる．この場合，ヤング係数としてはコンクリートの値を用い，鉄筋の影響を考慮する場合には，次の2．（1）に述べる方法で断面積や断面二次モーメントをコンクリートに対する鉄筋のヤング係数比 n を用いて等価な値に割り増す方法による．

鉄筋のヤング係数は鉄筋の種類に関係せずほぼ一定で，$2.05 \times 10^5\,\mathrm{N/mm^2}$ である．コンクリートのヤング係数は，表5.1に示すようにコンクリートの単位体積重量 γ と設計基準強度 F_c によって変化する．したがって，コンクリートとのヤング係数比 n はコンクリートの種類によって変わる．解説表7.3に示した無筋コンクリートの単位体積重量を用いて，表5.1により算定したコンクリートのヤング係数に基づく応力解析用のヤング係数比 n を解説図8.1に示す．

2．柱・梁の剛性評価

（1）鉄筋コンクリート部材の断面二次モーメント計算の仮定

鉄筋コンクリート造骨組の微小変形・微小振動・自己ひずみ応力などを扱う場合には，コンクリート断面に鉄筋の影響を考慮したほうが実測値との対応がよい．このため鉄筋の断面をそのヤング係数比を用いて n 倍のコンクリート断面に置き換えた等価置換断面積 A_e，等価置換断面二次モーメント I_e を考えればよい．

解説図8.2に示す断面で

$$n=\frac{sE}{cE},\quad p_t=\frac{a_t}{bD},\quad \gamma=\frac{a_c}{a_t},\quad d_{t1}=\frac{d_t}{D},\quad d_{c1}=\frac{d_c}{D},\quad g_{o1}=\frac{g}{D} \qquad (解8.1)$$

記号　g：断面縁から断面の重心までの距離

とすると，無筋の場合の断面積 A_0 と有筋の場合の等価断面積 A_e は次式で表される．

$$A_0=bD \qquad (解8.2)$$

$$A_e=A_0+n(a_t+a_c)=A_0\{1+np_t(1+\gamma)\} \qquad (解8.3)$$

また，無筋の場合の断面二次モーメント I_0 に対して，有筋の場合の等価断面二次モーメントを I_e で表すと，ϕ_r は鉄筋が入ったことによる断面二次モーメントの増大率で次式のようになる．

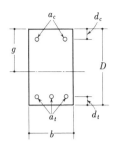

解説図8.2 鉄筋コンクリート断面の記号

$$\phi_r = 12\left(\frac{1}{3} - g_{o1} + g_{o1}{}^2\right) + 12np_t\left\{(1-g_{o1}-d_{t1})^2 + (g_{o1}-d_{c1})^2\gamma\right\} \tag{解 8.4}$$

ここに,

$$I_e = \phi_r I_0 \qquad I_0 = \frac{bD^3}{12} \qquad g_{o1} = \frac{0.5 + np_t(1-d_{t1}+d_{c1}\gamma)}{1+np_t(1+\gamma)} \tag{解 8.5}$$

なお,(解8.3)式と(解8.4)式では,鉄筋断面をコンクリート断面と重複して算定していることになるので,厳密にいえば n の代わりに $(n-1)$ を用いるのがより正確であるが,ここでは簡便のために n を用いている.

(解8.4)式の ϕ_r は,近似的に次式を用いてもよい.上式で $d_{t1}=d_{c1}=0.1$ と仮定し,柱の場合,$g_{o1}=0.5$,$\gamma=1$ とおいて

$$\phi_r = 1 + 3.8np_t \tag{解 8.6}$$

梁の場合,$g_{o1}=0.53$ と仮定して

$$\phi_r = 1 + np_t(1.5 + 2\gamma) \tag{解 8.7}$$

解説図8.3に骨組の荷重と変形との関係を示す実験結果を示した.鉄筋の影響を考えれば,弾性変形はよく実験と一致していることがわかる.

不静定骨組の設計にあたっては,骨組を構成する各部材の断面二次モーメントに基づいて各部応力を算出し,それによって,はじめてその断面配筋などを定めることができる.もし,各部の断面

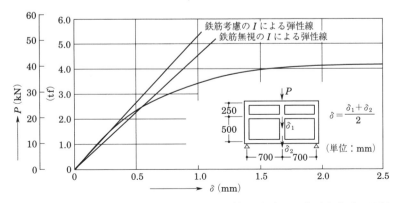

解説図8.3 鉄筋コンクリート骨組の鉄筋の影響を考慮した荷重と変形の関係

が未定ならば（通常の設計はこの場合にあたる），設計に先立ち各部の断面を見込みで仮定し，その断面二次モーメントを算定し，骨組解析を経て部材断面を設計する．

この場合に，各部材は弾性と考え，コンクリートは引張・圧縮とも抵抗しうると見なす．したがって，断面二次モーメントは全断面について算定する．この場合，鉄筋の影響は前述の等価置換断面積・等価置換断面二次モーメントを考えることによって採り入れることができる．

しかし，断面仮定の場合には，鉄筋量が不明であるから算入するわけにはいかない．また，応力を計算する場合には，各部材の断面二次モーメントの比が影響し，その絶対量は問題ではない．そこで，鉄筋の影響が各材に対してほぼ同率であると考えて，これを無視することが広く行われている．たわみの計算など，変形量の絶対値を精度よく求める必要がある場合は，鉄筋の影響を考慮するとよい．

（2） T形梁の有効幅 B の取扱い方について

長方形梁が床スラブと一体となって曲げに抵抗するいわゆる T 形梁は，単独の長方形梁よりも応力度も変形も小さい．

T 形梁の間隔が広い場合，スラブの軸方向応力度 σ_x は一様ではなく，解説図8.4のようにウェブとの付け根を離れるにつれて漸次減少する．

σ_x が一様に分布するという初等曲げ理論の仮定に適合させるために，同図のハッチした応力の面積が互いに等しくなるように定めた幅 B が有効幅 B であって，σ_x の分布がわかれば片側板部の協力幅は

$$b_a = \frac{1}{\sigma_0} \int_{b/2}^{b/2+a/2} \sigma_x dy \tag{解 8.8}$$

から求めることができる．

したがって，T 形梁の有効幅 B は次式から定まることになる．

ⅰ）スラブが材の両側にあるとき〔本文図8.1〕

$$B = b_{a左} + b_{a右} + b \tag{解 8.9}$$

ⅱ）スラブが材の片側にあるとき〔本文図8.1〕

$$B = b_a + b \tag{解 8.10}$$

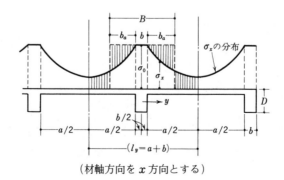

（材軸方向を x 方向とする）

解説図8.4 σ_x の分布と有効幅

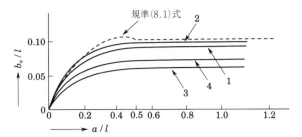

曲線 1 は　sine 形 M 時自由支持梁および cosine 形 M 時固定梁
曲線 2 は　等分布荷重時中央点（固定梁）
曲線 3 は　等分布荷重時支点（固定梁）
曲線 4 は　中央集中荷重時，中央点と支点（固定梁）

解説図8.5　協力幅と板の辺長比との関係

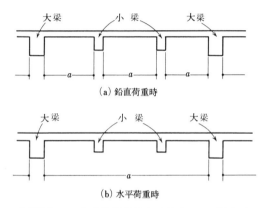

解説図8.6　荷重状態が異なる場合の a の取り方

　T形梁の有効幅は，梁の支持条件（固定，単純支持，連続），梁に加わる荷重分布状態（等分布，集中，水平力），スラブの辺長比 a/l，スラブ側辺の拘束（単独梁・並列梁），スラブと梁のせいの比など各種の条件によって異なり，また材長に沿って変化する〔13条解説，解説図13.5参照〕．なお，応力算定時の曲げ剛性の評価に用いる有効幅は，材長に沿って変わる絶対値よりもその平均値が重要である．その意味で，有効幅に最も影響の大きい板部の辺長比 a/l と協力幅 b_a の関係を示す解説図8.5の曲線1を平均的な値として採用し，これを近似式で表したものが両端剛接合の梁および連続梁の場合の規準（8.1）式であり[3]，解説図8.5中の破線で示しており，実験値[4]とも合う．

　また，小梁が大梁に並列する場合には，有効幅は荷重状態によって異なり，規準（8.1）式および，（8.2）式を適用するためには，a の値を解説図8.6（a），（b）に示すように変えて考えるべきであるが，小梁が小さいときには，水平荷重時に重点をおいて，解説図8.6（b）に示した a を

---

[3]　東　洋一：T形大梁・小梁の協力巾と有効剛度，日本建築学会論文報告集，No. 57，1957.7
[4]　東　洋一・大久保全陸：中央集中荷重時単純支持鉄筋コンクリートT梁の有効幅と破壊性状，日本建築学会論文報告集，No.146，1968.4

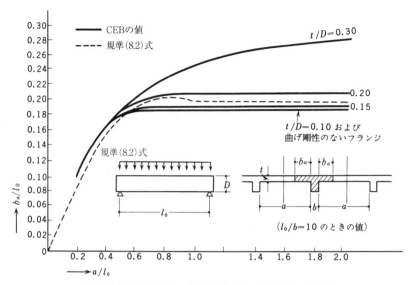

解説図 8.7 単純梁の協力幅と板の辺長比との関係

用いることができる[3].

解説図 8.7 は，ヨーロッパコンクリート委員会（CEB）[5]の鉄筋コンクリート設計施工基準[6]に示されている並列 T 形梁の有効幅の値と単純梁の場合の規準（8.2）式とを比較したものであり，通常の建物では，板厚と梁せいの比 t/D は，だいたい 0.1～0.2 であるので，破線で示した規準（8.2）式は妥当であると考えられる．また，本図から協力幅は板厚に比例するものでないこともわかる．

規準の（8.1）式を用いて求めた有効幅 B から断面二次モーメントを算定するには，付 4 の算定式から断面二次モーメントの増大率 ϕ を求め，次式により断面二次モーメントを求めると便利である．

$$I_T = \phi I_0 \quad (解 8.11)$$

$$I_0 = \frac{bD^3}{12} \quad (解 8.12)$$

ここに，I_T：T 形梁の断面二次モーメント

I_0：長方形梁の断面二次モーメント

ϕ：断面二次モーメントの増大率

なお，文献 7) は，T 形梁の応力・変形解析から梁幅，梁せい，スラブ厚さ，スパン長さ，隣接

---

5) ヨーロッパコンクリート委員会（Comité European du Béton）：Recommendations for an International Code of Practice for Reinforced Concrete, American Concrete and Cement Institute and Concrete Association, 1964

6) 日本セメント技術協会，尾坂芳夫訳：パンフレット翻訳 6「終局強度理論による鉄筋コンクリート設計施工基準」，p. 122, 1966

7) 坪井善勝：T 形梁に関する理論的な研究，日本建築学会論文報告集，No. 21(1941.4), No. 26(1942.8)

材端の条件	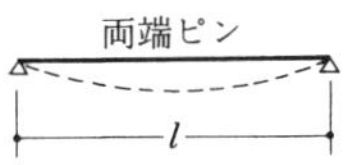 両端ピン	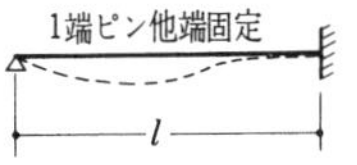 1端ピン他端固定	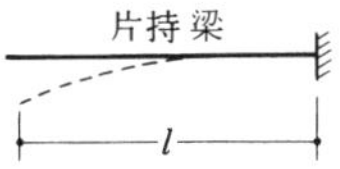 片持梁
l_0	l	$0.7l$	$2l$

解説図8.8 材端の条件による規準（8.2）式におけるスパン長さl_0

する梁までの中心間距離をパラメータとしてϕを求める図表が作成されているので参照されたい．

また，剛性の多少の変化は骨組の応力に大きな影響を与えないので，ϕはもっと大まかな値をとることも許されよう．例えば，普通規模の梁の場合には，両側にスラブをもつ場合$\phi=2$，片側にスラブをもつ場合$\phi=1.5$と仮定してもよいが，特殊な寸法比（a/b, a/l, t/D）の場合には（解8.8）式から計算するか，文献7）によるのが望ましい．

規準（8.2）式は，単純梁や片持梁などの協力幅b_aの計算に用いる．この場合b_aを算定する場合のスパン長さl_0は，例えば，解説図8.8のように設定すればよい．

（3）部材のせん断変形

各部材のたわみが主として曲げモーメントによる場合，すなわち，せいに比べて長さが長い線材では，計算を簡略化するためにせん断力による変形は無視して応力計算を行うことができる．

しかし，ウォールガーダー等のせいの大きな梁，腰壁・垂壁と一体の梁や袖壁と一体の柱もしくは耐震壁を線材として扱う場合など，材せいが材長の0.3倍以上となるような部材については，曲げ変形のほかにせん断変形を考慮した文献8）に示すような解法を用いたほうがよい．

柱，梁および耐震壁などの部材を線材にモデル化してせん断変形を考慮する場合の有効せん断断面積A_sは，部材の断面積Aとせん断変形の形状係数k_sに基づいて，（解8.13）式により算定してよい．この場合，せん断変形の形状係数k_sは，断面内のせん断応力度の分布とそれに比例して生じるせん断ひずみ（せん断変形角）から定まるひずみエネルギーと，線材としてモデル化した部材のせん断変形によるひずみエネルギーを等置することによって，（解8.14）式のように求められる．

$$A_s = \frac{A}{k_s} \tag{解8.13}$$

$$k_s = \frac{A}{I^2} \int_{y_t}^{y_c} \frac{S(y)^2}{z(y)} dy \tag{解8.14}$$

ここに，A_s：有効せん断断面積

k_s：せん断変形の形状係数

A：断面積

I：中立軸まわりの断面二次モーメント

$S(y)$：中立軸$N-N'$から距離y以下の断面の中立軸に関する断面一次モーメント

---

8) 武藤 清：耐震設計シリーズ1，耐震計算法，丸善，1963

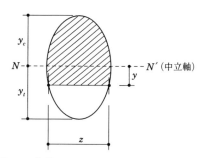

解説図8.9 有効せん断断面積算定における断面記号

y_t：中立軸 $N-N'$ から断面下端縁までの距離〔解説図8.9〕

y_c：中立軸 $N-N'$ から断面上端縁までの距離〔解説図8.9〕

$z(y)$：中立軸から距離 y における断面の幅〔解説図8.9〕

（解8.14）式より算定した結果から，断面の形状によるせん断変形の形状係数 k_s は，矩形断面では1.2，円形断面では1.1としてよい．T形梁断面では，A を有効幅を考慮しない長方形断面とし，$k_s=1.0$ としてよい．I形耐震壁では，$A_s=tD$ としてよい．ここに，t は壁厚，D は壁全長とする．

（4） 部材の軸方向変形

梁部材では，一般に水平面内に剛な床板と一体化してコンクリートが打設されることから，特別な場合を除いて軸方向力による変形を無視することができる（水平方向に剛床の仮定の適用）．

柱部材では，一般に鉄筋コンクリート造建物は1層ずつ建設されるため主要な荷重となる躯体重量に対する軸方向変形は，1層ずつ不陸を修正しつつ施工されるので，長期荷重に対する解析では特別な場合を除いて軸方向力による変形を無視することができる．一方，水平荷重に対する解析では，軸方向力による変形の少ない低層の場合を除いて軸方向変形による影響は大きく，これを考慮することが必要である．なお，特別な場合として軸変形を考慮する場合について9条「骨組の解析」を参照されたい．

（5） ひび割れによる剛性低下

実際の骨組の状態を考えると，打継ぎ部分その他，コンクリートの各部分にはある程度のひび割れ発生が想定され，長期荷重に地震力や風圧力が加わった短期荷重時には，さらに大きなひび割れ発生も想定される．このような場合にもひび割れの数が少ないときには，それが全部材の剛性に与える影響は極めて小さいし，ひび割れが相当進展した後でも，均等な骨組では剛性の低下は相対的であって，全体の応力分布にはあまり影響がない．したがって，全断面有効と考えた弾性計算により，その応力分布の大勢をつかむことができる．しかし，水平荷重が大きい場合には，解説図8.3でもわかるように，弾性計算よりも実際の変形はかなり増大する．

また，剛性と不静定応力とは互いに関連を有しているため，低応力から高応力に移るにつれて鉄筋コンクリート構造では，その骨組の応力分布が変わってくる．このことは，応力と変形とが比例しないためで，弾性体でないものには必然的に生じる現象である．このために，弾性理論の条件から逸脱し，重ね合わせの法則も成立せず，非線形解析が必要となる．したがって，以下に示される

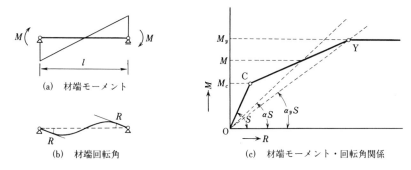

解説図8.10 逆対称曲げモーメントを受ける
鉄筋コンクリート部材の材端モーメント・回転角関係

ような方法により，部材の復元力特性を直接導入して増分法などにより非線形解析を行って建物全体や各部の応力，変形を算定して設計に用いることが考えられる．

鉄筋コンクリート部材に逆対称モーメントが作用するとき〔解説図8.10(a)〕，その材端モーメントMと材端回転角R〔解説図8.10(b)〕との関係は，解説図8.10(c)のように表すことができる．

図のOC線の勾配Sが弾性剛性で，部材の曲げ剛性をEI，部材長さをlとすれば

$$S = \frac{M}{R} = \frac{6EI}{l} \tag{解8.15}$$

で表される．材端のモーメントがコンクリートに曲げひび割れが発生するときのモーメント（曲げひび割れモーメントM_c）を超え，降伏モーメントM_yに達するまでは，その割線剛性αSは次第に小さくなる．ここに，αは剛性低下率を表す．したがって，M_c，M_y，降伏点Yにおける剛性低下率α_yを推定することができれば，任意の曲げモーメントM（$M_c < M < M_y$）に対するαは

$$\frac{1}{\alpha} = 1 + \left(\frac{1}{\alpha_y} - 1\right)\frac{\left(1 - \frac{M_c}{M}\right)}{\left(1 - \frac{M_c}{M_y}\right)} \tag{解8.16}$$

と求めることができる．実際には部材のモーメント分布は完全に逆対称ではないし，また，両端のM_c，M_y，α_yなどが等しくないのが普通であるから，厳密に考えるとこのような剛性低下率は実際の部材にはそのまま適用できず，より詳細な非線形解析をしなければならないが，略算的には，そのような場合でも，部材の両端で得られるαを平均するなどして適宜取り扱うことができる．

以下，主として普通コンクリートを使用する梁および柱に関し，曲げひび割れモーメントM_c，降伏モーメントM_y，降伏時の剛性低下率α_yを多数の実験結果から統計的に推定した結果を示す[9),10)]．

---

9) 梅村 魁・青山博之・菅野俊介：鉄筋コンクリート構造物の塑性剛性について・その1，日本建築学会関東支部研究発表会，1967.6，以降関係論文

10) 菅野俊介：鉄筋コンクリート部材の復元力特性に関する研究，東京大学学位論文，1970.12

ⅰ）曲げひび割れモーメント

　梁に関しては，断面係数 Z_e に鉄筋を考慮すると，M_c/Z_e として得られるコンクリートの曲げ引張強度 $_c\sigma_t$(N/mm²) には鉄筋の影響はほとんど見られない．コンクリートの圧縮強度 σ_B(N/mm²) との関係は解説図8.11のようになり

$$_c\sigma_t = (0.38 \sim 0.75)\sqrt{\sigma_B} \tag{解 8.17}$$

の範囲にほとんどの実験値が入る．その平均値

$$_c\sigma_t = 0.56\sqrt{\sigma_B} \tag{解 8.18}$$

は，同図のデータから得られる回帰直線ともほとんど一致する．図のように実験結果のばらつきは極めて大きく，図の相関係数は $\gamma = 0.475$ であるが，これはコンクリートのような材料ではやむを得ないことであろう．

　柱に関して，$M_c/(bD^2)$ が平均軸方向応力度 $\sigma_0 = N/(bD)$ によってどのように変化するかを見たのが解説図8.12である．やはりばらつきは大きいが，σ_0 による $M_c/(bD^2)$ の増大はほぼ勾配 1/6 と見なしうる．

　したがって，$\sigma_B = 18 \sim 40$ N/mm²，$N/(bD) = 0 \sim 10$ N/mm² の範囲では，柱，梁を通じて曲げひび割れモーメント M_c は，(解 8.19)式で推定される．

$$M_c = 0.56\sqrt{\sigma_B}\, Z_e + ND/6 \tag{解 8.19}$$

　また，$\sigma_B = 40 \sim 60$ N/mm² の範囲においても，工学的にみて，上記のばらつきを認識したうえで，剛性低下率の算定や非線形解析における復元力特性の仮定に際して上式を適用しても差し支えないと判断される．

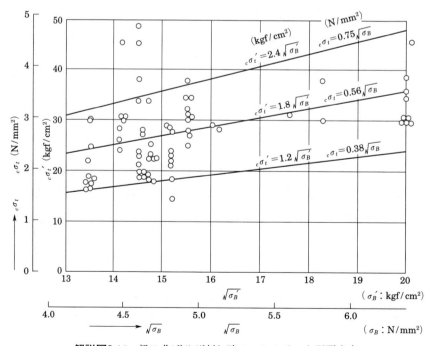

解説図8.11　梁の曲げひび割れ時のコンクリート引張応力

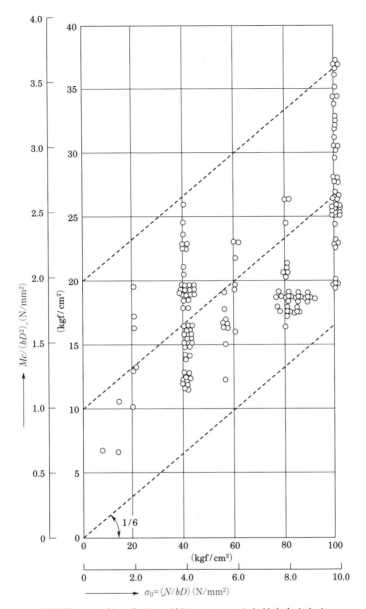

解説図8.12 柱の曲げひび割れモーメントと軸方向応力度

なお,上記は普通コンクリートを使用する場合であるが,軽量コンクリートの場合は部材の実験資料が少ないので,明確なことはいえない.

スラブ付きの梁の曲げひび割れモーメント M_c を求める場合には,本条2.(2)により,スラブの協力幅を考慮したT形梁としてスラブが圧縮側になる下端引張時およびスラブが引張側になる上端引張時の断面係数を求め,(解8.18)式および,(解8.19)式を適用してそれぞれの場合の M_c を算定すればよい.

ⅱ)降伏モーメント M_y

梁・柱の降伏モーメントに関しては多くの研究があり,鉄筋コンクリート塑性理論でだいたい推

定できる．ここでは略算式[11]

$$M_y = \{g_1 q + 0.5\eta_0(1-\eta_0)\}\sigma_B bD^2 \qquad (解 8.20)$$

ここに，$g_1 = j_t/D$

$\qquad q = p_t \sigma_y/\sigma_B$

$\qquad p_t = a_t/(bD)$

$\qquad \eta_0 = N/(bD\sigma_B)$

$\qquad j_t$：引張圧縮鉄筋重心間距離

$\qquad \sigma_y$：引張鉄筋の降状強度

により計算した結果を実験結果と比較して解説図8.13に示す．これより（解8.20）式は，±20%の範囲に全資料の約90%が入る精度で降伏モーメントを略算できることがわかる．ただし，引張

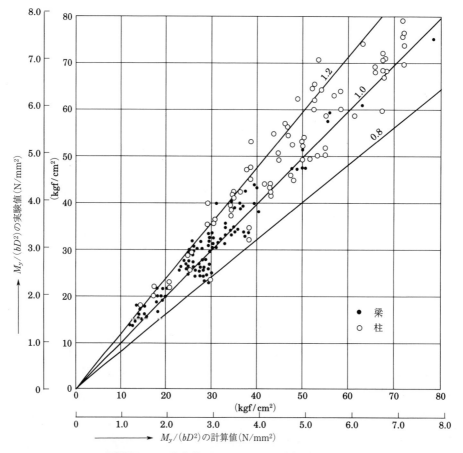

解説図8.13 降伏曲げモーメントの計算値と実験値

---

11) 菅野俊介：鉄筋コンクリート構造物の塑性剛性に関する研究（その3），日本建築学会関東支部研究発表会，1968.6

鉄筋比 p_t の範囲は 0.4～2.8％である．また，柱はすべて釣合軸方向力以下であり，これ以上の軸方向力を受ける場合には（解 8.20）式は適用できない．

また，スラブ付きの T 形梁の降伏モーメントを略算的に算定する場合には，以下のように考えてよい．

（解 8.20）式を梁の場合について考えると，軸方向力 N を 0 として

$$M_y = a_t \sigma_y j_t \tag{解 8.21}$$

なお，ここで $j_t = 0.9d$ とし次式として考えてもよい．

$$M_y = 0.9 a_t \sigma_y d \tag{解 8.22}$$

記号　d：有効せい

（解 8.21）式，および（解 8.22）式におけるスラブが引張側となる上端引張時において引張鉄筋の断面積 a_t の算定に，本条 2．（2）で評価されるスラブの協力幅内の鉄筋を考慮することにより，T 形梁の降伏曲げモーメントを略算することができる．

ⅲ）降伏時の剛性低下率 α_y

矩形断面の柱・梁の降伏時の剛性低下率について，実験結果の分散分析から因子として np_t （n はヤング係数比，$p_t = a_t/(bD)$），a/D （a はシアスパン長さ，$a = M/Q$），η_0 の 3 つを取り上げて，回帰式として（解 8.23）式が得られている．

$$\alpha_y = (0.043 + 1.64 n p_t + 0.043 a/D + 0.33 \eta_0) \left(\frac{d}{D}\right)^2 \tag{解 8.23}$$

（解 8.23）式の計算結果と実験結果を比較して解説図 8.14 に示す．ここには，一部軽量コンクリートを用いた場合も含まれている．このように（解 8.23）式は，±30％の範囲に全資料の 90％が入る程度の精度である．また，ヤング係数比 n は実際のコンクリートのヤング係数から定める．また，実験資料は，$p_t = 0.4～2.8\%$，$a/D = 2.0～5.0$，$\eta_0 = 0～0.55$ の範囲にある．なお $a/D < 2.0$ の範囲については，本会「鉄筋コンクリート終局強度設計に関する資料」の「18．鉄筋コンクリート柱の強度とじん性（2　強度，剛性）」[12] に示されているので参照されたい．

スラブ付きの T 形梁の剛性低下に関しては，いくつかの実験的研究[13],[14]があるが，T 形梁の降伏点剛性低下率を算定する場合には，以下のような方法[15]がある．

・下端引張時（スラブ圧縮）：本条 2．（2）により算定した T 形梁の有効幅 B と梁せい D からなる仮想の長方形梁を想定し，（解 8.23）式により降伏点剛性低下率 α_y を算定する．

・上端引張時（スラブ引張）：梁幅を b，梁せいを D とする長方形梁として（解 8.23）式により降

---

12) 日本建築学会：鉄筋コンクリート終局強度設計に関する資料，18．鉄筋コンクリート柱の強度とじん性（2 強度，剛性），1987
13) 池田昭男・杉山吉昭：鉄筋コンクリート逆 T 形梁の曲げ破壊実験，日本建築学会論文集，No.60，1958.10
14) 谷　研一・青山博之ほか：鉄筋コンクリート骨組の弾塑性性状に関する実験的研究（その 2　耐力および変形），日本建築学会論文集，号外，1970.10
15) 李　祥浩・田才　晃・小谷俊介・青山博之：鉄筋コンクリート造 T 形梁の曲げ耐力と降伏点剛性，日本建築学会大会学術講演梗概集，1990.10

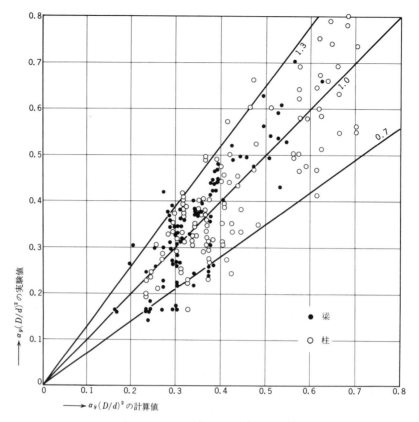

解説図8.14 降伏時の剛性低下率 α_y

伏点剛性低下率 α_y を算定する．この際，引張鉄筋として協力幅内のスラブの鉄筋も考慮する．この α_y を，(解8.24)式に従って，T形梁に対する長方形梁の断面二次モーメントの比で低減する．下記 α_y' を，T形梁としての降伏点剛性低下率とする．

$$\alpha_y' = \alpha_y (I_0 / I_T) \tag{解8.24}$$

ここに，I_T：T形梁の断面二次モーメント
　　　　I_0：長方形梁の断面二次モーメント

なお，梁部材の地震時応力解析など，加力方向によりスラブ圧縮時と引張時が異なる場合は，算出した降伏点剛性低下率 α_y の平均値を用いてよい．

高強度コンクリートを用いた場合の（解8.23）式の適用性については文献16)，17)において検討されている．これらによると，高強度鉄筋との組合せにおいて用いた場合には，(解8.23)式を用いて計算した降伏時の剛性低下率 α_y は実験より大きめの値となり，降伏変形を過小評価する傾向にあるとしている．

---

16) 永井　覚・小谷俊介・青山博之：高強度鉄筋コンクリートを用いたRC梁部材の復元力特性に関する研究，日本建築学会関東支部研究報告集，1992

17) 永井　覚・小谷俊介・青山博之：高強度鉄筋コンクリートを用いたRC部材の復元力特性に関する研究，日本建築学会大会学術講梗概集，1993.9

3. 壁の剛性評価

（1） 開口を有する耐震壁

耐震壁に開口がある場合，その影響で水平剛性が低下する．この低下の割合について，本規準では19条の（解19.19）式を推奨する．以下に，その根拠となった研究例を紹介する．

ⅰ）1層の場合

坂静雄は，1層1スパン耐震壁を対象としてゴム模型の実験を行い，開口の影響による横力負担の低下率 η の実験式として次式を得た[18]〔解説図8.15参照〕．

$$\eta = 1 - (1-\gamma)\left(\frac{1}{2}\xi' + 2\xi'^2 - \frac{3}{2}\xi'^3\right) \tag{解8.25}$$

ここに，γ：有壁無開口骨組に対する無壁骨組の横力分担比

ξ'：等価開口周比で次の値をとる．

① 開口が1つの場合

$$\xi' = \frac{開口と等面積で壁と相似な長方形の周長}{壁の周長}$$

② 開口が2つ以上ある場合は，ξ を定義する上式の分子に次の2つのうちの小さいほうを加える．

　　a．開口に挟まれた壁の短辺の2倍の長さ

　　b．開口に挟まれた壁の長辺の長さ

ⅱ）多層の場合

多層の場合は曲げ変形とせん断変形の割合，上下層の開口形状の相違などによって剛性低下の割合が変わってくるので，1層の場合のように簡単にはいかない．大沢らによる研究のゴム模型実験によると，規則的な開口をもつ壁の剛性低下は解説図8.16のようになっている[19]．

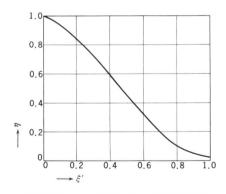

解説図8.15 1層開口壁の剛性低下率

---

18) 坂　静雄：耐震壁の横力負担に関する開口の影響，学術振興会報告 2，1942
19) 大沢　胖・山脇和三郎・細矢富雄：高層開口耐震壁のゴム模型実験，日本建築学会研究報告，No. 32，1955.5

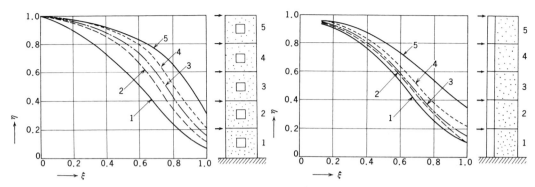

解説図 8.16 多層開口壁の剛性低下率

そこで，武藤・大沢らが提案した実用計算法では，開口耐震壁を「小さい開口の場合」と「大きい開口の場合」とに分け，前者は無開口の計算法のせん断変形に修正を加え，後者は曲げ・せん断・剛域を考慮した計算法を利用することを推奨している[19]．

小さい開口の場合のせん断変形は，無開口のときのせん断変形に修正率を乗じて求める．これを剛性の形で表せば，開口壁のせん断剛性 D_F は，無開口のときのせん断剛性 D_S に剛性低下率 r を乗じて求める．19条の（解19.19）式は，これを複数開口などに拡張したものである．

$$D_F = D_S \cdot r \qquad \text{(解 8.26)}$$

$$r = 1 - 1.25\xi \qquad \text{(解 8.27)}$$

ここに，r：開口によるせん断剛性低下率

ξ：等価開口周比で次式による．ただし $\xi \leq 0.4$ とする．

$$\xi = \sqrt{\frac{A_o}{A_w}}$$

A_o：開口面積

A_w：壁の面積で，柱・梁中心線で囲まれた部分の面積

（2） ひび割れによる剛性低下

せん断剛性はせん断ひび割れにより，曲げ剛性は曲げひび割れにより，それぞれ低下すると考え，以下にそれぞれの剛性低下率について述べる．

ⅰ）ひび割れによるせん断剛性の低下

耐震壁にせん断ひび割れが発生すると，その剛性が低下する．この点に関する実験的研究の結果を解説図8.17および解説図8.18に示す．解説図8.17は冨井・大崎の行った単一壁体のせん断実験結果[21]について，せん断部材角 R とせん断剛性低下率 β との関係を表したものである．

また，解説図8.18は，比較的大型の耐震壁試験体に水平力を加えた実験結果[20]〜[23]のうち，数例

---

20) 冨井政英：鉄筋コンクリート板のせん断抵抗に関する研究，東京大学生産技術研究所報告6，1957.1

21) 蓼 慧明：鉄筋コンクリート造有孔壁に関する実験的研究，日本建築学会論文集，No.69, 1961.10

22) 横山悌次・山田周平ほか：高層建築の耐震壁の実験，日本建築学会関東支部研究発表会，1966.6

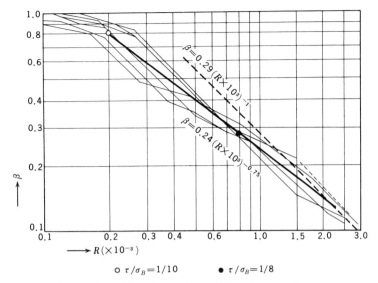

解説図8.17 耐震壁のせん断変形とせん断剛性低下率

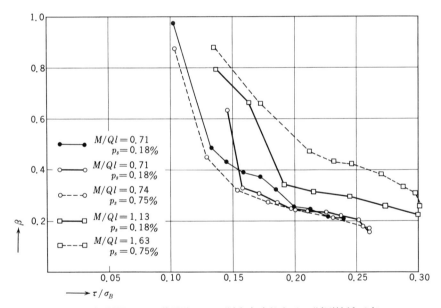

解説図8.18 耐震壁のせん断応力度比とせん断剛性低下率

について，曲げ変形成分を e 関数法で求め，実験値からそれを差し引いたものをせん断変形として，平均せん断応力度のコンクリートの圧縮強度 σ_B との比とせん断剛性低下率 β との関係を示したものである．これらの結果からみると，せん断ひび割れが発生して急激に剛性が低下するのは，せん断応力度 τ がコンクリートの引張強度に相当する $(1/10)\sigma_B$ 程度を超えてからであり，せん断剛

---

23) 菅野俊介：溶接金網を使用する鉄筋コンクリート耐震壁の破壊実験，日本建築学会大会学術講演梗概集，1970.10

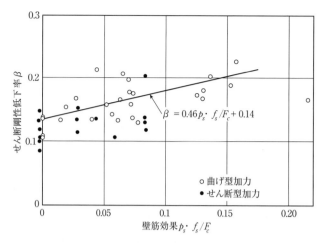

解説図 8.19　解析値（解 8.28）式と実験値との比較

性低下率 β は τ の増加とともに小さくなっていく．また，$M/(Ql)$（l はスパン長さ）の値が大きいものはせん断剛性の低下は少ないようである．

菅野[26]は回帰分析法により終局時の剛性低下率を求め，（解 8.28）式を提案している（なお，数式の記号は本規準に合わせて変更している）．せん断剛性低下率は壁部分と付帯ラーメンの剛性や耐力の比率などによって異なるものであるが，実際の設計上は次式を参考にすることができる．実験値との対応を解説図 8.19 に示す．

$$\beta = 0.46 p_S \cdot f_s / F_c + 0.14 \tag{解 8.28}$$

ここに，p_S：耐震壁の壁筋比
　　　　f_s：壁筋の降伏強度
　　　　F_c：コンクリートの圧縮強度

19 条「壁部材の算定」の 3 項の許容せん断力の算定において，規準（19.3）式 Q_1，規準（19.4）式 Q_2 の 2 つを掲げている．Q_1 は耐震壁にせん断ひび割れを起こさせない立場で規定した許容せん断力，Q_2 はすでにせん断ひび割れを生じた後の状態に対応する許容せん断力である．

耐震壁の断面算定を Q_1 によって行うとすれば，水平力に対する構造解析において，せん断剛性の低下を見込むのは設計として不合理であり，耐震壁の剛性はせん断剛性低下率 β を 1 として算定すべきである．一方，Q_2 が Q_1 より大きく，許容せん断力が壁にひび割れが生じた後の状態に対して決まるような設計では，せん断剛性低下率 β を見込むことができる．

設計用水平せん断力が作用するときの耐震壁の層間水平変位は，次式で算定される．

$$\delta = \delta_S + \delta_B + \delta_R \tag{解 8.29}$$

記号
　　δ_S：せん断変形による層間水平変位
　　δ_B：曲げ変形による層間水平変位
　　δ_R：基礎の回転による層間水平変位

せん断剛性低下率 β を見込み，許容水平せん断力が Q_2 によって決まる場合の層間水平変位 δ の算定にあたっては，急激な耐力低下を起こすおそれがないことから，せん断変形による層間水平変位の δ_S の数値として次式のように大きな値を採用できる．

$$\delta_S = 4 \times 10^{-3} h \qquad \text{(解 8.30)}$$

ここに，h：階高

この δ_S を採用することで，耐震壁のせん断力分布係数（単位の層間水平変位を起こす場合の水平せん断力で実用単位 $12EK_0/h^2$ で表した無名数として取り扱われる D 値[24]）を求めることができる．

$$D = \frac{Q_2}{\delta} \frac{h^2}{12EK_0} \qquad \text{(解 8.31)}$$

ここに，E：ヤング係数
K_0：標準剛度

このようにして求まる耐震壁の D 値は，せん断剛性低下率値を小さくとった場合の限界値に相当する．ただし，このときには柱・梁にも曲げ剛性低下が生じている可能性があるので，それを考慮する必要があろう〔本条1項の解説参照〕．

ⅱ）曲げひび割れによる曲げ剛性の低下

曲げひび割れの発生に伴い耐震壁の曲げ剛性も低下する．曲げ降伏する耐震壁では，曲げ剛性の低下の影響は大きい．曲げ変形は梅村の e 関数法等の塑性理論により推定できる[25]．e 関数法を用いた計算と $p_t=0.5\%$ と 1.2% で一致するように，鉄筋降伏時の曲げ剛性の低下率の近似式が提案されているので，実際の設計上は近似式を参考にすることができる．

$$\alpha_y = 0.15 + 0.3 p_t \qquad \text{(解 8.32)}$$

ここに，p_t：引張鉄筋比（％）

（3）高強度材料を用いた場合の耐震壁の剛性

コンクリート強度 60 N/mm^2 前後の高強度材料を用いた場合の耐震壁の剛性と強度に関する文献 26)〜29) の研究結果を，普通強度を用いた場合に比較して分析すると，おおよそ以下の特性が見られる．よって，高強度材料を用いた耐震壁の応力・変形を本条および9条により算定してもよいと判断される．

---

24) 武藤　清：鉄筋コンクリート造構造物の塑性設計，耐震設計シリーズ2，丸善，1964
25) 壁谷沢寿海・松本和行：高強度コンクリート造耐震壁の曲げ性能に関する実験的研究，第8回日本地震工学シンポジウム，pp. 1353-1358，1990
26) 菅野俊介：鉄筋コンクリート部材の復元力特性に関する研究，コンクリートジャーナル，Vol. 11, No. 2, 1973.2
27) 今西達也・平石久広・福山　洋・田中義成：二方向変形を受ける高強度RC造耐震壁の変形性能に関する実験研究，その1，その2，日本建築学会大会学術講演梗概集，pp. 375-376，1992.8
28) 日本建築学会：靱性設計小委員会報告書（終局強度型耐震設計法に関連する最新の研究成果），面材WG報告書，1992.8
29) 国土開発技術研究センター：建設省総合技術開発プロジェクト，鉄筋コンクリート造建築物の超軽量・超高層化技術の開発，構造性能分科会報告書，1993.3

i）弾性剛性は，5条の材料定数と本条の断面二次モーメントとせん断有効断面積により評価できる．

ii）曲げひび割れ強度は，本条解説の柱の曲げひび割れモーメントを算定する本文（解 8.19）式を準用して評価することができる．

iii）ひび割れ後の剛性低下率の算定にあたっては，特に多層の耐震壁で曲げひび割れがせん断ひび割れに先行して生じる場合には，（2）に述べたせん断剛性の低下に加え，曲げ剛性の低下を考慮する必要がある．

iv）降伏時の変形角は，側柱の主筋の強度に応じて大きくなる．

v）iii）およびiv）を等価剛性の面から検討した結果，高強度材料を使用する場合は，普通強度材料を使用する場合に比べ，ひび割れ後の剛性低下率を多少小さめに評価することが望ましい．

9条　骨組の解析

1．スラブから梁に加わる鉛直荷重は，スラブ上の荷重状態およびスラブの周辺条件を考慮して定める．等分布荷重を受ける長方形スラブを支える梁は，梁の交点から描いた2等分線および梁に平行な直線から作られる台形または三角形の部分の荷重を受けるものと見なすことができる〔図9.1 参照〕．

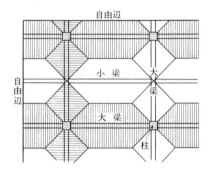

図9.1　等分布荷重を受ける長方形スラブを支える大梁および小梁荷重負担例

2．骨組内にある壁体の重量は，直接柱に伝わるものと見なすことができる．ただし，基礎梁や基礎スラブ（杭基礎の場合は，パイルキャップおよび杭）の配置，壁体の開口状況，ならびに構造スリットの有無などにより，梁が支持するなど適切に考慮する．

3．積載荷重については，満載時について算定するほか，必要に応じ部分的載荷による影響を考慮する．

4．大梁に剛接合される小梁の曲げモーメントは，必要に応じて大梁のねじれ抵抗による拘束を考慮し，連続梁として算定する．

5．骨組のモデル化は下記による．

（1）柱・梁のモデル化

柱・梁は，8条の2に示す剛性を有する線材等に置換する．なお，以下の項目を適切に考慮する．

i）剛域の考慮

柱梁接合部などの部材の接合部，ハンチの部分，腰壁・垂れ壁が部材に接する部分などが応力に及ぼす影響については，部材を適切な剛域と線材の変断面材から構成されるものと考えて評価する．ただし，この影響が小さい場合には，これを無視した場合の応力を適切に増大させる方法でもよい．

ii）接合部の考慮

柱梁接合部のモデル化に際しては，これを剛域と仮定するか，もしくはせん断変形のみを考慮するか，

いずれかとする．
　ⅲ）特殊な骨組では，発生する応力・変形を考え，適切なモデルを考慮する．
（2）耐震壁のモデル化
　　　耐震壁は，8条の3に示す剛性を持つモデルに置換し骨組解析を行う．この際，必要に応じて基礎回転の影響を適切にモデル化する．
6. 地震力を受ける骨組の解析
　　地震力を受ける柱・梁および耐震壁から構成される骨組の応力・変形解析にあたっては，下記によることができる．
（1）水平力は，一般には骨組の方向となる互いに直交する二方向に別々に作用するものとする．ただし，建物の平面が特殊な形状の場合などでは，必要に応じて，特に不利な方向に作用する場合も考える．
（2）水平力は，床の位置に集中して作用するものとする．層の中間に作用する力の影響が大きいときは，別にその影響を加算する．
（3）一般に，床は水平面内に剛なものと仮定する．特に，剛なものと考えられない場合には，床の変形を考慮するかまたはその影響を考慮した適切な補正を行う．
（4）各層の水平力の作用中心と，その層の剛性の中心（剛心）とは原則として一致させるように計画する．ただし，両者が一致せず，それによるねじれの影響が無視できない場合にあっては，その影響を適切に考慮する．
（5）直交梁・直交壁が柱の軸方向変形を拘束する場合で，かつその影響が無視できない場合には，その影響を適切に考慮する．
（6）片持ちのスラブ等の建物本体から突出する部分については，地震時鉛直力の影響を適切に考慮する．
（7）軸力や水平変位が大きい場合は$P-\varDelta$効果の影響を適切に考慮する．
7. コンクリートのひび割れによる剛性低下の影響を適切に考慮した解析
　　部材のひび割れ強度を上回る応力が生じる部材を有する骨組解析に際しては，ひび割れによる剛性低下の影響を適切に考慮した部材の力と変形関係に基づく増分解析を行うことが望ましい．

1. スラブから梁に伝わる荷重

　スラブから梁に伝わる荷重は，梁の両側のスラブの反力の和に等しい．等分布荷重を受ける4辺固定スラブ，3辺固定1辺自由スラブまたは2隣辺固定2隣辺自由スラブの反力は解説図9.1[1]に示すとおりであり，本条の1.の仮定によって相当よい近似が得られる．集中荷重を受ける長方形スラブを4辺で支持する場合については10条の解説を参照されたい．付6に梁の曲げモーメントおよびせん断力計算用算定式を示しているので参照されたい．

2. 骨組内にある壁体からの荷重

　骨組内にある柱・梁と一体の鉄筋コンクリート壁体は，柱・梁と一体となって剛な構造体を形成する．例えば，ある1層に存在する壁体は，その上下縁と梁との間のせん断力の作用によって耐震壁のようになり，柱・梁の応力は小さく，壁体はそれ自身せん断部材となると考えられる．また，上下縁のせん断力が0であるとしても，左右縁と柱との間のせん断力によって支えられたせいの高い梁と考えることができる．

　したがって，柱と一体の壁体自身の重量は直接柱へ伝達されると考えてよい．ただし，これはあくまで現場打ちの鉄筋コンクリート造の壁の場合であって，例えばブロック造の壁のような場合に

---

[1] 東　洋一・小森清司：自由辺と固定辺を持つ矩形版の曲げ，日本建築学会論文報告集，No.60，1958.10

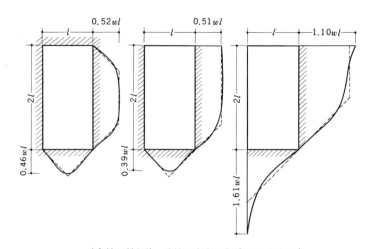

（実線は精解[1]，破線は本条の規定によるもの）

解説図9.1 等分布荷重を受ける長方形スラブの反力

は，その壁体重量は梁が負担すると考えるべきである．

3. 骨組に作用する積載荷重

骨組に作用する荷重のうち，積載荷重は常に全箇所に設計荷重が作用しているとは限らず，場合によっては，あるスパンに設計の荷重が作用し，隣のスパンに設計荷重が作用しない場合も生じる．すなわち，積載荷重が部分的に変化することが起こりうる．一方，骨組各部の応力は全箇所に設計どおりの荷重が作用したとき，すなわち満載荷重時に最大になるとはかぎらない．かえって，ある箇所の荷重が少ないときのほうが応力が大きくなることも想定される．例えば，解説図9.2のような2スパンラーメンの内柱の場合，その軸方向力は左右の両スパンに荷重が作用した時が最大となるが，曲げモーメントについて考えるならば，満載荷重のときは0であって，左右の釣合いが崩れたとき，すなわち，左右のいずれか一方だけに荷重が作用したときに曲げモーメントが大きくなる．このように各箇所の各応力の種類によって，それぞれに特有の最も不利な荷重状態，換言すれば積載荷重の最も不利な状態が存在する．したがって，骨組の各部応力の算定にあたっては，まず固定荷重と積載荷重がすべて想定どおり作用した場合，すなわち全荷重が作用した時について考え，次に積載荷重が部分的に変動したことにより増大する応力のことを考え合わせて，その補正を行うこ

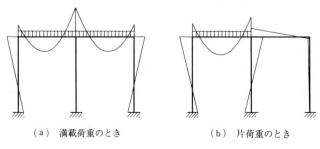

（a）満載荷重のとき　　　（b）片荷重のとき

解説図9.2 対称2スパン骨組の曲げモーメント

とも必要である．

この際，積載荷重が設計荷重に対してどの程度に変動した場合を目標とするかが次の問題となるが，倉庫などでは積載荷重が部分的にまったくない場合がありうることから，そのような荷重状態に対しても考慮する必要がある．事務所建築に属するものでは，積載荷重が部分的に半減した場合に対しても検討することが妥当な場合もある．設定した積載荷重が固定荷重に比べて小さいときには，その部分的減少による影響も小さいことから，特に補正を要しない場合もありうる．

4. 大梁に支持された小梁の応力

大梁に支持された小梁は大梁のねじれ剛性により応力，変形が影響を受ける．連続する小梁でスパンや荷重が等しい場合は問題ないが，それらが異なり，連続する端部間で固定端モーメントが大きく異なる場合や連続しない小梁の端部では，大梁のねじれ剛性により小梁の応力が決定される．このような場合は，大梁に支持される支点で大梁ねじれ剛性を支点回転ばねとして評価し解析することが望ましい．この際，大梁のねじれ応力に対する設計は22条の解説を参照されたい．

スパン長さがほぼ等しく，各スパンがほぼ等しい荷重を受ける連続小梁の最大正負曲げモーメントは，解説図9.3によることができる．なお，本図は隣接2スパンの長いほうが短いほうの1.2倍以下で，積載荷重が固定荷重の2倍以下の連続小梁に対して用いることができるものである．

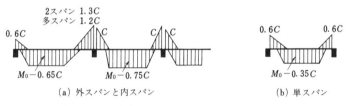

記号　C：両端固定梁の固定端モーメント
　　　M_0：単純梁の中央部正曲げモーメント

解説図9.3　等分布荷重を受ける連続小梁の正負最大曲げモーメント

5. 骨組のモデル化

(1) 柱・梁のモデル化

ⅰ) 剛域の考慮

鉄筋コンクリート造骨組の応力を計算するために，一般に柱・梁を線材で置き換える．この場合，各節点は剛節点と考え1点で表され，部材はスパン中央の断面二次モーメントを一様に有しているものと考え，構造解析を行う．しかし，実際の骨組には解説図9.4(a)のようにハンチがあったり，また，ハンチがなくとも，柱，梁は幅をもっているから，節点近くでは断面は無限大に近くなる．解説図9.4(b)のように耐震壁も線材として取り扱うようなときには，断面二次モーメントが大きくなる範囲は極めて広くなる．解説図9.4(c)のように，腰壁・垂壁あるいは袖壁など，耐震壁として取り扱われないような薄い壁やブロック壁に剛接合される場合も，これらの壁に接する部分の断面二次モーメントは大きくなる[2)～5)]．

このような断面二次モーメントが無限大と考えてよい範囲〔解説図9.4の太線部分〕を剛域

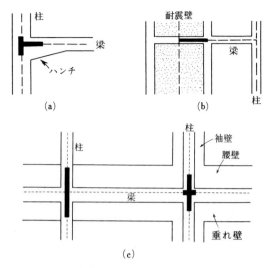

解説図 9.4　種々の材接合部の剛域の設定

と呼び，一種の変断面材として取り扱うことができる．

　鉄筋コンクリート造骨組では，次のような剛域を考えればよいことが一般に認められている．

① 材端が他のコンクリート部材あるいは鉄筋コンクリート部材に剛接合されるときは，その縁より材せいの 1/4 入った位置とする〔解説図 9.5(a)参照〕．

② 材が軸に対し 25°以上の傾斜をするハンチをもつ場合には，材のせいが 1.5 倍の点をもって定める．ただし，ハンチの傾斜が 60°以上のときは，ハンチの起点より材せいの 1/4 入った点で定める〔解説図 9.5(b)参照〕．

③ 左右のハンチ差異，その他によって上に定めた点が 2 点以上同時に存在する場合には，剛と見なすことができる部分が大きいほうによる．

　この剛域の定め方の根拠は，奥田勇の実験結果[6]によったもので，種々の分布の曲げモーメントに対し解説図 9.6 に示すような剛域を考えれば，接合部の剛性を間接的によく評価しうることが確かめられている．なお，剛域を考えた計算法については，文献 7)〜10) を参照されたい．

---

2)　東　洋一・大久保全陸・江戸宏彰：静加力試験による腰壁，たれ壁，袖壁付き鉄筋コンクリート柱の破壊性状と履歴曲線，日本建築学会論文報告集，No. 169，1970.3

3)　東　洋一・大久保全陸・江戸宏彰：腰壁，たれ壁，袖壁付き鉄筋コンクリート柱の水平加力実験，その 3，その 4，日本建築学会大会学術講演梗概集，1970

4)　大沢　胖・青山博之ほか：八戸工業高等専門学校の振動および破壊実験（その 2），日本建築学会論文報告集，No. 169，1970.3

5)　岩下恒雄：腰壁付柱の水平剛性，建築雑誌，Vol. 84，No. 1012，p. 499，1969.7

6)　奥田　勇：架構の定数に就いて，東京帝国大学卒業論文（武藤　清指導），1927

7)　武藤　清：構造設計法，建築学大系，14 巻，彰国社，1954

8)　高橋豊太郎：鉄筋コンクリート構造，建築学大系，16 巻，彰国社，1955

9)　W. Dunhan：Theory and Practice of Reinforced Concrete, McGraw-Hill Inc., 1966

10)　R. Guldan：Rahmentragwerke und Durchlaufträger, Springer, 1959

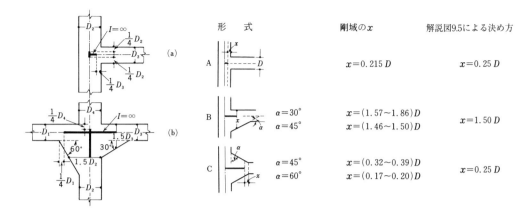

解説図9.5 材接合部の等価剛域長　　　　**解説図9.6** 材接合部の等価剛域長の設定方法

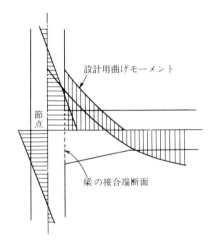

解説図9.7 鉛直荷重に対する設計用曲げモーメントの設定方法

　変断面材をもつ骨組を解くのは多少面倒である．解説図9.4(a)に示す材の接合部などのように，それが骨組の応力や変形に及ぼす影響が小さい場合の緩和策として，剛域を考えない場合は次のような方法で設計用曲げモーメントを定めることも考えられる．

・鉛直荷重に対する算定に際しては，その節点曲げモーメントをもって材の接合端断面〔解説図9.7参照〕の曲げモーメントとし，これに伴って，節点より反曲点までの曲げモーメント図を材の中心に向かって移動させ，各部の設計用曲げモーメントとする．

・水平荷重に対する算定にあたっては，各部の曲げモーメントを，その位置の設計用曲げモーメントの値と見なす．

　もちろん剛域を考えて応力を求めた場合においては，鉛直荷重・水平荷重とも各部の曲げモーメントを，その位置の設計用曲げモーメントの値と見なすことができる．

ⅱ) 接合部のモデル化

　一方，純ラーメン構造の柱梁接合部のモデル化の方法として，曲げ変形に対しては剛であるが，せん断変形は考慮する領域として取り扱うことがある．このことは，以下の点からみて合理性を有している．

① 鉄筋コンクリート造の柱梁接合部においては，鉄骨造の柱梁接合部のように明快なせん断変形をするとして評価することは難しいが，解析技術の進歩により以前に比べて全体としての応力・変形性状をよりよく追跡することができる．

② 柱梁接合部のせん断強度に対する検討にあたって，柱梁接合部の設計用応力を存在応力に基づいて算定する場合には，これを直接算定することができる．

③ 特に，純ラーメン構造においては，柱，梁部材の弾塑性特性をフェイスに近い危険断面で評価できることが，材端における危険断面において弾塑性特性を導入する解析を行ううえでも，またそれらの設計上の評価を行う際にも都合がよい．

④ 柱梁接合部のせん断変形に対する弾塑性復元力特性を直接解析に導入して骨組全体の非線形解析を実施することが可能となる．

　以上のことから，柱梁接合部をせん断変形する領域と仮定する場合，接合部の領域としては，柱，梁フェイス位置に設定することが考えられる．しかしながら，柱，梁の曲げ変形する可撓領域が若干柱梁接合部に食い込むことを想定して，解説図9.8に示すようにせん断変形する領域を柱，梁主筋のかぶり厚程度まで内側に仮定するほうが，十字形骨組の有限要素解析による解析結果や，高層鉄筋コンクリート造の中小地震における地震時挙動（曲げひび割れ以前の弾性範囲内の挙動）をよりよく模擬できるようである[11]．なお，この場合の柱梁接合部せん断剛性の評価に際しては柱の全せい×有効幅〔15条の3を参照〕を有効断面積として採用するこ

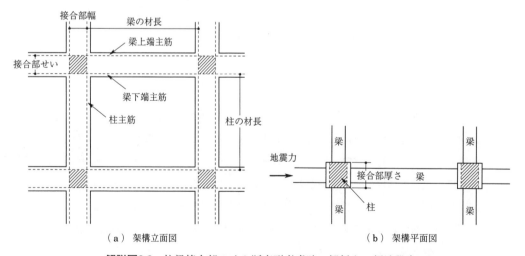

解説図9.8　柱梁接合部のせん断変形考慮時の解析上の領域設定

---

11) 福澤栄治：斜め振動モードをもつ25階建て鉄筋コンクリート造アパートの地震観測とその解析，コンクリート工学，Vol. 21, No. 10, 論文No. 83.10-1, 1983.10

とが多い．また，この時必要となるコンクリートせん断弾性係数は，5条の解説で与えられる式により算定する．

また，高層鉄筋コンクリート造などを対象とした水平力に対する解析において，柱梁接合部は一般に解析上は軸方向変形しないものとして扱っているが，実際は柱梁接合部においても軸方向変形すると考えられる．このため，柱の軸方向剛性に対応する断面積Aに，「柱の材長／階高」を乗じることにより低減するなどの補正方法を導入し，柱梁接合部における軸方向変形分を柱の軸方向変形分に含めて評価することもある．

ⅲ) 特殊な骨組に対する考慮

常時荷重時には，通常の場合は軸変形を考慮することは少ない〔8条の解説2.(4)参照〕．しかし，高層建物等で軸剛性の異なる柱が並存する場合には，施工の段階で徐々に軸変形が増加し，柱間に軸変形の差が現れ，取り付く梁や床に比較的大きな部材角が発生する可能性がある．特に高層部に低層部等が取り付く場合には，高層部の柱の軸変形が施工につれて増加し，低層部との接続部の床，梁に支障を生じる可能性がある〔解説図9.9(a)参照〕．この軸変形には，もちろんクリープ変形量を含んで考える必要がある．このようなおそれがある場合には，施工段階を考えた解析が必要であり，施工時に変形を考えた柱長さとする，あるいは後打ち帯を設けて低層部との連結の施工時期をずらすなどの対策が考えられる．

柱抜けなどにより複数階にわたってトラス架構やフィーレンディール架構が形成される場合は，上下弦材となる梁に軸方向力が生じる〔解説図9.9(b)参照〕．この場合に，通常のように剛床仮定に基づく解析を行っていると梁の軸剛性を過大に評価し，鉛直変形を過小に評価することになる．また，断面設計においても軸方向力を考慮しないため，危険側となる．この場合には剛床仮定を設けず，有効範囲を適切に考慮した梁の軸剛性を評価し，変形量を求めると同時に断面設計にも考慮する必要がある．

集合住宅等でバルコニーを有する場合に，部分的に梁の高さを上げて逆梁形式を採用するケースがある．このような骨組をモデル化する場合，逆梁を正規の位置に上げてモデル化すると，柱・梁節点位置も上昇し，取り付く直交方向の梁は斜めにモデル化することになる．この結果，

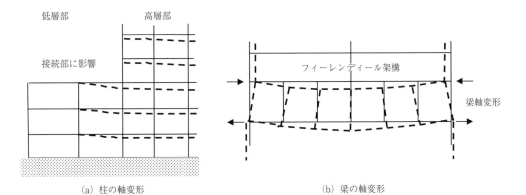

解説図9.9 軸変形の影響

応力解析は斜め材の影響により正しい結果とならない．また，正規の高さにモデル化しないと逆梁でない階との境界で柱の長さを正しく評価できない．このような場合には節点移動は行わず，柱の剛域寸法を正規の梁位置に従い入力してモデル化すれば正しい解を得られる．使用する応力解析プログラムに応じて適切なモデル化を選択する必要がある．

(2) 耐震壁のモデル化

耐震壁は，8条の3.に示す剛性を適切に評価できるモデルに置換する．このモデル化には①線材のフレーム中に等価なブレース材を設ける場合，②周辺の柱を含んで1本の線材にモデル化する場合，③周辺の柱は軸材とし，壁板を等価な線材とする剛な上下の梁でつないだ3本棒にモデル化する場合，などがある．いずれの場合も耐震壁の形状，建物の規模と形状を考え，解析の目的に応じた適切なモデル化を行い，合理的な設計を行うことが必要である．

一般に，耐震壁の剛性は，柱・梁のそれに比べて著しく高い．例えば，解説図9.10に示す2層1スパンの例について基礎固定として計算した剛性は，同じ柱・梁を有する無壁骨組の剛性に対し，1階で53倍，2階で37倍になっている．水平力は，その剛性に応じて耐震壁や柱に分担されることから，耐震壁の負担せん断力は極めて大きくなる．これに対する耐震壁の耐力として特に問題となるのは，水平力により基礎反力として作用する鉛直上向きの力が大きくて，鉛直荷重と合成しても引張力となる場合である．直接基礎の場合，基礎は引張力に対して抵抗ができないので，引張側の基礎の底版面は地盤面と離れるいわゆる浮上りも生じることになり，基礎とともに耐震壁が回転し，水平力に対する抵抗が増大しなくなる．解説図9.10の例で，耐震壁の負担力を図のように仮定すると，基礎反力は400 kNとなり，鉛直荷重による基礎反力がこれ以下（例えば300 kN）の場合には，この耐震壁に解説図9.10のような水平力を負担する能力がないことになる．

このように浮上りが生じなくとも，基礎に作用する力が大きいために，基礎は引張側で上昇し圧縮側で沈下することにより回転を生じ，そのため剛性が低下する．解説図9.10の例で，まず基礎固定として剛性を算出したが，これに対し基礎の回転角1/5 000が生じるものとして剛性を計算しなおすと，基礎固定時よりかなり低下して，1階で15倍，2階で11倍となる．また，基礎の回転角1/1 000が生じるとした場合には，1階で4倍，2階で3倍となる．ただし，この数値は独立した耐震壁の場合である．

一般には，耐震壁の前後左右には柱・梁が連続して，梁からの曲げ戻し効果[12],[13]が生じる．したがって，周囲に十分強固なつなぎ梁や基礎梁を設ければ，相当大きなせん断力を負担させても，ある程度の基礎回転を抑えることもできる．しかし，直接基礎，杭基礎のいずれの場合も，基礎の回転は耐震壁の剛性に対して非常に大きな影響を与える．したがって，耐震壁側柱直下の杭の鉛直方向剛性や地盤の鉛直方向剛性を評価した基礎ばねの設定には十分な注意が必要である．基礎ばねの算定には本会「建築基礎構造設計指針」を参照されたい．また，付14に耐震壁の基礎回転量を計算するための資料を示すので参照されたい．

---

12) 武藤　清：耐震設計シリーズ 1，耐震計算法，丸善，1963
13) 梅村　魁・大沢　胖：高層建築物の境界効果の略算法，日本建築学会研究報告，No.37，1956.12

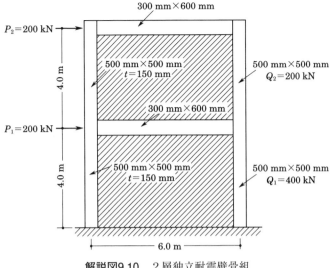

解説図9.10　2層独立耐震壁骨組

6. 地震力を受ける骨組の解析

(1) 水平力の作用方向

　水平力は，一般に互いに直交する骨組の方向となる直交二方向に別々に作用するものとして考えて計算してよく，同時に直交二方向の水平力は考える必要はない．これは，一般に矩形の平面を有する建物の場合，直交二方向が骨組の方向に一致し，構造力学上，水平力の作用方向と変位の方向が一致する方向として立体骨組の「剛性の主軸」と定義され[14]，この2つの互いに直交する剛性の主軸に別々に水平力を作用させ，構造計算を行って骨組の応力を求めることが力学的に明快で考えやすいからである．

　本来，建物に入力される地震動により作用する地震力は任意の方向からのもので，構造設計上はあらゆる方向からの水平力に対して安全性を確認する必要がある．直交二方向の骨組から構成される通常の矩形平面を有する建物では，上記の骨組方向である2つの剛性の主軸に別々に水平力を作用させた解析で得られる部材応力を主体に設計を行えば，おおむね任意方向からの水平力に対して安全性が確保されると考えられる．一方，建物の平面形状が特殊な場合，斜行する骨組を含む場合，骨組方向が直交二方向であってもL字形や段形などの不整形な平面・立面形状を有する多層建物の場合などでは，前記の剛性の主軸が直交二方向と一致せず，平面的に傾斜を有することになるので[15),16)]，特に不利な方向の水平力に対しても応力を計算すべきである．また，前記の矩形平面を有する建物の場合でも，高層の場合や柱本数が少ない場合には，斜め方向の水平力に対して隅柱など

---

14)　武藤　清：耐震設計シリーズ 4．構造物の動的設計，pp.91-93，丸善，1966
15)　福澤栄治：不整形平面をもつ高層建築物の立体振動に関する研究，東京都立大学学位論文，1984.2
16)　E. Fukuzawa : Proposal of Center and Principal Axes of Rigidity in a Three-Dimensional Highrise Building Structure with an Irregular-Shaped Floor Plan, Theoretical and Applied Mechanics Vol.33, Proceedings of the 33rd Japan National Congress for Applied Mechanics Science Council of Japan, 1985

が軸方向力に対し不利となり，建物の安全性に及ぼす影響が大きくなるので検討を必要とする場合もある．この場合の斜め解析方向は，設計上最も不利な方向とするが，梁が架かっている直交二方向の骨組の終局強度および終局強度時の変形がほぼ等しい場合には，斜め45°方向としてよい[17]．このように，斜め方向の水平力に対して解析する必要がある場合には，立体解析によるのが望ましい．

また，水平力の作用方向については，弾性（線形）解析時等，正加力（左から右への加力）時の部材応力から負加力（右から左への加力）時の部材応力が推定できる場合には，正加力時の解析のみを行えばよい．しかし，部材のひび割れ，降伏，基礎の浮上りなどによる復元力特性の非線形性を考慮する場合等で，正加力時の部材応力から負加力時のそれを容易に推定できない場合には，正加力時だけでなく負加力時についても解析する必要がある．

（2）　水平力の作用位置

地震力による水平力としては，質量が集中する床位置に集中荷重として加わるほかに，層の中間にも，柱や壁の質量による荷重が分布荷重として加わることになるが，簡単にするため，この荷重を上下に振り分けて，床位置の集中荷重と見なして差し支えない．この仮定は，通常の建物では結果に大差を与えない．中間荷重の影響が大きい場合，例えば階高が著しく高いとき，階の途中に規模の大きな庇が存在するときなどでは，別にその影響を加算する必要がある．

また，風圧力による場合も同様のことがいえる．

（3）　剛 床 仮 定

水平力は床を通じて柱や壁に伝わるものであるから，床は水平方向に力を受けてその方向にある程度変形することが考えられる．しかし，この変形は，普通，柱や耐震壁などの壁部材の水平変位に比べてかなり小さいために無視することが許される．これが剛床の仮定である．この仮定により，建物にねじれが起こらないかぎり，同一層の柱や耐震壁などの壁部材の相対水平変位は相等しいことになり，応力解析が簡単化される．

ただし，吹抜け等により平面におけるスラブの欠損が大きい場合や，建物平面形状が細長い場合には，床を剛と考えられない場合もある．解説図9.11のような細長い平面形の建物で，短辺方向の耐震壁の間隔が長い場合には，端部の耐震壁に比べ中央部の柱に大きな相対変位が起こり，柱の負担せん断力が増し，端部の耐震壁は変位が小さく負担が減る．このようなときには床の変形（剛性）を考慮した立体解析を行うか，計算結果を適切に補正する必要がある．

（4）　床のねじれ回転の影響

水平力の合力の中心（重心）と柱，耐震壁などの骨組の剛性の中心（剛心）とが一致しない場合は，建物全体にねじれが生じる．例えば，解説図9.12（a）のように，ある階の耐震壁の配置が偏っていると，剛心は水平力の合力線とずれ，偏心によるねじれが生じる．また，解説図9.12（b）のように，建物上階の一部が高いと下階の水平力の作用中心は建物の一方に偏し，剛心が平面的に

17）勅使川原正臣・平石久廣・岡田恒男・村上雅也・久保哲夫：NewRC構造設計ガイドラインの概要－設計方向の検討－，日本建築学会大会学術講演梗概集，pp.335-336，1993.9

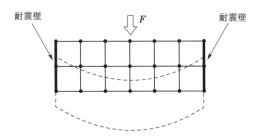

解説図9.11 水平力に対して床が剛でない場合の床の変形

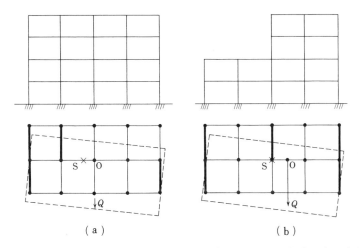

解説図9.12 水平力の中心Oと剛心Sとが一致せずねじれる場合の床の変形

建物のほぼ中央にあれば,やはりねじれが生じることになる.

　このねじれによって骨組に不利な応力が生じ,耐震性が低下することから偏心を避けるように計画すべきである.やむを得ず鉛直部材を偏心が生じるように配置する場合は,それと直交方向の両端部に剛性の大きな耐震壁を配置し,建物全体としてのねじれ剛性を高めてねじりモーメントに抵抗するような計画とすることが望ましい.

　ねじれが生じる建物の水平力に対する構造計算では,このねじれ変形を考慮して,骨組を三次元骨組として扱った立体解析か,または,擬似的に水平加力方向の骨組のみならず直交方向の骨組の抵抗を考慮した擬似立体解析を行うことが望ましい.この場合,水平力は各階床の重心位置に作用させることになり,当該階のねじれ変形は,当該階以上の水平力の大きさとそれらの作用点である重心位置により定まる当該階層せん断力の作用中心と剛心との間の偏心距離によるねじりモーメントと剛心まわりのねじれ剛性に左右される.

　柱の軸方向変形の影響が無視できない多層立体骨組では,骨組を構成する柱,耐震壁などの抵抗要素の剛性が当該階に作用する層せん断力ばかりでなく他の層に作用する水平力の影響を受けるので,D値法[12]などで当該階における負担せん断力と層間変位の関係で純せん断型として一義的に定義することが難しい.したがって,骨組の抵抗要素が対称性をもって配置される場合などを除いて,

剛心位置は構造力学的意味で水平力の分布に左右されることになるので[15),16)]注意を必要とする．すなわち，この種の立体骨組では，水平力の分布を仮定して応力・変形解析を実施してその結果から当該階の抵抗要素の剛性を層間の等価せん断剛性（等価な D 値に相当する）として定めることにより，解析の結果として剛心位置を定めることが可能になる．

なお，D 値法などを用いて応力解析を行う際に，偏心のある場合の計算は，文献 12) を参照されたい．

（5） 直交効果の影響

耐震壁に曲げ・回転変形が生じると，耐震壁側柱に取り付く直交梁や直交壁は，耐震壁側の節点と隣接骨組側の節点との鉛直変位の差によって，強制変形を受ける〔解説図 9.13〕．この結果，直交梁や直交壁に生じたせん断力が耐震壁引張側柱の鉛直変位を抑える働きをする．耐震壁側柱でなくても，チューブ構造の隅角部柱，高層部と低層部の境界部柱などのように，柱の軸方向変形による隣接骨組の柱との鉛直変位差が大きくなる場合も同様である．これら直交梁・直交壁の影響が無視できない場合は，立体解析等によりその影響を適切に考慮する必要がある．

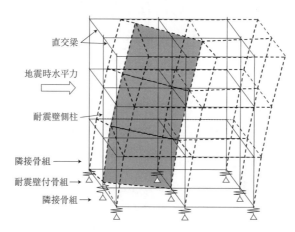

解説図9.13 直交梁による拘束の影響を受ける耐震壁付き骨組の地震時変形状況例

（6） 地震時鉛直力の影響

片持ちのバルコニー等の建物外壁から突出する部分については，地震時鉛直力の影響も考慮しておく必要がある．地震時鉛直力としては，鉛直方向の振動の励起，不静定次数の低い部材であることなどを考慮し，±1G（G：重力加速度）程度を考慮した設計を行うのが望ましい．例えば短期の許容応力度が長期の 1.5 倍である場合には，そのことを考慮して常時荷重を 4/3（＝2/1.5）倍した応力に対して長期許容応力度以下となるように設計する方法もある．片持部材だけでなく，大スパン部材など，鉛直方向の振動の励起が予想される場合には，同様の検討を行うのが望ましい．

（7） $P-\varDelta$ 効果

地震時水平力を受けて骨組の水平変形が大きくなると，$P-\varDelta$ 効果による付加的な応力および水平変形が発生する．$P-\varDelta$ 効果の影響は，解説図 9.14 に示すように層の水平荷重－層間変形関係においては見かけ上剛性が低下することになる．また，付加曲げモーメントの増加により建物の転

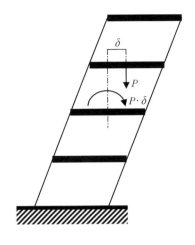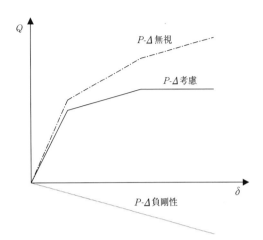

解説図 9.14 $P-\varDelta$ 効果による見かけ上の剛性低下

倒モーメントが増加するため，柱軸力だけではなく基礎に対する圧縮力および引抜力が増大する．

通常の建物では，地震時の変形制限を設けて $P-\varDelta$ 効果の影響を無視して設計することができるが，超高層建物や大きな水平変形を許容する建物では $P-\varDelta$ 効果による付加的な応力や水平変形が無視できなくなる場合もあり，この影響を適切に評価することが必要である．

7. コンクリートのひび割れによる剛性低下の影響を適切に考慮した解析

地震時の水平力に対する構造解析を弾性解析により応力を算出すると，耐震壁が混在する骨組で構成された建物では，耐震壁あるいは耐震壁に接続する部材に応力が集中し，柱・梁の応力は極めて小さくなる．また，柱・梁で構成された建物でも，顕著に異なるスパンで構成された建物や剛性が大きく異なる部材で構成された建物では，短スパンの部材や剛性が大きい部材に応力が集中する．しかし，負担する応力が大きい部材は，実際にはひび割れ発生に伴い剛性低下が生じ部材の応力分布が変化し，弾性解析の場合よりも負担する応力は小さくなる．一方，応力が小さい部材は，弾性解析の場合よりも負担する応力が大きくなる．このような骨組を弾性解析による応力により断面設計すると，応力が集中する部材は過大な配筋量になり，さらに応力集中を招く結果となる．一方，弾性解析で負担する力が小さい部材は，逆に危険側の断面設計となる．

また，短期の地震荷重に対してひび割れによる剛性低下を考慮した増分解析により層間変形角を算出すると，弾性解析による場合よりもかなり大きくなり 1/200 程度にまで達する例もあり，鉄筋コンクリート造建物でも鉄骨造建物と同程度の変形が生じる場合がある．

さらに，国土交通省告示第594号第2三号イでは，耐力壁が層せん断力の1/2以上負担する場合の骨組の柱は，支持する地震時重量に層せん断力係数を乗じたせん断力の25％以上のせん断力を負担するよう規定が設けられている．これは弾性解析では耐震壁の剛性が大きく，柱の応力を過小に評価することを防ぐものである．しかし，部材の剛性低下を適切に考慮した増分解析による場合はこの規定を満足しなくてもよく，ひび割れによる剛性低下を考慮した解析の有意性が認められている．

非線形増分解析法は，各部材ごとに応力と変形関係のルールを定め，水平力を段階的に増加させ，段階ごとに各部材の応力状態に応じて剛性を変化させて解析を行う方法である．一般には，線材置換した部材の端部に剛塑性ばねを設ける方法が用いられる．この部材モデルで構成された平面骨組モデルに対し，剛床仮定により連成したモデルや立体的挙動が無視できない場合は立体骨組モデルが用いられる．立体解析では，柱モデルには二方向曲げと軸方向力の三軸降伏相関関係を考慮する必要がある．

10条　スラブの解析

1. 長方形スラブの曲げモーメントおよびせん断力は，周辺の固定度に応じて弾性理論により求める．
2. 周辺固定と見なすことのできる長方形スラブが等分布荷重を受けるときは，(10.1), (10.2)式により二方向の曲げモーメントを算定する〔図10.1参照〕．

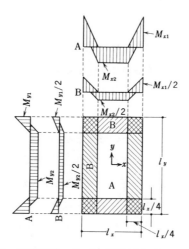

図10.1　周辺固定スラブの設計用曲げモーメント

短辺 x 方向の曲げモーメント（単位幅につき）

両端最大負曲げモーメント

$$M_{x1} = -\frac{1}{12} w_x l_x^2$$

中央部最大正曲げモーメント

$$M_{x2} = \frac{1}{18} w_x l_x^2$$

(10.1)

長辺 y 方向の曲げモーメント（単位幅につき）

両端最大負曲げモーメント

$$M_{y1} = -\frac{1}{24} w l_x^2$$

中央部最大正曲げモーメント

$$M_{y2} = \frac{1}{36} w l_x^2$$

(10.2)

記号　l_x：短辺有効スパン
　　　l_y：長辺有効スパン
　　　w：単位面積についての全荷重

$$w_x = \frac{l_y^4}{l_x^4 + l_y^4} w$$

ただし，有効スパンとは，支持部材間の内法寸法をいう．周辺より$l_x/4$幅の部分（図10.1のB部）については，(10.1), (10.2)式中，周辺に平行な方向のM_x, M_yの値を半減することができる．

1. 長方形スラブの応力は，荷重状態とスラブ周辺の支持条件で変化する．普通の床スラブは，等分布荷重を受けるものと見なしてよい．しかし，特に重い荷重が部分的に加わる場合には，その荷重状態に応じて，集中荷重・部分荷重・線分布荷重などとして扱う必要がある．また，面外に水圧・土圧などが加わりスラブとしての応力が発生する壁体・擁壁・容器構造の壁などは，一般的に等変分布荷重を受けるものと見なされている．

スラブが剛な梁に剛接される場合には，一応その辺では固定された平板として扱われる．しかし，梁の曲げ剛性やねじり剛性が小さい場合には，その梁のたわみや回転によってスラブの曲げモーメント分布が変化する[1],[2]．床スラブの厚さに比べて周辺の梁断面が小さい場合，あるいは吹抜けや開口部まわりの床スラブでは，梁の剛性に見合う適切な支持条件を選択する必要がある．

スラブ周辺が自由辺や単純支持辺である場合を含め，等分布および等変分布荷重を受ける場合については，適当な文献，例えば，文献1), 3) などを参照されたい．

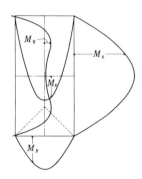

解説図10.1　周辺固定スラブの曲げモーメント

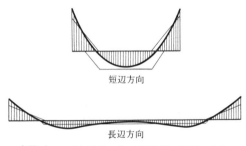

太線（ハッチしたもの）は精密解，細線は本条規定によるもの

解説図10.2　曲げモーメントの精算値と規準値

2. (1) 等分布荷重を受ける周辺固定スラブの曲げモーメント図の大略は解説図10.1のとおりであり，平面板理論から導かれた精算値が解説図10.2における太線，規準値が細線である．$l_x \leq l_y$として，短辺の長さl_xが曲げモーメントを支配することは明らかであるが，辺長比$l_y:l_x$によって変化するのは短辺方向だけであって，長辺方向の曲げモーメントの大きさは$l_y=l_x$なる正方

---

1) 東　洋一・小森清司：建築構造学大系，11巻，平板構造，彰国社，1970
2) 東　洋一：連続床板の設計用応力，日本建築学会論文報告集，No.69, 1964.10
3) ヴリッキーほか著，川股ほか訳：構造設計データブック，宇野書店，1967

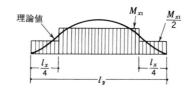

解説図10.3 長辺に沿う固定辺モーメント分布

形板の曲げモーメントとほとんど変わらない．x 方向の曲げモーメントには，ほぼ梁理論が適用できる．ただし，荷重 w はスラブを x, y の二方向の交差梁と考えることにより，梁中央のたわみが等しくなるように x, y 方向に配分されて，x 方向の梁は

$$w_x = \frac{l_y^4}{l_x^4 + l_y^4} w$$

となる荷重を受けることになり，規準 (10.1) 式が成立する．

y 方向については，$l_y = l_x$ の場合 $w_x = (1/2)w$ となるから上記の理由により，この場合の x 方向の曲げモーメントをそのまま y 方向曲げモーメントとして採用している．

弾性論による精算解から得た数値と比較して規準 (10.1) 式の M_{x1} は不足し，M_{x2} は過剰である[注]．解説図 10.3 に示すように長辺に沿って働いている固定辺モーメント M_{x1} は中央の最大値から端部で 0 になるような分布を示すのに対し，板の破損はある幅に対する平均曲げモーメントが，一定値に達したとき生じるという実験的事実 (H. Marcus の解釈) があり，局部的に M_{x1} が不足しても全体としての耐力が与えられていれば，スラブの安全性は保たれる．M_{x2} については，周辺の固定度が減少した場合を考慮して，交差梁近似計算法により求まるスラブ中心線上の中央部最大正曲げモーメント ($w_x l_x^2/24$) の値を 4/3 倍した．中央部正曲げモーメントの増大は，周辺の負曲げモーメントの減少を伴うわけであるが，上記のように M_{x1} の値が平面板理論による値よりも小さいので，特に減らすことは行っていない．これら曲げモーメント式の採用にあたっては，それぞれのゾーンで均等に配筋がされていることを考慮に入れている．

（2）等分布荷重を受ける周辺固定スラブの固定辺のせん断力は，その辺の反力に等しく，9 条 1. に述べる梁の荷重分配法に従って近似的に求めることができる．

3. 集中荷重を受ける長方形スラブ

（1）集中荷重 P が作用する辺長比 $\lambda = (l_y/l_x) > 2$ のスラブで，x 方向（短辺方向）のみに配筋される場合には，ドイツ規定[4]では荷重の直接載荷面 $a_1 a_2$ から床スラブ被覆のような荷重を分布させる層 S を介して，集中荷重は解説図 10.4 のハッチ部分に分布するものとする．曲げモーメントに対する有効スラブ幅 b としては

$$b_1 = a_1 + 2S$$

注) 精密解による正方形板における M_{x1} の最大値は $-0.103(w/2)l_x^2$ であって，規準式による値の約 1.24 倍の値を与える．

4) DIN 1075 (1969, S. 841, 道路橋の鉄筋コンクリート床スラブについての規準)

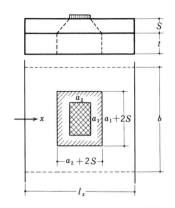

解説図10.4 長方形スラブの集中荷重の分布

$$b_2 = \frac{2}{3}\left(l_x + \frac{a_1 + 2S}{2}\right)$$

のうち大きい値をとり，荷重分布は幅方向に P/b の部分的等分布荷重が $a_2 + 2S$ の範囲に作用するものとする．せん断力に対する有効幅 b としては

$$b_1 = a_1 + 2S$$

$$b_2 = \frac{1}{3}\left(l_x + \frac{a_1 + 2S}{2}\right)$$

のうち大きい値をとる．集中荷重が支点近くに作用するときは，$b = a_1 + 5t$ とする．ただし，t はスラブの厚さとする．

（2）スラブ中心に集中荷重 P を受ける周辺固定スラブに関して，H. Marcus[5] による略算式は次のとおりである．

各辺の（x 方向を短辺，y 方向を長辺とする）全反力を長辺上で v_x，短辺上で v_y とすると

$$v_x = \frac{P}{2}\frac{l_y^4}{l_x^4 + l_y^4}, \qquad v_y = \frac{P}{2}\frac{l_x^4}{l_x^4 + l_y^4}$$

長辺上で全モーメントを m_{x1}，断面 $x=0$ で m_{x2}，短辺上で m_{y1}，断面 $y=0$ で m_{y2} とすると

$$m_{x1} = -v_x \frac{l_x}{4}, \qquad m_{x2} = \mu\left(v_x + \frac{1}{3}v_y\right)\frac{l_x}{4}$$

$$m_{y1} = -v_y \frac{l_y}{4}, \qquad m_{y2} = \mu\left(v_y + \frac{1}{3}\frac{l_x}{l_y}v_x\right)\frac{l_y}{4}$$

ただし，$\mu = 1 - \frac{5}{18}\frac{l_x^2 l_y^2}{l_x^4 + l_y^4}$

μ については等分布荷重と同様，周辺の固定度が不完全であることを考慮して $\mu=1$ として差し支えない．

---

5) H. Marcus：Die Vereinfachte Berechnung biegsamer Platten, 1929

これら全モーメントを解説図10.5(b)のような三角形分布と仮定して配分すると，各部モーメントが求められる．$l_y > 2l_x$の場合はm_{x1}, m_{x2}の分布範囲を$2l_x$とする〔解説図10.5(c)〕．v_x, v_yの分布は同様に三角形分布を仮定するが，$l_y > l_x$についてはv_xの分布範囲をl_xとする〔解説図10.5(a)〕．

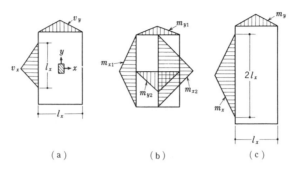

解説図10.5 スラブ中心に集中荷重を受ける周辺固定スラブの曲げモーメント分布の仮定

11条　フラットスラブ構造・フラットプレート構造

1. 本条は，スラブが梁の仲介なく直接柱と一体化された構造に適用する．このうち5項(3)で示す柱頭，または柱頭と支板を設けるものをフラットスラブ構造とし，それらがなく直接一体化されるものをフラットプレート構造と呼ぶ．詳細な計算または特別な実験に基づいて構造安全性を確認できる場合は，本条の一部を適用しないことができる．
2. 鉛直荷重に対する計算は，次の仮定によることができる．
(1) フラットスラブ構造・フラットプレート構造は互いに直交する2つの梁に置換し，それぞれの方向において柱とともに骨組を構成する二方向の置換柱梁骨組として取り扱う．
(2) 置換柱梁骨組は，全荷重をそれぞれの方向において別々に負担するものとして算定する．この置換柱梁骨組の梁は，スパン長さl_x, l_y，断面幅l_y, l_xおよびせいtとする．積載荷重については，満載荷重時について算定するほか，必要に応じ，部分的載荷による影響を考慮する．
(3) 置換柱梁骨組の曲げモーメントのスラブ内における配分は，スラブ面を幅$l/2$（l：検討方向の柱スパンの長さ）の柱間帯〔図11.1中のABDC〕と，幅$l/4$の柱列帯〔図11.1中のABFEおよびCDHG〕

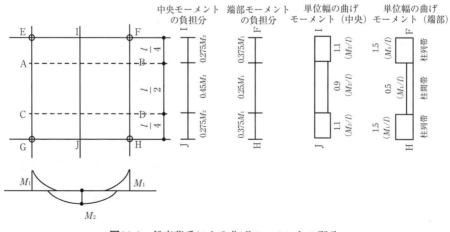

図11.1 鉛直荷重による曲げモーメントの配分

に分け，それぞれにおいて図11.1の数値を採用する．支持縁に平行な外側柱列帯の単位幅の曲げモーメントは一般柱列帯の1/2の数値を，これに接続する柱間帯の単位幅の曲げモーメントは一般柱間帯の3/4の数値をとってよい．

なお，柱頭まわりのせん断力の分布は一様としてよい．

3. 水平力に対する計算は，次の仮定によることができる．
(1) 前項と同様に，二方向の置換柱梁骨組として取り扱う．
(2) 置換柱梁骨組は，水平力をそれぞれの方向において別々に負担するものとして算定する．この置換柱梁骨組の梁は，スパン長さ l_x, l_y, 断面幅$(3/4)l_y$, $(3/4)l_x$ およびせい t とする．
(3) 置換柱梁骨組の曲げモーメントのスラブ内における配分は，柱列帯（幅 $l_y/2$ および $l_x/2$）0.7, 柱間帯（幅 $l_y/2$ および $l_x/2$）0.3 の割合とする．

4. フラットスラブ構造・フラットプレート構造は柱頭まわりでのせん断破壊（パンチング破壊）を起こさないように設計する．

5. 前各項によるほか，フラットスラブ構造・フラットプレート構造は次の（1）から（3）による．
(1) スラブ厚さ t は 150 mm 以上とする．屋根スラブではこの制限に従わなくてもよいが，18条5.の構造規定を満たすものとする．
(2) 柱のせい（円形柱では直径）は，それぞれの方向の柱中心距離 l_x, l_y の1/20以上，300 mm以上，かつ階高 h の1/15以上とする．
(3) フラットスラブ構造では，図11.3に示す柱頭または柱頭と支板を設ける．ただし，スラブに対して傾きが45°以下の柱頭部分は，応力分担を行わないものとする．

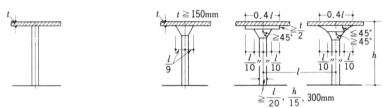

図11.2 フラットプレート構造の柱頭部　　**図11.3** フラットスラブ構造の柱頭部

1. 本条の対象とする構造

(1) フラットスラブ構造およびフラットプレート構造

本条で扱う構造は，梁を設けず，鉄筋コンクリート造の柱とスラブが直接一体化され，鉛直荷重および水平荷重に抵抗する構造をいう．フラットスラブ構造とは，本文5項で示す柱頭または柱頭と支板のある構造形式のものであり，柱頭・支板のない形式のものはフラットプレート構造の名称で区別される．

これらの構造形式が柱と梁の骨組と著しく異なる点として，梁に相当するスラブ内で応力が二次元的な分布をすることのほかに，コンクリートに生じるひび割れの進展に伴って応力が再配分され，その分布が変化していくことが挙げられる．また，特にフラットプレート構造の場合は，水平力を受けたときに，柱からスラブへ伝えられるモーメントによってスラブがパンチング破壊を生じやすく，スラブの落下につながる危険性がある．これらのことから，フラットスラブおよびフラットプレート構造に関しては，弾性理論だけでなく，その弾塑性特性を考慮して応力や変形を求めるとともに，実験的な検証によって設計方法を確立する必要がある．そのため，柱とスラブのパンチング破壊を対象とした実験研究が行われてきた．最近では，耐震壁や壁柱などを設けて，水平剛性を確

保したフラットプレート構造の研究も実施されている．

本規準では，実績の多いフラットスラブ構造を主に対象としている．しかし，柱頭・支板のないフラットプレート構造も，柱頭まわりのパンチング破壊および構造全体の水平剛性の確保に対して，構造計算上，特に断面設計上に十分な注意を払うならば，同様の方法で設計することも可能である．

（2） 設計上の注意事項

ⅰ） フラットスラブの設計方法は，正方形パネルを基本に構築されている．したがって，特別な構造計算または実験などにより構造安全性が確認された場合以外は，x方向およびy方向の柱スパン長さは同程度かつほぼ均等とすることを原則とする．後述の略算法における制限範囲が参考となろう．

ⅱ） フラットスラブ構造は，水平力による剛性低下が著しく，鉄筋が降伏点に達するまでに非常に大きな層間変位を生じる〔解説図11.1〕[1]．特別な構造計算または実験などにより構造安全性が確認された場合を除いて，地震力の全部をこの構造形式で負担させるべきではない．

ⅲ） フラットプレート構造は，柱頭まわりでスラブがせん断破壊を起こすと，脆性的な壊れ方をする．地震時にスラブのパンチング破壊により，スラブが柱から脱落して下階のスラブ上に落下し，建物の崩壊につながった被害が外国では実際に生じている．柱とスラブとの接合部では，パンチング破壊に対する検討が必要であり，解説の4項に柱頭まわりのせん断耐力の評価方法を紹介しているので，せん断設計の一方法として参照されたい．

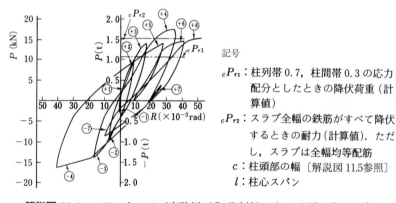

解説図 11.1 フラットスラブ実験例（曲げ破壊）　（$c/l=0.25$, $t/l=1/20$）[1]

ⅳ） 側柱や隅柱とスラブとの接合部については，鉛直荷重や水平力が作用した時の破壊性状，耐力に関する実験データは多くないが，はね出しスラブは耐力の向上に有効であると報告されている[1]．フラットスラブの外周は，はね出しスラブを設けるか，梁または壁で支持するのがよい．

ⅴ） メキシコ市の構造設計基準[2]ではACI318-19[3]に準じたフラットプレート構造のパンチング

---

1) 東　洋一・小森清司ほか：鉄筋コンクリートフラットスラブ構造の水平加力時における弾塑性性状に関する実験的研究，日本建築学会大会学術講演梗概集，1974
2) Departamento del Disrito Federal（DDF）（2004）Reglamento de Construcciones para el Distrito Federal. Mexico City： Departamento del Distrito Federal.

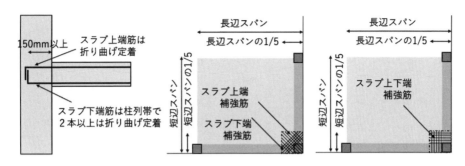

解説図11.2 ACI318-19における定着部および隅角部における配筋規定

シア破壊に対する検討も規定されている．2017年に発生したメキシコ・プエブラ地震ではフラットプレート構造において1985年のメキシコ地震で散見されたパンチングシア破壊は確認されていないが，柱脚や柱スラブ接合部の塑性化による水平剛性の低下，小変形での鉛直支持能力の喪失により複数の建物で崩壊に至った．崩壊建物44棟のうち約6割はフラットプレート構造となっている[4]．メキシコではこれらの被害を受けてフラットプレート構造の許容非線形変形角を0.5%，靭性係数を1に低減し，フラットプレートのみで水平力を負担して設計できないように構造基準の規制強化を行っている[5]．わが国ではフラットスラブ・フラットプレート構造における地震被害事例は少ないが，フラットスラブおよびフラットプレート構造では壁柱や耐力壁といった水平力を負担する耐震要素と組み合わせて，大地震時に大きな変形が生じない架構とする必要がある．

vi) ACI318-19[3]では，二方向スラブとなるフラットプレート構造におけるスラブ筋の最小定着長さは150mm以上とし，下端筋はコア内に定着するように規定されている〔解説図11.2〕．90°フックは上端筋および柱列帯の下端筋2本以上に設けることとしている．スラブ筋の最大間隔はスラブ厚の2倍かつ450mm以下（危険断面領域），スラブ厚の3倍かつ450mm以下（それ以外）と規定されている．隅角部では柱の鉛直変形により斜め方向にひび割れが生じる．隅角部からスパン1/5の範囲について斜め方向に危険断面が生じないように，斜め方向あるいは直交二方向に追加のスラブ筋を設けている．柱列帯周辺に設ける開口についても配筋制限が設けられている．したがって，柱列帯には床開口を設けないことが望ましい．ここでスパンとは解説図11.2に示すとおり，隅角部最外縁から隣接する構面の柱芯までの距離として定義されている．

---

3) ACI Committee 318-19：Building Code Requirements for Structural Concrete and Commentary (ACI318-19), American Concrete Institute，2019

4) Francisco A. Galvis, Eduardo Miranda, Hector Davalos, Overview of collapsed buildings in Mexico City after the 19 September 2017 (Mw 7.1) earthquake, Earthquake Spectra, Vol.36(S2), pp.83-109, 2020

5) Juan Murcia-Delso, M Alcocer, Oriol Arnau, Yaneivy Martinez, and David Muria-Vila, Seismic rehabilitation of concrete buildings after the 1985 and 2017 earthquakes in Mexico City, Earthquake Spectra, Vol.36(S2), pp.175-198，2020

2. 鉛直荷重を受けるフラットスラブ構造

（1） 本条のフラットスラブ構造の計算式は，ラーメン式計算法を採用している．

この場合，x 方向の梁の幅は l_y，せい t，スパン長さ l_x と考える．同様にして y 方向については，梁幅 l_x，せい t，スパン長さ l_y にとる．構造計算はそれぞれの方向について行わなければならない．鉛直荷重は固定荷重 g と積載荷重 p とに分け，p については部分的載荷を考慮して，応力の最大値を求める必要がある．この場合，二方向の骨組だという理由で，荷重の二方向配分は許されない[6]．

そして，得られた梁の曲げモーメント M は，柱列帯・柱間帯および端部・中央部によって本条の図11.1のように配分する．

（2） 以上の計算を行う代わりに，下記の公式を採用することができる．ただし，二方向スパン長さ l_x，l_y について $l_y \geq l_x$ の場合には，$l_x \geq 0.8 l_y$ の制限を伴う．

i） スラブの曲げモーメントを与える公式

下記公式の M，l は，x 方向については M_x，l_x を，y 方向については M_y，l_y を表すものとする．また M_F，M_G は柱間帯および柱列帯におけるスラブの曲げモーメントであり，添え字 1，2，…は，解説図11.3の曲げモーメント図中に示した番号①，②，…に対応する．

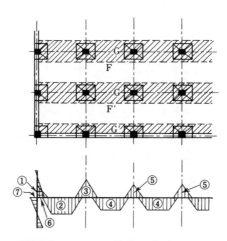

解説図11.3 スラブと柱の曲げモーメント

（a） 終端柱列上の負曲げモーメント

$$\left.\begin{array}{l} M_{F1} = \dfrac{l^2}{36}(g+p) \\[6pt] M_{G1} = \dfrac{l^2}{12}(g+p) \end{array}\right\} \qquad (解 11.1)$$

6） 坪井善勝・森 央二：無梁版構造の再認識，日本建築学会研究報告，No. 33，1955.10

(b) 終端スパン中央部の正曲げモーメント

$$\left. \begin{array}{l} M_{F2} = l^2 \left(\dfrac{g}{26} + \dfrac{p}{16} \right) \\[2mm] M_{G2} = l^2 \left(\dfrac{g}{20} + \dfrac{p}{13} \right) \end{array} \right\} \quad \text{(解 11.2)}$$

(c) 終端柱に隣接する柱列上の負曲げモーメント

$$\left. \begin{array}{l} M_{F3} = \dfrac{l^2}{24}(g+p) \\[2mm] M_{G3} = \dfrac{l^2}{8}(g+p) \end{array} \right\} \quad \text{(解 11.3)}$$

(d) 内部スパン中央部の正曲げモーメント

$$\left. \begin{array}{l} M_{F4} = l^2 \left(\dfrac{g}{32} + \dfrac{p}{16} \right) \\[2mm] M_{G4} = l^2 \left(\dfrac{g}{26} + \dfrac{p}{13} \right) \end{array} \right\} \quad \text{(解 11.4)}$$

(e) 内部の柱列上の負曲げモーメント

$$\left. \begin{array}{l} M_{F5} = \dfrac{l^2}{30}(g+p) \\[2mm] M_{G5} = \dfrac{l^2}{10}(g+p) \end{array} \right\} \quad \text{(解 11.5)}$$

記号

- l_x : x 方向の柱の中心距離
- l_y : y 方向の柱の中心距離
- g : スラブ単位面積あたりの固定荷重
- p : スラブ単位面積あたりの積載荷重
- M_x : 単位幅についての x 方向曲げモーメント
- M_y : 単位幅についての y 方向曲げモーメント

外側柱列帯および外側柱間帯の曲げモーメントは、それぞれ次によってよい.

$$M_{Gi}' = \dfrac{1}{2} M_{Gi} \quad \text{(解 11.6)}$$

$$M_{Fi}' = \dfrac{3}{4} M_{Fi}, \quad i=1 \sim 5 \quad \text{(解 11.7)}$$

ⅱ) 柱の曲げモーメントを与える公式

(a) 終端以外の柱の上下両端に生じる曲げモーメント

$$\left. \begin{array}{l} M_6 = \dfrac{Pl}{12} \dfrac{k_1}{k+k_1+k_2} \\[2mm] M_7 = \dfrac{Pl}{12} \dfrac{k_2}{k+k_1+k_2} \end{array} \right\} \quad \text{(解 11.8)}$$

(b) 終端柱の上下両端に生じる曲げモーメント

$$M_6 = \frac{Wl}{12} \frac{k_1}{k+k_1+k_2}$$
$$M_7 = \frac{Wl}{12} \frac{k_2}{k+k_1+k_2}$$

(解11.9)

記号

P ：柱スパン長さ l_x，l_y 内のスラブの積載荷重で次式による

$P = p l_x l_y$

W ：柱スパン長さ l_x，l_y 内のスラブの全荷重で次式による

$W = (g+p) l_x l_y$

k ：スラブの剛比（l_x または l_y なる幅について算定する）

k_1：上の柱の剛比

k_2：下の柱の剛比

（3） フラットスラブ構造の応力は平板理論に基づいて求めることができるが，実用的略算法が用いられることが多い．実用的略算法には，本条で採用しているラーメン式計算法のほか，トータルモーメント法がある．この方法は，スラブに働く全モーメントを求めて，これを所定の比率でスラブに分配する方法であり，詳しくは適当な文献，例えば，文献7)などを参照されたい．なお，トータルモーメント法は，地震力などの水平力が大部分耐震壁や柱・梁など他の構造で負担される場合に適用するのがよい．

3. 水平力を受けるフラットスラブ

（1） 水平力を受けるフラットスラブ構造を柱梁骨組に置換する場合の梁の有効幅については，正方形パネルを対象とした弾性理論により解説図11.4に示す結果が得られている[7]．

フラットスラブ構造に水平力を加えた実験[1),8)]の結果では，初期剛性は理論値の柱頭部剛とフレキシブルの中間にあるようである．しかし，低い荷重段階から生じるひび割れのために急速に剛性低下を起こし，降伏点近くでは弾性剛性で換算した有効幅はほとんど柱頭の幅までに縮小している．

本条における有効幅は，弾性理論の結果を参考に構造規定として柱頭や支板の大きさに制限（$c/l \geq 2/9$，あるいは $c/l \geq 2/10$）を設け，弾性剛性で換算した有効幅で評価できる範囲で規定しているので，フラットスラブ構造の応力計算では，ひび割れ等による剛性低下を無視してよい．しかし，通常の梁に比べるとフラットスラブ構造の剛性低下はかなり大きいので，水平力による変形の計算や他の構造形式との地震力の分担を決める場合や，フラットプレート構造で柱頭や支板を設けない場合には，有効幅は相当小さめにする必要がある．

（2） 水平力による曲げモーメントのスラブ内における配分については，解説表11.1に示す正方形パネルを対象とした弾性理論解を参考にして，柱列帯0.7，柱間帯0.3とした．この配分比は，柱頭の形状比 C_1/l，C_2/l（C_1，C_2，l：柱頭の幅および検討方向のスパン長さ）およびスラブ厚比

---

7) 狩野芳一：鉄筋コンクリート構造の設計，p.243，丸善，1980

8) 狩野芳一・吉崎征二：フラットプレート構造の柱スラブ接合部に関する研究（その1～4），日本建築学会論文報告集，No.288 (1980.2)，No.292 (1980.6)，No.300 (1981.2)，No.309 (1981.11)

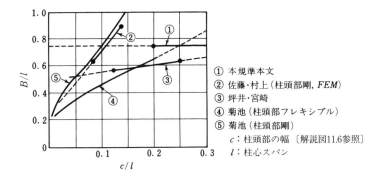

解説図11.4 水平力に対する置換柱梁骨組の梁の有効幅 B

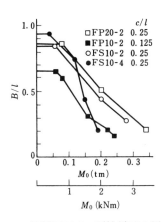

解説図11.5 剛性低下の例

解説表11.1 正方形パネルを対象とした曲げモーメントのスラブ内配分の弾性理論解

	坪井	堯天	村上	菊池	
c/l			0.08	0.10	0.05
柱列帯	0.74	0.78	0.90	0.87	0.92
柱列帯	0.26	0.22	0.10	0.13	0.08

t/l によって異なるものである[9]が，実際にはひび割れの発生による応力の再配分が行われるために理論解に対して大きく異なることとなる．実験によれば，降伏荷重より低い段階でも柱間帯の鉄筋応力はかなり高く（柱列帯最大応力部分の50％以上），柱列帯降伏後は柱間帯鉄筋の応力が増大する．次項で述べるパンチング破壊を生じない限り，柱頭前面に平行な降伏線に沿って全鉄筋が降伏するまで，それほど大きな塑性変形をせずに荷重が増大する[1),7)]〔解説図11.6〕．

このような実験的事実と，柱頭を貫通する鉄筋量とを考慮すれば，応力配分比0.7：0.3は妥当なものと考えられよう．

---

9) 菊池重昭：フラットプレート構造の柱スラブ間のモーメント伝達について（その7），日本建築学会大会学術講演梗概集，1979.9

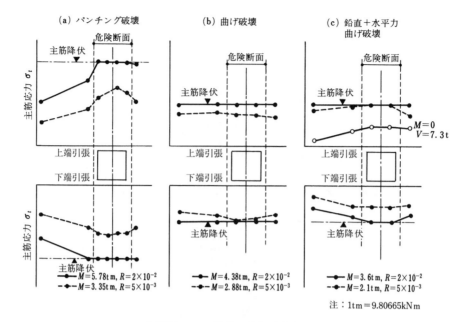

解説図 11.6 鉄筋の応力分布実験例

4. 柱頭まわりのせん断耐力

フラットスラブ構造は，柱頭まわりでせん断破壊（パンチング破壊）を起こすと，極めて靭性に乏しい壊れ方をする．したがって，長期および短期荷重に対してパンチング破壊の検討が重要であるが，終局時においても靭性を付与する必要がある場合（積載荷重が固定荷重の3倍を超える場合や水平力の50％以上をこの構造形式で分担する場合など）には，曲げ降伏に先行してパンチング破壊が生じないようにする必要がある．あばら筋などによるせん断補強は，破壊性状の改善には有益であるが，柱頭スラブ接合部のせん断終局強度の増加には効果がないと報告されている[10]．

柱頭まわりのせん断耐力について，終局強度の実験式の提案を以下に紹介する[11]．なお，提案式の確証実験試験体[11]のコンクリート圧縮強度は，20〜30 N/mm² 程度の範囲である．

（1） 算 定 断 面

パンチングに関する算定断面は，柱頭の表面（支板がある場合は支板端部）からスラブの有効せい d の 1/2 離れた位置の鉛直断面とする〔解説図 11.7〕．

（2） 終局強度の実験式

フラットスラブに鉛直荷重と逆対称曲げモーメントを加えて，柱頭まわりでパンチング破壊させた実験では，スラブから柱に伝えられる全鉛直力 V と伝達モーメント M の間に次のような相関関係が成立することが確認されている．

---

10) 吉崎征二・狩野芳一：フラットプレート構造の柱スラブ接合部に関する研究（その1），日本建築学会論文報告集，No.288，1980.2

11) 狩野芳一・吉崎征二：フラットプレート構造の柱スラブ接合部に関する研究（その4），日本建築学会論文報告集，No.309，1981.11

$$\frac{V_u}{V_0}+\frac{M_u}{M_0}=1 \qquad (解11.10)$$

記号

V_u：終局時に伝達すべき鉛直力

M_u：終局時に伝達すべき曲げモーメント

V_0：鉛直力のみが伝達されるときの終局伝達鉛直力で次式による．

$$V_0=\tau_u A_c \qquad (解11.11)$$

A_c：パンチング算定断面における鉛直断面積の和で次式による．

$$A_c=2d(c_1+c_2+2d) \qquad (解11.12)$$

τ_u：コンクリートの直接せん断強度（N/mm^2）で次式による[注]．

$$\tau_u=0.335\sqrt{\sigma_B} \qquad (解11.13)$$

σ_B：コンクリートの圧縮強度（N/mm^2）で設計基準強度としてよい．

M_0：モーメントのみが伝達されるときの終局伝達モーメントで次式による．

$$M_0=M_f+M_s+M_t \qquad (解11.14)$$

M_f：算定断面でスラブの曲げ抵抗によって伝達されるモーメントで次式による．

$$M_f=0.9\,a_{0t}\,\sigma_y d\,\frac{c_2+d}{x_t}+0.9\,a_{0b}\,\sigma_y d\,\frac{c_2+d}{x_b} \qquad (解11.15)$$

a_{0t}：スラブ上端筋1本の断面積

a_{0b}：スラブ下端筋1本の断面積

x_t：スラブ上端筋の間隔

x_b：スラブ下端筋の間隔

σ_y：スラブ筋の降伏点

d：スラブの有効せい

c_1：水平力検討方向の柱の幅〔解説図11.7〕

c_2：水平力検討方向と直交方向の柱の幅〔解説図11.7〕

なお，$\dfrac{c_2+d}{x_t}$ と $\dfrac{c_2+d}{x_b}$ は算定断面に含まれるスラブ筋の本数を表している．

M_s：算定断面の前・後面のコンクリートのせん断力により伝達されるモーメントで次式による〔解説図11.10〕．

$$M_s=\tau_u(c_2+d)d(c_1+d) \qquad (解11.16)$$

M_t：算定断面の両側面のねじりにより伝達されるモーメントで次式による〔解説図11.11〕．

$$M_t=\tau_{tu}\frac{d^2}{2}\left\{(c_1+d)-\frac{d}{3}\right\}\cdot 2 \qquad (解11.17)$$

注） $\tau_u=0.335\sqrt{\sigma_B}$ は ACI 318-71 のせん断ひび割れ応力度にならったもので，本規準のコンクリート短期許容せん断応力度の約1.5倍に相当する．

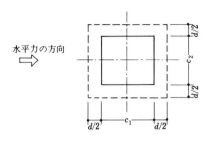

解説図11.7 パンチングの算定断面（破壊）

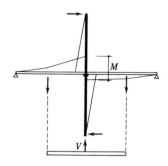

解説図11.8 鉛直荷重と逆対称曲げモーメントを加えた実験モデル

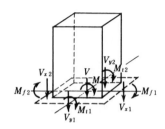

解説図11.9 柱頭まわりの伝達応力

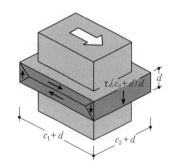

解説図11.10 せん断力によるモーメント

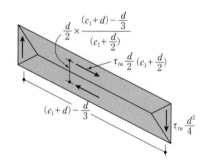

解説図11.11 ねじりによるモーメント

τ_{tu}：コンクリートのねじりせん断強度で次式による[11]．

$$\tau_{tu} = 6\tau_u \qquad (解 11.18)$$

本規準のねじり破壊モーメント M_t を算定する際のコンクリートせん断強度（$6\tau_u$）は，ねじり応力を与える柱の載荷実験結果に基づいて提案されている[12]．実験結果では，ねじり終局応力度は直交梁主筋量の影響が大きいが，コンクリート強度の関数で表せば，おおむね $6～8\sqrt{F_c}$ 程度であ

---

12) 吉崎征二・狩野芳一：フラットプレート構造の柱―スラブ接合部に関する研究 その3 接合部のねじり実験，日本建築学会論文報告集，No. 300, pp. 41-48, 1981.2

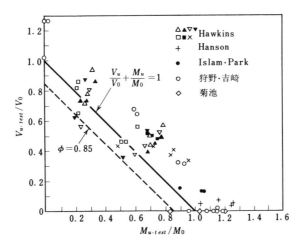

解説図11.12 柱頭まわり最終耐力の実験結果

ったと報告されている．主筋量や補強筋の影響を与えると複雑になるため，コンクリートのみの関数で表し，ACI規準の終局せん断応力度（$1.06\sqrt{F_c}$）の6倍となることから設定されている．

実験結果との比較は，解説図11.12のようになる．

パンチングシア破壊が生じた19体のフラットプレート架構試験体の近年の国内の実験結果について（解11.10）～（解11.18）式を用いたパンチングシア強度を用いて推定精度を検証した[13]．検証結果を解説図11.13に示す．図の縦軸は鉛直荷重により接合部に生じるせん断力の耐力余裕度，横軸は水平力により節点に生じる曲げモーメントの耐力余裕度を示している．（解11.10）～（解11.18）式のV_u，M_uを実験値，V_0，M_0を計算値とした場合の$V_u/V_0+M_u/M_0$（以下，実験値/計算値と略記）は，最大値が1.27，最小値が0.85，平均値は1.08となっており，近年のパンチンシア破壊した実験結果に対しても強度算定式がおおむね整合した結果となっている．19体の試験体のうち，4体は曲げ降伏後のパンチングシア破壊であり，そのうち3体の試験体は実験値が計算値を下回っている．実験値/計算値は，曲げ降伏後にパンチングシア破壊した4体の平均値が0.95，曲げ降伏しない15体の平均値が1.11であり，曲げ降伏後にパンチングシア破壊した一部の試験体については耐力を過大評価しているため注意が必要である．すなわち，（解11.10）～（解11.18）式では解説図11.7～11.11に示すとおり，危険断面位置でせん断破壊時のせん断応力度によるモーメントM_sと曲げ破壊時の曲げモーメントM_f，これに危険断面側面でのねじり破壊モーメントM_tを加えることとしているが，せん断耐力と曲げ耐力の累加は通常成立しない．そのため，曲げ降伏後にパンチングシア破壊した4体の試験体については，（解11.14）式のM_f+M_sの代わりに後述の（解11.20）式，（解11.21）式による$\min(M_f', M_s')$を用いて再計算を行った結果，実験値/計算値は，最大値が1.27，最小値が0.94，平均値が1.11となり，実験結果に対しておおむね安全側の

---

13) 程　雄杰・壁谷澤寿一・磯　雅人：フラットプレート構造のパンチング破壊耐力計算式に対する検討，日本建築学会大会学術講演梗概集，構造Ⅳ，2022.9

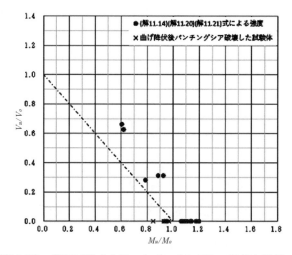

解説図11.13 （解11.10）〜（解11.18）式を用いたパンチングシア強度と近年の国内実験結果の比較

評価となることが確認された．

文献14）ではフラットプレート構造の柱側面のスリットの有無をパラメータとした実験を実施し，ねじりせん断応力度とせん断歪の関係を整理している．実験結果における最大せん断応力度は，本規準とおおむね同じ値を示している．ただし，RC規準と同じパンチングシア破壊面を仮定し，スラブ主筋が曲げ降伏した時の節点モーメントM_f'とコンクリートによるねじりせん断応力度によるモーメントM_tを累加した値は，実験結果におけるパンチングシア強度を過小評価するため，ねじりモーメントM_t'算定時にはねじり抵抗に有効な領域を拡幅して評価している．また，その拡幅領域も変形角に応じて変化する値が示されている．（解11.17）式のM_tはねじり抵抗領域をc_1+dとして算定しているのに対してM_t'はねじり抵抗領域がc_1+dから両側にαdほど拡幅し，その拡幅領域内での直接せん断応力度τ_uに基づいて算定している．αは，文献14）の実験結果から$\alpha=2.37$と定めている．解説図11.13に示すパンチング破壊が生じた19体のフラットプレート架構試験体の実験結果について，（解11.19）〜（解11.22）式による計算値と実験値を比較して解説図11.14に示す．実験値/計算値は最大値が1.71，最小値が0.95，平均値が1.26となっており，解説図11.13と比較するとM_0の計算値が小さくなっている．これは，スラブ拡幅を想定したねじりモーメントの増加分（$=M_t'-M_t$）が，危険断面において曲げ降伏とせん断破壊が同時に生じるものとして算定した曲げモーメントの増加分（$=M_f+M_s-\min(M_f',M_s')$）よりも小さいことを示している．本モデルの計算値は曲げ降伏後にパンチングシア破壊した試験体に対してもおおむね安全側の評価になっているものの，ばらつきが大きく，特に壁柱等のせいの大きな柱を有するフラットプレート構造の実験結果を過小評価する傾向があった．そのため，ねじり抵抗に有効なスラブ領域について，実験条件や試験体形状に応じた精度の高い評価方法の開発が望まれる．

---

14) 戸塚真里奈・髙橋 之・市之瀬敏勝：地震力を受けるフラットプレート構造の柱－スラブ接合部のねじり抵抗－ その1 実験概要，日本建築学会大会学術講演梗概集，構造IV，pp. 415-416，2014.9

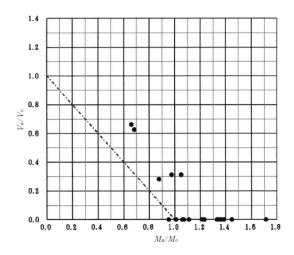

解説図11.14 文献14)で提案されたモデルと近年の国内実験結果の評価精度

$$M_0 = \min(M_f', M_s') + M_t' \qquad (\text{解 }11.19)$$
$$M_f' = M_f \times l/(l - c_1 - d) \qquad (\text{解 }11.20)$$
$$M_s' = \tau_u(c_2 + d)d \times l \qquad (\text{解 }11.21)$$
$$M_t' = \tau_u \times 2.37d^2 \times (c_1 + d + 2.37d) \times 2 \qquad (\text{解 }11.22)$$

ここで，M_f'：危険断面で M_f 発生時の節点モーメント，M_s'：危険断面で M_s 発生時の節点モーメント，l：各方向でのスパン長さとする．

スラブ側面の非線形ねじり耐力 (M_t) の算定方法として，(解 11.17) 式あるいは (解 11.22) 式ではコンクリート強度の関数として与えているが，主筋量の寄与を考慮した式も提案されている．Hawkins らはコンクリートと主筋量を関数としたねじり耐力式を提案しており[15]，ねじりひび割れ発生後にねじり曲率の増加に応じてねじり抵抗モーメントが増加するモデルとなっている．太田らは壁柱にフラットプレートが取り付く構造について，曲げ要素とねじり要素と先端要素を組み合わせたマクロモデルを用いた解析方法を用いて，曲げ降伏機構を形成する架構の静的載荷実験の荷重変形関係を再現している[16]．一方で (解 11.23) 式の T_y を非線形ねじり耐力 M_t としてパンチングシア破壊強度を評価した場合，いくつかの既往の実験ではパンチングシア破壊強度を過大評価した．

$$T_y = 0.21\sigma_B^{1/2}(c_1 + 2t) \cdot t^2 + 1.5(c_1 + 2t) \cdot j \cdot \alpha_{0t} \cdot \sigma_y / x_t \qquad (\text{解 }11.23)$$

ここで，t：スラブ厚，c_1：柱せい，σ_B：コンクリート強度，j：応力中心間距離，α_{0t}：スラブ筋断面積，σ_y：スラブ筋降伏応力度，x_t：スラブ筋間隔とする．

上記のように，スラブ側面の非線形ねじり耐力は実験によるばらつきが大きい．狩野らの提案す

---

15) Hawkins, N. M・Wong, F. C・Yang, C. H.：Slab-Edge Column Connections Transferring High Intensity Reversing Moments Normal to the Edge of the Slab, SM78-1, Department of Civil Engineering, University Washington, 1978

16) 太田義弘・卜部　藍・太田博章・川井　拓：壁柱・フラットプレート架構の水平荷重に対する力学的特性に関する研究，コンクリート工学年次論文集，Vol. 30, No. 3, pp. 499-504, 2008.7

るモデルでは，通常はフラットプレートではスラブ主筋の曲げ降伏が先行することを考慮すると，危険断面において終局曲げ耐力時のせん断応力度と終局せん断応力度の差分だけ発生する応力度を割り増して，パンチングシア破壊強度を評価していることになる．これは，ねじり耐力 M_t におけるスラブの拡幅領域あるいはスラブ筋の寄与を M_s の中でおおむね等価なモーメントとして加えていると解釈することもできる．

　柱の前・後面でスラブ筋が降伏した後に，柱の側面のスラブがねじれてパンチング破壊が生じる場合には，終局伝達モーメントが（解 11.14）式による計算値に到達しない実験結果[17]が報告されている．これは，（解 11.14）式における M_s が算定断面のせん断耐力を用いて計算しているためであり，曲げ降伏後のパンチング破壊形式の検討では，曲げモーメントが M_f に達した時のスラブのせん断力を用いて，M_s を計算する必要がある．特に，地震時に曲げ降伏するようにスラブがせん断補強されたフラットスラブ構造やフラットプレート構造では，注意されたい．

（3）設　計　式

　終局強度式を許容応力度で表すことによって，一つの設計式を導くことができる．

　柱頭を通じてフラットスラブと柱の間に伝達される全鉛直力およびモーメントは，次式を満足しなければならない[注]．

$$\frac{V_D}{V_A} + \frac{M_D}{M_A} \leq 1 \qquad \text{（解 11.24）}$$

　　記号

　　　　　V_D：柱頭まわりの算定断面を通じて柱に伝達される全鉛直力

　　　　　M_D：スラブの不釣合いモーメントにより柱に生じるモーメント（柱芯）

　　　　　V_A：鉛直力のみが伝達されるときの許容せん断力で次式による．

$$V_A = A_c f_s \qquad \text{（解 11.25）}$$

　　　　　A_c：（解 11.12）式による算定全鉛直断面積．ただし，側柱・隅柱では有効な3面または2面について算定する．

　　　　　f_s：コンクリートの長期または短期許容せん断応力度

　　　　　M_A：モーメントのみが伝達されるときの許容モーメントで次式による．

$$M_A = M_f + M_s + M_t \qquad \text{（解 11.26）}$$

　　　　　M_f：算定断面でスラブの曲げ抵抗によって伝達されるモーメントで次式による．

$$M_f = \sum a_t f_t j \qquad \text{（解 11.27）}$$

　　　　　a_t：算定断面を通る算定方向の引張鉄筋全断面積

　　　　　f_t：同上鉄筋の許容引張応力度

　　　　　j：応力中心距離で $(7/8)d$ とすることができる．$\sum$ は算定方向前・後面につ

---

17) 金　亨基・隈澤文俊ほか：高強度コンクリートフラットプレート構造の開発（7）中柱－スラブ接合部の耐震実験，日本建築学会関東支部研究報告集，1993

注) パンチング破壊は極めて危険な破壊モードであるから，短期の設計用応力 V_D，M_D は水平荷重時応力を1.5倍以上して得たものか，（解 11.34）式における V_u，M_u を用いるのが望ましい．

d：スラブの有効せい

M_s：算定断面の前・後面のコンクリートの直接せん断力により伝達されるモーメントで（解 11.28）式による．なお，側柱の桁行方向・梁間方向ならびに隅柱にあっては，（解 11.29）～（解 11.32）式による．

$$M_s = d(c_1+d)(c_2+d)f_s \tag{解 11.28}$$

$$M_s = d(c_1+d)(c_2+d/2)f_s \tag{解 11.29}$$

$$M_s = d(c_1+d)(c_2+d)f_s/2 \tag{解 11.30}$$

$$M_s = d(c_1+d)(c_2+d/2)f_s/2 \tag{解 11.31}$$

$$M_s = d(c_1+d/2)(c_2+d)f_s/2 \tag{解 11.32}$$

M_t：算定断面の両側面のねじりにより伝達されるモーメントで次式による．なお，側柱の桁行方向および隅柱の両方向については，十分な張出しスラブがない場合は次式で求まる数値の 1/2 の数値とする．

$$M_t = 6d^2\left(c_1 + \frac{2}{3}d\right)f_s \tag{解 11.33}$$

上記設計式が適用できるのは，次の（a）および（b）を満たす場合とする．

（a）算定断面を通る各方向の引張鉄筋は，鉄筋比で 0.4% 以上 2.0% 以下[注]．

（b）柱のせいとスラブの有効せいの比 c_1/d は 7.5 以下．

なお，M_A の算定において，柱の前・後面のスラブのせん断力が短期許容せん断力に達する前にスラブの曲げモーメントが短期許容曲げモーメントに達する場合には，短期許容曲げモーメントに達した時のスラブのせん断力を用いて M_s を求めることが望ましい．

なお，本会「壁式鉄筋コンクリート厚肉床壁構造設計指針（案）・同解説」[18] では短期許容応力度の検討において（解 11.33）式の係数 6 を 4 に置き換えて許容ねじれモーメントを算定している．これは全塑性状態ではなく，弾性応力を仮定し最外縁が許容応力度に達した状態を限界状態と考えているためである．適切な応力度は，パンチングシア破壊強度算定式を曲げ強度式と捉えるか，せん断強度式と捉えるかによって変わる．本規準では，せん断強度式と捉えて断面内の平均的なせん断応力度が許容応力度に達した時点のねじれモーメントに基づいて算定する従来の方法を踏襲することとした．

(4) 靱性を付与する場合

終局時において靱性が必要とされる場合には，曲げ降伏以前にパンチング破壊を生じさせないために，次の条件を満足する必要がある．

注）実験によると，算定断面の引張鉄筋比が 0.7% 以下で V_u/V_0 が大きい範囲では，実験式による算定値が危険側になる傾向がある．ここでは，短期許容せん断応力度が（解 11.16）式の値に対して安全側であること，柱頭寸法が大きいこと，V_u/V_0 は通常 0.2〜0.3 程度であることなどを考慮して適用範囲を 0.4% 以上とした．しかし，引張鉄筋比が 0.7% を下回る場合には，（解 11.24）式を用いる場合の注意事項として記載した応力割増しを必ず行うものとする．

18）日本建築学会：壁式鉄筋コンクリート厚肉床壁構造設計指針（案）・同解説，2023.2

$$\alpha \frac{V_u}{V_0} + \frac{M_u}{M_0} < 1 \qquad (解11.34)$$

記号

α：上下動を考慮した割増係数で，1以上の数値とする．

V_u：終局時に伝達すべき鉛直力

M_u：柱頭に接続する前・後面のスラブが全断面降伏するときの伝達モーメントで次式による．

$$M_u = (\sum 0.9 a_t \sigma_y d)\frac{l}{l'} \qquad (解11.35)$$

a_t：スラブ全断面の引張鉄筋断面積

σ_y：同上鉄筋の材料強度

l：検討方向の柱中心間距離

l'：柱頭間の内法長さ

V_0：(解11.11) 式による．

M_0：(解11.14) 式による．

（5） 高強度コンクリートの使用

近年，高強度コンクリートを用いたフラットプレートと柱，あるいは耐震壁との接合部におけるパンチング破壊について実験研究が行われ，コンクリートの圧縮強度が50～70 N/mm² 程度の試験体を用いた実験結果では，(解11.10) 式によるパンチング破壊の判定式は有効であることが報告されている．詳しくは文献17),19) などを参照されたい．スラブが曲げ降伏した後にパンチング破壊する場合には，（2）で述べたように M_s の算定方法に注意して判定式を適用する必要がある．なお，コンクリート強度が40 N/mm² 程度を超えるフラットスラブ構造やフラットプレート構造は，ねじりにより伝達されるモーメントの評価やスラブ開口の影響，側柱や隅柱とスラブの接合部詳細などについて，慎重に検討されたい．

---

19) 西岡聖雅ほか：耐震壁に取り付くフラットスラブのパンチング破壊に関する研究, 日本建築学会大会学術講演梗概集, 1998

4章 部材の算定

12条 曲げ材の断面算定における基本仮定

鉄筋コンクリート造部材の曲げモーメントに対する断面算定は，通常の場合，次の仮定に基づいて行う．
(1) コンクリートの引張応力度は無視する．
(2) 曲げ材の各断面は材のわん曲後も平面を保ち，コンクリートの圧縮応力度は中立軸からの距離に比例する．
(3) コンクリートに対する鉄筋のヤング係数比 n は，コンクリートの種類，荷重の長期・短期にかかわらず同一とし，コンクリートの設計基準強度 F_c に応じて，表12.1に示す値とする．

表12.1 コンクリートに対する鉄筋のヤング係数比

コンクリート設計基準強度 F_c (N/mm^2)	ヤング係数比 n
$F_c \leq 27$	15
$27 < F_c \leq 36$	13
$36 < F_c \leq 48$	11
$48 < F_c \leq 60$	9

(4) 算定断面に対して直交しない鉄筋については，その断面積に$\cos\theta$を乗じたものを有効断面積と見なす〔図12.1参照〕．

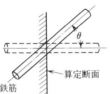

図12.1 算定断面に直交しない鉄筋

(1) コンクリートの引張応力

コンクリートは引張に対する抵抗力が小さく，圧縮強度の1/10～1/13程度の曲げ引張強度しか有さない．鉄筋コンクリート造はこのようなコンクリートの弱点を補うために，断面の引張応力が作用する部分に鉄筋を入れて補強し，引張応力は鉄筋に，圧縮応力はコンクリートに負担させるようにした，いわゆる複合構造である．

解説図12.1は，曲げ材を例にとって破壊に至るまでの断面の応力分布の変化を示したものである．同図（a）では，引張縁でひび割れが生じる直前の応力分布を示している．コンクリートに生じる応力が極めて小さく，応力とひずみとはほぼ正比例関係にあり，引張側コンクリートも引張応力を弾性的に負担する．荷重がこれよりも増大すれば，引張縁でひび割れが生じて同図（b）のような応力分布に至り，圧縮側は弾性，引張側は弾塑性と仮定できる．本規準1999年版では引張応力が一定の領域が存在する図が描かれていたが，近年，破壊力学を用いたひび割れ領域の応力伝達状況が次第に明らかになってきた[1]．その結果，ひび割れ幅が0.2mm程度以下であれば，引張応

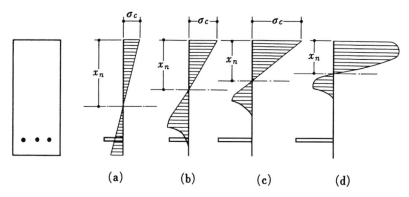

解説図12.1 曲げ材における断面応力分布の変化

力が伝達されると考えるほうが妥当であることがわかってきた．これを本条で考察している連続体の力学に当てはめ，引張応力一定領域の代わりにひずみ軟化域を考慮した応力分布に修正した．さらに荷重を増すと，同図（c）に示すように圧縮側コンクリートは弾性応力分布を示すが，引張側コンクリートの一部は応力を負担しなくなる．同図（d）は断面の終局強度時の応力分布を示したもので，大多数の曲げ材では引張側鉄筋が降伏することにより損傷が誘発され，圧縮側コンクリートの領域が狭くなり，コンクリートが圧縮破壊して崩壊に至る．ただし，上記のように応力分布が線形弾性と見なせる範囲の最終状態をひび割れ発生と定義するか，多少引張側の応力がひずみ軟化し引張縁ひずみが所定の値に到達した時点をもってひび割れ発生と定義するかは，解析の目的により使い分けが必要である．例えば，8条に示す曲げひび割れモーメントの計算で用いる曲げ引張強度（見かけの引張強度）は，後者の考え方に基づいた値と考えられる．

このように作用荷重の大きさによって断面の応力分布も変化するが，短期許容圧縮応力度が$(2/3)F_c$程度の断面の弾性設計には解説図12.1（c）の状態を対象とする．この場合，圧縮側コンクリートの応力度分布は線形と仮定するとともに，引張側コンクリートの負担する引張応力度は計算結果に及ぼす影響は小さいので，便宜上これを無視する．なお，終局強度をもとにして終局強度設計を行うときには，同図（d）の応力度分布を用いる．この場合，引張側コンクリートの効果を無視することは，弾性設計の場合と同様である．

（2） 断面のひずみ分布

断面のひずみ分布は平面保持を仮定して求める．すなわち，材軸と直交する断面は，応力を受ける前に平面であったものは変形後も変形後の材軸と直交し，かつ平面を保つものとする．この仮定はせん断変形を考慮に入れると成立しないが，実用上の目的からはこれを用いて差し支えない．

（3） 断面設計用ヤング係数

RC断面の弾性設計を行う場合，平面保持の仮定より鉄筋の配置されている位置でのコンクリー

---

1) Hillerborg, A., Modeer, M., and Petersson, P. E.: Analysis of Formation and Crack Growth in Concrete by Means of Fracture Mechanics and Finite Elements, Cement and Concrete Research, Vol. 6, pp. 773-782, 1976

トと鉄筋のひずみは等しいことから，コンクリートの応力度（引張側においては仮想の引張応力度）および鉄筋の応力度は，その位置でのコンクリートのひずみ（すなわち，鉄筋のひずみ）に，それぞれのヤング係数 E_c, E_s を乗じれば求めることができる．したがって，コンクリートの応力度 σ_c とその位置での鉄筋の応力度 σ_s との関係は，ヤング係数比 n を（解12.1）式のように定義すれば，（解12.2）式で表される．

$$n = E_s/E_c \quad \text{（解12.1）}$$

$$\sigma_s = n\sigma_c \quad \text{（解12.2）}$$

断面設計用のヤング係数比の設定に際しては，1）コンクリート圧縮強度の大きさ，および作用応力の大きさによってコンクリートのヤング係数（セカントモジュラス）が変化すること，2）コンクリートはクリープによって見かけ上ヤング係数が小さくなること，3）軽量コンクリートのヤング係数は同じ圧縮強度の普通コンクリートのそれよりも小さいことなどを考慮する必要があるので，断面設計用ヤング係数比は，コンクリートの種類，強度，長期・短期の応力別にクリープを考慮してそれぞれ規定するという考え方もある．

しかし，コンクリートのクリープ理論に基づく断面応力解析結果は弾性に基づく解析結果と著しく異なるので，クリープによるコンクリートや鉄筋の応力変化を考慮することなく，単にクリープによるヤング係数比の増加だけに着目してこれを大きく規定するのは，理論的にも断面設計上も不都合が生じる[2),3)]．解説図12.2（a）および（b）は，断面設計上の不都合を説明図に描いたものである．すなわち，解説図12.2（a）の曲げ材においては，設計曲げモーメントがA点以下の場合には，ヤング係数比の大きさによる必要鉄筋比の差はほとんどないが，A点以上になると，同じ設計モーメントに対してヤング係数比を大きくとるほうが著しく少ない鉄筋比で済むことになる．

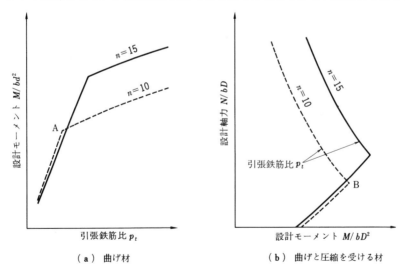

解説図12.2 ヤング係数比の相違による断面計算図表の変化説明図

---

2) 坂　静雄：鉄筋コンクリートの研究，産業図書，1954
3) 六車　熙：RC造におけるコンクリートの許容圧縮応力度とヤング係数比，カラム，No. 37, pp. 45-48, 1970.10

ヤング係数比が小さい点線の設計図表による場合には，実際の設計において，A点以上の設計モーメントに対して圧縮鉄筋比を大きくして釣合鉄筋比（A点の鉄筋比）を増大させ，釣合鉄筋比以下の鉄筋比で収まるようにするのが通常である．このようにすることによって，引張鉄筋比はヤング係数比の大小には関係なくほぼ同じ量となるが，圧縮鉄筋比はヤング係数比の小さい場合のほうが大きくなり，結果的には必要鉄筋量は，ヤング係数比を大きくとるほうが少なくなる．同じ設計モーメントに対して引張鉄筋または圧縮鉄筋が少なくて済むことは，圧縮側コンクリートの圧縮応力負担が大きくなり，弾性およびクリープ変形も大きくなって，この意味で危険側の設計となる．曲げと圧縮を受ける断面においても，解説図12.2（b）からわかるように，B点以上の軸力が作用する場合には，同じ鉄筋比の断面に対してヤング係数比を大きくとるほうが許容曲げモーメントが大きくなり，危険側となる．

　このようになるのは，コンクリートのクリープによるひずみ増加だけを考慮してヤング係数比を大きく規定し，クリープによってコンクリートおよび鉄筋の応力が弾性の場合から変化していくことを併せて考えていないためである．

　一例として，幅 b，有効せい d，引張鉄筋比 $p_t=1\%$，複筋比 $\gamma=0.4$，圧縮鉄筋位置 $d_c=0.1d$ の長方形断面に曲げモーメント $M/(bd^2)=1.5\,\text{N/mm}^2$ が作用するときの弾性およびクリープの影響を考慮した時の断面応力計算結果を解説表12.1に示す．弾性応力計算に用いたヤング係数比は $n=10$ と仮定した．また，クリープを考慮した時の断面応力は，コンクリートのクリープを考慮した等価ヤング係数比を弾性応力計算式（常用設計式）を適用することによって近似的に計算できることから[2],[4]，クリープを考慮したヤング係数比を $n=15$ と仮定した．解説表12.1からわかるように，断面各部の応力は，次のように変化する．

- コンクリートの圧縮縁応力：クリープによって大幅に減少する．
- 圧縮鉄筋応力　　　　　　：クリープによって大幅に増加する．
- 引張鉄筋応力　　　　　　：クリープによりわずかに増加する．

解説表 12.1 弾性およびクリープ後の曲げ材断面応力比較の一例
（$p_t=1\%$，$\gamma=0.4$，$d_c=d_t=0.1d$，$M/(bd^2)=1.5\,\text{N/mm}^2$ の長方形断面）

項　　目	弾性の場合 ($n=10$)	クリープを考慮した場合 ($n=15$)	クリープによる増減
$x_{n1}=x_n/d$	0.337	0.386	増　大
$\sigma_c(\text{N/mm}^2)$	8.56	7.20	減　少
$\sigma_{sc}(\text{N/mm}^2)$	60.2	80.0	増　大
$\sigma_{st}(\text{N/mm}^2)$	168.4	171.0	やや増大

記号　σ_c：圧縮縁コンクリートの応力度
　　　σ_{sc}：圧縮鉄筋の応力度
　　　σ_{st}：引張鉄筋の応力度

4）六車・富永・矢田貝：鉄筋コンクリート曲げ材のクリープ応力に及ぼす引張側コンクリートの影響，日本建築学会大会学術講演梗概集，pp.849-850，1969.8

このようなクリープによる断面応力の変化は，曲げと軸力とを受ける断面においても同様である．したがって，コンクリートおよび鉄筋の許容応力度を変えることなく，クリープを考慮して単にヤング係数比だけを増大すると，設計された断面に設計応力が作用したときの断面応力は，クリープ後にそれぞれの許容応力度以内に収まるものの，載荷当初においては，特にコンクリート圧縮縁応力がその許容値をはるかに上回ることになり，コンクリートの応力負担を大きくする結果となる．すなわち，結果的には弾性設計の場合のコンクリートの許容圧縮応力度を大幅に増大することと同等になるのであって，危険側の設計を行っていることになる．弾性の場合もクリープ後もコンクリートの圧縮縁応力は，ある一定値すなわち許容圧縮応力度を超えてはならないとする立場に立つのが断面の弾性設計の基本であり，このような立場からは解説図12.2に示した点線と実線のうち鉄筋比が大きくなるほうを採用するべきであり，したがって，実際の設計にはクリープを考慮しないヤング係数比を用いるのが妥当である．

実際のコンクリートのヤング係数は，5条に規定したようにコンクリート圧縮強度および単位体積重量によって変化する．5条の規定値はコンクリートの弾性的性質をもとにしたヤング係数実験値であって，これからヤング係数比計算式を求めると次のようになる．

$$n = \frac{20.5}{3.35 \times \left(\frac{\gamma}{24}\right)^2 \times \left(\frac{F_c}{60}\right)^{\frac{1}{3}}} \tag{解 12.3}$$

記号　γ：コンクリートの単位体積重量（kN/m³）
　　　F_c：コンクリート設計基準強度（N/mm²）

普通コンクリート（$\gamma=23$ kN/m³）を例にとると，鉄筋コンクリート造のコンクリートによく使用されるコンクリート設計基準強度$F_c=18\sim27$ N/mm²の範囲では，ヤング係数比は$n=10.0\sim8.7$の範囲にあり，本規準での規定値$n=15$よりも小さい．これはクリープによってコンクリート圧縮縁応力が減少することから，弾性の場合にはコンクリートの長期許容圧縮応力度を従来の慣用値$F_c/3$よりも多少増加させてもクリープによる早急な緩和によって不都合は生じないであろうことを踏まえた措置である．弾性であれば旧ACI規準（1963）で採用していた許容値に近い値である$0.4F_c$程度に引き上げても差し支えないという基本的考え方に立ち，規定値としては従来の慣用値$F_c/3$を採用する代わりに，ヤング係数比を，(解12.3)式で求められる弾性計算値とクリープを考慮して，これを2倍した見かけのヤング係数比との平均値をもって断面設計用ヤング係数比とすることにした．すなわち，ヤング係数比を弾性の場合の値の1.5倍とすることによって，弾性の場合にコンクリートの長期許容圧縮応力度を慣用値$F_c/3$から$0.4F_c$に引き上げたのと同等の結果を得るようにしたものである．こうすると，$n=15.0\sim13.1$となるが，計算の便宜も考えて$F_c=18\sim27$ N/mm²の範囲では一率に$n=15$を採用することにした．また，コンクリートが高強度になってもF_cが60 N/mm²程度までならクリープ特性は普通強度コンクリートと比べて極端には変わらないと考えられる[5),6)]ことから，$F_c=27$ N/mm²を超える場合にも同じ方針でヤング係数比を決めることとした．この場合には，基となる弾性時のヤング係数比を実状に合わせた値として（解

---

5)　日本コンクリート工学協会：コンクリート便覧第2版，1996

12.3) 式より求め，断面設計用としてはおおよそその1.5倍の値を目安として，コンクリートの設計基準強度に応じて簡略化した値を採用している．

短期応力に対しては，コンクリートの許容圧縮応力度として長期の値の2倍が規定されており，したがって，コンクリートのヤング係数（セカントモジュラス）は，厳密に言って長期応力における場合よりもやや小さくなる．しかし，これに対応してヤング係数比を長期応力に対する値よりも大きくとってもそれほど意味を有するものではなく，取扱いの簡単化を考慮して，長期応力に対する値と同一とした．

軽量コンクリートのヤング係数は，普通コンクリートのそれよりも小さい．しかし，前述のようにヤング係数比を大きくとることは，同じ許容応力度を用いているにもかかわらず，必要鉄筋量が著しく少なくて済む場合が生じる．特に，鉄筋量が少なくなることは，断面の破壊耐力の低下にもつながるので問題である．同じコンクリートの設計基準強度，同じ許容応力度であるにもかかわらず，軽量コンクリートのほうが普通コンクリートを使用するときよりも鉄筋量が少なくなるという矛盾は弾性設計の一つの欠陥であって，軽量コンクリートといえどもこれと同じ強度の普通コンクリートの場合と同じ断面が設計されてしかるべきである．この意味から断面設計用ヤング係数比としては，普通コンクリートと同じ値を採用することにした．

13条　梁の曲げに対する断面算定

1. 梁の設計用曲げモーメントは，以下の考え方に基づいて計算する．
（1）使用性確保のための長期設計用曲げモーメントは，その梁に長期荷重が作用した場合の最大曲げモーメントとする．
（2）損傷制御のための短期設計用曲げモーメントは，その梁に短期荷重が作用した場合の最大曲げモーメントとする．
2. 長方形梁の許容曲げモーメントは，12条の基本仮定に基づき，圧縮縁がコンクリートの許容圧縮応力度 f_c に達したとき，あるいは引張側鉄筋が鉄筋の許容引張応力度 f_t に達したときに対して求まる値のうち，小さいほうの数値とする．
3. 長方形梁とスラブが一体となった構造と見なされるT形梁において，スラブが圧縮側になる場合には，次の規定に従って算定する．スラブが引張側になる場合は，スラブを無視した長方形梁として本条2項の規定に従って算定する．
（1）T形梁の有効幅 B は，通常の場合，8条2項（2）によることができる．
（2）T形梁の許容曲げモーメントは，次のⅰ）またはⅱ）による．
　ⅰ）中立軸がスラブ内にある場合
　　　T形梁の有効幅 B を幅とする長方形梁として本条2項による．
　ⅱ）中立軸がスラブ外にある場合
　　　12条の基本仮定に基づいてT形断面を評価し，圧縮縁がコンクリートの許容圧縮応力度 f_c に達したとき，あるいは引張側鉄筋が鉄筋の許容引張応力度 f_t に達したときに対して求まる数値のうち，小さいほうの数値とする．
4. 梁の引張鉄筋比が釣合鉄筋比以下のときは，許容曲げモーメントは（13.1）式によることができる．

---

6) 長滝重義・米倉亜州夫：コンクリートの乾燥収縮およびクリープの機構に関する考察，コンクリート工学，Vol. 20, No. 12, pp. 85-95, 1982.12

$$M = a_t f_t j \tag{13.1}$$

記号　M：梁の引張鉄筋比が釣合鉄筋比以下の場合の許容曲げモーメント
　　　a_t：引張鉄筋断面積
　　　f_t：引張鉄筋の許容引張応力度
　　　j：梁の応力中心距離で，$(7/8)d$ としてよい
　　　d：梁の有効せい

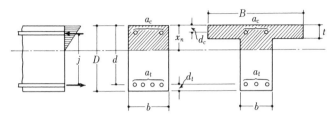

図 13.1　梁の断面

5. 前各項の算定のほか，梁は次の（1）から（5）に従うこと．
（1） 長期荷重時に正負最大曲げモーメントを受ける部分の引張鉄筋断面積は，$0.004bd$（b：梁幅，d：梁の有効せい）または存在応力によって必要とされる量の4/3倍のうち，小さいほうの数値以上とする．
（2） 主要な梁は，全スパンにわたり複筋梁とする．ただし，軽量コンクリートを用いた梁の圧縮鉄筋断面積は，所要引張鉄筋断面積の0.4倍以上とする．
（3） 主筋は，D 13以上の異形鉄筋とする．
（4） 主筋のあきは，25 mm以上，かつ異形鉄筋の径（呼び名の数値 mm）の1.5倍以上とする．
（5） 主筋の配置は，特別の場合を除き，2段以下とする．

1. 梁の設計用曲げモーメントと性能評価の考え方

　梁の設計用曲げモーメントを算定するための荷重および外力の組合せは，7条によるものとする．梁の長期荷重に対する使用性の検討では，長期許容曲げモーメントが長期設計用曲げモーメント以上であることを確認するとともに，過大なひび割れの発生を防止する目的から，梁の主要支点間距離と梁せいの比を適切に設定する〔(解13.19) 式参照〕．また，梁の短期荷重に対する損傷制御の検討では，短期許容曲げモーメントが短期設計用曲げモーメント以上であることを確認する．なお，安全性の検討については，本条では取り扱わないこととした．これは，本条の構造規定を満足し，かつ15条に従ってせん断破壊を防止すれば，多くの場合，梁には十分な靱性が確保されると考えたことによる．しかし，厳密には安全性に関する検討は本条の構造規定では不十分であり，終局時の破壊性状や変形状態を適切な方法で予想して安全性を検討することが望ましい．

2. 長方形梁の断面計算式

　長方形梁の許容曲げモーメントを算定する基本的な考え方を以下に示すが，許容曲げモーメント―引張鉄筋比関係を算定するプログラムを付8に載せておくので参照されたい．
　長方形梁の許容曲げモーメントは，次式で求められる．

$$M = Cbd^2 \tag{解 13.1}$$

ここで，C は以下に求める C_1，C_2 のうち小さいほうの数値による．
　σ_c を圧縮縁コンクリートの応力度とすると，長方形梁の応力度分布は，解説図13.1に示すよう

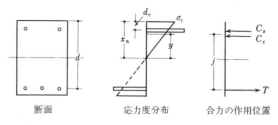

断面　　　応力度分布　　合力の作用位置

解説図13.1　長方形梁の応力度分布と合力の作用位置

になり，圧縮コンクリートの合力を C_c，圧縮鉄筋の合力を C_s，引張鉄筋の合力を T とすると，軸方向の力の釣合いおよび曲げモーメントの釣合いから

$$C_c + C_s = T \tag{解 13.2}$$

$$M = C_s(d - d_c) + C_c\left(d - \frac{1}{3}x_n\right) \tag{解 13.3}$$

または，

$$M = Tj \tag{解 13.3'}$$

ここに，$C_c = \dfrac{\sigma_c x_n b}{2}$

$$C_s = (n-1)\sigma_c \frac{x_n - d_c}{x_n} p_c bd$$

$$T = n\sigma_c \frac{d - x_n}{x_n} p_t bd$$

記号　M：梁の許容曲げモーメント
　　　C_c：圧縮コンクリートの合力
　　　C_s：圧縮鉄筋の合力
　　　T：引張鉄筋の合力
　　　n：ヤング係数比
　　　p_c：（解 13.4）式で定義される圧縮鉄筋比
　　　p_t：（解 13.4）式で定義される引張鉄筋比
　　　σ_c：圧縮縁のコンクリートの圧縮応力度
　　　x_n：圧縮縁より中立軸までの距離
　　　b：梁幅
　　　d：梁の有効せい
　　　d_c：圧縮縁より圧縮鉄筋重心までの距離
　　　j：圧縮合力（C_c と C_s の合力）と引張合力（T）の鉛直方向距離（応力中心距離）

なお，引張鉄筋比 p_t および圧縮鉄筋比 p_c は次式による．

$$p_t = \frac{a_t}{bd} \quad \text{および} \quad p_c = \frac{a_c}{bd} \tag{解 13.4}$$

(解 13.2) 式より，次式が得られる．

$$x_{n1}^2 + 2p_t\{n(1+\gamma)-\gamma\}x_{n1} - 2p_t\{n(1+\gamma d_{c1})-\gamma d_{c1}\} = 0$$

ここに，$x_{n1} = \dfrac{x_n}{d}$, $d_{c1} = \dfrac{d_c}{d}$, $\gamma = \dfrac{a_c}{a_t}$ (複筋比を示す)

これより中立軸比を求めると，次式が得られる．

$$x_{n1} = p_t\left[\sqrt{\{n(1+\gamma)-\gamma\}^2 + \dfrac{2}{p_t}\{n(1+\gamma d_{c1})-\gamma d_{c1}\}} - \{n(1+\gamma)-\gamma\}\right] \quad \text{(解 13.5)}$$

x_{n1} が決まると，圧縮縁コンクリートの応力度が許容圧縮応力度 f_c に達するか，引張鉄筋の応力度が引張許容応力度 f_t に達する条件

$$\sigma_c = f_c \quad \text{(解 13.6)}$$

$$\dfrac{d-x_n}{x_n} n\sigma_c = f_t \quad \text{(解 13.7)}$$

から許容曲げモーメントを算出する．すなわち，(解 13.6) 式を(解 13.3) 式に入れると C_1 が得られ，(解 13.7) 式を(解 13.3′) 式に入れると C_2 が得られる．

$$C_1 = \dfrac{p_t f_c}{3x_{n1}}\{n(1-x_{n1})(3-x_{n1}) - \gamma(n-1)(x_{n1}-d_{c1})(3d_{c1}-x_{n1})\} \quad \text{(解 13.8)}$$

$$C_2 = \dfrac{p_t f_t}{3n(1-x_{n1})}\{n(1-x_{n1})(3-x_{n1}) - \gamma(n-1)(x_{n1}-d_{c1})(3d_{c1}-x_{n1})\} \quad \text{(解 13.9)}$$

また，$C_1 = C_2$ となる時の引張鉄筋比，すなわち，釣合鉄筋比 p_{tb} は，(解 13.8) 式と(解 13.9) 式を等値し，(解 13.5) 式を用いることによって次式のように得られる．

$$p_{tb} = \dfrac{1}{2\left(1 + \dfrac{f_t}{nf_c}\right)\left[\dfrac{f_t}{nf_c}\{n + (n-1)\gamma d_{c1}\} - (n-1)\gamma(1-d_{c1})\right]} \quad \text{(解 13.10)}$$

なお，圧縮側の合力を求める場合，圧縮側コンクリート断面積と圧縮鉄筋の等価コンクリート断面積との重複を許容すれば，以下のような簡便な式が得られる．コンクリート強度があまり高くなくヤング係数比が比較的大きい場合には，この式を用いてもよい．

$$C_c = \dfrac{\sigma_c x_n b}{2}$$

$$C_s = n\sigma_c \dfrac{x_n - d_c}{x_n} p_c b d$$

$$T = n\sigma_c \dfrac{d - x_n}{x_n} p_t b d$$

(解 13.2) 式より，次式となる．

$$x_{n1}^2 + 2n p_t(1+\gamma)x_{n1} - 2n p_t(1+\gamma d_{c1}) = 0$$

これより，中立軸比として次式が得られる．

$$x_{n1} = np_t\left[\sqrt{(1+\gamma)^2 + \frac{2}{np_t}(1+\gamma d_{c1})} - (1+\gamma)\right]$$

また，上記の関係と，(解13.6)，(解13.3)式からC_1が，(解13.7)，(解13.3′)式からC_2が次のように得られる．

$$C_1 = \frac{np_t f_c}{3x_{n1}}\{(1-x_{n1})(3-x_{n1}) - \gamma(x_{n1}-d_{c1})(3d_{c1}-x_{n1})\}$$

$$C_2 = \frac{p_t f_t}{3(1-x_{n1})}\{(1-x_{n1})(3-x_{n1}) - \gamma(x_{n1}-d_{c1})(3d_{c1}-x_{n1})\}$$

さらに，$C_1 = C_2$から次式が得られる．

$$p_{tb} = \frac{1}{2}\frac{1}{\left(1+\frac{f_t}{nf_c}\right)\left\{\frac{f_t}{f_c}(1+\gamma d_{c1}) - n\gamma(1-d_{c1})\right\}}$$

以上に示したのは，梁の許容曲げモーメントが引張鉄筋あるいはコンクリートで決まる場合である．しかし，許容応力度の低い鉄筋と強度の高いコンクリートを組み合わせると，中立軸比x_{n1}が0.55（ただし，$d_c/d=0.1$と仮定）以上の場合，すなわち，引張鉄筋比が高く，複筋比が小さい場合には圧縮鉄筋の許容応力度で計算上許容曲げモーメントが決まる場合が生じる．しかし，圧縮鉄筋応力度が許容応力度を多少超過しても支障はないものと考えられるので，本規準ではこの場合は取り上げなくてもよいこととした．

解説図13.2に，$n=15$の場合における釣合鉄筋比を示す．図の横軸から材料の組合せおよび応力の長期・短期に応じてf_c/f_tの値を読み取り，複筋比γに応じて釣合鉄筋比p_{tb}を求めることができる．釣合鉄筋比は，コンクリートの許容応力度と鉄筋の許容応力度の比が大きく，複筋比γが

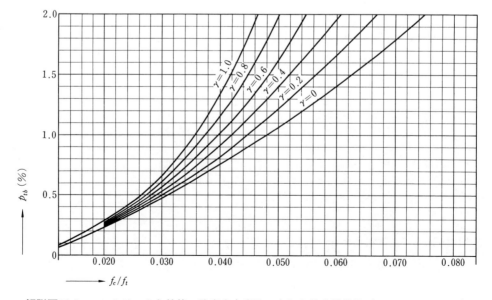

解説図13.2 コンクリートと鉄筋の許容応力度比に応じた釣合鉄筋比（$n=15$，$d_c/d=0.1$）

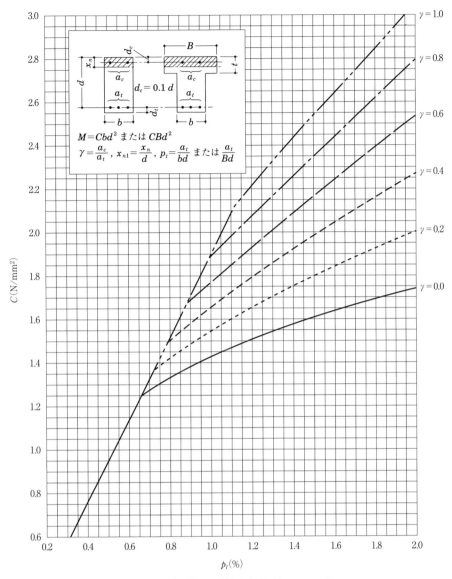

解説図13.3 長方形梁の長期許容曲げモーメント
($F_c = 24$ N/mm², SD 345, $d_c = 0.1d$, $n = 15$)

大きいときに大きくなる．引張鉄筋比が釣合鉄筋比を超えると，コンクリートの許容圧縮応力度によって許容曲げモーメントが決まるので，鉄筋の強度が十分に発揮されないことになり，不経済な設計となる．

なお，参考のために，鉄筋がSD 345，コンクリートが$F_c = 24$ N/mm²の時の$C - p_t$関係を，長期と短期について解説図13.3と解説図13.4に示す．

3．T形梁の断面計算式

T形梁においてスラブが引張側になる場合には，スラブを無視した長方形梁として2項に基づいて算定してよい．スラブが圧縮側になる場合は，その効果を取り入れて以下のように算定する．

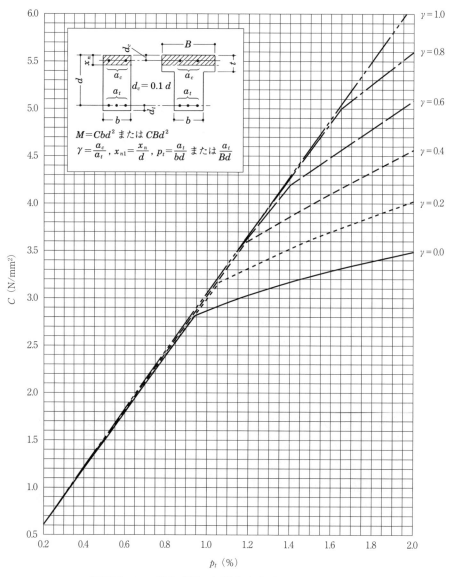

解説図 13.4 長方形梁の短期許容曲げモーメント
($F_c = 24\,\mathrm{N/mm^2}$, SD 345, $d_c = 0.1d$, $n = 15$)

（1） T形梁の引張鉄筋比 p_t は次式による．

$$p_t = \frac{a_t}{Bd} \qquad (解 13.11)$$

　T形梁の有効幅は，8条の解説中に記載した各条件によって大きく変化する．また，有効幅は材長に沿って一定でない．辺長比 a/l が無限大の板部を有する T 形梁が，各種の荷重と各種の支持条件を有する場合の弾性理論により，計算した有効幅の材長に沿う分布を解説図13.5に示す．弾性材の設計には，これらの理論値の危険断面の数値を採用するべきであるが，実験[1]から 8 条に示した値によっても安全なことがわかっている．ただし，水平荷重を受ける架構に位置する梁端の有

効幅は，一般に小さい（直交梁の剛性に左右されるが，解説図 13.5 の曲線 1 と 2 の中間で曲線 1 に近い）ことから，梁として必要な上端配筋の一部をスラブ内に配筋する場合でも，端部ではできる限り柱内に定着することが望ましい．T 形梁のフランジ厚が薄く，フランジ幅が大きい場合は，フランジの面内せん断応力度が大きくなり，フランジとウェブとの付け根付近にせん断ひび割れを生じることがあるので注意が必要である．

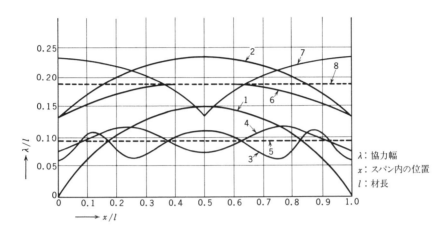

曲線 1 は　水平荷重時両端にモーメントを受ける自由支持梁（東）
曲線 2 は　水平荷重時両端にモーメントを受ける固定梁（東）
曲線 3 は　等分布荷重の固定梁（Metzer）
曲線 4 は　中央集中荷重時の固定梁（Metzer）
曲線 5 は　cosine 形 M 時の固定梁（Chwalla）
曲線 6 は　等分布荷重時の自由支持梁（Chwalla）
曲線 7 は　中央集中荷重時の自由支持梁（Chwalla）
曲線 8 は　sine 形（半波）M 時の自由支持梁

解説図 13.5　梁長さに沿う協力幅の変化（$a/l=\infty$ のとき）

（2）T 形梁のスラブが圧縮側になり，その中立軸がスラブ内に存在する場合には，梁幅として T 形梁の有効幅 B を用いれば，長方形梁と同様に取り扱うことができる．

中立軸がスラブの外にあるか内にあるかは引張鉄筋比 p_t によって判定される．中立軸がスラブ下端に一致するときの引張鉄筋比 p_t' は次式で求められ，これを解説図 13.6 に示す．

$$p_t' = \frac{t_1^2}{2n(1-t_1)} \tag{解 13.12}$$

記号　p_t'：中立軸がスラブ下端と一致するときの引張鉄筋比
　　　t_1：スラブ厚さ t の梁の有効せい d に対する比（$=t/d$）
　　　n：ヤング係数比

1）東　洋一・大久保全陸：中央集中荷重時単純支持鉄筋コンクリート T 梁の有効幅と破壊性状，日本建築学会論文報告集，No. 46, 1968

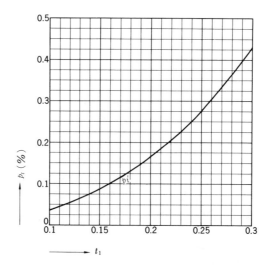

解説図13.6 中立軸がスラブの下端にある場合の引張鉄筋比 ($n=15$)

これよりも高い引張鉄筋比の場合には，中立軸はスラブ外にあり，T形梁としての次式が近似的に求められる．

$$C_1 = t_1 \frac{12 - 12t_1 + 4t_1^2 + \dfrac{t_1^3}{np_t}}{12 + 6\dfrac{t_1^2}{np_t}} f_c \tag{解 13.13}$$

$$C_2 = p_t \frac{12 - 12t_1 + 4t_1^2 + \dfrac{t_1^3}{np_t}}{12 - 6t_1} f_t \tag{解 13.14}$$

記号　p_t：(解13.11) 式によるT形梁の引張鉄筋比

(解13.13) 式および (解13.14) 式は，スラブ内の圧縮鉄筋の寄与分と，スラブ下端以下に位

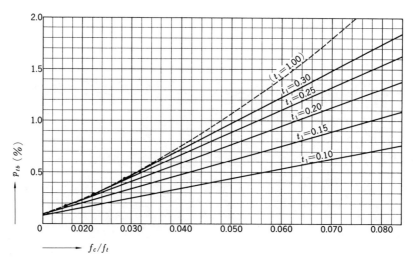

解説図13.7　T形梁の釣合鉄筋比 ($n=15$)

置するウェブのコンクリートの圧縮寄与分の2つを無視する仮定のもとに成立する．

これらより，許容曲げモーメントは次式より得られる．

$$M = CBd^2 \tag{解 13.15}$$

ただし，C は，C_1，C_2 のうち小さいほうの数値とする．

なお，中立軸がスラブ外に位置する場合の釣合鉄筋比 p_{tb} は(解 13.13)式と(解 13.14)式を等値して次式として得られる．その値を解説図 13.7 に示す．

$$p_{tb} = \frac{1}{2}\left\{t_1(2-t_1)\frac{f_c}{f_t} - \frac{t_1^2}{n}\right\} \tag{解 13.16}$$

4. 釣合鉄筋比以下の場合

（1） 長方形梁の場合

引張鉄筋比が，釣合鉄筋比以下のときには(解 13.3′)式をそのまま使うことができ，許容曲げモーメント耐力として (13.1)式が得られる．

j の値は複筋比，鉄筋比で異なり，次式で与えられる．

$$j = \frac{d}{3(1-x_{n1})}\{(1-x_{n1})(3-x_{n1}) - \gamma(x_{n1}-d_{c1})(3d_{c1}-x_{n1})\} \tag{解 13.17}$$

解説図 13.8 に，釣合鉄筋比のときの応力中心距離比 $j_1 = j/d$ の値および中立軸比 x_{n1b} を示す．

ここに，$$x_{n1b} = \frac{1}{1+\dfrac{f_t}{nf_c}} \tag{解 13.18}$$

釣合鉄筋比以下ならば，j_1 は解説図 13.8 の値よりも大きくなる．したがって，j として $j=(7/8)d$ をとっても一般に差し支えない．

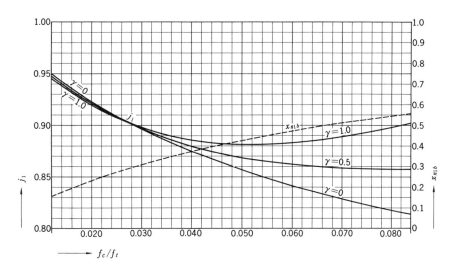

解説図 13.8 釣合鉄筋比のときの中立軸比および応力中心距離比（$n=15$，$d_c/d=0.1$）

（2） T 形梁の場合

スラブが圧縮側の場合で，中立軸がスラブ内の場合，および中立軸がスラブ断面外にある場合に

も，(解13.16)式（または解説図13.7）の釣合鉄筋比以下ならば，許容曲げモーメント耐力として規準 (13.1) 式 $M=a_t f_t j$ を用いることができる．一般に有効幅 B が大きいことから，ほとんど釣合鉄筋比以下で設計できる．

5．構造規定

(1) 主筋量

梁の引張鉄筋断面積が，コンクリート断面積に比べて非常に小さいと，断面のひび割れ抵抗モーメントよりも降伏モーメントが小さくなることがあり，ひび割れ発生と同時に鉄筋が降伏したり，曲げひび割れ幅が大きくなって急激な剛性低下をきたすことが考えられる．このようなことを防止するために，長期荷重時に正負最大曲げモーメントを受ける断面で，最小引張鉄筋比を 0.4% とすることにした．一般の梁では，端部上端と中央下端，基礎梁で地盤反力を受ける場合には，端部下端と中央上端がこれに相当する．T形梁においても，この鉄筋比は，梁幅に関するもの ($p_t=a_t/(bd)$) でよいが，(解13.11)式の規定 ($p_t=a_t/(Bd)$) と間違いやすいので，長方形梁として $0.004bd$ という表現になっている．なお，非常に大きな断面を有する場合，例えば，ウォールガーダーや基礎梁では，常時においてひび割れ発生の可能性も少なく，また現実に 0.4% の引張鉄筋量を配筋できないことも想定されることから，存在応力による必要量の 4/3 倍でもよいという緩和を行った．ここに，存在応力とは長期荷重による応力のことである．なお，コンクリートの設計基準強度が大きい場合には，曲げひび割れによる剛性低下が大きいので，0.4% より多めにするよう配慮することが望ましい．

また，引張鉄筋比を釣合鉄筋比よりも大きくしない通常の設計では問題は少ないが，引張鉄筋比を過大にした場合には，主筋に沿う付着割裂破壊が生じたり，あるいは変形性能が低下することから，注意が必要である．

圧縮鉄筋は曲げ終局強度への寄与は小さいが，長期荷重によるクリープたわみの防止，短期（地震時）荷重に対する靱性の確保に効果的である．したがって，主要な梁は必ず複筋梁とする．また，軽量コンクリートはヤング係数が小さいので，同じ荷重条件のもとに普通コンクリートと同断面の梁を設計した場合，曲げ剛性は小さく，クリープの効果も含めてたわみは大きくなる傾向があるので，主要な梁では複筋比 $\gamma \geq 0.4$ の圧縮鉄筋で補強することを規定した．

(2) 梁断面

長期荷重時にコンクリートの過大なひび割れなど建物の使用上の障害を防止するため，梁の主要支点間距離と全せいの比は，(解13.19)式を満たすことが望ましい．

$$\frac{l}{D} < \sqrt{\frac{C_c}{\alpha}\frac{b}{w_0}} \qquad \text{(解13.19)}$$

$C_c = 1.0 \, \text{N/mm}^2$　T形梁
　　$= 0.6 \, \text{N/mm}^2$　長方形梁

$\alpha = \dfrac{M}{Wl} = \dfrac{1}{16}$　両端固定

$$= \frac{1}{8} \quad 単純支持$$

$$= \frac{1}{2} \quad 片持梁$$

記号　M：単純梁・片持梁に対しては最大曲げモーメント（kNmm）
　　　　　　両端固定梁に対しては正負最大曲げモーメントの平均値（kNmm）
　　　W：梁に作用する全荷重（$w_0 l/1\,000$）（kN）
　　　l　：梁の主要支点間距離（mm）
　　　D：梁の全せい（mm）
　　　b　：梁の最小幅（mm）
　　　w_0：梁の単位長さあたりの平均荷重（N/mm）

梁の振動障害に関しては，通常の建物では，特に梁せいの制限を必要としないが，重量車が通行するスラブを支持する梁のように，特別の荷重を受ける場合は考慮する必要がある．

(3)　2 段配筋

主筋の配置は，基本的に2段以下とした．しかし，基礎梁などのように多量の主筋量が必要であるにもかかわらず断面幅が小さい場合には，主筋は3段以上の配置となることがある．こうした場合でも，多段配筋の影響が必ずしも明らかでないため，できるだけ段数を減らして主筋配置を行うことが好ましい．

【大梁の断面算定に関する計算例】

「付2．構造設計例」の大梁を例にとり，許容曲げモーメントが設計用曲げモーメントを上回るように主筋量を決める．また，例題の配筋から求められる許容曲げモーメントが設計用曲げモーメントを上回ることを確認する．

(1)　計算条件

対象とする大梁断面は，解説図13.9に示すB_{A3}のC_{B3}柱側端部における断面とする．

使用材料は下記による．

幅×せい	500×950
配筋	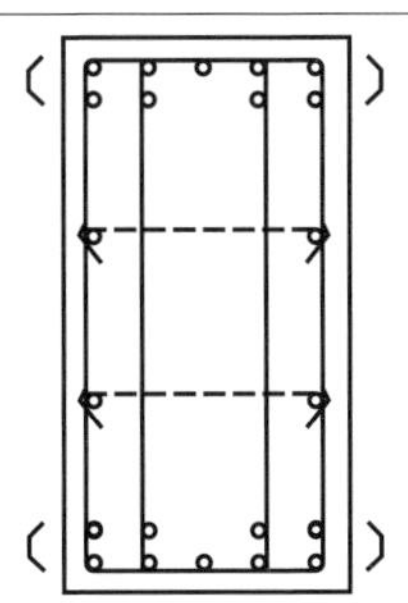
上端筋	5,4-D 29
下端筋	5,4-D 29

解説図 13.9　梁 B_{A3} の C_{B3} 柱側端部における断面の配筋

- コンクリート　$F_c=30\,\mathrm{N/mm^2}$
- 主　　　筋　D 29（SD 390）
- あばら筋　D 16（SD 295）

コンクリートおよび鉄筋の許容応力度は，6条の表6.1，6.2に従い以下の数値とする．

解説表 13.1　B_{A3} 梁における材料の許容応力度

	長 期	短 期
コンクリートの許容圧縮応力度　f_c (N/mm²)	10.0	20.0
主筋の許容引張応力度　f_t (N/mm²)	195	390

梁の断面を $b=500\,\mathrm{mm}$，$D=950\,\mathrm{mm}$ とする．梁断面の引張縁から引張鉄筋重心までの距離は，2段配筋（5本と4本）となることを予想して，$d_t=\dfrac{5\times 90+4\times 170}{9}=126$ より，126 mm として計算を進める．

梁断面の有効せいは，　　　$d=D-d_t=950-126=824\,\mathrm{mm}$

梁断面の応力中心距離は，　$j=\dfrac{7}{8}d=\dfrac{7}{8}\times 824=721\,\mathrm{mm}$

設計用曲げモーメントは，4階梁の⑧通り端部については，以下のとおりとする．

解説表 13.2　B_{A3} 梁の端部設計用曲げモーメント

	長期荷重時	短期荷重時	
		水平荷重時	長期 + 水平荷重時
負曲げモーメント (kNm)	−365	−488	−853
正曲げモーメント (kNm)		+905	+540

（2）　上端筋の確認

長期荷重に対する使用性を検討する．まず，長期荷重時の設計用曲げモーメント 365 kNm に基づいて主筋量を求める．釣合鉄筋比以下であることを仮定すると，主筋量は以下のように求められる．

$$a_t=\frac{M}{f_t j}=\frac{365\times 10^6}{195\times 721}=2\,596\,\mathrm{mm^2} \qquad \left(p_t=\frac{a_t}{bd}=\frac{2\,596}{500\times 824}=0.630\%\right)$$

釣合鉄筋比は，以下のように1.65%となり，p_t は長期の p_{tb} を下回っている．

$$p_{tb}=\frac{1}{2\left(1+\dfrac{f_t}{nf_c}\right)\left[\dfrac{f_t}{nf_c}\{n+(n-1)\gamma d_{c1}\}-(n-1)\gamma(1-d_{c1})\right]}$$

$$=\frac{1}{2\left(1+\dfrac{195}{13\times 10}\right)\left[\dfrac{195}{13\times 10}\{13+(13-1)\times 1\times 0.153\}-(13-1)1(1-0.153)\right]}$$

$$=0.0165\,(=1.65\%)$$

ただし，$d_{c1}=\dfrac{126}{824}=0.153$，表12.1 より $F_c=30\,\text{N/mm}^2$ に対応する $n=13$ を使用した．

最小鉄筋量は $0.004bd=0.004\times500\times824=1\,648\,\text{mm}^2$ または $2\,596\times4/3=3\,461\,\text{mm}^2$ の小さいほうの値 $1\,648\,\text{mm}^2$ である．$a_t=2\,596\,\text{mm}^2$ は $1\,648\,\text{mm}^2$ 以上であり，長期の使用性を確保するための引張鉄筋量は，$2\,596\,\text{mm}^2$ で十分となる．

次に，短期荷重に対する損傷制御の検討を行う．設計用曲げモーメント $853\,\text{kNm}$ に基づいて上端主筋量を検討する．ここでも，釣合鉄筋比以下であることを仮定すると，上端主筋量は以下のように求められる．

$$a_t=\dfrac{M}{f_t j}=\dfrac{853\times10^6}{390\times721}=3\,034\,\text{mm}^2 \qquad \left(p_t=\dfrac{a_t}{bd}=\dfrac{3\,034}{500\times826}=0.735\%\right)$$

ここで，短期の釣合鉄筋比 p_{tb} は下式より，長期と同じ 1.65% となり，p_t は釣合鉄筋比以下である．

$$p_{tb}=\dfrac{1}{2\left(1+\dfrac{390}{13\times20}\right)\left[\dfrac{390}{13\times20}\{13+(13-1)\times1\times0.153\}-(13-1)1(1-0.153)\right]}$$
$$=0.0165(=1.65\%)$$

長期の使用性の検討および短期の損傷制御の検討より，上端筋は短期で決まり，6-D 29（$a_t=3\,852\,\text{mm}^2$, $p_t=0.00935=0.935\%$）となる．しかし，設計例では，9-D 29（$a_t=5\,778\,\text{mm}^2$, $p_t=0.014=1.40\%$）となっており，上端・下端とも設計用曲げモーメントから求められる主筋量よりもかなり多い．これは，設計例の配筋は終局時の性能を満たすよう決められたためである．

（3） 下端筋に関して

長期荷重時には，負曲げモーメントしか作用しないので，下端筋に関する検討の必要はない．短期の損傷制御の検討では，設計用曲げモーメント $540\,\text{kNm}$ に基づいて主筋量を求める．

$$a_t=\dfrac{M}{f_t j}=\dfrac{540\times10^6}{390\times721}=1\,920\,\text{mm}^2$$

そこで，3-D 29（$a_t=1\,926\,\text{mm}^2$, $p_t=0.00467=0.467\%$）で十分となる．しかし，前述（2）と同じ理由で設計例では，9-D 29（$a_t=5\,778\,\text{mm}^2$, $p_t=0.014=1.40\%$）となっている．

（4） 図を用いた解法

本会の「鉄筋コンクリート構造計算用資料集」(2001) の図を用いて解を求める．上端筋の長期に関しては，図 9.7 を近似的に用いると，$C=M/(bd^2)=365\times10^6/(500\times824^2)=1.08\,\text{N/mm}^2$ に対応する鉄筋量は $p_t=0.0059=0.59\%$ となる．上端筋の短期に関しては，図 9.24 を用いると，$C=M/(bd^2)=853\times10^6/(500\times824^2)=2.51\,\text{N/mm}^2$ に対応する鉄筋量は $p_t=0.0072=0.72\%$ となる．下端筋の短期に関しても同じく図 9.24 を用いると，$C=M/(bd^2)=540\times10^6/(500\times825^2)=1.59\,\text{N/mm}^2$ に対応する引張鉄筋比は $p_t=0.0042=0.42\%$ となる．

（5） 例題の配筋に基づいた許容曲げモーメント

解説図 13.9 に示す配筋に基づいて，長期許容曲げモーメントおよび短期許容曲げモーメントを

求める．上端筋および下端筋は 9－D 29（a_t＝5 778 mm^2，p_t＝0.0014＝1.40％）が配置されている．正曲げモーメントおよび負曲げモーメントともに，長期および短期の許容曲げモーメントは下記のとおりとなる．なお，長期および短期ともに釣合鉄筋比は 1.65％であり，下記の式を使ってモーメントを求めても問題ない．

　　長期許容曲げモーメント：$M = a_t \times f_t \times j = 5\,778 \times 195 \times 721 = $　812 kNm

　　短期許容曲げモーメント：$M = a_t \times f_t \times j = 5\,778 \times 390 \times 721 = 1\,625$ kNm

14 条　柱の軸方向力と曲げに対する断面算定

> 1．柱の設計用曲げモーメントは，以下の考え方に基づいて計算する．
> （1）使用性確保のための長期設計用曲げモーメントは，その柱に長期荷重が作用した場合の最大曲げモーメントとする．
> （2）損傷制御のための短期設計用曲げモーメントは，その柱に短期荷重が作用した場合の最大曲げモーメントとする．
> 2．軸方向力と曲げモーメントを同時に受ける柱においては，12 条の基本仮定に基づいて断面内の応力度を算定し，圧縮縁がコンクリートの許容圧縮応力度 f_c に達したとき，圧縮側鉄筋が鉄筋の許容圧縮応力度 $_rf_c$ に達したとき，または引張鉄筋が鉄筋の許容引張応力度 f_t に達したときに対して求めたそれぞれの曲げモーメントのうち，最小値を許容曲げモーメント M とする．
> 3．地震時に曲げモーメントが特に増大するおそれのある柱では，短期軸方向力を柱のコンクリート全断面積で除した値は（1/3）F_c 以下とすることが望ましい．
> 4．前各項の算定のほか，柱は次の（1）から（4）に従うこと．
> （1）材の最小径とその主要支点間距離の比は，普通コンクリートを使用する場合は 1/15 以上，軽量コンクリートを使用する場合は 1/10 以上とする．ただし，柱の有効細長比を考慮した構造計算によって，構造耐力上安全であることが確かめられた場合においては，この限りではない．
> （2）コンクリート全断面積に対する主筋全断面積の割合は，0.8％以上とする．
> （3）主筋は，D 13 以上の異形鉄筋を 4 本以上配置する．
> （4）主筋のあきは，25 mm 以上，かつ異形鉄筋の径（呼び名の数値 mm）の 1.5 倍以上とする．

1．柱の設計用曲げモーメントと性能評価の考え方

　柱の長期荷重に対する使用性の検討では，長期許容曲げモーメントが長期設計用曲げモーメント以上であることを確認する．また，柱の短期荷重に対する損傷制御の検討では，短期許容曲げモーメントが短期設計用曲げモーメント以上である事を確認するとともに，軸方向力が制限値以下となることを確認する．なお，安全性の検討を省いたこと，厳密には安全性に関する検討を別途行うことが望ましいことは 13 条における梁の場合と同様である．

2．柱の断面計算式

　柱は軸方向力と曲げモーメントを同時に受けるので，許容軸方向力 N と許容曲げモーメント M を連成させることで解説図 14.3，解説図 14.4 に示すような M－N 曲線が得られる．したがって，この曲線を求めるには，軸方向力（縦軸の値）を先に定めて許容曲げモーメント（横軸の値）を求める方法や，偏心軸方向力を受ける問題に置き換えて，偏心距離 e（原点を通る直線の勾配）を先に定めて柱の許容軸方向力を求め，許容曲げモーメントは $M = N \cdot e$ として求める方法などが考えられる．

従来は，後者の方法に基づく算定式を規準本文に示し，実用的なコンクリートの設計基準強度と鉄筋の許容応力度のさまざまな組合せに対して図表を付録として示していた．しかし，12条の基本仮定に準拠していれば，どのような手順で算定しても同じ結果が得られること，また，コンピューターを用いれば数値解析的に容易に求めることができ，実用上はむしろそのほうが便利であること，さらに，コンクリートの設計基準強度と鉄筋の許容応力度との組合せの種類が多くなったことから，図表を用意しておくことは実用的ではないと判断し，本文には基本条件のみ示して算定式は省略することとした．ここでは，考え方の理解を助けるために，従来本文で規定されていた，偏心距離eを定めて許容軸方向力と許容曲げモーメントを求める算定式の誘導を以下に示しておく．

ここで，まず以下の記号を定義しておく．

S_n：中立軸に関する有効等価断面の一次モーメント

I_n：中立軸に関する有効等価断面の二次モーメント

A_e：等価断面積

g：等価断面の重心と断面の最大圧縮応力度を受ける縁との距離〔解説図14.2参照〕

ただし，等価断面とは，鉄筋断面積を12条で定められたヤング係数比倍して算定した断面をいい，有効等価断面とは引張側のコンクリート断面を無視した等価断面をいう．

断面の応力度分布は12条（2）の仮定より，解説図14.1のようになる．

圧縮縁コンクリートの応力度をσ_c，中立軸からの距離yにあるコンクリートの微小断面積および鉄筋の断面積をそれぞれdA，a，中立軸深さをx_nとすると，軸方向力の釣合いより次式が得られる．

$$N = \int \left(\sigma_c \frac{y}{x_n}\right) dA + \Sigma \left(n\sigma_c \frac{y}{x_n}\right) a \tag{解 14.1}$$

中立軸に関するモーメントの釣合いより次式が得られる．

$$N\left(x_n - \frac{D}{2} + e\right) = \int \left(\sigma_c \frac{y^2}{x_n}\right) dA + \Sigma \left(n\sigma_c \frac{y^2}{x_n}\right) a \tag{解 14.2}$$

となる．ここに，積分はコンクリートの圧縮側断面積について，Σは全鉄筋について行う．柱材に

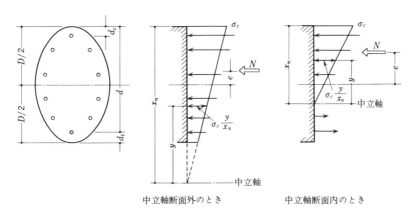

解説図14.1 柱断面の応力度分布

作用する軸方向力の偏心距離 e は，コンクリート断面のせいの中央より算定する．ヤング係数比 n は，圧縮鉄筋においてはコンクリート断面との重複を避けて $(n-1)$ とするのが正しい．しかし，コンクリート強度があまり高くなくヤング係数比が比較的大きい場合には，実用上 n としてもよい．

　ここで，中立軸に関する有効等価断面の一次モーメント S_n および中立軸に関する有効等価断面の二次モーメント I_n を以下のように求め

$$\left. \begin{array}{l} S_n = \int y dA + \sum nya \\ I_n = \int y^2 dA + \sum ny^2 a \end{array} \right\} \qquad \text{(解 14.3)}$$

これを，(解 14.1)，(解 14.2) 式に代入すると (解 14.1′)，(解 14.2′) 式を得る．

$$N = \frac{\sigma_c}{x_n} S_n \qquad \text{(解 14.1′)}$$

$$N\left(x_n - \frac{D}{2} + e\right) = \frac{\sigma_c}{x_n} I_n \qquad \text{(解 14.2′)}$$

上式より N, $\dfrac{\sigma_c}{x_n}$ を消去すると次式を得る．

$$x_n - \frac{D}{2} + e = \frac{I_n}{S_n} \qquad \text{(解 14.4)}$$

これが中立軸を求める式である．

　長方形断面の場合についてこれらを求めると，以下のようになる．

ⅰ）中立軸が断面内にある場合

　偏心距離 $e = \dfrac{M}{N}$ が大きく，中立軸が断面内にある場合には，(解 14.4) 式より，x_n は三次方程式の解として求まる．

　ここで，

$$\left. \begin{array}{l} S_n = \left\{ \dfrac{x_{n1}^2}{2} + (n-1)p_c(x_{n1}-d_{c1}) - np_t(1-d_{t1}-x_{n1}) \right\} bD^2 \\ I_n = \left\{ \dfrac{x_{n1}^3}{3} + (n-1)p_c(x_{n1}-d_{c1})^2 + np_t(1-d_{t1}-x_{n1})^2 \right\} bD^3 \end{array} \right\} \qquad \text{(解 14.5)}$$

記号　$d_{c1} = \dfrac{d_c}{D}$

　　　$d_{t1} = \dfrac{d_t}{D}$

　　　$x_{n1} = \dfrac{x_n}{D}$

　　　$p_t = \dfrac{a_t}{bD}$

　　　$p_c = \dfrac{a_c}{bD}$

解説図 14.2　柱 の 断 面

次に，許容軸方向力 N は，

$$
\left.\begin{array}{ll}
\text{コンクリートで決まる場合} & \sigma_c = f_c \\
\text{圧縮鉄筋で決まる場合} & n\sigma_c = \dfrac{x_n}{x_n - d_c}\,_r f_c \\
\text{引張鉄筋で決まる場合} & n\sigma_c = \dfrac{x_n}{D - d_t - x_n} f_t
\end{array}\right\} \quad (\text{解 }14.6)
$$

の関係を（解 14.1′）式に代入して以下のように求められる．

$$
\left.\begin{array}{ll}
\text{コンクリートで決まる場合} & N_1 = \dfrac{S_n}{x_n} f_c \\
\text{圧縮鉄筋で決まる場合} & N_2 = \dfrac{S_n}{n(x_n - d_c)}\,_r f_c \\
\text{引張鉄筋で決まる場合} & N_3 = \dfrac{S_n}{n(D - d_t - x_n)} f_t
\end{array}\right\} \quad (\text{解 }14.7)
$$

偏心軸方向力を受ける柱の許容軸方向力 N は，N_1，N_2，N_3 のうち最小値より定めることになるが，通常の鉄筋コンクリート断面では，

(ヤング係数比 n) × f_c < 鉄筋の許容圧縮応力度 $_r f_c$

であるから，圧縮側の鉄筋の検討は不要の場合が多い．しかし，高強度のコンクリートを使用する場合には，偏心の小さい範囲では圧縮鉄筋が許容応力度に達することがある．

ⅱ）中立軸が断面外にある場合

偏心距離 $e = \dfrac{M}{N}$ が小さく，中立軸が断面外にある場合にはコンクリート全断面が有効であり，（解 14.3）式に示した S_n，I_n は（解 14.8）式のように置き換えられる．

$$
\left.\begin{array}{l}
S_n = A_e(x_n - g) \\
I_n = I_g + A_e(x_n - g)^2
\end{array}\right\} \quad (\text{解 }14.8)
$$

ここで，

$$A_e = \{1 + (n-1)(p_c + p_t)\}bD$$

$$g = \frac{\dfrac{1}{2} + (n-1)p_c d_{c1} + (n-1)p_t(1 - d_{t1})}{1 + (n-1)(p_c + p_t)} D \quad (\text{解 }14.9)$$

$$I_g = \left\{\left(\frac{1}{3} - g_1 + g_1^2\right) + (n-1)p_c(g_1 - d_{c1})^2 + (n-1)p_t(1 - g_1 - d_{t1})^2\right\} bD^3$$

記号　$g_1 = \dfrac{g}{D}$

これを用いると，（解 14.4）式は x_n に関する一次方程式となり，次式のように簡単に求まる．

$$x_n = \frac{I_g}{A_e\left(g + e - \dfrac{D}{2}\right)} + g \quad (\text{解 }14.10)$$

これを（解14.7）式に代入して，許容軸方向力を求めると次式が得られる．

$$N_1 = \frac{f_c}{\dfrac{1}{A_e} + \dfrac{g+e-\dfrac{D}{2}}{I_g}g}$$ （解 14.11）

$$N_2 = \frac{{}_r f_c}{n\left\{\dfrac{1}{A_e} + \dfrac{g+e-\dfrac{D}{2}}{I_g}(g-d_c)\right\}}$$

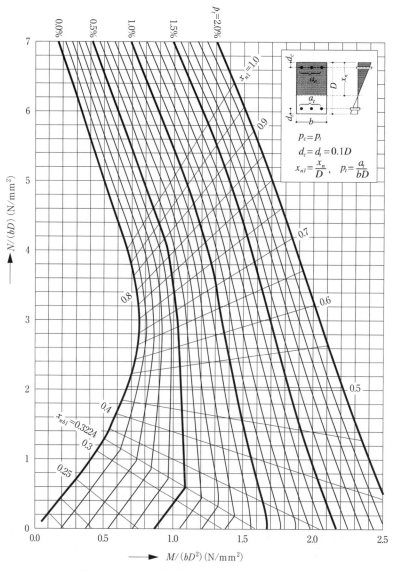

解説図14.3 柱の長期許容曲げモーメント－軸方向力関係
（F_c 24，SD 345；$f_c = 8\,\text{N/mm}^2$，$f_t = 215\,\text{N/mm}^2$，$n = 15$）

なお，これらの式は中立軸が断面外，すなわち $x_n \geq D$ であるから，次の条件が求まる．

$$e \leq \frac{I_g}{A_e(D-g)} + \frac{D}{2} - g \tag{解 14.12}$$

一例として $F_c = 24\,\mathrm{N/mm^2}$，SD 345 の場合の長期と短期について柱の許容曲げモーメント－軸方向力関係を解説図 14.3，解説図 14.4 に示す．これらの図においては，$d_c = d_t = 0.1D$ と仮定しており，$d_c = d_t < 0.1D$ の場合には安全側なので適用しても問題ないが，$d_c = d_t > 0.1D$ の場合には，実際の値を用いて実状に合わせて算定しなければならない．

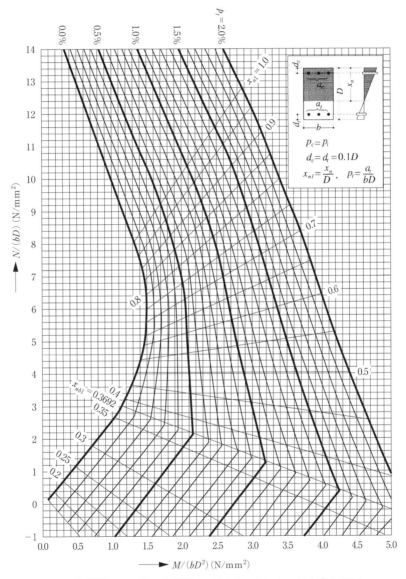

解説図14.4 柱の短期許容曲げモーメント－軸方向力関係
（F_c 24，SD 345；$f_c = 16\,\mathrm{N/mm^2}$，$f_t = 345\,\mathrm{N/mm^2}$，$n = 15$）

ⅲ) 断面が二軸曲げを受ける場合

　一般に，鉄筋コンクリート造建物の柱は長期荷重時には二方向からの曲げを同時に受け，また水平荷重時には，任意の方向からの曲げを受ける．しかし，本規準では，a) 通常，柱の設計が長期荷重で支配される場合は少ないこと，および b) 地震力は二方向から別々に作用するとの考え方を採用していることなどを考慮して，一応柱の断面計算は二方向の応力に対してそれぞれ独立に行うこととし，同時に二方向から応力を受ける場合については特に触れていない．したがって，前記 a)，b) の前提に合致しない場合（例えば，隅柱で長期荷重時の応力が大きい場合など）には二方向の応力に対して検討することが望ましい．そこで，以下に鉄筋コンクリート柱が軸方向力と二軸曲げを同時に受けた場合の基本的な特性を1991年版の規準から抜粋して紹介する．

　鉄筋コンクリート柱が軸方向力と二軸曲げを同時に受けたときの終局強度は，解説図14.5に示した曲面で表され，軸方向力がある一定値の場合を考えると次の式で近似できる．

$$\left(\frac{M_x}{M_{x0}}\right)^\alpha + \left(\frac{M_y}{M_{y0}}\right)^\alpha = 1 \qquad (解14.13)$$

記号　M_{x0}, M_{y0}　：それぞれ軸力と x 軸，y 軸方向の曲げのみが作用したときの曲げ強度
　　　　α　　　：配筋量，軸方向力の大きさなどによって変化する係数で，普通の柱では，ほぼ $1 < \alpha < 2$ の範囲にあり，軸方向力が小さいときは1に近く，軸方向力が大きいときは2に近づく．

　柱の二軸曲げに関しては，文献1) には詳細な説明がなされており，設計時の参考となると考えられる．

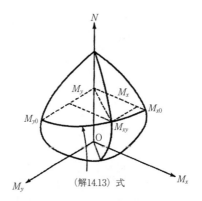

解説図14.5　軸力－二軸曲げ相関図

3. 軸方向力の制限

　中・低層の鉄筋コンクリート造建物は，大地震時には設計用地震力をかなり上回る水平力を受ける．このような地震時に骨組に生じる応力は，骨組の弾・塑性域における復元力特性・減衰特性な

---

1) R. Park and T. Paulay, "5.4 Eccentrically Loaded Short Columns with Biaxial Bending," Reinforced Concrete Structures, John Wiley & Sons, 1975

らびに地盤特性などに大きく影響され，これを一律に定めることは不可能であるが，大地震時に柱に生じる曲げモーメント・せん断力および軸方向力が，程度の差はあるにしても，設計用地震力による算定値を上回ることを覚悟しなければならない．このように算定値を上回る可能性がある実際の水平力に対処するためには，塑性域における部材の靱性を確保しておく必要がある．

　本項は，柱の靱性を左右する要素のうちで，最も大きな影響力を持つ軸方向力を制限することにより，靱性を確保しようとしたものである．本項では，後述する解析例および実験例を参考にし，短期軸方向力をコンクリート全断面積で除した値を $(1/3)F_c$ 以下に制限したが，大地震時に部材が塑性域に入るかどうか，どの程度の靱性が必要かなどは，個々の建物により異なることから一律にこの制限値を用いることなく，設計者が対象とする建物および部材の地震時の動的特性を十分考慮したうえで，判断することが望まれる．

　例えば，比較的余力の少ない純ラーメン構造の建物では柱の崩壊は建物全体の崩壊の要因となることから十分な靱性を確保する必要があり，この場合には本項の $(1/3)F_c$ 以下の制限は決して厳しすぎるものではないであろう．逆に，耐震壁などの構造壁が数多く配置され十分な耐震強度があり，靱性を期待する必要がない建物の柱には，本規定は適用しなくてもよい．また，帯筋相互を溶接するとか，スパイラル筋を用いるなどして実験的にも大きな靱性が確かめられた柱の場合には，軸方向力の限界値を本項に規定された値より大きくとることができよう．

　以下に，鉄筋コンクリート柱の靱性に関する解析例と実験例を挙げておくので参考とされたい．

　鉄筋コンクリート柱は，負担している軸方向圧縮力が小さいときは十分な変形能力を有しているが，軸方向圧縮力が大きくなると変形能力が小さくなり，脆性破壊の危険がある．

　解説図 14.6 は，このような性状の一例を示したものである[2]．軸方向圧縮力の増加に伴い曲げ耐力は増加するが（ある程度以上に軸方向圧縮力が増すと曲げ耐力も減少する），変形能力が低下することがよくわかる．

　破線で示した曲線は，軸方向圧縮応力度 $N/(BD)=0.54{}_c\sigma_B$ を受ける柱の場合であるが，このような軸方向圧縮力を受けながら曲げを受けると引張鉄筋が降伏ひずみに達すると同時に圧縮側コンクリートも終局ひずみ（この場合は 0.3%）に達し，それ以後は最大耐力を保持できなくなる．このような軸方向圧縮力を釣合軸力という．鉄筋コンクリート柱に靱性を期待するには，少なくとも釣合軸力以下の軸方向圧縮力に制限する必要がある．

　さらに，1点鎖線で示した曲線は，軸方向圧縮応力度 $N/(BD)=0.403{}_c\sigma_B$ を受ける柱であるが，この場合には引張鉄筋が降伏ひずみに達すると同時に圧縮鉄筋も降伏ひずみに達し，塑性域は小さい．このような軸方向圧縮力を引張・圧縮鉄筋同時降伏軸方向力と呼び，せん断力の影響が無視できる場合でも軸方向圧縮力はこの程度に抑えておきたい．

　以上は，圧縮力と曲げモーメントを受ける場合の断面応力と変形について調べた結果であるが，実際の柱ではさらにせん断力も同時に作用している．軸方向圧縮力・曲げモーメントおよびせん断

---

2) 池田昭男：鉄筋コンクリート柱の塑性率および軸圧縮力の限界値について（塑性域における断面変形の e 関数法による検討），日本建築学会大会学術講演梗概集，1968.10

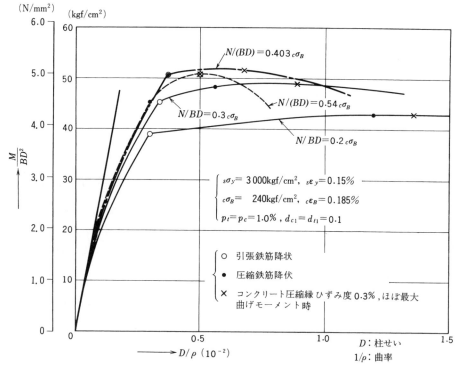

解説図14.6 係数 $M/(BD^2) - D/\rho$ の曲線

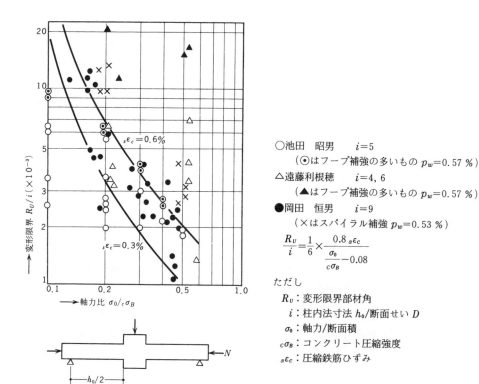

解説図14.7 変形限界－軸力比関係

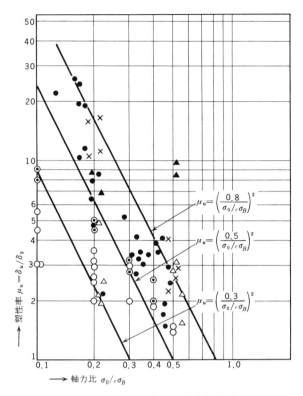

解説図14.8 塑性率－軸力比関係

力を同時に受ける鉄筋コンクリート柱の実験結果から，変形限界と軸方向圧縮力との関係を調べたものが解説図14.7[3]，塑性率 $\mu=\delta_u/\delta_y$（δ_u：変形限界，δ_y：降伏時変形）と軸方向圧縮力との関係を調べたものが解説図14.8[3]である．いずれも塑性域に及ぶ正負繰返し加力試験の結果である．図から，軸方向圧縮力の増加に伴い変形限界も塑性率もかなり小さくなっている．図中で●印と○印との差異は，せん断スパン比 $a/d=M/(Qd)$ の違いによるものであり，せん断スパン比の小さい部材のほうが靱性が小さい．すなわち，せん断力の影響の大きい部材ほど靱性は低下する．また，△印と▲印および○印と◉印との比較から，帯筋を増すことは靱性を増すのに有効であることがわかり，×印の変形能力からスパイラル筋の有効性も推察される．

軸方向圧縮応力度の限界値として本規準で推奨している $N/(BD)=F_c/3$ の値は，変形能力として i（柱の内法寸法と柱せいの比）が5程度の柱に対して変形限界部材角 $R_u \approx 10\times10^{-3}$，塑性率 $\mu_u=2$ 程度以上を期待していることになる．

また，本会の指針[4]においても，ヒンジ領域の軸力と横補強筋量が，柱の靱性能に大きな影響を与えることを踏まえて，曲げと軸力に対する設計を行う方法が示されているので，参照されたい．

---

3) 岡田恒男：軸力と水平力を同時に受ける鉄筋コンクリート柱の水平変形限度に関する研究，日本建築学会論文報告集，No. 103, 1964.10

4) 日本建築学会：鉄筋コンクリート造建物の靱性保証型耐震設計指針・同解説，1999

4. 構 造 規 定

（1） 鉄筋コンクリート柱も一般長柱と同様，最小径に比較して柱長さが長いときには座屈を生じる．この長柱公式として，Navier は次式を示している．

$$N = \frac{{}_c\sigma_B}{1+\alpha\lambda^2} A \tag{解 14.14}$$

記号　N：支持力

　　　${}_c\sigma_B$：コンクリートの圧縮強度

　　　α：係数で，両端支持のコンクリート柱では $\alpha=0.00005$ とする．

　　　λ：細長比で，$\lambda=h/i$ とする．

　　　h：柱長

　　　i：最小断面二次半径

　　　A：断面積

長柱として扱う場合には，断面計算をするための仮定応力を実存する応力より割増しをする必要がある．これについて，以前のドイツ規定では（解 14.15）式が定められており，割増係数は解説表 14.1 に示すとおりである．ここでは，長柱として応力の割増しをしないでよい限界は，鉄筋コンクリート角柱 $h/D=15$，円柱 $h/D_k=10$ 以下としている．ただし，D は角柱の最小径である．

$$\omega N \leqq f_c A \tag{解 14.15}$$

また，ACI 規準（2019）[5]には，柱の内法高さ l_u，両端の固定度より定まる係数 k および断面二次半径 r により，長柱として応力の割増しをしないでよい限界を柱の水平変位が拘束されている場合には $kl_u/r=34+12(M_1/M_2)$，拘束されていない場合には 22 とし，これより細長い柱の場合には，材の座屈を考慮して設計用曲げモーメントを割り増す略算法が示されている．ここで，M_1 および M_2 は，柱両端のモーメントであり，M_1/M_2 は反曲点が部材内にあれば正となる．例えばラーメン骨組の長方形断面柱で，梁の剛比が非常に大きい場合には $kl_u/r=22$ において $k=1$，r

解説表 14.1　正方形柱または長方形柱の応力割増係数

$\dfrac{h}{D}$	$\omega = \dfrac{f_c}{\left(\dfrac{N}{A}\right)}$
15	1.00
20	1.08
25	1.32
30	1.72
35	2.28
40	3.00

［注］　中間値は直線補間する．

---

5) ACI Committee 318 : Building Code Requirements for Structural Concrete (ACI 318-19) and Commentarty, American Concrete Institute

$=0.3D$, $l_u=h$として $h/D=6.6$ が限界となり，耐震壁などがその階にあれば $kl_u/r=34$ が適用できるので $h/D=10.2$ となる．

ところで，軽量コンクリートの場合は，普通コンクリートに比べてヤング係数が低い．このため，軽量コンクリート柱の座屈は別に考慮しなければならない．これに関して，同強度（$F_c=12$ N/mm²）の普通および軽量コンクリート柱を比較した数値例を解説図14.9に示す[6]．

これからわかるように，鉄筋量が少ないと，普通コンクリートに比べて座屈値がかなり低下する．

これらを参考にして，本規準では材の最小径とその主要支点間距離との比を，普通コンクリート柱では1/15以上，軽量コンクリート柱では1/10以上とした．

材がこの範囲より細長い場合には，有効細長比を考慮した計算または実験などにより安全性を確かめる必要がある．

解説表14.2は，以前のDINの規定および解説図14.9の結果を参考にして長柱としての断面計算を行う場合の応力の割増係数の一応の目安を示したものであり，応力の割増しを曲げモーメントと軸方向力の両方について考慮することを前提としている．また，軽量コンクリート柱の割増係数は，同一強度の普通コンクリート柱と安全率が，ほとんど等しくなるように解説図14.9の結果を修正したものである．

（2）鉄筋コンクリート柱断面の最小鉄筋比に関する説明は，吉田徳次郎[7]によれば，a）鉄筋コンクリート柱では，無筋コンクリートに比べてコンクリートの密実の程度に差があり，鉄筋はこれを補てんすべきものであること，b）局部のコンクリートの欠点をカバーし，安全度を大ならしめること，c）応力の多少の変動には耐えられるものでなければならないことを理由としている．

これに関する各国の規定をみると，ACI規準（1963年以降の規準）では軸方向鉄筋は全断面積の1%以上，DIN 1045では柱の高さと最小横寸法の比が5以下のとき0.5%以上，10以上のとき0.8%以上（中間は補間）としていた．本規準の規定はこれらを考慮して定めたものであるが，いずれにしても経験的な数値であって，これらの条件は鉄筋コンクリート柱の基本的性質を満たすうえ

解説表14.2 曲げモーメントおよび軸方向力の割増係数

材の最小径 主要支点間距離	割 増 係 数	
	普通コンクリート	軽量コンクリート
1/10	1.0	1.0
1/15	1.0	1.2
1/20	1.25	1.5
1/25	1.75	—

---

6) 坂　静雄・奥島正一：鉄筋コンクリートばりの終局強度と同長柱の限界荷重について，日本建築学会論文報告集 No. 15（昭 14.11）に基づく．解説図 14.9 は $F_c=120$ kgf/cm²，（鉄筋降伏点）$\sigma_y=2600$ kgf/cm² とし，各コンクリートの応力度・ひずみ度曲線の実験式による E_i（初期ヤング係数），E_t（切線弾性係数）を用いて，小倉弘一郎が計算した．

7) 吉田徳次郎：鉄筋コンクリート設計法，養賢堂，1958

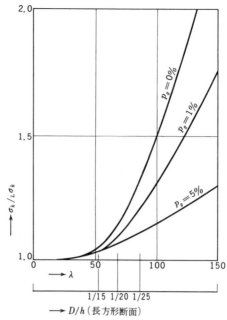

σ_k：普通コンクリート柱の座屈応力度
$_L\sigma_k$：軽量コンクリート柱の座屈応力度

解説図14.9 柱の座屈応力度

に必要な一種の定義と考えておくべきものであろう．

最小鉄筋比に関するやや定量的な説明を上記c）の理由に関連して述べておこう．常用式による柱断面の許容耐力は，鉄筋比が非常に小さいときは（$p_t \leq 0.3 \sim 0.4\%$），軸方向力の減少によってかえって減少する場合があり，ある特定の1組の設計応力で計算した場合，応力の不測の変動に対し危険な事態を生じることがある．このような応力の変動に対処するためには少なくとも全鉄筋比で0.8％は必要であるという説明である．

なお，上記の最小鉄筋比の制限は，柱に付帯するコンクリート打増し部分を無視した構造計画上の柱断面について適用されるものとする．目地の設置やタイル割りなどによってコンクリート断面積を構造計画上の断面積以上に打増しした場合は，当該部分を無視して，構造計画上のコンクリート断面積に対して全主筋比を0.8％以上とすればよい．ただし，コンクリート断面を打ち増すことにより，建物全体の応力状態が変化することを十分考慮する必要がある．

また，逆に鉄筋をあまり多量に配筋すると，コンクリートの充填性が低下するなどの理由により鉄筋コンクリート柱としての性能が低下する．この場合にも最小鉄筋比の場合と同様に，最大鉄筋比を定量的に定めることは困難であり，設計に応じて設計者が個々に判断する必要があろうが，外国の例を参考までに挙げると，ACI規準（1963年以降の規準）では軸方向鉄筋は全断面積の8％以下，Eurocode 2[8]では4％以下となっている．

（3） 近年，新しい配筋法や施工法が開発されたことで，X形配筋や外殻プレキャスト柱の主筋が，帯筋と緊結ができない場合が生じている．このような場合でも，せん断強度確保，コアコン

クリートの靭性能向上，主筋の付着確保や座屈防止など，帯筋を主筋に緊結している場合と同等の性能を発揮できることがわかってきた．しかし，X形配筋やプレキャスト柱などの特別な配筋法を用いない一般的な主筋配置の柱では，特別の調査・研究によって妥当性が確認された場合を除き，主筋は帯筋により相互に連結することを基本とする．

5．スパイラル筋について

鉄筋コンクリート柱が軸方向圧縮力または偏心の小さい軸方向圧縮力を受ける場合，せん断補強筋としてスパイラル筋を使用すると圧縮強度が増大することが知られている．このため，1962年（昭和37年）までの規準には軸方向圧縮力または偏心の小さい軸方向圧縮力を受ける柱を対象として，スパイラル筋を用いた場合にはコンクリートの許容圧縮応力度を20％まで増大させることができるように規定されていた．

このスパイラル筋の性能については実験的にも多くの資料が得られてきており，地震時の柱の靭性を確保するのに有効であることが示されているが，その有用性は靭性を考慮した設計体系に反映されることを期待して，許容応力度設計に基づく本規準では考慮しないこととした．

【柱の断面算定に関する計算例】

「付2．構造設計例」の柱を例にとり，許容曲げモーメントが設計用曲げモーメントを上回るように主筋量を決める．また，例題の配筋例から求められる許容曲げモーメントが設計用曲げモーメントを上回ることを確認する．ここでは，柱頭と柱脚の主筋量を同量とする方針に従って，計算を行う．

(1) 計算条件

対象とする柱断面は，解説図14.10の柱C_{B3}の断面のY方向とする．

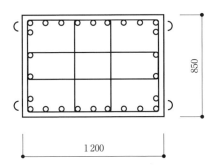

解説図14.10 柱C_{B3}における断面の配筋

使用材料は下記による．

・コンクリート　$F_c = 30\,\mathrm{N/mm^2}$

・主筋　D 29（SD 390）

---

8) The European Committee for Standardization：BS EN 1992, Eurocode 2 : Design of concrete structures

・帯筋　D 16（SD 295）

コンクリートおよび鉄筋の許容応力度は，6条の表6.1，6.2に従い以下の数値とする．

解説表 14.3　柱 C_{B3} における材料の許容応力度

	長　期	短　期
コンクリートの許容圧縮応力度　f_c（N/mm²）	10.0	20.0
主筋の許容引張応力度　f_t（N/mm²）	195	390

柱の断面を $b=1\,200$ mm，$D=850$ mm とする．

柱断面の引張縁から引張鉄筋重心までの距離は，2段配筋（9本と2本）と予想して

$$d_t = \frac{9 \times 90 + 2 \times 170}{11} = 105 \text{ mm} \text{ と仮定する．}$$

柱断面の有効せいは，$d = D - d_t = 850 - 105 = 745$ mm

柱断面の応力中心距離は，$j = \dfrac{7}{8} d = \dfrac{7}{8} \times 745 = 652$ mm

設計用曲げモーメントは，Ⓑ通りの3階柱については，以下のとおりとする．

解説表 14.4　柱 C_{B3} の設計用曲げモーメント

	長期荷重時	短期荷重時	
		正　加　力	負　加　力
軸　力（kN）	2 858	2 222	3 019
柱頭曲げモーメント（kNm）	153	550	471
柱脚曲げモーメント（kNm）	140	533	450

ここで，

$$bD = 1\,200 \times 850 = 1.02 \times 10^6 \text{ mm}^2$$

$$bD^2 = 1\,200 \times 850^2 = 8.67 \times 10^8 \text{ mm}^3$$

（2）　必要な配筋量の決定

長期使用性について検討する．

軸力　　　　　　　：$\dfrac{N}{bD} = \dfrac{2\,858 \times 10^3}{1.02 \times 10^6} = 2.80$ N/mm²

柱頭曲げモーメント：$\dfrac{M}{bD^2} = \dfrac{153 \times 10^6}{8.67 \times 10^8} = 0.18$ N/mm²

柱脚曲げモーメント：$\dfrac{M}{bD^2} = \dfrac{140 \times 10^6}{8.67 \times 10^8} = 0.16$ N/mm²

本会「鉄筋コンクリート構造計算用資料集」の図10.7を近似的に用いると，$\dfrac{N}{bD} = 2.80$ N/mm²

および $\dfrac{M}{bD^2}=0.18\,\text{N/mm}^2$ に対応する引張鉄筋比は $p_t=0\%$, $\dfrac{N}{bD}=2.80\,\text{N/mm}^2$ および $\dfrac{M}{bD^2}=0.16\,\text{N/mm}^2$ に対応する引張鉄筋比もやはり $p_t=0\%$ となる.

短期の損傷制御の検討を行う. 正加力に関しては, 以下の応力状態となる.

$$\text{軸力} : \dfrac{N}{bD}=\dfrac{2\,222\times 10^3}{1.02\times 10^6}=2.18\,\text{N/mm}^2$$

$$\text{柱頭曲げモーメント}: \dfrac{M}{bD^2}=\dfrac{550\times 10^6}{8.67\times 10^8}=0.63\,\text{N/mm}^2$$

$$\text{柱脚曲げモーメント}: \dfrac{M}{bD^2}=\dfrac{533\times 10^6}{8.67\times 10^8}=0.61\,\text{N/mm}^2$$

本会「鉄筋コンクリート構造計算用資料集」の図 10.24 を用いると, $\dfrac{N}{bD}=2.18\,\text{N/mm}^2$ および $\dfrac{M}{bD^2}=0.63\,\text{N/mm}^2$ に対応する引張鉄筋比は $p_t=0\%$, $\dfrac{N}{bD}=2.18\,\text{N/mm}^2$ および $\dfrac{M}{bD^2}=0.61\,\text{N/mm}^2$ に対応する引張鉄筋比もやはり $p_t=0\%$ となる.

短期の負加力に関しては, 以下の応力状態となる.

$$\text{軸力} : \dfrac{N}{bD}=\dfrac{3\,019\times 10^3}{1.02\times 10^6}=2.96\,\text{N/mm}^2$$

$$\text{柱頭曲げモーメント}: \dfrac{M}{bD^2}=\dfrac{471\times 10^6}{8.67\times 10^8}=0.54\,\text{N/mm}^2$$

$$\text{柱脚曲げモーメント}: \dfrac{M}{bD^2}=\dfrac{450\times 10^6}{8.67\times 10^8}=0.52\,\text{N/mm}^2$$

本会「鉄筋コンクリート構造計算用資料集」の図 10.24 を用いると, $\dfrac{N}{bD}=2.96\,\text{N/mm}^2$ および $\dfrac{M}{bD^2}=0.54\,\text{N/mm}^2$ に対応する引張鉄筋比は $p_t=0\%$, $\dfrac{N}{bD}=2.96\,\text{N/mm}^2$ および $\dfrac{M}{bD^2}=0.52\,\text{N/mm}^2$ に対応する引張鉄筋比もやはり $p_t=0\%$ となる.

最小鉄筋比の 0.8% は, $0.008\times b\times D=0.008\times 1\,200\times 850=8\,160\,\text{mm}^2$ に相当する. そこで, 本設計例では, 主筋は最小鉄筋量の $8\,160\,\text{mm}^2$ を配筋すればよい. つまり, D 29 ならば 13 本で十分となる. 例題では断面内に 26 本の主筋が配置されており, 配筋は長期荷重時および短期荷重時の曲げモーメントから求められる配筋よりもかなり多い. これは, 設計例の配筋が, 終局時の性能を満たすように決められたためである.

実際の設計で短期における主筋量は, 正加力時の柱頭と柱脚, および負加力時の柱頭と柱脚において求められた 4 つのうちで最大の主筋量を採用する. さらに, 短期と長期を比較して, 大きい方の主筋量を決定し, 断面内で対称となる主筋を柱頭と柱脚において等量配置する. 最終的には, 主筋比が 0.8% 以上であることを確認する.

(3) 仮定した配筋に基づいた許容曲げモーメントの計算

与えられた配筋に対する許容曲げモーメントを求める. 片側に D 29 が 11 本配置されており,

その引張鉄筋比 p_t は 0.692% である．本会「鉄筋コンクリート構造計算用資料集」の図 10.7 を近似的に利用して，長期軸力 $\dfrac{N}{bD}=2.80$ N/mm² に対応する長期許容曲げモーメントは $\dfrac{M}{bD^2}=1.4$ N/mm² より $M=1\,214$ kNm となる．また，本会「鉄筋コンクリート構造計算用資料集」の図 10.24 を利用して，短期正加力時の軸力 $\dfrac{N}{bD}=2.18$ N/mm² に対応する短期許容曲げモーメントは $\dfrac{M}{bD^2}=3.0$ N/mm² より $M=2\,601$ kNm，短期負加力時の軸力 $\dfrac{N}{bD}=2.96$ N/mm² に対応する短期許容曲げモーメントは $\dfrac{M}{bD^2}=2.95$ N/mm² より $M=2\,558$ kNm となる．

15条　梁・柱および柱梁接合部のせん断に対する算定

1. 長方形および T 形断面の梁，柱ならびに柱梁接合部のせん断力に関する算定は，本条による．その他の断面形の場合は，本条に準じて算定する．ただし，実験などでせん断補強効果が十分であることが確かめられた場合の許容せん断力は，本条によらなくてもよい．

2.　梁・柱のせん断補強

（1）長期荷重時のせん断力に対する使用性の確保のための検討は，下記による．

ⅰ）使用性確保のための梁，柱の長期許容せん断力は，(15.1) 式による．

$$Q_{AL}=bj\alpha f_s \tag{15.1}$$

ただし，

$$\alpha=\dfrac{4}{\dfrac{M}{Qd}+1} \quad \text{かつ} \quad 1\leq\alpha\leq 2 \quad (\text{柱は } 1\leq\alpha\leq 1.5)$$

記号

b：梁，柱の幅．T 形梁の場合はウェブの幅
j：梁，柱の応力中心距離で (7/8)d とすることができる．
d：梁，柱の有効せい
f_s：コンクリートの長期許容せん断応力度
α：梁，柱のせん断スパン比 $\dfrac{M}{Qd}$ による割増係数
M：設計する梁，柱の長期荷重による最大曲げモーメント
Q：設計する梁，柱の長期荷重による最大せん断力

なお，梁の長期許容せん断力は，長期荷重によるせん断ひび割れを許容する場合には，(15.2) 式により算定してよい．

$$Q_{AL}=bj\{\alpha f_s+0.5\,{}_w f_t(p_w-0.002)\} \tag{15.2}$$

p_w の値が 0.6% を超える場合は，0.6% として許容せん断力を計算する．

記号

p_w：梁のあばら筋比で，次式による

$$p_w=\dfrac{a_w}{bx}$$

a_w：1 組のあばら筋の断面積
x：あばら筋の間隔
${}_w f_t$：あばら筋のせん断補強用長期許容引張応力度

その他の記号は前出による．

ⅱ）梁，柱の長期設計用せん断力は，その部材の長期荷重による最大せん断力とする．
（2）短期荷重時のせん断力に対する損傷制御のための検討は，下記による．なお，本条2項（3）によって短期設計を行う場合は，下記の算定を省略してもよい．
ⅰ）損傷制御のための梁，柱の短期許容せん断力は，(15.3) 式による．

$$Q_{AS} = bj\left\{\frac{2}{3}\alpha f_s + 0.5\,_wf_t(p_w - 0.002)\right\} \tag{15.3}$$

ただし，

$$\alpha = \frac{4}{\frac{M}{Qd}+1} \quad \text{かつ} \quad 1 \leq \alpha \leq 2 \quad (\text{柱は } 1 \leq \alpha \leq 1.5)$$

p_w の値が1.2％を超える場合は，1.2％として許容せん断力を計算する．

記号
  b：梁，柱の幅．T形梁の場合はウェブの幅
  j：梁，柱の応力中心距離で，$(7/8)d$ とすることができる．
  d：梁，柱の有効せい
  p_w：梁，柱のせん断補強筋比で，次式による．

$$p_w = \frac{a_w}{bx}$$

  a_w：1組のせん断補強筋の断面積
  x：せん断補強筋の間隔
  f_s：コンクリートの短期許容せん断応力度
  $_wf_t$：せん断補強筋の短期許容引張応力度で，390 N/mm² を超える場合は 390 N/mm² として許容せん断力を計算する．
  α：梁，柱のせん断スパン比 $\dfrac{M}{Qd}$ による割増係数
  M：設計する梁，柱の最大曲げモーメント
  Q：設計する梁，柱の最大せん断力

ⅱ）損傷制御のための梁，柱の短期設計用せん断力は，(15.4) 式による．

$$Q_{DS} = Q_L + Q_E \tag{15.4}$$

記号
  Q_{DS}：梁，柱の設計用せん断力
  Q_L：設計する梁，柱の長期荷重によるせん断力
  Q_E：設計する梁，柱の水平荷重によるせん断力

（3）大地震動に対する安全性の確保のための検討は，下記による．なお，本条2項（2）によって短期設計を行い，かつ梁，柱のせん断終局強度に基づいてせん断破壊に対する安全性の検討を行う場合は，下記の算定を省略してもよい．
ⅰ）安全性確保のための許容せん断力は，梁が (15.5) 式，柱が (15.6) 式による．

$$Q_A = bj\{\alpha f_s + 0.5\,_wf_t(p_w - 0.002)\} \tag{15.5}$$
$$Q_A = bj\{f_s + 0.5\,_wf_t(p_w - 0.002)\} \tag{15.6}$$

ただし，

$$\alpha = \frac{4}{\frac{M}{Qd}+1} \quad \text{かつ} \quad 1 \leq \alpha \leq 2$$

p_w の値が1.2％を超える場合は，1.2％として許容せん断力を計算する．

記号
  b：梁，柱の幅．T形梁の場合はウェブの幅
  j：梁，柱の応力中心距離で，$(7/8)d$ とすることができる．

d：梁，柱の有効せい

p_w：梁，柱のせん断補強筋比で，次式による．

$$p_w = \frac{a_w}{bx}$$

a_w：1組のせん断補強筋の断面積

x：せん断補強筋の間隔

f_s：コンクリートの短期許容せん断応力度

$_wf_t$：せん断補強筋の短期許容引張応力度

α：梁のせん断スパン比 $\dfrac{M}{Qd}$ による割増係数

M：設計する梁の最大曲げモーメント

Q：設計する梁の最大せん断力

ⅱ）安全性確保のための設計用せん断力は，梁が（15.7）式，柱が（15.8）式による．

$$Q_D = Q_L + \frac{\sum {_BM_y}}{l'} \tag{15.7}$$

$$Q_D = \frac{\sum {_CM_y}}{h'} \tag{15.8}$$

ただし，（15.9）式の n を1.5以上として使用する場合には（15.7），（15.8）式によらなくてよい．

$$Q_D = Q_L + n \cdot Q_E \tag{15.9}$$

記号

Q_L：設計する部材の長期荷重によるせん断力で，（15.7）式においては単純梁として算定した値を用いてよい．

$\sum {_BM_y}$：せん断力が最大となるような梁両端の降伏曲げモーメントの絶対値の和

l'：梁の内法スパン長さ

$\sum {_CM_y}$：柱頭・柱脚の降伏曲げモーメントの絶対値の和．この場合，柱頭の降伏曲げモーメントの絶対値よりも，柱頭に連なる梁の降伏曲げモーメントの絶対値の和の1/2が小さい場合には，小さいほうの数値を柱頭の降伏曲げモーメントとしてよい．ただし，最上階の柱では1/2を省くものとする．

h'：柱の内法高さ

Q_E：設計する梁，柱の水平荷重によるせん断力

n：水平荷重時せん断力の割増係数

（4） 上記算定のほか，梁，柱のせん断補強筋は次の各項に従うこと．ただし，特別な調査・研究によって支障ないことが確かめられた場合は，この限りでない．

ⅰ）梁，柱のせん断補強筋は，直径9 mm以上の丸鋼，またはD 10以上の異形鉄筋を用いる．

ⅱ）梁，柱のせん断補強筋比は，0.2％以上とする．

ⅲ）梁のせん断補強筋（あばら筋）の間隔は，梁せいの1/2以下，かつ250 mm以下とする．

ⅳ）柱のせん断補強筋（帯筋）の間隔は，100 mm以下とする．ただし，柱の上下端より柱の最大径の1.5倍または最小径の2倍のいずれか大きいほうの範囲外では，帯筋間隔を前記数値の1.5倍まで増大することができる．

ⅴ）せん断補強筋は主筋を包含し，主筋内部のコンクリートを十分に拘束するように配置し，その末端は135°以上に曲げて定着するか，または相互に溶接する．

ⅵ）幅の広い梁や主筋が一段に多数並ぶ梁などでは，副あばら筋を使用するなど，靱性を確保できるようにすることが望ましい．

ⅶ）せん断力や圧縮力が特に増大するおそれのある柱には，鉄筋端部を溶接した閉鎖形帯筋を主筋を包含するように配置したり，副帯筋を使用するなど，靱性を確保できるようにすることが望ましい．

3. 柱梁接合部
（1） 純ラーメン部分の柱梁接合部の大地震動に対する安全性の確保のための検討は，下記による．なお，柱梁接合部のせん断終局強度に基づいてせん断破壊に対する安全性の検討を行う場合は，下記の算定を省略してもよい．
（2） 柱梁接合部の安全性確保のための許容せん断力は，(15.10) 式による．

$$Q_{Aj} = \kappa_A(f_s - 0.5)b_j D \tag{15.10}$$

記号
　κ_A：柱梁接合部の形状による係数
　　$\kappa_A = 10$（十字形接合部）
　　$\kappa_A = 7$（T 形接合部）
　　$\kappa_A = 5$（ト形接合部）
　　$\kappa_A = 3$（L 形接合部）
　f_s：コンクリートの短期許容せん断応力度
　b_j：柱梁接合部の有効幅で，次式による．
　　$b_j = b_b + b_{a1} + b_{a2}$
　　ここに，b_b は梁幅，b_{ai} は $b_i/2$ または $D/4$ の小さいほうとし，b_i は梁両側面からこれに平行する柱側面までの長さとする．
　D：柱せい

（3） 柱梁接合部の安全性確保のための設計用せん断力は (15.11) 式による．なお，(15.9) 式において n を 1.5 以上として柱の設計用せん断力 Q_D を算定する場合は，(15.12) 式を用いてよい．

$$Q_{Dj} = \sum \frac{M_y}{j}(1 - \xi) \tag{15.11}$$

$$Q_{Dj} = Q_D \frac{1 - \xi}{\xi} \tag{15.12}$$

ただし，ξ は架構の形状に関する係数で，(15.13) 式による．

$$\xi = \frac{j}{H_c\left(1 - \dfrac{D}{L_b}\right)} \tag{15.13}$$

記号
　$\sum \dfrac{M_y}{j}$：柱梁接合部の左右の梁の降伏曲げモーメントの絶対値をそれぞれの応力中心距離 j で除した和．ただし，梁は一方が上端引張，他方が下端引張とする．
　Q_D：本条 2 項（3）による柱の安全性確保のための設計用せん断力で，n を 1.5 以上として（15.9）式より算定した各階の数値を用いて，一般階の柱梁接合部では接合部の上下の柱の設計用せん断力の平均値，最上階の柱梁接合部では接合部直下の柱の設計用せん断力の値とする．
　D：柱せい
　j：梁の応力中心距離で，(15.13) 式では柱梁接合部の左右の梁の平均値とする．
　H_c：柱梁接合部の上下の柱の平均高さで，最上階の接合部では最上階の柱の高さの 1/2 とする．柱の高さは上下階の梁の中心間距離とする．
　L_b：柱梁接合部の左右の梁の平均長さで，外端の接合部では外端の梁の長さとする．梁の長さは梁両端の柱の中心間距離とする．

（4） 柱梁接合部内の帯筋は，以下の各項に従うこと．ただし，特別な調査・研究によって支障ないことが確かめられた場合は，この限りでない．
　ⅰ）帯筋は，直径 9 mm 以上の丸鋼または D 10 以上の異形鉄筋を用いる．
　ⅱ）帯筋比は 0.2% 以上とする．
　ⅲ）帯筋間隔は 150 mm 以下とし，かつ隣接する柱の帯筋間隔の 1.5 倍以下とする．

1. せん断力に対する検討

鉄筋コンクリート（以下，RCと略記）部材のせん断破壊は，斜張力によって生じる斜めひび割れが原因となるため，コンクリートの損傷を受ける部分が拡大して粘りのないぜい（脆）性的破壊を引き起こし，構造物の決定的な崩壊をもたらす危険性を有している．したがって，せん断力に対する設計は特に注意する必要がある．

せん断に関しては，国内外において古くから多数の研究が行われ，しだいにその性状も明らかにされつつあるが，破壊機構が複雑なために理論的に明確な解答はまだ得られていない．特に，地震力に対するせん断ひび割れ発生以後破壊時までの靱性，あるいは正負交番繰返し荷重の影響については不明な点が多い．また，梁の偏心接合に起因する柱のねじり応力が柱や柱梁接合部のせん断強度を低下させるおそれがあることなどについても指摘されている[1]．

本条に定めた条項は，既往の研究により現在までに判明している範囲の事項を条文化して，安全かつ実用的なせん断設計法の一助となることを図ったもので，長方形ならびにT形断面を有する通常の梁，柱および柱梁接合部のせん断力に対する検討を行う場合に適用されることを明記したものである．したがって，特殊な補強を行い，実験などで強度と靱性に関して，通常以上の補強効果が確かめられた場合には，本条の各項の許容せん断式を適用しなくてもよいことにしている．

そのほかの断面形に対しては，上記のような不明確な点を含めて，今後の研究を待つことにし，それまでは本条を準用することにとどめた．

2. 梁・柱のせん断補強

（1） せん断力に対する設計方針

梁，柱のせん断力に対する設計は，長期と短期の二本立てであるのは従来どおりであるが，2010年の改定では短期設計を地震動の強さに応じて二段階に分けることとし，建物の耐用年限中に数度は遭遇する程度の中規模な地震動（以下，中地震動と略記）に対する設計と耐用年限中に一度遭遇するかもしれない程度の大規模な地震動（以下，大地震動と略記）に対する設計のそれぞれに対して設計目標を明確化することとした．すなわち，長期荷重に対しては使用限界以下，中地震動などの短期荷重に対しては損傷限界以下，大地震動に対しては安全限界以下であることをせん断設計の目標とする．このうち，長期荷重に対する使用性の検討と大地震動に対する安全性の検討については，従来の長期および短期の算定方法を踏襲するものとし，2010年の改定では，中地震動程度の短期荷重に対する損傷制御の検討を条項に追加して，その算定方法を提示した．

長期荷重に対しては，使用性の確保のためにせん断ひび割れの発生を防止することを設計の基本とするが，梁については，従来どおりに規準（15.2）式を用いてよいこととした．なお，積載荷重の大きな変動が予想される場合などでは，長期荷重の変動に対する損傷制御の検討や過積載に対する安全性の検討などを行うことが望ましい．

中地震動に対しては，地震動の作用終了後の残留せん断ひび割れ幅が過大とならずに，損傷限界以下となることを目標とする．そのための短期許容せん断力式は，従来の長期と短期の許容せん断

---

1) 日本建築学会：阪神・淡路大震災と今後のRC構造設計—特徴的被害の原因と設計への提案—，1998

力の中間的な数値になるように規定した．なお，大地震動に対する安全性の確保のための短期設計を行う場合は，その結果として中地震動に対する損傷制御がある程度行えるので，中地震動に対する短期設計を省略してよいこととした．

大地震動に対しては，せん断破壊を防止し安全性を確保することを目標とし，梁のせん断終局強度の実験式から導かれた従前の短期許容せん断力式を用いることとした．なお，梁，柱のせん断終局強度に基づいてせん断破壊に対する安全性の検討を行う場合は，短期設計では安全性の検討を行う必要がなく，中地震動に対する損傷制御の検討を行えばよいこととした．

長期設計用せん断力ならびに中地震動に対する短期設計用せん断力は，7条1項に従って算定する．このうち，中地震動に対する短期設計用せん断力は，長期荷重による梁，柱のせん断力 Q_L に，標準せん断力係数0.2以上の地震力またはこれに相当する加速度応答スペクトルに基づく地震力を水平荷重とした場合に梁，柱に生じるせん断力 Q_E を割り増さずに加算したものとする．なお，地震力以外の水平荷重を用いる場合は，7条1項に従ってせん断力を算定する．

通常の規模のRC構造物では，大地震動によって実際に作用する地震力が上記の中地震動程度の水平荷重をかなり上回ることは，最近の強震観測とそれに基づく動的応答解析，あるいは地震被害の解析から明らかになっている．したがって，標準せん断力係数で0.2程度の中地震動に対して損傷制御のための短期設計を行ったとしても，それを大きく上回る程度の大地震動に対しては必ずしも安全性を確保したことにはならない．その際の不足分は，建物の実際の強度が種々の要因で許容耐力を上回ること（いわゆる余力）と，強度に達してから後の塑性変形能力（いわゆる靱性）とによってカバーされると考えられている．

部材が曲げで破壊する場合には，曲げ降伏後の十分な靱性が確保されていれば，降伏によってその部材に対する地震入力が制御される．一方，部材がせん断で破壊する場合には，特殊な補強や工夫が施されないかぎり，破壊はぜい性的であり，最大強度に達してからの靱性が認められないのが普通である．

そこで，本規準では，一般の梁および柱の大地震動に対する安全性の確保のためのせん断設計にあたっては，曲げ耐力を上回るせん断耐力を部材に与え，部材が万一破壊するときには，曲げで破壊するように設計することを原則とした．規準の (15.7) 式あるいは (15.8) 式によって，部材の降伏曲げモーメントに基づいて設計用せん断力を定めることにしたのは，上記の原則によるものである．

現在，鉄筋の短期許容応力度は原則として鉄筋の規格降伏点としている．それにもかかわらず，断面としての降伏曲げモーメントは短期設計用曲げモーメントより大きくなる傾向がある．その要因として，ここでは次のものを考える．

a) 配筋が長期設計用曲げモーメントによって決まる場合
b) 計算によって必要とされる主筋断面積と実際に決定された配筋量との違い
c) 許容曲げモーメントが断面の圧縮側で決まる場合の降伏曲げモーメントとの差
d) 梁においては，最小鉄筋量の規定〔13条5項（1）参照〕および複筋の規定〔13条5項（2）参照〕

e) 柱においては，最小鉄筋量の規定〔14条4項（2）参照〕および許容曲げモーメントが短期軸方向力の小さいほうによって決められる場合にも降伏曲げモーメントが短期軸方向力の大きいほうによって決められる可能性

これらによって，降伏曲げモーメントは設計用曲げモーメントを大きく上回る可能性がある．このような曲げ耐力の上昇を考慮して部材の設計用せん断力を定めることが望ましい．

大地震動に対する安全性確保のための設計用せん断力は，上記のように部材の降伏曲げモーメントに基づいて算定するか，あるいは別の略算法として規準（15.9）式に示すように，長期荷重時せん断力に水平荷重時せん断力を割増し加算して算定してもよい．水平荷重時せん断力の割増しとしては一応1.5倍以上としているが，この数値には格別の根拠はない．1968年の十勝沖地震によって多数の2～4階建て学校建築が被害を受けたが，これらの解析[2]によれば，震度$k=1$による柱のせん断力をコンクリート全断面積で除した値が2 N/mm²程度以上の柱でせん断破壊した例が多い．中地震動の標準せん断力係数に相当する$C_0=0.2$と$bj=0.8bD$を仮定すると$\frac{Q}{bj}=0.2\times2/0.8=0.5$ N/mm²となる．これらの建物の柱の帯筋量は1962年版以前の規準による最小量であり，使用コンクリートはほとんど$F_c=18$ N/mm²であった．本規準によれば，このF_cに対する短期許容せん断応力度は0.9 N/mm²となるので，水平荷重時せん断力を2倍に割り増して$0.5\times2=1.0$ N/mm²を用いることにより，この値が許容せん断応力度以下に収まるようにしておけば，帯筋量が少なくても被害を受けなくて済んだのではないかと思われる．一方，地上6階，地下1階で適当に耐震壁をもつ無被害建物の解析[3]によれば，$C_0=0.2$による柱のせん断応力度が1.0 N/mm²以上でもせん断破壊は起こしていない．ただし，曲げひび割れの観察その他から，この建物の地震入力はやや小さかったと考えられている．

上記の引用からは，到底一般的な結論は導きえないが，地上4階程度以下の建物では水平荷重時せん断力の割増しを2倍以上にとることが望ましく，7，8階程度のものでは1.5倍まで低減することもできるのではないかと思われる．

（2）梁のせん断力に対する設計

i）梁の実験式とコンクリートの許容せん断応力度の関係

（以下では，実験資料に基づく解説のため基本的に重力単位系（kgf/cm²）を用いている）

1971年にコンクリートの許容応力度を改正するにあたり，それまでに国内外で行われた，普通コンクリート梁に関する一方向単調加力時の実験資料約1 200個を，せん断ひび割れ応力度τ_c $(=\frac{Q_c}{bj}$ ：単位 kgf/cm²) および終局強度τ_u $(=\frac{Q_u}{bj}$ ：単位 kgf/cm²) を与える実験式[4]により整理

---

2) 青山博之・松下和徳：十勝沖地震における鉄筋コンクリート造校舎の耐震性について，日本建築学会論文報告集，No. 168, 1970.2

3) 粟野 豊：十勝沖地震における八戸日赤病院（無被害）の検討，日本建築学会論文報告集，No. 167, 1970.1

4) 大野和男・荒川 卓：鉄筋コンクリートはりのせん断抵抗に関する研究，日本建築学会論文報告集，No. 66, 1960.10

した．試験スパン内の最大曲げモーメントと最大せん断力の比を d で除した値 $\dfrac{M}{Qd}$ 別に示すと，解説図 15.1 および解説図 15.2 を得る．

図中の全資料に対する下限値（不合格率，約 5% に相当）は，それぞれ次式で推定できる[5]．

$$\tau_{c\min}=\frac{Q_{c\min}}{bj}=0.77\tau_c=\frac{0.065k_c(500+\sigma_B)}{\dfrac{M}{Qd}+1.7} \quad (単位：\mathrm{kgf/cm^2}) \qquad (解 15.1)$$

$$\tau_{u\min}=\frac{Q_{u\min}}{bj}=0.8\tau_{u(p_w=0)}+2.7\sqrt{p_w\sigma_y}$$

$$=\frac{0.092k_u k_p(180+\sigma_B)}{\dfrac{M}{Qd}+0.12}+2.7\sqrt{p_w{}_w\sigma_y} \quad (単位：\mathrm{kgf/cm^2}) \qquad (解 15.2)$$

記号

$Q_{c\min}$：せん断ひび割れ発生時の下限せん断力（単位：kgf）

$Q_{u\min}$：せん断破壊時の下限せん断力（単位：kgf）

k_c, k_u：断面寸法による補正係数〔解説図 15.3 参照〕

k_p：引張鉄筋比 p_t（%）による補正係数〔解説図 15.4 参照〕

${}_w\sigma_y$：せん断補強筋の降伏点（単位：kgf/cm²）

σ_B：コンクリートの圧縮強度（単位：kgf/cm²）

$\dfrac{M}{Qd}$：せん断スパン比で $\dfrac{M}{Qd}\geqq 3$ の場合は $\dfrac{M}{Qd}=3$ とする．

その他の記号は条文に同じ．

$p_w{}_w\sigma_y$ が常用の範囲内では $2.7\sqrt{p_w{}_w\sigma_y}$ を $3+0.5p_w{}_w\sigma_y$ としてもよい．また，（解 15.2）式の第 1 項における係数 0.092 を 0.115 とした（解 15.2′）式は，地震時において逆対称曲げモーメントを受ける梁のせん断終局強度の推定式として精度のよいものとされている．

$$\tau_{u\mathrm{mean}}=\frac{0.115k_u k_p(180+\sigma_B)}{\dfrac{M}{Qd}+0.12}+2.7\sqrt{p_w{}_w\sigma_y} \quad (単位：\mathrm{kgf/cm^2}) \qquad (解 15.2′)$$

（解 15.1）および（解 15.2）式の導出に用いられた実験資料約 1 200 個のコンクリートの圧縮強度の範囲は 11.4〜79 N/mm² であった．したがって，本規準で対象とした普通コンクリートで $F_c=60$ N/mm² までの強度を含んだものになっている．さらに近年，$F_c=36$ N/mm² を超えるコンクリートを用いた実験データが蓄積され，本会「高強度コンクリートの技術の現状」などで（解 15.1），（解 15.2）および（解 15.2′）式の高強度コンクリートへの適合性について検討が行われている．ここでは，これらに基づいて普通コンクリートで $F_c=60$ N/mm² まで上式が適用可能であると判断した．

なお，軽量コンクリート梁のせん断終局強度については，本会「高強度人工軽量骨材コンクリー

5） 荒川 卓：鉄筋コンクリートはりの許容せん断応力度とせん断補強について，日本建築学会大会学術講演梗概集，1969.8，コンクリート・ジャーナル，Vol. 8，No. 7，1970 ほか

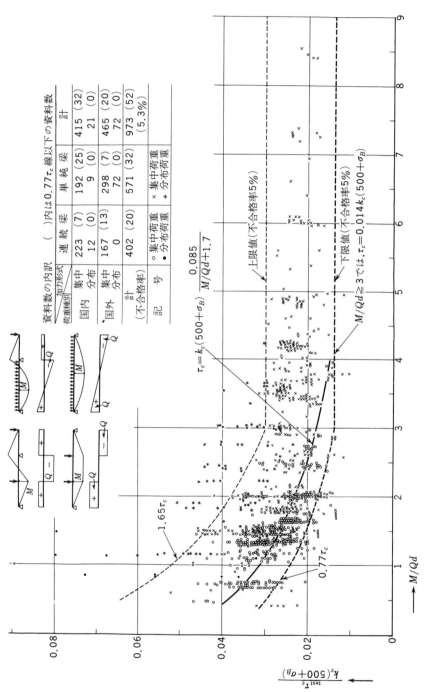

解説図15.1 普通コンクリート梁のせん断ひび割れ発生時応力度の実験値と計算値の比較

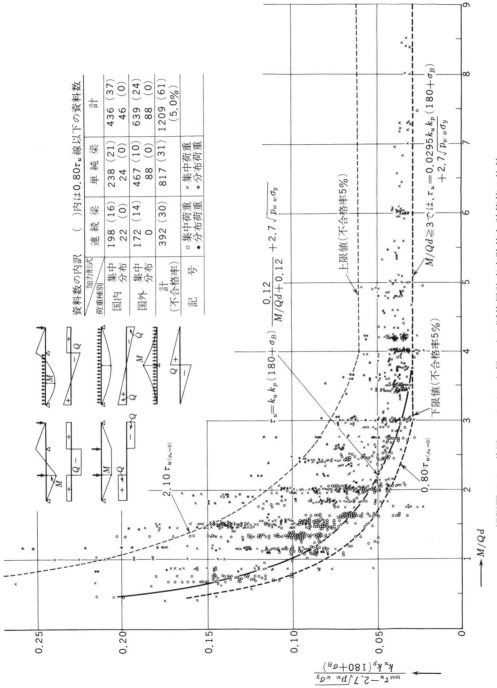

解説図15.2 普通コンクリート梁のせん断終局強度実験値と計算値の比較

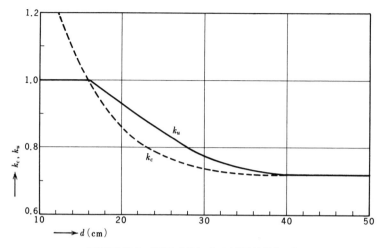

解説図15.3 断面寸法による補正係数 k_c, k_u

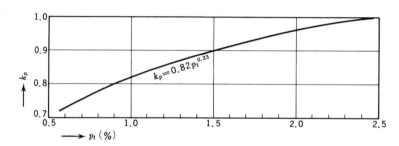

解説図15.4 引張鉄筋比 p_t による補正係数 k_p

トを用いた建築物の設計と施工」などで既往のせん断終局強度式の適合性について検討が行われているが，軽量コンクリートを用いた部材実験がまだ少ないことなどを考慮し，当面は軽量コンクリート梁のせん断終局強度は普通コンクリート梁のおおよそ0.9倍とする．これは，6条の軽量コンクリートの許容せん断応力度を普通コンクリートの0.9倍としていることに対応する．

上記のように，τ_c および τ_u は σ_B，$\dfrac{M}{Qd}$ のほかに断面寸法 d などの影響を受けて変化する．いま，通常の梁として，$d > 400$ mm，$p_t = 0.8\%$ を想定して $k_c = k_u = 0.72$，$k_p = 0.78$，せん断補強比が0.1%以上（${}_w\sigma_y = {}_wf_t$（短期）$= 2\,400$ kgf/cm²）あるものと仮定し，コンクリートの圧縮強度（σ_B：kgf/cm²）を設計基準強度（F_c：kgf/cm²）に置き換えれば，上記の（解15.1）式および（解15.2）式による下限せん断力は，近似的にそれぞれ次式で表される．

$$Q_{c\min} = \alpha_c \left(5 + \dfrac{F_c}{100}\right) bj = \alpha_c f_s(\text{長期}) bj \quad (\text{単位：kgf}) \tag{解 15.3}$$

ただし，$\alpha_c = \dfrac{4.7}{\dfrac{M}{Qd} + 1.7}$，$f_s$（長期）：コンクリートの長期許容せん断応力度（単位：kgf/cm²）

$$Q_{u\min(p_w\geqq0.001)}=\left[\alpha_u\left\{1.66\left(1.8+\frac{F_c}{100}\right)+4.2-4.2\right\}+2.7\sqrt{p_{ww}\sigma_y}\right]bj$$

$$\fallingdotseq\left[\alpha_u\left\{1.5\left(5+\frac{F_c}{100}\right)-4.2\right\}+3+0.5p_{ww}\sigma_y\right]bj$$

$$\fallingdotseq\{\alpha_u(f_s(\text{短期})-4.2)+3+0.5p_{ww}\sigma_y\}bj \quad (\text{単位}:\text{kgf}) \quad\quad (\text{解 }15.4)$$

ただし，$\alpha_u=\dfrac{3.12}{\dfrac{M}{Qd}+0.12}$，$f_s$（短期）：コンクリートの短期許容せん断応力度（単位：kgf/cm^2）

ここで，（解 15.3），（解 15.4）式を SI 単位に変換すると（解 15.3′），（解 15.4′）式が得られる．

$$Q_{c\min}=\alpha_c\left(0.49+\frac{F_c}{100}\right)bj=\alpha_c f_s(\text{長期})bj \quad (\text{単位}:\text{N}) \quad\quad (\text{解 }15.3')$$

ただし，$\alpha_c=\dfrac{4.7}{\dfrac{M}{Qd}+1.7}$，$f_s$（長期）：コンクリートの長期許容せん断応力度（単位：N/mm^2）

$$Q_{u\min(p_w\geqq0.001)}\fallingdotseq\{\alpha_u(f_s(\text{短期})-0.41)+0.29+0.5p_{ww}\sigma_y\}bj \quad (\text{単位}:\text{N}) \quad\quad (\text{解 }15.4')$$

ただし，$\alpha_u=\dfrac{3.12}{\dfrac{M}{Qd}+0.12}$，$f_s$（短期）：コンクリートの短期許容せん断応力度（単位：N/mm^2）

6 条の許容せん断応力度は，上記の関係式を背景として，上式に $\dfrac{M}{Qd}$ による割増係数を $\alpha_c=\alpha_u=1$（$\dfrac{M}{Qd}=3$ として），$p_w=0.001$（${}_w\sigma_y=235\,\text{N/mm}^2$）を代入して定められたものである〔6 条解説参照〕．

ⅱ）梁の実験式と許容せん断力式の関係

上記の関係式を用いて梁の許容せん断力 Q_A を算定すれば，短期応力に対しては，（解 15.4′）式が成立するが，長期応力に対しては，$p_w=0.001$ の補強効果（$0.42\,\text{N/mm}^2$）がすでに含まれていることと，$\dfrac{M}{Qd}<3$ では $\alpha_c\neq\alpha_u$ となるために，仮に f_s（短期）を f_s（長期）に読み替えても次式の関係が成立しない．

$$Q_A(\text{短期})=1.5Q_A(\text{長期}) \quad\quad (\text{解 }15.5)$$

そこで，短期に対して任意の $\dfrac{M}{Qd}$ を与えても（解 15.4′）式の関係に近い値で成立し，かつ長期に対しても（解 15.5）式の関係が満たされ，設計上簡便な式となるように，（解 15.4′）式を次式のように修正する．

$$Q_A=\{\alpha f_s+0.5{}_wf_t(p_w-0.001)\}bj \quad\quad (\text{解 }15.6)$$

ただし，$\alpha=\dfrac{4}{\dfrac{M}{Qd}+1}$，$1\leqq\alpha\leqq2$ 〔解説図 15.5 参照〕

解説図 15.6 は，長期および短期の許容せん断応力度 f_s に上記の α を考慮した αf_s 値と（解 15.3′）式および（解 15.4′）式で与えられる下限値との関係を示したものである．図示のように，

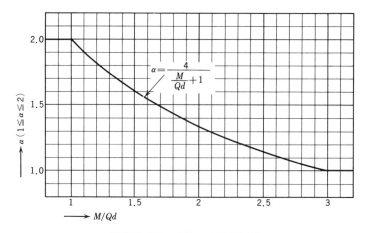

解説図15.5 係数 α の計算図表

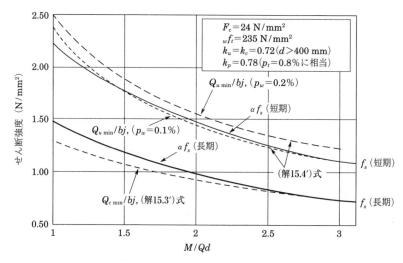

解説図15.6 許容せん断応力度と実験下限値の関係

αf_s（短期）の値はいずれの $\dfrac{M}{Qd}$ に対しても（解 15.4′）式による終局強度にほぼ近似した値を示しているが，αf_s（長期）の値は，（解 15.3′）式によるせん断ひび割れ下限値をいくぶん超過する．そこで，実用上差し支えない範囲として $\dfrac{M}{Qd}<1$ であっても $\alpha\leqq 2$ となるよう制限を設けた．

　（解 15.6）式は，単調加力下の実験資料に基づいて誘導されたものであるから，地震時には，繰返し荷重によるせん断強度および靱性の低下を見込み，（解 15.6）式を評価して決める必要がある．この場合，せん断強度の低下を式全体で考えるか，式の第1項あるいは第2項のみで考えるかについては，1971年の改定時に種々討議されたが，最小補強筋比を 0.2% に定め，（解 15.6）式の $(p_w-0.001)$ の代わりに $(p_w-0.002)$ を採用することにより，強度低下を補うこととした．解説図 15.7 は，（解 15.2）式と（解 15.6′）式との関係を示したものである．

$$Q_A=\{\alpha f_s+0.5{}_wf_t(p_w-0.002)\}bj \tag{解 15.6′}$$

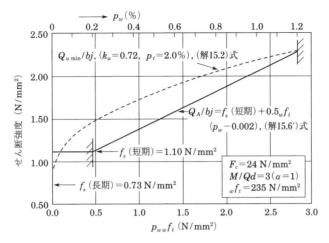

解説図15.7 （解15.2）式と（解15.6'）式との関係

ただし，$\alpha = \dfrac{4}{\dfrac{M}{Qd}+1}$，$1 \leq \alpha \leq 2$

iii) 梁の設計目標と許容せん断力

規準（15.1）式の長期許容せん断力は，長期荷重に対してせん断ひび割れの発生を防止することを基本として，ひび割れ強度のほぼ下限となる（解15.3'）式に準拠している．柱については，せん断ひび割れの発生を許さない立場をとっているが，梁については，せん断ひび割れの発生を前提とした従前の規準（15.2）式により長期許容せん断力を算定してもよいこととした．これは，梁の使用性の低下が曲げモーメントによるひび割れやたわみによって生じる場合が多く，これらについては別途に検討を行うことや，規準（15.2）式を用いた長期設計によってこれまでに特段の問題も生じていないことなどを考慮したものである．

中地震動に対する損傷制御のための短期許容せん断力は，地震動の作用終了後の残留せん断ひび割れ幅が機能上ならびに耐久性上問題とならない範囲内（6条解説によれば，一般に建築物の外面で0.2～0.25 mm，内面で0.3～0.4 mm程度）にとどまるせん断力レベルを想定する．従前の短期許容せん断力（規準（15.5）式）は，この範囲内の損傷制御が可能なせん断力レベルであるという研究例があり[6]，中程度の地震力に対する損傷限界の検証に使用してよいとされている[7]．その一方で，RC梁を従前の短期許容せん断力レベルに載荷した後，長期許容せん断力レベルに除荷した実験では，一部の試験体で残留せん断ひび割れ幅の測定値が0.3 mmを超えたことが報告されている[8]．通常の梁では，水平荷重の作用終了後も長期荷重が継続して作用するこ

---

[6] 福山　洋・諏訪田晴彦・磯　雅人・松崎育弘・中野克彦・笠原美幸：RC部材のせん断ひび割れに関する損傷限界の評価（その1　柱，梁部材の場合），日本建築学会大会学術講演梗概集，2000.9

[7] 国土交通省建築研究所：改正建築基準法の構造関係規定の技術的背景，2001.3

[8] 柳瀬圭児・大野義照・中川隆夫：RCおよびPRC梁のせん断ひび割れ幅，コンクリート工学年次論文集，Vol. 25，No. 2，2003

とを考慮して，ここでは中地震動に対する損傷制御のための短期許容せん断力として，従前の短期許容せん断力よりも小さな数値を採用することとした．すなわち，コンクリートのせん断ひび割れ強度にひび割れ発生後のせん断補強筋の負担せん断力を加算した規準（15.3）式によるものとした．このうち，せん断ひび割れ強度はコンクリートの短期許容せん断力の2/3（すなわち長期許容せん断力）とし，せん断補強筋の負担せん断力は規準（15.5）式の第二項に同じとした．また，高強度のせん断補強筋を用いる場合にはせん断ひび割れ幅が広がるおそれがあることから，規準（15.3）式を用いる場合のせん断補強筋の短期許容引張応力度は390 N/mm²以下に制限した．なお，損傷制御用の短期許容せん断力については文献9）で詳しく検討されているので参照されたい．

大地震動に対する安全性の確保のための許容せん断力は，せん断破壊の防止の観点から，従来と同様に，（解15.6′）式に基づく規準（15.5）式による．この場合のせん断補強筋の短期許容引張応力度は6条に規定される数値とし，損傷制御の検討用の制限（$_wf_t \leq 390 \text{ N/mm}^2$）は適用しない．

iv）梁の設計用せん断力

梁の長期設計用せん断力は，7条1項による長期荷重時の最大せん断力 Q_L とする．長期荷重時にせん断ひび割れの発生を防止する場合には，規準（15.1）式を用いて $Q_L \leq Q_{AL} = \alpha f_s bj$ となるように設計する．長期荷重時にせん断ひび割れの発生を許容する場合は規準（15.2）式を用いてよいが，梁のせん断ひび割れ強度を大幅に上回るせん断力に対して，多量のあばら筋を配筋するような長期設計を避けるために，規準（15.2）式に算入できるあばら筋比は0.6%以下に制限した．

中地震動に対する梁の損傷制御のための短期設計用せん断力は，規準（15.4）式に従って算定し，長期荷重時せん断力 Q_L に，水平荷重時せん断力 Q_E を割り増さずに加算したものとする．

大地震動に対して梁のせん断破壊を防止し，安全性を確保するための設計用せん断力 Q_D は，前述の考え方により，規準（15.7）式または規準（15.9）式によって決定する．すなわち，梁のせん断力が最大となるような両端の降伏曲げモーメントより求まるせん断力 $\sum_B M_y/l'$ に単純梁として算定した長期荷重によるせん断力 Q_L を加えた数値，あるいは水平荷重時せん断力 Q_E を1.5倍以上割り増したものに長期荷重時せん断力 Q_L を加えた数値のうち，小さいほうの数値を設計用せん断力として採用する（l' は，梁の内法スパン長さ）．

この場合，梁の降伏曲げモーメント $_B M_y$ の算定には略算式として下式を使用すればよい．

$$_B M_y = 0.9 a_t \sigma_y d \tag{解15.7}$$

記号　a_t：引張鉄筋断面積

　　　σ_y：引張鉄筋の降伏点

　　　d：梁の有効せい

9）島崎和司：許容せん断耐力を指標としたせん断クラック幅の評価，日本建築学会技術報告集．Vol. 15, No. 29, 2009.2

上式を用いて梁の降伏曲げモーメントを求める場合，厳密には，鉄筋の実際の降伏点，計算で必要とされる量以上に増加した主筋断面積，スラブ筋の効果なども考慮して，材端の真の降伏曲げモーメントを求めなければならない．

ⅴ）梁のせん断補強

せん断補強筋はせん断ひび割れの発生時期を遅らせるものではないが，ひび割れの伸展および開口幅の増大を防止し，部材のせん断終局強度ならびに靭性の確保に有効である．しかし，実験によれば（解 15.2）式および（解 15.4）式に示したように，せん断補強筋比 p_w が増えればせん断終局強度は増加するが，$p_w{}_wf_t$ に直接比例して増大するとは限らず，これの平方根に比例した形で増大する傾向がある．

一方，靭性不足を補うために多量のせん断補強筋を配置しても，施工上困難な場合も生じるので，これに対する制限を設ける必要がある．ここでは，実験結果[10]によって，その効果が確かめられている $p_w=1.2\%$ を許容せん断力に算入できる補強筋の最大限度と定めた．

あばら筋の算定は次のように行う．すなわち，長期・短期の設計用せん断力 Q を $\alpha=1$ として $f_s bj$ と比較し，Q が小さければ問題はなく，大きければ α の値を求めて $\alpha f_s bj$（損傷制御用は $\frac{2}{3}\alpha f_s bj$）を計算し，それでも Q が大きければ，せん断補強を行う．

α を求めるときの Q や M は，設計する梁の最大せん断力および最大曲げモーメント（ただし，通常は梁端における値をとってよいが，単純梁に近い応力状態となることを考慮し，長期応力に対しては Q（長期）と正負曲げモーメントのうちの大きいほうの M（長期），短期応力に対しては厳密には本条の2項（2），（3）によって採用される Q とこれに対応する M，d は採用された M 位置における梁の有効せい）の数値を採用する．しかし，短期で α を略算的に求めるには，M としていわゆる短期応力の数値（長期の梁端曲げモーメント M_L に中地震動による水平荷重に基づく曲げモーメント M_E を加えた値），Q としては Q_L+Q_E を用いて差し支えない．

あばら筋比の算定に際しては，許容せん断力 $\alpha f_s bj$（損傷制御用は $\frac{2}{3}\alpha f_s bj$）に対する Q の超過分 $\Delta Q=Q-\alpha f_s bj$（損傷制御用は $\Delta Q=Q-\frac{2}{3}\alpha f_s bj$）を bj で除して $\frac{\Delta Q}{bj}$ を求め，これに対する p_w を求めればよい．なお，このようにして求めた p_w が長期荷重に対して 0.6%，中地震動または大地震動に対して 1.2% を超える場合は，梁の断面を変更する．

梁主筋を斜めに折り曲げてせん断補強筋として使用すると，実験的には通常のあばら筋よりもせん断補強効果が優れているが，実際上は種々の注意が必要である．梁筋をスパン全長にわたり対角方向に傾斜させて X 形に配筋する方法もあり，梁のせん断スパン比が非常に小さい場合などに有効である[11],[12]〔本条解説 2 項（6）参照〕．

---

10) 吉岡研三・武田寿一・竹本　靖：鉄筋コンクリート部材のせん断補強に関する実験的研究，日本建築学会大会学術講演梗概集，1970.9
11) 日本建築士事務所協会連合会編：X 形配筋部材の設計と施工，1990.8
12) 日本建築学会：鉄筋コンクリート X 形配筋部材設計施工指針・同解説，2010

(3) 柱のせん断力に対する設計

ⅰ) 柱のせん断強度

柱のせん断性状に関する既往の研究[13]～[16]によれば,

a) 軸圧縮応力度 $\sigma_0 \left(=\dfrac{N}{bD}\right)$ が高いほど,また,柱の内法の長さが短いほど,せん断ひび割れ強度は高くなる傾向があるが,一方,ひび割れ発生後は靱性に乏しい急激な破壊を生じやすく,これを防止するためには多量の帯筋を有効に配置する必要があること.

b) σ_0 が小さい（≦3.0 N/mm²）場合には,すでに述べた梁に関する実験式を準用しても,柱のせん断強度をおおよそ推算できること.

などがわかってきた.

柱のせん断ひび割れ強度の実験式として（解 15.8）式[17],柱のせん断終局強度の実験式として（解 15.9）式[18],（解 15.10）式[19]などが提案されている.

$$_c\tau_c = \left(1 + \frac{\sigma_0}{150}\right){}_B\tau_c \tag{解 15.8}$$

$$_c\tau_u = {}_B\tau_u + 0.1\sigma_0 \tag{解 15.9}$$

$$_c\tau_u = \left(0.9 + \frac{\sigma_0}{250}\right){}_B\tau_u \tag{解 15.10}$$

記号　$_c\tau_c$：柱のせん断ひび割れ強度（kgf/cm²）

　　　$_B\tau_c$：梁のせん断ひび割れ強度で（解 15.1）式による（kgf/cm²）

　　　$_c\tau_u$：柱のせん断終局強度（kgf/cm²）

　　　$_B\tau_u$：梁のせん断終局強度で（解 15.2）式による（kgf/cm²）

　　　σ_0　：柱の軸圧縮応力度（kgf/cm²）

$$\sigma_0 = \frac{N}{bD} \quad (N：柱の軸方向圧縮力,\ b：柱幅,\ D：柱せい)$$

---

13) T. Tsuboi and Y. Suenaga: Study on Shearing Resistance of Reinforced Concrete Members of Frameworks under Combined Stresses (Part 5), Transactions of the Architectural Institute of Japan, No. 68, 1961.6

14) 池田昭男：塑性域において繰返し加力を受ける鉄筋コンクリート柱の実験,コンクリートジャーナル,Vol. 8, No. 12, 1970

15) 大野和男・柴田拓二・服部高重：1968 年十勝沖地震における鉄筋コンクリート柱のせん断破壊に関する一考察,日本建築学会論文報告集, No. 168, 1970.2

16) 山田　稔：1968 年十勝沖地震における鉄筋コンクリート柱の剪断爆裂に関する考察,日本建築学会論文報告集, No. 170, 1970.4

17) 大野和男・柴田拓二・服部高重・荒井康幸・桜井修次・植村　徹：鉄筋コンクリート柱の単調および繰返加力時のせん断耐力推算式,日本建築学会大会学術講演梗概集, 1978.9

18) 広沢雅也・後藤哲郎：軸力を受ける鉄筋コンクリート部材の強度と粘り（その 2 既往の資料に関する検討）,日本建築学会大会学術講演梗概集, 1971.11

19) 服部高重・今野伸一・大和田精一・斉藤　豊・柴田拓二・大野和男：鉄筋コンクリート柱のせん断耐力と変形能力,日本建築学会大会学術講演梗概集, 1972.10

これらの実験式は，いずれも梁のせん断強度に柱の軸圧縮応力度 σ_0 による強度増大分を加算した式となっている．しかし，柱のせん断強度に影響する諸要因については，まだ不明な点も残されていることや，柱の軸方向力は水平荷重の作用によって増減することなどを考慮して，ここでは，軸圧縮応力度による強度増大を無視した梁のせん断強度式を準用することにした．

ⅱ）柱の設計目標と許容せん断力

長期荷重に対しては，使用性の確保の観点からせん断ひび割れの発生を許さない立場をとり，軸圧縮応力度ならびにせん断補強筋の効果を無視して，長期許容せん断力を次式（規準（15.1）式）で与えることにした．

$$Q_{AL} = bj\alpha f_s \qquad\qquad (解 15.11)$$

したがって，長期荷重に対する設計では，まず $\alpha=1$ として，bjf_s を計算して設計用せん断力以上であれば問題なく，小さければ柱脚部と柱頭部の α のうち，小さいほうの数値から Q_{AL} を計算して，設計用せん断力以上であれば問題なく，小さければ断面を変更する．なお，柱については αf_s（長期）が f_s（短期）を超えないことを意図して，α の上限を 1.5 に規定した．

中地震動に対する損傷制御の検討では，地震動の作用終了後の残留せん断ひび割れ幅が過大とならないように，短期許容せん断力を次式（規準（15.3）式）で与えることにした．

$$Q_{AS} = bj\left\{\frac{2}{3}\alpha f_s + 0.5\,_w f_t (p_w - 0.002)\right\} \qquad\qquad (解 15.12)$$

すなわち，コンクリートのせん断ひび割れ強度にひび割れ発生後のせん断補強筋の負担せん断力を加算したものとし，せん断補強筋の負担せん断力は規準（15.6）式の第2項に同じとした．なお，梁と同様に，せん断補強筋の短期許容引張応力度は 390 N/mm² 以下に制限している．一方，せん断ひび割れ強度は，軸圧縮応力度の効果を無視してコンクリートの短期許容せん断力の $\frac{2}{3}$（すなわち長期許容せん断力）とし，$\frac{2}{3}\alpha f_s$ が f_s を超えないことを意図して，α の上限を 1.5 とした．

したがって，$\frac{M}{Qd} \leq \frac{5}{3}$ の場合は $\alpha=1.5$ となり，規準（15.3）式と規準（15.6）式は同じ許容せん断力を与えることになるが，以下の点を勘案してこれを認めることとした．

a）RC 柱の実験で，規準（15.6）式による許容せん断力以上の荷重レベルから除荷した場合の残留せん断ひび割れ幅の測定値が 0.3 mm 以下であったこと[20]．解説図 15.8 は，規準（15.6）式による許容せん断力の 1.0〜1.4 倍の荷重ピークから除荷した際の残留せん断ひび割れ幅を，荷重ピーク時ひび割れ幅との関係で示した実験結果の例である．同図から明らかなように，規準（15.3）式ではなく規準（15.6）式を用いた場合でも，柱の残留せん断ひび割れ幅の測定結果は 0.3 mm 以下であった．

b）柱のせん断ひび割れ強度は，軸圧縮応力度 σ_0 による強度増大が見込まれるが，規準

---

[20] 曽根大貴・金本清臣・坂田弘安・田村和夫・和田　章：鉄筋コンクリート柱部材の地震時損傷評価に関する実験的研究，日本建築学会大会学術講演梗概集，2001.9（解説図 15.8 はこの実験資料に基づき，本会・鉄筋コンクリート構造計算規準改定小委員会・柱梁 WG で作成）

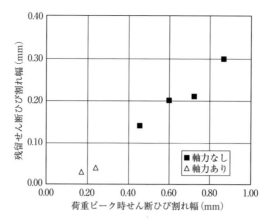

解説図15.8 柱の荷重ピーク時せん断ひび割れ幅と残留せん断ひび割れ幅の比較[20]

(15.3) 式では安全側にこれを考慮していないこと．解説図15.8の柱の実験結果では，軸力比が0.2の試験体（図中△印）は，軸力がない試験体（■印）に比べて，より小さなひび割れ幅であった．

c）柱は，水平荷重の作用終了後に継続する長期荷重によるせん断力のレベルが一般的に小さいこと．

大地震動に対しては，せん断破壊に対する安全性の確保の観点から許容せん断力を定める．すなわち，柱は強度と靱性の確保が必要であり，太く短い柱では剛性が著しく高くなり，せん断力が集中して前述のような脆性的な破壊を生じやすいこと，通常の場合の柱は正負交番繰返し応力を生じること，などを考慮して $\dfrac{M}{Qd}$ の効果を無視して許容せん断力は次式（規準（15.6）式）で与えることにした．

$$Q_A = bj\{f_s + 0.5_w f_t (p_w - 0.002)\} \qquad (解15.13)$$

したがって，大地震動に対する安全性の検討では，まず bjf_s を計算して設計用せん断力 Q_D 以上であれば問題なく，小さければ必要な p_w を計算する．p_w の計算法は，梁の場合と同じでよいが，$\alpha=1$ として計算しなければならない．この場合，必要な p_w の値が1.2%を超える場合には断面を変更しなければならない．なお，規準（15.6）式のせん断補強筋の短期許容引張応力度は，6条に規定される数値とし，損傷制御用の制限（$_w f_t \leq 390\,\mathrm{N/mm^2}$）を適用しないのは梁の場合と同様である．

iii）柱の設計用せん断力

柱の長期設計用せん断力は，7条1項による長期荷重時のせん断力 Q_L とする．

中地震動に対する柱の損傷制御のための短期設計用せん断力は，梁と同様に，規準（15.4）式による．

大地震動に対する柱の安全性確保のための設計用せん断力 Q_D は，梁に関する本条2項（3）に示したのと同様の考え方に基づいて算定する．すなわち，その柱を含むラーメンの曲げ降伏荷重に対する応力（規準（15.8）式）および $Q_L + 1.5Q_E$ 以上（規準（15.9）式）のいずれか小さ

いほうの数値を採用することとしている．なお，Q_L は通常の場合には 0 としてよいが，特殊な荷重条件等により比較的大きなせん断力が常時作用する場合には，設計用せん断力に算入する必要がある．また，曲げ降伏荷重に対応する柱のせん断力の略算法としては，その柱の柱脚と柱頭およびそれに接続する梁端が曲げ降伏した場合に生じるせん断力〔解説図 15.9 の（a）および（b）〕のうち，小さいほうの数値を採用してよい．

（b）の場合では，左梁端の上端（下端）引張降伏曲げモーメント M_{y1}（M_{y1}'）と，右梁端の下端（上端）引張降伏曲げモーメント M_{y2}（M_{y2}'）との組合せを考え，Q_{D2} の大きいほうの数値とする．

また，（b）と天地が逆の場合，すなわち，柱頭が曲げ降伏，柱脚に接続する梁端が曲げ降伏する場合のせん断力の値が Q_{D1} または Q_{D2} より小さいときは，これを Q_D としてよい．通常の柱頭と柱脚で柱断面に変化がない場合は，下階の梁の降伏曲げモーメントの数値は上階のものより一般に大きいことから，（b）の場合について考えておけばよいことになる．

梁および柱の降伏曲げモーメントの算定には，略算式として下式を使用すればよい．

梁：$_B M_y = 0.9 a_t \sigma_y d$ （解 15.14）

柱：（$0 < N \leq 0.4 bDF_c$ のとき）

$$_C M_y = 0.8 a_t \sigma_y D + 0.5 ND \left(1 - \frac{N}{bDF_c}\right) \quad \text{（解 15.15）}$$

記号　a_t：引張鉄筋断面積
　　　σ_y：引張鉄筋の降伏点
　　　d：梁の有効せい
　　　D：柱の全せい

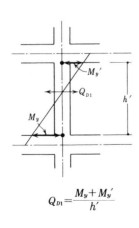

$$Q_{D1} = \frac{M_y + M_y'}{h'}$$

(a) 柱頭・柱脚の降伏曲げモーメントに基づく柱の設計用せん断力

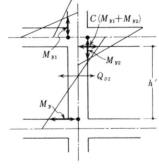

$$Q_{D2} = \frac{M_y + C(M_{y1} + M_{y2})}{h'}$$

ただし，上階に柱がある場合は $C = 1/2$
ない場合は $C = 1$ とする

(b) 柱脚の降伏曲げモーメントと柱頭に接続する梁の降伏曲げモーメントに基づく柱の設計用せん断力

解説図 15.9 降伏曲げモーメントに基づく柱の設計用せん断力

N：柱の軸方向圧縮力で，長期荷重時の軸方向力 N_L の絶対値と，水平荷重によって生じる軸方向力 N_E の絶対値の和

b：柱の幅

F_c：柱のコンクリートの設計基準強度

上記の式を用いて，部材の降伏曲げモーメントを求める場合，厳密には

a）使用鉄筋の実際の降伏点

b）施工上，計算書で決定された配筋以上に増加した主筋断面積

c）梁におけるスラブ筋の効果

d）柱であれば，直交方向の曲げに対して配筋した鉄筋断面の効果

e）柱の Q_D 略算時に仮定した軸方向力と水平荷重時に作用する軸方向力の差

なども考慮して，材端の真の降伏曲げモーメントを求めなければならない．

（解15.15）式は，長方形断面で引張側および圧縮側に各1段の主筋を有する柱の降伏曲げモーメントの略算式であり，実際の長方形柱には，その4辺に2本以上の鉄筋が配されるのが一般的であるため，実際の曲げ終局強度を低く評価する傾向があり，多少の余裕をみて用いることが望ましい．柱の軸方向圧縮力 N が $0.4bDF_c$ を超える場合や軸方向引張力を受ける場合は精算を行うべきであるが，本会「建築耐震設計における保有耐力と変形性能」では，$N>0.4bDF_c$ ならびに $N<0$ の場合の柱の曲げ終局強度の略算式として次式を提示しており，併せて参照されたい．

$0.4bDF_c<N\leq N_{max}$ のとき

$$_cM_y = \{0.8a_t\sigma_yD + 0.12bD^2F_c\}\left(\frac{N_{max}-N}{N_{max}-0.4bDF_c}\right)$$ （解15.16.a）

$N_{min}\leq N<0$ のとき

$$_cM_y = 0.8a_t\sigma_yD + 0.4ND$$ （解15.16.b）

記号　$N_{max}=bDF_c+a_g\sigma_y$（中心圧縮時終局強度）

$N_{min}=-a_g\sigma_y$（中心引張時終局強度）

a_g：柱主筋全断面積

その他の記号は前出による．

さらに，せん断力算定用の降伏曲げモーメントの算定位置は，ラーメンの節点ではなく，部材端部（腰壁・垂れ壁が取り付く場合は壁の付け根位置）で求め，柱のせん断力算定の際の h' は，その端部間の長さ（内法高さ）とする．

iv）柱の二軸せん断

本規準9条では，水平力は建物のラーメン方向となる互いに直交する二方向に別々に作用するものとしているので，特殊な平面形状を有する建物を除き，通常の設計では柱の二軸せん断を考慮していない．特殊な平面形状とは，例えば建物の平面の一部が他の部分に対して斜交するような「くの字」形であるとか，平面が三角形や円形，楕円形などの形状でその辺に沿って架構が配置される場合などが該当する．このような場合には，建物の直交二方向に水平力を作用させても，

加力方向に斜交するラーメン内の柱では，断面の方向と水平力の方向が一致せず，二軸応力状態となることが予想される．このような柱の設計では，曲げモーメントやせん断力の二軸相関を考慮する必要がある．

正方形断面や長方形断面の柱に対して，任意の一方向または直交二方向に水平力を載荷してせん断破壊させた実験結果によれば，柱の二軸せん断強度は次式で近似される[21)～23)]．

$$\left(\frac{Q_x}{Q_{ux}}\right)^2+\left(\frac{Q_y}{Q_{uy}}\right)^2=1 \qquad (解15.17)$$

記号 Q_{ux}, Q_{uy}：直交二方向の一軸せん断強度
Q_x, Q_y：任意方向のせん断力の直交二方向成分

規準（15.6）式で与えられる柱の安全性確保のための許容せん断力は，軸圧縮応力度やせん断スパン比による強度増大を無視したせん断終局強度式から導かれているので，その二軸相関関係は（解15.17）式を用いてよい．すなわち，柱断面の直交二方向を x, y 座標軸とし，（解15.17）式の左辺の Q_{ux}, Q_{uy} に各方向の許容せん断力，Q_x, Q_y に設計用せん断力の各方向成分をそれぞれ代入した結果が1以下であることを確認すればよい．

規準（15.3）式で与えられる損傷制御のための許容せん断力は，二軸相関関係が明らかではない．しかしながら，断面の任意方向に加力した柱の実験結果によれば，せん断ひび割れ時やせん断補強筋降伏時のせん断力の二軸相関曲線はせん断終局強度と同様に円または楕円で近似されることから[22)]，当面は損傷制御の検討に対しても（解15.17）式を準用してよいこととする．

(4) 梁，柱の許容せん断応力度とせん断終局強度，曲げ終局強度時せん断応力度の関係

本規準式による安全性確保のための許容せん断力と（解15.2）式による計算値を単純に比較した場合には，次のような傾向がある（ここでは，せん断補強量としてせん断補強筋比 p_w とせん断補強筋の降伏点 ${}_w\sigma_y$ の積（$=p_w{}_w\sigma_y$）を用いている）．

a) 引張鉄筋比 p_t が小さい場合，本規準式による許容せん断力が（解15.2）式による計算値を上回る傾向にある．

b) せん断補強量（$p_w{}_w\sigma_y$）が大きい場合，本規準式による許容せん断力が（解15.2）式による計算値を上回る傾向がある．

c) コンクリートの設計基準強度が小さい場合，本規準式による許容せん断力が（解15.2）式による計算値を上回る傾向にある．

したがって，引張鉄筋比 p_t が小さく，せん断補強量（$p_w{}_w\sigma_y$）が大きく，コンクリートの設計基準強度 F_c が小さい場合，本規準式による安全性確保のための許容せん断力が（解15.2）式による計算値を上回る可能性が高い．

---

21) 嶋津孝之：鉄筋コンクリート柱の二軸曲げ・せん断耐力，コンクリート工学，Vol. 21, No. 9, 1983
22) 城 攻・内山晴夫・草苅敏夫・中村庄滋・柴田拓二：任意方向の曲げせん断を受ける鉄筋コンクリート短柱の破壊性状について，日本建築学会大会学術講演梗概集，1982.10
23) 梅原秀哲・丸山久一・James O. Jirsa：水平2方向繰返し荷重を受ける鉄筋コンクリート短柱のせん断耐力に関する実験的研究，コンクリート工学，Vol. 21, No. 3, 1983

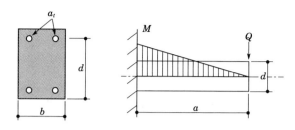

解説図15.10 梁の τ_m の計算に用いた記号

ここでは，曲げ終局強度時のせん断応力度と本規準式，(解 15.2) 式，そして (解 15.2′) 式の関係を明らかにする．(解 15.2′) 式は，地震時と同形の逆対称曲げモーメントを受ける梁のせん断終局強度推定式として，精度の良いものとされている．また，曲げ終局強度時のせん断応力度 τ_m は (解 15.14) 式，(解 15.15) 式を用い，柱のせん断終局強度は (解 15.9) 式を用いて，それぞれ以下のように求めた〔解説図 15.10 参照〕．

(梁の場合)

$$p_t = \frac{a_t}{bd} \rightarrow a_t = p_t bd$$

$$j = \frac{7}{8}d$$

複筋比 $\gamma = 1.0$ と仮定して

$$M_y = 0.9 a_t \sigma_y d \qquad \text{(解 15.18.a)}$$

(σ_y：引張鉄筋の降伏点)

$$Q_y = \frac{M_y}{a}$$

(a：せん断スパン長さ M/Q)

曲げ終局強度時せん断応力度 τ_m は，次式となる．

$$\tau_m = \frac{Q_y}{bj}$$

$$= \frac{M_y}{abj} = \frac{M_y}{(M/Q)bj}$$

$$= \frac{0.9 p_t \sigma_y bd^2}{(M/Q)bj}$$

$$= \frac{0.9 p_t \sigma_y bd^2}{(M/Q)b(7/8)d}$$

$$= \frac{1.029 p_t \sigma_y}{M/(Qd)} \qquad \text{(解 15.18.b)}$$

(柱の場合)

$$M_y = 0.8 a_t \sigma_y D + 0.5 ND\left(1 - \frac{N}{bDF_c}\right) \quad \text{(解 15.18.c)}$$

ここで，軸力比 $\dfrac{N}{bDF_c} = \eta_0$ とする．

$$N = \eta_0 bDF_c, \quad \eta_0 \leqq 0.4$$

$$M_y = 0.8 p_t \sigma_y bD^2 + 0.5 \eta_0 bD^2 F_c (1 - \eta_0)$$

(ここで $d = 0.9D$ とおく)

$$M_y = 0.988 p_t \sigma_y bd^2 + 0.617 \eta_0 bd^2 F_c (1 - \eta_0)$$

$$Q_y = \frac{M_y}{a}$$

(a：せん断スパン長さ M/Q)

曲げ終局強度時せん断応力度 τ_m は，次式となる．

$$\tau_m = \frac{Q_y}{bj}$$

$$= \frac{M_y}{abj} = \frac{M_y}{(M/Q)bj}$$

$$= \frac{0.988 p_t \sigma_y bd^2 + 0.617 \eta_0 bd^2 F_c (1 - \eta_0)}{(M/Q) b (7/8) d}$$

$$= \frac{1.129 p_t \sigma_y}{M/(Qd)} + \frac{0.705 \eta_0 F_c (1 - \eta_0)}{M/(Qd)} \quad \text{(解 15.18.d)}$$

＜柱のせん断強度の計算＞

$$_C\tau_{su} = {_B\tau_{su}} + 0.1 \sigma_0 \quad \text{(解 15.18.e)}$$

記号 $_C\tau_{su}$：柱のせん断終局強度

$_B\tau_{su}$：梁のせん断終局強度

((解 15.2) 式および (解 15.2') 式)

σ_0：柱の軸方向応力度

解説図 15.11 (a) ～ (c) に検討結果を示す．

① 解説図 15.11 (a) は，$F_c = 24\ \text{N/mm}^2$，$p_w = 0.012$，$_w\sigma_y = {_w}f_t = 235\ \text{N/mm}^2$ で $\dfrac{M}{Qd} = 2$ の場合の検討結果を示す．引張鉄筋比 p_t が小さい場合に許容せん断力が (解 15.2) 式による計算値を上回っているが，その時には曲げ降伏が先行している．

② 解説図 15.11 (b) は，F_c を 24 → 21 N/mm^2，$p_w = 0.012$，$_w\sigma_y = {_w}f_t$ を 235 → 295 N/mm^2，$\dfrac{M}{Qd} = 2$ とした場合の検討結果を示す．この場合，引張鉄筋比が $p_t < 0.024$ の全域で許容せん断力が (解 15.2) 式による計算値を上回っているが，$p_t < 0.018$ では，(解 15.2) 式によるせ

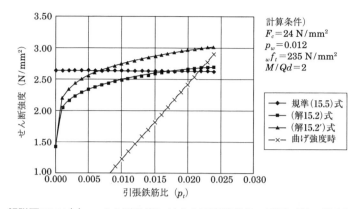

解説図15.11(a)　せん断強度に対する引張鉄筋比の影響（梁の場合）

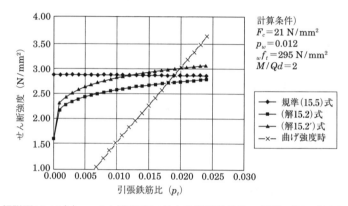

解説図15.11(b)　せん断強度に対する引張鉄筋比の影響（梁の場合）

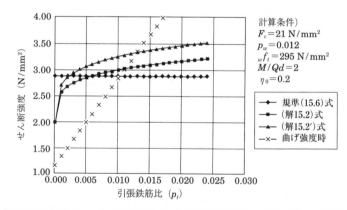

解説図15.11(c)　せん断強度に対する引張鉄筋比の影響（柱の場合）

ん断終局強度よりも曲げ降伏時のせん断応力度のほうが小さいため，曲げ降伏が先行している．$p_t>0.018$ ではせん断破壊先行型となっているが，この場合の許容せん断力は（解 15.2'）式による計算値を上回ってはいない．この領域はコンクリートの設計基準強度が $F_c=21 \text{ N/mm}^2$ と低く，p_t が大きく，かつ $p_w=0.012$，せん断補強筋の降伏点 $_w\sigma_y$ が 295 N/mm² という計算条件であるが，このような組合せは現実にはあまり考えられない．

③ 解説図15.11（c）は，解説図15.11（b）に対して軸力がある場合（柱）について検討したものである．軸力がある場合には曲げ終局強度時せん断応力度，せん断終局強度ともに増大し，せん断強度と曲げ強度時せん断応力度の比較により，せん断破壊が先行すると判定される引張鉄筋比の領域が大きくなる．例えば，軸力が0の場合〔解説図15.11（b）〕，$p_t>0.018$で（解15.2）式によるせん断終局強度よりも曲げ終局強度時せん断応力度のほうが大きいため，せん断破壊先行型となっているが，軸力比が0.2の場合〔解説図15.11（c）〕，$p_t>0.012$でせん断破壊先行型となっている．しかし，この場合，許容せん断力に対するせん断終局強度の増加が大きいため，許容せん断力は（解15.2）式を用いた計算値を上回っていない．

以上の検討から，現実的なパラメータの範囲では，安全性確保のための許容せん断力が（解15.2）式によるせん断終局強度を上回っても，ほとんどの場合には曲げ降伏が先行する．まれにはコンクリートの設計基準強度が$F_c=21\,\mathrm{N/mm^2}$と低く，p_tが大きく，かつ$p_w=0.012$，せん断補強筋の降伏点$_w\sigma_y$が$295\,\mathrm{N/mm^2}$のような場合に，せん断破壊先行型となることもありうるが，このような組合せは現実にはあまり考えられない．また，この場合にも許容せん断力は（解15.2'）式による計算値を上回らない．柱の場合には，軸力により許容せん断力は増大しないが，せん断終局強度は増加するので，許容せん断力が（解15.2）式を用いた計算値を上回る引張鉄筋比の領域は小さくなる．

（5） 計算外の規定

ⅰ）共通事項

梁，柱のせん断補強に関する計算外の規定は，2024年の改定時点の建築基準法令の仕様規定とできるだけ整合を図る一方で，特別の調査・研究によって安全性が確かめられた場合を除くことをただし書きに記載した．

梁，柱のせん断補強筋は，通常の場合には9mm以上の丸鋼またはD10以上の異形鉄筋を用いることとし，せん断補強筋比は従来と同じく0.2％以上とした．

ⅱ）梁のあばら筋

長期の設計用せん断力がコンクリートの負担分を超過しない場合には，斜めにせん断ひび割れが発生する危険性はないものと考えているので，補強筋の必要はないわけである．しかし，建物の不同沈下，乾燥収縮および温度変化などを受ける場合，あるいは短期の場合には，予想以上の応力状態となり，せん断ひび割れが生じることを覚悟しなければならないから，ひび割れ後有効な働きをする補強筋を配置しておく必要がある．

あばら筋が有効な働きをするためには，使用筋の直径を丸鋼で9ϕ以上，異形鉄筋でD10以上に制限するほかに，種々の部材寸法に対する間隔ならびに補強量を規定しておく必要がある．そこで，間隔については，梁せいの1/2かつ250mm以下とし，補強量についてはすでに述べたように0.2％以上と規定した．1999年版では，基礎梁などにおいて梁せいの1/2あるいは450mmを超えない範囲であばら筋間隔を広げてもよいとされていたが，0.2％以上の補強筋比を満足しつつあばら筋間隔を広げることは現実的には難しいので，2010年の改定でこの緩和規定を削除した．

あばら筋は引張材として作用し，かつ梁上下の引張および圧縮主筋と確実に連結して，主筋内部のコンクリートを十分に拘束するように配置しなければならないから，その末端は135°以上折り曲げてコンクリート内に定着するか，あるいは相互に溶接するかして完全に閉鎖形とし，主筋にたがをはめたように囲むことが必要である．

幅の広い梁や主筋が一段に多数並ぶ梁などでは，外周のあばら筋のみでは内部のコンクリートや主筋を十分に拘束することが難しいので，副あばら筋を併用するなどして，曲げ降伏後の靱性を確保できるように配筋するのが望ましい．

ⅲ）柱の帯筋

コンクリートは周囲から拘束を受けると，強度・靱性とも増大する．柱の帯筋はせん断補強のほかに，内部のコンクリートの拘束，主筋の座屈防止に役立つもので，その効果を十分に発揮させるためには，補強筋比 p_w を多くするとともに，間隔を密にすること，帯筋端部で十分な定着強度が確保されることが必要である．これらの点を考えて，いずれの方向に対しても最小帯筋比を0.2％とし，柱の上下端（腰壁・垂れ壁が取り付く場合は壁の付け根位置）から柱の最大径の1.5倍（従来の本規準の規定）または最小径の2倍（建築基準法令の仕様規定）のいずれか大きい範囲では帯筋間隔を 100 mm 以下，それ以外の柱の中ほどでは，帯筋間隔をその1.5倍の 150 mm 以下とすることにしている．

建設省（現国土交通省）の短柱に関する総合プロジェクト[24]では，主筋の早期座屈を防止するためには帯筋間隔を主筋径の8倍より小さくするよう推奨している．したがって，高軸圧縮力を受ける柱などは主筋の座屈防止の観点から，帯筋間隔をあまり大きくすることは望ましくない．1999年版では，9ϕ の丸鋼または D 10 の異形鉄筋を2組以上（副帯筋を用いた場合），あるいは 13ϕ 以上の丸鋼または D 13 以上の異形鉄筋を使用する場合は，帯筋の間隔を 200 mm を超えない範囲で広げてもよいとされていたが，せん断補強のほかにコンクリートの拘束や主筋の座屈防止などの役割を帯筋が担うことや建築基準法令の仕様規定への適合も必要であることを考慮して，2010年の改定でこの緩和規定を削除した．

帯筋端部は，定着強度を確保するために，末端のフックは135°以上に曲げて内部のコンクリートに十分定着するか，末端どうしを溶接するか，連続した螺旋（らせん）形式とするのがよい．また，強度・靱性を確保するには，副帯筋を数多く使用するか，解説図 15.12 のような配筋を行うのも一つの方法である[25],[26]．

1995 年の兵庫県南部地震では，ピロティ形式の建物の1階における層崩壊の被害[1]が多く見られた．このような建物では，1階の水平剛性と水平強度が上階に比べ著しく低かったために，大

---

24) 広沢雅也・柳沢延房・高橋正利：鉄筋コンクリート短柱の崩壊防止に関する研究(その21・主筋の座屈)，日本建築学会大会学術講演梗概集，1974.10
25) 広沢雅也・岡本　伸：鉄筋コンクリート実大短柱のせん断実験，日本建築学会大会学術講演梗概集，1969.8
26) 鹿島建設技術研究所：RC柱の復元力特性に与える帯筋配筋効果，日本建築学会耐震連絡委員会資料，1970.8

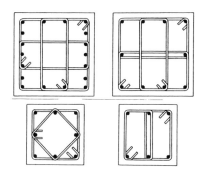

解説図15.12 帯筋の形状および配筋

地震時には1階柱の降伏が上階の降伏よりも先行し，1階に過度の水平変形が集中したことが層崩壊の主要因と考えられている．ピロティ形式の建物の場合には，鉛直支持部材である1階の柱の損傷により地震エネルギーを吸収するので，その損傷が進行すると落階につながるおそれがある．そのため，ピロティ階では，特に柱の強度・靱性の確保に十分な配慮が必要である．

(6) X形配筋を用いたせん断補強

部材全長にわたって対角線状に配筋されるX形配筋は，解説図15.13に示すように逆対称の曲げモーメントとせん断力を受ければ，理論的にはX形主筋のみで曲げモーメントとせん断力を同時に負担することができ，鉄筋とコンクリートの付着や帯筋も不要となる[11]．

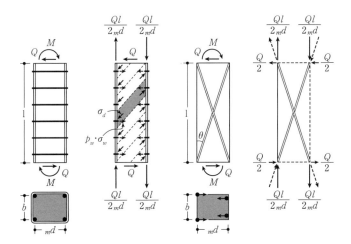

解説図15.13 平行配筋部材とX形配筋部材のせん断抵抗機構のモデル[11]

解説図15.14は，同一断面，配筋量で，主筋の形状が従来の平行配筋かX形配筋かの違いを比較したものである[11]．平行配筋の部材は，せん断耐力が不足し，付着割裂破壊が生じてせん断破壊型の履歴ループを示している．一方，X形配筋の部材は，X形主筋に沿ったひび割れは発生するものの，耐力低下のない安定した履歴ループを示しており，X形主筋によって曲げモーメントとせん断力を直接負担できる優れた配筋方法であることがわかる．

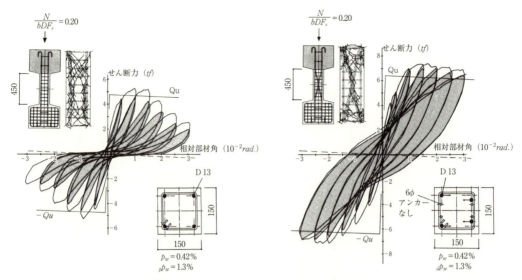

解説図15.14 平行配筋とX形配筋部材の比較[11]

　しかし，常に理想的な逆対称曲げを受ける部材は考えられないことから，実際には平行配筋とX形配筋を混用し，せん断耐力も両者の負担するせん断力の和で評価することになる．本会「鉄筋コンクリートX形配筋部材設計施工指針・同解説」[12]によれば，実験でのX形主筋のせん断力負担率から考えて，X形主筋量は全主筋量の1/3以上，2/3以下としている．またX形配筋部材であっても，鉄筋の座屈を防止する意味でコンクリートを有効に拘束することは重要である．特に軸力が作用する場合には，せん断補強筋による拘束は靱性確保に効果的である．X形配筋部材は，逆対称曲げの場合に最も効果を発揮する．反曲点位置が部材中央から外れ，非対称曲げになるに従い，X形主筋の効果は減少する．同指針では，反曲点高さを変えた実験から，X形主筋の負担せん断力低減係数γが提案されている．詳細の設計法については，同指針を参照されたい．

3. 柱梁接合部

（1）基本事項

　わが国の従来の中低層鉄筋コンクリート造建物においては，比較的余裕のある断面の柱や梁が使用され，柱梁接合部は地震時にそれほど厳しい応力状態にはならないのが一般的であった．そのため，わが国では過去の地震で柱梁接合部に顕著な被害を生じた事例がほとんどなく，柱梁接合部の構造計算も特別の場合を除いて省略されるのが通例であった．しかるに近年は，コンクリートや鉄筋の高強度化が進むとともに，柱や梁の塑性変形能力に期待した構造設計法が広く普及し，柱梁接合部の地震時の応力状態が以前より厳しいものへ変わってきている．そのような状況下で1995年に発生した兵庫県南部地震において，現行基準により設計された建物も含めて数多くの鉄筋コンクリート造建物が柱梁接合部に被害を生じたことは，柱梁接合部の構造設計の重要性を改めて認識させるものであった[1]．

　本会はこれまでに，柱梁接合部に関する最新の知見や研究成果に基づいた終局強度設計法を提案してきており[27],[28]，1999年の本規準の改定では，純ラーメン部分の柱梁接合部を対象として許容応

力度設計法の規定を盛り込んだ．許容応力度設計は，本来，鉛直荷重に対する長期設計と水平荷重に対する短期設計の二本立てであるが，柱梁接合部の場合は，一般的に水平荷重時のせん断力が支配的であり，長期荷重時のせん断力は小さく接合部のひび割れなどが問題となった事例もほとんどないこと，接合部が地震時に損傷を受けるとラーメンの一体性が損なわれて建物の耐震性能が十分に発揮できないおそれがあることなどから，ここでは水平荷重に対する短期設計を対象とし，長期設計を省略することとした．

本規準の2010年の改定により，梁，柱の短期設計では中地震動に対する損傷制御の検討が追加されたが，柱梁接合部の短期設計では，1999年版と同様に大地震動に対する安全性の検討のみを行い，中地震動に対する検討を行わなくてよいこととした．これは，中地震動程度の水平荷重に対しては梁，柱の主筋が許容引張応力度以下であり，仮に柱梁接合部にせん断ひび割れを生じたとしても，水平荷重の作用終了後にはひび割れ幅が十分に小さくなると予想されることや，実際に中程度の地震動によって柱梁接合部に被害を受けた例が過去にほとんどないことなどを勘案したことによる．柱梁接合部の使用限界や損傷限界については今後の研究成果を待つこととするが，大スパンの門形ラーメンのように長期応力が支配的な架構の場合には，柱梁接合部の長期設計を省略する代わりに，長期せん断力に対する接合部のせん断ひび割れ強度の検討[28]を行うなどの設計上の配慮が望まれる．

水平荷重を受けるラーメン内の柱梁接合部は，解説図15.15に示すような応力状態となる．本条3項は，大地震動の作用によってこのような応力状態となる柱梁接合部のせん断破壊を防止し安全性を確保することを目標として，設計用せん断力と許容せん断力の計算方法ならびに接合部内の帯筋に関する配筋規定を示している．なお，建物の崩壊メカニズム時の接合部せん断力に対して終局強度設計を行うことで接合部の安全性を確保する場合には，本条3項による安全性の検討を省略してよい．

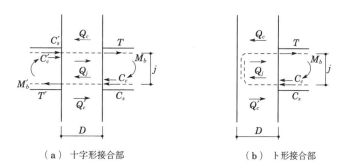

解説図15.15 柱梁接合部の水平荷重時のせん断力[28]

---

27) 日本建築学会：鉄筋コンクリート造建物の終局強度型耐震設計指針・同解説，1990
28) 日本建築学会：鉄筋コンクリート造建物の靱性保証型耐震設計指針・同解説，1999

（2） 柱梁接合部の許容せん断力

柱梁接合部の許容せん断力の算定式は，大地震動に対する接合部の安全性の確保の観点から，せん断終局強度式に基づいて定めることとする．接合部のせん断終局強度式は，本会「鉄筋コンクリート造建物の靱性保証型耐震設計指針・同解説」[28]に従い，下式とする．

$$V_{ju} = \kappa \phi F_j b_j D_j \tag{解 15.19}$$

記号　κ：接合部の形状による係数〔解説図 15.16 参照〕

　　　$\kappa = 1.0$（十字形接合部）

　　　$\kappa = 0.7$（ト形および T 形接合部）

　　　$\kappa = 0.4$（L 形接合部）

　　ϕ：直交梁の有無による補正係数

　　　$\phi = 1.0$（両側直交梁付き接合部の場合）

　　　$\phi = 0.85$（上記外の場合）

　　F_j：接合部のせん断強度の基準値で下式による

　　　$F_j = 0.8 \times \sigma_B{}^{0.7}$（N/mm²）

　　σ_B：コンクリートの圧縮強度（$= F_c$：設計基準強度とする）

　　D_j：柱せいまたは梁主筋定着部の 90°折曲げ筋水平投影長さ

b_j は接合部の有効幅で（解 15.20）式による〔解説図 15.17 参照〕．

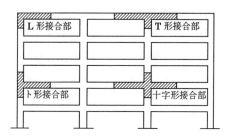

解説図 15.16　柱梁接合部の形状[28]

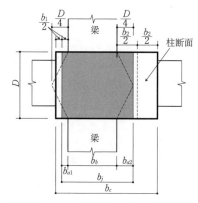

解説図 15.17　柱梁接合部の有効幅[28]

$$b_j = b_b + b_{a1} + b_{a2} \tag{解 15.20}$$

ここに，b_b は梁幅，b_{ai} は $b_i/2$ または $D/4$ の小さいほうとする．また，b_i は，梁両側面からこれに平行する柱側面までの長さ，D は柱せいである．b_{ai} と b_i の添え字の i は 1 または 2 で，梁の左右の側面を区別する〔解説図 15.17 参照〕．なお，梁幅が柱幅を上回る接合部の場合には，梁幅 b_b の代わりに柱幅 b_c を用いて，(解 15.20) 式により接合部の有効幅 b_j を算定する．

(解 15.19) 式による接合部のせん断強度は，コンクリートの圧縮強度が $\sigma_B = 20 \sim 100 \text{ N/mm}^2$ 程度の実験資料のうち，梁や柱が降伏する前に接合部がせん断破壊した実験結果のほぼ下限に相当している．また同式では，接合部の有効せいとして，十字形接合部と T 形接合部では柱せい，ト形接合部と L 形接合部では梁主筋の接合部内折曲げ定着部の投影定着長さ l_{dh}〔17 条参照〕を用いている．一方，(解 15.20) 式では，接合部の有効幅は梁幅と柱幅の平均値を基本としているが，梁と柱が偏心して接合される場合には，梁側面から $D/4$ を超える部分の柱断面は接合部のせん断強度に寄与しないものとしている．

ここで，ト形接合部および L 形接合部においては，梁主筋を柱せい D の 0.75 倍以上のみ込ませることとし，接合部の有効せいを $D_j = 0.75D$ と仮定する．一方，十字形接合部および T 形接合部においては，梁主筋を接合部内に通し配筋するものとし，接合部の有効せいを $D_j = D$ とする．また，直交梁による拘束効果が期待できない場合を想定し $\phi = 0.85$ とすれば，接合部のせん断終局強度式は，以下のようになる．

$$\tau_{ju} = \frac{V_{ju}}{b_j D} \tag{解 15.21}$$

$$\tau_{ju} = 0.680 F_{j0} \quad (\text{十字形接合部}) \tag{解 15.22.a}$$

$$\tau_{ju} = 0.476 F_{j0} \quad (\text{T 形接合部}) \tag{解 15.22.b}$$

$$\tau_{ju} = 0.357 F_{j0} \quad (\text{ト形接合部}) \tag{解 15.22.c}$$

$$\tau_{ju} = 0.204 F_{j0} \quad (\text{L 形接合部}) \tag{解 15.22.d}$$

記号

τ_{ju}：接合部の単位面積あたりのせん断終局強度（N/mm^2）

V_{ju}：(解 15.19) 式による接合部のせん断終局強度（N）

b_j：(解 15.20) 式による接合部の有効幅（mm）

D：柱せい（mm）

F_{j0}：接合部のせん断終局強度式におけるコンクリート項で次式による

$\quad F_{j0} = F_c^{0.7}$（N/mm^2）

(解 15.22) 式による接合部のせん断強度 τ_{ju} とコンクリートの設計基準強度 F_c の関係を解説図 15.18 に示す．接合部のせん断強度 τ_{ju} は，コンクリート項 $F_{j0} = F_c^{0.7}$ に接合部の形状に応じた係数 0.680～0.204 を乗じたものとなっている．

接合部せん断強度 τ_{ju} のコンクリート項 $F_{j0} = F_c^{0.7}$ とコンクリートの短期許容せん断応力度 f_s の関係を解説図 15.19 に示す．$F_c \geq 21 \text{ N/mm}^2$（$f_s \geq 1.05 \text{ N/mm}^2$）の領域においては，$F_{j0}$ と f_s がほぼ線形関係にあり，最小二乗法による回帰式として次式が得られている．

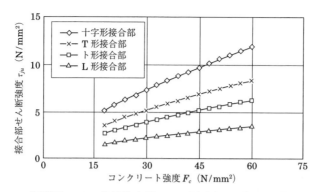

解説図15.18 柱梁接合部のせん断強度 τ_{ju} (N/mm²)

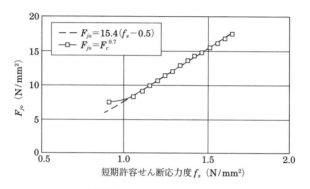

解説図15.19 F_{j0} と f_s の関係

$$F_{j0}=15.4(f_s-0.5) \tag{解 15.23}$$

記号

$F_c>21\,\mathrm{N/mm^2}$ の場合：$f_s=1.5\,(F_c/100+0.49)$

$F_c\leqq21\,\mathrm{N/mm^2}$ の場合：$f_s=F_c/20$

F_c：コンクリートの設計基準強度 (N/mm²)

f_s：コンクリートの短期許容せん断応力度 (N/mm²)

（解 15.23）式を（解 15.22）式に代入すれば，接合部のせん断強度 τ_{ju} は，次式で与えられる．

$\tau_{ju}=10.5(f_s-0.5)$：十字形接合部 　　　　　　　　　　　　　　（解 15.24.a）

$\tau_{ju}=7.33(f_s-0.5)$：T 形接合部 　　　　　　　　　　　　　　　（解 15.24.b）

$\tau_{ju}=5.51(f_s-0.5)$：ト形接合部 　　　　　　　　　　　　　　　（解 15.24.c）

$\tau_{ju}=3.15(f_s-0.5)$：L 形接合部 　　　　　　　　　　　　　　　（解 15.24.d）

接合部の幅を b_j，せいを D（柱せい）とし，せん断終局強度に対する許容せん断力の安全率を m とすれば，接合部の許容せん断力 Q_{Aj} は次式で与えられる．

$$Q_{Aj}=\tau_{ju}b_jD/m \tag{解 15.25}$$

規準（15.10）式は，（解 15.24）式を（解 15.25）式に代入し，$m=1.05\sim1.1$ として定めたものである．なお，規準（15.10）式は，外柱梁接合部における梁主筋の 90°フック定着の規定〔17

条参照〕に従い，ト形接合部およびL形接合部の有効せいを $D_j=0.75D$ と仮定して導かれている．これらの接合部において，梁主筋の投影定着長さを $0.75D$ よりも短くする場合には，規準 (15.10) 式による接合部の許容せん断力に，次式による低減係数 ϕ_A を乗じる必要がある．

$$\phi_A = \frac{l_{dh}}{0.75D} \leq 1 \tag{解 15.26}$$

記号　l_{dh}：梁主筋の投影定着長さ〔17条参照〕
　　　D：柱せい

　一方，規準 (15.10) 式は直交梁の拘束効果を考慮していないため，両側直交梁付き接合部の場合には，せん断終局強度に対する許容せん断力の安全率が $m=1.23 \sim 1.30$ となる．柱梁接合部の構造計算で建物の崩壊メカニズム時に接合部に作用するせん断力を算出し，(解 15.19) 式を用いて終局強度設計を行う場合には，両側直交梁付き接合部において直交梁の効果を考慮したり，それ以外の接合部において，せん断終局強度に対する適切な余裕を確保することができる[28]．その場合には，本条3項による安全性の検討を省略してよい．

(3) 柱梁接合部の設計用せん断力

ⅰ) 設計用せん断力

　接合部まわりの水平荷重時応力は解説図 15.15 に示す状態であり，接合部の水平せん断力 Q_j は，図中の記号を用いて次式で与えられる．

$$\begin{aligned} Q_j &= T + C_c' + C_s' - Q_c \\ &= T + T' - Q_c \\ &= \sum \frac{M_b}{j} - Q_c \end{aligned} \tag{解 15.27}$$

上式において，ト形接合部およびL形接合部では $C_c' + C_s' = T' = 0$ とし，十字形接合部およびT形接合部では，接合部の左右の梁についての絶対値の和を用いる．大地震動に対する柱梁接合部の安全性確保のための検討では，設計目標を同じくする柱や梁のせん断設計との関連性を考慮して，(解 15.27) 式の接合部せん断力から，以下のようにして設計用せん断力を算出する．

　階高 H_c，スパン長 L_b の均等ラーメンにおいては，柱せん断力 Q_c と梁端部曲げモーメント M_b は，近似的に次式で関係づけられる．

$$Q_c = \sum \frac{M_b}{H_c\left(1-\dfrac{D}{L_b}\right)} \tag{解 15.28}$$

(解 15.28) 式を (解 15.27) 式に代入すれば，接合部の水平せん断力 Q_j は次式となる．

$$Q_j = \sum \frac{M_b}{j}(1-\xi) \tag{解 15.29}$$

$$Q_j = Q_c \frac{1-\xi}{\xi} \tag{解 15.30}$$

ここに，ξ は規準 (15.13) 式で与えられる．

規準（15.11）式は，（解15.29）式の M_b に梁の降伏曲げモーメント M_y を代入して得られる．接合部まわりは逆対称応力状態を想定しているので，規準（15.11）式では，接合部の左右の梁の一方が上端引張，他方が下端引張の数値を用いる．なお，外端の接合部（ト形接合部やL形接合部）では，外端梁の上端引張の数値を用いる．また，$M_y/j=a_t\sigma_y$ より，規準（15.11）式の代わりに下式を用いて接合部の設計用せん断力を計算してもよい．

$$Q_{Dj}=\sigma_y(a_t+a_b)(1-\xi) \tag{解15.31}$$

記号　a_t：一方の梁の上端筋の断面積
　　　a_b：他方の梁の下端筋の断面積
　　　σ_y：梁の引張鉄筋の降伏点

ここで，ト形接合部やL形接合部では $a_b=0$ として計算を行うものとする．

規準（15.11）式ならびに（解15.31）式は均等ラーメンの接合部の設計用せん断力を与えるものであり，接合部の左右の梁の断面や長さが大きく異なる場合は，下式を適用する．

$$\begin{aligned}Q_{Dj}&=\sigma_y(a_t+a_b)-\frac{1}{H_c}\left(\frac{M_y L_b}{l}+\frac{M_y' L_b'}{l'}\right)\\&=\sigma_y(a_t+a_b)-\frac{1}{H_c}\left(\frac{a_t\sigma_y j L_b}{l}+\frac{a_b\sigma_y j' L_b'}{l'}\right)\\&=a_t\sigma_y\left(1-\frac{j}{H_c}\times\frac{L_b}{l}\right)+a_b\sigma_y\left(1-\frac{j'}{H_c}\times\frac{L_b'}{l'}\right)\end{aligned} \tag{解15.32}$$

記号　$M_y,\ M_y'$：接合部の左右の梁の降伏曲げモーメント
　　　$L_b,\ L_b'$：左右の梁の柱芯間の長さ
　　　$l,\ l'$：左右の梁の内法長さ
　　　H_c：接合部の上下の柱の平均高さ（最上階の接合部では柱の高さの1/2）

特に，接合部の左右の梁のせいが大きく異なる場合は，例えば十字形接合部とト形接合部のいずれによってモデル化するかなどを含めた設計上の注意が必要である．

一方，規準（15.12）式は，（解15.30）式の柱せん断力 Q_c に本条2項（3）に規定される柱の設計用せん断力 Q_D を代入して得られる．ここに，Q_D は，一般階の接合部においては接合部の上下の柱の平均値としてよいが，最上階の接合部（T形接合部やL形接合部）では，接合部直下の柱の設計用せん断力の数値を用いる．

建築物の耐震設計が強度指向型の場合には，接合部の設計用せん断力は規準（15.11）式と規準（15.12）式のいずれかで決定される．規準（15.12）式で決定される場合には，十分な壁量を有する建物などで柱の負担せん断力が小さくなるケースを想定し，柱の平均せん断応力度が0.7 N/mm^2 の時に接合部に作用するせん断力を下限とする[1]などの設計上の配慮が望まれる．一方，耐震設計が靱性指向型の場合には，接合部の設計用せん断力は，主として規準（15.11）式によって決定される．靱性指向型の設計では，梁降伏後の接合部のせん断破壊を防止するために，以下のような事項を考慮する必要がある．

　a）梁主筋の降伏点 σ_y は，規格降伏点に対する実降伏点の平均的な強度上昇を考慮して定め

る.

　b) 梁の上端筋の断面積 a_t は，梁の負曲げ強度に寄与するスラブ筋の効果を考慮して定める.

　c) 接合部の設計用せん断力に対する許容せん断力の余裕度を適切に確保する.

ⅱ) 柱と梁が偏心した接合部

　1995年の兵庫県南部地震では，柱梁接合部に顕著な被害を受けた鉄筋コンクリート造建物が数例報告されているが，その多くは建物の外周部の側ラーメンの中柱接合部に被害を生じている[1]．側ラーメンの中柱接合部は，直交梁による拘束がないうえに，柱と梁が偏心して接合される場合が多く，接合部のせん断抵抗の点からは不利となっている．偏心接合部では，偏心側の側面の損傷が顕著となり，接合部の両側面での損傷に大きな差を生じることが構造実験や被災建物の調査などで明らかになっている．兵庫県南部地震の被害事例によれば，側ラーメンの偏心接合部は，梁メカニズム時せん断力に対するせん断強度の余裕度が十分にありながらせん断破壊を生じており，柱と梁の偏心接合が接合部のせん断強度を低下させたものと推定されている[1]．したがって，側ラーメンの偏心接合部については，設計用せん断力を適宜割り増すか，あるいは設計用せん断力に対する許容せん断力の余裕度を適切に確保するなどの設計上の配慮が望まれる．例えば，偏心接合部の設計用せん断力の割増しに関しては，文献1) に比較的大きな数値とすることが記されているので参照されたい.

ⅲ) 設計用せん断力に対する許容せん断力の余裕度の計算例

　偏心のない十字形接合部およびト形接合部を対象とし，以下の仮定を用いる.

① 梁せいは柱せい D の u 倍とする.

② 柱および梁の断面の有効せい d（梁は ud）は全せいの0.9倍，応力中心距離 j（柱は j_c）は全せいの0.8倍とする.

③ 梁幅は柱幅 b の q 倍（$q \leq 1$）とする.

④ 十字形接合部の両端部の梁は同一断面とし，上端筋の断面積を a_t，下端筋の断面積を a_b，引張鉄筋の降伏点を σ_y とする．したがって，梁断面の引張鉄筋比は $p_t = a_t/(qbud)$，複筋比は $\gamma = a_b/a_t$ となる.

⑤ 柱の設計用せん断力 Q_D は，下限として柱の平均せん断応力度（$=\dfrac{Q}{bD}$）を $0.7\,\mathrm{N/mm^2}$ とした場合（ケースa）と，上限として規準（15.6）式による柱の許容せん断力 Q_A を用いた場合（ケースb）とを想定する.

以上の仮定に基づき，柱梁接合部の設計用せん断力に対する許容せん断力の余裕度の計算を行う．ケースaの場合の設計用せん断力は，$Q_D = 0.7bD$ を規準（15.12）式に代入して，次式を得る.

$$Q_{Dj1} = 0.7bD\,\frac{1-\xi}{\xi} \tag{解 15.33.a}$$

同様にケースbの場合は，$Q_D = Q_A = bj_c\{f_s + 0.5\,_wf_t(p_w - 0.002)\}$ を代入して，次式を得る.

$$Q_{Dj1} = 0.8bD\{f_s + 0.5\,_wf_t(p_w - 0.002)\}\frac{1-\xi}{\xi} \tag{解 15.33.b}$$

一方，規準（15.11）式より，次式が得られる.

$$Q_{Dj2} = \sum \frac{M_y}{j}(1-\xi)$$

$$= \sigma_y(a_t + a_b)(1-\xi)$$

$$= 0.9\sigma_y p_t qbuD(1+\gamma)(1-\xi) \qquad (解15.34)$$

また,接合部の許容せん断力は規準 (15.10) 式より,次式が得られる.

$$Q_{Aj} = \kappa_A(f_s - 0.5)b_j D$$

$$= 0.5\kappa_A bD(1+q)(f_s - 0.5) \qquad (解15.35)$$

規準 (15.12) 式の設計用せん断力に対する接合部の許容せん断力の余裕度 α_{j1} は,(解 15.33.a),(解 15.33.b),(解 15.35) 式より下記で与えられる.

ケース a :

$$\alpha_{j1} = \frac{Q_{Aj}}{Q_{Dj1}} = \frac{0.714\kappa_A \xi(1+q)(f_s-0.5)}{1-\xi} \qquad (解15.36.a)$$

ケース b :

$$\alpha_{j1} = \frac{Q_{Aj}}{Q_{Dj1}} = \frac{0.625\kappa_A \xi(1+q)(f_s-0.5)}{(1-\xi)\{f_s + 0.5{}_w f_t(p_w - 0.002)\}} \qquad (解15.36.b)$$

一方,規準 (15.11) 式の設計用せん断力に対する接合部の許容せん断力の余裕度 α_{j2} は,(解 15.34),(解 15.35) 式より下記で与えられる.

$$\alpha_{j2} = \frac{Q_{Aj}}{Q_{Dj2}} = \frac{0.556\kappa_A(1+q)(f_s-0.5)}{\sigma_y p_t qu(1+\gamma)(1-\xi)} \qquad (解15.37)$$

(解 15.36) 式ならびに (解 15.37) 式を用いて,接合部の許容せん断力の余裕度に関する具体的な数値計算を行う.計算に使用したパラメータを下記に示す.

① コンクリートの設計基準強度 : $F_c = 18 \sim 60 \text{ N/mm}^2$
② 柱の帯筋比 : $p_w = 0\%$ (ケース a),$0.2 \sim 1.2\%$ (ケース b)
③ 帯筋の短期許容応力度 : ${}_w f_t = 295 \text{ N/mm}^2$ (SD 295)
④ 梁断面の引張鉄筋比 : $p_t = 1.0,\ 1.5,\ 2.0\%$
⑤ 梁断面の複筋比 : $\gamma = 1$ (ト形接合部では $\gamma = 0$ として計算を行う)
⑥ 梁の引張鉄筋の降伏点 : $\sigma_y = 345 \text{ N/mm}^2$ (SD 345)
⑦ 梁せいの柱せいに対する比 : $u = 1$ とする.
⑧ 梁幅の柱幅に対する比 : $q = 0.6$ [注1]
⑨ 架構の形状に関する係数 : $\xi = 0.2$ [注2]

(注1) 梁幅の柱幅に対する比は,通常の鉄筋コンクリート造建物では $q = 1/2 \sim 2/3$ 程度と考えられるので,ここでは $q = 0.6$ とする.

(注2) 通常の鉄筋コンクリート造建物では,スパン長 L_b が階高 H_c の2倍程度であり,梁せい D_b がスパン長 L_b の $1/8 \sim 1/12$ 程度である場合が比較的多い.したがって,梁せいと柱せいが等しい場合には架構の形状に関する係数は次のような値となり,ここでは $\xi = 0.2$ とする.

$$\xi = \frac{j}{H_c\left(1-\dfrac{D}{L_b}\right)} = \frac{2\times \dfrac{0.8D}{L_b}}{1-\dfrac{D}{L_b}} = 0.15 \sim 0.23$$

　柱梁接合部の設計用せん断力に対する許容せん断力の余裕度の計算結果を，十字形接合部について解説図15.20，ト形接合部について解説図15.21にそれぞれ示す．

　柱梁接合部の設計用せん断力を規準（15.12）式によって算定する場合は，柱せん断力が同一であれば十字形接合部とト形接合部で設計用せん断力に差がないが，許容せん断力は十字形接合部がト形接合部の2倍であるため，設計用せん断力に対する許容せん断力の余裕度 α_{j1} は十字形接合部がト形接合部の2倍の数値となっている．一方，柱梁接合部の設計用せん断力を規準（15.11）式によって算定する場合は，梁断面が同一で複筋比が $\gamma=1$ であれば十字形接合部の設計用せん断力がト形接合部のせん断力の2倍となるが，許容せん断力も2倍であるために，設計用せん断力に対する許容せん断力の余裕度 α_{j2} は十字形接合部とト形接合部で同一の数値となっている．

　上記の計算例の仮定や数値パラメータをほぼ満足するラーメン構造においては，以下のような場合に設計用せん断力に対する許容せん断力の余裕度が1を超えるので，本条3項による柱梁接合部の安全性の検討を省略することが可能である．

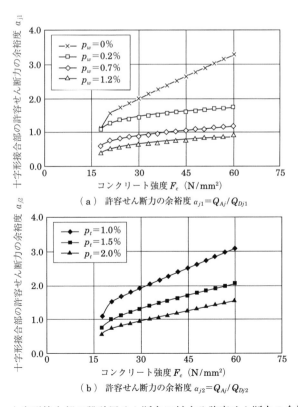

解説図15.20　十字形接合部の設計用せん断力に対する許容せん断力の余裕度の計算例

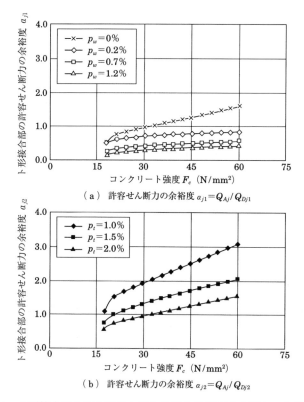

解説図15.21 ト形接合部の設計用せん断力に対する許容せん断力の余裕度の計算例

　a）柱の安全性確保のための設計用せん断力がコンクリートの許容せん断力以下である場合の十字形接合部

　b）梁の引張鉄筋比 p_t が1%以下の場合の十字形接合部およびト形接合部

ⅳ）柱梁接合部の二軸せん断

　特殊な平面形状を有する建物では，直交二方向に別々に水平力を作用させた場合でも，加力方向に斜交するラーメンの柱梁接合部は，柱と同様に二軸応力状態となることが予想される．このような接合部の安全性の検討では，せん断力の二軸相関を考慮する必要がある．

　本会の「靱性保証型耐震設計指針」[28] では，柱梁接合部の二軸せん断設計法として次式を提案している．

$$\left(\frac{_xV_j}{_xV_{ju}}\right)^\alpha + \left(\frac{_yV_j}{_yV_{ju}}\right)^\alpha \leq 1 \tag{解15.38}$$

　　　記号　　　α ：接合部せん断強度の二軸相関関係を定める係数（$\alpha=2$ とする）

　　　　　　　$_xV_j,\ _yV_j$ ：接合部せん断力の直交二方向成分

　　　　　　　$_xV_{ju},\ _yV_{ju}$ ：直交二方向の一軸せん断強度

　規準 (15.10) 式で与えられる柱梁接合部の安全性確保のための許容せん断力は，「靱性保証型耐震設計指針」[28] で採用されているせん断終局強度式から導かれているので，その二軸相関関係

は（解15.38）式を用いてよい．すなわち，接合部断面の直交二方向を x, y 座標軸とし，（解15.38）式の左辺の ${}_xV_{ju}$, ${}_yV_{ju}$ に各方向の許容せん断力，${}_xV_j$, ${}_yV_j$ に設計用せん断力の各方向成分をそれぞれ代入した結果が1以下であることを確認すればよい．

（4） 柱梁接合部の帯筋

柱梁接合部に関する既往の研究によれば，接合部内の帯筋は柱の帯筋とは異なり，せん断補強筋として接合部のせん断強度を上昇させる効果がほとんど期待できないことが明らかになっている[27),28)]．そのため（解15.19）式では，接合部のせん断強度をコンクリート強度のみに依存した評価としており，規準（15.10）式も帯筋の効果を考慮に入れていない．本条では，接合部の帯筋の役割は，主として接合部コアコンクリートを拘束する横補強筋として考えている．接合部の帯筋によるコアコンクリートの拘束効果は，接合部と隣接部材の一体性を確保してラーメンの梁降伏後の靱性を高めるとともに，接合部内に折曲げ定着される梁主筋の定着性能を向上させる[28)]．

接合部の帯筋は柱主筋を包含し，接合部内における最上段の梁主筋の直上（最上階の接合部を除く）および最下段の梁主筋の直下に配置するとともに，梁の上下の主筋間に均等に配置して内部のコンクリートを拘束する．接合部の帯筋に関する配筋規定は柱の帯筋の規定に準じるが，帯筋間隔は，これまでの慣例に従い柱の帯筋間隔の1.5倍以下としている．また，接合部の帯筋比も柱の帯筋比と同様の定義とし，その下限を0.2%とする．ただし，接合部内の帯筋は，二段配筋の梁主筋が二方向から交差する部分には配筋できないので，この交差部分に入れるべき帯筋を上下の梁主筋間に配置することになり，その結果，帯筋比で決まる均等間隔よりも狭い間隔で配筋せざるをえないことがある．

接合部内の帯筋の形状は，柱の場合と同様に，鉄筋の末端を135°以上に折り曲げてコアコンクリート内に十分定着させるか，末端どうしを溶接するか，あるいは連続した螺旋（らせん）形式とする．

柱の前後・左右に取り付く梁のレベルやせいが異なる場合には，柱の帯筋と柱梁接合部の帯筋をどのように配置するかが問題となる．柱の帯筋は，せん断補強筋として柱の断面算定結果に基づく必要補強量が配筋されるのに対して，柱梁接合部の帯筋は，コアコンクリートの拘束筋として最小補強量が配筋されるのが一般的である．したがって，通常の場合では，柱の帯筋を柱梁接合部の帯筋よりも優先的に配筋する．具体的には，解説図15.22に示すように，柱の前後・左右に二方向から取り付く梁が共通して柱と取り合う部分（図中のハッチング部分）を柱梁接合部の範囲とし，その他の部分については梁せい内にあっても柱部分と見なして，それぞれの帯筋を配筋することとする[29)]．したがって，一方向の梁が正梁で直交方向の梁が逆梁の場合には，柱梁接合部の範囲がスラブ厚さ程度となる場合があるので，柱の帯筋を梁せい内まで配筋しなければならないことに注意する必要がある．

---

29) 日本建築学会：鉄筋コンクリート造配筋指針・同解説，2021

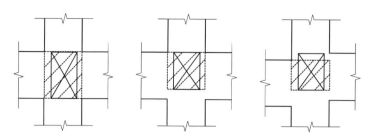

解説図15.22 柱梁接合部の範囲[29]

【せん断に対する計算例】

「付2.構造設計例」のY方向の③通りラーメン架構を例にとり,大梁,柱,柱梁接合部を一例ずつ選んで,せん断に対する断面算定を行う.基準階伏図での断面算定箇所を以下に示す.

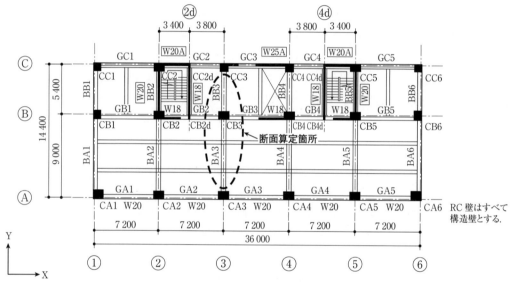

解説図 15.23 基準階伏図

③通りの長期応力図と正加力時短期応力図を以下に示す．

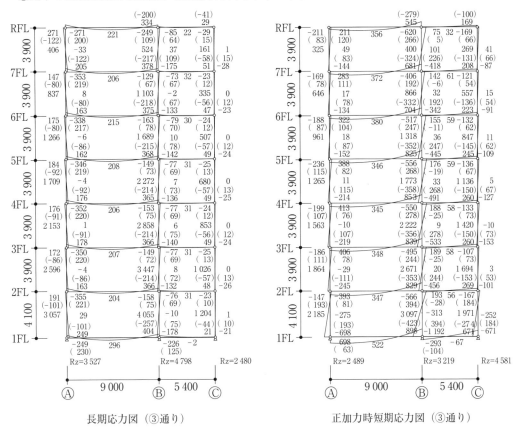

解説図 15.24　③通りラーメン応力図

「付2．構造設計例」の使用材料を以下に示す．

　　　普通コンクリート：$F_c=24$，27，30 N/mm²
　　　鉄筋　　　　　　：SD 295，SD 345，SD 390

以下の計算では，断面の引張縁から引張鉄筋の1段目中心までの距離を90 mm，1段目と2段目の鉄筋中心間距離を80 mmとして，断面の有効せいを算定する．

【計算例1】大梁の断面算定

「付2．構造設計例」の大梁のうち，B_{A3}（③通りラーメン架構のⒶ～Ⓑ間）の4階の断面について，許容せん断力が設計用せん断力を上回ることを以下のように確認する．

（1） 計算条件

大梁断面は，下図の B_{A3} の断面による．なお，下図の B_{B3} の断面は，後述の柱梁接合部の断面算定に使用する．

名称		B_{A3}			B_{B3}
	幅×せい	500×950			500×600
	位置	A通り端	中央	他端	全断面
4・3	配筋	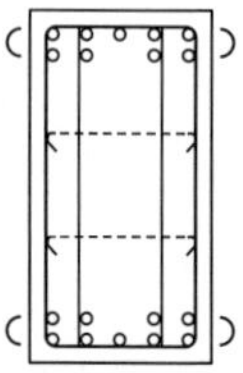	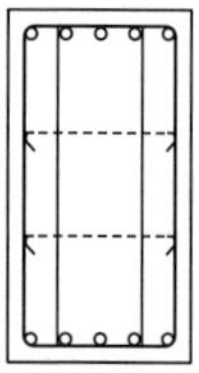	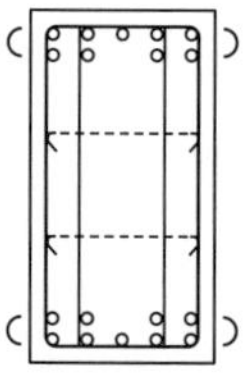	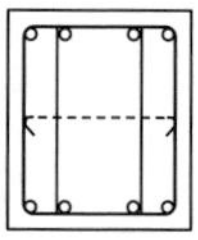
	上端筋	5,4-D 29	5-D 29	5,4-D 29	4-D 29
	下端筋	5,4-D 29	5-D 29	5,4-D 29	4-D 29
	あばら筋	④-D 16@150			④-D 16@200
	腹筋	4-D 10			2-D 10

解説図15.25 大梁断面表

使用材料は下記による．

・コンクリート　$F_c=30\,\mathrm{N/mm^2}$

・主筋　D 29（SD 390）

・あばら筋　D 16（SD 295）

コンクリートおよび鉄筋の許容応力度は，6条の表6.1，6.2に従い以下の数値とする．

許容応力度	長期	短期
コンクリートの許容せん断応力度　f_s（N/mm²）	0.79	1.185
あばら筋のせん断補強用許容応力度　$_wf_t$（N/mm²）	195	295

梁断面の引張縁から引張鉄筋重心までの距離：$d_t=\dfrac{90\times 5+170\times 4}{9}=126\,\mathrm{mm}$

梁断面の有効せい　　：$d=D-d_t=950-126=824\,\mathrm{mm}$

梁断面の応力中心距離：$j=\dfrac{7}{8}d=\dfrac{7}{8}\times 824=721\,\mathrm{mm}$

梁のあばら筋比　　　：$p_w=\dfrac{a_w}{b\cdot x}=\dfrac{4\times 199}{500\times 150}=0.0106$

設計用応力は，③通りの応力図から，4階のⒷ通り端部について，以下の数値とする．

B_{A3}梁の設計用応力	長期荷重時応力	短期荷重時応力	
		地震時	長期＋地震時
曲げモーメント M (kNm)	365	488	853
せん断力 Q (kN)	214	144	358

(2) 長期の使用性の検討

せん断スパン比　　　　　：$\dfrac{M}{Qd}=\dfrac{365}{214\times 0.824}=2.07$

せん断スパン比による割増係数：$\alpha=\dfrac{4}{\dfrac{M}{Qd}+1}=\dfrac{4}{2.07+1}=1.30<2$

長期許容せん断力　　　　：$Q_{AL}=bj\alpha f_s=\dfrac{500\times 721\times 1.30\times 0.79}{1\,000}=370$ kN

長期設計用せん断力　　　：$Q_{DL}=Q_L=214$ kN $<Q_{AL}$　　O. K.

(3) 短期の損傷制御の検討

せん断スパン比　　　　　：$\dfrac{M}{Qd}=\dfrac{853}{358\times 0.824}=2.89$

せん断スパン比による割増係数：$\alpha=\dfrac{4}{\dfrac{M}{Qd}+1}=\dfrac{4}{2.89+1}=1.03<2$

短期許容せん断力　　　　：$Q_{AS}=bj\left\{\dfrac{2}{3}\alpha f_s+0.5\,_wf_t(p_w-0.002)\right\}$

$=\dfrac{500\times 721}{1\,000}\left\{\dfrac{2}{3}\times 1.03\times 1.185+0.5\times 295\times(0.0106-0.002)\right\}$

$=751$ kN

短期設計用せん断力　　　：$Q_{DS}=Q_L+Q_E=214+144=358$ kN $<Q_{AS}$　　O. K.

(4) 安全性の検討

せん断スパン比による割増係数は，短期に同じで $\alpha=1.03$ とする．

安全性検討用の許容せん断力は

$Q_A=bj\{\alpha f_s+0.5\,_wf_t(p_w-0.002)\}$

$=\dfrac{500\times 721}{1\,000}\{1.03\times 1.185+0.5\times 295\times(0.0106-0.002)\}=897$ kN

安全性検討用の設計せん断力は，$Q_D=Q_L+n\cdot Q_E=214+1.5\times 144=430$ kN $<Q_A$　　O. K.

【計算例2】柱の断面算定

「付2. 構造設計例」の柱のうち，C_{B3}（③通りラーメン架構の⑧通り位置）の3階の断面のY方向について，許容せん断力が設計用せん断力を上回ることを以下のように確認する．

（1） 計 算 条 件

柱断面は，下図のC_{B3}の断面による．

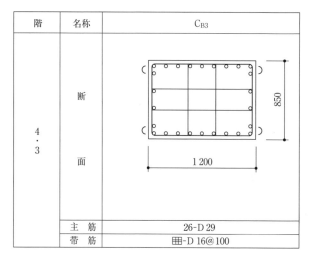
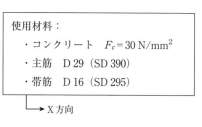

解説図 15.26　柱 断 面 表

コンクリートおよび鉄筋の許容応力度は，梁の計算例と同様に以下の数値とする．

許容応力度	長 期	短 期
コンクリートの許容せん断応力度　f_s（N/mm²）	0.79	1.185
帯筋のせん断補強用許容応力度　$_wf_t$（N/mm²）	195	295

柱断面の引張縁から引張鉄筋重心までの距離：$d_t = \dfrac{90 \times 9 + 170 \times 2}{11} = 105$ mm

柱断面の有効せい　　　：$d = D - d_t = 850 - 105 = 745$ mm

柱断面の応力中心距離：$j = \dfrac{7}{8}d = \dfrac{7}{8} \times 745 = 652$ mm

柱の帯筋比　　　　　：$p_w = \dfrac{a_w}{b \cdot x} = \dfrac{4 \times 199}{1\,200 \times 100} = 0.0066$

設計用応力は，③通りの応力図から，⑧通り位置の3階柱頭について，以下の数値とする．

C_{B3}柱の設計用応力	長期荷重時応力	短期荷重時応力	
		地　震　時	長期＋地震時
曲げモーメント　M（kNm）	153	397	550
せん断力　Q（kN）	75	203	278

（2） 長期の使用性の検討

せん断スパン比　　　　　：$\dfrac{M}{Qd}=\dfrac{153}{75\times0.745}=2.74$

せん断スパン比による割増係数：$\alpha=\dfrac{4}{\dfrac{M}{Qd}+1}=\dfrac{4}{2.74+1}=1.07<1.5$

長期許容せん断力　　　：$Q_{AL}=bj\alpha f_s=\dfrac{1\,200\times652\times1.07\times0.79}{1\,000}=661\,\text{kN}$

長期設計用せん断力　：$Q_{DL}=Q_L=75\,\text{kN}<Q_{AL}$　　O.K.

（3） 短期の損傷制御の検討

せん断スパン比　　　　　：$\dfrac{M}{Qd}=\dfrac{550}{278\times0.745}=2.66$

せん断スパン比による割増係数：$\alpha=\dfrac{4}{\dfrac{M}{Qd}+1}=\dfrac{4}{2.66+1}=1.09<1.5$

短期許容せん断力：$Q_{AS}=bj\left\{\dfrac{2}{3}\alpha f_s+0.5\,_wf_t(p_w-0.002)\right\}$

$$=\dfrac{1\,200\times652}{1\,000}\left\{\dfrac{2}{3}\times1.09\times1.185+0.5\times295\times(0.0066-0.002)\right\}=1\,205\,\text{kN}$$

短期設計用せん断力：$Q_{DS}=Q_L+Q_E=75+203=278\,\text{kN}<Q_{AS}$　　O.K.

（4） 安全性の検討

せん断スパン比による割増係数 α は，柱の場合は考慮しない．

安全性検討用の許容せん断力：

$$Q_A=bj\{f_s+0.5\,_wf_t(p_w-0.002)\}$$

$$=\dfrac{1\,200\times652}{1\,000}\{1.185+0.5\times295\times(0.0066-0.002)\}=1\,458\,\text{kN}$$

安全性検討用の設計せん断力：

$$Q_D=Q_L+n\cdot Q_E=75+1.5\times203=380\,\text{kN}<Q_A\quad\text{O.K.}$$

【計算例3】　柱梁接合部の断面算定

「付2．構造設計例」の柱梁接合部のうち，③通りラーメン架構のⒷ通り位置〔軸組図参照〕の4階の大梁 B_{A3}，B_{B3} と3・4階の柱 C_{B3} の柱梁接合部について，許容せん断力が設計用せん断力を上回ることを以下のように確認する．

（1）　計　算　条　件

Ⓐ〜Ⓑ間のスパン長さは，外面からⒶ通り芯までの寸法を90 mm とすれば，

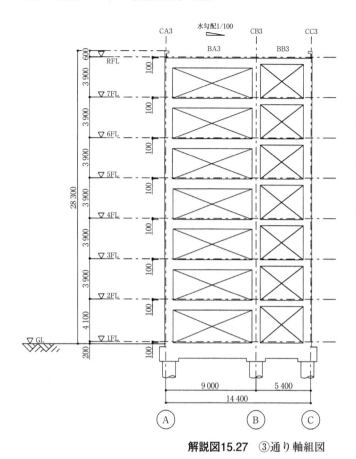

解説図15.27 ③通り軸組図

柱の中心間距離：$L_{AB}=9\,000+90-\dfrac{850}{2}=8\,665$ mm

内法長さ　　　：$l_{AB}=8\,665-850=7\,815$ mm

同様に，Ⓑ～Ⓒ間のスパン長さは

柱の中心間距離：$L_{BC}=5\,400+90-\dfrac{800}{2}=5\,090$ mm

内法長さ　　　：$l_{BC}=5\,090-\dfrac{850+800}{2}=4\,265$ mm

　大梁（B_{A3}，B_{B3}），柱（C_{B3}）の断面および使用材料は，それぞれの断面算定時に例示したものを採用し，梁に協力するスラブ筋を 10-D 10 とする．

　以下の断面算定では，当該の柱梁接合部において，B_{A3}梁が上端引張降伏，B_{B3}梁が下端引張降伏である応力状態を想定する．大梁の断面および鉄筋の諸量を解説表15.1に示す．

解説表 15.1 大梁の断面および鉄筋

部　位	項　目	B_{A3} 梁（上端）	B_{B3} 梁（下端）
梁断面	梁幅 b_b (mm)	500	500
	梁せい D_b (mm)	950	600
	引張縁から引張鉄筋重心までの距離 d_t (mm)	126	90
	断面の有効せい $d = D_b - d_t$ (mm)	824	510
	断面の応力中心距離 $j=(7/8)d$ (mm)	721	446
梁主筋	配　筋	9-D 29	4-D 29
	引張鉄筋断面積 (mm²)	5 778	2 568
スラブ筋	配　筋	10-D 10	—
	引張鉄筋断面積 (mm²)	710	—

柱（C_{B3}）の断面は，幅 $b_c = 1\,200$ mm，せい $D = 850$ mm とする．

梁幅 b_b，柱幅 b_c，柱せい D で偏心のない柱梁接合部の有効幅 b_j は

$$b_j = \frac{b_b + b_c}{2} = \frac{500 + 1\,200}{2} = 850 \text{ mm}$$

ただし，$b_b + \dfrac{D}{2} = 500 + \dfrac{850}{2} = 925 \text{ mm} > b_j$　　O. K.

柱梁接合部のせいは柱せいに同じであり，$D = 850$ mm

使用材料は，コンクリートが $F_c = 30$ N/mm²，梁主筋 D 29 が SD 390，スラブ筋 D 10 が SD 295 とする．コンクリートおよび鉄筋の許容応力度は，6 条の表 6.1, 6.2 に従い以下の数値とし，鉄筋の降伏強度は，規格降伏点（短期許容引張応力度と同じ数値）とする．

許容応力度	短　期
コンクリートの許容せん断応力度　f_s (N/mm²)	1.185
梁主筋の規格降伏点　σ_y (N/mm²)	390
スラブ筋の規格降伏点　σ_y (N/mm²)	295

（2）安全性の検討

当該の柱梁接合部は，その左右の梁せいが異なっており，本計算例では，梁せいの大きな B_{A3} が上端引張となる応力状態を想定している．この場合の形状による係数は，十字形接合部の $\kappa_A = 10$ を用いる．

したがって，安全性検討用の許容せん断力は，以下の数値となる．

$$Q_{Aj} = \kappa_A (f_s - 0.5) b_j D = 10 \times (1.185 - 0.5) \times \frac{850 \times 850}{1\,000} = 4\,949 \text{ kN}$$

安全性検討用の設計せん断力は，左右の梁の断面や長さが異なるので，(解15.32) 式より

$$Q_{Dj} = \sigma_y(a_t + a_b) - \frac{1}{H_c}\left(\frac{M_y L_b}{l} + \frac{M_y' L_b'}{l'}\right)$$

$$= \sigma_y(a_t + a_b) - \frac{1}{H_c}\left(\frac{a_t \sigma_y j L_b}{l} + \frac{a_b \sigma_y j' L_b'}{l'}\right)$$

$$= a_t \sigma_y\left(1 - \frac{j}{H_c} \times \frac{L_b}{l}\right) + a_b \sigma_y\left(1 - \frac{j'}{H_c} \times \frac{L_b'}{l'}\right)$$

B_{A3} 梁は，上端主筋にスラブ筋を加算して

$$a_t \sigma_y = \frac{5\,778 \times 390 + 710 \times 295}{1\,000} = 2\,463 \text{ kN}$$

B_{A3} 梁の長さは，$L_b = L_{AB} = 8\,665$ mm，$l = l_{AB} = 7\,815$ mm より

$$1 - \frac{j}{H_c} \times \frac{L_b}{l} = 1 - \frac{721}{3\,900} \times \frac{8\,665}{7\,815} = 0.795$$

同様に B_{B3} 梁は，下端主筋より

$$a_b \sigma_y = \frac{2\,568 \times 390}{1\,000} = 1\,002 \text{ kN}$$

B_{B3} 梁の長さは，$L_b' = L_{BC} = 5\,090$ mm，$l' = l_{BC} = 4\,265$ mm より

$$1 - \frac{j'}{H_c} \times \frac{L_b'}{l'} = 1 - \frac{446}{3\,900} \times \frac{5\,090}{4\,265} = 0.864$$

以上から，安全性検討用の設計せん断力は

$$Q_{Dj} = a_t \sigma_y\left(1 - \frac{j}{H_c} \times \frac{L_b}{l}\right) + a_b \sigma_y\left(1 - \frac{j'}{H_c} \times \frac{L_b'}{l'}\right)$$

$$= 2\,463 \times 0.795 + 1\,002 \times 0.864 = 2\,824 \text{ kN} < Q_{Aj} \qquad \text{O. K.}$$

なお，梁せいの大きな B_{A3} の下端筋は，柱内に折曲げ定着されるので，本計算例とは逆向きの地震力によって B_{A3} が下端引張となる場合には，十字形接合部としての検討のみでは十分ではないと考えられる．この場合は，B_{A3} 梁と C_{B3} 柱から成る仮想のト形接合部を想定して，B_{A3} 梁の下端筋の引張力によって接合部に生じる水平せん断力が，ト形接合部としての許容せん断力以下であることを確認するのが望ましい．

16 条　付着および継手

1. 付　着
（1） 曲げ材の引張鉄筋ではスパン内において付着応力度の算定を行い，本条1項 (3) によって長期荷重に対する使用性確保，短期荷重に対する損傷制御，大地震動に対する安全性確保のための検討を行う．ただし，束ね筋は断面の等価な1本の鉄筋として取り扱う．
（2） 本条1項 (3) の平均付着応力度の算定において，曲げ材の引張鉄筋の付着検定断面と付着長さ l_d は以下による．

1) 付着検定断面は，スパン内で最大曲げモーメントとなる断面とする．
2) スパン途中でカットオフされる鉄筋（以下，カットオフ筋と略記）の付着長さ l_d は，付着検定断面から鉄筋端までの長さ〔図16.1〕とし，鉄筋端部に標準フック（17条に規定）を設ける場合は，折曲げ開始点までの長さとする．
3) 長期荷重および短期荷重に対する検討において，スパン内に通し配筋される鉄筋（以下，通し筋と略記）の付着長さ l_d は，曲げ材の内法長さ L とする．

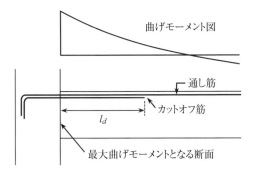

図 16.1　カットオフ筋の付着長さ

(3) 曲げ材の引張鉄筋の付着応力度の検討は，以下の各項による．
1) 長期荷重に対する使用性確保のための検討は，(16.1)式または(16.2)式による．

$$\tau_{a1} = \frac{Q_L}{\sum \phi \cdot j} \leq {}_L f_a \tag{16.1}$$

$$\tau_{a2} = \frac{{}_L\sigma_t \cdot d_b}{4(l_d - d)} \leq 0.8 {}_L f_a \tag{16.2}$$

2) 短期荷重に対する損傷制御のための検討は，(16.3)式または(16.4)式による．

$$\tau_{a1} = \frac{Q_L + Q_E}{\sum \phi \cdot j} \leq {}_S f_a \tag{16.3}$$

$$\tau_{a2} = \frac{{}_S\sigma_t \cdot d_b}{4(l_d - d)} \leq 0.8 {}_S f_a \tag{16.4}$$

3) 大地震動に対する安全性確保のための検討は，通し筋は(16.5)式，カットオフ筋は(16.6)式による．なお，大地震動に対しても付着割裂破壊を生じないことが明らかな曲げ材の場合，および付着割裂強度に基づいて付着割裂破壊に対する安全性の検討を別途行う場合には，下記の検討を省略できる．

$$\tau_D = \alpha_1 \times \frac{\sigma_D \cdot d_b}{4(L' - d)} \leq K f_b \tag{16.5}$$

$$\tau_D = \alpha_2 \times \frac{\sigma_D \cdot d_b}{4(l_d - d)} \leq K f_b \tag{16.6}$$

ただし，$l_d \geq l' + d$

記号　τ_{a1}：引張鉄筋の曲げ付着応力度
　　　τ_{a2}：引張鉄筋の平均付着応力度
　　　τ_D：安全性検討用の平均付着応力度
　　　Q_L：長期荷重時せん断力
　　　Q_E：水平荷重時せん断力
　　　ϕ：鉄筋の周長
　　　d：曲げ材の有効せい
　　　j：曲げ材の応力中心距離で，$j = (7/8)d$ とすることができる．

l_d：引張鉄筋の付着長さで，(16.2)，(16.4)，(16.6) の各式においては，対象とする荷重の作用により曲げ材にせん断ひび割れを生じないことが確かめられた場合には，式中の l_d-d を l_d としてよい．

d_b：曲げ補強鉄筋径で，異形鉄筋では呼び名の数値とする．

$_L\sigma_t$：付着検定断面位置における長期荷重時の鉄筋存在応力度で，鉄筋端に標準フックを設ける場合にはその値の 2/3 倍とすることができる．

$_S\sigma_t$：付着検定断面位置における短期荷重時の鉄筋存在応力度で，鉄筋端に標準フックを設ける場合にはその値の 2/3 倍とすることができる．

$_Lf_a$：長期許容付着応力度で，6条による．

$_Sf_a$：短期許容付着応力度で，6条による．

σ_D：付着検定断面位置における安全性検討用の鉄筋引張応力度で以下による．

  曲げ降伏する部材：$\sigma_D = \sigma_y$

  上記以外の部材：$\sigma_D = {}_L\sigma_t + n \times {}_E\sigma_t \leq \sigma_y$

σ_y：付着検定断面位置における鉄筋の降伏強度で，鉄筋端に標準フックを設ける場合には，その値の 2/3 倍とすることができる．

$_E\sigma_t$：付着検定断面位置における水平荷重時の鉄筋存在応力度で，鉄筋端に標準フックを設ける場合には，その値の 2/3 倍とすることができる．

n：水平荷重時せん断力の割増係数で 1.5 以上の数値

f_b：付着割裂の基準となる強度で，表 16.1 による．

α_1：通し筋の応力状態を表す係数で，表 16.2 による．

α_2：カットオフ筋の応力状態を表す係数で，表 16.3 による．

L'：通し筋の付着長さで，付着検定断面において，カットオフ筋がなく通し筋のみの場合は $L'=L$，通し筋とカットオフ筋の両方がある場合は $L'=L-l'$ とする．なお，(16.5)式において，対象とする荷重の作用により曲げ材にせん断ひび割れを生じないことが確かめられた場合には，式中の $L'-d$ を L' としてよい．

L：曲げ材の内法長さ

l'：付着検定断面からカットオフ筋が設計用曲げモーメントに対して計算上不要となる断面（以下，計算上不要となる断面と略記）までの距離で，両端が曲げ降伏する部材では (16.7) 式，一端が曲げ降伏で他端が弾性の部材では (16.8) 式で計算してよい．

$$両端曲げ降伏部材：\quad l' = \frac{A_{cut}}{A_{total}} \times \frac{L}{2} \tag{16.7}$$

$$一端曲げ降伏・他端弾性部材：\quad l' = \frac{A_{cut}}{A_{total}} \times L \tag{16.8}$$

A_{cut}：カットオフされる引張鉄筋の断面積

A_{total}：引張鉄筋の総断面積

K：鉄筋配置と横補強筋による修正係数で (16.9) 式による．

$$K = 0.3\left(\frac{C+W}{d_b}\right) + 0.4 \leq 2.5 \tag{16.9}$$

C：計算する断面における鉄筋間のあき，または最小かぶり厚さの3倍のうちの小さいほうの数値で，$5d_b$ 以下とする．なお，(16.10) 式で C を算定してもよい．

$$C = \frac{b - N \cdot d_b}{N} \leq \min(3C_{\min},\ 5d_b) \tag{16.10}$$

N：当該鉄筋列の想定される付着割裂面における鉄筋本数

b：部材の幅

$C_{\min}$：当該鉄筋の最小かぶり厚さ

W：付着割裂面を横切る横補強筋効果を表す換算長さで，(16.11) 式による．

$$W = 80 \frac{A_{st}}{sN} \leq 2.5\, d_b \tag{16.11}$$

A_{st}：当該鉄筋列の想定される付着割裂面を横切る一組の横補強筋全断面積
  s：一組の横補強筋（断面積 A_{st}）の間隔

表 16.1 付着割裂の基準となる強度 f_b

	安全性確保のための検討	
	上 端 筋	その他の鉄筋
普通コンクリート	$0.8 \times \left(\dfrac{F_c}{40} + 0.9\right)$	$\dfrac{F_c}{40} + 0.9$
軽量コンクリート	普通コンクリートに対する値の 0.8 倍	

[注] 1) 上端筋とは，曲げ材にあってその鉄筋の下に 300 mm 以上のコンクリートが打ち込まれる場合の水平鉄筋をいう．
  2) F_c はコンクリートの設計基準強度（N/mm²）を表す．
  3) 多段配筋の 1 段目（断面外側）以外の鉄筋に対しては，上表の値に 0.6 を乗じる．

表 16.2 通し筋の応力状態を表す係数 α_1

両端が曲げ降伏する部材の通し筋	1 段目の鉄筋	2
	多段配筋の 2 段目以降の鉄筋	1.5
一端曲げ降伏で他端弾性の部材の通し筋		1

表 16.3 カットオフ筋の応力状態を表す係数 α_2

付着長さが $L/2$ 以下のカットオフ筋	1 段目の鉄筋	1
	多段配筋の 2 段目以降の鉄筋	0.75
付着長さが $L/2$ を超えるカットオフ筋		1

(4) 付着に関する構造規定
1) カットオフ鉄筋は，計算上不要となる断面を超えて部材有効せい d 以上延長する．

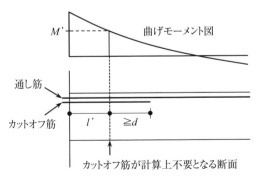

図 16.2 カットオフ筋が計算上不要となる断面

　　　　　記号　M'：カットオフ筋が計算上不要となる断面の曲げモーメントで，カットオフされる引張鉄筋を除いた断面に基づく許容曲げモーメントとしてよい．

　　　他の記号は前出のとおりである．

2）引張を受ける上端筋の1/3以上は部材全長に連続して，あるいは継手を設けて配する．
3）引張を受ける下端筋の1/3以上は部材全長に連続して，あるいは継手を設けて配する．
4）引張鉄筋の付着長さは原則として300 mmを下回ってはならない．
5）柱および梁（基礎梁を除く）の出隅部分および煙突においては，原則として鉄筋の末端に標準フックを設ける．

2. 継　手

（1）鉄筋の継手には，重ね継手，ガス圧接継手，溶接継手，または機械式継手を用いる．ただし本条では，以下に重ね継手について規定する．

（2）D 35以上の鉄筋には原則として重ね継手を用いない．

（3）鉄筋の重ね継手は，部材応力ならびに鉄筋存在応力度の小さい箇所に設けることとし，同一断面で全引張鉄筋の継手（全数継手）としないことを原則とする．

（4）曲げ補強鉄筋の重ね継手長さは，以下の各項を満足するように設定する．ただし，200 mmおよび鉄筋径の20倍を下回る継手長さとしてはならない．

1）重ね継手の長期荷重に対する使用性確保や短期荷重に対する損傷制御のための検討は，引張鉄筋に対しては（16.12）式により，圧縮鉄筋に対しては（16.13）式により行う．

$$\frac{\sigma_t \cdot d_b}{4l} \leqq f_a \tag{16.12}$$

$$\frac{\sigma_c \cdot d_b}{4l} \leqq 1.5 f_a \tag{16.13}$$

2）重ね継手の大地震動に対する安全性確保のための検討は，（16.14）式による．なお，付着割裂強度に基づく計算によって重ね継手長さを定める場合，および曲げ降伏を生じるおそれのない曲げ補強鉄筋（D 25以下に限る）の重ね継手を存在応力度の小さい箇所に設ける場合は，下式によらなくてもよい．

$$\frac{\sigma_y \cdot d_b}{4l} \leqq K f_b \tag{16.14}$$

　　　　　記号　l：重ね継手長さ．鉄筋端に標準フック（17条に規定）を設ける場合には，フックを除いた長さとする．
　　　　　　　　σ_t：引張鉄筋の継手部分の最大存在応力度で，鉄筋端に標準フックを設ける場合には，その値の2/3倍とすることができる．
　　　　　　　　σ_c：圧縮鉄筋の継手部分の最大存在応力度
　　　　　　　　σ_y：引張鉄筋の継手部分の降伏強度で，鉄筋端に標準フックを設ける場合には，その値の2/3倍とすることができる．
　　　　　　　　d_b：曲げ補強鉄筋径で，異形鉄筋では呼び名の数値とする．
　　　　　　　　f_a：許容付着応力度で，鉄筋の位置にかかわらず6条の表6.3の上端筋に対する値を用いる．
　　　　　　　　f_b：付着割裂の基準となる強度で，表16.1による．
　　　　　　　　K：鉄筋配置と横補強筋による修正係数で（16.9）式による．なお，（16.9）式における係数Cは（16.15）式によって算出してよい．ただし，係数K, C, Wの計算では，鉄筋が密着しない場合であっても鉄筋が密着した継手として扱い，鉄筋本数Nは想定される付着割裂面における全鉄筋本数から継手組数を減じた値とする．

$$C = \frac{b - \sum d_b}{N} \leqq \min(3 C_{\min}, 5 d_b) \tag{16.15}$$

　　　　　　　　$\sum d_b$：当該鉄筋列の想定される付着割裂面における鉄筋径の総和で，継手の鉄筋も含める．
　　　他の記号は前出のとおりである．

(5) 重ね継手は，曲げひび割れが継手筋に沿って生じるような部位に設けてはならない．
(6) 溶接金網の重ね継手は，重ね長さを最外端の横筋間で測った距離とし，横筋間隔に50 mmを加えた長さ以上かつ150 mm以上とする．
3. 鉄筋の部材内定着
(1) 引張鉄筋の部材内への定着は，(16.12) 式および (16.14) 式により検討を行う．ただし，両式内の記号 l を定着長さと置き換える．また，σ_t，σ_y は，引張鉄筋の最大存在応力度または許容引張応力度，および降伏強度とし，鉄筋端に標準フックを設ける場合には，その値の2/3倍とすることができる．
(2) 引張鉄筋の仕口内への定着は，17条によって検討する．

1. 付　　着

(1) 付着設計法

ⅰ) 長期荷重に対して使用限界以下，中地震動程度の短期荷重に対して損傷限界以下，大地震動に対して安全限界以下であることを設計目標とする．なお，部材の使用限界，損傷限界，安全限界はそれぞれ以下の状態を想定している．

・使用限界：長期荷重時の曲げ補強鉄筋の付着性能に起因して，部材の常時使用にあたっての機能的ないしは感覚的な障害が生じないことにより使用性が確保される限界

・損傷限界：短期荷重時の曲げ補強鉄筋の付着性能に起因して，部材に過大な残留ひび割れや変形が生じないことにより損傷が制御される限界

・安全限界：曲げ補強鉄筋に沿った付着割裂破壊が生じないこと，および付着割裂破壊にともなう部材の曲げ終局強度やせん断終局強度の低下が生じないことにより安全性が確保される限界

　　長期の使用性確保と短期の損傷制御のための検討方法として，許容付着応力度に基づく設計法を採用する．大地震動に対する安全性のための検討方法には，付着割裂強度に基づく設計法を採用する．

ⅱ) スパン内の鉄筋のカットオフは最小限にすることが望ましい．本条では，鉄筋のカットオフはスパン内で1段階のカットオフを前提としている．この前提と相違する部材では，例えば，継手を設けて通し配筋にすることでカットオフの箇所数を減らすなどの設計上の配慮が望まれる．

ⅲ) 曲げ補強鉄筋は，従来1本ごとに所定の間隔を確保して配筋されてきた．比較的細い径の鉄筋を多く配筋する場合には，規定された鉄筋の最小限のあきではコンクリートの施工性がよくない場合がある．何本かの鉄筋を束ねて配筋すれば，束ねた鉄筋相互のあきは大きくなり，コンクリートの施工性が向上することがある．梁，柱の曲げ補強鉄筋に用いる束ね鉄筋は，2本または3本の鉄筋を結束したものとし，径もD25までとするのがよいであろう．束ね鉄筋の付着検定は，断面積が等しい1本の鉄筋として等価な鉄筋径を定め，本条の規定に従うものとする．

(2) 付着長さ

付着長さ l_d は，平均付着応力度の算定に用いる．付着作用によって鉄筋引張力を周囲のコンクリートへ伝達すると考えられる区間を l_d とし，平均付着応力度の付着検定断面は最大曲げモーメ

ントとなる断面とする．通常の部材では，付着検定断面は部材端部であるが，下端引張の曲げモーメントが支配的な梁の下端筋などでは部材中央付近の断面となる．

通し筋の付着長さ l_d は，スパン内法長さ L とする．カットオフ筋の付着長さ l_d は，付着検定断面から当該鉄筋端までの長さとして定義される．鉄筋端に標準フックを設ける場合は，付着検定断面から折曲げ開始点までの長さを付着長さとする．

（3） 付着応力度の検定

ⅰ）許容付着応力度に基づく設計法

a）許容付着応力度

長期の使用性確保と短期の損傷制御のための許容付着応力度 f_a は6条表6.3に示されており，適用範囲は $F_c=60 \text{ N/mm}^2$ までとしている．例えば，コンクリートの圧縮強度が 100 N/mm^2 程度以下の無補強コンクリート立方体に埋め込まれた異形鉄筋を単調に引き抜く実験研究[1～3]では，主筋に沿ったひび割れの発生と同時にコンクリートが割裂き破壊したが，そのときの付着強度はいずれも表6.3で規定する「その他の鉄筋」の短期許容付着応力度よりも大きい結果が得られている．

許容付着応力度は，鉄筋の位置に応じて上端筋とその他の鉄筋の別に定められている．上端筋とは，梁などの上端筋でその下に一時に打ち込まれるコンクリート厚さが300 mm以上のものを指す．このような上端筋に沿っては，打ち込まれたコンクリートが硬化前に沈下するため，その他の下端筋や縦筋に比べて特に付着性能が低下することから，許容値が低くとられている．これに属するものは，小梁・大梁・壁梁・基礎スラブなどの上端筋である．一方，その他の鉄筋とは，前記上端筋以外のものをすべて含み，具体的には梁下端筋・スラブ筋・柱筋・壁筋・基礎スラブ下端筋・あばら筋・帯筋などが該当する．

柱・梁部材のかぶり厚さが相対的に薄い場合には，見かけの付着強度がかぶりコンクリートの割り裂きで低下するので，その場合には6条 表6.3の注3）により，許容付着応力度を「かぶり厚さ／（鉄筋径の1.5倍）」を乗じた値に低減して付着の検定を行う．特に太径の異形鉄筋を用いる場合には注意が必要である．

許容付着応力度は，通し筋とカットオフ筋のいずれの付着検定にも用いるが，後述する付着割裂破壊との関係が曖昧である．カットオフされた引張鉄筋群の引抜試験結果を用いた検証では，密な配筋では危険側の判定となる場合があるが[4]，実際の曲げ材では一部が通し筋なので，それがただちに部材の構造性能を低下させるとも言いきれず，許容付着応力度を用いた検討のみを行う場合に

---

1) 角陸純一・熊谷仁志：超高強度鉄筋コンクリートの付着性状に関する実験 その1 コンクリート強度の影響，日本建築学会大会学術講演梗概集，構造Ⅱ，pp. 349-350，1989.10
2) 佐々木 仁・三瓶昭彦・吉野次彦・小倉弘一郎：超高強度コンクリートの付着特性に関する実験的研究（割裂き破壊における引き抜き型付着試験），日本建築学会大会学術講演梗概集，構造Ⅱ，pp. 347-348，1989.10
3) 赤司二郎・藤井 栄・森田司郎：異形鉄筋の表面ふし形状とコンクリート強度が付着性状に及ぼす影響，日本建築学会大会学術講演梗概集，構造Ⅱ，pp. 711-712，1990.10
4) 斉藤将希・佐藤圭太・大西直毅・西村康志郎・市之瀬敏勝：RC規準の付着条項に関する考察，その1 実験結果と計算値の比較，日本建築学会大会学術講演梗概集，構造Ⅳ，pp. 23-24，2014.9

は課題が残る．しかし，これまで大きな問題が生じていないことから，使用性確保と損傷制御のための検討で採用することとした．

　b）曲げ付着応力度の算定

　解説図16.1において，微小長さ dx だけ離れた2面に，せん断力 Q が加わることにより，引張鉄筋には $(T+dT)-T=dT$ の引張力差を生じる．この差分 dT は曲げモーメントの増分 dM によって生じるので，次式となる．

$$dT = \frac{dM}{j} \tag{解 16.1}$$

一方，dT は，長さ dx，周長 ϕ の鉄筋表面に付着応力度 τ_{a1} を生じさせるので，次式となる．

$$dT = \tau_{a1} \phi \, dx \tag{解 16.2}$$

（解 16.1）式および（解 16.2）式を等置し，さらに $dM/dx=Q$ の条件を代入すると，次式が得られる．

$$\tau_{a1} = \frac{Q}{\sum \phi \cdot j} \tag{解 16.3}$$

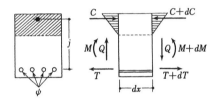

解説図 16.1　曲げ付着応力度

（解 16.3）式によって与えられる付着応力度は曲げ付着応力度と呼ばれ，曲げモーメントの変化する部分（せん断力の作用する部分）で平面保持仮定のもとで生じる局部的な付着応力度である．この付着応力度はせん断力の分布に応じて分布する性質のものであり，曲げ付着応力度が過大な大きさとなる場合，付着破壊によって局部的にコンクリートと鉄筋の一体性は損なわれる．その場合でも，付着破壊した断面の両側で鉄筋が十分に定着されていれば，局所の付着が一部分損なわれたとしても，部材の曲げ・せん断に対する終局強度は必ずしも損なわれない．そのため，次項の平均付着応力度に基づく検討方法も併用してよい．

　曲げ付着応力度に関する問題点は[5]，せん断力の大きい部材では平面保持仮定が成立しないこと，高荷重レベルでは鉄筋応力度分布が曲げモーメント分布に一致するとは限らないこと，軸方向力が作用する部材には適用が難しいこと，などが挙げられる．特に柱は，釣合軸力以下では軸力が大きいほど曲げ強度が増加して負担せん断力が大きくなるが，（解 16.3）式は軸力の大きさにかかわらず応力中心距離 j をスパン方向に一定として曲げ付着応力度を算定しているので，せん断力が大きい場合には過大な付着応力度となる場合がある．一方，曲げ材の長期荷重，短期荷重に対する許容

5）　日本建築学会：鉄筋コンクリート終局強度設計に関する資料 13（森田司郎），pp. 49-51, 1987

曲げモーメントは，本規準の12～14条に従って，平面保持の仮定を用いて算定している．曲げ付着応力度による設計法は，鉄筋とコンクリートとの一体性を保持し，かつ，どの平面においても平面保持の仮定を成立させるという点で妥当である．

曲げ付着応力度 τ_{a1} が許容付着応力度 f_a 以下であることを確認しているのが規準(16.1)式および(16.3)式である．規準(16.1)式では(解16.3)式の Q に長期荷重時せん断力 Q_L を代入し，規準(16.3)式では同様に Q_L+Q_E（Q_E は水平荷重時せん断力）を代入している．引張鉄筋の曲げ付着応力度の検定は，スパン内のすべての断面で許容付着応力度以下となることを確認する必要があるが，通常は，材端，スパン中央付近，および鉄筋のカットオフ位置で検定を行えばよい．鉄筋のカットオフ位置で曲げ付着応力度の検定を行わない場合は，通し筋の平均付着応力度の検定を行う必要がある．

c）平均付着応力度の算定

解説図16.2に付着長さ l_d のカットオフ筋の場合を示す．材端には斜めせん断ひび割れが生じる可能性を考慮して，付着検定断面の鉄筋の引張応力度 σ_t がおよそ d（断面の有効せい）だけ離れた断面まで一定に分布すると見なし（テンションシフトという），B断面より一様な付着作用によって定着されるものと仮定する．すなわち，平均付着応力度を算定するための有効付着長さは l_d-d とし，有効付着長さの鉄筋軸力の変化は付着応力度と釣り合うと考える．付着検定断面での鉄筋径 d_b，断面積 a，周長 ϕ の鉄筋の，引張応力度 σ_t に対する平均付着応力度 τ_{a2} は，次式で与えられる．

$$\tau_{a2} = \frac{\sigma_t \cdot a}{\phi(l_d-d)} \fallingdotseq \frac{\sigma_t(\pi d_b^2/4)}{\pi d_b(l_d-d)} = \frac{\sigma_t \cdot d_b}{4(l_d-d)} \qquad (解16.4)$$

せん断ひび割れを生じない部材では，テンションシフトを考慮せず，A断面より一様な付着作用によって定着されるものとし，有効付着長さを l_d としてよい．この場合には，(解16.4)式において，l_d-d の代わりに l_d を用いて算定してよい．せん断ひび割れ発生の判断には，15条の(15.1)式を用いることができる．また，せん断ひび割れ強度の実験式として，梁については(解15.1)

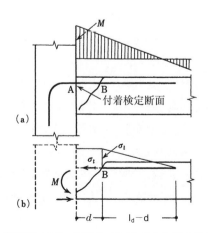

解説図 16.2 部材スパン内での主筋の定着

式，柱については（解15.8）式などが提案されており，これらの実験式を用いることもできる．

なお，コンクリートの短期許容せん断応力度は，せん断ひび割れを予測してせん断補強筋が0.1％配筋されていることを前提としているので，せん断ひび割れ発生の判断に用いることはできない．

（解16.4）式に，それぞれ長期荷重時，短期荷重時の鉄筋の存在応力度を代入して得られたのが，規準（16.2）式および（16.4）式である．鉄筋の存在応力度は，平面保持を仮定した断面解析や略算によって求めるか，あるいは鉄筋の許容応力度をそのまま用いるなどを適切に定める．なお，解説図16.2の鉄筋応力度分布では，有効付着長さは比較的長くなり，平均付着強度を低く評価すべきことから，許容付着応力度 f_a を0.8倍した数値を採用している．

鉄筋端にフックを設ける場合はフック部以降で全体の1/3の応力伝達が可能とし，平均付着応力度の算定では鉄筋の引張応力度 σ_t を2/3倍してよい．フック部では主に折曲げ部内側のコンクリートの支圧によって応力が伝達され，付着による伝達とは機構が異なるので，直線部とフック部の伝達力の比率を定める方法は本来適切ではないが，フック部で全体の1/3の力を伝えるとする従来の考え方は，経験上，安全側の評価と判断した．ただし，スパン内のフック部で集中的に応力が伝達されるため，直線でカットオフする場合にも増して，この部分の曲げやせん断ひび割れの発生や進展が懸念されるので，当該部材のせん断強度に余裕を持たせる，付加的なせん断補強筋を配置するなどの配慮が望まれる．なお，本規準17条では，鉄筋端の折曲げ詳細を「標準フック」として規定しており，本条における鉄筋端部のフックの形状もこれによることを原則とする．

本条の付着検定は異形鉄筋を対象としている．やむを得ない理由により丸鋼を用いる場合には，鉄筋端に必ずフックを設け，規準（16.2）式および（16.4）式を準用して付着検定を行う．なお，丸鋼の付着抵抗は，表面の摩擦作用にのみ依存するので鉄筋の表面状態に敏感に依存してばらつきも大きく，6条表6.3の丸鋼の許容付着応力度は必ずしも十分な安全率を有していない場合がある．丸鋼を用いる部材については，許容耐力に十分な余裕を付与するように慎重な設計を行うことが望ましい．

通し筋については，付着長さ l_d をスパン内法長さとし，圧縮端の鉄筋応力度を0と仮定している．通し筋は部材の圧縮端側の仕口で定着されていること，および損傷制御の検討でも鉄筋の塑性化はほとんど進行していないことを前提に，周囲にカットオフ筋がある場合でも通し筋の付着長さはスパン内法長さとしてよいと判断した．使用性確保の検討と損傷制御の検討では，安全性確保の検討と異なり，付着検定断面からカットオフ筋が設計用曲げモーメントに対して計算上不要となる断面（以下，計算上不要となる断面と略記し，詳細は後述する）までの距離 l' を付着長さから控除しない．l' の控除が必要なのは，密な配筋で周囲の鉄筋の影響を受けやすい場合であるが，このような配筋では，付着割裂破壊に対する安全性確保の検討を行うことで大きな問題は生じないものと判断した．長期荷重を受ける梁の場合，両端ともに引張あるいは圧縮を受けているため，通し配筋された梁主筋が左右に滑ることはないと考えてよい．したがって，この場合には，長期荷重に対する梁の通し筋の付着応力度の検討は不要である．一方，柱部材では，一般に長期，短期荷重時ともに逆対称に近い曲げモーメント分布となるため，長期荷重に対する付着応力度の検討が必要である．

ⅱ) 付着割裂強度に基づく設計法

a) 付着割裂破壊の防止

　異形鉄筋は，その表面に設けられた節が周辺コンクリートとかみ合うことによって付着抵抗を発揮するので，高い付着強度と滑りに対する抵抗力を得ることが可能となる．その反面，周辺コンクリートを押し広げるくさび作用〔解説図16.3参照〕によって，一般の部材中では，隣接鉄筋を結ぶ割裂ひび割れやかぶりコンクリートの割裂きによって付着抵抗力が損なわれる破壊形式（付着割裂破壊）を生じることがある．柱の主筋に沿った付着割裂破壊の例を解説図16.4に示す．

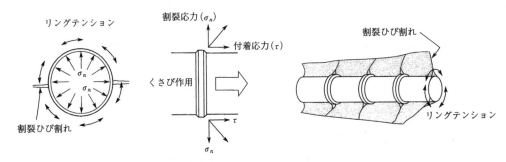

解説図16.3　異形鉄筋の付着割裂破壊

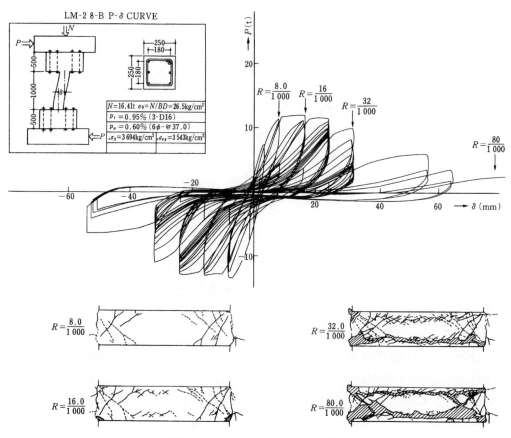

解説図 16.4　柱の付着割裂破壊の例[8]

スパン内で付着割裂破壊が生じると，せん断補強筋を介して伝達されるせん断抵抗機構が損なわれ，せん断強度が低下する．曲げ破壊型の部材にあっては，鉄筋の滑りによって大幅な剛性低下やエネルギー吸収能の低下を引き起こし，部材端部のコンクリートの圧縮破壊を助長し曲げ強度を低下させる．本規準では，このような付着割裂破壊を防止して安全性を確保するために，表16.1の「付着割裂の基準となる強度 f_b」を用いて，主として曲げ強度を確保することとした．なお，せん断強度確保の観点から部材の終局状態を対象にした検定法が本会指針[6],[7]に示されており，終局状態に対する詳細な検討を行う場合には参照されたい．

b）付着割裂の基準となる強度

異形鉄筋の付着割裂パターンを解説図16.5に示す．

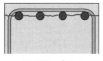 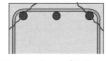 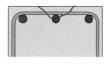

(a) サイドスプリット　　(b) コーナースプリット　　(c) V ノッチスプリット

解説図 16.5　異形鉄筋の付着割裂パターン

これらの破壊形式となる場合の付着強度については，以下の特性がある．

- 割裂面の長さ（鉄筋間のあき，かぶり厚さ）が大きいほど付着強度が大きい．
- 割裂面を横切る横補強筋量が多いほど付着強度が上昇し，割裂以後の付着劣化が抑制される．
- 横補強筋降伏点の増大は必ずしも付着強度の上昇につながらない．
- 同一横補強筋比でも外周のみの場合よりも副帯筋（中子筋）を配して足数を増し，直接拘束された鉄筋が多いほど部材の付着強度改善効果が大きい．
- 付着割裂強度は，本規準の扱う 60 N/mm² 以下のコンクリート設計基準強度の範囲ではほぼ圧縮強度の平方根に比例する．
- 付着割裂強度は鉄筋位置によって異なり，特に軟練りとしないコンクリートでは水平上端筋のそれ以外の鉄筋に対する付着強度比は 0.8（圧縮強度 30 N/mm² 以下の場合）程度である．

これらの特性を実験的に調査し，いくつかの付着割裂強度算定式[9]~[11]が提案されている．本規準では文献9）の算定式をもとに簡略化して設計式を導出した．終局付着割裂強度算定原式を解説表16.1に示す．原式が水平上端筋に対する平均付着強度を表す式であることから，水平上端筋以外

---

6) 日本建築学会：鉄筋コンクリート造建物の終局強度型耐震設計指針・同解説，1990
7) 日本建築学会：鉄筋コンクリート造建物の靭性保証型耐震設計指針・同解説，1999
8) 広沢雅也：鉄筋コンクリート構造物のねばり，コンクリートジャーナル，Vol. 12, No. 7, 1974.7
9) 藤井　栄・森田司郎：異形鉄筋の付着割裂強度に関する研究，第1報，第2報，日本建築学会論文報告集，No. 319, pp. 47-55, 1982.9, No. 324, pp. 45-52, 1983.2
10) 角　徹三・張　建東・飯塚信一・山田　守：高強度コンクリートレベルをも包含するRC部材の付着割裂強度算定式の提案，コンクリート工学論文集，Vol. 3, No. 1, pp. 97-108, 1992.1
11) 小谷俊介・前田匡樹：異形鉄筋とコンクリートの付着応力伝達機構に基づいた付着割裂強度式（その1）（その2），日本建築学会大会学術講演梗概集，pp. 655-658, 1994.9

の鉄筋に対する係数 1.22 を乗じ，さらに安全のため 0.8 を乗じて，以下の手順で水平上端筋以外の鉄筋に対する設計用付着強度式を導いた．

$$\tau_{bu}=0.8 \cdot 1.22\left(0.307b_i+0.427+24.9\frac{kA_{st}}{sNd_b}\right)\sqrt{\sigma_B}$$

$$\approx \left(\frac{0.30\left(C+80\dfrac{A_{st}}{sN}\right)}{d_b}+0.417\right)\sqrt{\sigma_B}$$

$$\approx \left(0.3\frac{(C+W)}{d_b}+0.4\right)(0.025F_c+9) \quad (\text{kgf/cm}^2)$$

$$\approx \left(0.3\frac{(C+W)}{d_b}+0.4\right)\left(\frac{F_c}{40}+0.9\right)=K f_b \quad (\text{N/mm}^2) \qquad (\text{解 16.5})$$

解説表 16.1 文献 9) による付着割裂強度算定式

$\tau_{bu}=\tau_{co}+\tau_{st}$ 水平上端筋以外の鉄筋に対しては 1.22 を乗じる． $\tau_{co}=(0.307b_i+0.427)\sqrt{\sigma_B}$ $\tau_{st}=24.9\dfrac{kA_{st}}{sNd_b}\sqrt{\sigma_B} \quad (\leq 0.87\sqrt{\sigma_B})$ $\quad b_i=\min[b_{vi}, b_{ci}, b_{si}]$ $\quad b_{vi}=\sqrt{3}\left(\dfrac{2C_{\min}}{d_b}+1\right)$ $\quad b_{ci}=\sqrt{2}\left(\dfrac{C_s+C_b}{d_b}+1\right)-1$ $\quad b_{si}=\dfrac{b}{Nd_b}-1$ $k: b_i=b_{vi}$ の時 $k=0$ $\quad\ \ b_i=b_{ci}$ の時 $k=\sqrt{2}$ (ただし $N=2$) $\quad\ \ b_i=b_{si}$ の時 $k=1$	τ_{bu}：付着割裂強度 (kgf/cm^2) τ_{co}：横補強筋のない場合の付着強度 τ_{st}：横補強筋による付着強度増分 b_i：鉄筋配置，かぶりの効果を表す係数 C_s：側面かぶり厚さ C_b：底面かぶり厚さ d_b：主筋径 b：梁幅 s：横補強筋間隔 $C_{\min}$：最小かぶり厚さ (cm) A_{st}：1 組の横補強筋全断面積 (cm^2) N：割裂面に配された主筋本数 σ_B：コンクリート圧縮強度 (kgf/cm^2) k：横補強筋拘束効果の違いを表す係数

式中の記号は，本文および解説表 16.1 による．解説図 16.5 の各割裂パターンの差を反映するために，鉄筋間のあきとかぶり厚さの 3 倍のうちの小さいほうの値として係数 C を定義し，横補強筋の効果項を係数 C と同じ長さの次元をもつ W で表して簡略化を図った〔解説図 16.6 参照〕．(解 16.5) 式の補正係数が $K=1.0$ の場合の付着強度を「付着割裂の基準となる強度 f_b」と定義して，表 16.1 に示した．係数 C が鉄筋間のあきで決まる場合でも，鉄筋間のあきが若干変化しても付着割裂に対する抵抗はほとんど変わらないと考えられるので，規準 (16.10) 式で係数 C を算出してよいとした．(解 16.5) 式の精度については，異形鉄筋の引抜実験で横補強筋のある試験体 191 体を用いた検証より，計算値は実験値のほぼ下限で，計算値に対する実験値の比率の平均が 1.66 (標準偏差 0.38) という報告がある[4]．一方，本会「鉄筋コンクリート造建物の靱性保証型耐震設計指針・同解説」[7]の付着強度式は文献 11) の算定式に基づいており，規準 (16.5) 式および (16.6) 式の Kf_b と比較して，中子筋の効果を考慮している，横補強筋の効果がコンクリート強度に依存しない，などの違いがある．評価精度については，梁試験体の実験試料を用いた検証の報

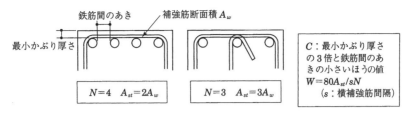

解説図 16.6 鉄筋配置，横補強筋効果の評価

告[12]によると，当該指針式よりも同規準式の Kf_b のほうが安全側の評価となっている．文献 10)では，サイドスプリットについて解説表 16.1 の付着強度式に中子筋の効果や付着長さの影響を考慮した評価式が提案されており，高強度コンクリートの試験体を含めて評価精度が向上したと報告している．文献 13) では，付着強度式の評価精度が異形鉄筋の引抜実験結果を用いて検証されており，解説表 16.1 の付着強度式，文献 10) および本会指針[7]の付着強度式について，サイドスプリットの計算値に対する実験値の比率はそれぞれ，平均値 1.21（標準偏差 0.26），平均値 1.04（標準偏差 0.17）および平均値 1.34（標準偏差 0.29）と報告されている．

表 16.1 では，上端筋とその他の鉄筋を区分し，普通コンクリートと軽量コンクリートを区分している．前述したように，上端筋の付着強度はそれ以外の鉄筋の場合と比べて低下する．上端筋の付着強度の低減係数は，表 16.1 では既往の実験資料から 0.8 としている．また，軽量コンクリートを用いた場合には，普通コンクリートに比べて付着割裂強度が低下するので，表 16.1 では軽量コンクリートの付着強度の低減係数を 0.8 と設定している．

c）付着割裂破壊に対する安全性の検討

付着割裂破壊に対する安全性の検討は，大地震動により付着検定断面で引張鉄筋が降伏した場合を想定し，有効付着区間の領域内における平均付着応力度 τ_D が付着強度 Kf_b 以下であることを確認する．付着検定断面が 2 段配筋の場合には，段ごとに安全性の検討を行う．一般には，断面外側の 1 段目の鉄筋量が多く，存在応力度も高いため 1 段目の鉄筋列で付着割裂破壊を生じる場合が多いと思われる．ただし，各段とも同じ鉄筋量とした場合には，外側の鉄筋列で伝達された付着力（せん断力）の影響で内側の鉄筋列の付着強度が低下することにより，2 段目の鉄筋列位置で付着割裂破壊を生じた事例が既往の実験研究で示されている．2 段目の内側鉄筋列で付着強度が失われると自動的に上段（外側）の鉄筋の付着力も伝達できなくなることを考慮して，多段筋の内側鉄筋列に対しては表 16.1 の「付着割裂の基準となる強度 f_b」を 0.6 倍に減じることとしている．

平均付着応力度の算定で鉄筋の降伏強度 σ_y に規格降伏強度（短期許容応力度）を用いる場合は，実降伏強度の上昇分を考慮して適切な余裕を見込む必要がある．安全性の検討では部材の曲げ降伏を前提としているが，耐震壁が地震力の大半を負担する建物の柱・梁部材などは曲げ降伏する可能

---

12) 建築研究所：実験データベースを用いた鉄筋コンクリート造部材の構造特性評価式の検証（2020 年版），建築研究資料，No. 197，第 3 章，2020.3
13) 加藤芳樹・西村康志郎・パラダンスージャン：鉄筋の引抜実験結果を用いた付着割裂強度式の評価精度，日本建築学会大会学術講演梗概集，構造Ⅳ，pp. 21-22，2023.9

性が低いので，鉄筋の降伏強度に基づく平均付着応力度は過大となる場合がある．そのような部材では，付着検定断面において，水平荷重時の鉄筋の存在応力度を n 倍した値に，長期荷重時の鉄筋の存在応力度を加えた鉄筋応力度から平均付着応力度を算定してよい．ここで，n は15条2.の安全性確保のための設計用せん断力に用いる水平荷重時せん断力の割増係数で，1.5以上の値である．また，大地震動に対して曲げ降伏しないことが確かめられた部材ですべて通し配筋とする場合は，せん断の安全性の検討を行えば，付着の安全性の検討は省略してもよい．これは，すべて通し配筋の部材に逆対称曲げを作用させる実験結果より，曲げ降伏前の付着割裂破壊に対しては，荒川 mean 式で安全側に評価できることによる[14]．ただし，曲げ降伏後の付着割裂破壊を完全に防止できるわけではないので，大地震動に対して曲げ降伏しないことを確かめる必要がある．例えば，基礎梁のようにせいの大きな断面を有し大地震動に対して曲げ降伏を想定しない部材は，すべて通し配筋とすれば，荒川 mean 式による終局せん断強度の検討を行うか，または15条によるせん断の安全性の検討を行えば，付着の安全性の検討が省略可能と考えてよい．

カットオフ筋と通し筋の両方ある部材の付着性状に関する実験研究[15]によれば，2段配筋梁の上端筋の鉄筋応力は解説図16.7の模式図のようになる．図中の A_1 と A_2 はそれぞれ1段目鉄筋と2段目鉄筋の断面積で，解説図16.7は1段目と2段目が同じ鉄筋量の場合を示している．解説図16.7(a)は2段目が通し筋，解説図16.7(b)は2段目がカットオフ筋でその付着長さが $l'+d$ の場合で，同じ曲げモーメントが作用し，斜めひび割れでテンションシフトが生じている状態を表している．この図では，鉄筋応力の勾配が付着応力に相当する．解説図16.7(a)(b)における2段目鉄筋のカットオフの有無による付着性状の主な違いを以下に挙げる．

① 2段目が通し筋の場合は，解説図16.7(a)に示すように，1段目，2段目の鉄筋応力は，材端から有効せい d の範囲内ではテンションシフトにより応力が一定となり，d を越えてスパン中央へ向けては付着により応力が減少する．

② 2段目をカットオフする場合は，解説図16.7(b)に示すように，2段目の鉄筋応力は，テンションシフトの範囲内では応力が一定であり，d を越えてからは付着により応力が減少し鉄筋端で応力が0となる．一方，1段目の通し筋の鉄筋応力は，応力一定の領域が有効せい d の範囲を越えてスパン中央側へ伸展する．その結果，1段目の通し筋は付着応力の生じる区間が減少する．

③ ②に伴い，解説図16.7(b)のA-B間では，1段目の付着応力が小さくなる．その結果，解説図16.7(a)の2段目の通し筋に比べて，2段目の付着割裂面に作用するせん断応力度が小さくなり，2段目のカットオフ筋の付着強度が高くなる．

④ ②に伴い，解説図16.7(b)のA-B間以外（スパン中央側）では，1段目の付着応力が大きくなる．その結果，1段目で付着割裂破壊を生じる危険性が高くなる．

---

14) 西村康志郎・市之瀬敏勝・大西直毅：多段配筋 RC 梁のサイドスプリット型付着割裂耐力に関する考察，日本建築学会構造系論文集，Vol. 81，No. 729，pp. 1903-1912，2016.11

15) 伊藤彩夏・長谷川桂亮・鈴木悠矢・高橋 之・市之瀬敏勝：2段目主筋をカットオフした RC 梁主筋の付着割裂強度，日本建築学会構造系論文集，Vol. 78，No. 690，pp. 1477-1484，2013.8

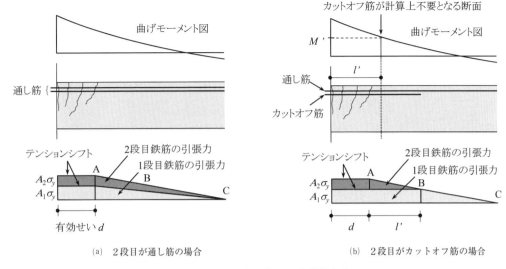

解説図 16.7 2段配筋梁の鉄筋軸応力

　付着の安全性の検討は，以上のような点を考慮して本条で規定している．なお，付着割裂強度を別途に算定して安全性の検討（例えば，本会「鉄筋コンクリート造建物の靱性保証型耐震設計指針・同解説」[7]による検討）を行う場合，ならびに大地震動に対して付着割裂破壊を生じるおそれがない曲げ材（例えば，スラブや小梁，片持梁などの長期荷重が支配的な部材など）の場合は，本条の規定による安全性の検討を省略してよい．なお，本会指針[7]では，通し筋とカットオフ筋が両方ある部材に対して，後述する"付着検定断面からカットオフ筋が計算上不要となる断面までの距離"を考慮していないので注意が必要である．

　d）通し筋の安全性の検討

　解説図16.8は大地震動の作用によって曲げ降伏する部材の鉄筋応力度分布を図示しており，同図(a)(b)は1段目・2段目ともに通し筋の場合，同図(c)は1段目が通し筋で2段目がカットオフ筋の場合を示している．すべて通し筋の部材の場合は解説図16.8(a)(b)に示すように，有効付着長さ$L-d$で鉄筋軸力の変化$\alpha_1 \times \sigma_D$が付着応力度と釣り合うと考える．α_1は鉄筋両端の応力度の差を表す係数である．同図(a)は一端にのみ塑性ヒンジができる部材で，例えば，最下階の柱などで柱脚にのみ曲げ降伏を想定する場合や，一端が柱で他端が柱以外の部材（直交梁や直交壁など）に剛接された梁などで柱側にのみ曲げ降伏を想定する場合などが考えられる．この場合の鉄筋応力度は，降伏端が1段目・2段目ともに$\sigma_D=\sigma_y$，他端が応力度0と仮定する．また，同図(b)は両端に塑性ヒンジができる部材で，一般的なラーメン架構の梁などが考えられる．この場合の鉄筋応力度は，一端が1段目・2段目ともに引張降伏し$\sigma_D=\sigma_y$，他端が1段目は圧縮降伏，2段目は圧縮降伏応力度の1/2と仮定する．これをまとめたものが表16.2である．すなわち，両端曲げ降伏部材の通し筋の1段目は$\alpha_1=1-(-1)=2$，2段目は$\alpha_1=1-(-1/2)=1.5$，一端曲げ降伏部材の通し筋は1段目・2段目ともに$\alpha_1=1-0=1$となる．

　一方，通し筋とカットオフ筋の両方ある部材では，解説図16.8(c)に示すように，2段目のカッ

解説表 16.2 曲げ降伏部材の通し筋についての付着の安全性の検討

部材の区分	両端曲げ降伏部材	一端曲げ降伏,他端弾性部材
安全性検討用の鉄筋引張応力度	$\sigma_D = \sigma_y$	同左
通し筋の応力状態を表す係数 α_1	1段目: $\alpha_1 = 2$ 2段目以降: $\alpha_1 = 1.5$	1段目・2段目以降とも: $\alpha_1 = 1$
通し筋の付着長さ L'	カットオフ筋がない場合: $L' = L$ カットオフ筋がある場合: $L' = L - l'$	同左
付着検定断面からカットオフ筋が計算上不要となる断面までの距離 l'	$l' = \dfrac{A_{cut}}{A_{total}} \times \dfrac{L}{2}$	$l' = \dfrac{A_{cut}}{A_{total}} \times L$

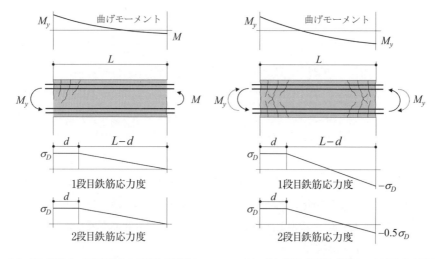

(a) 通し配筋で一端に塑性ヒンジが生じる場合　　(b) 通し配筋で両端に塑性ヒンジが生じる場合

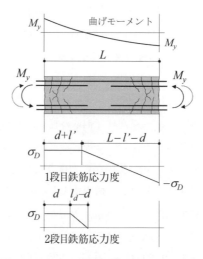

(c) 2段目がカットオフ筋で両端に塑性ヒンジが生じる場合

解説図 16.8 設計で考える鉄筋の応力度分布

トオフ筋の存在によって1段目の通し筋の有効付着長さが短くなる．これは，解説図16.7(b)で述べたように，2段目のカットオフ筋の鉄筋応力がテンションシフト（有効せい d）を越えて減少し鉄筋端で0となるのに対して，1段目の通し筋の鉄筋応力は，応力一定の領域が有効せい d を超えてスパン中央へ進展するため，有効付着長さがその分だけ短くなることを反映している．ここでは，通し筋の鉄筋応力が一定の区間は，付着検定断面からカットオフ筋が計算上不要となる断面までの距離〔解説図16.7(b)の l'〕だけ進展するものとして，通し筋の付着長さを $L'=L-l'$ で与え，解説図16.8(c)に示すように有効付着長さを $L'-d=L-l'-d$ とした．カットオフ筋が計算上不要となる断面は，通し筋のみの断面の許容曲げモーメントと部材に生じる曲げモーメントが一致する断面なので，l' は曲げモーメント分布に依存する．全鉄筋の許容曲げモーメントに対する通し筋のみの許容曲げモーメントの比率が，全鉄筋の断面積に対する通し筋の断面積の比率と等しいと考え，逆対称曲げモーメント分布を仮定して得られる l' が規準（16.7）式である．両端曲げ降伏部材では逆対称曲げモーメントを仮定した規準（16.7）式，一端曲げ降伏部材は規準（16.7）式の $L/2$ を L に置き換えた規準（16.8）式により l' を算定してよい．両端曲げ降伏する梁部材では，通常の場合，両端の降伏曲げモーメントの大きさが同程度で長期荷重により下に凸な曲げモーメント分布となるため，逆対称曲げモーメントを仮定した規準（16.7）式による l' を L から減じれば安全側の評価となる．また，一端曲げ降伏で他端弾性の部材は l' が長くなるが，他端では曲げモーメントが0であると仮定して，規準（16.8）式で l' を略算してよい．

　大地震動の作用によって曲げ降伏する部材の通し筋について，付着の安全性の検討を要約すると解説表16.2に示すとおりである．

　耐震壁が地震力の大半を負担する建物の柱・梁部材などは曲げ降伏する可能性が低いので，安全性検討用の鉄筋引張応力度は $\sigma_D={}_L\sigma_t+n\times{}_E\sigma_t \leq \sigma_y$ としてよい．この場合の通し筋の応力状態を表す係数 α_1 は，部材の地震時の曲げモーメント分布に応じて選定する．すなわち，曲げモーメント分布が逆対称に近い通常の場合は両端曲げ降伏部材の α_1 を採用し，一端の曲げモーメントが他端に比べて甚だ小さくピン支持に近い場合は一端曲げ降伏部材の α_1 を採用すればよい．また，通し筋とカットオフ筋の両方ある部材で通し筋の有効付着長さを減じる l' は，地震時の曲げモーメント分布に応じて α_1 と同様に，両端曲げ降伏部材の l' か，一端曲げ降伏部材の l' を採用すればよい．以上を要約すると，曲げ降伏しない部材の通し筋について，付着の安全性の検討は解説表16.3に示すとおりとなる．

　e）カットオフ筋の安全性の検定

　表16.1で内側鉄筋列の付着強度を0.6倍に低減するのは，外側鉄筋列の付着力が影響するためである．カットオフ筋については，解説図16.7(b)のA-B間では1段目通し筋の付着応力度が小さくなるため，2段目を通し筋にした場合に比べて，2段目カットオフ筋の付着強度が上昇する．付着検定断面において2段目に通し筋とカットオフ筋が混在する場合には，通し筋とカットオフ筋で付着強度を変えると設計上の無用な混乱を招くおそれがあるため，カットオフ筋の強度上昇を付着応力度の低減に置き換えて検討することとした．すなわち，2段目のカットオフ筋に対しては，付着強度の上昇が表16.1の f_b の低減率0.6を0.8に引き上げる程度であることから，f_b の低減率

解説表 16.3　曲げ降伏しない部材の通し筋についての付着の安全性の検討

地震時曲げモーメント分布	逆対称分布に近い通常の部材	一端ピン支持に近い部材
安全性検討用の鉄筋引張応力度	$\sigma_D = {}_L\sigma_t + n \times {}_E\sigma_t \leq \sigma_y$	同左
通し筋の応力状態を表す係数 α_1	1段目：　　　$\alpha_1 = 2$ 2段目以降：$\alpha_1 = 1.5$	1段目・2段目以降とも：$\alpha_1 = 1$
通し筋の付着長さ L'	カットオフ筋がない場合：$L' = L$ カットオフ筋がある場合：$L' = L - l'$	同左
付着検定断面からカットオフ筋が計算上不要となる断面までの距離 l'	$l' = \dfrac{A_{cut}}{A_{total}} \times \dfrac{L}{2}$	$l' = \dfrac{A_{cut}}{A_{total}} \times L$

は 0.6 のままとして規準（16.6）式の右辺に 0.8/0.6 を乗じる代わりに，規準（16.6）式の左辺の付着応力度にその逆数 $\alpha_2 = 0.6/0.8 = 0.75$ を乗じることとしている．規準（16.6）式の α_2 は，2段目のカットオフ筋の強度上昇に対応した修正係数であり，表 16.3 で与えられる．例えば，両端が曲げ降伏する部材の付着検定断面が解説図 16.9 のような場合での 2段目の鉄筋については，f_b の低減率は通し筋とカットオフ筋で共通の 0.6 とし，付着応力度の修正係数は通し筋が $\alpha_1 = 1.5$，カットオフ筋が $\alpha_2 = 0.75$ とする．なお，修正係数 α_2 は，両端が曲げ降伏する部材において鉄筋のカットオフが 1段目より先に 2段目で行われることを前提として，2段目通し筋をスパン中央でカットオフした場合に，通し筋よりもカットオフ筋が計算上有利にならない[14]ように配慮して定めたものである．一般に，カットオフ筋はコンクリート表面から離れているほうが良好な付着が得られると考えられるので，解説図 16.9 に示すように，鉄筋のカットオフは断面外周側より断面中央側から行うほうが望ましい．カットオフ筋の安全性検討用の鉄筋引張応力度は，通し筋と同様に，大地震動の作用によって曲げ降伏する部材では $\sigma_D = \sigma_y$，そうでない部材では $\sigma_D = {}_L\sigma_t + n \times {}_E\sigma_t \leq \sigma_y$ としてよい．なお，カットオフ筋の付着長さ l_d は $l' + d$ 以上を要求している．

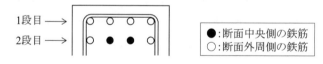

解説図 16.9　断面におけるカットオフ筋の位置（●印）

f）曲げ降伏を許容しない多段配筋梁の検定方法

13 条では梁の多段配筋は原則として 2段までとしているが，部材せいが大きい基礎梁などで大地震動の作用による曲げ降伏を想定しない部材では設計上 3段配筋とする場合がある．このような曲げ降伏を許容しない多段配筋梁の主筋の付着については，以下のようにして安全性の検討を行えばよい．

1）通し筋の付着

すべてを通し筋とする場合は，荒川 mean 式による終局せん断強度の検討を行うか，または 15条によるせん断の安全性の検討を行えば，付着の安全性の検討は省略できる．一方，カットオフ筋を有する場合の通し筋は，規準（16.5）式を用いて検定を行う．通し筋の有効付着長さは，テンシ

ョンシフトを考慮して$L'-d$とするが，せん断ひび割れを生じないことが確かめられた場合はdを減じずにL'としてよい．その他の記号については，解説表16.3に従うものとする．

2) カットオフ筋の付着

カットオフ筋の付着の検定は，規準（16.6）式を用いて行う．カットオフ筋の付着長さは$l_d \geqq l'+d$とし，有効付着長さはテンションシフトを考慮してl_d-dとする．なお，せん断ひび割れを生じないことが確かめられた場合は，dを減じずに有効付着長さをl_dとしてよい．その他の記号については，係数α_2は表16.3に従い，σ_Dとl'は通し筋と同様に解説表16.3に従って設定する．

多段配筋梁で主筋が曲げ降伏せず，せん断補強筋が十分にある場合は，カットオフ筋が材端からdの範囲内で一定の応力度とならずに，付着応力を生じることが実験で明らかにされている[16]~[18]．この事象は，区間d内のカットオフ筋の付着とせん断補強筋の引張による力の釣合いによって生じると仮定すれば，せん断補強量に関する以下の条件が導かれる．

$$p_w \sigma_{wy} \geqq \frac{2 \cdot N_{cut} \cdot \pi d_b \cdot \tau_y}{b} \tag{解 16.6}$$

ここで，N_{cut}はカットオフ筋の本数，d_bはカットオフ筋の径，p_wは梁のせん断補強筋比，σ_{wy}はせん断補強筋の降伏応力度，bは梁幅である．またτ_yは，カットオフ筋が一端で降伏応力度σ_yに達し，他端で応力度0とした場合の平均付着応力度で，付着長さをl_dとすれば次式により算定される．

$$\tau_y = \frac{\sigma_y \cdot d_b}{4\left(l_d - \dfrac{d}{2}\right)} \tag{解 16.7}$$

ただし，$l_d \geqq l'+d$

ここで，l'は付着検定断面からカットオフ筋が計算上不要になる断面までの距離，dは梁の有効せいである．この場合のカットオフ筋の付着割裂破壊に対する安全性の検討は，規準（16.6）式にならい，次式による．なお，α_2は，表16.3によるものとし，他の記号は本文に記載のとおりである．

$$\tau_D = \alpha_2 \times \tau_y \leqq K f_b \tag{解 16.8}$$

（解 16.6）式の条件は，p_wが梁の全域で一定の場合にのみ適用する．また，p_wが0.6％を超える場合は$p_w = 0.6$％とする．これは，既往の実験[16]~[18]の多くがそのような条件で行われているためである．

（解 16.6）～（解 16.8）式は，以下のようにして導かれている．

解説図16.10(a)のように通し筋とカットオフ筋のある部材で，付着検定断面Aからスパン側へ

---

16) 鈴木悠矢・鈴木貴也・宇野芳奈美・高橋 之・市之瀬敏勝：カットオフ筋を有するRC梁のせん断耐力と付着強度，その3 主筋の引張力と付着強度，日本建築学会東海支部研究報告集，Vol. 53, pp. 153-156, 2015.2

17) 市之瀬敏勝・宮田英樹・八木茂治・笹尾泰智・川崎将臣・楠原文雄：高強度の鉄筋とコンクリートを組み合わせたRC梁に及ぼすカットオフ筋の影響，その2 付着応力度，日本建築学会大会学術講演梗概集，構造IV, pp. 227-228, 2018.9

18) 前川優太・今井貴大・西村康志郎・大西直毅：カットオフを有する3段配筋RC基礎梁の付着性状に関する研究，その1/その2，日本建築学会大会学術講演梗概集，構造IV, pp. 99-102, 2018.9

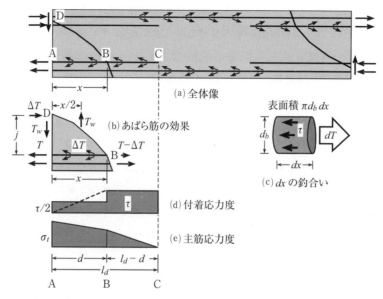

解説図 16.10 カットオフ筋の付着力とあばら筋引張力の釣合い

x までの区間におけるカットオフ筋の付着応力度を τ とする．微小区間 dx での釣合い〔解説図 16.10(c)〕より，x の区間でのカットオフ筋の付着力 ΔT は次のようになる[19]．

$$\Delta T = \int_0^x dT = \int_0^x \pi d_b \cdot \tau \cdot dx \tag{解 16.9}$$

解説図 16.10(b) において，ΔT による D 点まわりのモーメント M_a は，カットオフ筋の本数 N_{cut} を用いて次のようになる．

$$M_a = N_{cut} \cdot \Delta T \cdot j = N_{cut} \cdot j \cdot \int_0^x \pi d_b \cdot \tau \cdot dx \tag{解 16.10}$$

一方，x までの区間でのあばら筋の応力度を σ_{wy} とすれば，あばら筋の引張力 $T_w = p_w \sigma_{wy} \cdot bx$ による D 点まわりのモーメント M_b は次のようになる．

$$M_b = \frac{x}{2} \times T_w = \frac{p_w \sigma_{wy} \cdot bx^2}{2} \tag{解 16.11}$$

付着検定断面 A から有効せいまでの領域〔解説図 16.10(a)〕において，曲げひび割れやせん断ひび割れ発生後に，あばら筋の引張力によるモーメント上昇にともない付着力によるモーメントが上昇する挙動が，実験で確認されている[16]～[18]．これらの実験では，2 段あるいは 3 段配筋の梁で内側段の主筋がスパン途中でカットオフされており，カットオフ筋の付着力によるモーメント M_a とあばら筋の引張力によるモーメント M_b が測定されている．カットオフ筋が付着破壊した梁の実験では M_a と M_b がほぼ等しい結果が報告されているが[16]，他の実験で低い場合では M_a が M_b の 6 割

---

19) 市之瀬敏勝：鉄筋コンクリート短柱における付着破壊のメカニズム，日本建築学会論文報告集，No. 333，pp. 73-83，1983.11

程度の結果となっている[17),18)]．これは，カットオフ筋の付着強度に余裕があり，通し筋にも応力勾配が生じたためと考えられる．そこで当面は安全側に $M_a=0.5M_b$ と仮定し，両辺を x で微分すると次式が得られる．

$$\tau=\frac{p_w\sigma_{wy}\cdot b}{2\cdot N_{cut}\pi d_b\cdot j}\cdot x \quad (解16.12)$$

つまり，材端近傍の付着応力度は，解説図 16.10(d) の A-B 間の破線のように，x に比例して増大する．今，カットオフ筋の付着応力度分布を同図(d)のように，A-B 間が $\tau/2$ で一定，BC 間が τ で一定と仮定する．この場合のカットオフ筋の引張応力度分布は，同図(e)のような折れ線で表される．AC 間のカットオフ筋の付着力 T_b は，付着長さを l_d，鉄筋の周長を ϕ とすれば次式で与えられる．

$$T_b=\phi\left\{\frac{\tau}{2}\cdot d+\tau(l_d-d)\right\}=\phi\cdot\tau\left(l_d-\frac{d}{2}\right)\approx\pi d_b\cdot\tau\left(l_d-\frac{d}{2}\right) \quad (解16.13)$$

一方，カットオフ筋の引張力 T は，付着検定断面での引張応力度 σ_t，鉄筋の断面積 a を用いて，次式のように算定される．

$$T=a\cdot\sigma_t\approx\frac{\pi d_b^2}{4}\cdot\sigma_t \quad (解16.14)$$

$T=T_b$ とすれば，カットオフ筋の付着応力度 τ と付着検定断面での引張応力度 σ_t の関係が次式のように導かれる．

$$\tau=\frac{\sigma_t\cdot d_b}{4\left(l_d-\dfrac{d}{2}\right)} \quad (解16.15)$$

曲げ降伏しない場合であっても，安全側に降伏応力度 σ_y を用いて算定するものとし，(解16.15) 式に $\sigma_t=\sigma_y$ を代入して $\tau=\tau_y$ とすれば (解16.7) 式が得られる．さらに，(解16.12) 式において，$\tau=\tau_y$，$x=d$ として安全側に $j\fallingdotseq d$ と仮定すれば，(解16.6) 式が得られる．また，(解16.8) 式は，規準 (16.6) 式の平均付着応力度を (解16.7) 式の τ_y に置き換えて得られる．

基礎梁のように部材せいが大きく曲げ降伏しない部材については，(解16.6)～(解16.8) 式を満足するカットオフ筋は，規準 (16.6) 式の付着の検定を省略することができる．

3) 3段配筋梁の検定方法

3段配筋の1段目と2段目が通し筋，3段目がカットオフ筋とする場合は，次のように検定すればよい．すなわち，1段目と2段目の通し筋は規準 (16.5) 式で，3段目のカットオフ筋は規準 (16.6) 式で検定する．なお，(解16.6)～(解16.8) 式を満足するカットオフ筋は，規準 (16.6) 式によらなくてよい．付着割裂の基準となる強度 f_b は，1段目は表 16.1 の数値の 1.0 倍，2段目と3段目は表の数値の 0.6 倍とする．鉄筋応力の修正係数は，1段目通し筋が $\alpha_1=2.0$，2段目通し筋が $\alpha_1=1.5$，3段目のカットオフ筋が $\alpha_2=0.75$ を用いる．また，1段目と2段目の通し筋の付着長さは $L'=L-l'$ とし，l' は規準 (16.7) 式で算定する．これらをまとめると解説表 16.4 のようになる．

3段配筋の2段目にもカットオフ筋が含まれる場合は，通し筋の検討に解説表 16.3 を準用すれ

解説表16.4　3段配筋で曲げ降伏を想定しない梁部材の付着の安全性の検討

梁の配筋	鉄筋	検定式	表16.1のf_b	修正係数
1段目と2段目が通し筋で，3段目がカットオフ筋の場合	1段目通し筋	規準(16.5)式	表の値の1.0倍	$\alpha_1=2.0$
	2段目通し筋		表の値の0.6倍	$\alpha_1=1.5$
	3段目カットオフ筋	規準(16.6)式		$\alpha_2=0.75$
すべて通し筋の場合	荒川mean式による終局せん断強度の検討，または15条によるせん断の安全性の検討を行えば，付着の安全性の検討を省略できる．			

ば，当該カットオフ筋のf_bを0.6倍し$\alpha_2=0.75$を用いて規準（16.6）式で検定することになるが，カットオフ筋が多段になると，2段目カットオフ筋の付着力が3段目カットオフ筋の付着強度に影響を与えるので，このような配筋は避けるのが望ましい．本条では，3段配筋のすべてを通し筋とするか，1段目と2段目を通し筋とし3段目のみをカットオフ筋とする配筋を限度と考える．この場合の鉄筋のカットオフは，引張鉄筋の1/3以下とするが，特別の調査・研究により多段のカットオフ筋の安全性が確かめられた場合にはこの限りではない．

　（4）　付着に関する構造規定

ⅰ）スパン途中でカットオフする鉄筋は，鉄筋応力度のテンションシフトを考慮して，その鉄筋が計算上不要となる断面を超えて部材有効せいd以上延長する〔解説図16.11参照〕．カットオフ筋が計算上不要となる断面は，設計用曲げモーメントに対してカットオフ筋がなくても曲げ補強筋量を満足する断面とする．付着検定断面からカットオフ筋が計算上不要となる断面までの距離l'は，両端が曲げ降伏する部材は規準（16.7）式，一端が曲げ降伏し他端が弾性の部材は規準（16.8）式で略算してよい．一方，長期荷重が支配的な梁の下端筋については，最大曲げモーメント位置を付着検定断面として鉄筋端までの平均付着応力度を検定したとしても，曲げモーメント分布が下に凸形状であり検定断面でのせん断力が小さいので，左右に少し離れた断面位置での平均付着応力度のほうが大きくなる可能性がある．本規準では，中央下端のカットオフ筋が計算上不要となる断面を超えて有効せいd以上延長することにより，このような曲げモーメント分布に対しても危険側にならないものと判断した．なお，本会「鉄筋コンクリート造配筋指針」[20]に従って，梁の中央下端筋をカットオフすれば，通常の場合，本規準の規定を満足する付着長さとなる．

　通常のRCラーメン架構の場合，基準階の柱は，スパン長さ（内法階高）が短いので，主筋がカットオフされることは少ないが，低層階の柱は，階高が大きいか反曲点が高い場合などで，主筋がカットオフされることがある．柱の主筋を階の中間でカットオフすると，その部分よりも上部の柱は，同じ階であっても引張強度が低下し，せん断抵抗機構も変化する．1995年兵庫県南部地震の被害調査結果を踏まえて，柱主筋のカットオフに関しては，「崩壊メカニズム時に降伏が生じている耐力壁の付帯柱，および降伏が生じているブレースが取り付く柱にあっ

---

20)　日本建築学会：鉄筋コンクリート造配筋指針・同解説，2021

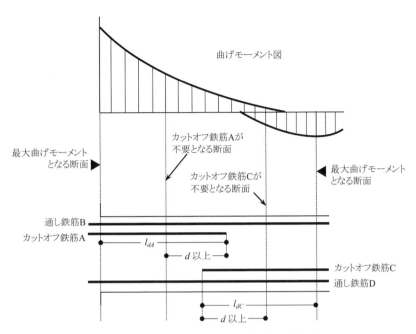

解説図 16.11 カットオフされた鉄筋の構造規定

ては，原則として，当該階での主筋量を部材の途中で減じてはならない．また，耐力壁を支持する柱の主筋量も部材の途中で減じてはならない．」ことが推奨されている[21]．上記以外の柱で主筋をカットオフする場合は，カットオフ筋が計算上不要となる断面を超えて有効せい d 以上延長するとともに，カットオフ位置の上部の柱断面が引張軸力やせん断力に対して十分な耐力を有することを確認する．

カットオフ位置では残された鉄筋の応力度が大きくなり，曲げひび割れ幅の拡幅や顕著な斜めひび割れへの成長などによりせん断強度の低下を引き起こす弱点となる．兵庫県南部地震においても，カットオフ位置から生じた曲げせん断ひび割れに起因した甚大な被害がいくつかみられており[22]，基本的にカットオフ位置は圧縮応力領域内とすることが望ましい．本規準では，引張応力領域でのカットオフについて曲げ，せん断応力に対する個別の規定を設けていないが，ACI規準[23]では以下の条件のいずれかを満足させることを引張応力領域内カットオフの条件としている．

1) カットオフ断面でのせん断強度が設計せん断力の1.5倍以上あること．
2) カットオフ位置を越えて $(3/4)d$ の範囲に，$p_w{}_w\sigma_y \geq 0.42\,\mathrm{N/mm^2}$ のせん断補強筋量を追

---

21) 日本建築センター：阪神・淡路大震災における建築物の被害状況調査を踏まえた建築物耐震基準・設計の解説，1995.10
22) 阪神・淡路大震災調査報告編集委員会（日本建築学会ほか）：阪神・淡路大震災調査報告 建築編-1 鉄筋コンクリート造建築物，pp. 125-127，1997.7
23) American Concrete Institute：Building Code Requirements for Structural Concrete and Commentary (ACI 318-19)

してその間隔を $d/(8\beta)$（β はカットオフ筋量の全鉄筋量に対する比）以下とすること．
3) カットオフ断面での残された鉄筋量が曲げに必要な鉄筋量の 2 倍以上かつ，せん断強度が設計せん断力の 4/3 以上であること．

一方，靱性保証型耐震設計指針[7]では，アーチ，トラス機構に基づくせん断設計法に基づき，せん断力による付加的な鉄筋引張力の上昇分を考慮して，カットオフ位置で残された鉄筋が以下の式を満たすことを要求している．

$$0.9d(A_s\sigma_y-V)\geq M \qquad (解16.16)$$

記号　d：部材有効せい
　　　A_s：残された主筋断面積
　　　σ_y：鉄筋降伏強度
　　　V：カットオフ位置でのせん断力
　　　M：カットオフ位置での作用曲げモーメント

この規定は，部材断面においてトラス機構を構成するコンクリート斜め圧縮力の部材軸方向分力としての圧縮力に釣り合う鉄筋引張力が，曲げモーメントから計算された鉄筋力に上乗せされるという考え方から導かれている．本規準で考慮する鉄筋引張応力の増大現象（テンションシフト）に対する一つの考え方であり，引張応力領域にカットオフを設ける場合には，これらの検討を併せて行うことが望ましい．

単純梁や片持梁などの曲げ補強鉄筋についても，鉄筋応力度のテンションシフトを考慮する〔解説図 16.12 参照〕．このうち，単純梁の下端筋は，計算上鉄筋の不要となる支点位置を越えて部材有効せい d だけ延長するか，または，支点からスパン内に d だけ離れた断面における曲げモーメントに応じた鉄筋応力度を支点位置で発揮できる延長長さを支点位置から確保する〔同図（a）参照〕．ただし，支点反力によって鉄筋が拘束されることで，付着割裂にとっては有利な条件となるので，下端筋の延長長さは計算で必要とされる付着長さの 75％まで減じてよく，さらに端部に標準フックを設ける場合には鉄筋の折曲げ開始点までの直線部で鉄筋応力度の 2/3 を伝達できる長さを確保すればよい．片持梁の上端筋や直接基礎の基礎スラブ下端筋

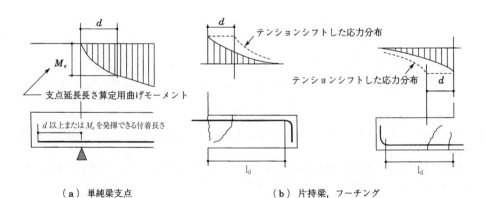

（a）単純梁支点　　　　　　　　　（b）片持梁，フーチング

解説図 16.12　単純梁支点，片持梁およびフーチングの付着検定

は，曲げ補強鉄筋が不要となる断面を超えて，鉄筋端を標準フックとして延長することが望ましい〔解説図 16.12（b）参照〕．跳出し長さが部材せいと変わらないような短い片持部材では付着検定が困難になる場合がある．このような場合は，せん断ひび割れに対して十分に余裕のある断面寸法にしてテンションシフトを考慮しない設計とすることや，鉄筋の末端に標準フックを設けて鉄筋の必要付着長さを短くするなどの工夫を行い，本条の付着検定を満足させることが基本である．やむを得ず本条による付着検定を満足しない場合には，鉄筋の端部を折り曲げて，余長部以降で定着を確保できるディテールとし，スパン内での付着劣化が部材の構造性能に及ぼす影響を考慮することが必要である．

ⅱ）引張力を受ける上端筋の 1/3 以上は部材全長に連続して，あるいは継手を設けて配する．スパン長に比べて部材せいの極めて大きい基礎梁などのディープビームの曲げ補強鉄筋では，本条による付着検定が非常に厳しいものとなり，曲げモーメント分布に対応した鉄筋のカットオフも非常に難しくなる．このような短スパン部材は，スパン内を通し配筋としなければならない．短スパン梁で良好な靱性を期待する場合には，部材一端の上端筋と他端の下端筋を共通の鉄筋とする X 型の傾斜配筋が有効である[24]．

ⅲ）引張を受ける下端筋の場合には予期しない荷重に対処するため，スパン中央の曲げモーメントに対する鉄筋量の 1/3 以上は部材全長にわたって連続して配筋することとしている．また，端部に塑性ヒンジの形成される部材では，曲げ圧縮鉄筋の靱性への効果を考慮すれば，下端筋の 1/2 は全長にわたって延長することがより望ましい．

ⅳ）曲げ材の引張鉄筋の付着長さは 300 mm を下回らないものとし，本条 1 項（3）に従って付着検定を行う．ACI 規準[23]では，引張を受ける異形鉄筋の直線定着長さは 12 インチ（305 mm）以上であることを要求しており，本規準でもこれにならったが，特別の調査・研究による場合にはこの限りではない．一方，曲げ材の圧縮鉄筋については，通常は付着検定を省略してよい．これは，部材スパン内で設計上圧縮応力度となる鉄筋の領域では，周辺コンクリートも圧縮応力度を負担しており，引張応力度の場合に比べて格段に良好な付着性能が発揮されることや，鉄筋端面での支圧による応力伝達も有効であることによる．このことは，引張鉄筋の付着検定において，鉄筋が圧縮応力度位置まで延長されることで付着の確保が保証されることを意味するものではないことに注意する．なお，特別な事情により，圧縮鉄筋について付着検定を行う必要のある場合には，物理的な意味は曖昧ではあるものの，規準（16.6）式において $K=2.8$ として計算すればよい．ただし，圧縮鉄筋の付着長さは，200 mm を下回る長さとしてはならない．

ⅴ）柱，梁の出隅部分にある曲げ補強鉄筋は，二方向にかぶり厚さが薄いために，コンクリートが割れやすく，また煙突の鉄筋ではコンクリートが火害を受けやすい．これらの場合は，部材内部に深くくい入ったフックが有効になるので，これらの鉄筋の末端には標準フックを設けることを原則としている．また，これらの箇所に重ね継手を設置する場合にも，同様に標準フッ

---

24) 日本建築学会：鉄筋コンクリート X 形配筋部材設計施工指針・同解説，2010

クを設けることを原則とする．

2. 継　　　手

（1）本条2項では，重ね継手について規定している．ガス圧接継手，溶接継手，機械式継手では，継手位置の存在応力度によらず，母材の強度を伝達できる継手とすることを原則とする．

（2）本規準では重ね継手部の付着割裂破壊を防止して大地震動に対する安全性を確保することとしている．付着割裂強度は，一般に鉄筋径が大きいほど低下することが指摘されており，本規準では，D35以上の太径鉄筋については重ね継手ではなく，ガス圧接，アーク溶接あるいは各種の機械式継手によって接合することを原則としている．

（3）鉄筋の重ね継手は部材応力および鉄筋応力度の小さい個所に設けることを原則とし，同一断面で全引張鉄筋の継手（全数継手）とすることを避けるのが原則である．一方，重ね継手に関する研究成果の蓄積により，全数継手，D29やD32などの太径鉄筋，梁端部ヒンジ域での重ね継手を許容する指針（案）[25]が刊行されている．したがって，全数継手の要求に対してはこの指針（案）によって設計するのがよいが，以下に示す同指針（案）の構造規定を同時に満足させることを条件に，規準（16.14）式を満足するように定めた付着長さを，全数重ね継手する場合の必要継手長さとしてもよい．

〔重ね継手の全数継手設計指針（案）の規定〕

・梁，柱の主筋を同一断面で全数継手とする場合には，せん断補強筋比0.4％以上の横補強筋を重ね継手領域に主筋径の5倍以下の間隔で配置する．

・梁端部の降伏ヒンジとなる部位に全数継手を設ける場合には，梁端部断面から有効せいの領域にある重ね長さは，その半分の長さのみ継手長さに有効と考える．さらに，0.7％以上の横補強筋を主筋径の5倍以下の間隔で配し，すべての継手を直接拘束する．

・全数継手は，柱のヒンジ領域ならびに柱梁接合部内に設けてはならない．

（4）重ね継手については，長期の使用性確保，短期の損傷制御および大地震動に対する安全性確保のための検討を行う．長期荷重時ないし短期荷重時の鉄筋存在応力度が上端筋の許容付着応力度以下となるように継手長さを設定する．すなわち，引張鉄筋の重ね継手は規準（16.12）式，圧縮鉄筋の重ね継手は規準（16.13）式を満足するように継手長さを定める．なお，圧縮鉄筋の重ね継手については，許容付着応力度の項を1.5倍しているが，圧縮鉄筋の末端に標準フックを設ける場合でも，フックが有効とは考えずに鉄筋存在応力度を2/3倍しないことに注意する．

大地震動を受けるときの重ね継手部の破壊形式は付着割裂破壊であり，規準（16.6）式において，有効付着長さ $l_d - d$ の代わりに重ね継手長さ l，σ_D の代わりに鉄筋の降伏強度 σ_y，1段目のカットオフ筋の係数 $\alpha_2 = 1$ を代入して得られたのが規準（16.14）式である．同式の修正係数 K の算定では，鉄筋が密着しない場合でも密着した継手と考えて，係数 C を規準（16.15）式で算出してよい．重ね継手の安全性確保のための検討では，鉄筋降伏強度 σ_y（規格降伏強度（短期許容応力度）を用いる場合は，実降伏強度の上昇分を考慮して適切な余裕を見込む）に対する継手長さ区間の平均

25）日本建築学会：重ね継手の全数継手設計指針（案）・同解説，1996

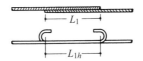

解説図 16.13 重ね継手の長さの測り方[20]

付着応力度を算定する．ただし，17条で規定される標準フックを鉄筋の末端に設ける場合は，鉄筋の折曲げ開始点相互の長さを継手長さとし，鉄筋降伏強度 σ_y の 2/3 倍に対する平均付着応力度を算定する〔解説図 16.13 参照〕．なお，付着割裂強度に基づく計算によって，曲げ材の降伏時に鉄筋の重ね継手部で付着割裂破壊が生じないことを確かめる場合には，規準 (16.14) 式によらなくてよい．

小梁や床スラブなど水平荷重の作用によって曲げ降伏を生じるおそれがない曲げ材の引張鉄筋については，存在応力度が小さな部位（例えば，反曲点を越えた圧縮領域など）に重ね継手を設ける場合には，鉄筋降伏強度と付着割裂の基準となる強度に基づく規準 (16.14) 式は過剰な継手長さを与えることになる．同様に，曲げ材の圧縮鉄筋の重ね継手も，規準 (16.14) 式による継手長さは過剰となる．これらの重ね継手は付着割裂破壊を生じないことが明らかであるので，安全性の検討は行わずに，長期の使用性確保，短期の損傷制御のための検討を行えばよいこととした．

柱主筋を重ね継手とする場合や，過密な配筋で重ね継手を設ける場合には，断面の外側と内側に縦方向に並べた重ね継手とすることがある．この場合には，横並びの配筋とした場合よりも継手性能が向上する事例も報告されている[26]が，等価な横並びの配筋とした場合に置き換えることで安全側の算定を行う．また，梁端部において縦並びの重ね継手を設けた研究では，梁スパン側からの鉄筋を断面外側とし，接合部側からの鉄筋を断面内側に配するほうが塑性域での性状がよいことが報告されている[27]．

重ね継手において，鉄筋どうしが接触しない配置となる場合について，既往の実験では，継手の重ね長さが鉄筋径の 20 倍から 40 倍のときに，鉄筋径の 8 倍までの範囲で継手強度に差がみられない実験結果も報告されている[28]．一方で，継手筋間のあきが継手長さに比して大きい場合には，有効な継手長さが減少することも指摘されている[29]．本規準では ACI 規準[23]の規定を準用して，継手筋のあきを継手長さの 0.2 倍以下かつ 150 mm 以下と規定している〔解説図 16.14 参照〕．本会「鉄筋コンクリート造配筋指針・同解説」のあき重ね継手は，これまで解説図 16.14 と同じ継手筋のあきの規定であったが，2021 年版[20]では「$0.2 L_1$ かつ 150 mm 以下」の寸法はそのままで，当該

---

26) 桜田智之・師橋憲貴・西原　寛・田畑　卓・田中礼治：太径鉄筋を用いた全数重ね継手の付着割裂強度に関する研究，日本建築学会構造系論文集，Vol. 60, No. 478, pp. 153-162, 1995.12

27) 星野恒明・片岡隆広・中野克彦・松崎育弘：曲げ塑性ヒンジ領域に重ね継手を有する RC 梁部材の塑性変形能に関する実験的研究，日本建築学会構造系論文集，Vol. 62, No. 497, pp. 133-140, 1997.7

28) 大芳賀義喜・田中礼治：SD50 の重ね継手に関する実験研究（その 3 − 中筋のあき重ね継手の実験），日本建築学会大会学術講演梗概集，構造 II, pp. 715-716, 1986.8

29) 田中礼治・大芳賀義喜・但木幸男：SD50 の重ね継手に関する実験研究（その 1 − あき重ね継手の実験），日本建築学会大会学術講演梗概集，構造 II, pp. 597-598, 1985.10

解説図 16.14 あき重ね継手

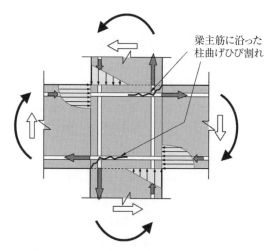

解説図 16.15 柱梁接合部内の曲げひび割れの例

解説図 16.16 溶接金網の重ね継手

寸法を継手筋のあきではなく継手筋の間隔に適用する規定に改定された．「鉄筋コンクリート造配筋指針・同解説」[20]に従えば解説図 16.14 の継手筋のあきを満足する．なお，あき重ね継手の場合でも，相互の鉄筋が密着した継手と考えて，規準（16.14）式により継手長さを検定してよい．

　曲げ補強鉄筋の重ね継手は，引張鉄筋，圧縮鉄筋ともに最小継手長さは，200 mm かつ $20\,d_b$ を下回らないこととしている．せん断補強筋やアンカー鉄筋に丸鋼を用いる場合の重ね継手は，必ず鉄筋端部にフックを設け，その継手長さは，σ_t を鉄筋の降伏強度とし，f_a を丸鋼の上端筋の短期許容付着応力度として，規準（16.12）式を準用して算定してよい．

（5）　柱梁接合部で，曲げ引張応力によって鉄筋に沿う曲げひび割れが生じるような部位〔解説図 16.15 参照〕では，あらかじめ割裂ひび割れが生じているに等しい状況であり，この領域の重ね長さは有効な長さと見なしてはならない．

（6）　溶接金網の重ね継手では，重ね部での交点が確実に溶接されていることを確かめたうえで，重ね長さを溶接最外端の横筋間で測った距離とし，横筋間隔に 50 mm を加えた長さ以上，かつ 150 mm 以上とする〔解説図 16.16 参照〕．

3．鉄筋の部材内定着

（1）　例えば，耐震壁等の開口補強筋を壁板内で定着する場合やスラブ筋を床版内で定着する場

合のように引張鉄筋を部材内へ定着する際には，本条の重ね継手に対するものと同様な検討を行うこととした．長期荷重に対する使用性の確保や短期荷重に対する損傷制御のための検討は規準 (16.12) 式により，大地震動に対する安全性の確保のための検討は規準 (16.14) 式により行う．ただし，両式内の記号 l を定着長さと置き換える．また，σ_t，σ_y は，引張鉄筋の最大存在応力度または許容引張応力度および降伏強度とし，鉄筋端に標準フックを設ける場合には，その値の 2/3 倍とすることができる．

1991 年版の RC 規準 17 条「付着・定着および継手」では，鉄筋の仕口への定着長さおよび重ね継手の長さは，次式により算定することとされていた．

$$l \geq \frac{\sigma_t \cdot a}{f_a \cdot \psi} \tag{解 16.17}$$

ここに，l ：定着長さまたは継手の重ね長さ．フックを設ける場合は，フックを除いた長さとする．

σ_t ：定着部分または継手部分の最大存在応力度．ただし，定着部分では鉄筋の許容応力度をとることを原則とする．鉄筋端にフックを設ける場合には，その値の 2/3 倍とすることができる．

a ：鉄筋の断面積

f_a ：許容付着応力度で，鉄筋の位置にかかわらず 6 条表 6（本規準では表 6.3）の上端筋に対する値を用いる．ただし，鉄筋の応力が圧縮の場合および異形鉄筋を割裂破壊のおそれのない仕口に定着する場合には，その値を 1.5 倍まで割増しすることができる．

ψ ：鉄筋の周長

一方，1999 年版の RC 規準では，16 条「付着および継手」と 17 条「定着」が分離され，重ね継手長さならびに直線定着長さは，次式の必要付着長さ l_{db} 以上とすることに改定された．

$$l \geq l_{db} = \frac{\sigma_t \cdot A_s}{K f_b \cdot \psi} \tag{解 16.18}$$

ここに，σ_t ：鉄筋存在応力度．重ね継手では鉄筋降伏強度，定着長さでは短期許容応力度を用いることを原則とする．鉄筋端に標準フックを設ける場合には，その値の 2/3 倍とすることができる．

A_s ：鉄筋の断面積

K ：鉄筋配置と横補強筋による修正係数で，本規準では (16.9) 式による．割裂のおそれのない仕口（周囲から圧縮応力を受ける領域）へ直線定着する場合は $K=2.5$ とする．

f_b ：1999 年版の許容付着応力度で，本規準では付着割裂の基準となる強度 f_b（表 16.1）としている．

ψ ：鉄筋の周長

鉄筋の断面積を $\pi d_b^2/4$，周長を πd_b で近似すれば，（解 16.17）式と（解 16.18）式は以下のよう

になる.

$$l \geq \frac{\sigma_t \cdot a}{f_a \cdot \psi} = \frac{\sigma_t \times \frac{\pi d_b^2}{4}}{f_a \times \pi d_b} = \frac{\sigma_t \cdot d_b}{4 f_a} \tag{解 16.19}$$

$$l \geq \frac{\sigma_t A_s}{K f_b \psi} = \frac{\sigma_t \times \frac{\pi d_b^2}{4}}{K f_b \times \pi d_b} = \frac{\sigma_t \cdot d_b}{4 K f_b} \tag{解 16.20}$$

規準（16.12）式と規準（16.14）式は，それぞれ（解 16.19）式と（解 16.20）式から導かれている.

2010 年版の RC 規準では，従前にはなかった「引張鉄筋の部材内定着」の規定が新たに 16 条 3 項に設けられて，長期荷重に対する使用性の確保と短期荷重に対する損傷制御の検討は（解 16.19）式，大地震動に対する安全性の検討は（解 16.20）式が採用された．すなわち，重ね継手長さ l を定着長さと置き換えて，（解 16.19）式と（解 16.20）式により検討を行うこととされた．その際に，曲げ材の引張鉄筋の部材内定着については，曲げ材の引張鉄筋の付着の検討に従うこととされていたが，2018 年の改定では，曲げ材の引張鉄筋もその他の鉄筋と同様に，（解 16.19）式と（解 16.20）式による検討に一本化された.

規準（16.12）式に用いる許容付着応力度 f_a は，重ね継手の検討では鉄筋の位置にかかわらず上端筋に対する値を用い，部材内定着の検討では鉄筋の位置に応じて上端筋に対する値かその他の鉄筋に対する値かを使い分ける．また，規準（16.14）式に用いる付着割裂の基準となる強度 f_b は，鉄筋の位置に応じて上端筋に対する値かその他の鉄筋に対する値かを使い分けることになるが，重ね継手の検討では，許容付着応力度 f_a と同様に上端筋に対する値を用いるのが望ましい．本会「鉄筋コンクリート造配筋指針・同解説 2010」の付録「A4. 定着と重ね継手長さの計算」では，重ね継手長さの計算では f_a と f_b はともに上端筋の数値，定着長さの計算では f_a と f_b はともにその他の鉄筋（上端筋以外）の数値を用いて，継手と定着の常用長さを検討している．ただし，上端筋に相当する引張鉄筋の部材内定着では，付着割裂を生じるおそれのない部位に定着する場合を除いて，f_a と f_b は上端筋に対する値を用いることが推奨される．例えば，厚さ 300 mm 以上の底盤に設ける釜場等の開口まわりの上端補強筋は，開口位置によっては，引張鉄筋の部材内定着となることがあるので注意を要する．定着長さと重ね継手長さの平均付着応力度の検定に用いる許容付着応力度は，曲げ材の主筋に丸鋼が使用されていた時代に，十分な安全率を持たせるため，鉄筋位置・方向にかかわらず上端筋の数値を用いるように定められた（本規準 1958 年）．その後の異形鉄筋の普及とともに，割裂破壊のおそれのない箇所に異形鉄筋を定着する場合は，その他の鉄筋と同じ許容付着応力度を用いるように緩和された（本規準 1971 年）．近年は，ガス圧接や機械式継手，溶接継手などが普及し，重ね継手はスラブ，壁，基礎などの比較的細径の鉄筋に用いられることが多いが，継手の許容付着応力度は従来どおり上端筋と同じ値を用いることにして，継手の安全性を確保している．

ここでは，スラブ筋の定着長さの算定結果の特徴や算定時の留意点を述べる．長期荷重に対する

使用性確保のために，スラブ筋の直線定着長さを規準（16.12）式により算定すると，SD 295 のスラブ筋に対してコンクリートの設計基準強度が 18 および 21 N/mm² の場合，定着部は梁上端部分を含むため 6 条の表 6.3 の上端筋に対する値を用い，必要定着長さはそれぞれ $40.6\,d_b$，$34.8\,d_b$ となる．これらの長さは JASS 5（2022）[30]で示されている直線定着長さの値とほぼ整合する．

一方，大地震動に対する安全性確保のための検討において，片持形式ではないスラブ筋の直線定着長さを規準（16.14）式により算定する場合，17 条と整合させて右辺の係数 K は 2.5 としてよい．ただし，梁の曲げ強度にスラブ筋が寄与し，その鉄筋が拘束領域内に定着される場合においては 17 条 1．の(3)の α を 1.0 とし，17 条の表 17.1 で耐震部材と見なして $S=1.25$ を用い，$K=2.5\div(1.25\times1.1)=1.8$ とするか，$K=2.5\div1.25=2.0$ として σ_y に実降伏強度による上昇分を見込む必要がある．また，片持形式の場合は $K=2.5\div1.25=2.0$ としてよい．このようにスラブ筋の役割に応じて定着長さを算定する必要がある．

一般に，大地震動に対する安全性確保のために算定されるスラブ筋の定着長さは，長期荷重に対する使用性確保のために算定される定着長さを上回ることはほとんどない．しかし，スラブ筋に高強度鉄筋を用いるような特殊な場合は，長期荷重に対する使用性確保のために算定される定着長さを上回る場合があるため，注意が必要である．

以上は，1991 年版の規準と同様の規定であり，この定着方法によってこれまでに特段の問題もなかったことや，定着される引張鉄筋から周辺のコンクリートへの応力伝達機構が重ね継手と同等と考えられることなどによる．

（2）引張鉄筋の仕口への定着は，別途 17 条によって検討する．スラブ筋を直線定着する場合は，17 条の仕口内定着と 16 条の部材内定着の 2 種類がある．例えば，スラブ筋が上端筋に相当する場合，スラブ筋が梁の曲げ強度に寄与する場合，スラブ筋をコア内に定着できない場合，梁幅が小さくスラブ筋を隣接スラブに定着する場合，長期荷重や短期荷重に対して割裂破壊の恐れのある場合などは，本条の部材内定着による検討が望ましい．一方，大梁や柱のコア内など十分に拘束された仕口部へ直線定着する場合などは，付着割裂破壊する可能性は小さいと考えられるため，17 条の仕口内定着の検討を行えばよく，本条の部材内定着の検討は省略できる．17 条 1．（3）5）の解説も参照されたい．

【付着検討の計算例 1】

「付 2．構造設計例」における梁間（Y）方向②通りⒶ-Ⓑ間 4 階の大梁 B_{A2} の断面・配筋を参照し，設計用応力は別途設定して，主筋の付着に対する検定を行う．断面形状，配筋および設計用応力を解説図 16.17 に示す．梁せい 950 mm，梁幅 500 mm で，上端・下端とも D 29 が 2 段配筋されており，2 段筋は危険断面（柱面）から 3 000 mm の位置でカットオフされる．内法スパンは 7 815 mm である．使用するコンクリートは設計基準強度 F_c が 30 N/mm² の普通コンクリート，主筋は SD 390 である．

対象とする大梁は，両端で上端と下端の主筋量が等しく，左右対称に配筋されている．許容付着

---

30) 日本建築学会：建築工事標準仕様書・同解説 JASS 5 鉄筋コンクリート工事，2022

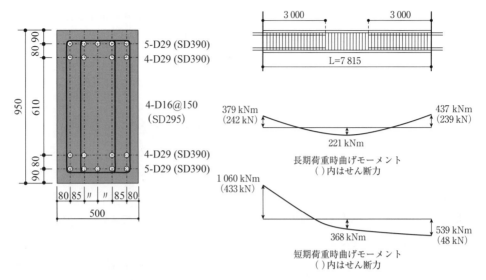

解説図 16.17 付着検定用の断面，配筋および設計用応力

応力度 f_a および付着割裂の基準となる強度 f_b は，ともに上端筋のほうが小さい．上端筋について，長期荷重に対する使用性の確保，短期荷重に対する損傷制御および大地震動に対する安全性の確保が保証されれば，下端筋の付着の検討は省略できる．ただし，構造規定は下端筋についても確認する．

（1） 計 算 条 件

主筋（D 29，SD 390）の許容引張応力度は，以下のとおりである．

	長　　期	短　　期
主筋の許容引張応力度　（N/mm²）	195	390

主筋（D 29）の許容付着応力度 f_a および付着割裂の基準となる強度 f_b は，以下のとおりである．なお，表 16.1 の 2 段筋の f_b は，表の数値を 0.6 倍する．

	長　期		短　期	
	上端筋	その他の鉄筋	上端筋	その他の鉄筋
許容付着応力度　f_a(N/mm²)	1.70	2.55	2.55	3.82
付着割裂の基準となる強度　f_b (N/mm²)	—	—	1.32	1.65

長期許容せん断応力度 f_s：$f_s = 0.79 \, \text{N/mm}^2$

梁断面の 1 段筋までの有効せい d_1：$d_1 = 950 - 90 = 860 \, \text{mm}$

1 段筋位置に引張主筋を集約したと仮定したときの応力中心距離 j_1：$j_1 = \dfrac{7}{8} d_1 = \dfrac{7}{8} \times 860 = 753 \, \text{mm}$

梁断面の 2 段筋までの有効せい d_2：$d_2 = 950 - 90 - 80 = 780 \, \text{mm}$

2 段筋位置に引張主筋を集約したと仮定したときの応力中心距離 j_2：$j_2 = \dfrac{7}{8} d_2 = \dfrac{7}{8} \times 780 = 683 \, \text{mm}$

梁断面の引張主筋重心位置：$90+80\times\dfrac{4}{9}=126$ mm

引張主筋重心位置までの有効せい d_e：$d_e=950-126=824$ mm

引張主筋重心位置に引張主筋を集約したと仮定したときの応力中心距離 j_e：

$$j_e=\dfrac{7}{8}d_e=\dfrac{7}{8}\times 824=721 \text{ mm}$$

付着検定断面からカットオフ筋が計算上不要となる断面までの距離 l'：両端曲げ降伏を想定する部材なので，規準（16.7）式より

$$l'=\dfrac{A_{cut}}{A_{total}}\times\dfrac{L}{2}=\dfrac{4}{9}\times\dfrac{7\,815}{2}=1\,737 \text{ mm}$$

（2）梁のせん断ひび割れ強度

梁のせん断ひび割れ強度 Q_c を，規準（15.1）式を用いて算定する．安全側の仮定を用いて $\alpha=1$ とする．

$$Q_c\equiv Q_{AL}=bj_e\alpha f_s=500\times 721\times 1\times 0.79\times 10^{-3}=285 \text{ kN}$$

（3）長期の使用性確保の検討

2段配筋であるので，1段筋および2段筋それぞれに対して付着の検討を行う．

（ⅰ）上端筋1段目の通し筋（5-D 29）の付着の検定

長期荷重時には大梁の両端が引張力を受けており，解説で述べたように付着の検定を行う必要はない．

（ⅱ）上端筋の2段筋（4-D 29）の付着の検定

2段筋は危険断面から3 000 mm のところでカットオフされるので，規準（16.2）式により付着の検定を行う．付着長さ $l_d=3\,000$ mm である．

検定用曲げモーメント $M_L=437$ kNm（右端）

2段筋位置に引張主筋を集約したと仮定して $j_2=683$ mm

2段筋の存在引張応力度 $_L\sigma_t$ は，略算法により，次のようになる．

$$_L\sigma_t=\dfrac{M_L}{j_2\cdot\sum A_s}=\dfrac{437\times 10^6}{683\times 5\,778}=111 \text{ N/mm}^2$$

ここで，$\sum A_s$：上端筋（9-D 29）の全断面積で $5\,778$ mm^2

検定用せん断力は $Q_L=239$ kN なので，せん断ひび割れの発生の有無を判定すると次のようになる．

$Q_L=239<Q_c=285$ kN　よって，せん断ひび割れは生じない．

2段筋の平均付着応力度 τ_{a2} は，せん断ひび割れが生じないので，規準（16.2）式の l_d-d を l_d に置換して以下となる．

$$\tau_{a2}=\dfrac{_L\sigma_t\cdot d_b}{4l_d}=\dfrac{111\times 29}{4\times 3\,000}=0.27 \text{ N/mm}^2$$

一方，規準（16.2）式の右辺は，以下となる．

$$0.8_Lf_a = 0.8 \times 1.70 = 1.36 \text{ N/mm}^2$$

以上より，

$$\tau_{a2} = 0.27 \text{ N/mm}^2 < 0.8_Lf_a = 1.36 \text{ N/mm}^2 \quad \text{O.K.}$$

梁の左端は，右端よりも曲げモーメントが小さく，せん断力も Q_c よりも小さいため，規準 (16.2) 式を満足する．

（4） 短期の損傷制御の検討

検討用せん断力 $Q_S = Q_L + Q_E = 433$ kN（左端）

（2）の検討よりせん断ひび割れ強度 $Q_c = 285$ kN < 433 kN なので，短期荷重時にはヒンジ領域に斜めせん断ひび割れが発生する．

（i） 上端筋1段目の通し筋（5－D 29）の付着の検定

付着長さ l_d は，内法長さなので，7 815 mm

規準（16.4）式によって付着の検定を行う．なお，1段筋の存在応力度は，安全側に短期許容引張応力度 390 N/mm² とする．

$$\tau_{a2} = \frac{{}_s\sigma_t \cdot d_b}{4(l_b - d_1)} = \frac{390 \times 29}{4 \times (7\,815 - 860)} = 0.41 \text{ N/mm}^2 < 0.8_sf_a = 0.8 \times 2.55 = 2.04 \text{ N/mm}^2 \quad \text{O.K.}$$

（ii） 上端筋の2段筋（4－D 29）の付着の検定

検定用曲げモーメント $M_S = 1\,060$ kNm（左端）

2段筋の存在引張応力度 ${}_s\sigma_t$ は，（3）（ii）と同様に略算法により，次のようになる．

$$_s\sigma_t = \frac{M_S}{j_2 \cdot \Sigma A_s} = \frac{1\,060 \times 10^6}{683 \times 5\,778} = 269 \text{ N/mm}^2$$

2段筋の付着応力度 τ_{a2} は，規準（16.4）式により以下となる．

$$\tau_{a2} = \frac{{}_s\sigma_t \cdot d_b}{4(l_d - d_e)} = \frac{269 \times 29}{4 \times (3\,000 - 824)} = 0.90 \text{ N/mm}^2 < 0.8_sf_a = 0.8 \times 2.55 = 2.04 \text{ N/mm}^2 \quad \text{O.K.}$$

（5） 大地震時の安全性確保の検討

両端部が曲げ降伏するとして付着の検討を行う．主筋の降伏強度 σ_y は，強度上昇分を考慮して，短期許容引張応力度の1.1倍とする．すなわち，$\sigma_y = 1.1 \times 390$ N/mm² $= 429$ N/mm² とする．

（i） 上端筋1段目の通し筋（5－D 29）の付着の検定

規準（16.5）式によって付着の検定を行う．

最外縁主筋の外縁から梁コンクリート側面までの距離：$C_{\min} = 80$ mm $- \dfrac{29}{2}$ mm $= 65$ mm

規準（16.9）式における係数 C は，規準（16.10）式により以下となる．

$$C = \frac{b - Nd_b}{N} = \frac{500 - 5 \times 29}{5} = 71 \text{ mm} < \min\{3C_{\min}, 5d_b\} = \min\{65 \text{ mm} \times 3, 29 \text{ mm} \times 5\} = 145 \text{ mm}$$

よって，$C = 71$ mm

規準（16.11）式による係数 W を計算する．ここで，横補強筋一組（4－D 16）の全断面積は 796 mm²，間隔 s は 150 mm である．

$$80\frac{A_{st}}{s \cdot N} = 80 \times \frac{796}{150 \times 5} = 84.9 \text{ mm}$$

$$2.5d_b = 2.5 \times 29 \text{ mm} = 72.5 \text{ mm}$$

よって，$W = \min\left(80\frac{A_{st}}{s \cdot N}, 2.5d_b\right) = \min(84.9, 72.5) = 72.5$ mm となる．

これより規準（16.9）式による，鉄筋配置と横補強筋による修正係数 K は，次のようになる．

$$K = 0.3\left(\frac{C+W}{d_b}\right) + 0.4 = 0.3 \times \frac{71+72.5}{29} + 0.4 = 1.88 < 2.5$$

よって，$K = 1.88$ とする．

両端曲げ降伏を想定する梁なので，表 16.2 より $\alpha_1 = 2$

安全性検討用の鉄筋引張応力度は，$\sigma_D = \sigma_y$

1 段筋の安全性検討用の平均付着応力度 τ_D は，規準（16.5）式より次のとおりとなる．

$$\tau_D = \alpha_1 \times \frac{\sigma_D \cdot d_b}{4(L - l' - d_1)} = 2 \times \frac{429 \times 29}{4 \times (7\,815 - 1\,737 - 860)} = 1.19 \text{ N/mm}^2$$

一方，規準（16.5）式の右辺は，次のとおり算定される．

$$K \cdot f_b = 1.88 \times 1.32 = 2.48 \text{ N/mm}^2$$

以上より，

$$\tau_D = 1.19 \text{ N/mm}^2 < K \cdot f_b = 2.48 \text{ N/mm}^2 \quad \text{O.K.}$$

（ii）上端筋の 2 段筋（4-D 29）の付着の検定

規準（16.6）式によって付着の検討を行う．

最外縁主筋の外縁から梁コンクリート側面までの距離：$80 \text{ mm} - \frac{29}{2} \text{ mm} = 65 \text{ mm}$

規準（16.9）式における係数 C は，規準（16.10）式により次のとおりとなる．

$$C = \frac{b - Nd_b}{N} = \frac{500 - 4 \times 29}{4} = 96 \text{ mm} < \min\{3C_{\min}, 5d_b\} = \min\{65 \text{ mm} \times 3, 29 \text{ mm} \times 5\} = 145 \text{ mm}$$

よって，$C = 96$ mm

規準（16.11）式による係数 W を計算する．

$$80\frac{A_{st}}{s \cdot N} = 80 \times \frac{796}{150 \times 4} = 106.1 \text{ mm}$$
$$2.5d_b = 2.5 \times 29 \text{ mm} = 72.5 \text{ mm}$$

よって，$W = \min\left(80\frac{A_{st}}{s \cdot N}, 2.5d_b\right) = \min(106.1, 72.5) = 72.5$ mm となる．

規準（16.9）式による鉄筋配置と横補強筋による修正係数 K は，次のようになる．

$$K = 0.3\left(\frac{C+W}{d_b}\right) + 0.4 = 0.3 \times \frac{96+72.5}{29} + 0.4 = 2.14 < 2.5$$

よって，$K = 2.14$ とする．

カットオフされる 2 段筋の付着長さ $l_d = 3\,000$ mm

$l_d = 3\,000 > l' + d_e = 1\,737 + 824 = 2\,561$ mm　　O.K.

曲げ降伏を想定するので，安全性検討用の鉄筋引張応力度は，$\sigma_D = \sigma_y$

$l_d = 3\,000$ mm $< L/2 = 7\,815/2 = 3\,907.5$ mm なので，表 16.3 より $\alpha_2 = 0.75$

2 段筋の安全性検討用の平均付着応力度 τ_D は，規準 (16.6) 式より次のとおりとなる．

$$\tau_D = \alpha_2 \times \frac{\sigma_D \cdot d_b}{4(l_d - d_e)} = 0.75 \times \frac{429 \times 29}{4 \times (3\,000 - 824)} = 1.07 \text{ N/mm}^2$$

2 段目の鉄筋なので，f_b は表 16.1 の［注］3）より表の数値を 0.6 倍する．

$$K \cdot f_b = 2.14 \times 1.32 \times 0.6 = 1.69 \text{ N/mm}^2$$

以上より，

$$\tau_D = 1.07 \text{ N/mm}^2 < K \cdot f_b = 1.69 \text{ N/mm}^2 \quad \text{O. K.}$$

（6） 構造規定の確認

本条 1 項 (4) 1) に従って，カットオフ筋（2 段筋）が計算上不要となる断面を超えて部材有効せい d 以上延長されていることを確認する．

カットオフされる引張鉄筋を除いた断面を仮定し，許容曲げモーメントを算出する．

長期荷重に対しては，略算法により，次のようになる．

$$_LM' = a_t \cdot {_Lf_t} \cdot j_1 = 3\,210 \times 195 \times 753 \times 10^{-6} = 471 \text{ kNm} > M_L = 437 \text{ kNm （右端）}$$

通し鉄筋のみで許容曲げモーメントが検定用曲げモーメントを上回っているので，カットオフ筋の延長の確認は不要である．

短期荷重に対しては，略算法により，次のようになる．

$$_sM' = a_t \cdot {_sf_t} \cdot j_1 = 3\,210 \times 390 \times 753 \times 10^{-6} = 943 \text{ kNm}$$

下端筋については，$_sM' = 943$ kNm $> M_S = 539$ kNm（右端）より，通し鉄筋のみで許容曲げモーメントが検定用曲げモーメントを上回っているので，カットオフ筋の延長の確認は不要である．上端筋については，両端曲げ降伏を想定している部材なので，規準 (16.7) 式より，$l' = 1\,737$ mm なので，次のようになる．

$$l_d = 3\,000 > l' + d_e = 1\,737 + 824 = 2\,561 \text{ mm} \quad \text{O. K.}$$

【付着検討の計算例 2】

解説図 16.18 に示す両端剛接の基礎梁について，主筋の付着に対して検討を行う．対象とする基礎梁は，両端で上端と下端の主筋量が等しく，左右対称に配筋されており，大地震動に対しても曲げ降伏を想定しない．D 32 が 2 段配筋されており，2 段筋は危険断面（柱面）から 2 400 mm の位置でカットオフされる．両端の柱面からの内法スパンは 5 640 mm である．使用するコンクリートは設計基準強度 F_c が 36 N/mm^2 の普通コンクリート，主筋は SD 390，せん断補強筋は SD 295 である．

（1） 計 算 条 件

主筋（D 32，SD 390）の許容引張応力度は以下のとおりである．

	長　期	短　期
主筋の許容引張応力度 （N/mm^2）	195	390

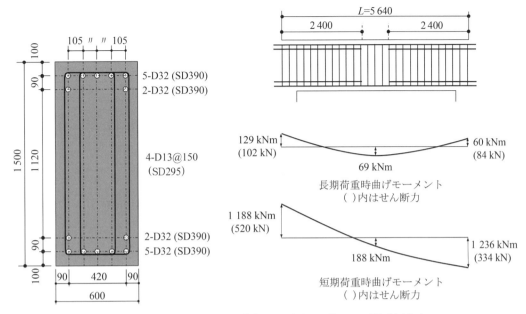

解説図 16.18 基礎梁の付着検定用の断面，配筋および設計用応力

主筋（D32）の許容付着応力度 f_a および付着割裂の基準となる強度 f_b は，以下のとおりである．なお，表16.1の2段筋の f_b は，表の数値を0.6倍する．

	長期		短期	
	上端筋	その他の鉄筋	上端筋	その他の鉄筋
許容付着応力度　f_a(N/mm²)	1.86	2.79	2.79	4.18
付着割裂の基準となる強度　f_b (N/mm²)	—	—	1.44	1.80

梁断面の1段筋までの有効せい d_1：$d_1 = 1\,500 - 100 = 1\,400$ mm

1段筋位置に引張主筋を集約したと仮定したときの応力中心距離，あるいは1段筋のみ考えた時の応力中心距離 j_1：$j_1 = \dfrac{7}{8} d_1 = \dfrac{7}{8} \times 1\,400 = 1\,225$ mm

梁断面の2段筋までの有効せい d_2：$d_2 = 1\,500 - 100 - 90 = 1\,310$ mm

2段筋位置に引張主筋を集約したと仮定したときの応力中心距離 j_2：

$$j_2 = \frac{7}{8} d_2 = \frac{7}{8} \times 1\,310 = 1\,146 \text{ mm}$$

梁断面の引張主筋重心位置：$100 + 90 \times \dfrac{2}{7} = 126$ mm

引張主筋重心位置までの有効せい d_e：$d_e = 1\,500 - 126 = 1\,374$ mm

引張主筋重心位置に引張主筋を集約したと仮定したときの応力中心距離 j_e：

$$j_e = \frac{7}{8} d_e = \frac{7}{8} \times 1\,374 = 1\,202 \text{ mm}$$

付着検定断面からカットオフ筋が計算上不要となる断面までの距離 l'：両端が剛接された曲げ降

伏しない部材で，曲げモーメントが逆対称分布に近いので，解説表16.3より，規準（16.7）式で算出する．

$$l' = \frac{A_{cut}}{A_{total}} \times \frac{L}{2} = \frac{2}{7} \times \frac{5\,640}{2} = 806 \text{ mm}$$

（2） 長期の使用性確保の検討

規準（16.1）式により付着の検定を行う．検定用せん断力 Q_L は，スパン内で最も大きい左端の値，$Q_L = 102$ kN とする．1段目の通し筋のみで算出される曲げ付着応力度 τ_{a1} は以下となる．

$$\tau_{a1} = \frac{Q_L}{\Sigma \phi \times j_1} = \frac{102 \times 10^3}{500 \times 1\,225} = 0.17 \text{ N/mm}^2$$

ここで，$\Sigma \phi$：1段目通し筋（5-D32）の全周長で500 mm

左端は上端筋が引張力を受けるので，以下のようになる．

$$\tau_{a1} = 0.17 \text{ N/mm}^2 < {}_L f_a = 1.86 \text{ N/mm}^2 \quad \text{O.K.}$$

最大のせん断力に対して通し筋のみで検討したため，スパン内すべてで規準（16.1）式を満足する．

（3） 短期の損傷制御の検討

規準（16.3）式により付着の検定を行う．長期荷重に対する検討と同様に，最大のせん断力に対して通し筋のみで検討する．検定用せん断力は，左端の値，$Q_S = Q_L + Q_E = 520$ kN とする．通し筋のみで検討すると以下となる．

$$\tau_{a1} = \frac{Q_L + Q_E}{\Sigma \phi \times j_1} = \frac{520 \times 10^3}{500 \times 1\,225} = 0.85 \text{ N/mm}^2 < {}_s f_a = 2.79 \text{ N/mm}^2 \quad \text{O.K.}$$

最大のせん断力に対して通し筋のみで検討したため，スパン内すべてで規準（16.3）式を満足する．

（4） 大地震時の安全性確保の検討

曲げモーメントが大きい端部断面を付着検定断面とする．左端は上端引張，右端は下端引張で，付着割裂の基準となる強度 f_b は，上端筋はその他の鉄筋の0.8倍である．右端の曲げモーメントの0.8倍（1 236×0.8＝989 kNm）は左端の曲げモーメント（1 188 kNm）よりも小さいので，左端の上端筋の検定を行えば右端の下端筋についても満足する．

水平荷重による左端の曲げモーメント M_E は以下となる．

$$M_E = M_S - M_L = 1\,188 - 129 = 1\,059 \text{ kNm}$$

（i） 上端筋1段目の通し筋（5-D32）の付着の検定

規準（16.5）式によって付着の検定を行う．

最外縁主筋の外縁から梁コンクリート側面までの距離：$C_{\min} = 90 \text{ mm} - \frac{32}{2} \text{ mm} = 74 \text{ mm}$

規準（16.9）式における係数 C は，規準（16.10）式により以下となる．

$$C = \frac{b - N d_b}{N} = \frac{600 - 5 \times 32}{5} = 88 \text{ mm} < \min\{3C_{\min}, 5d_b\} = \min\{74 \text{ mm} \times 3, 32 \text{ mm} \times 5\} = 160 \text{ mm}$$

よって，$C = 88$ mm

規準（16.11）式による係数 W を計算する．ここで，横補強筋一組（4-D13）の全断面積は

508 mm², 間隔 s は 150 mm である．

$$80\frac{A_{st}}{s \cdot N} = 80 \times \frac{508}{150 \times 5} = 54.1 \text{ mm}$$

$$2.5d_b = 2.5 \times 32 \text{ mm} = 80.0 \text{ mm}$$

よって，$W = \min\left(80\frac{A_{st}}{s \cdot N}, 2.5d_b\right) = \min(54.1, 80.0) = 54.1 \text{ mm}$ となる．

これより規準（16.9）式による，鉄筋配置と横補強筋による修正係数 K は，次のようになる．

$$K = 0.3\left(\frac{C+W}{d_b}\right) + 0.4 = 0.3 \times \frac{88+54.1}{32} + 0.4 = 1.73 < 2.5$$

よって，$K = 1.73$ とする．

曲げモーメントが逆対称曲げ分布に近い梁なので，解説表16.3より，$\alpha_1 = 2$

1段筋位置に引張主筋を集約したと仮定して $j_1 = 1\,225$ mm

1段筋の長期荷重と水平荷重による存在引張応力度 $_L\sigma_t$ と $_E\sigma_t$ は，略算法により，それぞれ次のようになる．

$$_L\sigma_t = \frac{M_L}{j_1 \cdot \Sigma A_s} = \frac{129 \times 10^6}{1\,225 \times 5\,558} = 18.9 \text{ N/mm}^2$$

$$_E\sigma_t = \frac{M_E}{j_1 \cdot \Sigma A_s} = \frac{1\,059 \times 10^6}{1\,225 \times 5\,558} = 156 \text{ N/mm}^2$$

ここで，ΣA_s：上端筋（7-D 32）の全断面積で $5\,558$ mm²

安全性検討用の鉄筋引張応力度は次のようになる．

$$\sigma_D = {_L\sigma_t} + n \times {_E\sigma_t} = 18.9 + 1.5 \times 156 = 253 \text{ N/mm}^2 < \sigma_y = 390 \text{ N/mm}^2$$

よって，$\sigma_D = 253$ N/mm²

1段筋の安全性検討用の平均付着応力度 τ_D は，安全側の仮定でテンションシフトを考慮し，規準（16.5）式より次のとおりとなる．

$$\tau_D = \alpha_1 \times \frac{\sigma_D \cdot d_b}{4(L - l' - d_1)} = 2 \times \frac{253 \times 32}{4 \times (5\,640 - 806 - 1\,400)} = 1.18 \text{ N/mm}^2$$

ここで，l'：付着検定断面からカットオフ筋が計算上不要となる断面までの距離．

一方，規準（16.5）式の右辺は次のとおり算定される．

$$K \cdot f_b = 1.73 \times 1.44 = 2.49 \text{ N/mm}^2$$

以上より，

$$\tau_D = 1.18 \text{ N/mm}^2 < K \cdot f_b = 2.49 \text{ N/mm}^2 \qquad \text{O. K.}$$

（ⅱ）上端筋の2段筋（2-D 32）の付着の検定

（解16.6），（解16.7），（解16.8）式によって付着の検討を行う．

最外縁主筋の外縁から梁コンクリート側面までの距離：$90 \text{ mm} - \frac{32}{2} \text{ mm} = 74 \text{ mm}$

規準（16.9）式における係数 C は，規準（16.10）式により次のとおりとなる．

$$C = \frac{b - Nd_b}{N} = \frac{600 - 2 \times 32}{2} = 268 \text{ mm} > \min\{3C_{\min}, 5d_b\} = \min\{74 \text{ mm} \times 3, 32 \text{ mm} \times 5\} = 160 \text{ mm}$$

よって，$C = 160$ mm

規準（16.11）式による係数 W を計算する．

$$80\frac{A_{st}}{s \cdot N} = 80 \times \frac{508}{150 \times 2} = 135.4 \text{ mm}$$

$$2.5d_b = 2.5 \times 32 \text{ mm} = 80.0 \text{ mm}$$

よって，$W = \min\left(80\frac{A_{st}}{s \cdot N}, 2.5d_b\right) = \min(135.4, 80.0) = 80.0$ mm となる．

規準（16.9）式による鉄筋配置と横補強筋による修正係数 K は，次のようになる．

$$K = 0.3\left(\frac{C + W}{d_b}\right) + 0.4 = 0.3 \times \frac{160 + 80.0}{32} + 0.4 = 2.65 > 2.5$$

よって，$K = 2.5$ とする．

カットオフされる 2 段筋の付着長さ $l_d = 2\,400$ mm

$$l_d = 2\,400 > l' + d_e = 806 + 1\,374 = 2\,180 \text{ mm} \qquad \text{O. K.}$$

安全性検討用の鉄筋引張応力度は，主筋の降伏強度に強度上昇分を考慮して短期許容引張応力度の 1.1 倍とする．$\sigma_y = 1.1 \times 390 = 429$ N/mm^2．

2 段筋の安全性検討用の平均付着応力度 τ_y は，（解 16.7）式より次のとおりとなる．

$$\tau_y = \frac{\sigma_y \cdot d_b}{4(l_d - d_e/2)} = \frac{429 \times 32}{4 \times (2\,400 - 1\,374/2)} = 2.00 \text{ N/mm}^2$$

せん断補強筋比は，$p_w = \dfrac{A_{st}}{b \times s} = \dfrac{508}{600 \times 150} = 0.0056$

せん断補強筋の降伏応力度は，$\sigma_{wy} = 295$ N/mm^2

（解 16.6）式の右辺は次のようになる．

$$\frac{2 \cdot N_{cut} \cdot \pi d_b \cdot \tau_y}{b} = \frac{2 \times 2 \times \pi \times 32 \times 2.00}{600} = 1.34 \text{ N/mm}^2$$

よって，$p_w \sigma_{wy} = 0.0056 \times 295 = 1.65$ N/mm^2 > 1.34 N/mm^2 　　O. K.

2 段目の鉄筋なので，f_b は表 16.1 の［注］3）より表の数値を 0.6 倍する．

$$K \cdot f_b = 2.5 \times 1.44 \times 0.6 = 2.16 \text{ N/mm}^2$$

$l_d = 2\,400$ mm $< L/2 = 5\,640/2 = 2\,820$ mm なので，表 16.3 より $\alpha_2 = 0.75$

（解 16.8）式より，次のようになる．

$$\tau_D = \alpha_2 \times \tau_y = 0.75 \times 2.00 = 1.50 \text{ N/mm}^2 < K \cdot f_b = 2.16 \text{ N/mm}^2 \qquad \text{O. K.}$$

（5）　構造規定の確認

本条 1 項（4）1)に従って，カットオフ筋（2 段筋）が計算上不要となる断面を超えて部材有効せい d 以上延長されていることを確認する．

カットオフされる引張鉄筋を除いた断面を仮定し，許容曲げモーメントを算出する．

長期荷重に対しては，略算法により，次のようになる．

$$_LM' = a_t \cdot {_Lf_t} \cdot j_1 = 3\,970 \times 195 \times 1\,225 \times 10^{-6} = 948 \text{ kNm} > M_L = 129 \text{ kNm（左端）}$$

通し鉄筋のみで許容曲げモーメントが検定用曲げモーメントを上回っているので，カットオフ筋の延長の確認は不要である．

短期荷重に対しては，略算法により，次のようになる．

$$_sM' = a_t \cdot {_sf_t} \cdot j_1 = 3\,970 \times 390 \times 1\,225 \times 10^{-6} = 1\,897 \text{ kNm} > M_s = 1\,236 \text{ kNm（右端）}$$

通し鉄筋のみで許容曲げモーメントが検定用曲げモーメントを上回っているので，カットオフ筋の延長の確認は不要である．

17条　定　　着

1．定　　着

（1）一般事項

本条は，定着破壊に対する安全性の確保を目標とし，異形鉄筋の仕口への定着を対象とする．

異形鉄筋の仕口への定着は，(17.1) 式により必要定着長さ l_{ab} 以上の定着長さ l_a を確保する．通し配筋定着する場合は後述の（4）による．

$$l_a \geqq l_{ab} \tag{17.1}$$

（2）定着長さ l_a

直線定着する場合の定着長さ l_a は，定着起点から当該鉄筋端までの長さとする〔図17.1〕．本条2.に規定する標準フックを鉄筋端に設ける場合は，定着起点からフックまでの投影定着長さ〔図17.2の網掛け部分の投影長さ l_{dh}〕を l_a とする．信頼できる機械式定着具を鉄筋端に設ける場合は，定着起点から定着具突起までの長さを l_a とする〔図17.2〕．

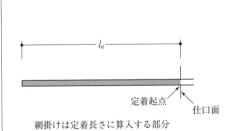

網掛けは定着長さに算入する部分

図17.1　直線定着する場合

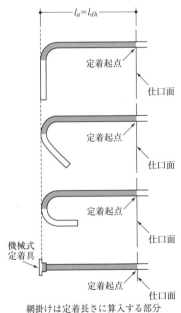

網掛けは定着長さに算入する部分

図17.2　標準フック等を設ける場合

(3) 必要定着長さ l_{ab}

異形鉄筋による引張鉄筋の必要定着長さ l_{ab} は，(17.2) 式より算定する．

$$l_{ab} = \alpha \frac{S\sigma_t d_b}{10 f_b} \tag{17.2}$$

記号
- f_b：付着割裂の基準となる強度で，16条の表16.1のうち「その他の鉄筋」欄の数値
- σ_t：仕口面における鉄筋の応力度．当該鉄筋の短期許容応力度を用いることを原則とする．設計で長期応力のみ負担すると考えた部材にあっては，当該鉄筋の存在応力度の1.5倍を用いてよい．
- d_b：異形鉄筋の呼び名に用いた数値（mm）
- α：横補強筋で拘束されたコア内に定着する場合は1.0，それ以外の場合は1.25とする．
- S：必要定着長さの修正係数で，表17.1による．

表17.1 必要定着長さの修正係数

種類			S
直線定着	耐震部材（柱，大梁，耐震壁，基礎など）		1.25
	非耐震部材（小梁，スラブ，非構造壁など）	片持形式	
		上記以外	1.0
	その他の部材		
標準フックまたは信頼できる機械式定着具	耐震部材（柱，大梁，耐震壁，基礎など）		0.7
	非耐震部材（小梁，スラブ，非構造壁など）	片持形式	
		上記以外	0.5
	その他の部材		

(4) 通し配筋定着する場合の制限

純ラーメン部分の柱梁接合部内を通して配される梁および柱主筋の径は，(17.3)式を満たすことを原則とする．ただし，主筋の降伏が生じない部材では，これを緩和してよい．

$$\frac{d_b}{D} \leq 3.6 \frac{1.5 + 0.1 F_c}{f_t} \tag{17.3}$$

記号
- D：当該鉄筋が通し配筋される部材の全せい（mm）
- F_c：コンクリートの設計基準強度（N/mm²）
- f_t：当該鉄筋の短期許容引張応力度（N/mm²）

(5) 定着に関する構造規定

1) 引張応力を受ける鉄筋の直線定着長さは原則として300mm以上とする．
2) 折曲げ定着の場合は，原則として投影定着長さを $8d_b$ かつ150mm以上とする．ただし，設計で長期応力のみ負担すると考えた部材で特別な配慮をした場合はこの限りでない．
3) 折曲げによる梁主筋の柱への定着および柱主筋の梁への定着における投影定着長さは，仕口部材断面全せいの0.75倍以上を基本とし，接合部パネルゾーン側へ折り曲げることを原則とする．ただし，仕口部材断面せいが十分に大きい場合，あるいは，特別な配慮をした場合はこの限りでない．
4) 機械式定着具は横補強筋で拘束されたコア内で用いることを原則とする．
5) 特殊な定着箇所においては，応力が無理なく伝達されるようなディテールとする．
6) 圧縮応力のみを受ける鉄筋の仕口への定着は，原則として投影定着長さを $8d_b$ 以上とする．
7) 部材固定端における溶接金網の定着では，仕口面から最外端の横筋までの長さを横筋間隔に50mmを加えた長さ以上かつ150mm以上とする．

2. 標準フック

本条によって定着の検定を行う折曲げ定着筋の標準フックの余長は，90°折曲げの場合鉄筋径の8倍以上，135°折曲げの場合は鉄筋径の6倍以上，180°折曲げの場合は鉄筋径の4倍以上とする．折曲げ部の折曲げ内法直径の最小値は，表17.2による．また，標準フックの鉄筋側面からコンクリート表面までの側面かぶり厚さの最小値は，表17.3による．

表17.2 標準フックの内法直径

折曲げ角度	鉄筋種類	鉄筋径による区分	鉄筋の折曲げ内法直径(D)
180° 135° 90°	SD 295 SD 345	D 16 以下	$3d_b$ 以上
		D 19〜D 41	$4d_b$ 以上
	SD 390	D 41 以下	$5d_b$ 以上
90°*	SD 490	D 25 以下	
		D 29〜D 41	$6d_b$ 以上

[注] d_b：定着する鉄筋の呼び名に用いた数値(mm)
＊ SD 490 を 90°を超えて折り曲げる場合は，曲げ試験を行う

表17.3 標準フックの側面かぶり厚さ

$S=0.5$ とする場合	$2d_b$ 以上かつ 65 mm 以上
$S=0.7$ とする場合	$1.5d_b$ 以上かつ 50 mm 以上

1. 定　　着

(1) 基本的な考え方

本条は，外柱梁接合部（ト形・L形）での柱・梁主筋の定着，内柱梁接合部（十字形・T形）での柱・梁通し鉄筋の定着，杭の主筋，小梁主筋，壁筋やスラブ筋などの定着一般を対象とし，定着破壊に対する安全性の確保を目標としている．定着破壊は，①コンクリートの支圧（割裂）破壊，②掻出し破壊，が考えられる．本条では，①に対して標準フックの形状とかぶり厚さを規定することで対応する．②に対しては，十分なのみ込み長さを確保することで対応する．いずれの破壊形式も，破壊に至るまでの剛性は高いことから，安全限界の検討を行えば，使用限界，損傷限界についてはおのずと担保される．ただし，後述するように，柱，大梁，耐震壁，基礎など短期応力時に応力の負担を期待する部材（以下，耐震部材という）と，それら以外の部材とで定着に対する安全限界の考え方は異なる．特に，壁など薄い部材への定着では投影定着長さの確保が困難である場合が予想されるが，(2)および(5)の2)に後述する特別な配慮により必要定着長さを満足しないことを許容する場合もある．

「仕口への定着」とは，スラブから梁，小梁から大梁，大梁から柱梁接合部，壁板から側柱や直交壁など，異なる部材への定着という意味である．耐震壁やスラブの開口補強筋は，同一部材内での付着検定となるため，16条を適用する．

丸鋼は原則として曲げ補強筋として用いないので，本条による定着長さの規定は適用しない．丸鋼をアンカー鉄筋として用いた場合の一般定着長さや，せん断補強筋として用いた場合の重ね継手

長さは16条を適用する．また，丸鋼を溶接金網として用いた場合については（5）の7）に，丸鋼を定着する場合のフック形状については本条2にそれぞれ規定する．

（2）定着長さ

「定着起点」とは，鉄筋の定着のために必要な付着応力度が期待できる最初の箇所という意味である．多くの場合，仕口面が定着起点となるが，L形接合部のように仕口面と定着起点が異なる場合もある（後述）．

直線定着された鉄筋を引き抜こうとすると，鉄筋とコンクリートの境界面に付着応力度が発生する．本規準では，付着応力度が解説図17.1のように一様に分布すると考えて定着長さを検定する．

一方，外柱梁接合部等における梁主筋の折曲げ定着では，解説図17.2（a）のように，鉄筋引張力の多くが折曲げ部で負担されることが多い．さらに，折曲げ部における抵抗力の大きさは，投影定着長さの大小に依存し，余長部の長さにあまり依存しない．そこで，定着起点（この場合は仕口面）からの投影定着長さ l_{dh} を l_a とすることとした．

なお，標準フックを用いた場合，力学的には，$l_a=l_{dh}$ ではなく $l_a=l_{dh}-d_b$ とするのが妥当であろうが，設計式に含まれる安全率と設計の簡便さを考慮し，$l_a=l_{dh}$ とした．機械式定着具を用いた場合は引抜き抵抗機構が若干異なる〔解説図17.2（b）〕が，標準フックによる折曲げ定着に準じるものとした．

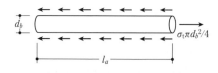

解説図17.1 直線定着の抵抗機構

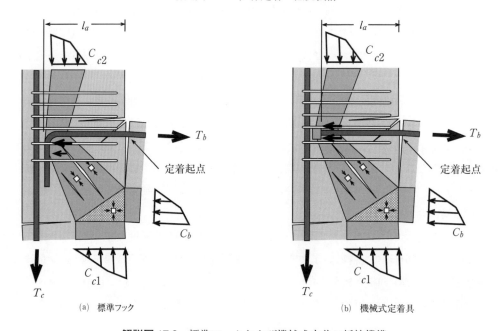

解説図17.2 標準フックおよび機械式定着の抵抗機構

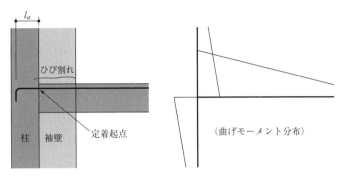

解説図 17.3 梁主筋の袖壁付き柱への定着

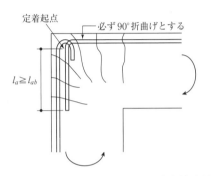

解説図17.4 L形接合部での梁上端主筋定着

　解説図 17.3 のように，袖壁を経由して梁主筋を柱に定着する場合は，原則として柱面を定着起点とする．これは，梁幅に比べて袖壁の厚さが小さく，しかも梁と袖壁の境界面にひび割れ〔解説図 17.3〕が発生して定着能力が失われるおそれがあるためである．柱主筋の最上階垂壁付き梁への定着，腰壁付き基礎梁への定着も同様に梁下端面や基礎梁上端面を定着起点とする．

　最上階外柱梁接合部などのL形接合部における梁上端主筋（2段配筋の場合は1段目主筋）の定着部には，解説図 17.4 のように柱梁接合部に曲げせん断ひび割れが生じる．したがって，解説図 17.5 のように，水平投影部分や折曲げ部分で梁主筋応力はほとんど減少しない．この場合，主筋の定着は，折曲げ終点以降の鉛直部分において重ね継手と同様の応力伝達により確保されると考えられる〔解説図 17.5〕．したがって，このような部位では，解説図 17.4 のように主筋を必ず 90°折曲げとし，折曲げ終点を定着起点と見なして，定着起点以降の鉛直投影定着長さを l_a とする．その際，解説図 17.6 のように鉛直部分の先端に標準フックまたは信頼できる機械式定着具を設けてもよい．鉛直部分の先端にフック等を設けない場合は，鉛直部分を直線定着と見なして必要定着長さ l_{ab}（後述）を算定する．鉛直部分の先端にフック等を設ける場合の鉛直投影定着長さ l_a は，解説図 17.6 のようになる．この場合の応力伝達機構は解説図 17.7 のようになる．その場合には，標準フックまたは機械式定着具に対応する必要定着長さ l_{ab} を算定する．また，柱主筋についても，太径鉄筋の使用を避けるなどして定着を確保する必要がある．L形接合部では，解説図 17.5 のように梁主筋がコアの内部に配置され，柱主筋よりも大きな拘束を受けるので，力学的には柱降伏よりも梁降伏とする方が望ましい．

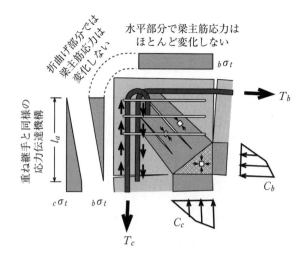

解説図 17.5 L形接合部での梁上端主筋定着（先端にフック等がない場合）

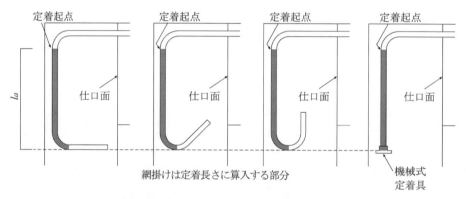

解説図 17.6 L形接合部での梁上端主筋定着
（先端に標準フックまたは機械式定着具を設ける場合）

　最上階中柱梁接合部などのT形接合部における柱主筋の定着では，ト形柱梁接合部における梁主筋の定着を90°回転させたような形状となるが，柱頭が降伏する場合には，ト形接合部より応力状態が厳しくなることが実験で確認されている[1]．したがって，余裕を持った設計が望まれる．L形柱梁接合部の柱主筋の定着も同様である．

　なお，最上階などの梁上端主筋であっても，柱を柱梁接合部上部に梁せいの1/2以上突出し，かつ，その突出部に下階柱と同程度の帯筋を配する場合は，水平投影部分の定着を期待してよい[2]．この理由としては，解説図17.8のように，突出部分の柱主筋フック（または機械式定着具）から梁主筋のフック（または機械式定着具）に向けて鉛直方向の圧縮束が形成され，ト形接合部と同様

---

1) 益尾　潔・井上寿也・岡村信也：機械式定着工法によるRC造T形およびL形柱梁接合部の終局耐力に関する設計条件，日本建築学会構造系論文集，Vol. 70，No. 590，pp. 95-102，2005.4
2) 花井伸明・白川敏夫：上部に柱形が突出したRC造L形柱梁接合部における梁主筋の定着性状，日本建築学会技術報告集，Vol. 18，No. 38，pp. 177-180，2012.2

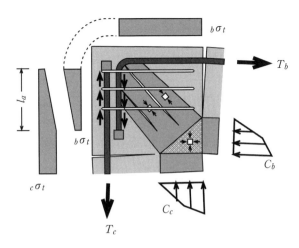

解説図 17.7 L形接合部での梁上端主筋定着
（機械式定着具を設ける場合）

の応力伝達機構が期待できるからである．

　基礎梁下端筋の定着については，見かけ上は最上階などのL形接合部への梁上端主筋の定着を180°反転した形状をしている．しかしながら，場所打ち杭が存在する場合は，むしろト形接合部に準じると見なすべきである．ただし，安全側の観点から，定着長さ l_a は，解説図17.9のように，柱面の延長を定着起点として算定することとする．柱より幅の広い基礎梁の主筋の機械式定着は，定着具からコンクリート表面までのかぶり厚さが不足しがちとなるので，避けるのがよい．

　解説図17.10に示すように，独立基礎の場合，あるいはべた基礎の出隅部における基礎梁下端主筋および基礎スラブ下端筋において，基礎の浮上りが生じる場合にあっては，L形接合部への梁上端主筋の定着と同様に，柱主筋に応力伝達ができるよう90°折曲げ終点を定着起点としなければならない．

　U字形配筋の場合は，本文の図17.2の90°標準フックを準用してよい．ただし，最上階外柱への梁上端主筋の定着では，解説図17.6の鉛直部分の先端を90°標準フックとした場合を準用する〔解説図17.11〕．

　引張応力を受ける鉄筋の折曲げ定着では，折曲げ開始点と仕口面との距離が短すぎると，掻出し破壊などの好ましくない破壊が生じる．特に，壁などの薄い部材に折曲げ定着する場合，投影定着長さの確保が困難である場合が想定されるが，過去に定着破壊による被害例がないことから，長期応力が支配的な部材に限り，長期荷重にのみ引張応力を受ける鉄筋がやむを得ず投影定着長さが確保できない場合は，次に示す「特別な配慮」を行うことを許容する．なお，この場合，必要定着さの計算に使用する表17.1の修正係数（後述）は直線定着の値とする．

・投影定着長さが規準（17.2）式で求まる必要定着長さ l_{ab} の2/3以上である場合

　　仕口面から鉄筋端までの総延長長さ（折曲げ部分および余長を含む）は必要長さ（Sは直線定着の値）を確保

・投影定着長さが規準（17.2）式で求まる必要定着長さ l_{ab} の2/3未満である場合

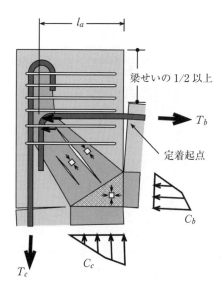

解説図 17.8 L形接合部での梁上端主筋定着
（上部に突出がある場合）

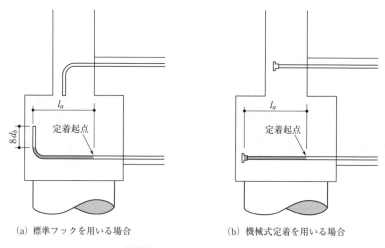

(a) 標準フックを用いる場合　　(b) 機械式定着を用いる場合

解説図 17.9 杭がある場合

折曲げ終点から鉄筋端までの長さは必要長さ（S は直線定着の値）を確保

ただし，例えば両端支持された小梁の場合，計算上は両端支持部を固定端と仮定していても，実際には定着端の緩みから解説図17.12のように固定度が小さくなるケースが多いと思われる．したがって，梁中央部の下端筋を増やすなどの措置が望ましい．片持梁の先端に小梁を接合する場合も同様に固定度が低下すると考えられるので，小梁の下端筋を増やすのがよい[3]．また，このとき仕口部周辺の固定度低下を考慮してたわみの検討を行う必要がある．

---

3) 日本建築学会：鉄筋コンクリート造建物の靱性保証型耐震設計指針・同解説，1999

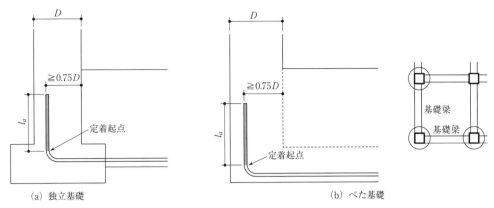

解説図17.10 鉛直部分で定着する必要がある場合の定着起点

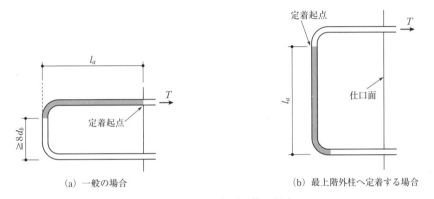

解説図17.11 U字形配筋の場合

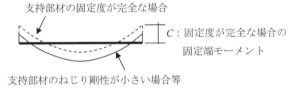

解説図 17.12 固定度の小さい部材に定着された小梁の曲げモーメント図

　本規準9条では，大梁に剛接合される小梁の設計用曲げモーメントを大梁のねじり抵抗を考慮した固定度の状況に合わせて示している．これと同様に考えると，定着長さが不足することで固定度が低下することにより，小梁全体の応力状態（曲げモーメント）が単純梁の応力状態に近づき，部材中央の下端筋の応力が増加することになる．そこで，$l_{dh} < l_{ab}$ となる場合は，下端筋の応力が $\dfrac{C}{j} \cdot \left(1 - \dfrac{l_{dh}}{l_{ab}}\right)$（$C$：固定端モーメント，$j$：応力中心距離）に相当する分だけ増加するものと考えて下端筋を算定すべきである．なお，固定度の低下を解説図9.3に基づいて評価する場合は，固定端モーメントを端部設計曲げモーメントと読み替える．また，解説図9.3(a)のような場合には，固定度の低下は外端のみで起こると考えられる．したがって，その場合は中央の正曲げモーメントおよび内端側の曲げモーメントの増大は単スパン時の1/2程度と考えてよい．

上述の特別な配慮は両端支持の長期応力が支配的な部材で適用できると考えられるが，片持梁のような静定部材では端部固定度の低下は安全性に直接反映するため，安全率を大きくとるなど十分に検討を行うことが必要である．一つの方法として，鉄筋の折曲げ開始点を仕口部材せいの 0.5 倍以上のみ込ませた位置とすることが考えられる[4]．

（3） 必要定着長さ

1） 規準（17.2）式の基本的考え方

規準（17.2）式は，本会「靱性保証型耐震設計指針」[3] で示された以下の式を簡略化したものである．

$$f_u = 210 \cdot k_c \cdot k_j \cdot k_d \cdot k_s \cdot \sigma_B^{0.4} \tag{解 17.1}$$

ここで，f_u はト形柱梁接合部における折曲げ定着強度，σ_B はコンクリート圧縮強度（N/mm²）を表す．係数 k_c，k_j，k_d，k_s はそれぞれ側面かぶり厚さ，折曲げ位置，投影定着長さ，横補強筋の効果を評価する係数である．

この式は，主に，解説図 17.13 に示すような側面コンクリートの割裂による定着破壊の防止を目的としている．柱梁接合部でのせん断型定着破壊については，規準本文 1．(5) 2) の構造規定で投影定着長さを確保し，15 条のせん断検定を行うことで防止することができると考えている．小梁主筋の定着で生じる解説図 17.14 のような掻出し破壊については，本文 1．(5) 2) の構造規定で防止することができると考えている．ただし，解説図 17.15 のように，片持梁の先端に小梁主筋を定着する場合に当該片持梁の中心より手前に定着すると掻出し破壊が生じるという実験例[5] もあるので，そのようなディテールは避けるべきである．

2 段配筋の場合には，1 段目主筋，2 段目主筋の定着筋に対してそれぞれ検定する．同一鉄筋径

解説図 17.13 柱梁接合部の割裂型定着破壊

4） 北野敦則・前野航太郎・後藤康明：薄い部材に折曲げ定着した RC 梁の挙動に関する実験的検討，日本建築学会大会学術講演梗概集，構造Ⅳ，pp. 327-330，2008.9

5） ルクマン・花井伸明・市之瀬敏勝：RC 小梁主筋の定着強度に関する実験，日本建築学会大会学術講演梗概集，C-2，pp. 117-118，2007.8

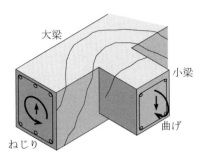

解説図 17.14 掻出し定着破壊（T形の大梁・小梁接合部）

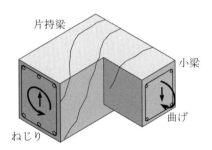

解説図 17.15 掻出し定着破壊（片持梁の先端に小梁が付く場合）

であれば，投影定着長さが短くなる内側段筋のほうを検定することになる．

なお，規準（17.2）式はト形柱梁接合部での梁主筋定着に対して実験的に検証されたものであり，柱主筋の定着に準用する際は十分な余裕度を見込むべきである．特に，太径の柱主筋を使用し，かつそれらに大きな塑性変形が生じる場合は注意が必要である．具体的には，後述する α の値を割り増す等の方法が考えられる．

2) 付着割裂の基準となる強度 f_b

規準（17.2）式の f_b は，表16.1の f_b の値のうち，「その他の鉄筋」欄の値を用いる．現実には，大梁の主筋を柱に定着する場合，梁に打設されたコンクリートが硬化前に沈下して梁上端主筋周囲に弱いコンクリート層ができる．規準（17.2）式の根拠となった実験[6]では，その影響が十分に検討されているわけではないが，規準（17.2）式にはこの影響を補うだけの安全率が含まれているものと考え，鉄筋の位置にかかわらず「その他の鉄筋」欄の数値を用いてよいものとした．なお，多段配筋の2段目主筋であっても，表16.1の数値に0.6を乗じる必要はない．ただし，既往の実験では，内側段筋の定着強度が一段筋の影響によって10%程度低下するとの報告もあるので，多段配筋の定着では定着投影長さやかぶり厚さを割り増すことが望ましい．軽量コンクリートの場合は定着強度が劣ることから，表16.1に従って，普通コンクリートに対する数値の0.8倍とする．特に，定着筋にSD 490を用いる場合については，軽量コンクリートの使用は避けるべきである．ま

---

6) 藤井　栄・森田司郎・川上修司・山田稔明：90°折り曲げ鉄筋の定着耐力の再評価，日本建築学会構造系論文報告集，No. 429, pp. 65-75, 1991. 11

た，SD 490 について規準（17.2）式を用いて定着長さを検定する場合，コンクリート強度との組合せについては 3 条を参照されたい．

なお，f_b は 1999 年版における短期許容付着応力度と同一のものであり，1999 年版ではこれを定着長さの算定にも用いており，これを踏襲している．

3）仕口面における鉄筋の応力度 σ_t

表 16.1 に示した f_b の数値は短期許容応力度に相当するので，σ_t に鉄筋の短期許容応力度（規格降伏点）を用いることを基本とした．特に大梁，柱，耐震壁など，耐震部材の鉄筋については，許容応力度計算での存在応力にかかわらず，大地震時には降伏が起こりうるので，鉄筋の短期許容応力度（規格降伏点）を用いる必要がある．ただし，最上階の柱や基礎梁主筋の定着などでメカニズム時の存在応力度が計算できる場合は，その計算値を用いてもよい．

小梁，スラブ，階段など（以下，非耐震部材と略記）にあっては長期応力が支配的であるため，当該鉄筋の定着起点における存在応力度の 1.5 倍を用いるものとした．1999 年版において短期の f_b は長期の 1.5 倍とされており，これに合わせるため長期の存在応力度に 1.5 倍を乗じることとしたものである．ただし，掻出し破壊については，個々の鉄筋応力ではなく全体の鉄筋合力が問題となる[5]ため，必要定着長さを短くする目的で細い鉄筋を多量に配筋することは避けるべきである．

4）係 数 α

横補強筋による拘束がない場合は，解説図 17.13 に示すような割裂型定着破壊がより生じやすくなるので，定着長さを 1.25 倍に割り増す必要がある（$\alpha=1.25$）．コア内に定着する場合は $\alpha=1.0$ としてよい．コアとは，横補強筋で囲まれた領域，またはダブル配筋されている壁の壁筋で挟まれた領域（幅止筋を配することが望ましい）をいう．例えば，解説図 17.16（a），（b）のように，余長部がすべてコア内に入っていれば（すなわち，折曲げ終点がコア内に入っていれば），コア内に定着されていると見なす．折曲げ終点がコア外にあるものは原則としてコア内定着と認められないが，同図（c）のように余長部を延長し，余長部がコア内に $8d_b$ 以上，かつ 150 mm 以上入っている状態を確保すれば定着破壊を防止することができると考えられるので，コア内定着と見なしてよい．小梁主筋を大梁に機械式定着する場合は，原則として $\alpha=1.25$ とする（後述）．

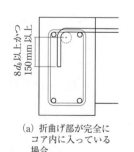
(a) 折曲げ部が完全に
コア内に入っている
場合

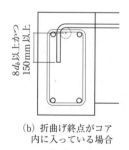
(b) 折曲げ終点がコア
内に入っている場合

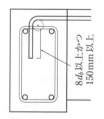
(c) 余長部が $8d_b$ 以上
コア内に入っている
場合

解説図 17.16 $\alpha=1.0$ としてよい場合

5) 必要定着長さの修正係数 S

　柱，大梁，耐震壁，基礎など耐震部材は短期許容応力度まで定着性能を保証し，小梁，スラブなど非耐震部材は，長期許容応力度レベルでの性能を保証するものである．雑壁などの構造体ではない壁も非耐震部材に含まれる．ただし，例えば鉛直地震動を考慮するスラブなど，長期部材であっても設計で地震力を負担すると考えた部材は短期許容応力度を保証する必要があり，耐震部材の S 値を用いるべきである．構造スリットを設けず短期応力時に応力の負担を期待する腰壁・袖壁も同様である．個々の部材について耐震部材と見なすか非耐震部材と見なすかは設計者の裁量であるが，危険側となることのないよう，実状に応じて適切に判断しなければならない．

　必要定着長さの修正係数 S は，1999 年版では解説図 17.13 のような側方割裂破壊を考慮した係数であり，側面かぶり厚さに応じて柱梁接合部では 1.0 から 0.6 の範囲で，柱梁接合部以外の仕口一般では 1.0 から 0.8 の範囲で与えられていたものである．しかし，柱梁接合部においては通常，定着筋は横補強筋に囲まれたコア内に定着されており，また，直交方向両側に梁が取り付いていることから，解説図 17.13 のような側方割裂破壊は生じない．このような側方割裂破壊に留意しなければならないのは外周ラーメンの柱梁接合部であるが，この場合においても影響するのは最外縁の定着筋のみである．一方，ACI 規準により折曲げ定着の必要定着長さを算定すると，かぶり厚さを後述する表 17.3 の区分に従い $S=0.5$ または $S=0.7$ として規準 (17.2) 式で算定したときとほぼ等しい．そのため，2010 年版で，耐震部材で標準フックまたは信頼できる機械式定着具を用いる場合においては，一律に $S=0.7$ として簡略化された[7]．

　不静定の非耐震部材について，解説図 17.14 のように小梁の主筋を大梁へ折曲げ定着する場合は，割裂破壊が生じるおそれがなく，高い定着強度が期待できるので，$S=0.5$ として投影長さを求めてよい．解説図 17.15 のように片持梁の先端に小梁主筋を定着する場合も，長期応力だけで割裂破壊が生じる可能性は小さいので，$S=0.5$ としてよい．壁に小梁やスラブを定着する場合も同様である．一方，非耐震部材であっても片持小梁または片持スラブなどの静定部材においては，定着破壊が不具合や事故に直結することから，$S=0.7$ とすることとした．

　一方，直線定着の場合は，定着機構がまったく異なる．本来，付着割裂破壊を防止するために 16 条の Kf_b を用いて定着長さを検定すべきである．また，スラブ筋を直線定着する場合は，仕口への定着と部材内定着の 2 種類があり，実況に応じて本条と 16 条 3.(1) のいずれかの検討を適切に選択する必要がある．例えば，スラブ筋が上端筋に相当する場合，スラブ筋が梁の曲げ強度に寄与する場合，スラブ筋をコア内に定着できない場合，梁幅が小さくスラブ筋を隣接スラブに定着する場合，長期荷重や短期荷重に対して割裂破壊のおそれのある場合などは，16 条 3.(1) による検討が望ましい．詳細は 16 条 3.(1) の解説を参照されたい．しかし，例えばスラブ筋や壁筋などを大梁や柱のコア内に直線定着する場合など，十分に拘束された仕口部に直線定着した鉄筋は，付着割裂破壊する可能性は小さいと考えられ，本条による検討により許容応力度計算を省略できる．16

---

7) 益尾　潔：折曲げ定着による RC 造ト形接合部の終局耐力に関する設計条件，日本建築学会大会学術講演梗概集，pp.335-336，2008.9

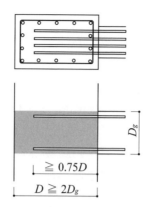

解説図 17.17 偏平な柱梁接合部への梁主筋の定着

条解説 3.（1）より，16条の規準（16.14）式における重ね継手長さ l を定着長さ l_a に置き換えると

$$l_a \geqq l_{ab} = \frac{\sigma_y d_b}{4K f_b} \tag{解 17.2}$$

となる．これに $K=2.5$（最大値）を代入すると，規準（17.2）式で $S=1.0$，$\alpha=1.0$ とした場合と等価となることから，非耐震部材で直線定着とする場合においては $S=1.0$ とした．耐震部材では，標準フックを用いた場合の総長さや非耐震部材で $\alpha=1.25$ として直線定着した場合と比較して，定着長さが過小とならないよう $S=1.25$ とした．なお，スラブ筋は，耐震部材と見なされる場合には $S=1.25$ としなければならない．このような背景により，割裂破壊が生じるおそれがあるコンクリートに鉄筋を直線定着することは避けるべきである．柱梁接合部コア内への梁筋の定着であっても，直線定着とする場合には，周囲から圧縮力を受ける領域のみを割裂のおそれのない領域と見なすことが望ましい．直線定着とすることができるのは，例えば柱せいが梁せいに比して2倍程度以上ある偏平な接合部〔解説図17.17〕の長辺方向の場合に限られる．その場合でも，圧縮力を受ける領域に確実に定着させるためには，少なくとも柱せいの 0.75 倍以上の定着長さとすることが基本である．外柱梁接合部では，せん断強度確保の観点からも端部に標準フックを設けた折曲げ定着とするか，直線定着の場合は定着用の突出を設けてそこまで延長するのが望ましい．

（4） 通し配筋定着する場合の制限

純ラーメン構造の中間階の内柱では，梁や柱の主筋は接合する相手部材に通し配筋して定着するのが一般的である．大地震に対して梁の曲げ降伏が先行する崩壊型を前提として梁の塑性変形能力に期待する場合は，内柱を貫通して通し配筋された梁筋が付着劣化を引き起こすと，架構の復元力特性に大きな影響を及ぼすことがわかっている．したがって，梁降伏先行型の柱梁接合部では，接合部左右の梁危険断面において梁主筋に引張，圧縮降伏が生じていると考えた時の接合部内で生じる平均付着応力度が，接合部における付着強度を上回らないことを検定する必要がある．本会指針[3]では，これを梁筋径の柱せいに対する比を制限する形式に表現しなおした以下の式が提示されている．

解説表 17.1 通し配筋定着する場合の柱せいと梁主筋径との比の最小値

F_c(N/mm^2)	鉄筋種別			
	SD 295	SD 345	SD 390	SD 490
18	24.9	29.1	32.9	41.3
21	22.8	26.7	30.1	37.9
24	21.1	24.6	27.8	35.0
27	19.6	22.9	25.8	32.5
30	18.3	21.3	24.1	30.3
36	16.1	18.8	21.3	26.7
42	14.4	16.9	19.1	23.9
48	13.1	15.3	17.2	21.7
54	11.9	13.9	15.8	19.8
60	11.0	12.8	14.5	18.2

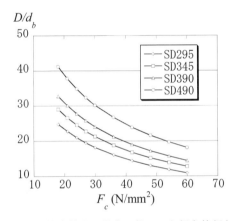

解説図 17.18 通し配筋定着する場合の柱せいと梁主筋径との比の最小値

$$\frac{d_b}{D} \leqq \frac{6}{1+\gamma}\left(1+\frac{\sigma_0}{\sigma_B}\right)\frac{0.46\sigma_B^{2/3}}{\sigma_{yu}} \qquad (解 17.3)$$

ここで，σ_0 は柱軸方向圧縮応力度，γ は梁複筋比で 1.0 以下，σ_{yu} は主筋規格降伏点の 1.25～1.30 倍をとる（σ_0，σ_B，σ_{yu} の単位は N/mm^2）．短期荷重時の意図する中程度の地震に対しても，接合部内での大幅な付着劣化はせん断強度，梁危険断面の曲げ性能にとっても好ましくなく，被災後の補修の観点からも避けるべきであろう．本規準では，（解 17.3）式を基に柱軸方向応力度 σ_0 を $0.2F_c$，$\gamma=1$ と仮定し，σ_{yu} を短期荷重時の作用鉄筋引張応力（規格降伏点）に読み替え，式を簡略化することで規準（17.3）式を導いた．主筋応力に規格降伏点応力を用いることから終局時には同指針の条件を満たさないことになるが，接合部内の付着に対する要求は建物の特性によっても異なるものであり，また，たとえ付着劣化が生じても最終的な定着が失われるわけではないため，本規準においてはこれを許容することとした．規準（17.3）式による柱せいと梁主筋径との比の最小値を解説表 17.1，解説図 17.18 に示す．

梁降伏が先行する場合の柱通し筋のように，接合部まわりの危険断面で鉄筋が引張，圧縮降伏と

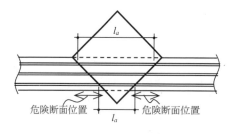 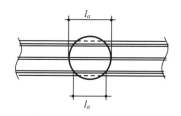

(a) 平面上柱に対して斜めに梁が取り付く場合　　(b) 円柱に幅の大きな梁が取り付く場合

解説図 17.19 位置によって梁主筋の定着長が異なる例

ならない場合には，その時の応力勾配に応じて規準（17.3）式による条件を緩和してよい．例えば，鉄筋の応力勾配や節点での柱梁強度比（$\Sigma M_{cy}/\Sigma M_{by}$）などに応じて緩和する方法が考えられる．強度抵抗型の建物では柱や梁部材の降伏を想定していないため，本規定に準じる必要はない．

解説図 17.19 に示すように平面上柱に対して斜めに梁が取り付く場合や，円柱で柱径と梁幅の寸法がほぼ同じ場合には，特にコンクリート表面に近い梁主筋の定着が確保できないことが想定される．このような特別な場合は既往の研究がないことから，危険断面をどこに仮定するかの問題を含めて，設計者が実挙動を適切に判断して定着設計を行うことが必要である．

（5）定着に関する構造規定

1）主筋を相手部材に通して定着する場合，引張応力を受ける鉄筋に対して必要とされる最小の定着長さは，前項において主筋径との比で規定を示したが，安全性を考えて実部材で考えられる最小必要寸法値を具体的に規定した．

直線定着に関する最小必要長さについては，ACI318-14 に 12 inch（300 mm）を最小値として規定されているが，本規準でもこれにならい最小値としている．ただし，非耐震部材で定着に対して十分な安全性が示されている場合は，これによらなくてもよい．

2）折曲げ定着をする場合に必要定着長さは規準（17.2）式で与えられるが，掻出し破壊防止のために必要最小と考えられる投影定着長さを規定した．これを確保できない場合に，非耐震部材に限り特別な配慮を認めた．掻出し破壊を防止する方法として，解説図 17.20 に示すように仕口部材の折曲げ背面の鉄筋と前面の鉄筋を結ぶ幅止筋を配することが有効であるが，不足する場合はさらに折曲げ部内側に直交筋を配するのがよい．幅止筋は定着する鉄筋が存在する範囲を取り囲むように配置し，定着する鉄筋の応力ができるだけ多くの背面の鉄筋に伝達できるディテールとすることが望ましい[8]．また，直交筋は少なくとも定着する鉄筋の径以上のものとし，当該部材のせい以上の長さを定着する鉄筋の両側に確保することが望ましい．このようにしても，折曲げ開始点が危険断面に近すぎる場合には，危険断面からのひび割れが伸展し，副次的な補強筋が有効になるまでに掻出し変形が生じることに注意が必要である．

8）大谷　敦・城　攻・後藤康明・北野敦則：RC 造耐力壁大梁交差部における 90° 折り曲げ鉄筋の定着性状，コンクリート工学年次論文集，Vol. 22, No. 3, pp. 1237-1242, 2000

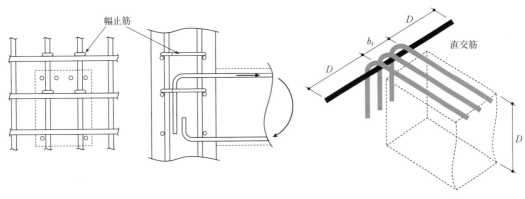

解説図 17.20 幅止筋と直交筋

3) 建物外周の柱に梁主筋を折り曲げて定着する際に，直交方向の鉄筋の納まりの問題から梁主筋の折曲げ位置を柱内側にずらす場合が見られる．この時，投影定着長さが仕口部材断面全せいの0.75倍に満たない場合は，15条で前提としている柱梁接合部有効断面積が確保できないことから，柱梁接合部の短期許容せん断力を低減しなければならない．

折曲げ定着の場合に梁主筋に引張力が生じると，抵抗力として折曲げ部内側に支圧力が生じる．梁主筋は柱梁接合部内の応力伝達を考えて梁主筋を接合部内に折り曲げると，折曲げ内側から梁圧縮域間に圧縮力の束が形成されるので好ましい．しかし，接合部内は多くの鉄筋が交差するため，鉄筋の納まりの都合で特に梁下端筋をやむを得ず下階の柱に曲げ下げる例が見られる．下記すべての条件を満たす接合部で曲下げ定着を行う場合は，折曲げ開始点から発生する放射状の圧縮力〔解説図17.21参照〕を柱の背面まで伝達できるように，下柱の帯筋を増やすことが望ましい．

・D_s 値が小さく大地震時に大きな塑性変形が生じやすい．

・投影定着長さが短く（$l_{dh} < 0.75D$），接合部に関するせん断余裕度（Q_{Aj}/Q_{Dj}）が1に近い

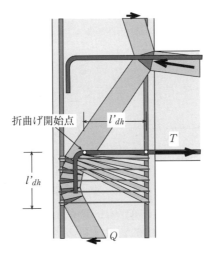

解説図 17.21 梁主筋を曲下げ定着する場合

（Q_{Aj}, Q_{Dj} は 15 条による）．

・柱の帯筋量に比べて梁の下端筋量が非常に多い（$T \gg b \cdot l'_{dh} \cdot p_w \sigma_{wy}$）（$b$ は柱の幅，p_w は柱の帯筋比，σ_{wy} は柱の帯筋の降伏強度）．

帯筋の配筋範囲は，解説図 17.21 の折曲げ開始点から柱主筋交点までの距離 l'_{dh} に相当する範囲とする[9]．帯筋量については既往の実験[9]が参考となる．

4） 大梁への小梁主筋定着についても，鉄筋工事を容易にするために，機械式定着とすることがある．機械式定着の実験[10]によると，コンクリート強度が低く，かつ小梁主筋の引張応力が高いと，解説図 17.22（a）に示すように，機械式定着具に下部から押し上げる力が生じ，小梁主筋定着部が上面押出し破壊を起こすことがある．これに対し，折曲げ定着の典型的な破壊形式は，解説図 17.22（b）に示す掻出し破壊である．

解説図 17.23 は，実験結果[10]に基づく小梁主筋の必要定着長さの検討結果であり，この実験は，大梁に接続する片持形式の小梁の先端にせん断力 Q_b を加えることによって行われている．同図の横軸は l_a/l_{ab} で，l_a は定着長さ，l_{ab} は規準（17.2）式による必要定着長さであり，縦軸は

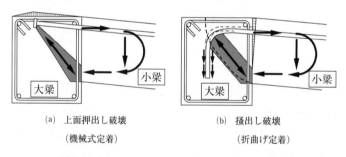

解説図 17.22 小梁主筋定着部の典型的な破壊形式

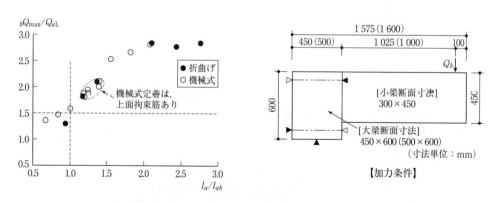

解説図 17.23 小梁主筋の必要定着長さの検討結果

9） 南　宏一・西村泰志：鉄筋コンクリート外部柱はり接合部におけるはり主筋の定着機構におよぼす補強筋の効果，コンクリート工学年次論文報告集，Vol. 8, pp. 645-648, 1986

10） 益尾　潔・足立将人・田川浩之：機械式定着による RC 造小梁主筋の定着耐力および必要定着長さ，日本建築学会構造系論文集，Vol. 73, No. 631, pp. 1625-1632, 2008.9

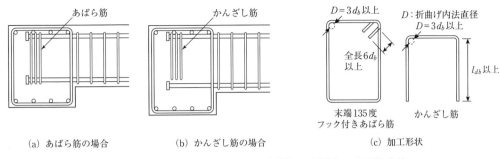

解説図 17.24 機械式定着による定着部に配置する上面拘束筋

$_bQ_{max}/Q_{aL}$ で，$_bQ_{max}$ は最大耐力実験値，Q_{aL} は小梁端フェイスの長期許容曲げモーメント時せん断力である．同図中，●は折曲げ定着の実験値，○は機械式定着の実験値を示し，機械式定着の場合，上面拘束筋を配置した実験値を併示した．上面拘束筋とは，解説図 17.24 に示した機械式定着具近傍に配置したかんざし筋またはあばら筋を指す（必要定着長さ l_{db} は規準 16 条の「3. 鉄筋の部材内定着」による）．

必要定着長さ l_{ab} の算定に際して，いずれの場合も $S=0.5$ とし，折曲げ定着では $\alpha=1.0$，機械式定着では，上面押出し破壊の影響を踏まえ，上面拘束筋による上面押出し定着耐力の増大効果を考慮した（解 17.4）式より求めた α を用いている．（解 17.4）式によると，機械式定着において上面拘束筋を配置しない場合，$\alpha=1.25$ となる．

$$\alpha = 1.25 - (T_{wy}/T_{by}) \geqq 1 \qquad (解 17.4)$$

記号　T_{wy}：上面拘束筋足部(定着部)の全引張降伏耐力

T_{by}：小梁主筋の全引張降伏耐力

また，規準（17.2）式中の鉄筋の設計用引張応力 σ_t は長期許容引張応力度の 1.5 倍とし，f_b は材料試験結果によるコンクリートの圧縮強度を基に設定し，（解 17.4）式中の T_{wy} と T_{by} はそれぞれ引張規格降伏点を用いて算定している．

解説図 17.23 によると，機械式定着および折曲げ定着ともに，定着長さ l_a が $S=0.5$ として求めた必要定着長さ l_{ab} 以上であれば，最大耐力実験値 $_bQ_{max}$ は長期許容曲げモーメント時せん断力 Q_{aL} の 1.5 倍以上となり，（3）項に示された設計用引張応力 σ_t に対する安全率 1.5 が確保される．これに対し，$S=0.7$ として l_{ab} を求めると，$l_a \geqq l_{ab}$ の場合，最大耐力実験値 $_bQ_{max}$ は長期許容曲げモーメント時せん断力 Q_{aL} の 2 倍以上となる．この場合，片持形式であっても，小梁主筋の種別が SD 390 以下であれば，小梁の終局強度は曲げ終局強度によって決定され，脆性的な定着破壊を防止できる．一方，同実験結果によると，定着長さが短く，コンクリート強度が低いと，小梁端の曲げひび割れ幅が拡大し，長期荷重時の使用性から決まる制限値[11]を超えるおそれがある．このような場合，小梁端フェイスでの小梁主筋の作用応力を小さくするなどの措置を講じる必要がある[10]．

---

11) 日本建築学会：鉄筋コンクリート造のひび割れ対策(設計・施工)指針・同解説，8 章　設計における対策，pp. 28-54，2002

5) 特殊な定着箇所においては，応力が無理なく伝達されるようなディテールとすることが必要である．例えば，杭基礎では，解説図17.25（a）のように，柱主筋と杭主筋が基礎内で相互に定着される一方で，基礎梁の主筋が柱内に定着されるのが一般的である．その場合に，基礎の上端が基礎梁せいのどのレベルに位置するかによっては，杭頭から基礎梁への応力伝達が難しくなることがある．具体的には，機械式駐車場のピットなどで基礎と底盤の上端をそろえる場合や，深いピット周りにせいの大きな基礎梁を設ける場合などでは，基礎の上端が基礎梁せいの下方に位置することがある．このような場合では，基礎と基礎梁が取り合う部分が小さくなるために，杭頭応力を確実に基礎梁に伝達するための特別な工夫が必要となる．その工夫の例として，解説図17.25（b）は基礎の上部にスタブを設けて応力伝達の改善を図ったものである．

また，耐震壁の直下にピロティを設ける場合は，独立柱であるピロティ柱がその直上の耐震壁付帯柱よりも大きな断面寸法となることが多い．解説図17.26（a）に示すように柱断面を著しく絞るピロティ柱では，柱主筋の定着を確保するため，解説図17.26（b）を参考に下記の配慮を行うことが望ましい[12]．

・柱梁接合部内へピロティ柱から定着される主筋と直上の付帯柱から定着される主筋の間で，引張応力の伝達が極力可能な配筋ディテールとすること．
・耐震壁脚部に剛強な枠梁を設け，柱主筋の投影定着長さ l_a を大きくしてストラットの角度を確保すること．
・枠梁の下端筋は，耐震壁脚部から伝達される水平力ならびにピロティ柱の柱頭から伝達される曲げモーメントを考慮して，適切に配筋すること．

6) 既往の実験では折曲げ（フック）定着の場合に引張に対して健全であれば圧縮に対して危険

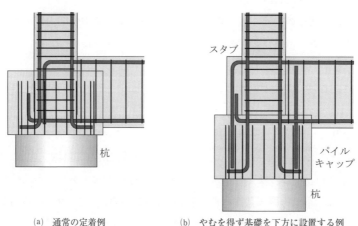

(a) 通常の定着例　　(b) やむを得ず基礎を下方に設置する例

解説図 17.25 杭基礎における定着

---

12) 花井伸明・後藤康明・市之瀬敏勝：断面が急変するピロティ柱梁接合部における柱主筋の定着性状，日本建築学会技術報告集，Vol. 15, No. 29, pp. 143-146, 2009.2

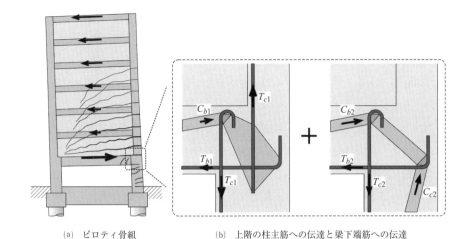

(a) ピロティ骨組　　　(b) 上階の柱主筋への伝達と梁下端筋への伝達

解説図 17.26　やむを得ず柱断面を著しく絞るピロティの定着

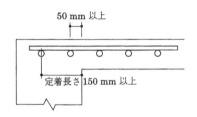

解説図 17.27　溶接金網の定着

となるケースはまれであるため，鉄筋引張力に対して本規定を満足する定着長さとした場合には，当該鉄筋が圧縮となる場合の検定は不要である．常時圧縮力が作用する小梁下端筋でも，地震挙動を考慮し折り曲げて定着する場合が見られるが，圧縮力に対しては折り曲げた先が定着に有効ではないため，投影定着長さが本規定の長さを上回るようにすればよい．ただし，折曲げ部や端部定着板への圧縮力が過大となれば，仕口面と反対側の面を押し抜く破壊が生じるため，折曲げ部，定着具は主筋と横補強筋で囲まれた接合部コア内に配置し，余長部に対する背面側のかぶり厚さも小さくならないようにしなければならない．

7）　溶接金網では，当該鉄筋に直交して溶接される横筋が抵抗して定着力が確保できると考えられる．したがって，部材固定端における溶接金網の定着では，金網の交点が溶接されていることを確認のうえ，解説図 17.27 に示すように，支持部材仕口面から最外端の横筋までの長さを横筋間隔に 50 mm を加えた長さ以上，かつ 150 mm 以上（溶接交点が 2 か所以上）となるように配置する．

2. 標準フック

引張力を受ける鉄筋を他の部材中に定着する際，その部材寸法が十分ではない場合は，鉄筋を折り曲げて定着することが一般的である．このような折曲げ定着では，折曲げ内側に大きな支圧力が生じ定着力が確保されると考えられるが，折曲げ内法直径の小さい折曲げを行うと折曲げ内側コンクリートの局部圧縮破壊が生じる場合がある．また，鉄筋に対するかぶり厚さが小さい場合には，

鉄筋側方のコンクリートが皿状にはく離し（割裂型定着破壊），定着強度が急激に失われることが実験で確認されている[13]．本条の第1項では，このような定着破壊を生じることがない折曲げ定着を前提として定着長さを規定していることから，これらの定着破壊が生じることのない「標準フック」を規定する必要がある．標準フックの規定を満足しない折曲げ定着は，本条の規定を用いて設計することはできない．

　鉄筋末端のフックは，折曲げ開始点から折曲げ終点までの「折曲げ部」と折曲げ終点以降の「余長部」で構成される．折曲げ定着は直線定着できない部分を折り曲げて相手部材内に定着するものであり，折曲げ開始点以降で所定の長さを確保することが定着性能を確保するうえで重要である．折曲げ角度が大きいほど折曲げ部の定着性能が大きいことから，折曲げ角度に応じた余長を規定した．本規準の1999年版では，90°折曲げの場合の余長は鉄筋径の10倍以上と規定していたが，既往の90°折曲げ定着の実験[14]で余長を$8 \sim 12 d_b$（d_bは鉄筋径）と変化させた場合でも定着強度は同程度の数値であったことから，2010年版から余長の最低長さを$8 d_b$に変更した．その結果，例えば折曲げ内法直径が$4 d_b$の場合には，いずれの折曲げ角度にしても折曲げ開始点以降の鉄筋の長さがすべて同じとなるため，必要な鉄筋長さが統一されるとともに，現場での折曲げ角度変更に対しても柔軟に対応ができると考える．

　前述の割裂型定着破壊ではコンクリート強度のほかに，折曲げ直径と側面かぶり厚さが影響しあうことが実験で示されている[6]．鉄筋の納まりを考えると折曲げ内法直径を小さくすることが望ましいが，鉄筋の折曲げ部分内側に発生する支圧力は折曲げ内法直径が小さいほど大きくなるため，コンクリートの局部圧縮破壊を避けるために内法直径の最小値を規定した．JIS G 3112[15]では，鉄筋の曲げ性として強度や鉄筋径に応じて割れが生じない最小折曲げ半径を規定しているが，この最小値を用いて行った既往の定着実験[16]で局部圧縮破壊が生じている例がないことから，本規準では，このJIS規格値を局部圧縮破壊防止のための最小値とした．ただし，高強度および径が大きい鉄筋を用いた場合ほど局部圧壊の可能性が増大することから，最小値に$2 d_b$程度加えた直径で折り曲げるのが望ましい．

　また，同じ実験結果では，鉄筋側面に適当なコンクリートかぶり厚さが確保されない場合は，早期に割裂型破壊が生じることが示されている．本規準では，部材や側面かぶりの拘束状況により必要定着長さを求めるS値を規定していることから，S値を保証する標準フックの側面かぶり厚さの最小値を規定した．一般に大梁主筋を柱に標準フックにより定着する場合，直交梁や柱梁接合部に存在するせん断補強筋によって側面かぶりコンクリートのはく落は防止することができるが，隅柱

---

13) 藤井　栄・近藤吾郎・森田司郎・後藤定已：外端柱-梁接合部の折り曲げ定着に関する研究（その1～2），日本建築学会大会学術講演梗概集，構造系，pp. 1821-1824，1983.9
14) 藤井　栄・森田司郎・後藤定已：折曲げ定着部の耐力と破壊性状，コンクリート工学年次論文報告集，Vol. 4，pp. 273-276，1982
15) 日本産業規格：鉄筋コンクリート用棒鋼，JIS G 3112（2004）
16) 三浦　厚・城　攻・澤田祥平・牧部一成・後藤康明・柴田拓二：高強度材料を用いたRC造外部柱梁接合部の定着性状について，日本建築学会大会学術講演梗概集，構造Ⅱ，pp. 225-226，1992.8

解説表 17.2　丸鋼の標準フック

折曲げ角度	鉄筋種類	鉄筋径による区分	鉄筋の折曲げ内法直径
180°	SR 235	—	3ϕ 以上
135° 90°	SR 295	16 mm 以下	3ϕ 以上
		16 mm 超	4ϕ 以上

折曲げ角度	余長
90°	8ϕ 以上
135°	6ϕ 以上
180°	4ϕ 以上

［注］　ϕ は鉄筋径を示す

のように直交部材がない場合や拡幅梁のように柱コア内にすべての梁主筋を定着できない場合などは，本項に示す値以上の十分なかぶり厚さを確保すべきである．また，折曲げ定着した鉄筋の背面のかぶり厚さが少ない場合は，鉄筋が圧縮力を受けると背面コンクリートを押し抜くおそれがあるため，背面にも側面と同等以上のかぶり厚さを確保することが望ましい．

定着筋折曲げ内側に直交する鉄筋がある場合には，支圧抵抗の増大により定着性能への効果が期待できることから，折曲げ内法直径やかぶり厚さを直交筋がない場合よりも減じてよいと考えられるが，それぞれの最小値の規定は守ることが望ましい．異形鉄筋をせん断補強筋に用いる場合で，主筋にフックを掛ける場合がこの一例として考えられる．

丸鋼をせん断補強筋等に用いる場合に，鉄筋に有効な引張力が作用するためには，鉄筋端部にフックが必要である．この場合の標準フックについて解説表 17.2 に示す．

【計算例 1】

解説図 17.28 に示す梁主筋の外柱への定着，内柱へ通し配筋される場合の定着，および出隅部接合部への定着を行う．

（a）外柱への梁主筋の定着

設計例〔付 2. 参照〕の 3 階Ⓐ通り，G_{A1} 梁の C_{A1} 柱への定着について検討する．

梁主筋は 90°折曲げ定着とし端部は標準フックとする．構造規定より柱せいの 3/4（1 100×3/4＝825 mm）以上の投影長さが基本なので，上端主筋の投影定着長さ $l_{a(上)}$＝900 mm，下端 2 段目主筋の投影定着長さ $l_{a(下)}$＝850 mm，腰壁の端部 2 段目主筋の投影定着長さ $l_{a(腰壁2)}$＝850 mm とした場合について検討する．

　　コンクリート　　F_c＝30 N/mm²
　　梁主筋　　　　　D 29（SD 390）
　　腰壁端部主筋　　D 25（SD 345）

①最小側面かぶり厚さの検討

標準フックの側面かぶり厚さは，表 17.3 より，$1.5d_b$ 以上，かつ 50 mm 以上が必要であり，本例では，標準フックの鉄筋側面から柱面までの距離＝90 mm（$3.1d_b$）＞$1.5d_b$　　O.K.

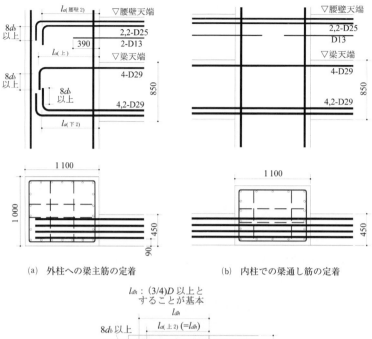

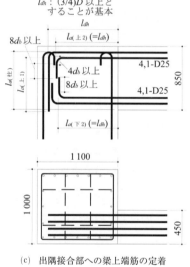

(c) 出隅接合部への梁上端筋の定着

解説図 17.28 大梁の柱への定着設計例

②必要定着投影長さ l_{ab} の計算と検定

梁主筋については，下端2段目主筋について検定を行う．

腰壁はここでは耐震部材として扱うこととする．表 17.1 より

$S=0.7$（梁主筋，腰壁端部2段目主筋）

定着の計算に用いる付着割裂の基準となる強度　$f_b=30 \text{ N/mm}^2/40+0.9=1.65 \text{ N/mm}^2$

規準（17.2）式を用い，柱梁接合部コア内定着なので $\alpha=1.0$ を適用する．

（下端2段目主筋）

$$l_{ab}=1.0 \times 0.7 \times 390 \text{ N/mm}^2 \times 29 \text{ mm}/(10 \times 1.65 \text{ N/mm}^2)=480 \text{ mm}　(16.6 d_b)$$

これより，$l_{a(下2)}=850\text{ mm}>l_{ab}=480\text{ mm}$　　O.K.

（腰壁端部2段目主筋）

$$l_{ab}=1.0\times0.7\times345\text{ N/mm}^2\times25\text{ mm}/(10\times1.65\text{ N/mm}^2)=366\text{ mm}（14.6d_b）$$

これより，$l_{a(腰壁2)}=850\text{ mm}>l_{ab}=366\text{ mm}$　　O.K.

なお，梁下端筋は接合部パネルゾーン側へ曲げ上げて定着する．折曲げのディテールは，標準フック（曲げ内法直径：$5d_b$，余長$8d_b$以上）とする．

（b）内柱への梁通し筋の定着

3階Ⓐ通り，3階のG_{A1}梁およびG_{A2}梁のC_{A2}柱への定着について検討する．

　　　コンクリート　　$F_c=30\text{ N/mm}^2$
　　　梁主筋　　　　D 29（SD 390）
　　　腰壁横筋　　　D 13（SD 295）

規準（17.3）式により

（梁主筋）

$$d_b/D=29/1\,100=0.027\leqq3.6\times(1.5+0.1\times30)/390=0.041\quad\text{O.K.}$$

（腰壁端部2段目主筋）

$$d_b/D=25/1\,100=0.023\leqq3.6\times(1.5+0.1\times30)/345=0.046\quad\text{O.K.}$$

（c）最上階外柱への梁主筋，最上階の柱主筋の定着

R階Ⓐ通り，G_{A1}梁の7階のC_{A1}柱への定着について検討する．

規準（5）の3）に示す構造規定より，柱せいの3/4（$1\,100\times3/4=825\text{ mm}$）以上の投影長さが基本なので，上端1段目主筋の投影定着長さ$l_{a(上1)}=950\text{ mm}$，上端2段目主筋の投影定着長さ$l_{a(上2)}=870\text{ mm}$，下端1段目主筋の投影定着長さ$l_{a(下1)}=910\text{ mm}$，下端2段目主筋の投影定着長さ$l_{a(下2)}=830\text{ mm}$とした場合について検討する．

　　　コンクリート　　$F_c=24\text{ N/mm}^2$
　　　梁主筋　　　　D 25（SD 345）

上端筋については，1段目主筋および2段目主筋について検定を行う．下端筋については，2段目主筋について検定を行う．

定着の計算に用いる付着割裂の基準となる強度　$f_b=24\text{ N/mm}^2/40+0.9=1.50\text{ N/mm}^2$

（上端1段目主筋）

規準（17.2）式を用い，柱コア内定着なので$\alpha=1.0$を適用する．出隅の柱梁接合部では，梁上端筋は90°折曲げ定着とし，折曲げ終点を定着起点と見なして鉛直投影定着長さを必要定着長さl_{ab}だけ確保しなければならない．直線定着となるので，表17.1より次のようになる．

　　　$S=1.25$

$$l_{ab}=1.0\times1.25\times345\text{ N/mm}^2\times25\text{ mm}/(10\times1.50\text{ N/mm}^2)=719\text{ mm}（28.8d_b）$$

鉛直投影定着長さをこれ以上の長さとする．なお，梁危険断面からの水平投影長さは，柱せいの3/4以上を基本とし，やむを得ない場合でも折曲げ開始点が柱せいの1/2以上の位置となるようにする．表17.3の標準フックの側面かぶり厚さについても満足させなければならない．斜めひび割

れの最も大きく開く柱定着端部位置に横補強筋（帯筋）を配することも，鉛直投影定着長さでの応力伝達を確保するうえで有効である．

（上端2段目主筋，下端2段目主筋）

規準（17.2）式を用い，柱コア内定着なので$\alpha=1.0$を適用する．上端2段目主筋および下端2段目主筋はト形接合部と同様に検討する．

$S=0.7$

$l_{ab}=1.0\times0.7\times345\,\text{N/mm}^2\times25\,\text{mm}/(10\times1.50\,\text{N/mm}^2)=403\,\text{mm}\,(16.1d_b)$

これより，$l_{a(上2)}=870\,\text{mm}>l_{ab}=403\,\text{mm}$，$l_{a(下2)}=830\,\text{mm}>l_{ab}=403\,\text{mm}$　O. K.

（柱主筋）

四隅の主筋のみ180°標準フックとし，それ以外を直線定着とする．直線定着の主筋について検定を行う．帯筋が存在するのでコア内定着として$\alpha=1.0$を適用する．

$S=1.25$

$l_{ab}=1.0\times1.25\times345\,\text{N/mm}^2\times25\,\text{mm}/(10\times1.50\,\text{N/mm}^2)=719\,\text{mm}\,(28.8d_b)$

これより，$l_{a(柱)}=780\,\text{mm}>l_{ab}=719\,\text{mm}$　O. K.

【計算例2】小梁の大梁への定着

解説図17.29に示す両端支持の小梁を建物外周の大梁中央に定着する場合の計算例を示す．コンクリートは$F_c=30\,\text{N/mm}^2$，小梁主筋はD 19（SD 345）の場合を考える．

梁主筋は90°折曲げ定着とし端部は標準フックとする．

下端筋は非耐震部材の圧縮筋であるから，投影定着長さは$l_{a(下)}=8d_b=152\,\text{mm}$以上とする．

上端筋の必要定着長さを検討する．

（a）最小側面かぶり厚さの検討

小梁は大梁スパンのほぼ中央にあるので，定着筋の側面には十分なかぶり厚さがある．

（b）必要定着長さl_{ab}の計算と検定

定着の計算に用いる付着割裂の基準となる強度　$f_b=30\,\text{N/mm}^2/40+0.9=1.65\,\text{N/mm}^2$

規準（17.2）式を用い，大梁コア内に定着するので$\alpha=1.0$を適用する．

表17.1より　$S=0.5$とする．σ_tは長期許容応力度215 N/mm²とする．

$l_{ab}=1.0\times0.5\times1.5\times215\,\text{N/mm}^2\times19\,\text{mm}/(10\times1.65\,\text{N/mm}^2)=186\,\text{mm}(9.8d_b)>8d_b$かつ150 mm

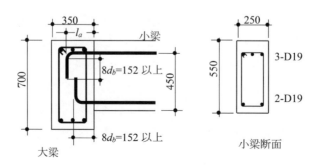

解説図 17.29　小梁の大梁への定着設計例

安全性を考え折曲げ開始点を梁幅の半分に設定して，定着長さ＝投影定着長さを，
$l_{a(上)} = l_{dh} = b/2(直線部) + 2d_b(折曲げ内法半径) + d_b(鉄筋径) = 175 + 3×19 = 232$ mm とする．
折曲げのディテールは，標準フック（曲げ内法直径：$4d_b$（76 mm），余長 $8d_b$（152 mm）以上）とする．

【幅の小さい大梁への定着計算例】

断面 220×900 の梁に上記の小梁を定着する場合を考える〔解説図 17.30〕．

上端筋の背面かぶりは表 17.3 の規定より最小の 65 mm とすると，投影定着長さは
$l_a = 220 - 65 = 155$ mm となる．

$S=0.5$ での必要定着長さが 186 mm であるので定着長さが不足するが，非耐震部材の両端支持の小梁であることから特別な配慮を行う．

$l_a \geq 2/3 l_{ab}$（$S=0.5$）であるから，仕口面からの総長さが $S=1.0$ とした必要定着長さを満足するようにする．

標準フック（余長 $8d_b$）の場合の総長さは
$$155 - 3×19(直線部) + 5\pi/4 × 19(折曲げ) + 8×19(余長) = 324 \text{ mm}$$

$S=1.0$ での必要定着長さが $2×186=372$ mm より，$372-324=48$ mm を余長に加える〔図の破線〕．定着長さ不足による固定度の低下を考慮すると，$1-155/186=0.17$ より中央下端の曲げモーメントが固定端モーメントの 2 割程度増加することを考慮して，必要に応じて鉄筋を追加する．

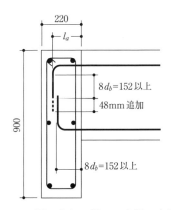

解説図17.30 幅の小さい梁への小梁の定着設計例

【計算例 3】階段スラブの耐震壁への折曲げ定着

解説図 17.31 に示す片持階段を耐震壁（ダブル配筋）に定着する場合を考える．コンクリートは $F_c=30$ N/mm^2，階段スラブ主筋は D 13（SD 295）の場合を考える．

（a） 水平投影定着長さの検討

片持スラブ主筋は 90°折曲げ定着とし，端部は標準フックとする．片持部材であるので本文 1.(2)の解説より，壁厚の 1/2（250×1/2=125）以上の位置に折曲げ開始点位置とする．折曲げ直径を $3d_b$ とすると，上端筋の投影定着長さは最小で $l_{a(上)} = 125 + 2.5×13 = 158$ mm となる．

一方，スラブ上端筋をできるだけ奥になるように折曲げ定着した場合，投影定着長さ l_a は，l_a

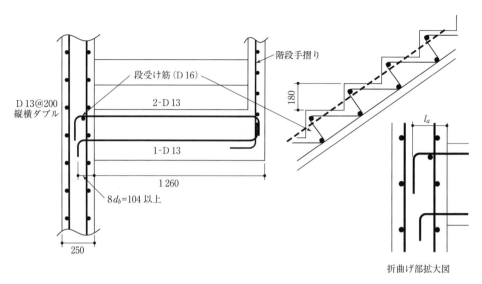

解説図17.31 階段スラブの耐震壁への折曲げ定着設計例

$=250$(壁厚)-40(かぶり)-14(壁横筋)-14(壁縦筋)$=182$ mm $>8d_b$(104 mm) かつ 150 mm となり，構造規定を満足する（フック部の背面かぶりは 68 mm >50 mm $>1.5\times13$ mm なので標準フックの規定を満足する）．

下端筋は非耐震部材の圧縮筋であるから，投影定着長さは $l_{a(下)}=8d_b=104$ mm 以上とする．

（b） 必要定着長さ l_{ab} の計算と検定

定着の計算に用いる付着割裂の基準となる強度 $f_b=30$ N/mm²/$40+0.9=1.65$ N/mm²

規準 (17.2) 式を用い，壁コア内に定着するので $\alpha=1.0$ を適用する．非耐震部材の片持スラブであるので $S=0.7$ として必要定着長さを求める．

$$l_{ab}=1.0\times0.7\times1.5\times195\text{ N/mm}^2$$
$$\times13\text{ mm}/(10\times1.65\text{ N/mm}^2)$$
$$=162\text{ mm}(12.4d_b)$$
$$l_a(=182\text{ mm})>l_{ab}(=162\text{ mm})\quad\text{O. K.}$$

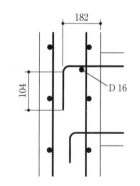

解説図17.32 フック詳細図

したがって，折曲げのディテールは折曲げ内法直径：$3d_b$（39 mm），余長 $8d_b$（104 mm）以上の $90°$フックとする．また，施工性のため，縦筋位置に $1-D16$ を階段に沿って配する．

18条 床スラブ

1. 床スラブの厚さは通常の場合，表18.1に示す値以上，かつ 80 mm 以上とする．ただし，軽量コンクリート床スラブでは表18.1に示す値の 1.1 倍以上，かつ 100 mm 以上とする．周辺固定条件が異なる場合または表18.1によらない場合は，適切な計算，または実験によってスラブに有害なたわみ，ひび割れ，あるいは振動障害を生じないことを確認する．

表 18.1 床スラブの厚さの最小値

支持条件	スラブ厚さ t (mm)
周辺固定	$t = 0.02\left(\dfrac{\lambda - 0.7}{\lambda - 0.6}\right)\left(1 + \dfrac{w_p}{10} + \dfrac{l_x}{10\,000}\right)l_x$
片持ち	$t = \dfrac{l_x}{10}$

[注] 1) $\lambda = l_y/l_x$
 l_x：短辺有効スパン長さ (mm)
 l_y：長辺有効スパン長さ (mm)
  ただし，有効スパン長さとは，梁，その他支持部材間の内法寸法をいう．
 2) w_p：積載荷重と仕上荷重との和 (kN/m²)
 3) 片持スラブの厚さは支持端について制限する．その他の部分の厚さは適切に低減してよい．

2. 小梁付き床スラブにあっては，小梁の過大たわみおよび大梁に沿った床スラブの過大ひび割れを防止するため，小梁に十分な曲げ剛性を確保するものとする．
3. 曲げモーメントに対する断面の算定は，13条の4．によって算定してよい．
4. せん断力および付着・定着に対する算定は，15条，16条および17条に準じる．
5. スラブの配筋は前各項によるほか，次の（1）および（2）による．ただし，軽微なスラブまたは特殊なスラブは，この限りでない．

（1） スラブの引張鉄筋は，D 10 以上の異形鉄筋あるいは鉄線の径が6 mm 以上の溶接金網を用い，正負最大曲げモーメントを受ける部分にあっては，その間隔を表18.2に示す値とする．

表 18.2 床スラブの配筋

	普通コンクリート	軽量コンクリート（一種，二種）
短辺方向	200 mm 以下 径9 mm 未満の溶接金網では 150 mm 以下	200 mm 以下 径9 mm 未満の溶接金網では 150 mm 以下
長辺方向	300 mm 以下，かつスラブ厚さの3倍以下 径9 mm 未満の溶接金網では 200 mm 以下	250 mm 以下 径9 mm 未満の溶接金網では 200 mm 以下

（2） スラブ各方向の全幅について，鉄筋全断面積のコンクリート全断面積に対する割合は0.2％以上とする．

1. スラブの最小厚さ規定

（1） 1970年前後において，スパンの大きなスラブの増加に伴い，スラブの剛性不足による過大なたわみ，ひび割れや振動障害が多く報告されるようになった．このような障害が生じたスラブの調査や過大なたわみの原因追及のための実験研究が多く実施され，スラブの（たわみ量／スパン長）の比をある程度に収めることによって，この種の障害を防止できるという判断のもとにスラブ厚さの算定式を1982年版より規定した．

規準本文のスラブ厚さの算定式は，この当時においてスパンの大きなスラブであったスパン長6 m 前後の床スラブが対象となっており，実験研究も同スパン長の試験体を用いて行われている．

スパン長7〜10mのスラブが用いられることも多いという現状から，本文に示されている支持条件が周辺固定のスラブ厚さの算定式を用いる場合には，以下のことに注意する必要がある．

　①　スラブ厚さの算定式は，スパン長が大きくなるとスラブ厚さを大きめに算出する．
　②　スラブ厚さの算定式は，長期たわみの許容値をスパン長（短辺有効スパン長さ）の1/250とする条件から導かれている．スパン長が大きくなるとスパン長との比は許容値以下であってもたわみの絶対値が大きくなり，居住性や仕上げ材に障害が生じる場合がある．

このような課題に対して，個々の建物に応じて長期許容たわみ量を設定し，それに対して長期たわみ量を予測式により算定し，予測値が長期許容たわみ量以下になっていることを確認すればよい．たわみの許容値および予測式は，付7の2.に示されているので参考にされたい．なお，予測式に関しては，近年いくつかの研究が報告されており[1],[2]，付7の2.にはこれらの成果を取り入れた新しい計算式も示されている．長期許容たわみ量に関しては，住宅では居住性や仕上げ材に障害が生じないように絶対量（20mm程度）で設定することが望ましい．

（2）普通コンクリートを用いた現場施工のスラブの長期たわみ量 δ_L（瞬時たわみ量と長期付加たわみ量との和とする）の制限値を設定するにあたっては，構造性能だけでなく，建物の用途に応じて床スラブとしての使用性能を満たすことが重要である．こうした背景をもとに，各国の床スラブに対するたわみ制限値は，構法上あるいは数値決定に対する根拠などには多少の差異はあるとしても，総体的には，短辺有効スパン長さ l_x に対し，1/200〜1/500程度[3]となっている〔付7．付表7.1参照〕．

一方，床スラブの長期たわみ量の実態と苦情との関係について調査した結果[4]によると，過大なたわみに起因する苦情は，その値が $l_x/200$ 以上になると多くなっている．また，Mayerら[5]が行った鉄筋コンクリート造（RC造）建築物の構造部材の変形に関する実態調査結果によると，床スラブの過大たわみによる苦情発生量は，たわみが $l_x/200$ 以上になると多く，$l_x/300$ 以下ではほとんどないことが報告されている．

これらの結果より，床スラブの長期たわみの限界値の範囲を l_x の1/200〜1/300程度と考え，最小スラブ厚さの算定用制限値として $l_x/250$ を設定した．

（3）長期たわみ量の過大化の原因を探る目的で，わが国で行われた床スラブの長期載荷実験結果をまとめ，長期たわみ量の実態把握を行った結果[6]によれば，長期たわみ量 δ_L は弾性たわみ計

---

1) 岩田樹美・李　振宝・大野義照：端部筋の抜け出しを考慮した鉄筋コンクリートスラブの長期たわみ算定，日本建築学会構造系論文集，No.510, p.145, 1998.8
2) 岡田克也・岡本晴彦・太田義弘：鉄筋コンクリート部材の長期たわみ簡易計算法に関する研究，日本建築学会構造系論文集，No.532, pp.145-154, 2000.6
3) C. V. Clarke, A. M. Neville, and W. Houghton-Evans : Deflection-Problems and Treatment in Various Countries, ACI Publication, SP-43, pp.129-178, 1974.10
4) 土橋由造・井野　智：大撓みをもつ鉄筋コンクリート障害床スラブの実態調査とその対策，日本建築学会論文報告集，No.272, 1978.10
5) H. Mayer. H. Rüsh : Bauschäden als Folge der Durchbiegung von Stahlbeton-Bauteilen Deutsher, Ausschuss for Stahlbeton, Heft 193, 1967

算値 δ_e に対して両端固定の場合 12〜18 倍，単純支持の場合 6〜12 倍程度となっている．

一方，近年，プレキャスト RC 板と現場打ちコンクリートを一体化するスラブ（以下，合成床板という）に関する各種スラブ工法の開発に伴い，長期載荷実験が行われている．これらの実験結果[7]によると，合成床板用プレキャスト板の乾燥収縮ひずみおよびクリープ係数が場所打ちコンクリートより小さく，またヤング係数が大きめであるため，合成床板の長期たわみ量 δ_L の弾性たわみ δ_e に対する増大率は場所打ちコンクリートスラブの増大率より小さくなっており，各スラブ工法ごとに長期たわみ増大率が定められている．

（4）場所打ちコンクリートスラブの長期たわみ量 δ_L の弾性たわみ δ_e に対する増大率を，（3）に述べた倍率を参考に，周辺固定スラブの場合は 16 倍と設定する．

長期たわみ δ_L を（2）に述べた $l_x/250$ 以下に抑えるためには，弾性たわみ δ_e は（解 18.1）式に示すように，$l_x/4\,000$ 以下とする必要がある．

$$\left.\begin{aligned}\delta_L &= 16\delta_e \leq \frac{l_x}{250} \\ \delta_e &\leq \frac{l_x}{250}\frac{1}{16} = \frac{l_x}{4\,000}\end{aligned}\right\} \qquad (\text{解 }18.1)$$

したがって，本規準では，周辺固定床スラブの厚さ算定にあたって，$\delta_e = l_x/4\,000$ を限界値とすることとした．

周辺固定床スラブでは，二方向性を考慮する必要があるが，二方向床スラブに関する長期載荷実験がほとんどないこと，土橋ら[8]が床スラブの弾塑性解析を行った結果の報告によると，一方向床スラブのたわみ性状は，二方向床スラブのたわみ性状とほぼ同じであることなどから，（3）に示した一方向帯スラブの長期載荷実験結果を周辺固定床スラブの長期たわみ算定用として使用することとした．ここで，弾性たわみ δ_e の近似式として（解 18.2）式を用い，これが $l_x/4\,000$ に等しいとすると，（解 18.3）式[9]が得られる．なお，（解 18.2）式は東ら[10]の理論解とほぼ一致する結果を与える．

$$\delta_e = \frac{1}{32}\frac{\lambda^4}{1+\lambda^4}\frac{wl_x^4}{Et^3} \qquad (\text{解 }18.2)$$

---

6) 松崎育弘・星野克征：鉄筋コンクリート造床スラブの長期たわみ量の定量化に関する研究，日本建築学会関東支部研究報告集，1982

7) 渡部雄二・佐藤眞一郎・塩原 等・楠原文雄・Trinh Viet A・佐藤法喬：多様化した鉄筋コンクリート床スラブの長期たわみに関する研究（その 1，その 2），日本建築学会大会学術講梗概集（2006.9，2007.9）

8) 土橋由造・上田正生：周辺固定床版と 2 対辺固定一方向床版の撓み性状，日本建築学会北海道支部研究報告集，1982.3

9) 岡田克也・岡本晴彦：たわみ制卸を目的とした鉄筋コンクリート造床スラブの適正厚さの算定式について，日本建築学会関東支部研究報告集，1982

10) 東 洋一・小森清司：建築構造学大系，11 巻，平板構造，彰国社，1970

記号

λ：スラブの辺長比（$=l_y/l_x$）

l_y：スラブの長辺有効スパン長さ

l_x：スラブの短辺有効スパン長さ

w：スラブの全荷重で，次式による

$w = \gamma_1 t + w_p$

γ_1：鉄筋コンクリートの単位体積重量

t：スラブ厚さ

w_p：積載荷重と仕上げ荷重との和

$$\frac{1}{32} \frac{\lambda^4}{1+\lambda^4} (\gamma_1 t + w_p) \frac{l_x^4}{Et^3} = \frac{l_x}{4\,000} \qquad (解\,18.3)$$

（解 18.3）式は，t に関する三次式であるが，コンクリートのヤング係数として $E=2.1\times10^4$ N/mm² の値を用い，近似的に解き，簡略化して表現したのが表 18.1 に示す（解 18.4）式[9]である．

$$t = 0.02 \left(\frac{\lambda - 0.7}{\lambda - 0.6}\right) \left(1 + \frac{w_p}{10} + \frac{l_x}{10\,000}\right) l_x \qquad (解\,18.4)$$

コンクリート強度が高い場合などでは，γ_1 および E の値が異なるので，スラブ厚さの算定に際しては表 18.1 の式によらず，（解 18.2）式より δ_e を算定し，これが本項で示したたわみ限界値を満足するようにして定めることができる．解説図 18.1 は，$w_p=2.6\,\mathrm{kN/m^2}$（住宅用相当），$w_p=$

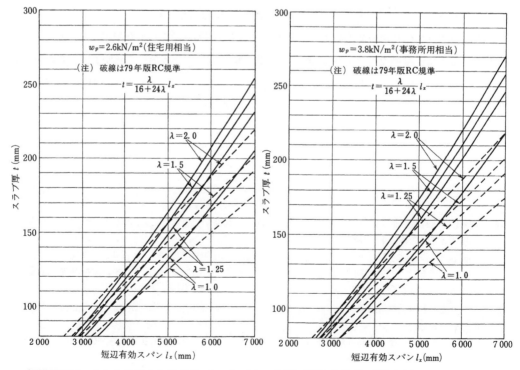

解説図18.1 たわみ条件から定まる t と，λ，l_x との関係（等分布荷重，周辺固定，$\delta_e = l_x/4\,000$）

3.8 kN/m²（事務所用相当）について，$\lambda=1.0 \sim 2.0$ と変化させたときの（解 18.4）式より求めた t と l_x の関係を示したものである．なお，集合住宅用床スラブにあっては，居住者の感覚的鋭敏性を考慮し，$\delta_e=l_x/5\,000$ 程度を確保するのが望ましいことから，たとえ直仕上げであっても（解 18.4）式中に用いる w_p の値としては，2.6 kN/m²以上を採用することが望ましい．

本項では，普通コンクリートを用いた周辺固定の現場施工スラブの厚さについての簡略式を示したが，ほかの床スラブ形式にあっては，ここで示した方法に準じて，それぞれの長期たわみ発生の実状あるいは実験結果などを参考にして弾性たわみ δ_e の制限値を求めることとなろう．例えば，プレキャスト床スラブ（単純支持一方向スラブ）では，$\delta_e=l_x/1\,300$（養生の特に良いスラブ）～$l_x/2\,000$（普通養生のスラブ），鉄骨梁で受ける場所打ち床スラブにあっては固定度などを勘案して，$\delta_e=l_x/2\,000 \sim l_x/4\,000$ の値をとることとなろう．また，円形スラブ，五角形以上の多角形スラブ（外接円半径と内接円半径との和の1/2を半径とする円形スラブに置換できる）などでは，弾性たわみ δ_e [11] が $r/2\,000$ 以下（ただし，r は置換円の半径）になるようにスラブ厚さを決めることができよう．

（5） 通常の床スラブでは，短期的ではあるが，施工時に上階床スラブの自重程度の荷重を支保工より受けるほか，長期的にはコンクリートの乾燥収縮ひずみが周辺梁などにより拘束され，引張応力が生じることなどがある．こうした諸要因により，床スラブの設計用応力がコンクリートの引張強度以下であっても，結果的にはひび割れの発生は，避けられない場合が多い．しかしながら，床スラブに過大なひび割れを生じさせない目安として，床スラブに生じる曲げモーメントを曲げひび割れモーメント以下にするという条件から，スラブの厚さを検討しておくことも過大たわみの防止対策の一つである．

（6） 片持スラブでは，周辺固定スラブのような拘束効果を期待することはできない．したがって，片持スラブの厚さ t は，固定端に生じる設計用曲げモーメントを曲げひび割れモーメント以下とする条件より算定し，表 18.1 に簡略式として $t=l_x/10$ を示した．ただし，施工時荷重（$2.1 \times$ 床スラブ自重[12]）を考慮すると，l_x が 1 700 mm を超すと $t=l_x/10$ では不十分である．また，先端荷重を受ける片持スラブにおいては，その影響をも考慮して厚さを決める必要がある．

片持スラブの長期たわみの増大率は，片持スラブと両端固定スラブの長期たわみ実験結果を比較した結果，両者の増大率の平均値がほぼ同等であること，解説図 18.2 に示すように長期たわみ増大率とスラブ厚さ，端部上端筋応力 σ_s との関係が両者で同様の傾向となっていることから，周辺固定スラブと同様に実務的には 16 倍としてよい[13]．

（7） 軽微なスラブやリブ付きのスラブのような特殊スラブでは，表 18.1 によらず薄くするこ

---

11) 等分布荷重を受ける半径 r の円形スラブ中央部の弾性たわみ $\delta_e=\dfrac{3w}{16Et^3}r^4$
　　最大縁応力度 $\sigma_{max}=\dfrac{3}{4}\dfrac{wr^2}{t^2}$
12) 小柳光生・山本俊彦・横須賀誠一：型わく支保工の存置期間に関する研究（その3），日本建築学会大会学術講演梗概集，1981.9
13) 岩田樹美・大野義照・西村康志郎：鉄筋コンクリート片持スラブの長期たわみ倍率に関する一考察，日本建築学会大会学術講演梗概集，2022.9

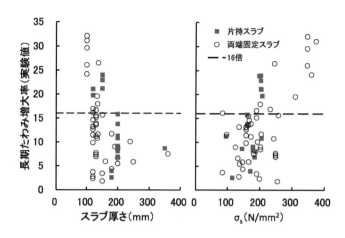

解説図18.2 長期たわみ増大率とスラブ厚さ，σ_s との関係[13]

ともできる．他方，スパンの極めて大きいスラブや開口を有するスラブあるいは特に大きな集中荷重を受けるようなスラブなどにあっては，適切なスラブ厚さの算定のほか，補強方法についても十分な配慮が必要である．

また，倉庫などでフォークリフトなどによりスラブ面を損耗したり繰返し荷重を受けたりするスラブや加熱炉周辺で熱の作用を受けるスラブなどでは，それらの使用状況に応じてスラブの厚さを決めることが望ましい．

（8） コンクリート部材の長期たわみ量を低減するため，コンクリートのクリープ変形を拘束する目的で，圧縮側を鉄筋で補強することも行われている．しかし，床スラブのように部材せいの小さい場合，その効果は期待したほどではなく，むしろ引張鉄筋量を増して，ひび割れ発生後の断面剛性の低下を小さく抑えるようにするほうが効果的なようである[14]．

また，床スラブにハンチを付け，ひび割れ発生および長期たわみ量の過大化などを防止しようとする考えもあるが，ドロップハンチの厚さが薄肉部厚さの2倍以下の場合で，片側ハンチ長さが $0.2 l_x$ 以下では，ハンチ効果はみられないという弾塑性解析例[15]がある．さらに，ハンチ付き床スラブに対する長期載荷実験がほとんどないことなどから，現時点では，その具体的評価法を示すには至らなかった．

なお，長期たわみ量は，引張鉄筋の下がりによりかなり影響を受けるという実験結果もあるので，上端引張鉄筋の位置の確保について，施工時に十分注意を払うことが大切である．

（9） 使用状況，環境などにより振動障害のおそれのある場合には，「付5．床スラブの振動評価」を参考に検討しておくことが望ましい．

（10） 本条では，普通コンクリートを用いた周辺固定の現場施工スラブの最小厚さについて算定

---

14) 伊藤　勝・小倉桂治・高山正春：RCスラブ長用たわみ性状に関する研究（その3），日本建築学会大会学術講演梗概集，1980.9

15) 土橋由造・上田正生・筒井幸嗣：周辺固定の鉄筋コンクリート中央部薄肉床版の数値実験，日本建築学会大会学術講演梗概集，1981.9

式を示したが，床スラブの面積の上限については規定していない．しかし，1枚の床スラブの面積が大きくなると，収縮応力，あるいは施工時の荷重などによりひび割れが生じやすくなる．したがって，短辺有効スパンが比較的長く，床スラブの内法面積が 25 m² 程度を超える場合には，たわみ，ひび割れ，振動について慎重な検討が望まれる．

2. 小梁付き床スラブ

小梁付き床スラブには解説図 18.3 に示すように，大梁に平行して小梁を1本配置するものと，2本配置するもの（以下，それぞれ日型および目型床スラブという）のほか，小梁が交差する田型および囲型床スラブなどがあるが，ここでは主に日型および目型床スラブの扱い方について解説する．

この種の床スラブにあっては，建築計画上の要求などにより，小梁のせいをなるべく低く抑えて設計することが多く，その曲げ剛性が十分でない場合は，小梁に過大なたわみを生じやすい．また，解説図 18.4 のように相対する大梁との間に大きなたわみ差を生じて，大梁と床スラブの接合面の負曲げモーメントが増大する．その結果，解説図 18.5 に示すように，大梁に沿って過大なひび割れと大梁に囲まれた領域の大たわみ発生などの障害を起こした例が多く報告されている[16),17)]．

このような障害を防止するためには，小梁のたわみが過大とならないように，その曲げ剛性の適正化を図る必要がある．

一般に，小梁付き床スラブのたわみは，小梁の断面形状のみならず，床スラブの短辺スパン長さ L_x，長辺スパン長さ L_y の違いによるほか，解説図 18.3 に示すように，それが組み込まれる架構の状態によって変動する．特に，単一のスパンや建物の端部のスパンでは小梁の取り付く大梁のねじれ変形の小梁たわみへの影響が大きいことに注意を要する．小梁の曲げ剛性が十分に確保されれ

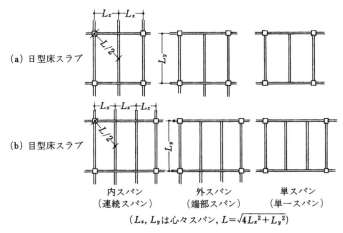

解説図18.3 小梁付き床スラブの架構形成

(L_x, L_y は心々スパン，$L=\sqrt{4L_x^2+L_y^2}$)

---

16) 土橋由造・井野 智・松山輝男：長大スパン大梁に平行な小梁上の鉄筋コンクリート床スラブの沈下撓みについて，日本建築学会大会学術講演梗概集，1977.10

17) 井野 智・土橋由造：小梁をもつ床版の応力性状と撓み障害について，日本建築学会論文報告集，No. 278，1979.4

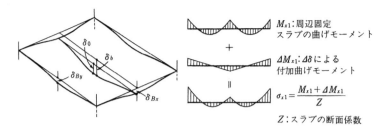

$\delta_b = \delta_0 + \delta_{Bx}$（小梁たわみ＋直交大梁のたわみ）
$\Delta\delta = \delta_b - \delta_{By}$（小梁と平行大梁のたわみ差）

解説図18.4　小梁のたわみによる床スラブの曲げモーメントの変動

ば，大梁のねじれ変形が抑えられ，かつ小梁のたわみも適正に保持できよう[18]．

　小梁付き床スラブにおける小梁の曲げ剛性の判定基準は，以下のとおりとすることが考えられる．

1) 小梁とこれに平行な大梁に沿う過大なひび割れを防止する意味で，この部分の床スラブの最大縁応力がコンクリートの曲げ引張強度を大幅に超えないようにする．日型および目型床スラブの弾性における精算結果[19] によると，小梁のスパン，小梁の連続条件などによらず，大梁に沿う床スラブの最大応力度は，直交する大梁のたわみも含めた小梁のたわみ δ_b が 2.5 mm 程度以上になると，コンクリートの曲げひび割れ強度に近い値となっている[20]．したがって，δ_b が 2.5 mm を大幅に超えないことが一つの目安となる．

---

18) 小梁の応力算定は，小梁1本，単スパンの場合，下図において $C = \dfrac{w}{12}L_y^2$（等分布荷重時）とするとき．

$\theta_B = -\theta_A$ として

$$M_{AB} = 2\phi \frac{EI_b}{L_y}(2\theta_A + \theta_B) - C = 2\phi\frac{EI_b}{L_y}\theta_A - C$$

$$M_{AC} = M_{AD} = \psi\frac{GJ}{L_x}\theta_A$$

$M_{AB} + M_{AC} + M_{AD} = 0$ より

$$\theta_A = \frac{C}{2}\frac{1}{\left(\dfrac{\phi EI_b}{L_y} + \dfrac{\psi GJ}{L_x}\right)}$$

$$\therefore \quad M_{AB} = -C\frac{\psi GJ}{L_x}\frac{1}{\left(\dfrac{\phi EI_b}{L_y} + \dfrac{\psi GJ}{L_x}\right)}$$

$$M_{AC} = M_{AD} = -\frac{1}{2}M_{AB}$$

　ここに，ϕ，ψ はスラブの協力効果．
　よって，小梁の端の回転角すなわち直交大梁のねじれ角 θ_A は，小梁の曲げ剛度および直交大梁のねじれ剛度が大きいほど小さい．また，小梁端曲げモーメント M_{AB} および直交大梁のねじれモーメント M_{AC}，M_{AD} は小梁の曲げ剛度が大きいほど小さい．

19) 松山輝男・井野　智・土橋由造：小梁付き床スラブの設計用応力の簡易計算法について，日本建築学会大会学術講演梗概集，1981.9
20) 岡田克也・岡本晴彦・土橋由造・大越俊男・小倉桂治：小ばり付き鉄筋コンクリート造床スラブのたわみに関する一考察，日本建築学会大会学術講演梗概集，1982.10

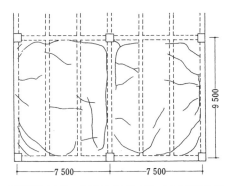

解説図 18.5 小梁付き床スラブの障害例 [16]

2) 小梁付き床スラブのたわみも,周辺固定スラブと同様,長期的にはクリープや乾燥収縮によって増大する.一般に長期たわみ δ_L の弾性たわみに対する増大率 ψ/α_y は,ひび割れの発生による剛性低下とクリープ変形などを含め,安全側の値として両端固定に近い内スパンについては9倍,端部の拘束が小さい外スパンおよび単スパンでは,7.5倍程度となることが予想される〔解説図18.6〕.たわみ障害を防止するためには,長期たわみを解説図18.3に示す小梁スパンの中央と柱心の距離の2倍を L として,その1/400程度以下とする必要があろう.そのためには,弾性たわみを内スパンでは $L/3\,600$ 以下,外スパンおよび単スパンでは $L/3\,000$ 以下となるよう小梁の断面を設定するのがよいであろう.

このほか,たわみ制御用の圧縮補強筋など,特別に配慮のある場合や通常より強度の高いコンクリートを用いる場合については,これらを考慮して小梁の断面を決定することもできよう.

参考のため,事務所などの通常の荷重を受ける小梁付き床スラブの大たわみと過大ひび割れ防止のための検討フローを解説図18.7に示す.ここでは,略算による長期たわみ δ_L の制限値を20 mmとした.

このような検討を行う際の小梁のたわみ δ_b の略算式を解説表18.1に示す[20].算定手順としては両端固定の小梁のたわみ δ_0 とこれに直交する大たわみ δ_{Bx} を求めて,両者の和を連続スパン(内スパン)小梁の δ_b とする.次に端部のスパン(外スパン)および単一のスパン(単スパン)の δ_b は,種々の寸法の小梁付き床スラブの弾性解析結果[17]などを参考にして定めた解説図18.6に示す係数 μ を乗じることにより求める.通常の場合,小梁のスパンが9m以下程度では μ の値は外スパンで1.5,単スパンで2.2程度としてよいであろう.

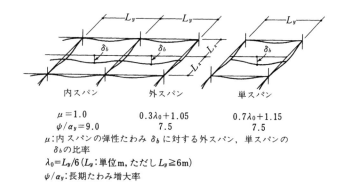

$\mu = 1.0$　　　　$0.3\lambda_0 + 1.05$　　$0.7\lambda_0 + 1.15$
$\psi/\alpha_y = 9.0$　　　7.5　　　　　　　7.5

μ：内スパンの弾性たわみ δ_b に対する外スパン，単スパンの δ_b の比率
$\lambda_0 = L_y/6$（L_y：単位 m，ただし $L_y \geqq 6\mathrm{m}$）
ψ/α_y：長期たわみ増大率

解説図18.6 内スパン小梁のたわみ δ_b に対する外スパンおよび単スパンのたわみ倍率 μ と長期たわみ増大倍率 ψ/α_y

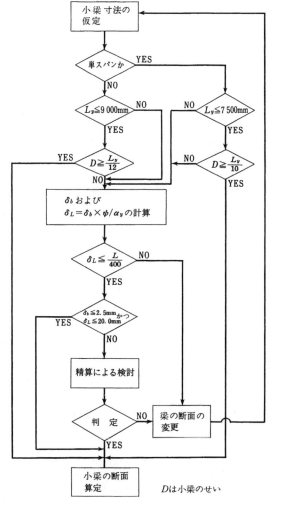

D は小梁のせい

解説図18.7 小梁付き床スラブの検討フロー（事務所相当の荷重の場合）

解説表18.1　小梁付き床スラブのたわみ略算式

- I_b, I_{Bx}, I_{By}：小梁，直交大梁，平行大梁の断面二次モーメント
- B_b, B_x：小梁，直交大梁の有効幅
- δ_0：両端固定の小梁のたわみ
- δ_{Bx}：両端固定の直交大梁のたわみ
- δ_{By}：両端固定の平行大梁のたわみ
- w：単位面積荷重
- $w_b = wL_x +$（小梁自重）
- $P = wL_xL_y +$（小梁全自重）

		日型床スラブ	目型床スラブ
内スパン	δ_0：小梁のみのたわみ	$\dfrac{w_b}{384\,EI_b}L_y^4$	$\dfrac{w_b}{384\,EI_b}L_y^4$
	δ_{Bx}：直交大梁のたわみ	$\dfrac{P(2L_x)^3}{192\,EI_{Bx}}$	$\dfrac{P(3L_x)^3}{162\,EI_{Bx}}$
	δ_b：小梁の全たわみ	$\delta_0 + \delta_{Bx}$	$\delta_0 + \delta_{Bx}$
	δ_{By}：平行大梁のたわみ	$\dfrac{wL_xL_y^4}{384\,EI_{By}}$	$\dfrac{wL_xL_y^4}{384\,EI_{By}}$
	$\Delta\delta$：小梁と平行大梁のたわみ差	$\delta_b - \delta_{By}$	$\delta_b - \delta_{By}$
外スパン	δ_b：小梁の全たわみ	δ_b（内スパン）$\times (0.3\lambda_0 + 1.05)$　ただし $\lambda_0 = L_y/6$ (L_y：単位 m)	
	$\Delta\delta$：たわみ差	δ_b（外スパン）$- \delta_{By}$（内スパン）$\times \mu_1$	
単スパン	δ_b：小梁の全たわみ	δ_b（内スパン）$\times (0.7\lambda_0 + 1.15)$	
	$\Delta\delta$：たわみ差	δ_b（単スパン）$- \delta_{By}$（内スパン）$\times \mu_2$	

［注］ μ_1, μ_2 は内スパンの δ_{By} に対する外スパンおよび単スパンの δ_{By} の比率

3. スラブの曲げモーメントに対する設計

比較的大スパンの周辺支持スラブの隅角部では，コンクリートの収縮によるひび割れを防止するために，鉄筋で補強することが望ましい．詳細については本会「鉄筋コンクリート造配筋指針・同解説」の9章，「鉄筋コンクリート造建築物の収縮ひび割れ制御設計・施工指針」の4章に示されているので参照されたい．

また，片持梁に支えられるスラブを3辺固定1辺自由の板として設計する場合，片持梁のたわみによって大梁に接する固定辺の負曲げモーメントは増加するので配筋を割増しするか，片持スラブとしての値との中間値を設計用曲げモーメントとして採用することが必要である[21]．

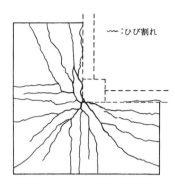

解説図 18.8 ひび割れ状況解図 [23]

なお，片持梁のスパンと出寸法の比が 2 を超えるような場合は，片持スラブとして設計する必要がある．

片持スラブは，周辺固定スラブに比べて端部曲げモーメントに対するたわみの値が大きいこと，長期たわみ量に対する端部筋の抜出しの影響が大きいこと[13]から，曲げモーメントに対して十分余裕のある設計を行うことが必要である．

一般に，片持スラブのような不静定次数の低い支持方法のスラブでは，ひび割れの影響が大きいので配筋を割り増すことが望ましい．

特に，出隅を有する片持スラブでは，出隅固定端に過大な応力が集中するので注意が必要である〔解説図 18.8〕[22),23)]．斜め補強筋は補強効果が少なく，縦・横の主筋位置を下げるので，無理に入れることは好ましくない．一般に，基礎スラブの断面算定法を準用する方法か，柱幅の 2〜3 倍程度の幅を持つ片持梁を想定して設計し，隅角部の縦・横筋の量を多くするのが望ましい．

スラブの引張鉄筋比は，通常の場合釣合鉄筋比以下であることから，曲げモーメントに対する断面算定は，梁に準じて算定してよい．

引張鉄筋比が小さいと，設計用曲げモーメントがひび割れ曲げモーメントより小さくなることがあり，収縮応力・温度応力・施工時荷重などによってひび割れモーメント以上の応力を受けた場合に急激な剛性低下をきたすことが考えられる．このようなことを防ぐため，最大曲げモーメントを受ける断面では，引張鉄筋比を 0.4% 以上とすることが望ましい．

4. スラブのせん断力に対する設計

通常のスラブでは，せん断応力度に対しては十分安全な場合が多く，特に検討する必要はない．ただし，片持スラブ，開口のあるスラブあるいは集中荷重を受けるスラブなどでは，危険な場合もあるので，状況に応じてせん断応力度および付着応力度に対する検討を行う必要がある．

耐震壁周辺のスラブや吹抜け部周囲のスラブなどでは，地震時の面内せん断力の伝達に対して注

---

21) 東 洋一・小森清司：建築構造学大系，11 巻，平板構造，pp. 176-181，彰国社，1970
22) 土橋由造・上田正生：ひびわれ障害の発生した出隅を有する RC 片持スラブの調査と模型床版の実験，日本建築学会論文報告集，No. 297，1980.12
23) 谷 資信 編著：板構造の解析，技報堂出版，1976

意が必要である．また，地下階がある場合，地下外周壁周辺の1階スラブには，地震時に比較的大きな面内せん断力が生じる場合があるので，スラブの剛性が低下しない，すなわち，剛床仮定が成立するようにスラブ厚を決める必要がある．スラブにせん断ひび割れが生じないように，せん断応力度を使用するコンクリートの短期許容せん断応力度以下とすることが望ましい．

5．配筋規定

（1） スラブの引張鉄筋の径および中心間隔は，本条の表18.2による．スラブの鉄筋としてD10だけを使用すると，施工時に配筋が乱れやすく適切な有効せいや間隔が保ちにくいので，D13を混用するのがよい．また，端部の上端筋は下がりやすく，これがスラブの過大ひび割れと過大たわみの原因の一つともなっているので，バー型スペーサー等の鉄筋位置保持治具を適切に配置する．

（2） 温度応力および収縮応力に対する配筋として，スラブの最小鉄筋量を0.2％と規定した．屋根スラブでは，温度応力によって中央部で負曲げモーメントを生じるおそれがある．このような場合には，全面にわたり上端筋を通すことが望ましい．

なお，本会「鉄筋コンクリート造建築物の収縮ひび割れ制御設計・施工指針（案）・同解説」では，「ひび割れ幅を0.3 mm以下に制御するために鉄筋比は原則0.4％以上とする．ただし，辺長比が2以上で一方向スラブに近い場合の長辺方向については，鉄筋比を0.3％以上としてよい．」と記載されているので参考とするのがよい．

（3） スラブ開口があると，開口周囲に応力集中が起こる．これに対する補強は，開口を設けることによって失われる鉄筋量と同じ量を開口補強筋として配筋するのも一方法である．土橋の解析[24]によると，中央に正方形の開口を持つ周辺固定正方形スラブの応力は，無開口スラブに比較して，同一点の曲げモーメントは小さいが，開口比の小さいものでは対称軸上の正曲げモーメントは自由端と固定端との間にあるとの結果が得られている．

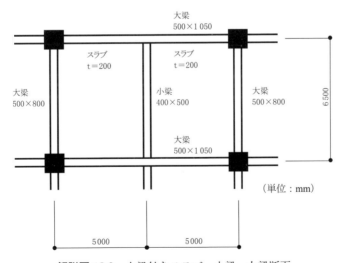

解説図 18.9 小梁付きスラブ・小梁・大梁断面

24） 例えば，土橋由造・斉藤満智子：有孔床版の曲げ応力，日本建築学会研究報告集，No. 42，1958.6

大きな開口を有する場合は，適切な応力解析を行い，応力集中を考慮して配筋を決めるのがよい[24]．

【スラブの設計例】

小梁の設置形式が日型で，その位置が外スパンにある小梁付きスラブの設計を行う．

ⅰ）設計条件

  コンクリート $F_c=30$ N/mm^2

  鉄筋   SD 295

  仕上げ荷重 1.0 kN/m^2

  積載荷重   1.8 kN/m^2（床用）

  スパン $L_x=5\,000$ mm

        $L_y=6\,500$ mm

  対角スパン $L=11\,927$ mm

ⅱ）スラブの設計（小梁の変形を考慮しない場合）

  符号 S1

  内法スパン

    $l_x=4\,550$ mm

    $l_y=6\,000$ mm

    $\lambda=l_y/l_x=1.32$

 a）スラブ厚さの検討

    $t \geqq 0.02 \times (\lambda-0.7)/(\lambda-0.6) \times (1+w_p/10+l_x/10\,000) \times l_x = 135.9$ mm

 小梁付きスラブであるため，大梁，小梁変形による付加応力が作用すること，および振動や遮音性能等の居住性を考慮し，スラブ厚さを 200 mm とする．

 b）長期たわみに対する検討

    $E=2.44 \times 10^4$ N/mm^2

    $\delta_e = 1/32 \times \lambda^4/(1+\lambda^4) \times (wl_x^4/Et^3) = 0.39$ mm

    $\delta_L = 16\delta_e = 6.27$ mm $\leqq l_x/250$（$=18.0$ mm） O.K.

 略算式でたわみの規定を満足しない場合は，付 7 などの計算法にて δ_L を算定する．

 c）応力算定

  ・固定荷重 4.8 kN/m^2（床用）

    $w=4.8+1.0+1.8=7.6$ kN/m^2

    $w_x=l_y^4/(l_x^4+l_y^4) \times w=0.76 \times 7.6=5.7$ kN/m^2

  ・短辺方向

    両端 $M_{x1}=w_x l_x^2/12=-1/12 \times 5.7 \times 4.55^2 = -9.9$ kN・m/m

    中央 $M_{x2}=w_x l_x^2/18=1/18 \times 5.7 \times 4.55^2 = 6.6$ kN・m/m

  ・長辺方向

    両端 $M_{y1}=w l_x^2/24=-1/24 \times 7.6 \times 4.55^2 = -6.6$ kN・m/m

    中央 $M_{y2}=w l_x^2/36=1/36 \times 7.6 \times 4.55^2 = 4.4$ kN・m/m d）断面算定

スラブの断面算定は，釣合鉄筋比以下の梁の断面算定方法に従って行う．

$$M = a_t f_t j$$
$$j = (7/8)d$$

スラブ1m幅あたりの必要鉄筋断面積 a_t を算定する．

$$a_t = M/(f_t \times j)$$

スラブ厚さ　$t = 200$ mm

有効せい（かぶり厚さ 30 mm，D 13 使用）

・短辺方向　　$d_x = 200-(30+13/2) = 163.5$ mm　　$j_x = 143.1$ mm

・長辺方向　　$d_x = 163.5 - 13 = 150.5$ mm　　$j_y = 131.7$ mm

　　f_t（長期）$= 195$ N/mm² とする

必要鉄筋間隔 s (mm) を算定する．

　D 13 配筋とする　　　　　　　（127 mm²/1 本）　　$s = 21.6 d/M$

　D 10・D 13 交互配筋とする　（ 99 mm²/1 本）　　$s = 16.9 d/M$

　D 10 配筋とする　　　　　　　（ 71 mm²/1 本）　　$s = 12.1 d/M$

・短辺方向　　　　　　　　　　　　　　　　　　採用する配筋

　両端上端　D 10，D 13　　$s = 16.9 \times 163.5/9.9 = 280$ mm　　D 10，D 13—交互@ 100

　中央下端　D 10　　　　　　$s = 12.1 \times 163.5/6.6 = 301$ mm

　中央下端　D 10，D 13　　$s = 16.9 \times 163.5/6.6 = 421$ mm　　D 10，D 13—交互@ 100

・長辺方向

　両端上端　D 10，D 13　　$s = 16.9 \times 150.5/6.6 = 388$ mm　　D 10，D 13—交互@ 100

　中央下端　D 10　　　　　　$s = 12.1 \times 150.5/4.4 = 417$ mm

　中央下端　D 10，D 13　　$s = 16.9 \times 150.5/4.4 = 582$ mm　　D 10，D 13—交互@ 100

小梁付きスラブであるため，梁変形による付加応力が作用することを考慮し，配筋には十分な余裕をもたせ，D 10・D 13 交互配筋とした．なお，上端鉄筋は，施工時に乱れることを考慮しD 13を用いる．解説図 18.10 に配筋図を示す．

ⅲ）梁の変形を考慮したスラブの設計

外スパンにある小梁付きスラブのたわみを，解説図 18.6「小梁付き床スラブの検討フロー」に従い検討する．

　　$L_x = 5\,000$ mm

　　$L_y = 6\,500$ mm

　　スラブ厚さ　　$t = 200$ mm

　　小梁幅　　　　$B = 400$ mm

　　小梁せい　　　$D = 500$ mm

　　　　$L_y/15 = 433$ mm $< D < L_y/12 = 542$ mm

　　床　　　　　　　　$w_{DL} = 0.20 \times 24 = 4.80$ kN/m²

積載荷重＋仕上げ荷重　　$w_p = 1.80 + 1.00 = 2.80$ kN/m²

小梁自重（床厚除く）　　$w_{p0} = 0.4 \times (0.5 - 0.2) \times 24 = 2.88$ kN/m

小梁単位自重　　　　　　$w_b = (4.80 + 2.80) \times 5.0 + 2.88 = 40.88$ kN/m

小梁の全負担荷重　　　　$p = 40.88$ kN/m $\times 6.5$ m $= 266$ kN

小梁に作用するスラブの負担荷重を台形とみなすことが妥当と考えられるが，簡略化のため設計例では解説表 18.1 の小梁付き床スラブのたわみ略算式に従い，小梁に作用するスラブの負担荷重は線荷重とした略算式を採用する．

　a）小梁と大梁の有効幅 B の算定

　　　小梁の有効幅　　　　　　　$B_b = 0.1 \times 6\,500 \times 2 + 400 = 1\,700$ mm

　　　直交大梁の有効幅　内スパン　$B_x = 0.1 \times 10\,000 \times 2 + 500 = 2\,500$ mm

　b）内スパンの小梁のたわみ δ_{bi}

　　小梁自体のたわみ

$$\delta_0 = w_b L_y^4 / 384 E I_b = 40.88 \times 6\,500^4 / (384 \times 2.44 \times 10^4 \times 7.58 \times 10^9) = 1.03 \text{ mm}$$

　　　　$F_c = 30$ N/mm²

　　　　$E = 2.44 \times 10^4$ N/mm²

　　直交大梁のたわみ

　　　内スパン　$\delta_{Bx} = P(2L_x)^3 / (192 E I_{Bx})$

$$= 266 \times 1\,000 \times (2 \times 5\,000)^3 / (192 \times 2.44 \times 10^4 \times 9.06 \times 10^{10}) = 0.63 \text{ mm}$$

　　内スパンの小梁のたわみ

　　　$\delta_{bi} = \delta_0 +$ 内スパン $\delta_{Bx} = 1.65$ mm

　c）外スパンの小梁のたわみ δ_{b0}

　　　$\delta_{b0} = \delta_{bi} \times (0.3\lambda_0 + 1.05) = 1.65(0.3 \times 6.5/6 + 1.05) = 2.27$ mm < 2.5 mm　　O. K.

　　　$\delta_L = \delta_{b0} \times \phi / \alpha_y = 2.27 \times 7.5 = 17.1$ mm < 20 mm かつ 29.82 mm　　O. K.

　　　$L/400 = 29.82$ mm（L：対角スパン）

小梁付き床スラブの検討フローに従い，たわみの検定を行った結果，小梁の剛性は適切であると考えられる．

参考のため，大梁に沿うスラブの付加曲げモーメント ΔM_{x1} と最大縁応力度 σ_{x1} を弾性時の剛性を用いて略算的に算定する．

　a）　付加曲げモーメント　ΔM_{x1}

　　小梁とこれに平行な大梁のたわみの差を $\Delta\delta$ とすると，ΔM_{x1} は略算的に次式により求められる．

$$\Delta M_{x1} = -6(EI_s/L_x^2) \times \Delta\delta = -6 \times 2.44 \times 10^4 \times 6.67 \times 10^8 / 5\,000^2 \times 1.80$$
$$= -7.03 \times 10^6 \text{ Nmm/m} = -7.0 \text{ kNm/m}$$

　　　$I_s = t^3/12$：スラブ 1 m 幅あたりの断面二次モーメント

　　　$\Delta\delta$ を $\mu_1 = 2$ と仮定して，解説表 18.1 より算定する．

　　　$\Delta\delta = \delta_{b0} - \delta_{By} \times 2 = 2.28 - 0.24 \times 2 = 1.80$ mm

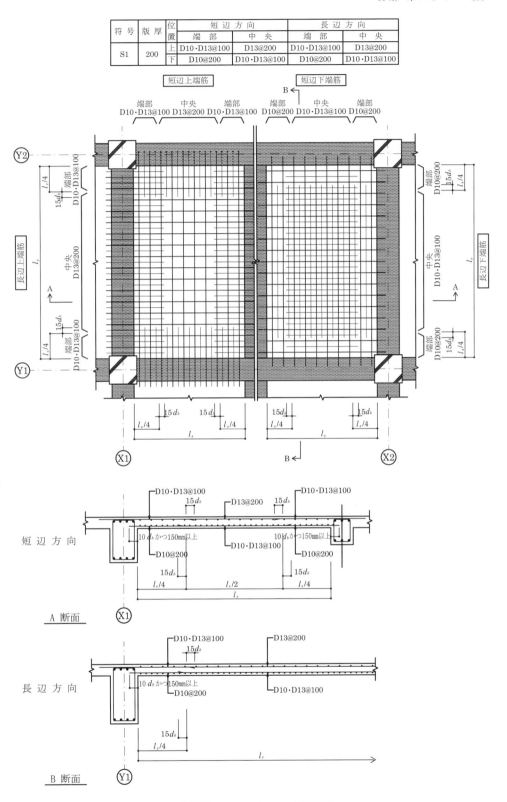

解説図 18.10　床スラブ配筋図

平行な大梁のたわみ $\delta_{By} = w L_x L_y^4 / (384 EI_{By})$
$= 45.2 \times 6\,500^4 / (384 \times 2.44 \times 10^4 \times 3.64 \times 10^{10}) = 0.24$ mm

$w L_x$ は，スラブの単位面積荷重 $\times L_x +$ 大梁自重（kN/m）

$w L_x = 7.6 \times 5.0 + 0.5 \times (0.8 - 0.2) \times 24 = 45.2$ kN/m

I_{By}：両側スラブ付きの断面二次モーメント

b）梁の変形を考慮したスラブの設計

周辺固定スラブの負曲げモーメント

$M_{x1} = -1/12 \times 5.7 \times 4.55^2 = -9.9$ kNm/m

付加曲げモーメント

$\Delta M_{x1} = -7.0$ kNm/m

設計用曲げモーメント

$M_0 = M_{x1} + \Delta M_{x1} = -9.9 - 7.0 = -16.9$ kNm/m

配筋に2倍以上の余裕があるため，スラブ配筋の見直しは不要．

c）平行大梁の接合位置のスラブの最大縁応力度 σ_{x1} の算定

$\sigma_{x1} = M_0 / Z = 2.53 < 3.07$ N/mm² 　　O.K.

$Z = t^2 / 6$：スラブ1m幅あたりの断面係数

$\sigma_t = 0.56\sqrt{F_c} = 3.07$ N/mm²：コンクリートの引張強度

一般的にはスラブの設計は，簡略化のために周辺の大梁や小梁の変形を無視して行う．本設計例のように周辺の梁の変形を考慮すると，比較的大きな応力が発生するので，梁の変形を無視した場合はスラブの設計に十分な余裕を持たせることが必要である．

iv）居住性の確認

大型床に関しては，「付5. 床スラブの振動評価」等により，床振動に関する居住性を確認する必要がある．

また，重量床衝撃音遮音に関しても，本会「建物の遮音設計資料」等に基づき，重量床衝撃音遮音レベルの適応等級を算定する必要がある．

19条　壁部材の算定

1.　一般事項

壁部材の許容耐力の算定および詳細は本条による．壁部材とは，壁板と柱，梁を一体化した部材または壁板の総称で，以下の（a）〜（d）に分類して適用する．

（a）　耐震壁（両側柱付き壁）〔図19.1（a-1）（a-2）（a-3）参照〕
（b）　袖壁付き柱（柱付き壁）〔図19.1（b）参照〕
（c）　壁板（柱なし壁）〔図19.1（c）参照〕
（d）　腰壁・垂壁付き梁（梁付き壁）〔図19.1（d）参照〕

壁部材の許容耐力の算定および構造規定は本条による．上記以外に床スラブの面内許容せん断耐力の算定にも本条を適用してよい．なお，当該壁部材および他の部材の挙動に対して壁板の影響が小さい場合は，袖壁付き柱，腰壁・垂壁付き梁については壁板を無視して13条，14条および15条により検討してよい．

さらに，曲げ挙動に関しては壁板を考慮する場合であっても，許容せん断力の算定においては，壁板を無視して15条の式を適用してよい．

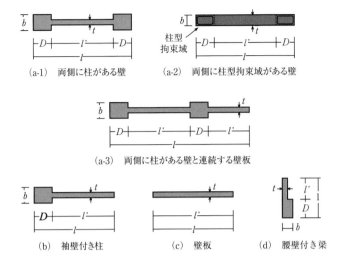

図 19.1 壁部材の分類と壁断面に関する記号

2. 許容曲げモーメント

壁部材の許容曲げモーメントは，12条の基本仮定に基づき，圧縮縁がコンクリートの許容圧縮応力度 f_c に達したとき，あるいは引張側鉄筋が鉄筋の許容引張応力度 f_t に達したときに対して算定される値のうち，小さいほうによる．

3. 許容せん断力

（1）長期許容せん断力

壁部材の使用性の検討に用いる長期許容せん断力 Q_{AL} は，(19.1) 式で算定することができる．

$$Q_{AL} = tlf_s \tag{19.1}$$

記号
 t ：壁板の厚さ
 l ：柱（または梁）を含む壁部材の全せい〔図 19.1 参照〕
 f_s：コンクリートの許容せん断応力度

（2）短期許容せん断力

壁部材の損傷制御の検討に用いる短期許容せん断力 Q_A は，(19.2) 式で算定することができる．すなわち，(19.3) 式による Q_1，(19.4) 式による Q_2 のうち，いずれか大きいほうの値としてよい．

$$Q_A = \max(Q_1, Q_2) \tag{19.2}$$
$$Q_1 = tlf_s \tag{19.3}$$
$$Q_2 = \sum Q_w + \sum Q_c \tag{19.4}$$

ここで，Q_w および Q_c は，それぞれ壁部材に含まれる壁板1枚および柱（または梁）1本が負担できる許容せん断力で，(19.5) 式および (19.6) 式によることができる．

$$Q_w = p_s t l_e f_t \tag{19.5}$$
$$Q_c = bj\{\alpha f_s + 0.5{}_w f_t (p_w - 0.002)\} \tag{19.6}$$

記号
 l_e：壁板の有効長さで，両側に柱がある場合 $l_e = l'$，
  片側に柱がある場合 $l_e = 0.9l'$，柱がない場合 $l_e = 0.8l'$ とする．
 l' ：壁板の（内法）長さ〔図 19.1 参照〕
 b ：柱（または梁）の幅

j : 柱（または梁）の応力中心間距離（$=(7/8)d$ または $0.8D$ としてよい）
D : 柱（または梁）のせい
d : 柱（または梁）の有効せい
f_t : 壁筋のせん断補強用短期許容引張応力度で，390 N/mm² を超える場合は 390 N/mm² として許容せん断力を計算する．ただし，本項（3）の安全性の検討においてはこの限りではない．
$_wf_t$: 柱帯筋（または梁あばら筋）のせん断補強用短期許容引張応力度で，390 N/mm² を超える場合は 390 N/mm² として許容せん断力を計算する．ただし，本項（3）の安全性の検討においてはこの限りではない．
p_s : 壁板のせん断補強筋比で，次式以下による．

$$p_s = \frac{a_w}{ts}$$

   a_w : 壁板の1組のせん断補強筋の断面積
   s : 壁板のせん断補強筋の間隔
   ・両側に柱がある壁板で p_s が 0.012 以上の場合は $p_s=0.012$ として計算する．
   ・上記以外の壁板で p_s が 0.006 以上の場合は $p_s=0.006$ として計算する．
   ・p_s が p_wb/t 以上の場合は $p_s=p_wb/t$ として計算する．
   ・壁板の縦横の補強筋比が異なる場合，p_s は横筋比を用いて計算してよいが，p_s は縦筋比の2倍を上限として計算する．鉛直方向のせん断力の検討（開口上下の部材の検討を含む）をする場合は，縦横を読み替えて適用する．
   ・床の算定では梁に有効に定着されたスラブ筋のスラブ厚さに対する比率とする．
p_w : 柱の帯筋比（腰壁・垂壁付き梁の場合は梁のあばら筋比）で，0.012 以上の場合は 0.012 として計算する．
   （柱の帯筋比の算定式は 15 条による）
α : 拘束効果による割増係数で，（a）両側柱付き壁の柱では $\alpha=1.5$ とする．
   （b）袖壁付き柱，（d）腰壁・垂壁付き梁，床の算定では $\alpha=1.0$ とする．

(3) 短期許容せん断力による安全性の検討

壁部材のせん断破壊に対する安全性は，(19.2) 式による短期許容せん断力を用いて検討することができる．設計用せん断力は，15 条 2. (3) ii) を準用して，部材両端の曲げ降伏モーメントに基づいて算出するか，あるいは水平荷重によるせん断力に割増係数を考慮して算出してよい．ただし，壁部材の終局強度と靱性に基づいて安全性の検討を別途行う場合は，この検討を省略することができる．

4. 開口による低減

壁板に開口がある壁部材の許容せん断力 Q_{A0} は，5 項に定める開口補強がされている場合，(19.7) 式のように無開口壁部材の許容せん断力 Q_A に (19.8) 式による低減率 r を乗じて算定することができる．ただし，原則として（a）耐震壁に対しては 1 スパンごとに算定される r_2 が 0.6 以上，（b）袖壁付き柱，（c）壁板および（d）腰壁・垂壁付き梁では各部材で算定される r_2 が 0.7 以上の場合に適用する．矩形以外の開口は等価な矩形に置換して低減率を適用してよい．

$$Q_{A0} = rQ_A \qquad (19.7)$$
$$r = \min(r_1, r_2, r_3) \qquad (19.8)$$

r_1 は開口の幅による低減率で，(19.9) 式による．

$$r_1 = 1 - 1.1 \times \frac{l_{0p}}{l} \qquad (19.9)$$

   l : 柱（または梁）を含む壁部材の全せい〔図 19.2 参照〕
   l_{0p} : 開口部の水平断面への投影長さの和〔図 19.2 参照〕

r_2 は開口の見付面積による低減率で，(19.10) 式による．

$$r_2 = 1 - 1.1 \times \sqrt{\frac{h_{0p} l_{0p}}{hl}} \tag{19.10}$$

h_{0p}：開口部の鉛直断面への投影高さの和〔図 19.2 参照〕

h ：当該階の壁部材の高さ（上階の水平力作用位置から下階の水平反力位置までの距離で，原則として下階床から上階床までの距離とする．〔図 19.2 参照〕）

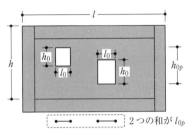
(a) 実際の開口位置

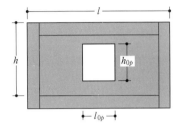
(b) 等価な中央開口

図19.2 壁と開口の寸法に関する記号（r_1，r_2 関連）

r_3 は開口の高さによる低減率で（19.11）式による．

$$r_3 = 1 - \lambda \frac{\sum h_0}{\sum h} \tag{19.11}$$

$$\lambda = \frac{1}{2}\left(1 + \frac{l_0}{l}\right) \tag{19.12}$$

λ：安全性について開口の高さによる低減率を緩和する係数である．損傷制御の検討では $\lambda=1$ とする．ピロティの直上階〔図 19.3（d）〕および中間階の単層壁〔図 19.3（f）〕の安全性の検討では $\lambda=1$ とする．上記を除く耐震壁の安全性の検討では，開口がほぼ縦一列の場合に（19.12）式の導出過程を踏まえて適用可能と判断できる場合に λ を用いてよい．判断できない場合は $\lambda=1$ とする．

$\sum h_0$：当該壁部材において開口上下の破壊の原因となりえる開口部高さの和で，$\sum$ は当該階から当該壁部材の最上階までとする．開口が上下に連続する場合は①による．不規則な配置の場合は②を下限として想定される損傷や破壊モードに応じて低減してよい．
　① 開口部の鉛直断面への投影高さ〔図 19.3 の h_{0p}〕の和
　② 水平断面に投影したとき当該階の開口と重なる開口の高さ〔図 19.3 の h_0〕の和

$\sum h$：当該階の下枠梁下面（下枠梁が基礎梁の場合は上面）から当該壁部材の最上階の梁上端までの和とする．ただし，（19.12）式の λ を適用する場合は，当該階の下枠梁上面から当該壁部材の最上階の梁上端までの和とする．

l_0：r_3 の算出で該当する開口部の長さ〔図 19.3 参照〕

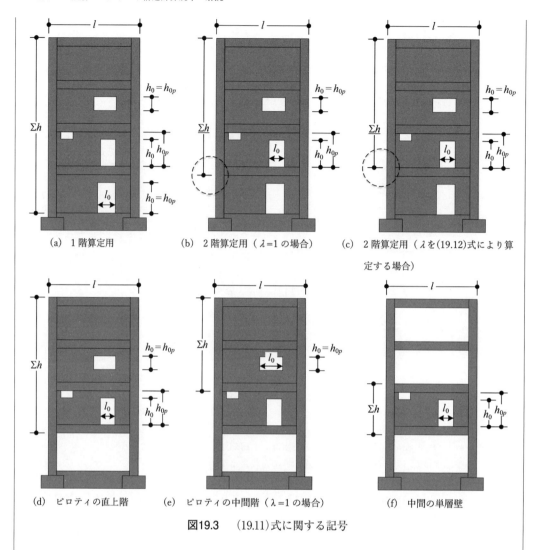

図19.3　(19.11)式に関する記号

5. 開口補強

　　壁部材の壁板の開口補強筋は，各階の設計用せん断力 Q_D によって生じる開口隅角部の付加斜張力および周辺部材の付加曲げモーメントに抵抗できるように，開口周囲に有効に配置する．開口周囲は，図19.4に破線で示す範囲，すなわち，開口から500 mm以内，かつ開口端と壁端もしくは隣接開口端との中間線を越えない範囲とする．

　　付加斜張力については，(19.13) 式が満足されることを確認する．

　　付加曲げモーメントについては，(19.14) 式および (19.15) 式が満足されることを確認する．(19.14) 式および (19.15) 式によらない場合は，個々の周辺部材の付加曲げモーメントに対して許容曲げモーメントが上回ることを確認してもよい．

（1）開口隅角部の付加斜張力に対する検討

$$A_d f_t + \frac{A_v f_t + A_h f_t}{\sqrt{2}} \geqq \frac{h_0 + l_0}{2\sqrt{2}\, l} Q_D \tag{19.13}$$

（2）開口左右の付加曲げモーメントに対する検討

$$(l - l_{0p})\left(\frac{A_d f_t}{\sqrt{2}} + A_{v0} f_t\right) + \frac{t(l - l_{0p})^2}{4(n_h + 1)} p_{sv} f_t \geqq \frac{h_0}{2} Q_D \tag{19.14}$$

(3) 開口上下の付加曲げモーメントに対する検討（ただし，単層壁およびピロティ壁の最下層では左辺第2項の n_v を (n_v+1) で置き換える）

$$(h-h_{0p})\left(\frac{A_d f_t}{\sqrt{2}}+A_{h0}f_t\right)+\frac{t(h-h_{0p})^2}{4n_v}p_{sh}f_t \geq \frac{l_0}{2}\frac{h}{l}Q_D \tag{19.15}$$

記号

- l_0 ：当該開口部の長さ
- h_0 ：当該開口部の高さ
- A_d ：開口周囲の斜め筋の断面積
- A_v ：開口周囲の付加斜張力を負担する縦筋の断面積（下記の A_{v0} や柱主筋を含む）
- A_h ：開口周囲の付加斜張力を負担する横筋の断面積（下記の A_{h0} や梁主筋を含む）
- A_{v0}：開口補強の目的で通常の縦筋とは別に配筋される縦筋の断面積
- A_{h0}：開口補強の目的で通常の横筋とは別に配筋される横筋の断面積
- f_t ：鉄筋の短期許容応力度
- n_h ：当該層で水平方向に並ぶ開口の数
- n_v ：当該層で鉛直方向に並ぶ開口の数
- p_{sv}：壁板の縦筋の補強筋比（縦筋比）

$$p_{sv}=\frac{a_{wv}}{ts}$$

- a_{wv}：壁板の1組の縦筋の断面積
- s ：壁板の縦筋の間隔
- p_{sh}：壁板の横筋の補強筋比（横筋比）

$$p_{sh}=\frac{a_{wh}}{ts}$$

- a_{wh}：壁板の1組の横筋の断面積
- s ：壁板の横筋の間隔

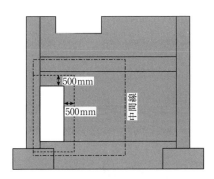

図19.4　開口補強筋の有効範囲

6. 壁板周囲の柱，梁，拘束域の断面と配筋

耐震壁あるいは耐震壁と同様に算定する袖壁付き柱では，壁板水平断面の端部に枠柱〔柱または柱型拘束域，図 19.5 参照〕を設けて必要な断面を確保するとともに配筋の検討をする．連層耐震壁の最上層および最下層では，枠梁〔梁または梁型拘束域，図 19.5 および図 19.6（a）（b）参照〕を設けて，必要な断面を確保するとともに配筋の検討をする．また，床スラブ〔図 19.6（c）参照〕あるいは境界梁などの境界部材との応力伝達と配筋詳細について必要な検討をする．

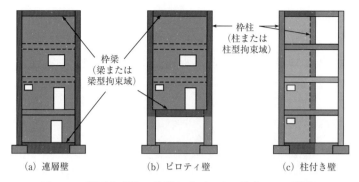

図 19.5　断面と配筋の検討が必要になる枠柱および枠梁

図 19.6　梁または梁型拘束域の例

7. 構造規定

前各項の算定のほか，次の各項に従う．
(1) 壁板の厚さは，原則として 120 mm 以上，かつ壁板の内法高さの 1/30 以上とする．
(2) 壁板のせん断補強筋比は，直交する各方向に関してそれぞれ 0.0025 以上とする．
(3) 壁板の厚さが 200 mm 以上の場合は，壁筋を複筋配置とする．
(4) 壁筋は，D 10 以上の異形鉄筋を用いる．見付面に対する壁筋の間隔は 300 mm 以下とする．ただし，千鳥状に複配筋とする場合は，片面の壁筋の間隔は 450 mm 以下とする．
(5) 開口周囲および壁端部の補強筋は，D 13 以上（複配筋の場合は 2－D 13 以上）の異形鉄筋を用いる．
(6) 壁筋は開口周囲および壁端部での定着が有効な配筋詳細とする．
(7) 柱型拘束域および梁型拘束域の主筋は，原則として 13 条 5 項（2）～（5）および 14 条 4 項（2）～（4）の規定に従う．特に検討をしない場合，梁型拘束域の主筋全断面積は，本条第 6 項の検討により必要とされる梁型拘束域の断面積の 0.008 倍以上とする．
(8) 柱型拘束域および梁型拘束域のせん断補強筋は，15 条 2 項（4）に従う．
(9) 開口に近接する柱（開口端から柱端までの距離が 300 mm 未満）のせん断補強筋比は原則として 0.004 以上とする．
(10) 柱付き壁（袖壁付き柱）では，柱のせん断補強筋比は原則として 0.003 以上とする．
(11) 軸力を負担させる（c）柱なし壁（壁板）では，上記（1）～（6）のほか，原則として壁筋を複配筋とする．

1.　一 般 事 項

(1)　適 用 範 囲

旧規準（1999 年改定版）までの本条の規定は，壁板の周囲が付帯ラーメンによって囲まれている「耐震壁」のみを対象にしてきた．これは建築基準法あるいは関連技術基準の用語でいう「耐力壁」（付帯柱も含む）に相当する場合と考えられるが，本規準では長く耐震壁と呼称してきた経緯があるため，以下，このような壁には耐震壁という用語を用いる．

耐震壁の付帯ラーメンの断面形状についても事実上の一律の制限が設けられていた．袖壁付き柱,

柱なし壁，腰壁・垂壁付き梁の許容耐力算定方法は規定されていなかった．開口低減率が適用できない大開口を持つ耐震壁（つまり袖壁付き柱と腰壁・垂壁付き梁の集合体と見なすべき壁）も同様である．

　1981年の二次設計の導入以来，一次設計だけでなく二次設計でも算定法が明快でないこともあって，適用範囲外の壁はすべて「非構造壁」または「雑壁」として，スリットによって切り離される「明快な」構造計画が主流になりつつあった．しかし，いわゆる強度型の建物の損傷は相対的に小さい，という近年の大地震による被害経験[1]なども踏まえると，強度に依存する設計が可能な中低層建物や免震建物，さらに靱性に依存する高層建物の鉛直部材においても，従来スリットによって切り離されてきた壁板や袖壁付き柱などの構造性能を積極的に利用する方針が有効かつ合理的になる場合も多いと考えられる．

　以上の構造計画に関する方針，すなわち，いわゆる耐震壁以外の壁を構造部材として積極的に利用する構造計画の是非や得失は本来設計者が選択するべきものであって，規定としては，部材や構造物の性能評価法や算定方法そのものはできるだけ一般性のある形状に適用可能であるのが望ましい．そこで2010年の改定では，「袖壁付き柱」，「腰壁・垂壁付き梁」，「柱型のない壁」，「中間階に梁型がない連層耐震壁」なども本条の適用範囲に含めて許容耐力の算定法を明快に規定した．従来の耐震壁も含めて，壁板を含むこれらの部材を「壁部材」と呼ぶことにする．壁部材は壁板が含まれる部材の総称であり，本規定による許容耐力の算定法は共通の考え方に基づいているが，形状および二次設計における扱いを念頭に置いて以下のように分類している．

（a）耐震壁（耐力壁または両側柱付き壁）

　壁板の両端に柱型をもつ部材で，従来の耐震壁，建築基準法施行令（二次設計）の耐力壁がおおむねこれに該当する．施行令における耐力壁は，壁量の算定などにおけるように，厳密には柱，梁を除く壁板部分のみ示す用語として用いられているが，保有水平耐力算定のせん断力負担率などでは柱と一体化した部材の呼称にも用いられている．本規準では壁板周囲が枠柱，枠梁によって有効に拘束された部材を周囲または中間の柱，梁も含めて耐震壁と呼称する．

　開口があっても小開口の場合は耐震壁として算定する．端部は，柱としての寸法と配筋に関する構造規定（寸法，主筋量，帯筋量）を満足する拘束域であってもよい．拘束域の幅は柱の最小径を満足すれば壁の厚さと同じでもよいが，軸力負担を期待する場合は，原則として一定以上の断面積を確保する必要がある．許容応力度設計では，柱として長期および短期の許容応力度を満足することを確認する．旧規準（1999年改定版）の推奨条件に相当する柱型（拘束域）断面を確保する方法は6.(1)の解説に示した．条件の適用方法はやや異なるが，旧規準（1999年改定版）と同じ考え方に基づいており，これを満足すれば二次設計でも従来と同様に軸力を負担する耐震壁（耐力壁）としてモデル化してよい．ただし，軸力が高い場合で，曲げ降伏型耐震壁として十分な靱性を保証するには，せん断耐力の余裕度だけでなく，曲げ圧縮力に対する拘束も必要になる．柱が2本

---

1) 日本建築学会：阪神・淡路大震災と今後のRC構造設計－特徴的被害の原因と設計への提案，第Ⅲ編 非構造部材に関する検討と提案，1998

以上あれば本文図 19.1 (a-3) のように壁板が延長される場合もこれに分類されるが，許容せん断力の算定では延長部分の壁長さは「片側に柱がある場合」として扱う．また，このような壁では，許容曲げモーメントの算定や二次設計での靱性（部材ランク）の評価で壁板の圧縮破壊の影響を検討する必要がある．

(b) 袖壁付き柱（柱付き壁）

耐震壁のように壁板の両側端部に柱がないが，片側または中央等に柱がある鉛直の壁部材，別の表現では，片側または両側に袖壁を有する柱である．耐震壁の許容せん断力は柱と壁板の和で算定されるが，旧規準（1999 年改定版）では合成効果を考慮して柱の算定式は独立柱とはやや異なる許容耐力がとられていた．2010 年の改定でもこの考え方を踏襲しているが，実験データを検証した上で，袖壁付き柱の許容せん断力は，独立柱と連続する規定とした．したがって，許容応力度設計では，骨組解析で適切にモデル化されれば，これを柱扱いとするか，耐震壁扱いとするかは本質的な問題にはならないが，保有水平耐力計算では部材種別，構造特性係数，必要保有水平耐力に直接影響することになる．この扱いは本規準の範囲ではないが，壁板端部に柱型拘束域を設けた袖壁付き柱は耐震壁（耐力壁）扱いにすることも考えられる．

(c) 壁板（柱なし壁）

全断面が壁板のみであり，いずれの端部あるいは中央にも柱型（拘束域）がない壁，ラーメン外の壁などである．設計上軸力を負担させない設計が可能な壁か，あるいは軸応力度が十分に小さい壁のみこれに該当する詳細，すなわち，端部に柱または拘束域がない詳細としてよい．柱に付く壁板の場合とは有効長さの取り方が異なる．なお，柱の条件を満足する断面，配筋詳細を有する拘束域が端部にある場合は，(a) 両側柱付き壁と分類される．これを満足しない場合は，原則として軸力を負担させない壁としてモデル化する．

(d) 梁付き壁（腰壁・垂壁付き梁）

上部に腰壁または下部に垂壁を有する梁型を含む水平の壁部材である．この部材では，長期応力に対する検討が必須になる．長期許容せん断力には，腰壁や垂壁の効果を考慮することも可能にしているが，せん断ひび割れ強度は軸力がある袖壁付き柱の実験によって検証されているので，壁がない梁の場合よりも安全側に簡略化した許容耐力式としている．

本条の規定は，床スラブの面内許容せん断力の算定にも適用可能である．ただし，スラブ筋の効果を考慮するときは注意が必要である．スラブ筋は，端部と中央で配筋が異なることが多く，さらに下端筋の定着が短いためである．ボイドスラブや合成床板などでは，Q_1 の計算に際しても有効な断面の評価に注意が必要である．

(2) 本条と 13, 14, 15 条との関係

19 条と 13, 14, 15 条はほぼ共通の考え方に基づく連続性のある規定であるが，壁部材については 19 条にまとめて規定した．

なお，15 条と 19 条の許容せん断力式を比較すると，15 条ではせん断スパン比による割増係数があるが，19 条にはないという違いがある．また，15 条では長期許容せん断力に有効な断面幅を梁・柱の幅としているが，19 条では壁の厚さとしている．その結果，19 条をそのまま適用するよ

りも，壁板を無視して 15 条の式を適用する方が高い許容せん断力となる場合があり得る．これは不合理であるので，曲げ耐力上無視できない腰壁・垂壁や袖壁であっても，許容せん断力の算定では，壁板を無視して 15 条の式を適用してよいものとした．

（3）耐震壁の許容耐力式

耐震壁の許容せん断力算定式は，1968 年十勝沖地震の震害教訓を踏まえて 1971 年に改定された RC 規準の考え方を踏襲しており，その後の改定でも近年の研究成果が陽な形で反映されることはなかった．しかし，この算定式は，理論的に明快な抵抗機構に基づいており，設計用せん断力を適切に設定すれば耐震壁のせん断破壊を防止できる簡便な設計法である[2]〜[4]．許容せん断力は，せん断ひび割れが壁板の全面に発生している状態を想定した壁板の許容せん断力 Q_w と，壁板周辺の柱の許容せん断力 $\sum Q_c$ との和，すなわち，

$$Q_2 = Q_w + \sum Q_c \tag{解 19.1}$$

として算定する．これとコンクリートのみの許容せん断応力度による耐力 Q_1（せん断ひび割れ強度のほぼ下限値）と比較して大きい方を採用することができるとしている．

以下に解説するように，許容耐力式自体は部材の終局強度に対して一定の安全率があると考えてよいが，両側柱付き壁以外の壁（特に袖壁付き柱）では，靱性の評価に十分注意が必要である．曲げ挙動が支配的でも袖壁は変形角 1/150 から 1/100 程度で圧縮破壊し，一定量の耐力低下が生じることが多い．二次設計で用いる場合は，最新の実験結果や新しい評価法などを踏まえ，適切に安全側の配慮を加えて設計する必要がある．さらに，構造物全体の崩壊機構や部材の破壊モードは，できるだけ明快に計画することが望まれる．

（4）設計用応力

壁部材では，設計用せん断力およびモーメントは従来の一次設計（短期許容応力度設計）における慣行と同様に設定されることを想定している．

短期許容応力度設計では，耐震壁の設計用応力は，鉛直荷重時（長期）応力と水平荷重時応力（標準せん断力係数 $C_0 \geq 0.2$）の和が，短期許容耐力（せん断力，曲げモーメント）以下であることを確認するのが基本である．ただし，技術慣行[5]では，特に二次設計を省略できる場合（ルート 1，2）の柱や壁では，設計用せん断力を 1.5〜2 倍程度に割増しすることが推奨されている．

この慣用規定の背景は必ずしも明快に説明されているわけではないが，以下のように解釈される．耐震壁の場合，許容せん断耐力式は，当初 Q_1 はせん断ひび割れ強度（使用限界），Q_2 はせん断終局強度（安全限界）を算定することを意図したものと考えられる．ただし，後述するように，特に

---

[2] 坪井善勝・富井政英：直交異方性弾性板理論による鉄筋コンクリート壁の亀裂発生後に於ける剪断抵抗の解析，日本建築学会論文報告集，No. 48，1954.3

[3] 富井政英・武内元機：The Relations between the Deformation Angle and the Shearing Force Ratio (0.8-1.00) with regard to 200 Shear Walls，日本建築学会論文報告集，No. 153，1968.11

[4] 富井政英・江崎文也：耐震壁の断面設計に関する検討 その1—コンクリート許容せん断応力案と無開口耐震壁ひゞ割れせん断応力度の関係—，日本建築学会大会学術講演梗概集，1969.8

[5] 国土交通省住宅局建築指導課ほか：2020 年版建築物の構造関係技術基準解説書，全国官報販売協同組合

補強筋が少ない場合は，アーチ機構や柱の累加効果など算定式の抵抗機構に対してさらに余力があるので，実際のせん断終局強度は許容せん断力に対して通常1.5〜2.0程度以上の安全率がある．補強筋量が多いと安全率はやや小さいが，実質的にはほとんどの場合が修復限界状態[6]（ひび割れ幅が小さく，簡易な修復が可能なレベル）あるいは損傷限界状態（ひび割れ幅が十分に小さい範囲の限界）に対応していると考えてよい．ルート3による場合の一次設計のように，標準せん断力係数（$C_0=0.2$以上）の地震力による部材せん断力に対して割増しなし（割増係数1.0）で設計するのは，修復限界状態または損傷限界状態を確認していると解釈される．

一方，Q_2自体に終局強度に対して1.5〜2倍程度以上の安全率があることから，例えば設計用せん断力を2倍にして許容せん断耐力を確保すれば，実質的には標準せん断力係数（$C_0=0.2$以上）の地震力の3〜4倍以上の地震力に対応するせん断終局強度が確保される．ルート3以外では終局強度設計も兼ねることになるが，強度型の必要保有水平耐力をせん断終局強度で確保するように，あるいは，靱性確保（せん断破壊の防止）の観点でせん断耐力の余裕度を確保するように，一次設計の段階で設計用せん断力を適宜割増しして短期許容せん断力により検討するのも実務的な便法として十分有効である．この場合，一次設計本来の目標（損傷制御）に対しては，すでに過大な設計用せん断力になっているので損傷制御の検討は不要になる．

以上により，二次設計を行う場合は，設計用せん断力の割増係数は1.0を基本にして，損傷制御の検討を行う．二次設計を行わない場合は，梁柱部材の場合と同様に，両端の曲げ降伏強度に基づいて設計用せん断力を算出するか，あるいは，水平荷重によるせん断力を係数倍して設定して，せん断破壊に対する安全性を検討すればよい．

すなわち，腰壁・垂壁付き梁の安全性検討の設計用せん断力は，(解19.2)式または(解19.3)式による．

$$Q_D = Q_L + \frac{\sum_B M_y}{l'} \tag{解19.2}$$

$$Q_D = Q_L + n \cdot Q_E \tag{解19.3}$$

袖壁付き柱の安全性検討の設計用せん断力は，(解19.4)式または(解19.5)式による．

$$Q_D = \frac{\sum_C M_y}{h'} \tag{解19.4}$$

$$Q_D = n \cdot Q_E \tag{解19.5}$$

記号

Q_L：長期荷重によるせん断力で，単純梁で算定した値としてよい．

$\sum_B M_y$：せん断力が最大となるような梁両端の降伏曲げモーメントの和

l'：梁の内法スパン長さ

$\sum_C M_y$：袖壁付き柱の柱頭・柱脚位置（内法高さ端部）の降伏モーメントの絶対値の和．この場合，柱頭位置のモーメントは，柱の降伏モーメントあるいは

---

[6] 日本建築学会：鉄筋コンクリート造建物の耐震性能評価指針（案）・同解説，2004

柱頭に連なる梁の降伏モーメントの和を0.5倍して算定されるモーメントのうち，小さいほうとしてよい．ただし，最上階では0.5を1とする．

h' ：袖壁付き柱の内法高さ

Q_E ：腰壁・垂壁付き梁，袖壁付き柱の水平荷重によるせん断力

n ：水平荷重によるせん断力の割増係数で，1.5以上とする．鉛直部材で，相対的に剛性の高い部材では大きい数値を設定することが推奨される．

2. 許容曲げモーメント

（1） 算定の原則

従来，耐震壁はせん断力に対する設計を主体にして，低層建物では曲げモーメントに対する設計は省略されるか，あるいは簡略に行われてきた．RC規準の規定も必ずしも明示的ではなかったが，特に中高層の場合の連層耐震壁や袖壁付き柱においては，他の部材と同様に，曲げモーメントに対する許容応力度の検討は必須になる．また，曲げモーメントの検討は水平断面だけでなく，解説図19.1に示すように，連層耐震壁の直下にある単層連スパンの壁などでは梁を含む鉛直の断面に対しても検討が必要な場合があることに注意が必要である．さらに，通常は面内曲げに対する検討が主体になるが，土圧や地震力に対して面外曲げ応力に対する検討が必要になる場合もある．

通常，設計用曲げモーメントは設計用応力（地震力）に対応する危険断面位置の曲げモーメントを採用し，割増しをする必要はなく，これが断面の許容曲げモーメント以下であることを確認すればよい．曲げ降伏自体は構造物の崩壊につながる現象ではなく，曲げ降伏を超える曲げモーメントが作用してもせん断破壊しなければ靭性のある挙動が期待できる[7],[8]．一般の壁部材の許容曲げモーメントは，柱部材と同様に，12条の基本仮定に基づき，圧縮縁がコンクリートの許容圧縮応力度 f_c に達したとき，あるいは引張側鉄筋が鉄筋の許容引張応力度 f_t に達したときに対して算定される曲げモーメントのうち，小さい方の数値とする．平面保持の仮定により任意断面形状に適用可能な曲げ解析を行えばよいが，断面を適切な数の要素に分割して要素内の応力度分布は一定である

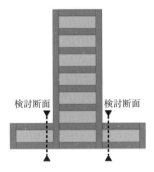

解説図 19.1 曲げモーメントに対する設計が必要な鉛直断面の例

---

7) 加藤大介：回転壁を含む鉄筋コンクリート造骨組の地震応答解析，日本建築学会構造系論文報告集，No. 360, pp. 54-63, 1986.2

8) 壁谷澤寿海・松森泰造ほか：E-ディフェンスによる実大6層鉄筋コンクリート建物実験（その1-7），日本建築学会大会学術講演梗概集，pp. 685-698, 2006

と仮定して，数値計算によって許容曲げモーメントを計算する方法でもよい．

なお，柱だけで長期軸力を負担できる耐力壁では，長期曲げモーメントに対する数値検討を省略してよい．

（2） 簡略法による耐震壁の検討

両側柱付き耐震壁の曲げに対する検討は，従来の慣行のように脚部の曲げモーメントには側柱のみが抵抗するとし，壁縦筋の効果を無視する方法でもよい．耐震壁の柱（拘束域）は鉛直荷重による軸方向力のほか，耐震壁全体の曲げによる軸方向力に対して安全なように設計しておく必要がある[9]．簡略には，この軸方向力が(解19.6)式による許容圧縮耐力 N_c および(解19.7)式による許容引張耐力 N_t を上回らないことを確認するほか，本条7．（1）〜（11）の各構造規定に準じて十分安全なように設計する．

$$N_c = f_c(bD + na_g) \quad \text{(解 19.6)}$$

$$N_t = f_t a_g \quad \text{(解 19.7)}$$

ここで， f_c：コンクリートの許容圧縮応力度（N/mm²）

f_t：鉄筋の許容引張応力度（N/mm²）

bD：柱の断面積（mm²）

a_g：柱主筋の全断面積（mm²）

n：ヤング係数比

（3） 袖壁付き柱，腰壁・垂壁付き梁および柱型のない壁の検討

袖壁付き柱，腰壁・垂壁付き梁を要素として検討する場合は，軸方向力と曲げモーメントに対してコンクリートと軸方向筋が許容応力度以下になることを確認する．

この場合，断面の形状と軸方向筋位置を現実的に考慮できる平面保持解析によることが望ましい．これらのことを略算的に考慮しうる片側袖壁付き柱の許容曲げモーメントの算定例を解説図19.2に示す．解説図19.2（a）は袖壁部分が引張側になる場合，解説図19.2（b）は，袖壁部分が圧縮側になる場合の断面の応力を示している．さらに，袖壁部分が引張側になる場合〔同図（a）〕は柱型内のコンクリートのみが圧縮になる場合〔同図（a1）〕と柱型内すべてと袖壁の一部のコンクリートが圧縮になる場合〔同図（a2）〕について示している．一方，袖壁部分が圧縮側になる場合〔同図（b）〕は，袖壁内のコンクリートのみが圧縮になる場合のみを示してある．これは，一般に柱型の一部が圧縮領域になる場合でも，同図（b）の応力状態を考えておけば安全側になるからである．ただし，袖壁長さが短い場合は安全側すぎる場合もあるので，注意を要する．また，同図は鉄筋を簡略化して，曲げに対する寄与が大きい引張側の端部の鉄筋と袖壁の縦筋のみ考慮し，袖壁縦筋は袖壁の中央位置に集約している．

袖壁部分が引張側になる場合の片側袖壁付き柱の許容曲げモーメント〔同図（a）〕は，一般に袖壁の配筋が少ないので，袖壁端の鉄筋が許容応力度に達して許容曲げモーメントが定まると仮定している．同様に，袖壁部分が圧縮側になる場合の片側袖壁付き柱の許容曲げモーメント〔同図

9） 日本建築学会：鉄筋コンクリート造建物の靱性保証型耐震設計指針・同解説，1999

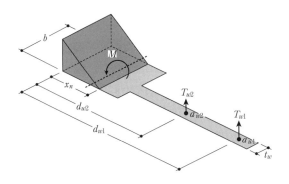

$$C = \frac{1}{2} b \cdot \frac{f_{w1}}{n} \cdot \frac{x_n^2}{d_{w1} - x_n}$$

$$T_{w1} = a_{w1} \cdot f_{w1}$$

$$T_{w2} = a_{w2} \cdot \frac{d_{w2} - x_n}{d_{w1} - x_n} \cdot f_{w1}$$

$$N = C - T_{w1} - T_{w2}$$

$$M = C\left(\frac{D}{2} - \frac{x_n}{3}\right) + T_{w1}\left(d_{w1} - \frac{D}{2}\right) + T_{w2}\left(d_{w2} - \frac{D}{2}\right)$$

f_{w1}：袖壁端部補強筋の許容引張応力度
n　：鉄筋とコンクリートのヤング係数比

(a1) 柱型内のコンクリートのみが圧縮になる場合

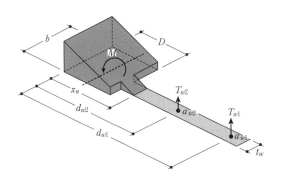

$$C = \frac{1}{2} \frac{f_{w1}}{n} \cdot \left(\frac{b \cdot x_n^2 - (b - t_w) \cdot (x_n - D)^2}{d_{w1} - x_n}\right)$$

$$T_{w1} = a_{w1} \cdot f_{w1}$$

$$T_{w2} = a_{w2} \cdot \frac{d_{w2} - x_n}{d_{w1} - x_n} \cdot f_{w1}$$

（N と M は上図(a1)と同じ式による．ただし，M は近似式）

(a2) 柱型内のすべてと袖壁の一部が圧縮になる場合

（a） 袖壁引張の場合

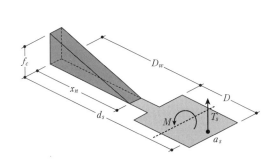

$$C = \frac{1}{2} t_w \cdot x_n \cdot f_c$$

$$T_s = a_s \cdot \frac{d_s - x_n}{x_n} \cdot n \cdot f_c$$

$$N = C - T_s$$

$$M = C\left(\frac{D}{2} + D_w - \frac{x_n}{3}\right) + T_s\left(d_s - D_w - \frac{D}{2}\right)$$

f_c：コンクリートの許容圧縮応力度

（b） 袖壁圧縮の場合（袖壁内のコンクリートのみが圧縮になる場合）

解説図 19.2 片側袖壁付き柱の許容曲げモーメントの算定例

（b）〕は，一般に袖壁の断面積は柱型と比較してあまり大きくないので，袖壁端のコンクリートが許容応力度に達して許容曲げモーメントが定まると仮定している．いずれの場合も，図中に示した軸方向力の釣合いから中立軸位置 x_n に関する方程式が得られるので，これを解いて x_n を求め，これを用いてモーメントの釣合式より，許容曲げモーメントを算出することができる．なお，以上の方法による場合，考慮しなかった鉄筋の寄与が小さいことや，袖壁端以外の部分の応力度が許容応力度に達していないことを平面保持解析などで確認することが望ましい．

その他，簡便な方法として，「付10．壁付き部材の復元力モデルと許容曲げモーメント」を用いてもよい．

3．許容せん断力

（1）無開口耐震壁の許容水平せん断力 Q_1

旧規準（1999年改定版）では，耐震壁の許容せん断力 Q_1 は，（解19.8）式で与えられてきた．

$$Q_1 = tlf_s \tag{解19.8}$$

この式では，本規準とは l の定義が異なり，解説図19.3（a）のように，柱中心間距離 $l(=l'+D)$ ×壁厚さ t として有効な断面積を定義している．この定義によれば，解説図19.3（b）のように，大きい柱を持つ耐震壁では解説図19.3（a）よりも小さい断面積になり，不合理であった．さらに，袖壁付き柱では，柱中心間距離を定義すること自体が困難である．そこで，2010年の改定では，解説図19.3（c）のように，柱と壁板のコンクリート全せいの和（$=\sum l' + \sum D$）と壁厚さ t の積を基本にして，規準（19.3）式により算定するように変更した．

$$Q_1 = t(\sum l' + \sum D)f_s \tag{規準(19.3)}$$

記号　t ：壁板の厚さ
　　　l' ：壁板の内法長さ
　　　D ：柱（または梁）のせい
　　　f_s ：コンクリートの許容せん断応力度

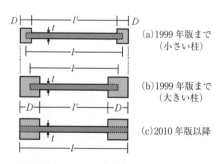

解説図19.3 Q_1 の算定で用いる断面積

解説図19.4に，せん断ひび割れ強度の実験値を旧規準（1999年改定版）の定義による tl で除した値 $\bar{\tau}_{cr}$ とコンクリート圧縮強度 σ_B の関係を黒丸で示す[4]．また，コンクリートの許容せん断応力度を実線で示す．解説図19.4の実験結果には収縮応力や加力方法の影響などによると思われる大

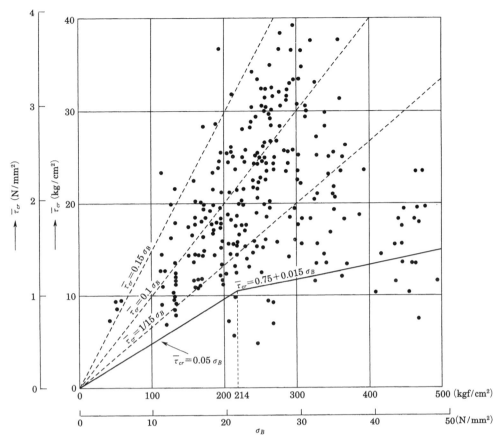

解説図 19.4 無開口耐震壁のせん断ひび割れ発生強度（平均せん断応力度）と
コンクリート圧縮強度の関係[4]

きなばらつきがみられる．壁の全せいを基本にした 2010 年に改定された評価式は，従来の評価式よりも若干（約 10％程度）高い算定強度を与えることになるが，実験データのばらつきに比べると評価法の違いは十分小さい．したがって，許容せん断力 Q_1 は，従来と同様にせん断ひび割れ強度の下限に対応すると考えてよい．

（2） 無開口耐震壁の許容水平せん断力 Q_2

無開口耐震壁の許容水平せん断力 Q_2 は，せん断ひび割れ発生以降に負担しうるせん断力として，旧規準（1999 年改定版）と同様に，規準（19.4）式により算定できる，とした[10]．

$$Q_2 = \Sigma Q_w + \Sigma Q_c \qquad \text{規準（19.4）}$$

これは，壁筋によるトラス機構の負担せん断力 Q_w と柱の許容せん断力 Q_c の和として定式化されたものである．Q_w は，45 度方向のトラス機構を前提にすると，壁横筋の降伏引張力による釣合いに基づいて，規準（19.5）式で表される．

---

10) 富井政英・崎野健治：コンクリートの許容応力度案と耐震壁の断面設計の関係 第 2 報，日本建築学会九州支部研究報告，18 号 1，1970.2

$$Q_w = p_s t l_e f_t \qquad \text{規準(19.5)}$$

ただし，両側に柱（柱型）がある場合（(a) 耐震壁）では，壁横筋は柱に定着されており，トラス機構は従来の算定法のように壁板の全断面積が十分有効に働くことが期待できるが，柱が片側にしかない場合（(b) 袖壁付き柱）や両側ともない場合（(c) 柱なし壁）では，柱がある場合と比較して相対的にトラス機構が成立しにくいと考えられる．実験による定量的な検証は必ずしも十分ではないが，規準（19.5）式における壁板の有効せい l_e を柱の有無により変更して，両側に柱型がある壁板では $l_e=l'$，片側に柱型がある壁板では $l_e=0.9l'$，柱なし壁では $l_e=0.8l'$ とした．

一方，耐震壁のせん断終局強度は柱の断面積が大きい場合に増大するという実験的事実に基づいて，上記の負担せん断力に規準（19.6）式による柱の許容せん断力を累加する．

$$Q_c = bj\{\alpha f_s + 0.5 {}_w f_t (p_w - 0.002)\} \qquad \text{規準(19.6)}$$

許容せん断力 Q_2 と実験結果の終局強度（最大強度 Q_{max}）の比較を解説図 19.5 に示す[10]．なお，壁筋比が 0.012 を上回る場合は，規準のように 0.012 として許容せん断力が算出されている．旧規準（1999年改定版）における検証結果であるので，実験データは 1970 年以前のものである．これらの実験データに基づいて，壁筋比 $p_s \leq 0.012$ の範囲で実験値（終局強度）が Q_2 を上回るように，付帯する柱のコンクリート許容応力度の割増係数 $\alpha=1.5$ が定められた．これは柱と壁の合成効果を考慮したものとされ，通常の長柱の許容せん断力（$\alpha=1.0$）よりもやや大きな値が設定されてきた．

せん断ひび割れ発生前後の抵抗機構の状態をいずれも許容すれば，許容せん断力は Q_1，Q_2 の大きいほうをとることが可能になる．ただし，せん断補強筋の最小規定や柱の負担せん断力によって，ほとんどの場合，Q_2 は Q_1 よりも大きい値になるので許容せん断力はこれらの大きいほうとすると，せん断ひび割れ強度よりも高い算定強度を与える可能性がある．したがって，せん断ひび割れの発

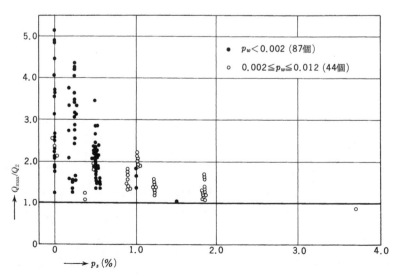

解説図 19.5 無開口耐震壁の許容せん断力 Q_2 の実験値（終局強度）に対する安全率と壁筋比の関係（1970 年以前のデータ）

生を防止する（ひび割れの発生を許容しない）ことを目標にして設計をしたい場合は，Q_2 は用いないで Q_1 のみを用いるか，あるいは本会「鉄筋コンクリート建物の耐震性能評価指針（案）」[6]（以下，耐震性能評価指針と略記）など別のせん断ひび割れ強度式を用いて設計するのがよい．

以上の制定経過によれば，当初の目標は，実験によるせん断終局強度が許容せん断力式 Q_2 を上回っていることであったと考えられる．これらの実験結果はほとんどが1970年以前に行われたものであるので，その後の耐震壁の実験[11)〜32)] で比較した結果が解説図19.6〜19.8である．

---

11) 青山博之・加藤大介・勝俣英雄：増設 RC 耐震壁の耐力と変形の評価に関する実験的研究（その1，2），日本建築学会大会学術講演梗概集，pp. 1407-1410，1982.10
12) 加藤大介・勝俣英雄・青山博之：無開口後打耐震壁の耐力の評価に関する研究，日本建築学会論文報告集，No. 337，1984.3
13) 青山博之・細川洋治・塩原 等・山本徹也：既存鉄筋コンクリート建物の耐震補強工法に関する研究（その1），日本建築学会大会学術講演梗概集，pp. 81-82，1985.10
14) 緒方恭子・壁谷澤寿海：曲げ降伏型鉄筋コンクリート耐震壁の変動シアスパン加力実験，第6回コンクリート工学年次講演会論文集，第6巻，pp. 717-720，1984.7
15) 柚木孝裕・壁谷澤寿海：厚壁型鉄筋コンクリート耐震壁の変動シアスパン加力実験，第7回コンクリート工学年次講演会論文集，第7巻，pp. 369-374，1985.6
16) 壁谷澤寿海・阿部 洋・橋場久理子：高層耐震壁の耐力と変形能力に関する実験的研究，コンクリート工学年次講演会論文集，第9巻，pp. 379-384，1987.6
17) 壁谷澤寿海・鬼海義治・木村 匠：鉄筋コンクリート耐震壁の開口補強法に関する実験的研究，コンクリート工学年次講演会論文集，第10巻，pp. 409-414，1988.6
18) 壁谷澤寿海・木村 匠：鉄筋コンクリート耐震壁の開口による終局強度低減率，コンクリート工学年次講演会論文集，第11巻，pp. 585-590，1989.6
19) 千葉 脩・羽鳥敏明ほか：建屋の復元力特性に関する研究（その8〜10），日本建築学会大会学術講演梗概集，pp. 1509-1514，1983.9
20) 千葉 脩・羽鳥敏明ほか：建屋の復元力特性に関する研究（その21），日本建築学会大会学術講演梗概集，pp. 2375-2376，1984.10
21) 千葉 脩・羽鳥敏明ほか：建屋の復元力特性に関する研究（その59），日本建築学会大会学術講演梗概集，pp. 1117-1118，1986.8
22) 千葉 脩・羽鳥敏明ほか：建屋の復元力特性に関する研究（その62），日本建築学会大会学術講演梗概集，pp. 1123-1126，1986.8
23) Brada F., Hanson J. M. and Corley W. G.: Shear Strength of Low-Rise Walls with Boundary Elements, Reinforced Concrete Structures In Seismic Zone, SP-53, American Concrete Institute, Detroit, pp. 149-202, 1977
24) 遠藤利根穂・広沢雅也・尾崎昌凡・岡本 伸：耐震壁による建築物の崩壊防止効果に関する研究，昭和46年度建築研究所年報，pp. 625-630，1972
25) 小野 新・安達 洋ほか：鉄筋コンクリート造耐震壁の耐震性に関する総合研究（その7，8），日本建築学会大会学術講演梗概集，pp. 1601-1602，1976.10
26) 小野 新・安達 洋ほか：鉄筋コンクリート造耐震壁の耐震性に関する総合研究（その16，17），日本建築学会大会学術講演梗概集，pp. 1631-1634，1977.10
27) 小野 新ほか：鉄筋コンクリート造耐震壁の弾塑性性状に関する実験的研究（その1），日本建築学会大会学術講演梗概集，pp. 1645-1646，1977.10
28) 松本和行・壁谷澤寿海：高強度鉄筋コンクリート耐震壁の強度と変形能力に関する実験的研究，コンクリート工学年次論文報告集，第12巻，pp. 545-550，1990.6

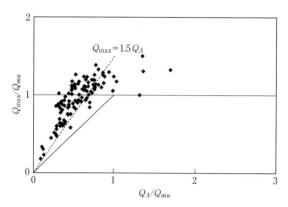

解説図 19.6 無開口耐震壁の終局強度 Q_{max} と許容せん断力 Q_A の関係
（曲げ終局強度計算値 Q_{mu} で基準化，1970 年以降のデータ）

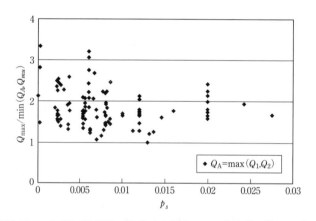

解説図 19.7 無開口耐震壁の許容せん断力 Q_A の実験値（終局強度 Q_{max}）
に対する安全率と壁筋比の関係

　これらの実験（試験体）にはせん断破壊型だけでなく，曲げ降伏型の耐震壁，連層耐震壁，高強度コンクリート，高強度鉄筋，柱型のない試験体，縦横等配筋でない試験体，補強筋比がかなり大きい試験体なども含まれる．許容せん断力の算定では，材料強度は試験結果をそのまま用いるが，降伏強度が 600 N/mm^2 を超える高強度鉄筋では 600 N/mm^2 として算定している．補強筋比の制限は規準をそのまま適用し，p_s，p_w が 0.012 を超える場合は 0.012 として，縦横等配筋でない場合は横筋比を用いて算定している．ただし，柱の帯筋比が 0.002 未満の場合は，計算値では 0.002 と

29) 松本和行・壁谷澤寿海・倉本　洋：シアスパン比の大きい高強度鉄筋コンクリート耐震壁の静加力実験，コンクリート工学年次論文報告集，第 14 巻，pp. 819-824，1992.6
30) 田中義成・平石久広・加藤博人ほか：二方向変形を受ける高強度 RC 造耐震壁の変形性能に関する実験研究（その 1, 2），日本建築学会大会学術講演梗概集，pp. 373-376，1992.8
31) 柳沢延房・狩野芳一ほか：高強度材料を使用した鉄筋コンクリート耐震壁のせん断性能，日本建築学会大会学術講演梗概集，pp. 347-350，1992.8
32) 斎藤文孝・倉本　洋・南　宏一：高強度コンクリートを用いた耐震壁のせん断破壊性状に関する実験的研究，日本建築学会大会学術講演梗概集，pp. 605-606，1990.10

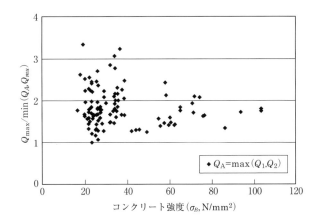

解説図 19.8 無開口耐震壁の許容せん断力 Q_A の実験値（終局強度 Q_{max}）に対する安全率とコンクリート強度の関係

して算定している．また，解説図 19.7，19.8 においては，曲げ終局強度時せん断力の計算値 Q_{mu} が許容せん断力の計算値より低い場合は，曲げ終局強度時せん断力 Q_{mu} を計算値としている．これにより，許容せん断力の計算値を下回るデータがなく，許容せん断力計算値に近いデータも見られるが，一般にはせん断終局強度に対して 1.5～2 倍以上の安全率があると考えてよい．

実験によるせん断終局強度が許容せん断力を一定の安全率で上回るのは，柱が負担しうるせん断力が許容せん断力よりも大きいことも一因であるが，せん断ひび割れ発生以降の抵抗機構でも，柱や壁筋のトラス機構による負担せん断力のほかに，有効な抵抗機構が働いているためである．これらは，ひび割れ面でのせん断伝達あるいはアーチ機構による負担せん断力として説明されてきた．ただし，アーチ機構（＋トラス機構）のせん断伝達抵抗機構に基づいたせん断終局強度式が指針化されたのは 1980 年代後半であり，それ以前は実験データを近似する終局強度式として，柱，梁のせん断終局強度式を耐震壁に適用した（解 19.9）式が提案され[33]，二次設計のせん断終局強度 Q_{su} の慣用設計式としても用いられてきた．

$$Q_{su} = r\left\{\frac{0.068 p_{te}^{0.23}(F_c+18)}{\sqrt{\frac{M}{Ql}+0.12}} + 0.85\sqrt{p_{se}\sigma_{wy}} + 0.1\sigma_0\right\} t_e \cdot j_e \quad \text{(N)} \quad \text{(解 19.9)}$$

ここに，

r：開口低減率

p_{te}：引張側柱の等価主筋比（単位%）（$=100a_t/(t_e d)$）

F_c：コンクリートの設計基準強度（N/mm²）

$M/(Ql)$：耐震壁に作用する応力のせん断スパン比，ここで l は耐震壁の全せい

$(l=l'+\sum D)$

---

33) 広沢雅也：既応の鉄筋コンクリート造耐震壁に関する実験資料とその解析，建築研究報告，No. 6, 1975.3

p_{se}：壁横筋の等価補強筋比（$=a_h/(t_e s)$　ここで a_h は1組の壁横筋の断面積，s は壁横筋の間隔）

t_e：等価壁厚さ（$t_e=(tl'+\sum bD)/(l'+\sum D)$，ただし $t_e \leq 1.5t$）

ここで l' は壁板の内法長さ，t は壁板の厚さ，b は柱の幅，D は柱のせい

σ_{wy}：壁横筋の規格降伏点（N/mm²）

σ_0：軸力による応力度［$=N/(t_e j_e)$　ここで N は耐震壁に作用する全軸力］

j_e：応力中心距離［$=(7/8)d$　ここで d は耐震壁の有効せい（$d=l-D/2$，柱型がない場合は $d=0.95l$）］

なお，梁，柱のせん断終局強度式のように，$M/(Ql)$ の l を有効せいとする場合，$M/(Ql)$ を1～3に制限する場合もあり，応力中心距離 j_e の取り方（$j_e=l'+D$，$j_e=0.8l$ など）など，評価式の適用方法の詳細は必ずしも一義的ではない．また，係数 0.068 を 0.053 にして $M/(Ql)$ に関係する右辺第1項の分母のルートを外すと実験値の下限に対応するとされる．

（解 19.9）式では，まず梁柱（矩形断面）のせん断終局強度式を耐震壁に適用するために，同じ断面せいで同じ断面積の等価な長方形断面に置換する．この置換方法は，通常の両側柱付き耐震壁に対しては端部の柱面積を中央部分に振り替える結果になるので，せん断ひび割れ強度あるいは純せん断応力状態では壁板中央のコンクリートの応力度が支配的になり，危険側の仮定になる可能性もある．しかし，曲げせん断応力状態のせん断終局強度は圧縮側端部のコンクリートの圧壊が支配的になるので，一般におおむね安全側の等価置換になると考えてよい．柱のコンクリートが帯筋で拘束されていること，壁板のコンクリートは柱によって拘束されていることの効果によると考えられる．ただし，柱幅が広い場合は，必ずしも安全側の置換方法ではない．そこで，以下の評価では，柱幅が柱せいの3倍以上に大きい場合には，柱せいの3倍までを有効な柱幅と仮定して等価壁厚に置換している．せん断補強筋は縦横で異なる場合は横筋比を用いており，計算上の上限や制限は特に考慮していない．

（解 19.9）式によるせん断強度の計算値と実験値（最大強度）を比較すると解説図 19.9～19.11 のようになる．曲げ強度時せん断力とせん断終局強度の計算値が近い場合に若干実験値が下回る場

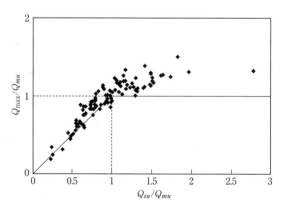

解説図 19.9　無開口耐震壁の終局強度 Q_{max} とせん断終局強度計算値 Q_{su} の関係
　　　　　　（曲げ終局強度計算値で基準化，1970 年以降のデータ）

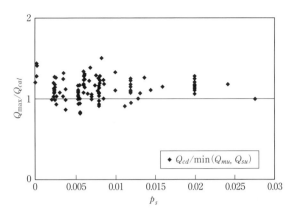

解説図 19.10 無開口耐震壁の終局強度計算値 Q_{cd} の終局強度実験値 Q_{max} に対する安全率と壁筋比の関係（1970年以降のデータ）

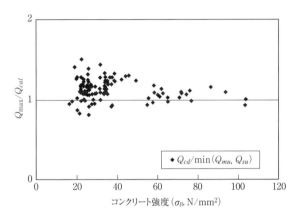

解説図 19.11 無開口耐震壁の終局強度計算値 Q_{cd} の終局強度実験値 Q_{max} に対する安全率とコンクリート強度の関係（1970年以降のデータ）

合があるが，実験結果は壁筋比，コンクリート強度にもよらず，ほぼ一定の関係で計算値をやや上回っており，許容せん断力式による評価よりも明らかにばらつきは少ない結果になっている．

これまで耐震壁のせん断終局強度を検証してきた実験では，壁筋量を実験変数に選択した場合，縦筋と横筋をおおむね等しい補強筋比にして配筋している試験体がほとんどであり，縦筋比と横筋比が異なる試験体はごくわずかである．解説図 19.12 に示すように，前述の検証試験体では縦筋が少ない場合でも，ほとんどが縦筋比は横筋比の 0.4～0.5 程度以上になっている．以上の許容耐力式および終局強度式は，横補強筋比を用いて検証されているので，縦筋が横筋の 1/2 程度にまで減らしても強度算定は有効であるとも考えられるが，試験体数は十分ではなく，また，縦筋比が横筋比の 1/2 以下の試験体がほとんどないことから，当面横筋比は縦筋比の 2 倍を上限として計算することを許容せん断力の算定式の制限とした．せん断終局強度の算定では，縦横の補強筋比が異なる場合の算定法は，今後，強度算定式の運用も含めて実験データによって詳細に検討する必要があるが，終局強度の算定でも，許容耐力と同様に横筋比は縦筋比の 2 倍を上限として計算することを原則にすると，実質的には縦筋は横筋の 1/2 以上に配筋することが必要になる．縦筋もせん断強度に

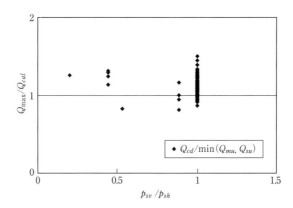

解説図 19.12 試験体の（縦筋比／横筋比）と（実験値／計算値）

は一定の程度に有効に働くと考えられるが，曲げ強度時のせん断力の余裕度によって靱性（部材ランク）を保証する方法では，せん断補強筋量を増やしても計算上せん断強度の余裕度を確保するのは困難になる．このような場合は，壁厚さを増やすかコンクリート強度を高くする必要がある．

さらに，壁板に開口を設ける場合は，開口上下の梁には大きなせん断力が発生するので，壁縦筋はせん断力に抵抗する．開口の補強筋には縦筋量も有効に評価されるので，開口がある場合は縦と横方向でバランスのよいせん断補強筋比にするのが効果的である．

ルート1，2で，許容せん断力による設計は，せん断終局強度を保証するための代用になっていると考えることができる．設計用せん断力の割増しの意味は必ずしも明快ではないが，設計式の安全率に加えて，必要な保有水平耐力や靱性を暗に確保するものとも理解される．ルート3によって二次設計が行われる建物では，すなわち，耐震壁がせん断終局強度式で必要なせん断強度が確保される場合は，許容せん断力による一次設計の意味は必ずしも明快ではないが，せん断終局強度に対しては有意な安全率をもっていることから，損傷（残留ひび割れの幅や数）を一定程度以下に制御するための損傷制御設計の意味があると考えることもできる．なお，せん断ひび割れの発生を防止するのであれば，Q_1 による設計が確実であり，また，残留ひび割れ幅などに関しては，近年の指針等で詳細に検討されている．

「耐震性能評価指針」には，部材ごとにある最大応答変形（部材角）を受けた場合の残留ひび割れ幅の算定方法が示されている．同指針では壁のせん断ひび割れに関して，最大応答変形を受けた時点のひび割れ幅の1/2が残留ひび割れ幅であるとしている．したがって，壁がせん断破壊するときのせん断ひずみが4/1 000程度であることを考えると，ある余裕を持って「許容変形」を規定すれば，損傷の指標となる残留ひび割れ幅を許容値以内に制限することができる．これを変形ではなく力によって制限したものが壁の許容せん断耐力 Q_A に相当すると解釈できる．

以下，壁の応答せん断力が許容せん断耐力 Q_A に達したときの残留せん断ひび割れ幅を，「耐震性能評価指針」に従って一般的なケースを念頭に略算してみる．同指針では壁の曲げ降伏がせん断破壊に先行する場合も含めて算定可能であるが，本規準では鉄筋の降伏を許さない範囲で許容せん断力を定めるので，壁のせん断破壊が先行する場合について算定する．

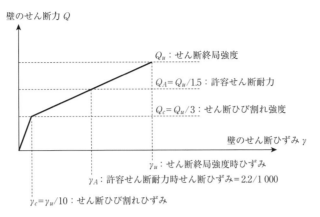

解説図 19.13 壁の許容せん断耐力時のせん断ひずみ

　せん断終局強度の実験値は，壁筋比 p_s にもよるが，壁の許容せん断力の算定値 $Q_A(Q_2)$ に対して 1.5 倍程度以上の安全率を有している〔解説図 19.6〕．せん断ひび割れ発生時のひずみを 4/10 000 程度，せん断ひび割れ強度をせん断終局強度の 1/3 程度と考えると[34]，解説図 19.13 に示すように，許容せん断耐力時点のせん断ひずみは大きい場合でも 2/1 000 程度を想定すればよいことになる（実際には，壁部材ではせん断ひび割れ強度はせん断終局強度の 1/3 よりもかなり大きい場合が多いので，その場合の許容せん断耐力時点のせん断ひずみは 2/1 000 程度よりさらに小さい値になる）．

　「耐震性能評価指針」による残留ひび割れ幅の算定値は壁の条件により異なるが，ここではコンクリート圧縮強度 20～30 N/mm²，壁筋比 0.3～0.5%，せん断スパン比 1～2，壁筋間隔 200 mm という条件を仮定して略算すると，平均のひび割れ間隔は 200 mm，主引張ひずみ度は 0.002 程度に算定される．これらにより，平均の残留ひび割れ幅は 0.2～0.3 mm 程度，最大残留ひび割れ幅は 0.3～0.4 mm 程度以下になると推定される．ただし，高強度のせん断補強筋を用いる場合にはせん断ひび割れ幅が広がるおそれがあることから，規準 (19.5) 式，(19.6) 式を用いる場合のせん断補強筋の短期許容引張応力度は 390 N/mm² 以下に制限した．

　なお，「耐震性能評価指針」の計算例では，曲げ降伏先行型耐震壁に関する計算値ではあるが，一次設計の範囲では残留せん断ひび割れ幅の算定値は 0.2 mm 以下になっている．一般の連層耐震壁の設計でも本規準の許容せん断耐力式で検討しておけば，ほとんどの場合で残留せん断ひび割れ幅は平均的には 0.2 mm 以下になることが期待できるが，厳密には「耐震性能評価指針」等を適用して詳細に検討するのがよい．

（3）　袖壁付き柱，腰壁・垂壁付き梁の許容せん断力

　袖壁付き柱のせん断終局強度も耐震壁と同様に，袖壁を含む柱断面積を等価な壁厚に置換する考

---

34) 津田和明ほか：鉄筋コンクリート造連層耐震壁の復元力特性（スケルトンカーブ）の算定法：鉄筋コンクリート造連層耐震壁の性能評価手法に関する研究（その 1），日本建築学会構造系論文集，No. 569, pp. 97-104, 2003

え方がある．しかし，両側柱付き耐震壁の場合と比較すると，①コンクリートの応力度負担が過大になる端部の断面幅が相対的に小さいこと，②通常の設計では端部が柱のようには拘束されていないことなどの理由により，耐震壁のように単純に同じ面積の等価壁厚に置換するのは危険側の評価になる可能性がある．柱帯筋の効果や等価壁厚に対する等価な壁筋比への置換方法なども危険側の評価にならないように注意が必要である．

つまり，壁端部の圧縮応力度で決まるせん断終局強度に関しては等価壁厚に置換する方法とは別の考え方が必要になる．しかし，壁板の斜め引張応力度によって決まる許容せん断耐力式に関しては，柱と壁の耐力和とする考え方を基本にした定式化によっても大きく危険側の評価になることはないと考えられる．ただし，壁板部分を含む全断面で曲げと軸力に対してコンクリートの圧縮応力度が許容応力度以下であること，また，壁筋が有効に働く配筋詳細であることなどが前提になる．また，両側に柱がある耐震壁は柱によって壁板が有効に拘束されているのに対して，既往の袖壁では端部補強筋や拘束が十分ではないので，一般には耐震壁よりも終局強度以降の耐力低下が大きいことにも注意する必要がある．

袖壁付き柱の許容せん断力は，袖壁部分の寄与を耐震壁の壁板の寄与分 Q_w と同様に評価して，柱と袖壁の耐力和としている．ただし，柱の寄与分 Q_c は，前述のように，耐震壁では壁板と柱の合成効果を考慮して独立柱よりは大きな係数（$\alpha=1.5$：旧規準（1999年改定版）の1.5倍，現規準（損傷限界）の約2倍（9/4倍））が用いられてきたのに対して，袖壁付き柱では $\alpha=1.0$ とした．これは，独立柱の従来の短期許容せん断力（旧規準（1999年改定版））に相当し，現規準式（損傷限界）の1.5倍の係数である．すなわち，耐震壁と独立柱の中間の係数をとっていることになる．ただし，壁筋量が多い場合は実際のトラス機構の効果に対してはおそらく過大評価であり，また，壁筋量が多い場合の実験結果も少ないことから，（c）柱なし壁の場合も含めて，当面壁筋比は0.6%以下を適用範囲とした．なお，腰壁や垂壁が取り付いた梁や床についても同様に耐震壁に関する算定方法を準用してよいが，いずれも $\alpha=1$ とする．

---

35) 大宮 幸ほか：袖壁付き柱の破壊形式を考慮したせん断終局強度に関する実験および考察，日本建築学会構造系論文集，Vol. 67, No. 553, pp. 175-180, 2002.3
36) 東 洋一，大久保全陸：鉄筋コンクリート短柱の崩壊防止に関する総合研究(その9 CWシリーズ：袖壁付き柱の実験)，日本建築学会大会学術講演梗概集，pp. 1305-1306, 1974.10
37) 鶴田敦士ほか：ポリマーセメントモルタルにより補強された袖壁付き柱の構造性能に関する実験的研究，日本建築学会大会学術講演梗概集，pp. 615-618, 2005.9
38) 赤井裕史ほか：RC造袖壁付き柱の耐震性能に関する大変形加力実験(その1：実験概要と結果)，日本建築学会大会学術講演梗概集，pp. 183-184, 2003.9
39) 小室達也ほか：RC造袖壁付き柱の耐震性能に関する大変形加力実験（その5：軸力比の違いによる影響），日本建築学会大会学術講演梗概集，pp. 231-232, 2005.9
40) 加藤大介ほか：PCa袖壁で簡略補強された既存RC柱に関する実験，日本コンクリート工学年次論文集，pp. 253-258, 2004.7
41) 加藤大介ほか：RC造増設袖壁付き柱の静的加力実験，日本コンクリート工学年次論文集，pp. 1471-1476, 2003.7
42) 杉山智昭ほか：ポリマーセメントモルタルを用いて耐震補強されたRC造袖壁付き柱の構造性能に関する実験的研究，日本コンクリート工学年次論文集，pp. 1117-1122, 2007.7

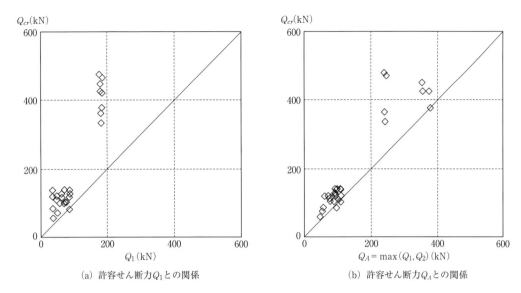

解説図 19.14 袖壁付き柱のせん断ひび割れ強度 Q_{cr} と許容せん断力 Q_1 または Q_A との関係

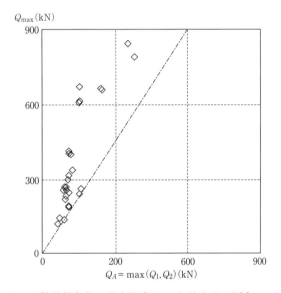

解説図 19.15 袖壁付き柱の最大強度 Q_{max} と許容せん断力 Q_A との関係

　近年に行われた袖壁付き柱試験体の実験結果[35)～44)]で，許容せん断力を検証した結果を解説図 19.14，19.15 に示した．対象試験体は 39 体で，そのうち，せん断破壊した試験体は 31 体，せん断ひび割れ発生時の強度が明示されている試験体は 26 体である．なお，検証における許容せん断

---

43) 磯　雅人ほか：連続繊維シートにより補強された袖壁付き RC 柱の構造性能に関する実験的研究，日本コンクリート工学年次論文集，pp. 1429-1434，1999.12

44) 壁谷澤寿成・壁谷澤寿海・壁谷澤寿一・金　裕錫・東條有希子：鉄筋コンクリート造耐震壁の形状および補強がせん断強度に与える影響，構造工学論文集，2008.4

力 Q_2 の算定では，有効壁長さを $l_e=0.9l'$ ではなく $l_e=l'$ としている．

実験結果の最大耐力は，許容せん断力 $Q_A=\max(Q_1, Q_2)$ の計算値に対して 1.5 倍以上の余力がある．また，実験結果のせん断ひび割れ強度は，許容せん断力 Q_1 を 1.5 倍程度に上回っており，許容せん断力 Q_A も上回っている．いずれも許容せん断力の評価式として，耐震壁と同程度の安全率で設計に適用することが可能であると考えられる．

なお，袖壁付き柱の許容せん断力に関しては，以上の方法で安全側に評価可能であるが，二次設計における終局強度に関しては，曲げもせん断も等価壁厚に置換する方法は明らかに危険側の評価になることに注意する必要がある．終局強度に関して従来の評価式（荒川式）を適用するのであれば，むしろ壁厚さ方向（あるいは長さ方向）に分割して累加する方がまだ一般性のある評価が可能である[45]．ただし，いずれも耐震壁の場合よりは安全率は小さい．靱性に関しては，壁板の圧縮破壊による損傷あるいは圧縮破壊以降の若干の強度低下をどのように評価するべきであるかという問題はあるが，実験結果によれば，壁板の破壊により柱自体の破壊の進行は独立柱の場合よりもむしろ大幅に抑制され，耐力だけでなく，壁板によるエネルギー吸収性能，最大強度以降の軸耐力の安定性などに関する耐震性能は独立柱よりも明らかに優れている．評価手法には今後検討の余地があることを認識したうえで，袖壁は切り離さずに耐震要素として積極的に利用するのも一つの合理的な設計の考え方である．

4．開口による低減

（1）開口低減率による算定の適用範囲

開口がある耐震壁（有開口耐震壁）の応力および耐力の評価は，開口が小さい場合は耐震壁としてモデル化して剛性および耐力を低減して評価することで十分であるが，開口が大きい場合は開口周辺部材をそれぞれ耐震壁または線材にモデル化して部材ごとに応力と耐力を評価するほうが望ましいとされる．本規準では，1 スパンで評価した r_2 により下記を適用範囲の原則にしている．すなわち，

① $r_2 \geq 0.6$ の場合：耐震壁としてモデル化，開口低減率，開口補強を適用
② $r_2 < 0.6$ の場合：骨組としてモデル化，各部材に許容応力度設計を適用

以上の原則は，あくまで解析手法の精度による運用の目安であり，応力解析モデルや開口による耐力低減率などの評価精度の問題である．結果としてどちらの方法が合理的であるか，あるいは安全性を担保するものであるか，などは別の問題であるので，実務的には設計者の判断により上記の原則によらなくてもよい．解析モデルや計算の煩雑さ，あるいは規準の適用制限などの理由で有開口耐震壁の計画が制限され，結果として構造物全体の耐震性能の余力が小さくなるような構造計画が選択されやすくなるのでは本末転倒である．

有開口耐震壁の地震時の挙動には開口の大きさ・位置・個数などが複雑に影響するので，強度および靱性，破壊モードを精度よく評価するのは難しい．一般に，有開口耐震壁のせん断終局強度が

---

[45] 壁谷澤寿海・壁谷澤寿成：袖壁付き柱の実用せん断強度式，日本地震工学会・大会－2007 梗概集，pp. 248-249，2007

無開口耐震壁のせん断終局強度に比較して相対的に低下するのは多くの実験により明らかにされてきたことであるが，この開口による低減が水平断面積の比率（開口による欠損率）以上に低下するのは，ほとんどが局部的な曲げ降伏に起因して，基本的には構成要素の水平断面積または見付面積に比例するはずの潜在的なせん断終局強度が発揮されないことによると考えてよい．したがって，局所的な曲げ降伏が生じないように，開口周囲を本条5.に従って補強するならば，$r_2<0.6$の場合でも耐震壁としてモデル化して問題ない．

逆に，骨組にモデル化する場合は，開口耐震壁としてモデル化するよりも応力あるいは耐力ともに評価精度がかえって低い場合もありうるので，注意が必要である．開口周囲の部材をそれぞれ線材にモデル化する方法では，剛域の評価，せん断剛性（低下率）の評価が難しく，解析モデルによっては適切に設定できない場合もある．したがって，解析対象によっては耐震壁にモデル化する方がむしろ適切な場合がある．例えば，ほとんどが耐震壁にモデル化される階あるいは連層耐震壁で若干適用範囲を超えるごく一部の開口壁のみを骨組にモデル化するのは，相対剛性の評価としてはかえって適切でない．このような場合は，若干開口周比が大きくても，耐震壁としてモデル化して開口低減率を適用し，余裕のある設計を行う方が合理的である．

一方，水平に細長いスリット状の開口がある場合など，開口低減率を用いて算定される許容水平せん断力 Q_{A0} が柱の短期許容せん断力の和 ΣQ_A よりもむしろ小さくなることもある．このような場合に限らず，等価開口周比がやや小さい場合でも，袖壁付き柱の許容せん断力の和が大きくなる場合などは，耐震壁モデルではなく線材モデルで応力解析および断面算定を行ってもよい．あるいは，設計用せん断力は開口低減率および耐震壁モデルにより算定し，開口補強も同様に行うが，許容水平せん断力 Q_{A0} は袖壁付き柱の許容せん断力の和としてもよい．

（2）旧規準（1999年改定版）の開口低減率

旧規準（1999年改定版）では，開口幅による r_1 を次式で計算した．

$$r_1 = 1 - \frac{l_0}{l} \tag{解 19.10}$$

r_1 は開口の高さ h_0 に関係ないため，h_0 が大きい場合には危険側の結果を与える．そこで，面積比による等価開口周比に基づく低減率 r_2 を次式で計算し，r_1 と r_2 の小さいほうを開口低減率 r としていた．

$$r_2 = 1 - \sqrt{\frac{h_0 l_0}{h l}} \tag{解 19.11}$$

この低減率 r_2 は，応力計算に使用される弾性剛性の開口による低減率

$$r = 1 - 1.25 \sqrt{\frac{h_0 l_0}{h l}} \tag{解 19.12}$$

と比べて水平せん断耐力の開口による低減率がやや小さいこと[46]を考慮したものである．

せん断耐力の開口低減率の実験値と旧規準（1999年改定版）$r = \min(r_1, r_2)$ による低減率の関係

---

46) 富井政英：耐震壁の開口の影響による負担せん断力の低減率，1961.2

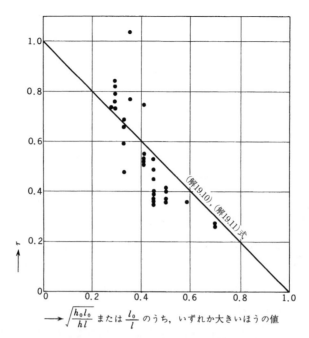

解説図 19.16 開口による低減率に関する実験値と旧規準（1999 年改定版）式の関係

を示すと，解説図 19.16 のようになる．ほぼ実験値の平均を表しており，特に開口が小さい範囲ではおおむね安全側の評価になっているのが認められる．

（3） 開口低減率の定義の変更

2010 年の改定では，以上の旧規準（1999 年改定版）による低減率の考え方を基本的には踏襲しているが，以下のように定義を変更している．旧規準（1999 年改定版）では，基準となる無開口耐震壁の長さを解説図 19.3（a）のように周辺柱の中心間距離で定義していた．式で表すと

$$l = l' + D \tag{解 19.13}$$

である．この定義による旧規準（1999 年改定版）の低減率は，実際の水平断面積や見付面積の開口による欠損率に対してさらに低い値になるが，解説図 19.16 で見たように，実験の平均を表す低減率としておおむね妥当であるとされてきた．しかし，この定義は，Q_1 の旧規準（1999 年改定版）式と同様の問題がある．すなわち，同じ大きさの開口でも解説図 19.3（b）のように柱せい（拘束領域長さ）が大きい場合にむしろ大きく低減されることになり，定義として不合理な面がある．そこで，壁の全せい l の定義は，（解 19.14）式によるものに変更した〔解説図 19.3（c）〕．

$$l = l' + \sum D \tag{解 19.14}$$

ただし，このように定義を変更すると設計式としては従来よりも危険側になる．

そこで，平均的に

$$\frac{l' + \sum D}{l' + D} \approx 1.1 \tag{解 19.15}$$

と仮定し，以下のように係数 1.1 を導入して，基準せい l の定義を変更しても旧規準（1999 年改定版）とほぼ同等の開口低減率になるようにした．

$$r_1 = 1 - 1.1 \times \frac{l_0}{l} \qquad \text{(解 19.16)}$$

$$r_2 = 1 - 1.1 \times \sqrt{\frac{h_0 l_0}{hl}} \qquad \text{(解 19.17)}$$

壁の高さ h についても定義を変更した．旧規準（1999年改定版）では，上下の梁の中心間距離を h としたが，せいの高い基礎梁があると，h が過大評価となる．そこで，規準の図19.2のように床を基準とした高さとした．

なお，r_2 が同じ値の場合であっても，開口位置が偏在するとせん断終局強度は明らかに異なる場合があることが実験的に知られており，有効な圧縮ストラットの面積を開口によって低減して算出して，せん断終局強度の低減率と関連づけることを試みた研究[47]もある．

（4）複数開口・連スパンへの拡張

規準の（19.9）式および（19.10）式による開口低減率 r_1 および r_2 は，開口が一つの場合の低減率を基本にして，複数開口・連スパンの有開口耐震壁にも適用することができるように定義されている．

$$r_1 = 1 - 1.1 \times \frac{l_{0p}}{l} \qquad \text{規準（19.9）}$$

$$r_2 = 1 - 1.1 \times \sqrt{\frac{h_{0p} l_{0p}}{hl}} \qquad \text{規準（19.10）}$$

ここで，分母の l は1枚の耐震壁として扱う壁の全長となるように壁と柱のせいの和とし，複数スパンの場合は中間の柱せいなどは重複しないように「全せい」を算定する．すなわち，別の表現では，（解 19.18）式になる．

$$l = \sum l' + \sum D \qquad \text{(解 19.18)}$$

規準の（19.9）式および（19.10）式において，開口の長さ・高さは「投影長さ」・「投影高さ」であり，複数開口を等価な一つの開口に置換するものである．この等価開口への置換方法は2010年の改定で新たに規定された考え方で，従来慣行的に用いられてきた単純な包絡等による置換方法ではないことに注意する必要がある．

旧規準（1999年改定版）では，開口が複数の場合の低減率は規定されていなかったため，慣行的な設計実務では，設計者の工学的な判断あるいはプログラムの自動計算に基づいていた．これらの慣用的な算定方法は，①単純に水平断面積あるいは見付面積の合計の欠損率を算定する（面積合計），あるいは，②開口全部を包絡する一つの大きな開口に置換して算定する（包絡開口）のいずれかであった．規則的に並列する場合などであれば，ほとんどの場合①の方法（面積合計）でも問題ない．例えば，解説図19.17（b）や（b'）のように開口の配置が横一列の場合など規則的であれば，方立壁の形状の影響などにより低減率に若干の差が生じうるが，基本的には耐力も剛性も①

---

47) 徳広育夫・小野正行：偏在開口を有する耐震壁の弾塑性性状に関する実験的研究，コンクリート工学年次論文報告集 9-2, pp. 365-370, 1987

の方法でおおむね妥当な低減率となると考えられる．しかし，解説図 19.17（c）のように開口位置の高さが異なるなど不規則な配置の場合には，①面積合計による方法では r_2 の評価は危険側になるおそれもある．従来特にこのような不規則な配置の場合には，工学的な判断によって，②包絡開口に置換する方法によることが多かった．包絡開口に置換する方法によれば，配置によらず r_1，r_2 ともにせん断強度の下限値が算定されるので耐力評価としては安全側ではある．実際に慣用的な運用では多くの場合に②の包絡開口に置換することが推奨されている．ただし，解説図 19.17（d）のように小さな開口が斜めに離れて配置される場合などで包絡開口に置換すると，剛性および強度ともに明らかに大幅に過小評価になる．このような場合，せん断強度に関しては安全側であっても，剛性を実際以上に大幅に低減して評価してしまうのは常に安全側の仮定であるとは限らない．特に剛性率や偏心率の算定では注意が必要である．従来の①，②の方法では，どちらの方法がより適切であるかについても工学的な判断が必要であった．

そこで，旧規準（2010 年改定版）による低減率は，不規則な配置に対しても一義的で安全側かつ過大な低減にはならないように開口の「投影長さ」「投影高さ」を用いて定式化された（③開口投影長さによる置換）．解説図 19.17（d）のように複数開口の投影長さを縦横でそれぞれ合計する．投影長さは開口ごとに合計するが，重複している長さは合算しない．投影長さと投影高さの合計の積により等価な開口面積を表すように定式化すると，以下のように開口を平行移動してから包

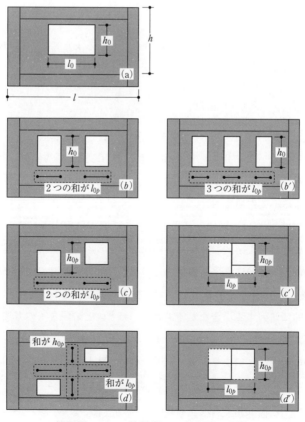

解説図 19.17 複数開口の等価開口置換

絡する開口に置換したことに相当する．例えば，解説図 19.17（c）のように，2 つの開口が高さ位置を変えて斜めに配置される場合は，横方向の投影長さは開口幅の合計とし，縦方向は高い開口の上端から低い開口の下端までの長さとする．すなわち，同図（c′）のように開口を移動して点線のように包絡したことに相当する．また，解説図 19.17（d）のように，2 つの小さな開口が斜めに離れて配置される場合は，横方向も縦方向も投影長さは開口幅と開口高さの合計とする．すなわち，同図（d′）のように開口を移動して点線のように包絡したことに相当する．以上を一般的に表現したのが，規準の（19.10）式である．なお，解説図 19.17（a）〜（d）はすべて同一の低減率になる．

以上の③開口投影長さによる置換によれば，規則的な配置の場合には①の方法と同等になり，不規則な配置でも②の包絡開口のように大幅な低減にはならない．定義が一義的で工学的な判断なども必要なく，ほとんどの場合に安全側の置換方法であると考えられる．ただし，当然ながら，③開口投影長さによる置換は，どちらかといえば最悪の配置が想定されており，加力方向や配置によっては①面積合計でも危険側にはならない場合も多くあると考えられる．したがって，特別な研究により低減率等が一般的に明らかにされている場合は，①面積合計の方法や他の方法を用いてもよい．また，設計としては必ずしも合理的な方法とはいえないが，剛性評価には①を用いて，耐力評価には②を用いれば安全側の設計になる．実験データがまだ少ないので，今後検証が必要である．

耐震壁がスパン方向に連続する場合の骨組解析のモデル化は，スパンごとに評価しても，あるいは連続スパンを一つの耐震壁として評価してもよい．許容せん断力は，一つの耐震壁として算定する．開口低減率の算定は，以下の手順によればよい．

1) 低減率 r_2 を 1 スパンごとに算定し，それぞれ 0.6（または 0.7）以上であることを確認する．この際，壁のせいは，解説図 19.18 のように側柱のせいを含めた値とする．
2) 連続した一つの耐震壁で低減率を算定しなおす．この際，耐震壁のせいは合計の長さとし，複数開口の場合，投影長さを同様に定義して，低減率の式を適用する．

応力計算では，開口がある場合の弾性剛性の低減率は以下の式による．これは，（解 19.12）式を複数開口に拡張し，せい l の定義変更〔解説図 19.3 参照〕を考慮したものである．

$$r_2 = 1 - 1.25 \times 1.1 \times \sqrt{\frac{h_{0p} l_{0p}}{hl}} \qquad (解 19.19)$$

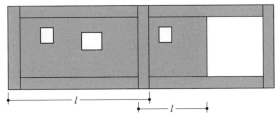

解説図 19.18 スパン方向に連続する耐震壁

（5） 縦開口の低減率—概要

旧規準（1999 年改定版）では水平断面積と見付面積による低減率 r_1，r_2 のみが規定されていた

が，旧規準（2010年改定版）では縦長の開口の影響を考慮して，ピロティの直上階あるいは中間階の単層壁では（解19.20）式，それ以外では規準（19.11）式による低減率 r_3 が規準本文に追加された．

$$r_3 = 1 - \frac{\sum h_0}{\sum h} \tag{解 19.20}$$

$$r_3 = 1 - \lambda \frac{\sum h_0}{\sum h} \tag{規準 19.11}$$

$$\lambda = \frac{1}{2}\left(1 + \frac{l_0}{l}\right) \tag{規準 19.12}$$

ただし，λ は当該階から下の壁または基礎梁が変形しないと仮定することに伴う係数で，開口がほぼ縦一列で特に検討しない場合は規準（19.12）式によることができ，$\sum h$ は（解19.20）式では当該階の下枠梁下面から当該壁部材の最上階の梁上端までの和とし，規準（19.11）式では当該階床（当該階の下枠梁上面）から当該壁部材の最上階の梁上端までの和とするものと定義された．

これらは主に，連層耐震壁に縦長の開口が全層に規則的に配置される場合を対象にして，この構面全体の耐力低減率が表現されたものである．すなわち，壁厚さと同幅の開口上下の梁（基礎梁も含む）が壁と同じせん断応力度で破壊するメカニズムを想定すると，構面の水平耐力の低減率は（解19.20）式で表され，この低減率は耐震壁の「ある階のせん断耐力」の低減を表すものではなく，開口上下の境界梁の破壊（せん断破壊または曲げ降伏）による構面全体の低減率であるとされた．さらに，下階（または基礎梁）が剛強で耐震壁脚部の負担モーメントの比率が大きい場合は，（解19.20）式ほどには耐力は低下しないとして，下階の影響を考慮した係数 λ が，上下に連続する開口列数がほぼ縦一列の場合に規準（19.12）式のように定式化され規準（19.11）式に適用された．これらの低減率は，弾性解析による許容耐力の低減率ではなく，応力再配分を許容したメカニズム時の水平耐力（終局強度），すなわち，塑性解析による崩壊荷重（保有水平耐力）の低減率として定式化された．

なお，各階ごとの縦断面の欠損率に基づいて低減率を定義すると規準の（解19.20）式から $\sum$ を除いた式になる．例えば，連層耐震壁のある一つの層のみに階高さの縦開口がある場合を想定すると，このように定義した低減率 r_3 はほとんど0になるが，当然ながら耐震壁の水平耐力の低減率として意味がない．したがって，このような場合，開口上下の破壊が生じる可能性のない階に該当し，r_3 は1としてよいとされた．連層耐震壁で縦開口の影響による低減率を問題にするには鉛直方向の連続条件を考慮することが不可欠になるためである．

しかしながら，上記の旧規準（2010年改定版）で示された λ は，以下にその導出過程を示すように（連層）耐震壁のメカニズムを想定して定式化されており，特に損傷制御の検討への適用性など実験データに基づく検証は不十分であった．近年の実験データ[48]に基づくと，解説図19.19(a)に

---

48) 劉　虹，真田靖士，市之瀬敏勝：RC連層耐震壁の短期許容せん断力の評価に用いる開口高さに関する耐力低減率の検証，日本建築学会構造系論文集，Vol.88，No.806，pp.621-632，2023.4

示すように，規準(19.12)式のλを考慮する規準(19.11)式によるr_3が有開口連層耐震壁の短期許容せん断力を過大に評価することが示された．そこで，2024年の改定ではλの概念を考慮できる規準(19.11)式を踏襲することとしたが，λの導出過程に鑑みて，損傷制御の検討ではλを実質的に考慮せず$\lambda=1$とすることとし，安全性の検討でもピロティの直上階あるいは中間階の単層壁以外の耐震壁のみを対象として本項解説(10)などの特別な検討を行う場合にのみ旧規準（2010年改定版）で導入された規準(19.12)式によるλを適用できることとした．

なお，上記のような低減率r_3や係数λの定義を背景に，連層耐震壁に縦長の開口が高さ方向に連続して配置される場合については耐震壁を一体とは見なさず，開口によって分割される袖壁付き柱や腰壁・垂壁付き梁などからなる架構として扱う方法も考えられる．しかし，こうした方法を採用する場合に対して，架構を構成する部材の応力や部材間の伝達応力が明らかにされておらず理想化が困難であるなどの構造解析上の課題や，安全性の検証に伴うせん断設計においては，耐震壁を一体として扱い無開口の耐震壁の耐力に低減率を乗じることで簡易な評価が可能である実務上の合理性などから，r_3やλを適用する利点も多いのが現状である．このような背景から，2024年の改定ではr_3やλをより適切に運用するための方法を示した．

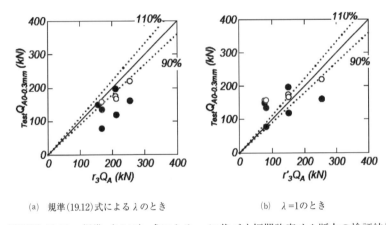

(a) 規準(19.12)式によるλのとき　　　(b) $\lambda=1$のとき

解説図 19.19 規準(19.11)式によるr_3に基づく短期許容せん断力の検証結果[48]

(6) 縦開口の低減率—規準(19.11)式の誘導

規準の(19.11)式は，解説図 19.20（a）のように基礎の回転抵抗がなく，基礎梁を含むすべての梁が損傷，破壊する状態を想定している．この構面の耐力の低減率は以下の仮定で導くことができる．

① 梁幅および柱幅は壁厚さと同じで，壁と梁の許容せん断力（せん断耐力）時の（平均）せん断応力度が等しい．

② 有開口耐震壁の耐力は開口下の梁（基礎梁）も含む境界梁耐力（梁降伏メカニズム）で耐力が決まるものとし，基礎下の回転抵抗は無視する．

③ 解説図 19.20（a）の外力と反力は，解説図 19.20（b）のような等価水平力と反力に置き換えることができる．

④ 水平力の重心高さ〔解説図 19.20（b）のH_e〕と鉛直反力の距離〔解説図 19.20（b）の

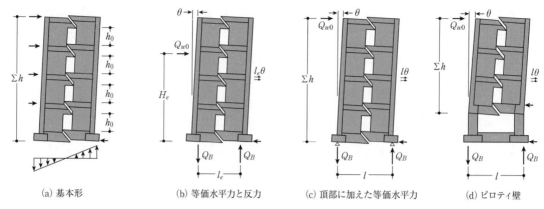

解説図 19.20 縦開口が 1 列の場合の開口低減率 r_3 の誘導（すべての梁が破壊するモード）

l_e〕の比が，耐震壁全体のアスペクト比〔解説図 19.20（c）の $\sum h / l$〕に等しい．すなわち，以下の式が仮定できる．

$$\frac{H_e}{l_e} = \frac{\sum h}{l} \tag{解 19.21}$$

仮定③，④より，解説図 19.20（c）のように地震力が最上階（高さ $\sum h$）に作用し，基礎の応力中心間距離がスパン l であると仮定しても同じ結果になるので，以降は，この外力と変形状態に基づいて議論を進める．

まず，無開口耐震壁の水平耐力 Q_w を平均せん断応力度 τ_a により

$$Q_w = \tau_a t l \tag{解 19.22}$$

と表す．仮定①より，水平耐力時の開口上下の梁のせん断力（＝両側袖壁の変動軸力＝支持点の鉛直反力）は，上記の応力度 τ_a を用いて

$$Q_B = \tau_a t (\sum h - \sum h_0) \tag{解 19.23}$$

と表される．有開口耐震壁全体架構の水平耐力 Q_{w0} は，仮想仕事法により

$$Q_{w0} = Q_B \frac{l}{\sum h} \tag{解 19.24}$$

となる．（解 19.23）式を（解 19.24）式に代入して次式を得る．

$$Q_{w0} = \tau_a t l \times \left(1 - \frac{\sum h_0}{\sum h}\right) \tag{解 19.25}$$

よって，縦長開口による低減率 r_3 は，次式になる．

$$r_3 = 1 - \frac{\sum h_0}{\sum h} = 1 - \lambda \frac{\sum h_0}{\sum h} \quad \text{（ただし，}\lambda = 1\text{）} \qquad 規準 \ (19.11)$$

ここで，$\sum h$ は規準（19.11）式では，当該階の下枠梁下面から当該壁部材の最上階の梁上端までの和とする．ただし，基礎梁については，一律に上階の梁と同様に取り扱うには知見が不十分であるため，基礎梁せいを $\sum h$ に含めないものとした．

規準（19.11）式は，解説図 19.20（d）のようなピロティの直上階および中間階の単層壁にも同

(7) 縦開口の低減率—規準（19.12）式の誘導

次に，解説図 19.21 に示すように基礎梁あるいは下階は十分に剛強である（変形しない）と仮定し，当該階から上部に関するメカニズムを想定した定式化を行う．壁脚部の曲げ耐力に関して下記①，②のような仮定をする．上部の梁は基本式と同様のメカニズムであるが，壁脚が固定条件になるので仮想変位との関係はやや異なる（下記③）．

① 無開口耐震壁の（許容）曲げ耐力 M_w 時のせん断力が（許容）せん断耐力にほぼ等しい．すなわち，（解 19.22）式と同様に平均せん断応力度 τ_a を用いて

$$Q_w = \tau_a t l = \frac{M_w}{\sum h} \tag{解 19.26}$$

と表される．

② 有開口耐震壁の耐震壁脚部左右それぞれの曲げ耐力 M_{w0} は，開口幅 0 のときは壁長さ $(l/2)$ の 2 乗に比例して $M_w/4$ となり，さらに開口幅 l_0 が大きい場合は壁長さ $(l-l_0)/2$ に比例すると仮定する．つまり，曲げ耐力の和 $\sum M_{w0}$ は以下の式で近似できるものとする．これは開口位置が中央で脚部負担モーメントが最も減少する場合であるが，開口が偏在する場合も同様にこの式を仮定する．

$$M_{w0} = \frac{M_w}{4} \times \frac{(l-l_0)/2}{l/2} \Rightarrow \sum M_{w0} = 2M_{w0} = \frac{M_w}{2}\left(1 - \frac{l_0}{l}\right) \tag{解 19.27}$$

③ 水平変位角 θ による開口上下のせん断変形は，解説図 19.21（a）に示す変形適合条件より，$\theta(l+l_0)/2$ とする．

以上の仮定により耐力を定式化する．開口がある場合の壁脚曲げモーメントの負担による水平せん断力 Q_{wM0} は，（解 19.26）式および（解 19.27）式により

$$Q_{wM0} = \frac{\sum M_{w0}}{\sum h} = \frac{M_w}{2\sum h}\left(1 - \frac{l_0}{l}\right) = \frac{Q_w}{2}\left(1 - \frac{l_0}{l}\right) \tag{解 19.28}$$

となる．開口上の梁のせん断力は，無開口耐震壁の τ_a を用いて，（解 19.23）式で表される．ただ

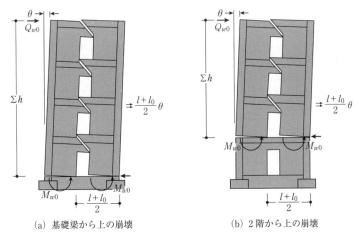

(a) 基礎梁から上の崩壊　　(b) 2 階から上の崩壊

解説図 19.21 上部の崩壊メカニズム

し，ここでの Σ は基礎梁（下階の梁）を含まず，当該階床上から上階についての合計である．（解19.23）式に（解19.26）式の τ_a を代入して

$$Q_B = Q_w \left(1 - \frac{\Sigma h_0}{\Sigma h}\right) \frac{\Sigma h}{l} \tag{解19.29}$$

を得る．この上階梁の鉛直せん断力 Q_B の負担による水平せん断力 Q_{wB0} は，仮想仕事法により

$$Q_{wB0} = Q_B \frac{(l+l_0)}{2\Sigma h} \tag{解19.30}$$

である．これに（解19.29）式を代入して

$$Q_{wB0} = \frac{Q_w}{2}\left(1 - \frac{\Sigma h_0}{\Sigma h}\right)\left(1 + \frac{l_0}{l}\right) \tag{解19.31}$$

を得る．

有開口耐震壁全体の許容せん断力（水平耐力）は，脚部負担曲げ耐力 Q_{wM0} と上階梁の負担耐力 Q_{wB0} の和である．そこで，（解19.28）式と（解19.31）式を足し合わせて，次式を得る．

$$\begin{aligned}
Q_{w0} &= \frac{Q_w}{2}\left(1 - \frac{l_0}{l}\right) + \frac{Q_w}{2}\left(1 - \frac{\Sigma h_0}{\Sigma h}\right)\left(1 + \frac{l_0}{l}\right) \\
&= Q_w\left[1 - \frac{1}{2}\left(1 + \frac{l_0}{l}\right)\frac{\Sigma h_0}{\Sigma h}\right] \\
&= Q_w\left(1 - \lambda \frac{\Sigma h_0}{\Sigma h}\right) = r_3 Q_w
\end{aligned} \tag{解19.32}$$

すなわち，

$$r_3 = 1 - \lambda \frac{\Sigma h_0}{\Sigma h} \tag{規準(19.11)}$$

$$\lambda = \frac{1}{2}\left(1 + \frac{l_0}{l}\right) \tag{規準(19.12)}$$

のように規準本文の式が得られる．解説図19.21（b）のように2階から上の崩壊を考えても同じ式が得られる．

以上は，基礎梁（あるいは当該階下層）が十分剛強であるとして，当該階より上で壁脚の曲げ降伏と開口上下梁の曲げ降伏またはせん断破壊による破壊モードを想定した場合の低減率である．ピロティ連層耐震壁でも，ピロティの直上階以外の階では当該階から上のみで規準（19.11）式および規準（19.12）式によって検討すればよい，としている．これは連層耐震壁の開口による低減率の定義に関わる以下のような考え方に基づいている．

開口による低減率は，本来無開口耐震壁に対する開口耐震壁の「各階の耐力の低減率」とすれば，通常 r_1, r_2 でも十分である（なお，「耐力」にはせん断耐力だけでなく，局部曲げ降伏の影響も含まれるが，5.「開口補強」によって設計用せん断力に対応した曲げ耐力は確保される）．しかし，連層耐震壁に縦長の開口がある場合の耐力は，鉛直方向のせん断破壊のモードにより r_1, r_2 よりも低下する場合があり，上記のように r_3 の算定が必要になる．r_3 は連層耐震壁に作用する外力の分布を固定して定義すれば，連層耐震壁全層で一つの低減率が算定されるが，r_3 の破壊モードは，想

定する外力分布に依存することに注意する必要がある（これは r_1, r_2 の場合でも同様で，外力分布を固定すれば弱い層で決まる一様な低減率になる）．しかし，構造物内では，スラブを介して他の耐震壁とのせん断力の伝達が生じる．これを考慮すれば，構造物全体の外力分布を固定しても連層耐震壁に作用する外力分布は一義的ではない．さらにいえば，建物全体の外力も設計用せん断力からの変動を想定する必要がある．これを踏まえて，各層の r_3 の算定では，解説図 19.21（b）のように，当該層から上の破壊モードのみ考慮するとしている．すなわち，中間層に対しては当該層から上の層の「潜在的な耐力」に対して低減率が定義されている．

以上のように，旧規準（2010 年改定版）において，ピロティの直上階あるいは中間階の単層壁以外の耐震壁を対象に導かれた規準（19.12）式による λ と，それを適用した規準（19.11）式による r_3 は，（連層）耐震壁のメカニズムを想定して定式化された．したがって，2024 年の改定では，規準（19.12）式による λ の適用対象をピロティの直上階あるいは中間階の単層壁を除く耐震壁で，開口がほぼ縦一列の場合に対する安全性の検討に限定することとした．ただし，その運用に際しては，規準（19.12）式の導出過程を踏まえて適用の可否を同時に確認することとした．なお，(10) などの検討を併用し，λ の導出過程を踏まえて適切な修正を施し運用することもできる．

また，上記を踏まえて，損傷制御の検討では λ を実質的に考慮せず $\lambda=1$ とすることとした．

（8） 縦開口の低減率―縦開口が 2 列以上ある場合

規準本文の低減率は，1 列で規則的な縦開口を想定している．解説図 19.22 のように縦開口が 2 列の場合，n_h 列の場合で，均等な壁長さ，開口長さを想定すると，λ は以下のように定式化される（誘導省略）．

$$縦開口が 2 列の場合：\lambda = \frac{2}{3}\left(1+\frac{l_0}{l}\right) \tag{解 19.33}$$

$$縦開口が n_h 列の場合：\lambda = \frac{n_h}{n_h+1}\left(1+\frac{l_0}{l}\right) \tag{解 19.34}$$

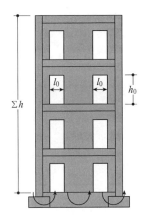

解説図 19.22　2 列の縦開口

（9） 縦開口の低減率―開口配置が不規則な場合

規準本文では，$\sum h_0$ として下記の 2 通りを上限・下限とした任意の値を許容している．

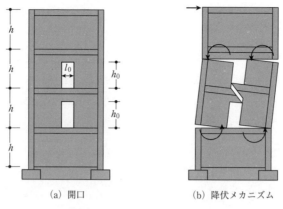

(a) 開口 (b) 降伏メカニズム

解説図 19.23 中間階のみの開口

① 開口部の鉛直断面への投影高さ h_{0p} の和
② 水平断面に投影したとき当該階の開口と重なる開口の高さの和

例えば，解説図 19.23（a）で 1 階の壁に①の定義を適用すると，r_3 は次式になる．

$$r_3 = 1 - \frac{1}{2} \times \left(1 + \frac{0}{l}\right) \frac{2h_0}{4h} = 1 - \frac{h_0}{4h} \tag{解 19.35}$$

しかし，1 階の壁は無開口であるから，②の定義を用いて $r_3=1$ とするのが正しい．2 階の壁に規準の式を適用すると，①，②いずれの定義でも

$$r_3 = 1 - \frac{1}{2} \times \left(1 + \frac{l_0}{l}\right) \times \frac{2h_0}{3h} = 1 - \left(1 + \frac{l_0}{l}\right) \times \frac{h_0}{3h} \tag{解 19.36}$$

となる．この場合，上下層を結ぶ破壊が生じるとすれば解説図 19.23（b）のような形式となるはずであり，厳密には上式と異なる値となるが，実用的には，上式で大きな問題は生じにくいと思われる．

解説図 19.24（a）の場合は，明らかに左側の縦開口に沿う破壊が予想されるので，鉛直投影長さ h_{0p} を用いる①の定義より，左側開口の高さ h_0 を用いて r_3 を計算する②の定義が正しい．さらに，同図（b）のように縦開口が左右にずれ，鉛直方向の破壊が生じにくい場合は，②によって

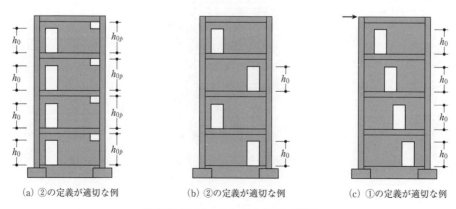

(a) ②の定義が適切な例   (b) ②の定義が適切な例   (c) ①の定義が適切な例

解説図 19.24 さまざまな開口配置

r_3 を定義する（この例では $\sum h_0 = 2h_0$）のが適切であろう．

一方，同図（c）に①を適用すると $\sum h_0 = 4h_0$，②を適用すると $\sum h_0 = 2h_0$ となる．同図のような左からの荷重を考えると，開口をつなぐようなひび割れが想定されるので，①の定義が適当である．右からの荷重に対しても，圧縮ストラットの幅が制限されるので，①の定義が適当である．近年の実験[49]において，上記の考え方の妥当性をおよそ裏付けるデータも取得されている．

すなわち，①の定義によればほとんどの場合は安全側にはなるが，解説図 19.24（a）（b）のように過度に低減率を評価することになる場合もあるので，臨機応変な工学的判断，あるいは別の定式化が必要である．

なお，以上のように想定している破壊モードから明らかなように，縦長開口の低減率では梁を含む開口上下部材（腰壁・垂壁付き梁）のせん断強度（Q_B）および壁脚部の曲げ強度（$\sum M_{w0}$）が全体の強度低減率を支配する．すなわち，このような破壊モードが支配的な場合は，壁筋としてはむしろ開口上下および脚部の縦筋が重要になる．したがって，補強筋量としては梁あばら筋を含む壁縦筋に注意するべきであり，低減する前の無開口耐震壁の許容耐力も壁縦筋量を基本にして算定する必要がある．当然ながら単純に横筋のみを増やすような配筋は不合理であり，縦横の配筋量をあえて変えるとすれば，開口上下では縦筋を増やして，開口横では横筋を増やすなど，特別な配慮が必要になる．

一方，低減率には詳細な部材寸法や配筋などの影響も考慮されず，破壊モードも過度に単純化しているので，終局強度の評価に関してこの低減率をそのまま適用するには限界がある．さらに，無開口耐震壁の靱性は曲げ終局強度時のせん断力に対するせん断終局強度の余裕度を用いて評価されることが多いが，これを有開口耐震壁に単純に適用するのは一般にはほとんどの場合で意味がない．有開口耐震壁では，一般には開口による低減率が大きい場合ほど局部的な降伏が先行しやすくなり，耐力は低減しても靱性はむしろ向上する傾向がある．

(10) 縦開口の低減率—実験・解析による規準（19.12）式による λ を適用した r_3 の検証

規準（19.12）式のように導かれた λ について，2010 年の改定後にその妥当性を検証する実験が実施されている[50]．耐震壁の縦方向に 1 列開口と 2 列開口を規則的に計画した有開口壁を無開口壁の性状と比較した結果，有開口壁の破壊機構は λ の導出過程で想定されたものと同様であることが確認された．その一方，最大耐力に着目すると，有開口壁の耐力の無開口壁に対する耐力低減率は，規準（19.12）式による λ を適用した r_3 の評価を下回る場合があると報告されている．また，この実験結果を有限要素法解析により分析した研究[51]では，実験結果による耐力低減率が規準

---

49) 廣澤光法，劉　虹，Rado RAMAROZATOVO，鈴木　卓，高橋　之，真田靖士，市之瀬敏勝：複数の縦長開口を有する RC 連層耐震壁の構造性能－縦開口が 1 列に偏在配置される場合と斜めに配置される場合の実験－，日本建築学会構造系論文集，Vol. 82, No. 734, pp. 579-588, 2017.4

50) 真田靖士・市之瀬敏勝・高橋　之・飯塚桃子：RC 耐震壁の開口高さによる耐力低減率の検証，日本建築学会構造系論文集，Vol. 80, No. 709, pp. 481-490, 2015.3

51) 鈴木　卓・真田靖士・劉　虹：RC 耐震壁の開口高さによる耐力低減率の高精度化，日本建築学会構造系論文集，Vol. 81, No. 723, pp. 883-891, 2016.5

(19.12) 式によるλを適用したr_3の評価を下回った原因として，λの導出過程で想定された，引張側柱を含む壁断面の圧縮応力作用点の仮定の影響が大きいことが指摘されている．

λの適切な評価には引き続きの分析を要するが，一般に耐力への寄与が相対的に大きい引張側柱を含む壁について曲げ耐力の評価精度を向上するため，曲げ耐力の修正係数αが提案されている[51]．この修正係数は，引張側柱を含む壁断面の圧縮応力作用点について，規準 (19.12) 式によるλの導出過程で想定された壁の圧縮端ではなく，圧縮領域の重心位置に補正することを意図したものである．解説図 19.25（a）のような壁の圧縮端を圧縮応力作用点とする仮定は，圧縮側にも側柱を有する両側柱付き壁〔解説図 19.25（b）〕ではおおむね成立すると考えられ，また，側柱の寸法として 6.（1）の解説に示した旧規準（1999 年改定版）による最小断面寸法の推奨値を目安にできる報告もある[52]．一方，解説図 19.25（a）の開口際の壁のように圧縮側柱が存在しない場合には，上記仮定は成立しない．そこで，(解 19.37) 式では解説図 19.25（c）に示すような側柱の断面積（引張側柱の断面積と同じ断面積を仮定する）と等価な圧縮域を仮定した場合の重心位置を圧縮応力作用点としてαを評価することで，曲げ耐力の低減を図っている（ただし，解説図 19.25，(解 19.37) 式は原論文[51]の表現を一部修正している）．(解 19.28) 式にαを乗じることで，上記の実験結果と整合する開口壁の耐力低減率を評価できることが報告されている[51]．

$$\alpha = \frac{l_w/(n_h+1) - D_w/2}{l_w/(n_h+1)} = \frac{l_w - bD(n_h+1)/(2t)}{l_w} \tag{解 19.37}$$

ここで，l_w：壁の側柱中心間長さ，n_h：壁の開口の列数，D_w：壁断面に想定する圧縮域長さ（$=bD/t$），b：側柱の幅，D：側柱のせい，t：壁の厚さである．

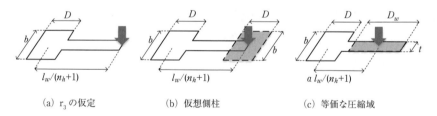

(a) r_3 の仮定　　(b) 仮想側柱　　(c) 等価な圧縮域

解説図 19.25　引張側柱を含む壁の圧縮応力作用点

このようにr_3の評価精度の検証あるいは向上を目的とする研究も一部で始められている．しかし，規準 (19.12) 式によるλを適用したr_3の導出過程で想定された破壊機構は本質的に壁の曲げ終局強度に基づいて評価されており，せん断性能を直接的に評価していない点や，剛性評価への適用性の検証など，今後の課題も多い．したがって，r_3の運用にあたっては，略算式の仮定または背景を理解したうえで，検討対象とする壁ごとに，本指標の適用の可否を判断することが肝要である．例えば，境界梁が短スパン梁である場合，実験例のように梁が早期に局所的にせん断破壊しな

---

52) 劉　虹，真田靖士，尹ロク現，井崎　周：縦長開口を有する RC 連層耐震壁の FEM 解析および開口周囲の梁型・柱型の効果に関する分析，構造工学論文集，Vol. 67B, pp. 49-60, 2021.3

いことが規準（19.12）式によるλを適用したr_3の運用の前提であるため，脆性的な破壊および耐力劣化が予想される場合には，$λ=1$と仮定することでr_3を設計上安全側に評価するなどの工学的判断が必要である．

5. 開口補強

有開口耐震壁では，開口隅角部に生じる斜張力または曲げ応力によって過大な損傷あるいは補強筋の降伏が生じないことを確認する必要がある．

隅角部の斜張力は，開口を設けることによって失われる斜め引張力に基づいて算出する．曲げによる縁張力は，開口部横の反曲点位置を中央に仮定して算出する．軸力の影響は無視する．反曲点位置の仮定は必ずしも安全側ではないが，軸力を無視する仮定により，終局状態に対しては安全側の曲げ強度の和が確保されることになる．

なお，規準本文の図19.4に破線で示した開口補強筋の有効範囲に関する実験的根拠はない（特に斜め補強筋）．開口からの距離に応じて補強筋の有効度が減少する可能性が高いので，なるべく開口の近傍に配置することが望ましい．

（1）開口隅角部の付加斜張力に対する検討

無開口耐震壁の壁板に$τ=Q_D/(tl)$のせん断応力度が生じるとき，斜め45°方向に次式の引張応力度が生じる．

$$σ' = τ = \frac{Q_D}{tl} \tag{解 19.38}$$

無開口壁に$h_0×l_0$の開口を設けることによって失われる斜め引張力は，解説図19.26を参照して

$$T = \left(\frac{h_0}{\sqrt{2}} + \frac{l_0}{\sqrt{2}}\right)tσ' = \frac{h_0+l_0}{\sqrt{2}\cdot l}Q_D \tag{解 19.39}$$

である．開口隅角部には，この1/2すなわち

$$T_d = \frac{T}{2} = \frac{h_0+l_0}{2\sqrt{2}\cdot l}Q_D \tag{解 19.40}$$

が無開口と見なした場合の斜め引張力のほかに作用すると考えられる．上式の算定結果は，正方形開口部に関する精算結果[53]とも一致する．複数開口のT_dはそれぞれの開口に対して独立に計算してよい．

上記の付加斜張力T_dは，必ずしも斜め補強筋のみによって負担される必要はない．開口周囲の縦筋と横筋の引張力の斜め方向成分もT_dに寄与する．したがって，規準本文の図19.4の範囲を横切る有効な斜め補強筋，縦筋，横筋の断面積をA_d, A_v, A_hとして，下式が満足されればよい．

$$A_d f_t + \frac{A_v f_t + A_h f_t}{\sqrt{2}} \geq T_d = \frac{h_0+l_0}{2\sqrt{2}\cdot l}Q_D \tag{規準(19.13)}$$

なお，開口周囲（規準本文の図19.4に破線で示す範囲）に開口補強筋と通常の壁縦筋および横

---

[53] 坪井善勝・田治見宏：開口を有する壁体について，日本建築学会研究報告，No.6，1950.5

筋を重複して配筋する必要がある場合は，まとめて配筋して鉄筋の全断面積を計算上分離して扱ってもよい．すなわち，開口周囲の全補強筋量に対して通常の壁縦筋および横筋としての必要補強筋比を除いた分を開口補強筋として算定してもよい．

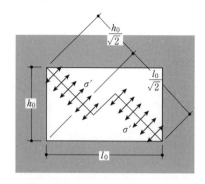

解説図 19.26 開口を設けたために失われる斜め引張応力度 σ'

（2） 開口左右の付加曲げモーメントに対する検討

解説図 19.27（a）のように全せい l の耐震壁の中央に幅 l_0，高さ h_0 の開口が一つある場合を考える．左右の周辺部材でせん断力は，等しく $Q_D/2$ であると仮定する．さらに，周辺部材の反曲点高さを中央（$h_0/2$）に仮定すると，上下端の設計用曲げ応力 M_D は，以下のようになる．

$$M_D = \frac{h_0}{2} \times \frac{Q_D}{2} = \frac{h_0 Q_D}{4} \tag{解 19.41}$$

開口周囲の斜め筋の断面積を A_d，開口補強の目的で通常の縦筋とは別に配筋される縦筋の断面積を A_{v0} とすると，これらの鉄筋による鉛直方向引張力は次式で表される．

$$T_v = \frac{A_d f_t}{\sqrt{2}} + A_{v0} f_t \tag{解 19.42}$$

軸力を 0 と仮定し，解説図 19.27（b）のように引張力と圧縮力の距離を部材全せいで近似すると，開口補強筋による曲げモーメント負担分は

$$M_v = l_w \times T_v \tag{解 19.43}$$

となる．

旧規準（1999年改定版）では上記 M_v のみを考慮していたが，実際には他の壁縦筋も有効であ

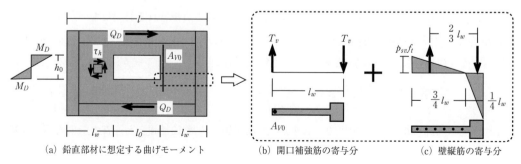

(a) 鉛直部材に想定する曲げモーメント　　(b) 開口補強筋の寄与分　　(c) 壁縦筋の寄与分

解説図 19.27 開口左右の縦補強筋の必要量

る．壁縦筋比を p_{sv} とし，解説図 19.27（c）のように，中立軸位置を圧縮側端から $l_w/4$ と仮定すると，壁縦筋による引張力は

$$T_{sv} = \frac{1}{2} \times p_{sv} f_t \times \frac{3}{4} l_w \times t \tag{解 19.44}$$

となる．壁縦筋による負担曲げモーメント M_{sv} は以下のように略算される．

$$M_{sv} = T_{sv} \times \frac{2}{3} l_w = \frac{t l_w^2}{4} p_{sv} f_t \tag{解 19.45}$$

設計上は，次式が満足されればよいと考えられる．

$$M_v + M_{sv} \geq M_D \tag{解 19.46}$$

曲げモーメントの算定で軸力の効果を無視するのは，引張側になる壁で軸力がほぼ0の状態を想定しているためであり，設計用せん断力に対して十分に安全側である．

複数開口で，開口周辺の鉛直部材のせいがほぼ等しい場合は，共通の部材せい l_w を用いて必要補強筋比を算定すればよいが，部材せいが異なる場合でも以下の理由により，部材せいの平均値を用いて算定して同じ補強筋量を配筋すればよい．

解説図 19.28（a）のように開口横の部材高さは一定として部材せいが異なる場合で，それぞれの部材の応力と必要補強筋量を算定する方法を定式化してみる．

開口両側の袖壁部材の弾性剛性に関しては，曲げ剛性は部材せいの3乗に比例するが，せん断剛性は部材せいに比例する．実際は両者の中間程度になる．一方，曲げ強度に対しては，軸力を無視すると，（a）開口補強筋の効果 M_v は壁長さに比例するのに対して，（b）壁縦筋の効果 M_{sv} は壁長さの2乗に比例する．

開口の大きさを固定したまま位置のみを左右に移動させる場合，（a）の寄与分の和は部材せいのばらつきによらず一定値になるが，（b）の寄与分の和は均等な部材せいのときに最小値になる．したがって，再配分を許容して曲げ強度の単純和によって必要補強量を満足する場合，部材せいの平均値をとって補強量を算定すれば補強量総量としては安全側である．そこで，解説図 19.28（b）のように，開口周辺部材の平均せい l_{wave} で算定した補強筋量を各部材に等量配筋することを標準的な算定方法とする．すなわち，横に並ぶ開口の数を n_h とすれば，部材数は (n_h+1) となり，上下端の設計用曲げ応力 M_D は，以下のようになる．

$$M_D = \frac{h_0}{2} \times \frac{Q_D}{n_h + 1} \tag{解 19.47}$$

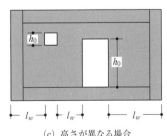

(a) 実際の開口　　(b) 算定用モデル　　(c) 高さが異なる場合

解説図 19.28 複数開口の補強

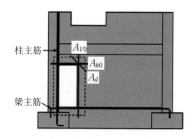

解説図 19.29 開口が柱に接する場合の補強

次に，部材の平均せい l_{wave} は

$$l_{wave}=\frac{\sum l_w}{n_h+1}=\frac{l-l_{0p}}{n_h+1} \tag{解 19.48}$$

である．開口補強筋による曲げモーメント負担分は

$$M_v=l_{wave}\times T_v \tag{解 19.49}$$

となる．壁縦筋の負担曲げモーメントは

$$M_{sv}=T_{sv}\times \frac{2}{3}l_{wave}=\frac{tl_{wave}^2}{4}p_{sv}f_t \tag{解 19.50}$$

となる．これらの式を（解 19.46）式に代入し，両辺に (n_h+1) を乗じると規準 (19.14) 式を得る．なお，開口左右の付加曲げモーメント（および後述の開口上下の付加曲げモーメント）に対しては壁全体として補強量を満足させてよく，例えば，解説図 19.29 のように開口が柱に接する場合に，付加曲げモーメントに対する抵抗を得るには，開口補強の目的で通常の縦筋（柱主筋を含む）とは別に配筋される縦筋を開口の壁側だけに配筋してよい．

解説図 19.28（c）のように開口高さ h_0 が異なる複数開口の場合は，それぞれの開口の内法高さにより必要量を算定してよい．

なお，有開口耐震壁の強度低下の主要因は，開口によりせん断抵抗機構に有効なコンクリートの圧縮ストラット幅が無開口耐震壁に比較して減少することであり，曲げ補強筋によって強度低下が防止されるわけではない．補強筋は初期降伏を防止するためであり，終局せん断強度あるいは靱性の確保にとって問題になるのは隅角部におけるコンクリートの圧縮破壊による強度低下である．これらは，二次設計で扱うべき事項であるが，一次設計でも終局強度時の応力状態を想定して，ゆとりのある壁厚とし，側柱の主筋を少なめにするのが望ましい．複雑な形状配置の場合は，単純な計算が難しいので，できるだけ規則的な配置で計画するのがよい．やむを得ず不規則な配置にする場合は，今後の研究成果なども参照して，十分に余裕のある設計をするのが望ましい．

（3）開口上下の付加曲げモーメントに対する検討

解説図 19.30 のように連層耐震壁に規則的な開口が一つずつある場合，開口間の梁の全せい（腰壁＋梁＋垂壁）は

$$h_w=h-h_0 \tag{解 19.51}$$

となる．ここで，上下階の設計用せん断力の平均を Q_D とする．無開口耐震壁と同様の応力状態を

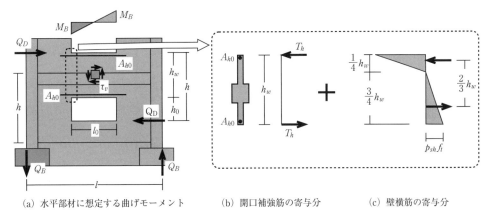

(a) 水平部材に想定する曲げモーメント　　(b) 開口補強筋の寄与分　　(c) 壁横筋の寄与分

解説図 19.30　開口上下の横補強筋量の算定

想定して鉛直のせん断応力度と水平せん断応力度が等しいと仮定することにより，開口間の梁に作用するせん断力 Q_B は次式で表される〔解説図 19.30（a）〕．

$$Q_B = \frac{hQ_D}{l} \tag{解 19.52}$$

梁の反曲点が中央であるとすると，上下梁端部の曲げ応力 M_B は

$$M_B = \frac{l_0}{2} \times Q_B = \frac{hl_0}{2l} Q_D \tag{解 19.53}$$

となる〔解説図 19.30（a）〕．

開口周囲の斜め筋の断面積を A_d，開口補強の目的で通常の横筋とは別に配筋される横筋の断面積を A_{h0} とすると，これらの鉄筋による水平方向引張力は次式で表される．

$$T_h = \frac{A_d f_t}{\sqrt{2}} + A_{h0} f_t \tag{解 19.54}$$

軸力を 0 と仮定し，解説図 19.30（b）のように引張力と圧縮力の距離を h_w で近似すると，開口補強筋による曲げモーメント負担分は

$$M_h = h_w \times T_h \tag{解 19.55}$$

となる．

次に，壁横筋比を p_{sh} とし，解説図 19.30（c）のように，中立軸位置を圧縮側端から $h_w/4$ と仮定すると，壁横筋による引張力は

$$T_{sh} = \frac{1}{2} \times p_{sh} f_t \times \frac{3}{4} h_w \tag{解 19.56}$$

となる．壁横筋による負担曲げモーメント M_{sh} は以下のように略算される．

$$M_{sh} = T_{sh} \times \frac{2}{3} h_w = \frac{t h_w^2}{4} p_{sh} f_t \tag{解 19.57}$$

設計上は，次式が満足されればよいと考えられる．

$$M_h + M_{sh} \geq M_B \tag{解 19.58}$$

各層で n_v 個の開口が鉛直方向に均等に並ぶとすると，h_w は

$$h_w = \frac{h - h_{0p}}{n_v} \qquad (解 19.59)$$

となる．また，(解 19.53) 式の分母の 2 は $2n_v$ となる．あとは，開口左右の補強筋と同様の手順により，規準の (19.15) 式を得る．開口の並びが均等でない場合，規準の (19.15) 式は安全側になる．

解説図 19.30 (a) ～ (c) では Q_D を上下階の設計用せん断力の平均としたが，各階の Q_D を用いて計算しても差し支えない．

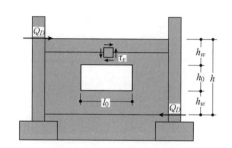

解説図 19.31 単層壁の場合

解説図 19.31 のような単層耐震壁の場合は，隣接層の壁板が存在しないので，(解 19.59) 式の n_v を (n_v+1) で置き換える必要がある．ピロティ壁の最下層でも同様である．

開口が横に並んで複数ある場合は，それぞれの開口の l_0 により必要量を算定すればよい．上層に開口がない場合などでは h_w をより大きく仮定することも可能ではあるが，鉛直方向に平面保持仮定が成り立つかどうかも不明であるので，開口補強筋の算定では，上下に同様の開口を想定してそれぞれの階で算定し，安全側の連続条件は無視することとした．

以上の開口上下横補強筋量の算定では，縦長開口による低減率 (r_3) の算定とは異なる変形モードまたはメカニズムを想定して梁の応力を算定している．開口補強筋の算定では，解説図 19.32 (a) に示すように，開口が小さく開口上下の梁の剛性が高いものとして，無開口耐震壁と同様の応力変形状態を想定して弾性論により局部応力を略算している．この場合，開口上下梁の応力は，各階の水平せん断力に比例する傾向にある．開口補強筋の算定では，各階の水平せん断力や開口形状の違いを反映して階ごとに補強筋量を算定するのが合理的であるので，同図 (a) を想定して局部応力を算定している．許容応力度設計における骨組応力解析と同様の考え方である．一方，縦長開口低減率の算定では，同図 (b) に示すように，壁に対して梁の剛性が相対的に小さい並列耐震壁の弾性応力，あるいは梁と壁脚が塑性化した後のメカニズム時の応力変形状態を想定して連層耐震壁の耐力低減率を略算している．この場合，開口上下梁の応力は全階でほぼ一様に近い状態になる．縦開口低減率の場合は，連層耐震壁全体を一つの部材と見なして，上下階の再配分を前提にした終局耐力（鉛直方向のせん断破壊メカニズム時の保有水平耐力）に基づいて略算式を誘導している．これは，局部的なせん断応力度よりむしろ部材の終局強度に基づく短期許容せん断力の設定，あるいは，塑性解析による構造物の保有水平耐力の算定等と同様の考え方である．以上のように，

(a) 梁剛性が高い場合の変形モード　(b) 梁剛性が低い場合の変形モード

解説図 19.32　開口がある連層耐震壁の変形モード

前者は応力解析，後者は耐力算定を目的にしており，上記の想定モデルはそれぞれの目的に応じて合理的であると考えられる．

（4）開口の配置に対する留意事項

配置が不規則な複数開口の場合は，応力伝達機構と破壊モードを考慮して配筋詳細などに注意が必要である．特に，応力が集中する位置に開口を設ける場合は注意が必要である．例えば，エアコン用の貫通孔など小開口を設ける場合，開口部に該当しないとして扱ってよいとされるが，大開口あるいは袖壁端部脚部の近くに設ける場合は，この小開口はコンクリートの圧縮ストラットを遮ることになる．このような場合は，小開口といえどもそれらを開口として扱い，予想される強度低下に対処することが必要である．

（5）靱性確保の配筋詳細

有開口耐震壁の靱性あるいは補強筋による強度の増大を期待する場合は，開口左右の袖壁あるいは上下の梁または腰壁・垂壁付き梁に，せん断強度および曲げ強度のいずれにも有効な斜め補強筋を配筋することが推奨される．解説図 19.33 は，このような斜め補強筋を開口両側の袖壁部分に配筋した例である[9]．このような有開口壁は一般的な縦横の開口補強筋を配筋した有開口壁に比べて，終局強度ならびに変形性能が優れていることが実験的に報告されており[54]，二次設計においてヒンジを計画する有開口壁では特に有効な配筋となる．一次設計では，この斜め補強筋は圧縮および引張のいずれの応力を受ける場合でも，その水平方向成分が耐震壁の許容水平せん断力 Q_A に寄与するとともに，前記（1）～（3）に示した通常の縦横および斜めの開口補強筋の役割も兼ねる．すなわち，解説図 19.33 の場合，開口隅角部を通る斜め補強筋の縦方向の成分が T_v に対して，斜め補強筋の材軸（鉛直）方向となす角度の成分が T_d に対してそれぞれ有効としてよい．なお，この

54）加藤大介・壁谷沢寿海・小谷俊介・青山博之：鉄筋コンクリート造有開口壁の耐震設計法，コンクリート工学論文集，Vol. 2, No. 2, pp. 143-152, 1991

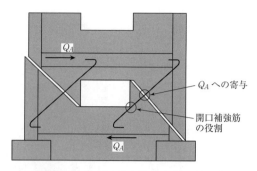

解説図19.33 有効な壁板の斜め補強筋

ような斜め補強筋は，引張側が十分有効に働くように，破壊が生じない領域で端部を定着する必要がある．

【計算例】 有開口耐震壁の開口補強筋の検証

解説図19.34（a）に示す連層耐震壁の中間層の有開口耐震壁を計算例として，本条5項の(19.13)～(19.15)式を満たすことを検証する．耐震壁および周辺部材の構造詳細を解説表19.1，配筋図を解説図19.34（b）に示す．本条5項の規定〔図19.4〕より，開口補強筋の有効範囲は解説図19.34（b）に示す範囲である．使用するコンクリートの設計基準強度は24 N/mm²，鋼材種はD 16以下がSD 295，その他はSD 345である．

なお，計算例の梁では開口上下のあばら筋を増やす詳細が採用されたが，こうした梁に一次設計上必要なせん断補強筋量は本規準で定量的に示されていない．本計算例では，設計者の工学的判断により当該あばら筋を配置した例として示した．

設計用せん断力の算定

本計算例は，本条3項（3）に基づいて短期許容せん断力を用いた安全性の検討を行い，開口低減率の算定にかかる係数λを(19.12)式で算出したことを想定している．

本条3項（2）の(19.2)式より，計算例の耐震壁の開口を無視した短期許容せん断力を求める．

$Q_A = \max(Q_1 \cdot Q_2) = \max(1\,997\text{ kN},\ 3\,811\text{ kN}) = 3\,811\text{ kN}$

本条4項の(19.8)式より，計算例の開口低減率は r_3 が最小（$=0.64 = 1-\lambda\sum h_0/\sum h = 1-0.56 \times 2 \times 2\,600/(2\times 4\,000)$）であり，これらに基づいて設計用せん断力を得る．

$Q_D = r_3 \times Q_A = 2\,426\text{ kN}$

開口隅角部の付加斜張力に対する検証

開口上下について，下記の(19.13)式が満足されることを確認する．

$$A_d f_t + \frac{A_v f_t + A_h f_t}{\sqrt{2}} \geqq \frac{h_0 + l_0}{2\sqrt{2} \cdot l} Q_D$$

＜開口上部右側＞

開口補強に有効な鉄筋量は，$A_v = 796\text{ mm}^2(4-\text{D }16)$，$A_h = 1\,194\text{ mm}^2(6-\text{D }16)$ より

19条 壁部材の算定 —343—

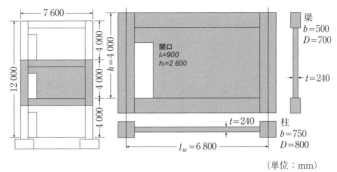

(a) 耐震壁の形状と開口の配置

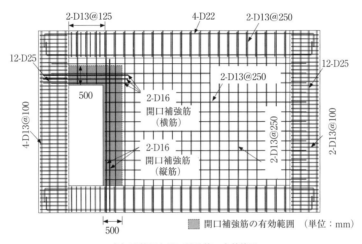

(b) 配筋図と開口補強筋の有効範囲

解説図 19.34 有開口耐震壁の計算例

解説表 19.1 耐震壁と周辺部材の構造詳細

柱	$b \times D$ (mm)	750×800
	主筋（全主筋）	12-D 25
	帯筋（左側の柱）	4-D 13@100 $(p_w=0.67\%)$※
	帯筋（右側の柱）	2-D 13@100 $(p_w=0.34\%)$
梁	$b \times D$ (mm)	500×700
	主筋（引張主筋）	4-D 22
	あばら筋（開口部）	2-D 13@125 $(p_w=0.41\%)$
	あばら筋（開口部以外）	2-D 13@250 $(p_w=0.20\%)$
壁	$t \times l_w$ (mm)	$240 \times 6\,800$
	縦横筋	2-D 13@250
	開口補強筋（縦筋）	4-D 16
	開口補強筋（横筋）	6-D 16

※本条構造規定（9）参照

$$A_d f_t + \frac{A_v f_t + A_h f_t}{\sqrt{2}} = 0 + \frac{796 \times 295 + 1\,194 \times 295}{\sqrt{2}} = 415 \text{ kN}$$

$$\frac{h_0 + l_0}{2\sqrt{2}\,l} Q_D = \frac{900 + 2\,600}{2\sqrt{2} \times 7\,600} \times 2\,426 = 395 \text{ kN}$$

したがって，開口上部右側の付加斜張力に対する設計条件を満足する．

<開口上部左側>

開口左側の柱主筋（4－D 25）が開口補強筋として有効であるため $A_v = 2\,028$ mm^2(4－D 25)より

$$A_d f_t + \frac{A_v f_t + A_h f_t}{\sqrt{2}} = 0 + \frac{2\,028 \times 345 + 1\,194 \times 295}{\sqrt{2}} = 744 \text{ kN}$$

したがって，開口上部左側の付加斜張力に対する設計条件を満足する．

<開口下部右側>

開口下部の梁主筋（4－D 22）が開口補強筋として有効であるため $A_h = 1\,548$ mm^2(4－D 22)より

$$A_d f_t + \frac{A_v f_t + A_h f_t}{\sqrt{2}} = 0 + \frac{796 \times 295 + 1\,548 \times 345}{\sqrt{2}} = 544 \text{ kN}$$

したがって，開口下部右側の付加斜張力に対する設計条件を満足する．

<開口下部左側>

開口左側の柱主筋（4－D 25）と開口下部の梁主筋（4－D 22）が開口補強筋として有効であるため $A_v = 2\,028$ mm^2(4－D 25)，$A_h = 1\,548$ mm^2(4－D 22)より

$$A_d f_t + \frac{A_v f_t + A_h f_t}{\sqrt{2}} = 0 + \frac{2\,028 \times 345 + 1\,548 \times 345}{\sqrt{2}} = 872 \text{ kN}$$

したがって，開口下部左側の付加斜張力に対する設計条件を満足する．

<u>開口左右の付加曲げモーメントに対する検証</u>

下記の（19.14）式が満足されることを確認する．

$$(l - l_{0p})\left(\frac{A_d f_t}{\sqrt{2}} + A_{vo} f_t\right) + \frac{t(l - l_{0p})^2}{4(n_h + 1)} p_{sv} f_t \geqq \frac{h_0}{2} Q_D$$

一組の縦筋の断面積 $a_{wv} = 254$ mm^2，壁筋の縦筋の間隔 $s = 250$ mm より，

$p_{sv} = 254/(240 \times 250) = 0.00423$，当該層で水平に並ぶ開口の数 $n_h = 1$ より

$$\begin{aligned}&(l - l_{0p})\left(\frac{A_d f_t}{\sqrt{2}} + A_{vo} f_t\right) + \frac{t(l - l_{0p})^2}{4(n_h + 1)} p_{sv} f_t \\ &= (7\,600 - 900)(0 + 796 \times 295) + \frac{240 \times (7\,600 - 900)^2}{4(1+1)} \times 0.00423 \times 295 = 3\,254 \text{ kN·m}\end{aligned}$$

$$\frac{h_0}{2} Q_D = \frac{2\,600}{2} \times 2\,426 \times 10^3 = 3\,154 \text{ kN·m}$$

したがって，開口左右の付加曲げモーメントに対する設計条件を満足する．

<u>開口上下の付加曲げモーメントに対する検証</u>

開口上下について，下記の（19.15）式が満足されることを確認する．

$$(h-h_{0p})\left(\frac{A_d f_t}{\sqrt{2}}+A_{ho} f_t\right)+\frac{t(h-h_{0p})^2}{4n_v} p_{sh} f_t \geqq \frac{l_0}{2}\frac{h}{l} Q_D$$

一組の横筋の断面積 $a_{wh}=254$ mm², 壁筋の横筋の間隔 $s=250$ mm より,
$p_{sh}=254/(240\times250)=0.00423$, 当該層で鉛直に並ぶ開口の数 $n_v=1$ より

$$(h-h_{0p})\left(\frac{A_d f_t}{\sqrt{2}}+A_{ho} f_t\right)+\frac{t(h-h_{0p})^2}{4n_v} p_{sh} f_t$$

$$=(4\,000-2\,600)(0+1\,194\times295)+\frac{240\times(4\,000-2\,600)^2}{4}\times0.00423\times295=640\text{ kN}\cdot\text{m}$$

$$\frac{l_0}{2}\frac{h}{l} Q_D=\frac{900}{2}\times\frac{4\,000}{7\,600}\times2\,426\times10^3=575\text{ kN}\cdot\text{m}$$

したがって, 開口上下の付加曲げモーメントに対する設計条件を満足する.

6. 壁部材の柱と梁の断面と配筋

（1） 旧規準（1999年改定版）（推奨規定）による柱梁の最小断面（せん断力に対する検討）

旧規準（1999年改定版）では, 壁板周辺に柱および梁がある耐震壁（耐力壁）のみを対象にしており, 周辺の柱梁を付帯ラーメンと呼んで最小断面積および最小径についても解説に推奨条件が示されていた. 推奨条件による柱梁断面は許容応力度設計（一次設計）の目標性能に対しては本来不要であるが, 二次設計における靱性確保の暗黙の前提になっているとも考えられる. 目標性能に対して必要になる柱梁の断面および配筋は二次設計で検討するのが望ましいが, 旧規準（1999年改定版）の推奨条件を以下のように解釈して従来どおり一次設計で満足することを確認してもよい.

剛強な付帯ラーメンを有する耐震壁では, せん断ひび割れの発生によって異方性化した壁板の広がりが有効に拘束される. この効果により, 壁板にせん断ひび割れが生じた後でも, せん断補強筋のみで負担可能なせん断力以上のせん断力を負担しうることが認められている. そこで, 旧規準（1999年改定版）では, 壁板のせん断ひび割れが付帯ラーメンの際まで進展した場合を考え, そのとき壁板のコンクリートが失う斜め引張力のすべてを負担するのに必要な付帯ラーメンの部材断面を推奨してきた. この部材の最小断面は壁板のコンクリートがひび割れを起こして失う斜め引張力（$s\times t$ に比例, s：壁板 $h'\times l'$ の短辺の長さ, t：壁板の厚さ）に関係すると仮定して, 実験結果から比例定数を求め, 柱および梁の断面積は $st/2$ 以上とし, さらに, その部材の最小径に対しても制限を加えておく必要があるとして, 柱および梁の最小径は, $\sqrt{st/3}$ かつ $2t$ 以上とすることを推奨してきた. 以上の断面は, 壁板のひび割れが付帯ラーメンへのひび割れに進展するのを防ぐために必要[55]であり, これらの条件を満足しない場合は, 壁板より先に付帯ラーメンの部材端にせん断ひび割れが生じる場合[56]があること, 付帯ラーメン部材端部のせん断破壊によって耐力が支配される場合があること, 付帯ラーメンに大きなひび割れが生じると補修も困難になること, 一方, 付帯ラ

---

55) 富井政英：鉄筋コンクリート壁の剪断抵抗に関する研究, 東京大学生産技術研究所報告, 6巻, 3号, 1957.1
56) 富井政英・徳広育夫：耐震壁の形状とせん断初ひび割れ発生位置の関係, 日本建築学会大会学術講演梗概集, 1970.9

ーメンが剛強である場合は，壁板のスリップ状破壊または斜め方向の圧縮破壊を起こすまで水平せん断力の増大に耐える傾向[57]があることなどの理由から部材断面寸法の推奨規定の目安としてきた．

以上の条件はすべての耐震壁，すべての破壊モードに対して推奨されてきたが，以下のような例を含めて，柱梁の断面，特に最小径は必ずしも必要でない，あるいは明らかに過大である場合も多いと考えられる．

① 連層耐震壁の中間階の梁：上下階の耐震壁により拘束効果が期待できるので，上階のせん断力の下階への伝達，境界梁主筋，小梁主筋やスラブ筋の定着などに問題がなければ，各層ごとの枠の効果は上下に連続する壁板によって十分期待できる．したがって，連層耐震壁の中間層では，一般に単独の壁板の周辺部材として拘束効果を期待するような梁は必要ない．

② 曲げ降伏耐震壁で端部の領域が十分に帯筋で拘束されている場合：曲げ降伏型の耐震壁としてせん断余裕度が確保されており，曲げ終局時に一定以上の圧縮ひずみを超える領域のコンクリートに対して十分な拘束筋が配筋されていれば，拘束域の幅は壁厚さの2倍である必要はなく，例えば壁厚さと同じでも十分靭性のある壁が設計しうる．

③ 鉛直軸力の負担が小さい壁：地震力のみを負担するように計画された壁部材では，端部の配筋は柱の構造規定を満足する必要はない．また，壁の近傍に軸力を負担する柱があり壁自体の負担軸力が小さい場合は，軸力負担のレベルに応じて拘束筋量や拘束領域を適宜調整する設計も可能である．

④ 大きな開口の周囲に付加する柱型や袖壁端部に付加する柱型など：開口が大きい場合，二次設計で耐震壁（両側柱付き壁）扱いするためには開口端部に柱型を設けることが条件になる．しかし，一般に，この柱はなくても鉛直荷重は支持しうるので，上記のような構造規定で必要断面積を決めるのは明らかに過剰である場合が多い．

⑤ 逆にピロティ構造になる連層耐震壁の最下階の枠梁などでスパンが長い場合は，1層分の階高さに基づいて柱梁断面を決めるのは相対的に明らかに過小になる場合もあることに注意する必要がある．

以上を踏まえて，耐震壁周辺の柱および梁の断面（拘束域，かぶり厚さを含む）は，断面積が $st'/2$ 以上，最小径が $\sqrt{st'/3}$ かつ $2t'$ 以上であることを確認すればよい．

ここで，s：壁板 $h' \times l'$ の短辺の長さ（連層耐震壁では，h' は全層の内法高さとする．連続する耐震壁で中間に柱型（拘束域）がある場合は，l' は1スパンの壁板内法長さとしてよい），

t'：設計用せん断力 Q_D に対して必要な壁板の最小壁厚さで，以下の式によって算定してよい．

$$t' = \frac{Q_D \times \dfrac{Q_w}{Q_w + \Sigma Q_c}}{p_s' l_e f_t} \qquad (解 19.60)$$

p_s' は 0.012 としてよい．t' は計算上の必要厚さなので 120 mm 未満の値としてよい．

（解 19.60）式の分子は，壁板が負担すべきせん断力を表す．Q_c は規準（19.6）式による柱（拘

---

57) 富井政英：ラーメン付壁板の対角線加力に関する研究，日本建築学会論文報告集，No. 60, 1958.10

束域)の負担せん断力であり，規準（19.5）式による壁板の負担せん断力の比率に応じて，設計用せん断力 Q_D を壁板が負担すると考えている．必要最小の壁厚さ t' は，せん断補強筋比 p_s' が上限値（0.012）となるときの壁厚さとして上式（解19.60）により算定される．なお，連層耐震壁では，h' は全層の内法高さ，l' は壁の内法長さの合計とする．連層耐震壁における中間の梁あるいは連続する耐震壁における中間の柱が，それぞれ枠梁あるいは枠柱としての寸法が確保される場合には，h' は各層の内法高さ，l' は1スパンの壁板内法長さとしてよい．

枠柱に直交壁があり，柱と同様の配筋で有効に拘束されている場合は，枠柱の寸法は直交壁を含めて断面せいが等価な長方形断面に置換して検討してよい．ただし，等価な断面幅は実際の幅の2倍以下とする．上記の推奨条件，あるいは柱断面の最小径（支点間距離の1/15以上）は等価断面について確認すればよい．有効細長比を考慮した計算（14条）を行えば，支点間距離はさらに低減することも可能である．

なお，①の理由により，連層耐震壁の中間階の梁については，推奨条件を適用する必要はないことになる．

上記の記述は，連層耐震壁に関して実験的な裏付けは必ずしも十分ではなく，今後の研究により変更される可能性もあることを付記しておく．

（2） 柱型拘束域の算定（曲げに対する検討）

壁部材に作用する曲げモーメントと軸力を壁板端部で安定して負担しうるように設けられる柱型拘束域の算定法について解説する．柱型拘束域は壁の端部または中間において柱と同様の配筋，すなわち，主筋と閉鎖型の帯筋によってコンクリートが拘束されている部位である．柱型拘束域は柱と同様な配筋とする部位であって，配筋量，断面形状は特に規定しない．配筋，形状が柱の構造規定（最小規定）を満足しない場合も含まれる．解説図19.35に示すように幅が壁厚と等しい場合を主に対象とした呼称であるが，断面幅が壁厚より大きい場合も含む．ただし，断面幅が壁厚より小さい場合は，本規準では対象としない．拘束域の配筋および断面寸法が柱の要件を満足する場合は壁板を拘束する枠柱，直交方向の柱として算定することができる．また，付帯柱がある耐震壁でも高軸力を受ける場合などでは，必要に応じて壁板の端部に拘束域を設けてコンクリートを拘束する配筋詳細も有効である．

柱型拘束域で長期軸力と地震力を負担させる場合，（1）の条件を満足する柱型拘束域の断面を確保して，原則は，平面保持仮定による検定を行えばよいが，簡略的に，以下の方法で拘束域の断面積 A_{cc} が必要な条件を満足していることを確認してもよい．この方法は，通常の両側柱付き壁にも適用可能である．

1） 壁部材（拘束域）に長期軸力を負担させる場合は，長期負担軸力 N_{cc} を拘束域で除した平均軸応力度は，コンクリートの長期許容圧縮応力度 $(1/3)F_c$ 以下であることを確認する（長期の許容応力度設計をしていれば省略してもよい）．すなわち，

$$N_{cc}+\frac{M_{w0}}{l_w'} \leq \frac{1}{3} F_c A_{cc} \qquad (解 19.61)$$

ここで，M_{w0} は壁部材の長期設計用曲げモーメント，l_w' は拘束域中心間距離である．

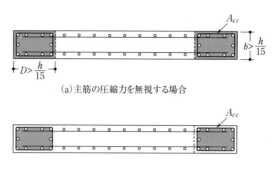

解説図 19.35 柱型拘束域の定義

2) 壁部材の短期設計用曲げモーメント M_w による圧縮反力を拘束域で除した平均軸応力度は，コンクリートの短期許容圧縮応力度 $(2/3) F_c$ 以下であることを確認する．すなわち，

$$N_{cc} + \frac{M_w}{l_w'} \leq \frac{2}{3} F_c A_{cc} \qquad (解 19.62)$$

いずれの場合も主筋の軸力負担を考慮してもよいが，その場合 A_{cc} は，解説図 19.35（b）のように帯筋で囲まれた面積とする．主筋の負担を無視する場合は，解説図 19.35（a）のように，かぶりコンクリート相当部分も含んだ断面積（いわゆる柱型全断面相当）を A_{cc} としてよい．

拘束域における配筋量は以下の必要量を満足させる．

1) 拘束域の拘束筋（横補強筋）は，拘束域断面に対して通常の柱帯筋の径，最小間隔，補強筋比を満足させる．すなわち，D 10 以上，間隔 100 mm 以下，かつ，いずれの方向にも帯筋比は拘束域の面積に対して 0.002（0.2%）以上とする．

2) 拘束域の全主筋比は，拘束域の断面積に対して柱の主筋比の最小規定 0.008（0.8%）以上とする．

また，解説図 19.35（a）のように，拘束域の断面のせいおよび幅は支点間距離（通常は階高 h）の 1/15 以上であることを確認する必要がある．以上の条件を満足していれば，壁部材による軸力負担を考慮してよい．軸力負担を考慮しない壁部材あるいは平均圧縮軸力が十分小さい壁（階段室の壁）などでは，従来の慣行または壁式構造の配筋詳細を満足して，特に拘束域は設ける必要はなく，圧縮応力度が高い端部領域についてのみ必要に応じて検討すればよい．

本規準の適用範囲外であるが，二次設計で中高層の連層耐震壁を安定した曲げ降伏型に設計する場合は，上記1），2）の柱断面を確保するだけでは十分でない場合もあることに注意する必要がある．柱の帯筋量は通常直交方向のせん断設計で決まる場合が多いので，圧縮力に対する拘束筋量としては十分でない場合もあるからである．このような場合は，曲げ終局時に想定される圧縮ひずみレベルに応じて必要な拘束域および拘束筋量を検討するのが望ましい[9]．

（3） 連層耐震壁の枠梁

耐震壁の基礎梁や下階が柱となる耐震壁の最下階の枠梁では，杭あるいは下階への曲げモーメントとせん断力の伝達を可能にするため，十分な剛性，強度，梁せいを確保する必要がある．耐震壁

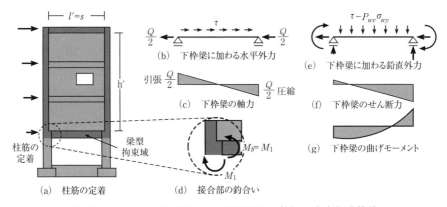

解説図 19.36 下階が柱となる耐震壁の下枠梁の応力伝達機構

最下階の枠梁では、柱および杭からの応力伝達、端部配筋の詳細の検討が必須であり、一般には十分な断面幅を確保するのが望ましい。しかし、連層耐震壁最下層の枠梁に必要十分な強度と剛性を定量的に算定する方法を一般的に規定することは現段階では難しいため、旧規準（1999 年改定版）による推奨規定程度の梁寸法は満たすこと、すなわち、6 項（1）の推奨規定を満足することが望まれる。（1）の適用方法と同様に t' は設計用せん断力に対応する必要最小壁厚さとしてよい。なお、s は壁板 $h' \times l'$ の短辺の長さとするが、中間階の梁の有無にかかわらず、h' は連層耐震壁に全層の内法高さとするべきである。すなわち、通常 l' を短辺の長さにする必要がある。

下階が柱となる耐震壁では、スラブ、小梁など周辺部材の定着詳細の検討とともに、上階耐震壁の柱断面を下階の柱断面に対して過度に減少させないことが重要である。解説図 19.36（a）の丸で囲ったように柱せいを減少させ、下階柱の主筋の一部を梁型拘束域に定着する場合は、枠梁のせいと梁下端筋が重要であり、17 条（定着）の記述を参照されたい。終局強度による検討を行わない場合は、次の 2 項を目安に算定する。

（a）解説図 19.36（b）（c）のように、下枠梁には、上部耐震壁のせん断力の一定割合（例えば 1/2 程度）の引張軸力が生じると考える。

（b）下枠梁の端部の曲げモーメント〔解説図 19.36（d）の M_b〕は、下階引張側柱の柱頭曲げモーメント M_1 と等しいと考える。

ピロティ壁の最下階では横筋比と縦筋比を同量とすることが望ましい。解説図 19.36（e）は、壁縦筋比が p_{wv} であると仮定した場合に、壁板から下枠梁の直交方向に作用する荷重を概説している。その結果、当該梁には同図（f）（g）のような応力が発生すると考えられる。したがって、横筋より縦筋を減らすと、τ に比べて $p_{wv} \sigma_{wy}$ が小さくなるため、梁のせん断力や曲げモーメントが増大する危険性がある。また、壁板の長さ l' が長いほど梁のせん断力と曲げモーメントが増大するため、耐震壁の形状にかかわらず l' を短辺の長さと見なして（$s=l'$）、下枠梁の断面を設計する方法もあり得る。

耐震壁下の基礎梁は枠梁として設計する必要がある。基礎梁が枠梁の推奨規定の断面を満足する場合は当面付加的な検討は不要であるが、上記と同様に梁主筋が耐震壁のせん断力の 1/2 程度を負

担しうることを確認するのが望ましい．基礎梁の幅が十分でない場合，すなわち，基礎梁の幅が推奨規定の断面幅（$2t'$）を満足しない場合は，梁材と壁材として中間的な検討をする必要がある．基礎梁を面材としてモデル化して基礎梁中間の水平方向の許容せん断力が設計用せん断力を上回ることを確認するとともに，横筋の必要配筋量を検討する必要がある．基礎梁としては水平の配筋は主筋に集中して配筋されるために，梁せいが大きい場合は梁中間での配筋量（トラス機構による伝達あるいは斜めひび割れの防止）を検討する必要がある．梁幅が壁厚さと同じであるならば，腹筋にも壁横筋と同様の最小配筋と定着の規定を適用するべきであるが，壁厚さよりもやや大きな幅の梁で推奨規定を満足しない場合でも腹筋は壁横筋よりも大幅に少なくてすむ規定になっているので，工学的な判断によって梁と壁の中間的な配筋を適用するのが望ましい．

セットバックで配置された耐震壁では，水平および鉛直の二方向の検討が必要になる場合がある．連層耐震壁脚部で耐震壁が水平方向に連続する場合には，水平断面のせん断力よりも，連続する耐震壁の鉛直断面のせん断力および曲げ応力の検討が支配的になる場合がある．

また，地下階の耐震壁では，せん断耐力あるいはせん断力伝達の検討は，地下階の壁量と1階床での剛床仮定によって必ずしも十分な検討が行われない場合も多いが，1階床梁あるいは壁のせん断力伝達の検討に同様の注意が必要な場合がある．実際に剛床仮定が成立するかどうかは別の問題として精査する必要があるが，原則として1階の耐震壁の負担せん断力は直下の地下階の耐震壁によって基礎梁まで伝達が可能であるように設計するのが望ましい．

以上は，許容耐力の検討だけでなく，終局強度の検討も必要である．

(4) 連層耐震壁の中間階の梁

上下階に耐震壁が連続する連層耐震壁の中間階では必ずしも梁は設けなくてもよい．あるいは，梁を設ける場合でも必ずしも枠梁として必要な断面寸法（断面幅および断面せい）を満足しなくてもよい．これにより，連層耐震壁中間階の梁の設計では実務的には以下のような方針が選択可能になる[58]．

① 梁型拘束域は設けず，壁の断面および配筋をほぼ連続させる
② 壁厚と同じ幅あるいは壁厚より若干広い幅の梁型拘束域を設ける〔本文図 19.6（b）参照〕
③ 設計用せん断力に応じて必要になる枠梁断面寸法（$\sqrt{st'/3}$, $2t'$）以上の梁を設ける〔本文図 19.6（a）参照〕
④ 旧規準（1999年改定版）解説による枠梁推奨断面寸法（$\sqrt{st/3}$, $2t$）以上の梁を設ける〔本文図 19.6（a）参照〕

ここで，梁型拘束域とは，壁の端部または中間において梁と同様の配筋によってコンクリートが拘束される部位のことであり，拘束域の断面幅が壁厚と同じ場合も含まれる．柱型拘束域と同様に必要に応じて梁と「同様な配筋」とする部位であって，配筋量，部材形状は特に規定しない．配筋，形状が梁の構造規定（最小規定）を満足しない場合も含まれる．

特に①，②とする場合は，従来の慣用とは異なる詳細になるので，壁厚が一定以上で壁が複配筋

---

58) 日本建築センター：壁式ラーメン鉄筋コンクリート造設計施工指針・同解説，2003

の場合にのみ適用するのが望ましい．スラブ筋や小梁主筋の定着長さを壁厚内で確保しうる壁の厚さであることが前提になるので，これらの方針を選択する前に定着詳細および配筋詳細に関する検討は特に慎重に行う必要がある．また，壁の周辺部材では通常のモデルによる解析では考慮されない応力に対する検討も必要である．床スラブと壁のせん断伝達は明示的に検討されないことが多いので，特別な検討をしない場合は，スラブ筋の定着詳細は上端筋，下端筋ともに耐震部材の引張筋として検討するのが望ましい．片側のみにスラブがある場合，床に開口がある場合などはせん断力の伝達や配筋詳細にはさらに注意が必要である〔本文図 19.6（c）参照〕．

境界梁主筋は外柱と同様に折曲げ定着になる．境界梁の引張軸力あるいは局部曲げも解析的に考慮されないことが多いが，中間階に梁がある場合はこれらの応力に対して抵抗要素になりうる．①，②では梁位置の水平補強筋比（壁横筋，梁主筋）を一定以上の鉄筋比（例えば 0.008 程度以上）にするなどの配慮が有効であろう．

開口壁では開口上下の破壊で耐力が決まる場合，すなわち開口低減率 r_3 が支配的な場合，この部分の耐力が耐震壁の耐力を直接支配することになるので，②～④のように梁型拘束域あるいは枠梁を設けるのが望ましい．

7. 構造規定

部材の最小寸法や最小配筋を規定する構造規定は実質的に旧規準（2010 年改定版）を踏襲しているが，2018 年の改定では，柱型拘束域および梁型拘束域の主筋に関する構造規定に除外規定が追加された．構造規定の背景を以下に示す．

（1）壁板の厚さ

耐震壁の壁板の厚さ t は，コンクリートの充填性や面外曲げ（座屈）に対する安定性などを考慮して，単配筋とした場合でも，旧規準（1999 年改定版）と同様に $t \geq 120$ mm かつ壁板の内法高さ（梁型がない場合はスラブ間の高さ）の 1/30 以上の条件を満たすことを規定した．ただし，応力度が小さい場合などでは，施工性などを検討し，面外曲げ（座屈）に対する安定性の検討を付加すれば，上記の構造規定を満足しない壁を構造壁として扱うことができる．例えば，以下のような 2 条件を同時に満たす場合は，壁板の座屈が生じにくいので，壁板の厚さを内法高さの 1/30 未満としてもよい．ただし，$t \geq 100$ mm とする．

・軸力や面外方向の曲げモーメントが外周の柱によって負担されるなどの理由により，鉛直荷重時の壁板の応力度が十分に小さい．

・$2Q_D < Q_1$ を満たすなど地震時のせん断応力度が十分に小さい．

（2）壁板のせん断補強筋比

壁板のせん断補強筋比を直交する二方向に関して 0.0025 としているのは，旧規準（1999 年改定版）を踏襲したものであり，以下の理由によるとされる．地震力により壁板にせん断ひび割れが発生するとき，発生直前にコンクリートが負担していた斜張力を負担するのに必要なせん断補強筋比に比べて壁板のせん断補強筋比が著しく小さい場合は，水平せん断力の再配分によって付帯ラーメンに大きな応力と損傷が生じて急激に剛性が低下する．一方，壁板のせん断補強筋比が一定以上あれば，せん断ひび割れが壁面の全面に分散発生し，応力集中を防止することができる．主要なひび

割れの方向を斜め（45度）方向に想定しているので，縦横筋が有効になる．また，周囲の付帯ラーメンの拘束によって乾燥収縮による壁板のひび割れを制御できる．

（3） 壁筋の複筋配置

複筋配置は単筋配置に比べて面外の曲げ抵抗が大きいばかりでなく，壁板のひび割れを有効に阻止または分散できるので，壁板の厚さが一定以上の場合には複筋配置とすることが望ましい．壁板の厚さが 180 mm の場合には複筋配置としても施工上の支障はほとんどないが，余裕をみて 200 mm 以上の場合は，必ず複筋配置とすることにした．

（4） 壁筋の径と間隔

旧規準（1999年改定版）と同様に，壁筋は，D 10 以上の異形鉄筋とする．壁筋間隔は壁板の見付面に対して 300 mm 以下とし，千鳥状に複筋配置をする場合でも片面の壁筋間隔は 450 mm 以下とする．

（5） 開口補強筋と壁端部の補強筋

開口隅角部には応力が集中すること，また，開口周囲はひび割れの発生や中性化の進行の可能性も高いことなどを考慮して，開口縁の縦横および斜め補強筋は D 13 以上の異形鉄筋を配置することにしている．腰壁，垂壁，袖壁および柱なし壁の端部にも同様の理由により D 13 以上の異形鉄筋を配置する．

開口隅角部の斜め補強筋は，斜め引裂きひび割れの進展を最も有効に抑制できる補強筋ではあるが，開口隅角部には補強筋が錯綜し，コンクリートの充填性に問題が生じる場合も多い．斜め補強筋の配置にあたっては，かぶりや鉄筋間隔など壁厚内での配筋納まりを検討したうえで補強筋の配置方法や補強筋径を決定する．

（6） 開口周囲や壁端部における壁筋の定着

開口周囲や壁板端部における壁筋は，本会「鉄筋コンクリート造配筋指針・同解説」などを参考に，定着が有効な配筋詳細とする．壁板端部で大きな圧縮ひずみ度が予想される場合は，135°フックや幅止筋を活用するなどして，閉鎖型に近い配筋詳細とすることが望ましい．

（7） 柱型拘束域および梁型拘束域の主筋

せん断力を受ける壁板がせん断ひび割れを起こすとその面積が広がり，その広がりを拘束している柱および梁に大きな曲げモーメント・軸方向力・せん断力が作用する．柱および梁の主筋は，その広がりを抑制する補強筋としての役割がある．そこで，その主筋量は，本条 2. で述べたように耐震壁全体に加わる鉛直荷重および曲げに対して安全なように算定されるほか，柱・梁の算定外の規定 13 条 5.（2）～（5）および 14 条 4.（2）～（4）をも満足することを規定した．さらに，柱・梁の全長にわたって，スラブ部分を除く梁の断面積に対する全主筋断面積の割合を 0.008 以上とする算定外の規定を設けた．

ただし，壁の梁型拘束域（壁直下の基礎梁を含む）で梁せいが大きい場合に，13 条 5.（5）の規定を適用すると，壁板の横筋と梁型拘束域の軸方向鉄筋の配筋量が局所的に不均一になる（梁の軸方向鉄筋がまばらになる）おそれがある．こうした構造詳細は本質的に RC 構造の成立原理に反するものと考えられるが，壁の構造性能に与える影響は必ずしも明らかにされていない．一方，構造

計算では，一般に梁（壁直下の基礎梁を含む）はせいが大きい場合でも水平の線材でモデル化されることが多く，梁に対して水平方向のせん断力伝達の可否，ひいては耐震壁（壁板）から梁へのせん断力伝達の可否については計算上確認されないことも多い．したがって，梁の幅が薄く板状の断面の場合や，梁のせいが大きく主筋間の距離が大きく離れる場合などでは計算上のせん断耐力が不足することも考えられる．そのような場合には梁の水平方向のせん断力に対する抵抗機構を評価し，面材としての損傷制御性能や終局安全性能を確認し，13条5.(5)の規定にかかわらず必要に応じて（定着を確保した）軸方向鉄筋を配筋するなどの配慮が望ましい．最小配筋の目安として，壁筋量と同等以上（壁横筋の断面積，強度および間隔を含む）が考えられる．

(8) 柱のせん断補強筋

耐震壁外周の柱および梁の端部には，壁板にせん断ひび割れが発生しない場合でも，大きなせん断力を生じることが[59]，また壁板にせん断ひび割れが発生した場合には，さらに大きなせん断力が生じることが[60]～[63]明らかにされている．そこで，柱の帯筋は，規準（19.6）式で算定される許容せん断力 Q_c を満足するように算定したものを全長にわたって配筋するほか，15条の帯筋に関する算定外の構造規定を満足することも求められる．梁のあばら筋は，規準の本文によっては算定されていないが，算定外の規定として15条の梁のあばら筋に関する構造規定を満足するように配筋する．なお，一次設計または二次設計で大きな壁筋量が必要となる場合は，柱の帯筋量にも注意する必要がある．最低限の目安としては，壁横筋量より柱帯筋量を大きくする必要がある．すなわち，$p_{wb} \geq p_{sh}t$ であることを条件にして，許容せん断力を計算する．この条件は従来の壁厚さ t と柱幅 b の関係ではほとんど問題にならないが，壁厚さが柱幅と同じ場合などでは注意する必要がある．壁縦筋と梁あばら筋の関係でも同様である．ただし，壁横筋では外側柱主筋を越えて有効に端部を定着する場合，壁縦筋でも梁主筋部まで同様に有効に定着するか，他の階の壁筋と重ね継手にする場合は，この限りではない．

(9) 開口に近接する柱の帯筋

開口に近接する柱では，短い梁柱部材のせん断破壊と同様に脆性的な破壊が生じる可能性がある．また，曲げ降伏型連層耐震壁であっても，偏在開口により独立柱が圧縮側になる場合には，その終局強度および変形能が大きく低下することがある[63]．このような耐震壁は開口周比が小さい場合で

---

[59] 富井政英・平石久廣：Elastic Analysis of Framed Shear Walls by Considering Shearing Deformation of the Beams and Columns of Their Boundary Frames, Part I, II, III, 日本建築学会論文報告集, No. 273, 274, 275（1978.11, 1978.12, 1979.1）

[60] 富井政英・末岡禎佑・平石久廣：Airy's Stress Functions for 45-Degree Orthotropic Elastic Plates, 日本建築学会論文報告集, No. 249, 1976.11

[61] 富井政英・末岡禎佑・平石久廣：Elastic Analysis of Framed Shear Walls by Assuming Their Infilled Panel Wall to be 45-Degree Orthotropic Plates, Part I, 日本建築学会論文報告集, No. 280, 1979.6

[62] 富井政英・平石久廣：Elastic Analysis of Framed Shear Walls by Assuming Their Infilled Panel Walls to be 45-Degree Orthotropic Plates, Part II, 日本建築学会論文報告集, No. 284, 1979.10

[63] 加藤大介・杉下陽一・小倉宏一・大谷裕美：鉄筋コンクリート造連層有開口耐震壁の変形能の評価方法, 日本建築学会構造系論文集, Vol. 65, No. 530, pp. 107-113, 2000.4

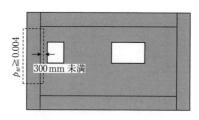

解説図 19.37 開口に近接する柱

も，十分に安全側の配筋詳細とするのが望ましい．一次設計で開口周比による低減率を用いる場合には，袖壁のせいが 300 mm 未満となるような場合〔解説図 19.37〕をこのような偏在開口として扱い，簡便に開口に近接する柱の帯筋比を割り増すこととした．この場合の帯筋比としては，せん断破壊後の短柱であっても残存軸耐力がある程度期待できることを目安にして 0.004 以上とした．

このような開口が，連層耐震壁のヒンジ領域，特に壁脚隅角部にある場合は，特に注意する必要がある．無開口耐震壁であっても，せん断破壊または曲げ降伏の圧縮破壊は，圧縮側柱脚に近い壁板のコンクリートの圧縮破壊に起因して生じる場合が多いからである．したがって，このような開口を設ける場合は，柱を十分に拘束補強するとともに，柱を太くして圧縮応力度を減らし，壁厚を大きめにして平均せん断応力度を減らすことが望ましい．開口横の壁板を拘束補強するか，あるいは柱型を設けるなども有効である．本規準では，構造規定により通常の柱より帯筋比を増やして 0.004 以上としているが，二次設計で詳細な検討を行う必要がある．

（10） 袖壁付き柱の帯筋

袖壁付き柱は剛性が高いことから，通常の柱よりも水平力による応力が集中する．弾性応力解析による応力に対して許容応力度を満足しても，構造物の終局状態でせん断破壊が生じないように十分な配慮が必要である．二次設計を行わない場合はもとより，二次設計を行う場合であっても，せん断破壊を確実に防止する方法は十分には確立していないことから，上記と同様に柱帯筋比の最小規定を割り増して，0.003 以上とした．以上（9）（10）の最小規定は暫定的な数値であり，15 条の解説および実験資料を参考にして，副帯筋を数多く使用するなど，さらに特別の配慮をして設計するのが望ましい．なお，構造性能にほとんど影響しないと考えられる極めて短い袖壁が取り付く柱などに対して，15 条のせん断設計が満足される場合に必ずしも本規定を満足する必要はない．

（11） 柱なし壁（壁板）の配筋詳細

柱型なしの壁板を構造壁として計算に用いる場合，壁板の補強筋は原則として複配筋とする．

20 条　基　礎

1．独立フーチング基礎

（1） 長方形基礎スラブの任意鉛直断面に作用する設計用せん断力および設計用曲げモーメントは，その断面の外側に作用するすべての外力について算定する．柱が長方形の場合，柱の辺に平行な鉛直断面について算定してよい〔図 20.1(a) 参照〕．

（2） 柱直下のパンチングシア算定断面は，柱の表面から基礎スラブ有効せいの 1/2 の点を連ねた曲線を通

る鉛直断面〔図20.1(b)参照〕とし，その外側に作用するすべての外力について算定する．

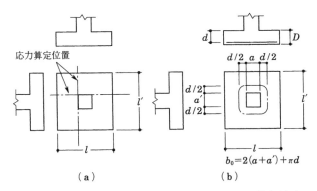

図20.1 応力算定位置およびパンチングシアの算定断面

(3) 許容曲げモーメントに対する算定は13条2．，4．によって行い，16条1．の付着応力度の検定を満たすものとする．算定断面の幅は基礎スラブの全幅をとってよい．
(4) 許容せん断力に対する算定は以下による．
  i) 基礎スラブの許容せん断力 Q_A は，(20.1) 式による．算定断面の幅は全幅をとってよい．
  $$Q_A = ljf_s \text{ または } Q_A = l'jf_s \tag{20.1}$$
   記号　l または l'：基礎スラブの全幅
        d：基礎スラブの算定断面有効せい
        j：基礎スラブの応力中心距離で $(7/8)d$ とすることができる．
        f_s：コンクリートの許容せん断応力度
  ⅱ) 基礎スラブのパンチングシアに対する許容せん断力 Q_{PA} は，(20.2) 式による．
  $$Q_{PA} = 1.5 b_0 jf_s \tag{20.2}$$
   記号　b_0：本条1．(2) によるパンチングシアに対する設計用せん断力算定断面の延べ幅
        j：基礎スラブの応力中心距離で $(7/8)d$ とすることができる．
        d：基礎スラブの算定断面有効せい
        f_s：コンクリートの許容せん断応力度
(5) 長方形基礎スラブの長辺方向の鉄筋は短辺の幅に等間隔に配置し，短方向の鉄筋は，長辺の中央部の短辺の長さに相当する幅の中に，(20.3) 式で求められる鉄筋量を等間隔に，残りをその両側に等間隔に配置する．
$$\frac{\text{短辺長さ相当幅に入れる鉄筋量}}{\text{短辺方向の鉄筋全所用量}} = \frac{2}{\lambda+1} \tag{20.3}$$
   記号　λ：辺長比（＝長辺長さ/短辺長さ）

2. 複合フーチング基礎
基礎スラブの設計用のせん断力と曲げモーメントは基礎スラブを柱脚において支持または固定され，下方より接地圧を受ける梁として算定し，基礎スラブの断面および配筋の算定は前記の応力に対して独立フーチング基礎に準じて行う．

3. 連続フーチング基礎
(1) 連続フーチング基礎における基礎スラブ部分の設計用のせん断力と曲げモーメントは，基礎スラブ部分を基礎梁の側面で固定され下方より接地圧を受ける片持梁として算定し，基礎スラブ部分の断面および配筋の算定は，上記の応力に対して独立フーチング基礎に準じて行う．
(2) 連続フーチング基礎における基礎梁部分の設計用のせん断力と曲げモーメントは，基礎梁部分を柱脚で固定または支持された連続梁と見なして算定し，基礎梁部分の断面および配筋の算定は13条，15条，16条によって行う．

4. べた基礎

基礎スラブ部分の設計用のせん断力と曲げモーメントは，下方より一様な接地圧を受ける周辺固定長方形スラブと見なして算定し，断面および配筋の算定は10条，18条によって行う．

5. 杭基礎

（1） 杭の反力を基礎底面に作用する集中荷重とし，原則として前各項に準じて算定する．

（2） 杭基礎を連結する基礎梁の設計用せん断力と曲げモーメントには，長期荷重のほかに地震時荷重によって生じる柱脚および杭頭の応力を考慮するものとし，断面および配筋の算定は13条，15条，16条によって行う．

（3） 複数の杭が剛接合された基礎スラブは，以下の各項により算定してもよい．この場合の基礎スラブは，原則として，正方形ないし長方形の平面形状を有し，杭の配置が柱芯に対して左右対称なものを対象とする．

ⅰ）基礎スラブの断面算定では，柱フェイス位置の設計用応力に対して，許容曲げモーメント M_A は (20.4)式，許容せん断力 Q_A は (20.5)式により算定する．

$$M_A = a_t f_t j \tag{20.4}$$

ただし，$d/l_p < 2.0$ かつ釣合鉄筋比以下

$$Q_A = lj\alpha f_s \text{ または } l'j\alpha f_s \tag{20.5}$$

ただし，$0 \leq p_w < 0.2\%$ の場合：$\alpha = 1$

$p_w \geq 0.2\%$ の場合：$\alpha = \dfrac{4}{\dfrac{M}{Qd}+1}$ かつ $1 \leq \alpha \leq 2$

記号　a_t：基礎スラブの引張鉄筋断面積
　　　f_t：引張鉄筋の許容応力度
　　　j：基礎スラブの応力中心距離で $(7/8)d$ とすることができる．
　　　d：基礎スラブの算定断面有効せい
　　　l_p：柱フェイスから杭芯までの距離
　　　l または l'：基礎スラブの全幅で図20.2による．
　　　f_s：コンクリートの許容せん断応力度
　　　p_w：基礎スラブのせん断補強筋比で，次式による．

　　　　一方向配筋の場合：$p_w = \dfrac{a_w}{l \cdot s}$ または $\dfrac{a_w'}{l' \cdot s'}$

　　　　二方向配筋の場合：$p_w = \dfrac{a_{w1}}{s \cdot s'}$

　　　a_w または a_w'：1組のせん断補強筋の断面積で，基礎梁を有する基礎スラブでは，基礎梁のせいが基礎スラブと3/4以上重なる場合は，基礎梁と重なる部分を除いた断面について p_w を算定してよい．
　　　a_{w1}：せん断補強筋の1本あたりの断面積
　　　s または s'：せん断補強筋の間隔で図20.2による．
　　　$\dfrac{M}{Qd}$：基礎スラブのせん断スパン比で $\dfrac{a_p}{d}$ としてよい．
　　　a_p：柱芯から杭芯までの距離

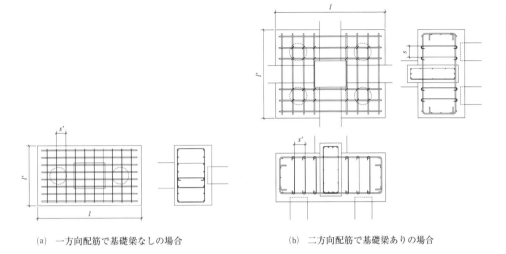

(a) 一方向配筋で基礎梁なしの場合　　(b) 二方向配筋で基礎梁ありの場合

図 20.2　せん断補強筋比の算定方法

ⅱ) 基礎スラブの主筋の付着は 16 条に従って検定を行う.
ⅲ) 基礎スラブの構造規定は以下の各項による.
　a) 基礎スラブは,上下の主筋を有する複筋梁とし,複筋比は 0.5 以上とする.上下の主筋の外端部は,90°折曲げにより上端筋は曲げ下げ,下端筋は曲げ上げて,基礎スラブのせいの中心を越えて主筋径の 10 倍($10\,d_b$)以上延長することを原則とする.また,上端筋の曲下げ部と下端筋の曲上げ部の末端には余長 $4\,d_b$ 以上の 90°フックを設ける.
　b) 基礎スラブにせん断補強筋を配筋する場合は,基礎スラブせいの 1/2 以下の間隔とし,せん断補強筋の端部は,135°以上に折り曲げて定着するか,継手を設けて接合する.

一般事項

　本規準は,1 条に明記されているように,主として,鉄筋コンクリート造建物の使用性,損傷制御性を確認するために使用することを目的としている.本条で取り扱う基礎構造の設計においても同様であり,主として,長期荷重時の応力度が長期許容応力度以下となることを確認することで使用性を確保し,短期荷重時の応力度が短期許容応力度以下となることを確認することで損傷制御性を確保することとしている.基礎構造の大地震動に対する安全性については,本条の対象外とし,設計者が別途に検討することとしている.

　本条は,基礎スラブや基礎梁に作用する設計用応力の算出,および配筋計算を主に解説するもので,基礎スラブの必要底面積や杭の許容支持力など,本条で定める項目以外の事項については「建築基礎構造設計指針」(2019) によるものとする.

　本条では基礎スラブや基礎梁には直線分布の接地圧が作用すると考えているので,この条件を満たさない場合には別途検討によって設計用応力を求めることが必要である.接地圧が直線分布にならない要因として,基礎スラブや基礎梁の剛性,および土質や根入れ深さの違いが挙げられる.剛な基礎部材を配置しても土質や根入れ深さによって接地圧分布は異なるといわれており,その正解を求めることははなはだ困難である.しかし,「建築基礎構造設計指針」によれば,特に密な砂地盤以外では接地圧が直線状に分布すると仮定しても正確であること,また,砂地盤の場合には接地

圧が直線状に分布すると仮定するとフーチングの曲げモーメントに安全側の誤差が生じるが，実用上は支障がないとしている．

よって，本条は，沈下が予測される特殊な地盤や特別な基礎地業を用いる場合を除く通常の設計を対象とし，部材の剛性を適切に確保したうえで接地圧分布を直線分布に仮定する慣用的な手法を前提に解説を行うものである．

2018年の改定では，杭基礎に関して，複数の杭が剛接合される基礎スラブの設計法に関する事項を新たに追加した．また，2024年の改定では，偏心する1本打ち杭の基礎スラブについての解説を見直した．

1. 独立フーチング基礎

（1） 設計用応力の算定

本項で想定する独立フーチング基礎の柱型および底面の形は矩形であり，フーチングの各辺は柱の辺に平行であるものをおおむね念頭に置いて構成している．

本項では長方形基礎スラブの設計用応力の算定方法を述べているが，他の形の底面形を持つ基礎スラブの場合を含めて，合理的な方法によって設計用応力を求め，それに対応する適切な基礎スラブの設計を行うならば，他の方法によってよい．

ⅰ）基礎スラブ底面積の算定

基礎スラブの底面には柱や壁から伝わる上部建物の荷重のほかに，基礎の自重と基礎スラブ上部の埋戻し土の重量が作用し，これらの鉛直方向圧縮力と釣り合う形で接地圧（基礎スラブと地盤の間に作用する圧力）が生じる．本規準ではこの接地圧の分布は直線的であり，基礎スラブに作用するモーメントの大きさに応じて一様分布・台形分布あるいは三角形分布になると仮定している．基礎スラブの底面積は，変化する接地圧の中の最大値が地盤の許容地耐力を超えないようにその大きさを決めることが必要である．詳しくは「建築基礎構造設計指針」を参照されたい．

N：基礎スラブ底面上に上方から働く圧縮合力
e：同上偏心距離
l：偏心方向の底面の長さ
A：基礎スラブ底面積
G：底面の図心
g：圧縮縁から図心までの距離
x_n：圧縮縁から中立軸 n-n までの距離
S_n：中立軸 n-n に関する圧縮面の断面一次モーメント
I_n：同上断面二次モーメント
σ_{max}：地盤に生じる最大接地圧
σ_{min}：同上最小接地圧

解説図20.1のような任意の形の基礎底面について考えると，荷重に偏心がない場合は（解20.1）式で表され，地盤の許容地耐力度を超えないように基礎スラブ面積を定めればよい．

$$\sigma_{\max} = \sigma_{\min} = \frac{N}{A} \tag{解 20.1}$$

偏心がある場合の接地圧 ($\sigma_{\max}$, $\sigma_{\min}$) は, (解 20.2) 式で x_n を求め (解 20.3) および (解 20.4) 式に代入することで得られる.

$$x_n - g + e = \frac{I_n}{S_n} \tag{解 20.2}$$

$$\sigma_{\max} = \frac{x_n N}{S_n} = \xi \frac{N}{A} \tag{解 20.3}$$

$$\sigma_{\min} = \frac{(x_n - l) N}{S_n} = \xi' \frac{N}{A} \tag{解 20.4}$$

ここに, ξ, ξ' は荷重の偏心がない場合に比べての底面縁端部接地圧の倍率で

$$\xi = \frac{x_n A}{S_n} \tag{解 20.5}$$

$$\xi' = \frac{(x_n - l) A}{S_n} \tag{解 20.6}$$

で表される. したがって, 基礎スラブ底面の形状と偏心の大きさに応じてこの ξ, ξ' の値を求めれば, 基礎スラブ底面に生じる接地圧の大きさを算定することができ, この値が地盤の許容地耐力度を超えないように底面積の大きさを決めることができる. 解説図 20.2 は, 長方形基礎スラブおよび円形基礎スラブについて e/l と ξ, ξ' の関係を図示したものである.

ⅱ) 基礎スラブに作用する外力

基礎スラブに作用する外力は, 鉛直方向上向きに作用する接地圧 (圧縮合力の大きさ N) と鉛直方向下向きに作用する基礎自重 (N_F), およびその上の埋戻し土の重量 (N_s) とであるが, 基礎鉄筋を含めて一体に打設される基礎スラブの自重は基礎スラブに応力を生じさせない. また, その上の埋戻し土量は軽微な場合が多いので通常はこれを無視する. したがって, 基礎スラブの設計用応力算定用の荷重としては, 基礎スラブおよび埋戻し土の自重を含まない柱荷重 N' が, ある偏心量 e' をもって作用していると解釈できる. すなわち, 基礎底面に働くモーメントを M とすると $M = N'e'$ となる. しかし, 偏心量 e' が大きくなるとこれらの自重を無視できなくなるので注意が必要である. 解説図 20.3 に一方向に偏心が大きくなっていく順に, 左に接地圧 σ と基礎自重およびその上部の埋戻し土の重量による分布荷重 σ' を示し, 右に両者の合算された状態を示す. ここで, 最小接地圧 $\sigma_{\min}$ が σ' より小さくなると基礎フーチングの浮上り側に上端引張の曲げが生じるように荷重が作用し, また, 右側の図の上向き方向の力だけによる合力は柱荷重 N' より大になる. よって, 浮上りが生じる基礎スラブ〔解説図 20.3(c), (d)〕の設計用応力算定荷重には, 基礎自重や埋戻し土の重量を考慮することが必要となる.

N : 基礎スラブ底面に上方から作用する圧縮合力 ($= N' + N_F + N_s$)
N' : 柱荷重
N_F : 基礎スラブの重量

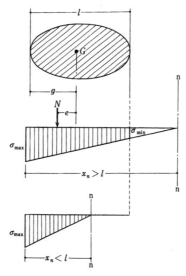

解説図 20.1 圧縮合力の作用位置（偏心距離 e）と地盤に生じる接置圧（σ_{max}, σ_{min}）

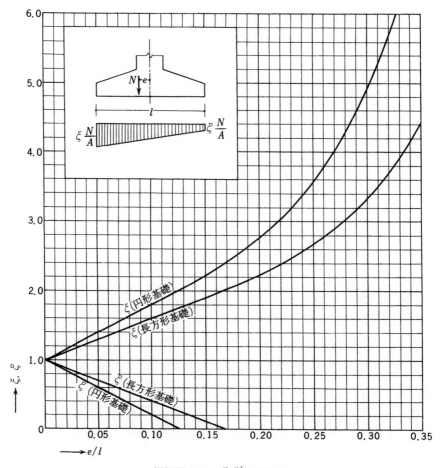

解説図 20.2 ζ, ζ' の算定図

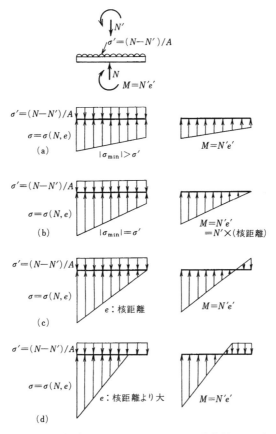

解説図20.3 分布荷重（σ'）とモーメントの増大に伴う接地圧（$\sigma_{\min}$）の変化

N_s：基礎スラブ上面の埋戻し土の重量
M：基礎スラブ底面に作用する曲げモーメント
e：基礎スラブ図心から圧縮合力（N）作用位置までの偏心距離
e'：基礎スラブ図心から柱荷重（N'）作用位置までの偏心距離
σ：圧縮合力（N）が作用する基礎スラブの任意位置における接地圧
σ'：基礎スラブとその上部の埋戻し土の重量和（$=N_F+N_s=N-N'$）による平均接地圧

iii) フーチングの設計用応力

 独立フーチング基礎における長方形スラブの設計用のせん断力と曲げモーメントは，厳密にはスラブ理論に基づいて算定しなければならないが，本規準では，短辺方向，長辺方向の両方向にそれぞれ独立した幅の広い片持梁として求めることにした．簡単のため，解説図20.4(a) のように，正方形断面の柱を支える偏心のない正方形基礎を考え，かつ基礎スラブ重量を無視する．

 台形片持梁 ABCD について断面 AB におけるせん断力 Q は，柱の軸力を N' とするとほぼ $N'/4$ となる．断面 AD，BC には対称性からせん断力は生じない．

 解説図20.4(b) のように断面 AB，AD，BC について働くモーメントをそれぞれ M_1, M_2,

$\overline{M}_2$ とし，断面 AB についての接地圧による外力モーメントを M_0 とする．対称性からねじりモーメントは生じないので，M_1, M_2, $\overline{M}_2$ は主モーメントである．

モーメントの平衡条件より

$$M_1 + M_2 + \overline{M}_2 + M_0 = 0 \tag{a}$$

モーメント M_1 を絶対値で表せば，(a) 式より

$$M_1 = M_0 - \sqrt{2} M_2 \tag{b}$$

$M_1 = M_0$ とすれば，M_1 は安全側となるが M_2 の処理が不明確である．そこで基礎スラブの ADD′ 部分について断面 AD′ についての曲げモーメントを M_2', ねじりモーメントを M_{12}', 断面 AD′ についての接地圧による外力モーメントを ΔM_0, 断面 AD′ に直角な方向についての接地圧と断面 AD′ に働く鉛直方向断面力による外力モーメントを $\Delta M_0'$ とすると，モーメントの釣合いより〔解説図 20.4 (c), (d)〕

$$-M_2 + M_2' + M_{12}' + \Delta M_0 + \Delta M_0' = 0 \tag{c}$$

$$\frac{1}{\sqrt{2}} M_2 - M_2' + \Delta M_0 = 0 \tag{d}$$

$$M_2' = \frac{1}{\sqrt{2}} M_2 + \Delta M_0 \tag{e}$$

上述のように $M_1 = M_0$ とすれば，(b) 式によると配筋は片側について $M_2/\sqrt{2}$ の余裕があることになる．したがって，(e) 式が

$$M_2' = \frac{1}{\sqrt{2}} M_2 \tag{e′}$$

ならばこの考え方でよいが，実際には ΔM_0 だけ不足してしまう．つまり，断面 D′ABC′ でのモーメントを M_T とすると

$$M_T = M_1 + 2M_2' = M_0 + 2\Delta M_0 \tag{f}$$

となり片側について ΔM_0 だけ不足が生じてしまう．

そこで，ここでは国際的に用いられている (f) 式に相当する応力を設計用応力とし，ねじりモーメント M_{12}' については，通常値が小さいので設計上は無視することにした．

この方法によると最大応力は基礎スラブの中心付近に生じることになるが，柱によって断面係数が増大しているため，Talbot の実験[1] および Richart の実験[2] によって知られているように，スラブはその中心のところでなく，柱の表面のところ，あるいはそれより外部で破壊が起こる．

なお，Richart の実験によれば，曲げおよび付着に起因する基礎スラブの破壊は柱表面で起こり，せん断による破壊はこれよりその部分のスラブの有効せい d だけ外側にある断面に起こるとされているが，本規準では，簡単のため設計用せん断力の算定断面を設計用曲げモーメントの算定断面に一致させることにした．基礎スラブ厚が一定の場合には，算定断面としては一般には

---

1) A. N. Talbot：Reinforced Concrete Wall Footing and Column Footing, Univ. of Illinois Bulletin, No. 67, p. 22
2) F. E. Richart：Reinforced Concrete Wall Footing, Journal of ACI, Vol. 20, No. 2, 1948.10

柱表面をとればよい〔図20.1(a) 参照〕.

基礎スラブ厚が変化する場合は，必要に応じて柱表面から外側の断面についても，設計用応力を算定しなければならない.

独立フーチング基礎が支持する柱の断面が長方形でなく，円形または円形に近い多角形である場合，その柱と同一断面積の正方形の柱を支持すると仮定して基礎スラブの設計用応力を求めてよい.

解説図20.5のように，接地圧だけが作用する幅広い片持梁 ABCD の柱面 AB におけるせん断力 Q_F および曲げモーメント M_F は，(解20.7)，(解20.8) 式で求まる（ただし，$\sigma_1 > 0$ とする）.

$$Q_F = \int_{x=0}^{x=h} \sigma l' dx = \frac{\sigma_{\max} + \sigma_1}{2} \frac{1}{2}(l-a)l' = \sigma_{\max}\left(1 - \frac{1}{4}\frac{l-a}{x_n}\right)\frac{l-a}{2}l' \qquad \text{(解20.7)}$$

$$M_F = \int_{x=0}^{x=h} \sigma l' x dx = \sigma_{\max}\left\{\frac{1}{2}(l-a)\right\}^2 \frac{l'}{2} - (\sigma_{\max} - \sigma_1)\frac{1}{2}\left(\frac{l-a}{2}\right)^2 \frac{l'}{3}$$

$$= \sigma_{\max} \frac{(l-a)^2}{8} l' \left(1 - \frac{1}{6}\frac{l-a}{x_n}\right) \qquad \text{(解20.8)}$$

ここに，圧縮縁端から中立軸までの距離を x_n，最大接地圧を $\sigma_{\max}$，基礎スラブ底面積を A とし，$\sigma_{\max} = \xi \dfrac{N}{A}$, $A = l \times l'$ とおくと

$$\frac{Q_F}{N} = \frac{\xi}{2}\left(1 - \frac{1}{4}\frac{l-a}{x_n}\right)\frac{l-a}{l} \qquad \text{(解20.9)}$$

$$\frac{M_F}{Na} = \frac{\xi}{8}\left(1 - \frac{1}{6}\frac{l-a}{x_n}\right)\frac{(l-a)^2}{la} \qquad \text{(解20.10)}$$

偏心がない場合は $x_n \to \infty$，$\xi = 1$ として下式を得る.

$$\frac{Q_F}{N} = \frac{1}{2}\frac{l-a}{l} \qquad \text{(解20.11)}$$

$$\frac{M_F}{Na} = \frac{1}{8}\frac{(l-a)^2}{la} \qquad \text{(解20.12)}$$

基礎スラブの自重および埋戻し土の影響を考慮に入れると，最小接地圧が上記自重などによる値以上の場合〔解説図20.3 (a)，(b) 参照〕は，(解20.7)，(解20.8) 式で全荷重 N の代わりに柱荷重 N' を，x_n の代わりに e を e'（ただし，$M = N'e'$，$|e'| \leq l/6$）として求めた x_n' を用いることにより，ただちに基礎スラブの設計用応力 Q_F, M_F が求まる．解説図20.6にその計算図表を示す．解説図20.7は偏心がない場合の計算図表である．

偏心が大きい場合〔解説図20.3 (c)，(d) 参照〕は，解説図20.6で N' を N に，e' を e に読み替えて得る接地圧による応力 Q_{F1}, M_{F1} から，解説図20.7で N' を $(N-N')$ に読み替えて得られる基礎スラブおよび埋戻し土による応力 Q_{F2}, M_{F2} を差し引けば，基礎スラブの設計用応力は

$$Q_F = Q_{F1} - Q_{F2}, \quad M_F = M_{F1} - M_{F2}$$

として求められる.

—364— 鉄筋コンクリート構造計算規準・解説

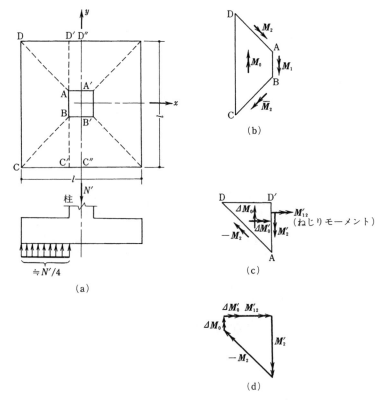

解説図20.4 正方形基礎スラブに生じる応力

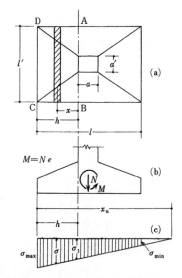

解説図20.5 柱面における設計用応力の算定

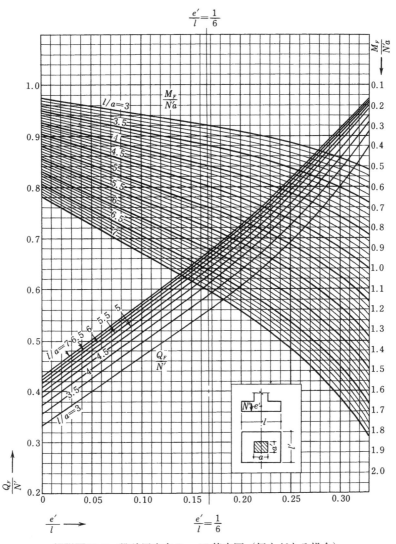

解説図20.6 設計用応力 Q_F, M_F 算定図（偏心がある場合）

ⅳ）応力算定位置

長方形基礎スラブの任意鉛直断面に作用する設計用せん断力および設計用曲げモーメントは，その断面の外側に作用するすべての外力について算定する．柱が長方形の場合，柱の辺に平行な鉛直断面について算定してよい．一般には，応力が最も大きくなる柱表面位置を応力算定位置〔図 20.1(a) 参照〕とするが，柱の脚部にはかまを設ける場合には，下記（a）〜（c）の条件を同時に満たすか，あるいは，鉄筋によって十分に補強した場合に限って，はかま表面を柱表面と見なしてよい〔解説図 20.8 参照〕．

　　（a）　はかま高さ H がその厚さ C よりも大
　　（b）　はかま厚さ C が $0.3h$ よりも小
　　（c）　はかまを形づくるコンクリートが基礎スラブと同時打設

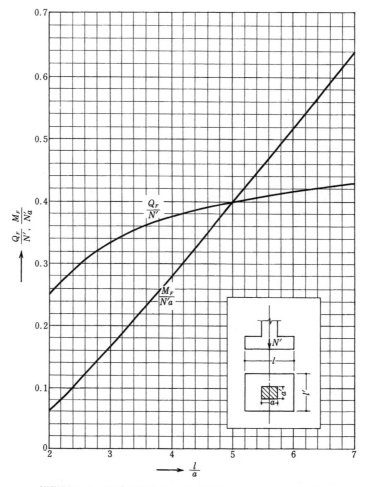

解説図20.7 設計用応力Q_F, M_F算定図（偏心がない場合）

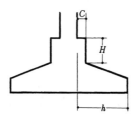

解説図20.8 はかまを有する基礎スラブの応力算定位置

（2） パンチングに対する設計用せん断力

　柱荷重によって，柱の下部で基礎スラブを角錐台形に突き破る可能性，すなわちパンチングに対する設計用せん断力は，柱の表面から基礎スラブの有効せい d の1/2だけ外側の点を連ねた曲線〔図20.1（b）のように柱形の隅角点では1/4円となる〕を通る鉛直面を算定断面として，その外側の基礎スラブに作用するすべての外力，すなわち，上方からの基礎スラブの自重および埋戻し土の重量と下方からの接地圧を相殺して得られる．なお，パンチングに対する設計用せん断力として

基礎スラブおよび埋戻し土の重量を含まない柱荷重 N' を用いれば安全側である．この場合，算定断面位置が基礎スラブの底面より外に出ることもあるが，そのような場合は前述の ii) による応力に対する設計のほうで断面が決まることになろう．

算定断面の位置の定め方は，後述の規準 (20.2) 式によるせん断耐力式の定め方と関連があるが，パンチングで破壊する形などを参考として柱面より $d/2$ 離れた位置とした．

(3) 曲げモーメントに対する算定

長方形基礎スラブの曲げモーメントに対する算定は，その断面幅を全幅とし 13 条 2., 4. によって所要量を算定するとともに，16 条によって付着の検討を行う．主筋を 4 方向に，すなわち長方形基礎スラブの両対角線に平行な方向にも配置する場合には，12 条 (4) によって，対角線方向の鉄筋はその断面積に $\cos\theta$ を乗じたものを算定する方向の有効断面積と見なして，二方向配筋の場合と同様に扱えばよい．ここに，θ は算定断面の直角方向と鉄筋とのなす角度である．

なお，地反力の大きさと比較して相対的に基礎スラブが薄い場合には，フーチング下面に曲げひび割れが生じる可能性があるので，このひび割れを防止するように 13 条 5. 解説 (2) を参考に基礎スラブ厚を検討することが望ましい．

(4) せん断に対する算定

長方形基礎スラブのせん断に対する算定は，幅の広い片持梁としての場合とパンチングに対する場合の 2 つの場合について行う．

ⅰ) せん断力に対する検討

幅の広い片持梁として算定する場合の許容せん断力 Q_A は規準 (20.1) 式による．これは，梁の許容せん断力に関する規準 (15.1) 式において，$\alpha=1$ とした場合に対応する．本項では，基礎スラブ長さに対し基礎スラブせいの大きい，いわゆるせん断スパン比の小さい基礎スラブを対象に，長期・短期双方の荷重に対してせん断ひび割れをできるだけ生じさせない設計を原則としている．したがって，せん断補強筋による許容せん断力の増加を無視し，せん断スパン比による割増係数 (α) を 1.0 とした安全側の算定式を用いることにした．なお，基礎スラブ上面を傾斜させる場合，規準 (20.1) 式における基礎スラブの有効せいは応力算定断面位置の値を採用する．

ⅱ) パンチングシアに対する検討

本項において，柱下部の角錐台形の潜在的ひび割れの発生または破壊の可能性を検定する．解説図 20.9 は，Talbot, Richart, 小幡ら[3] の実験結果のうちパンチングシアで破壊した試験体について，実験時終局耐力の $b_0 j f_s$ (f_s は長期許容せん断応力度) に対する比を求めたものである．この実験の中には杭支持の場合で設計用せん断力算定断面想定位置が杭断面に交差する場合も含まれているが，$\alpha=1.5$ とした規準 (20.2) 式に対してほぼ 1.5 以上の安全率が確保されている．

なお，規準 (20.2) 式における基礎スラブの有効せいは柱表面位置の値をとってよいが，規準

---

[3] 小幡・大築ほか：杭支持独立フーチングの応力について その 1, その 2, 日本建築学会北海道支部研究報告集, No. 50, 1979.3

小幡・大築ほか：杭支持独立フーチングの鉛直荷重時応力についてⅠ, Ⅱ, 日本建築学会大会学術講演梗概集, 1978.9

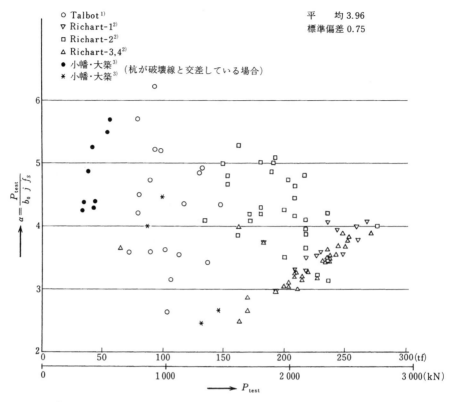

解説図20.9 コンクリートの長期許容せん断応力度 (f_s) とパンチング強度

(20.2) 式によって耐力が決まる基礎スラブでスラブの上面を傾斜させる場合は，その傾斜を 1/4 以下にゆるやかにすることが望ましい．

（5） 基礎スラブの配筋

本規定は，基礎スラブが剛強であり接地圧が直線的な分布であること，曲げモーメントの分布が基礎スラブ端部と柱近傍で極端に違わないこと，基礎スラブに曲げひび割れやせん断ひび割れが生じないことを前提に定めるものである．基礎スラブにハンチを設ける場合の縁の厚さは通常 250 mm 以上が望ましく，また，基礎自重と埋戻し土を考慮に入れたときの最小接地圧が，基礎自重および埋戻し土のみによる接地圧より小さくなったときは，最小接地圧が生じている側の基礎スラブに上端引張の曲げ応力が生じるおそれがあるので上端配筋の検討が必要である．

長方形基礎スラブの長辺方向の配筋は，短辺幅 (l') に均等に配筋〔解説図 20.10 ③の範囲〕する．短辺方向の配筋は，柱を中心に中央部に短辺長さに相当する幅にわたって規準 (20.3) 式による量〔解説図 20.10 ①の範囲〕を配筋し，残りをその両側〔解説図 20.10 ②の範囲〕に等間隔に配筋する．規準 (20.3) 式の意味するところは，$\lambda>1$ に対し中央部短辺長さに相当する部分の単位幅あたりの鉄筋量を，その両側における単位幅あたりの鉄筋量の 2 倍になるように定めたもので，短辺方向の鉄筋も等間隔に配筋する場合は所要鉄筋量を $2\lambda/(\lambda+1)$ 倍したものを長辺幅に配置すればよい．

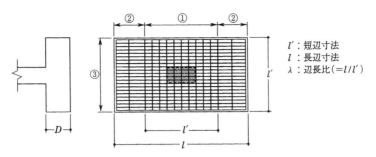

解説図20.10 規準(20.3)式による配筋方法

　一方，曲げモーメントの分布が一様ではなく基礎スラブ縁と比較して柱近傍の曲げモーメントが大きくなる場合には，規準（20.3）式による配筋方法では不合理になる．このような場合は別途詳細解析により応力を算出し，その応力分布に応じた配筋を施すことが望ましい．

　「Beton-Kalender 1971」[4]によると，一方向に偏心がある場合，偏心方向（長辺方向）の底盤筋は，基礎スラブの交差方向（短辺方向）の幅が，同方向の柱幅 a' の3倍以下であると所要鉄筋量をその範囲に均等に配筋し，端部まで延長して立ち上げ（3倍以上の場合は3倍の範囲に所要筋を配筋しその外側には用心筋を入れる），偏心に直角方向の底盤筋は所要量を偏心方向の柱幅 a の3倍の範囲内に柱を中心として配筋し，その外側は適度の用心筋を入れるようにしているので，配筋上の参考になろう．この場合，基礎スラブ厚が要素として考慮されていないが，柱面位置の基礎スラブせいを D としたとき，X および Y の範囲を所要鉄筋量の配筋範囲と考えてよいであろう〔解説図20.11 参照〕．さらに，底盤筋の配置は曲げモーメントの分布を考慮して定めるが，底盤筋は途中で切らず基礎スラブの末端まで延長して立ち上げて，または，さらにフックを付けて定着し，せん断に対しては，基礎スラブの上端対角方向部分が柱付け根から下に傾斜した圧縮材で底盤筋が引張材の一種の立体トラスで対抗するとし，特に基礎スラブの外周筋を閉鎖形にすることが有効であるとしている．

　これらの研究を参考に，柱を中心として配筋しその外側には適度の用心筋を入れる配筋方法も考えられる．ただし，このような配筋を行う場合の基礎スラブは曲げモーメントやせん断力が一様分布ではなく，柱近傍が大きいと考えていることになるので，特に，せん断力に対しては部材幅を基

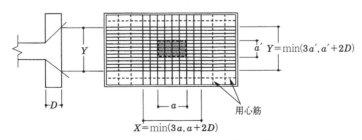

解説図20.11 柱近傍に重点配筋する場合

---

4) Gotthard Franz：Beton-Kalender 1971, Wilhelm Ernst & Sohn, 1971

礎スラブ全幅（l または l'）と見なすと危険側になることもある．したがって，例えば，部材幅を曲げ配筋範囲（X または Y）とするなど安全側の設計を行うことが望ましい．

2. 複合フーチング基礎

　複合フーチング基礎とは，2本以上の柱を同一基礎スラブで支持する基礎構造をいう．複合フーチング基礎のスラブ底面積は，「建築基礎構造設計指針」の5.6節によって定めるが，荷重が底面に平均にかかるように，その図心と荷重合力が一致するように定めることが望ましい．

　複合フーチング基礎における基礎スラブの設計用のせん断力と曲げモーメントは，スラブを柱脚において支持または固定され下方から接地圧を受ける梁として算定し，この応力に対して基礎スラブの長辺方向の断面および配筋を算定する．この場合，剛強な基礎梁が配置されることを前提に単位面積あたりの接地圧は直線状に分布するとし，鉛直荷重および上部構造からのモーメントに応じてその大きさを算定する．

　複合フーチング基礎スラブでは上記のような長辺方向の配筋のほか，柱下には短辺方向の配筋が必要であるが，この配筋の算定は前項独立フーチング基礎の場合に準じて行う．なお，両柱脚をつなぐ基礎梁がある場合の取扱いについては，3項の連続フーチング基礎に準じればよい．

3. 連続フーチング基礎

　連続フーチング基礎の断面は基礎梁と一体の逆 T 形梁となっており，その底面積は「建築基礎構造設計指針」の5.6節によって定める．一般に，柱荷重がその柱の支配域ごと〔解説図20.12参照〕に許容地耐力度以下となるように基礎スラブ底面積を決め，剛強な基礎梁が配置されることを前提に，この支配面積内での接地圧は直線分布と見なす．この場合，不同沈下を防ぐ意味で，敷地内の地盤が一様ならば，接地圧の値が全柱についてほぼ均一となるように基礎スラブ幅を調整することが望ましい．

（1）基礎スラブの応力および断面算定

　基礎スラブの設計用のせん断力と曲げモーメントは，基礎スラブを基礎梁の側面で固定された片持梁と考え，一様分布状態の接地圧が下方より作用するとして算定する．これらの応力に対し，基礎梁に直角方向の主筋量を決定する．なお，上部構造から柱脚に伝わる曲げ応力は基礎梁部分によ

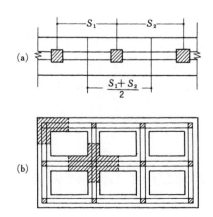

解説図20.12 連続フーチング基礎における柱支配域

って負担するものと考え，接地圧には考慮しなくてもよい．

(2) 基礎梁の応力および断面算定

フーチング全底面に作用する接地圧を均等荷重として求まる応力，および上部構造から柱脚に伝わる応力を加味して設計用のせん断力と曲げモーメントを求め，13条，15条および16条によって配筋量を算定する．敷地境界線や隣接建物などの関係で基礎スラブの片持梁としてのスパンが左右で異なる場合は基礎梁にねじれが生じるので，22条によって基礎梁断面の補強を行う．

4. べた基礎

建物全体の重量を連続した格子状の基礎梁と基礎スラブで支持する基礎構造形式をべた基礎とよび，その底面積は「建築基礎構造設計指針」の5.6節によって定める．

鉛直荷重に対しては，通常，各柱の軸力の総和（基礎の自重および基礎梁の上部にスラブがあるときはこの荷重も含む）をべた基礎の底面積で除した値を接地圧とし，これが基礎スラブの全面に一様に分布するものと仮定する．この条件として，各柱の負担面積あたりの接地圧がほぼ一様であるうえ，その合力の作用点と基礎スラブ底面の図心がおおむね一致し，かつ格子状に配置された剛強な基礎梁の協力によって十分に剛な基礎盤が形成されていることが必要である．同一敷地内で地盤性状が大きく異なる場合や荷重が不均一な場合は，建物全体の剛性と地盤の荷重沈下特性を考慮して，力の釣合いだけではなく変形の連続性も考慮して接地圧を求めることになる．

基礎梁で4周を拘束された基礎スラブは，一様な接地圧（基礎スラブの自重を除く）を受ける周辺固定長方形スラブとして10条により算定する．この際，土圧と水圧を特に分離して考える必要はないが，側壁の摩擦やその他によって浮上りを止めている構造の場合には，考えうる最大の水圧を考慮する．なお，基礎梁の応力算定にあたっては，その負担する接地圧の区域は一般床梁と同様に考えてよい．

5. 杭基礎

本項は，杭基礎における基礎スラブと基礎梁に関する応力の算定方法，および断面算定を示すもので，杭の許容支持耐力や中心間隔，杭の水平抵抗，杭頭接合部など本項で定める項目以外の事項は，「建築基礎構造設計指針」の6章による．

2010年版の本規準では，杭基礎の計算例として，地震時に杭頭の曲げモーメントや引抜力を考慮しない4本の杭に支持され，基礎自重と基礎上部の埋戻し土の重量が基礎底面下の地盤に支えられて設計用杭反力に考慮しないことを設計条件とする基礎スラブの断面算定を示していた．その例では，上端に引張応力が生じないので，解説図20.13に示すように主筋（底盤筋）を下端のみに配筋した単配筋の基礎スラブとしている．このような設計条件の杭基礎に対しては，従前どおりに本条5項（1）に従って，断面算定を行えばよい．すなわち，曲げモーメントに対しては，断面幅を基礎スラブの全幅として，13条により底盤筋の引張鉄筋量を算定する．また，鉛直力に対しては，基礎スラブの許容せん断力を規準(20.1)式，柱まわりのパンチングシアの許容せん断力を規準(20.2)式により算定する．

一方，2018年の改定では，複数の杭が剛接合された基礎スラブの断面算定として，本条5項（3）の規定を新設した．本条5項（3）では，解説図20.13とは異なり，地震時の杭頭の曲げモ

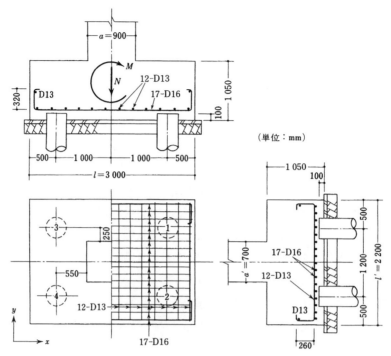

解説図 20.13 杭基礎の配筋（2010 年版の本規準の計算例 2）

ーメントを考慮して，上下に主筋を有する複配筋の基礎スラブを対象としている．

（1） 基礎スラブの応力および断面算定

ⅰ）基礎スラブの剛性確保

　杭によって支持された基礎スラブ（パイルキャップともいう）には，杭の反力が集中荷重として作用するものとして応力を算定する．この場合，各杭が平均して鉛直荷重を負担できるように，杭配置と基礎スラブの剛性に留意する．また，地震時に杭頭に生じる応力を基礎梁や柱脚に伝達できるように，杭頭鉄筋を基礎スラブに定着するときに，必要に応じて杭頭を基礎スラブに埋め込む．特に，複数の杭を有する杭基礎では，基礎梁や柱脚から離れた位置にある杭頭の応力は基礎スラブを介して基礎梁や柱脚に伝達される．したがって，これらの応力に対し基礎スラブは十分な強度と剛性を有することが必要である．

ⅱ）杭の反力

　支持杭の場合で，将来，地盤沈下によって基礎スラブと地盤との間に空げき（隙）が生じるおそれがある場合には，杭頭から上部にあるすべての自重（基礎梁や基礎スラブ上の埋戻し土などを含む）が，杭反力として基礎スラブに作用することを前提にすることが望ましい．また，摩擦杭であっても杭周面から伝達された応力は地盤内に伝播して累加される．したがって，基礎スラブ底面の支持力を摩擦杭の支持力に加算することは危険を伴うおそれもあるので，支持杭と同様の安全側の判断を行うことが望ましい．

ⅲ）設計用せん断力

　基礎スラブの設計用せん断力は，応力算定位置から外側（柱芯から遠ざかる側）にある全杭の

反力とし，応力算定位置から内側（柱芯へ近づく側）にある杭の反力は無視してよい．ただし，杭径の一部分のみが応力算定位置の外側にある場合は，その杭の反力に応力算定位置から杭の最外縁までの距離 x_p と杭径 D_p の比 x_p/D_p を乗じて低減した反力を設計用せん断力としてよい．

解説図 20.14 は設計用杭反力の算定方法を応力算定位置と杭径 D_p との関係で示したもので，以下の（A）～（C）による．

- （A） 応力算定位置より杭芯が杭径/2 以上外側にある杭（解説図 20.14（a）の A 位置）は，その反力を 100% 考慮する（解説図 20.14（b）では A の杭が該当）．
- （B） 応力算定位置より杭芯が杭径/2 以上内側にある杭（解説図 20.14（a）の B 位置）は，その反力を考慮しなくてよい（下図（b）では B の杭が該当）．
- （C） 杭芯が上記の中間である杭（下図（a）の C 位置）は，その反力に x_p/D_p を乗じて低減した設計用反力を用いる（下図(c)では C の杭が該当）．

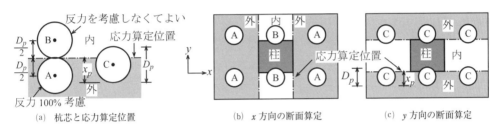

解説図 20.14 設計用杭反力の算定方法

iv）基礎スラブの配筋

杭反力が集中荷重として作用する基礎スラブの主筋は，杭位置を過ぎてからの定着を十分にとることが終局的な耐力を確保するために必要なことになる．特に，杭本数が少ない基礎スラブの場合は，杭本数が多い場合に比べて，柱フェイスから主筋端部までの長さが短くなるので注意が必要である．例えば，解説図 20.13 に示す単配筋の主筋（底盤筋）は，外端部を 90°に曲げ上げて余長を 20 d_b（d_b は主筋径）とし，さらに末端に 90°フックを設けている．複配筋の基礎スラブの主筋の詳細については，「付 11. 配筋標準」を参照されたい．

v）基礎スラブのコンクリート強度

杭の許容支持力が大きい場合，基礎スラブのコンクリート強度がある程度以上でないと，その支圧応力度が許容支圧応力度を超過する場合がある．一方，基礎スラブのコンクリートと杭頭部との間には圧縮力が作用するが，このような場合には圧縮力の作用面積が局部的なので，コンクリートはその全体が圧縮力を受ける場合と比べて大きな圧縮応力度に耐えることができる．したがって，許容支圧応力度としては 6 条の表 6.1 の許容圧縮応力度より高い値をとることができる．ちなみに，本会「プレストレストコンクリート設計施工規準」（1998）の 50 条によれば，その値は次のように与えられている．

$$f_n = f_{na}\sqrt{A_c/A_l}$$

f_n：コンクリートの許容支圧応力度（N/mm²）

f_{na}：min $(F_{ci}/1.25,\ 0.6F_c)$

F_{ci}：プレストレス導入時コンクリート強度，特に定めない場合は 20 N/mm²

A_c：支圧端部から離れて応力が一様分布になったところの断面積 (mm²)

A_l：局部圧縮を受ける面積 (mm²) ただし，$\sqrt{A_c/A_l} \leq 2.0$

　この考えを適用すれば，コンクリートの許容支圧応力度 f_n は，許容圧縮応力度 f_c を上記の範囲で $\sqrt{A_c/A_l}$ 倍に割り増した値と考えることができる．ここで，杭の中心間隔を杭径の2倍とし，基礎スラブ周辺から杭中心までの最短距離を杭径の1倍とすれば，$\sqrt{A_c/A_l}=2$ である．

　よって，通常の杭基礎における許容支圧応力度は，許容圧縮応力度の $\sqrt{A_c/A_l}=2.0$ 倍となることから，杭反力を杭頭部断面積で除した圧縮応力度が基礎スラブのコンクリート強度の 2/3 倍以下となるように，使用するコンクリートの強度を決める必要がある．

vi) 杭頭まわりのパンチングシア

　杭によるパンチングシアは柱と同様に扱うことができる．すなわち，作用せん断力として杭反力 R をとり，許容せん断力として解説図 20.15 (a) に示す算定断面の延べ幅 b_0 をとって規準 (20.2) 式による許容せん断力 Q_{PA} を求め，$R \leq Q_{PA}$ であるようにする．解説図 20.15 (b) のように破壊面が交差する場合の延べ幅 b_0 は，杭頭と破壊面の交点との中点を通る円筒面の周長 b_0' とする．

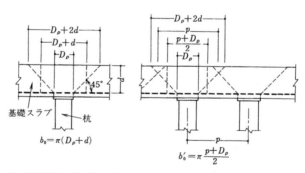

(a) 破壊面が交差しない場合　　(b) 破壊面が交差する場合

解説図 20.15 パンチングによる破壊面の算定

vii) 偏心する1本打ち杭の基礎スラブ

　近年は大口径の場所打ち杭や高支持力杭の使用が増え，柱直下に杭が1本の杭基礎形式が増えている．この場合，柱芯と杭芯の平面位置が一致し，鉛直力の伝達がスムーズになされるよう設計するのが原則であるが，種々の要因により偏心が生じる場合がある．杭が偏心する場合は，柱に作用する鉛直力 N に対して，解説図 20.14 に示す応力算定位置と杭芯の関係から低減した設計用の杭反力 N' を求め，解説図 20.16 (a) のように曲げモーメント $M=N'e$ とせん断力 $Q=N'$ を基礎梁に負担させる方法が一般的に行われている．これは，線材を対象にした「曲げ・せん断モデル」による偏心の評価方法である．しかし，解説図 20.16 (b) に示すように，ディープビームを対象とした「ストラット・タイモデル」を考えるほうが，力の流れをより合理的に評価していると考えられる．この立場で文献 5) に示す研究も行われている．ストラット・

タイモデルでは，基礎スラブのコンクリートの圧縮力によるストラットと基礎梁の引張主筋によるタイを設計する．タイである基礎梁の引張主筋の鉄筋量は，従来と同様に，偏心曲げモーメントに対する基礎梁の断面算定から求めることができる．なお，ストラット・タイモデルでは，解説図 20.14 に基づいて低減した杭反力 N' を用いるのではなく，全鉛直力 N を用いる必要があることに留意する．ACI 規準[6]では，複数の杭で支持された基礎スラブの設計をストラット・タイモデルにより行う方法も認められている．外柱の杭基礎では，外柱が杭に対して内側に偏心する場合と外側に偏心する場合で，鉛直力による偏心モーメントや基礎梁の曲げモーメントの向きが異なるため，地震時も含めて応力の伝達を考慮したうえで基礎梁主筋は十分な定着長さを確保する必要がある．例えば，外柱が内側に偏心する場合は，基礎梁を基礎スラブ外端まで延長して主筋を定着することが望ましい．

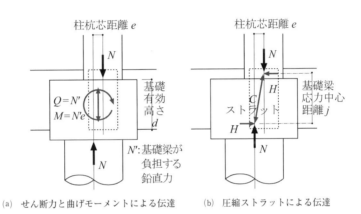

(a) せん断力と曲げモーメントによる伝達　　(b) 圧縮ストラットによる伝達

解説図 20.16　柱と杭が偏心する場合[5]

一方向に偏心する場合について文献 7)〜9) では実験的な研究が行われており，計算例 3 に示すようなストラットを考えることで評価可能である．

二方向に偏心する場合は複雑になる．二方向に偏心する場合について解説図 20.17 のような釣合モデルが考えられる．解説図 20.17（b）は 1 つの斜め圧縮ストラットにより，解説図 20.17（c）は 2 つの斜め圧縮ストラットにより，解説図 20.17（d）（e）は 3 つの斜め圧縮ストラットにより，それぞれモデル化している．解説図 20.17（b）の太い灰色の実線は柱芯と杭芯を結

---

5) 安井信行・遠藤千尋・長瀬　正：大口径杭の偏心に対する基礎のせん断設計について，日本建築学会大会学術講演梗概集（関東），構造Ⅳ，pp.579-580，2015.9
6) American Concrete Institute: Building Code Requirements for Structural Concrete (ACI 318-19) and Commentary (ACI 318R-19), 2019
7) 西村泰志・馬場　望：鉄筋コンクリート柱と鋼管コンクリート杭が偏心した基礎接合部の応力伝達機構（その 1），日本建築学会大会学術講演梗概集，C-1，構造Ⅲ，pp.1179-1180，2004.8
8) 加地由未子・杉山　誠・西村泰志：柱と杭が偏心した基礎接合部の合理的な設計法の開発（その 1），日本建築学会大会学術講演梗概集，C-2，構造Ⅳ，pp.327-328，2005.9
9) 杉山　誠・加地由未子・西村泰志：柱と杭が偏心した基礎接合部の合理的な設計法の開発（その 2），日本建築学会大会学術講演梗概集，C-2，構造Ⅳ，pp.329-330，2005.9

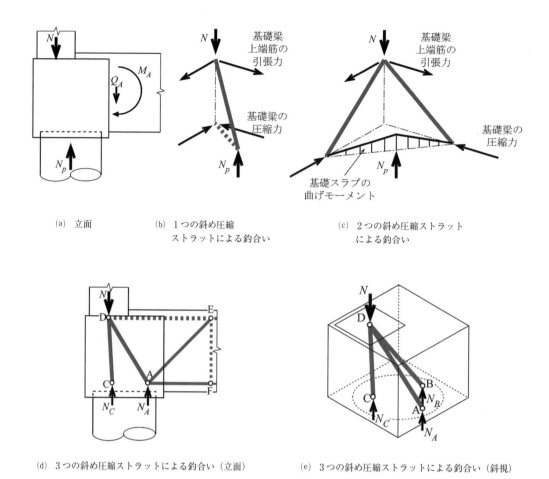

(a) 立面　　(b) 1つの斜め圧縮ストラットによる釣合い　　(c) 2つの斜め圧縮ストラットによる釣合い

(d) 3つの斜め圧縮ストラットによる釣合い（立面）　　(e) 3つの斜め圧縮ストラットによる釣合い（斜視）

解説図 20.17 二方向偏心基礎の釣合い

ぶ圧縮ストラットであり，同図の破線はその水平成分に対応する引張力である．このモデルでは基礎スラブに付加的な下端筋が必要になる．また，解説図 20.17（c）のモデル化では，基礎スラブに曲げモーメントが生じる．このモデルでは基礎スラブに付加的な上端筋が必要になる．しかし，解析[10]と実験[11]では，解説図 20.17（b）や（c）のモデルは適切でなく，特に基礎スラブの下端に付加的な鉄筋が不要であることが示された．現段階で考えられる二方向偏心基礎の釣合いは，解説図 20.17（d）（e）に示すようなものである．ここでは，杭の圧縮力 N_p が，解説図 20.17（e）のように N_A, N_B, N_C という3つの力の合力であると仮定する（$N_p = N_A + N_B + N_C$）．ここで，N_A, N_B, N_C は杭体内に生じる圧縮ストラットである．解説図 20.17（d）の灰色の実線は圧縮力，破線は引張力を表す．ただし，簡単のため解説図 20.17

---

10) 鈴木　卓，市之瀬敏勝：柱と杭が水平2方向に偏心する杭頭接合部の非線形 FEM 解析，コンクリート工学年次論文集，Vol. 43, No. 2, pp. 31-36, 2021.7
11) 鈴木　卓，陸井健太郎，市之瀬敏勝：水平二方向偏心を有する一本杭頭接合部の構造性能および終局耐力評価，日本建築学会構造系論文集，第 808 号，pp. 995-1003, 2023.6

(e)ではDA,DB,DC以外の圧縮力と引張力を省略した．この釣合モデルが正しいとすれば，基礎スラブ内で必要な引張力はDE間の水平力だけであり，これは基礎梁の上端筋によって負担される．また，引張力の大きさは通常の曲げ理論で予測可能である．ただし，基礎スラブ内には柱と同程度の圧縮応力度が発生するため，柱と基礎スラブのコンクリート強度を同程度とすることが推奨される．また，上述の解析[10]と実験[11]は長期荷重のみを想定したものであり，地震時の挙動については不明な点が多いので，杭や基礎梁についても安全側の設計が望まれる．なお，二方向に偏心する場合においても，基礎梁主筋の定着長さは十分に確保する必要がある．

なお，上記モデルでは偏心による力の流れに杭の曲げ抵抗は無視している．実際には基礎梁と杭の曲げ剛性に応じて，杭にも偏心による曲げモーメントが発生する．杭に偏心モーメントが作用する場合は，杭反力Nの作用位置が杭芯ではなく柱芯に寄った位置となり，ストラットの角度は緩くなるので基礎梁の応力は低減される．偏心によって杭に作用する曲げモーメントは，水平方向に地盤ばねで支持された杭と基礎梁で構成された架構の節点に偏心曲げモーメントを加力すれば算定することができる．一般的には基礎梁の剛性が大きいため杭の負担分は小さい．一方，水平力を受ける杭の地震時の設計においては，一般的には杭頭を固定として算定する．そのため，杭頭の地震時応力は，基礎梁と連結した解析結果よりも大きな応力で算定している．その結果，杭頭は長期の杭偏心モーメント分の余力を有しているのが一般的である．本条では，基礎梁の安全性を確保することを優先して，偏心曲げモーメントはすべて基礎梁で負担することとしている．もちろん地震時の杭の設計に余裕がないと判断する場合は，杭の応力を考慮する必要がある．なお，文献7)〜9)の偏心基礎の実験的研究の範囲を考慮して，基礎梁の応力中心距離jに対する偏心量eの比e/jは0.5以下とすることが望ましい．

基礎梁がない場合は，例えば上部構造と杭を一体とした連成モデルで設計するという方法も考えられる．その場合，上部構造と杭の水平剛性の組合せにより設計用応力は大きく異なる．杭の水平剛性の評価は水平地盤ばねにより決まり，大きなばらつきが考えられるため，余裕のある設計が求められる．

(2) 基礎梁の応力および断面算定

杭基礎を連結する基礎梁の設計用のせん断力と曲げモーメントには，長期荷重のほかに地震時荷重によって生じる柱脚および杭頭の応力を考慮する．柱と杭が偏心する場合は，偏心による応力を加算する．

地震時に杭頭に生じる曲げモーメントについては，基礎梁に負担させるのを原則とするが，複数の杭が剛接合される基礎スラブの場合は，基礎梁を設けずに基礎スラブに負担させることも可能である〔詳しくは(3)参照〕．杭頭および柱脚の曲げモーメントは柱芯-杭芯と基礎梁中心との交点で釣り合わせ，基礎梁の剛比によって配分する．基礎梁の断面算定は，本規準13条，15条，16条によって行う．

(3) 複数の杭が剛接合された基礎スラブ

本項では，1本の柱を2本や4本などの複数の杭が支持する杭基礎のうち，正方形ないし長方形の平面形状を有し，杭の配置が柱芯に対して左右対称な基礎スラブを対象としている．矩形以外の

平面形状の基礎スラブや複数の柱を複数の杭が支持する基礎スラブなどは，原則として本項の対象外とする．そのような基礎スラブについては，線材置換モデルや有限要素法などを用いた詳細な解析により設計用応力を算出し，本項に示す許容耐力や構造規定などを参考にして，適切に設計を行うことが望ましい．

　複数の杭が剛接合された基礎スラブは，柱脚から伝達される応力や地震時の杭頭の応力などによって，断面算定位置で上端引張となることが想定されるので，上下に主筋を有する複配筋とし，複筋比を0.5以上とする．この場合の複筋比0.5とは，下端筋の引張力の1/2相当の圧縮力を上端筋が負担し，残りの圧縮力をコンクリートが負担することを想定している．剛接合とは，原則として，杭頭部の主筋を所定の長さで基礎スラブ内に定着する接合形式をいうが，既製杭の場合は杭頭部を所定の長さで基礎スラブ内に埋め込む接合形式でもよく，いずれも地震時の杭頭の応力を基礎スラブに確実に伝達できるディテールのものをいう．

ⅰ) 基礎スラブの断面算定

　基礎スラブは，柱脚に生じる鉛直力を複数の杭に伝達するために，杭反力によって生じる曲げモーメントとせん断力に対して断面算定を行う．また，柱脚や杭頭から伝達される曲げモーメントは，基礎梁がある場合には基礎梁に負担させるが，基礎梁がない場合には基礎スラブに負担させるものとし，杭芯位置を支点とする幅広の複筋梁として基礎スラブを設計する．

a) 許容曲げモーメント

　基礎スラブの許容曲げモーメントは，柱フェイスから杭芯までの距離 l_p に対する基礎スラブの有効せい d の比が $d/l_p<2$ の場合には，柱フェイスを危険断面として規準 (20.4) 式により算定する．一方，$d/l_p≧2$ の場合には，大築らにより行われた4本杭で支持された独立フーチング基礎の基礎スラブの曲げ強度の実験結果[12] によれば，基礎スラブの危険断面位置が柱フェイスよりも柱内側に生じるために，規準 (20.4) 式の許容曲げモーメントを柱フェイス位置で用いるのは危険側の評価となることが明らかになっている．そのため，本会「基礎部材の強度と変形性能」[13] では，$d/l_p≧2$ の場合について，基礎スラブの危険断面位置を柱内側へシフトさせる代わりに，柱フェイス位置の許容曲げモーメントに低減率 $β_b$ を乗じた次式を提案している．

$$M_A = β_b a_t f_t j \qquad (解20.13)$$

　　　　ただし，$β_b = 1.24 - 0.12\, d/l_p$ かつ $l_p/a_p ≦ β_b ≦ 1.0$

　ここに，a_p は柱芯から杭芯までの距離，他の記号は前出による．低減率 $β_b$ は d/l_p の増加とともに減少するが，その下限は $β_b = l_p/a_p$ としている．これは，柱芯を危険断面として許容曲げモーメント $M_A = a_t f_t j$ に達した時の柱フェイス位置での曲げモーメントに相当する低減率である．なお，文献12) では，d/l_p がおおむね5以下の範囲で検討がなされており，d/l_p が5

---

12) 大築和夫・鈴木邦康：4本杭支持独立フーチングの曲げ耐力に関する実験的研究，日本建築学会構造系論文集，Vol. 61, No. 482, pp. 93-102, 1996.4
13) 日本建築学会：基礎部材の強度と変形性能，2022

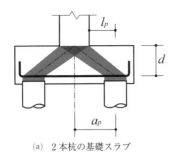 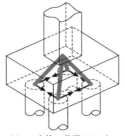

(a) 2本杭の基礎スラブ　　(b) 4本杭の基礎スラブ

解説図 20.18 斜め圧縮ストラット

を超える場合や杭芯が柱フェイスより内側にある場合は（解20.13）式の適用範囲外であると考えられるので，設計者が基礎スラブの危険断面位置を適切に判断する必要がある．

b) 許容せん断力

　基礎スラブの許容せん断力は，全幅が有効として規準（20.5）式により算定する．2018年の改定では，梁として設計される基礎スラブについて，ストラット機構が明確であることや実験的研究があることを鑑み，α を考慮してもよいこととした．

　2本杭で支持された基礎スラブを梁として見た場合，一般的にディープビームとなることが多く，柱脚と杭頭の間に解説図20.18（a）に示すような斜め圧縮ストラットが形成される．また，4本の杭に支持された基礎スラブにおける斜め圧縮ストラットは，解説図20.18（b）に示すように四角錐状になるが，x 方向および y 方向のそれぞれについては，概略的に同図（a）のように考えてよい．図に示すように，柱芯から杭芯までの距離 a_p と有効せい d の比 a_p/d が小さく，斜め圧縮ストラットによる応力伝達が期待できる形状の基礎スラブは，適切なディテールのせん断補強筋が $p_w=0.2\%$ 以上で配筋されている場合に限って，許容せん断力の算定において本規準15条のせん断スパン比 $M/(Qd)$ による割増係数 α を考慮してよい．なお，せん断スパン比は $M/(Qd)=a_p/d$ として α を算定してよい．

　大築らにより行われた4本杭で支持された独立フーチング基礎の基礎スラブの曲げおよびせん断強度に関する実験結果[12],[14]と規準（20.5）式による短期許容せん断力の比較を解説図20.19に示す．試験体は全部で158体であり，いずれも底盤筋のみの単配筋の基礎スラブで，せん断補強筋は配筋されていない．同図では，最大荷重時のせん断力 Q_{uexp} と短期許容せん断力 Q_A をそれぞれ曲げ強度の計算値 Q_{mu} で基準化しプロットしている．なお，短期許容せん断力 Q_A は，試験体の柱芯から杭芯までの距離 a_p を用いて，規準（20.5）式の M/Qd を a_p/d と仮定して算定している．図中の◇印は $a_p/d<1$ の試験体で $\alpha=2$，□印は $a_p/d\geqq1$ の試験体で $1\leqq\alpha\leqq2$ として Q_A を算定している．また，曲げ強度 Q_{mu} は，算定位置を柱フェイスとした次式により算定している．

---

14) 鈴木邦康・大築和夫：4本杭支持独立フーチングのせん断耐力に関する実験的研究，日本建築学会構造系論文集，Vol. 66, No. 548, pp.123-130, 2001.10

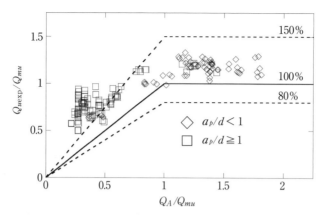

解説図 20.19 4本杭支持の基礎スラブの最大荷重時
せん断力と短期許容せん断力の比較

$$Q_{mu}=M_A/l_p \qquad (解 20.14)$$

ここで，M_A は短期許容曲げモーメントで，$d/l_p<2$ の試験体は規準（20.4）式，$d/l_p≧2$ の試験体は（解 20.13）式を用いて算定している．他の記号は前出のとおりである．x 方向と y 方向の仕様が異なる試験体については，Q_A や Q_{mu} が小さくなる方向の計算値を採用した．同図から明らかなように，規準（20.5）式による短期許容せん断力 Q_A は，せん断スパン比による割増係数 $α$ を考慮しても，実験結果に対して安全側の評価となっている．なお，同図はせん断補強筋がない基礎スラブの実験結果を示しているが，設計上の安全を期するために短期許容せん断力 Q_A の算定は，$p_w≧0.2\%$ のせん断補強筋を有する場合のみ割増係数 $α$ を考慮してよいこととしている．

本規準 15 条では，長期許容せん断力は規準（15.2）式，短期許容せん断力は規準（15.3）式で算定することとしているが，20 条は 15 条と異なり，長期・短期とも同じ規準（20.5）式で算定することとした．これは，解説図 20.19 に示すように，せん断補強筋の配筋されていない試験体における曲げせん断実験においても，$α$ を考慮して規準（20.5）式により算定した短期許容せん断力は，最大荷重時のせん断力に対しておおむね 1.5 倍程度の安全率が確保できていること，せん断補強筋を要求しながらその負担分を無視していること等を勘案して，短期においてもコンクリートの短期許容せん断応力度を 2/3 倍しなくてよいこととしている．

c）基礎梁がない基礎スラブの断面算定

基礎梁がない基礎スラブは，複数の杭間に架設された幅広の梁として扱うものとし，杭の並びが 1 列の場合は，杭の並びに直交する方向に基礎梁を設けることを原則とする．基礎梁がない例として，4 本の杭が剛接合された基礎スラブを解説図 20.20 に示す．この場合の基礎スラブは，x 方向が幅 l' で長さ l の梁，y 方向が幅 l で長さ l' の梁として扱う．基礎スラブの設計用の曲げモーメントとせん断力は，杭芯位置を支点とし，基礎スラブの軸心に位置する線材の梁に作用する応力として算定してよい．具体的には，基礎スラブの自重，柱脚の鉛直力と曲げモーメント，杭頭の反力と曲げモーメントなどを組み合わせ，地震力の左加力と右加力を考慮

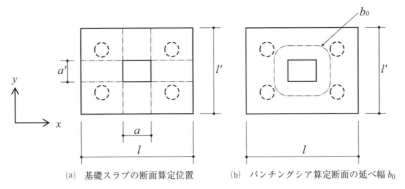

(a) 基礎スラブの断面算定位置　　(b) パンチングシア算定断面の延べ幅 b_0

解説図 20.20　4本杭が剛接合された基礎スラブの断面算定位置

して設計用の曲げモーメントとせん断力を算定する〔計算例2のx方向参照〕．この際に，基礎スラブのせん断力によって杭の軸方向力が変動することに留意する．

　基礎スラブの断面算定位置は，同図（a）の一点鎖線に示すように，それぞれの方向の柱フェイスとし，全幅が有効として曲げモーメントとせん断力の検定を行う．また，柱まわりのパンチングシアの断面算定位置は，同図（b）の一点鎖線に示すように，柱フェイスから$d/2$離れた位置とし，延べ幅b_0は次式で算定する．

$$b_0=2(a+a')+\pi d \tag{解 20.15}$$

　ここに，a，a'はそれぞれの方向の柱幅，dは基礎スラブの有効せいである．なお，パンチングシアに対する許容せん断力は規準（20.2）式により算定する．

d）基礎梁がある基礎スラブの断面算定

　基礎梁がある基礎スラブは，杭反力によって基礎スラブに生じる曲げモーメントとせん断力に対して断面算定を行い，基礎梁は，柱脚および杭頭から伝達される曲げモーメントとせん断力に対して断面算定を行う．なお，杭の上部に基礎梁がある場合は，その杭反力による曲げモーメントとせん断力は基礎梁が負担するものとしてよい．

　基礎梁がある基礎スラブの例として，2本ないし4本の杭が剛接合された基礎スラブを解説図 20.21 に示す．同図（a）は，2本杭が剛接合された基礎スラブで，x方向に基礎梁がなくy方向に基礎梁を有する場合を示している〔計算例2参照〕．この場合のx方向については，基礎スラブがすべての設計用応力を負担するものとし，y方向については，柱脚および杭頭から伝達される曲げモーメントとせん断力を基礎梁が負担するものとして，それぞれの断面算定を行う．なお，基礎梁から離れた位置の杭頭曲げモーメントをy方向の基礎梁へ伝達するために，x方向の基礎スラブ断面のねじり応力について22条解説に従い検討する必要があることに留意する．

　同図（b）は，4本杭が剛接合された基礎スラブで，x方向，y方向ともに基礎梁を有する場合を示している．この場合は，柱脚および杭頭から伝達される曲げモーメントとせん断力は，x方向，y方向とも基礎梁が負担するものとして断面算定を行う．基礎スラブは，杭反力によって基礎スラブに生じる曲げモーメントとせん断力に対して断面算定を行う．なお，杭頭曲げ

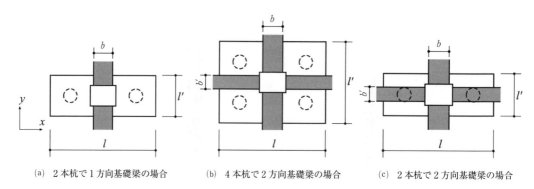

(a) 2本杭で1方向基礎梁の場合　　(b) 4本杭で2方向基礎梁の場合　　(c) 2本杭で2方向基礎梁の場合

解説図 20.21 2本杭，4本杭が剛接合され基礎梁を有する基礎スラブ

モーメントは二方向に拘束された基礎スラブを介して基礎梁に伝達されるため，基礎スラブには地震時に上端引張の応力が発生する可能性があり，基礎スラブは上下に主筋を有する複配筋とし，その主筋端部はスラブせいの中心を越えて $10\,d_b$ 以上延長させ，かご上に配筋することを推奨する（ⅲ）構造規定に後述）．基礎スラブ断面のねじり応力の検討は必要ない．また，この場合は，柱まわりのパンチングシアの検討は不要である．

同図（c）のように，基礎スラブを介さずに基礎梁がすべての設計用応力を負担する場合は，基礎スラブの複筋比は必ずしも 0.5 以上とする必要はない．この場合は，基礎スラブの必要鉄筋量は，設計用応力からではなく，他の要因（例えば，コンクリートのひび割れ対策など）から決定されるので，設計者が適切に判断して配筋すればよい．

ⅱ）基礎スラブの主筋の付着

基礎スラブの主筋は，端部を 90°に折り曲げて配筋し，16条に従って付着応力度の検定を行う．付着検定断面は，曲げモーメントが最大となる断面（通常は柱フェイス位置，曲げモーメントの検定を柱芯で行う場合は柱芯位置）および杭芯位置とする．付着長さ l_d は付着検定断面から外端の鉄筋の折曲げ開始点までの長さとする．付着応力度の検定は，長期荷重時が規準（16.2）式，短期荷重時が規準（16.4）式を用いて，フック付き鉄筋として長期，短期の主筋の存在応力度 $_L\sigma_t$，$_s\sigma_t$ を 2/3 倍して行う．なお，長期，短期のせん断応力度 $_L\tau_s$，$_s\tau_s$ が長期の許容せん断応力度 $_Lf_s$ の α 倍以下（$_L\tau_s \leq \alpha_L f_s$，$_s\tau_s \leq \alpha_L f_s$，短期荷重時も長期の $_Lf_s$ を用いることに注意）の場合は，テンションシフトを考慮する必要がなく，規準（16.2）式，規準（16.4）式の d を 0 としてよい．また，杭芯位置を付着検定断面とする付着の検定では，以下のように考える．

　a）テンションシフトを考慮しない場合：杭芯位置の長期，短期の主筋の存在応力度を用いる．

　b）テンションシフトを考慮する場合：曲げモーメントが最大となる断面の長期，短期の主筋の存在応力度を用いる．この場合は，柱フェイス（または柱芯）から杭芯までの区間をテンションシフトとして考え，杭芯からの付着長さ l_d から d を減じなくてもよい．

ⅲ）構造規定

複数の杭が剛接合された基礎スラブは複筋比 0.5 以上の複配筋とする．基礎スラブの上下の主筋の外端部は，90°折曲げにより上端筋は曲げ下げ，下端筋は曲げ上げて，基礎スラブのせいの

中心を越えて主筋径の10倍（$10\,d_b$）以上延長することを原則とする．上端筋の曲下げ部と下端筋の曲上げ部のそれぞれの末端は，余長 $4\,d_b$ 以上の $90°$ フックを設ける〔付11.配筋標準の「杭基礎」参照〕．

基礎スラブにせん断補強筋を配筋する場合は，基礎スラブせいの1/2以下の間隔とし，せん断補強筋の端部は，$135°$ 以上に折り曲げて定着するか，継手を設けて接合する．基礎スラブのせん断補強筋は，基礎梁のあばら筋の形状に準じるものとし，本会「鉄筋コンクリート造配筋指針・同解説2021」[15]の解説表9.2「あばら筋の形状」などを参照して配筋する．基礎スラブのせん断補強筋は，例えば，解説図20.21（a）に示す2本杭の場合は x 方向に有効，解説図20.20の4本杭の場合は x 方向と y 方向の両方に有効となるように配筋する．せん断補強筋を一方向に配筋する基礎スラブで，その方向に基礎梁を有する場合は，基礎梁が $p_w=0.2\%$ 以上のせん断補強筋を有しているので，基礎梁のせいが基礎スラブと3/4以上重なる場合は，基礎スラブのせん断補強筋比 p_w は次式により算定してよい．

$$p_w=\frac{a_w}{(l-b)\times s} \text{ または } \frac{a_w{}'}{(l'-b')\times s'} \tag{解20.16}$$

ここで，a_w または $a_w{}'$ は基礎スラブの1組のせん断補強筋の断面積（$l-b$ または $l'-b'$ の範囲内に配筋されたせん断補強筋の断面積の和），s または s' は1組のせん断補強筋の間隔，l または l' は基礎スラブの全幅，b または b' は基礎梁の幅を表している〔記号は図20.2および解説図20.21参照〕．

また，せん断補強筋を二方向に配筋する基礎スラブで，x 方向と y 方向に等間隔 s で1本あたりの断面積 a_{w1} のせん断補強筋を配筋する場合は，せん断補強比が $p_w=a_{w1}/s^2$ となるので，$p_w\geqq 0.2\%$ となる間隔 s は $s\leqq\sqrt{500\,a_w}$ で与えられる．すなわち，D13のせん断補強筋の場合は $s\leqq 251$ mm，D16で $s\leqq 315$ mm，D19で $s\leqq 378$ mm，D22で $s\leqq 439$ mm となる．せいの大きな基礎スラブにおいて，せん断補強筋を狭い間隔で二方向に配筋すると施工時の作業に支障をきたす場合があるので，基礎スラブの設計時には，通常の梁のせん断補強筋よりも太径の鉄筋を用いて，間隔 s はせいの1/2以下の範囲内で極力広くとるように配慮するのがよい．せん断補強筋を設けない基礎スラブでは，上下の主筋を連結する幅止筋を適宜配筋することが望ましい．

複数の杭が剛接合された基礎スラブの鉄筋は，上下の主筋とせん断補強筋や腹筋を組み合わせて，かご状に配筋することを推奨する．

iv）基礎スラブの有効幅

本項では，許容曲げモーメントと許容せん断力を算定する際に基礎スラブの全幅を用いることとしている．本項の解説では，2本杭や4本杭に支持された基礎スラブを例に挙げているが，1列に並ぶ杭本数は，径が大きい場所打ち杭等で2本程度，径が中程度以下の既製杭等で3本程度を最大と想定している．これを超えて，1列に多数の杭が配置される場合は，曲げモーメントやせん断力に対して全幅が有効であると仮定するのは危険側の評価になるおそれがある．例えば，

15） 日本建築学会：鉄筋コンクリート造配筋指針・同解説2021，2021

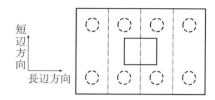

解説図 20.22 一列に多数の杭が配置される基礎スラブ

解説図 20.22 に示す長方形の基礎スラブの設計では，短辺方向については 1 列に 4 本並んだ杭が対象となり，長辺方向については 1 列に 2 本並んだ杭が対象となる．この場合の短辺方向の設計では，全幅（長辺の長さ）が有効であると仮定して，曲げモーメントやせん断力に対する断面算定を行ったうえで，一列の並びの杭本数に合わせて全幅を分割し，分割された幅を支配幅とする部分梁が並列された状態を想定して，各支配幅内の設計用応力に対する部分梁の断面算定を行う．その際に，柱脚に作用する鉛直力は各杭が均等に負担すると考え，鉛直力によって基礎スラブに作用する柱フェイス位置の曲げモーメントとせん断力は支配幅に応じて按分し各部分梁が負担すると仮定する．また，柱脚から伝達される曲げモーメントは，柱まわりのいくつかの部分梁が杭応力と併せて負担するものと仮定して断面算定を行う．全幅が有効とした場合と部分梁の並列とした場合を比較し，設計用応力度や必要鉄筋量が大きくなるほうの断面算定結果を採用すればよい．ただし，柱まわりのパンチングシアは，部分梁を用いずに，解説図 20.20（b）に示す算定断面を用いて，柱脚からの全鉛直力に対する検討を行う．もちろん，長辺方向については，4 本の杭が 2 列に並んだ状態を対象として，柱フェイス位置の応力に対して全幅（短辺の長さ）が有効として設計を行う．この場合は，許容せん断力 Q_A の算定では a_p が大きいほうが α が小さくなり安全側となるので，a_p は最外縁の杭芯と柱芯の距離とする．また，許容曲げモーメント M_A の算定では，l_p が小さいほうが安全側となるが，設計用曲げモーメントは柱から遠い杭の反力が支配的となるので，l_p は最外縁の杭芯と柱フェイスの距離を用いてよい．

一方，本会「基礎部材の強度と変形性能」[13]では，幅が大きい基礎スラブの有効幅 l_e または l_e' として次式を提案している．

$$l_e = \min\ (l,\ 3a,\ a+2D) \quad \text{または} \quad l_e' = \min\ (l',\ 3a',\ a'+2D) \qquad \text{（解 20.17）}$$

ここに，l，l' は基礎スラブの全幅，a，a' は柱幅〔解説図 20.20（a）参照〕，D は基礎スラブの全せいである．有効幅 l_e，l_e' は柱芯から左右に 1/2 ずつ振り分けるものとし，有効幅内の基礎スラブが曲げモーメントやせん断力に抵抗すると考える．具体的には，有効幅 l_e，l_e' 内の引張鉄筋断面積を規準（20.4）式の a_t に代入して許容曲げモーメント M_A を算定し，全幅 l，l' の代わりに有効幅 l_e，l_e' を規準（20.5）式に代入して許容せん断力 Q_A を算定するものとしている．

【計算例 1】

下記条件のもとに長方形独立フーチング基礎を設計する．

条　件		長　期	短　期	備　考
軸方向圧縮力	N' (kN)	1 100	1 400	柱軸方向のみ
モーメント	M (kNm)	35	200	
許容地耐力度	f_e (kN/m²)	200	350	
コンクリートの許容圧縮応力度	f_c (N/mm²)	8	16	$F_c=24$ (N/mm²)
同　　許容せん断応力度	f_s (N/mm²)	0.73	1.10	
鉄筋の許容引張応力度	f_t (N/mm²)	195	295	SD 295
柱のせい	a, a' (m)	0.60		解説図 20.23 参照

ⅰ) モーメントの作用方向

要　項		長　期	短　期	備　考
N	(kN)	1 260	1 560	基礎自重+埋戻し土重量=160 (kN) を含む.
l	(m)	2.6	2.6	仮定寸法
$e=M/N$	(m)	0.028	0.128	$<l/6$ 底面に引張を生じない.
e/l		0.011	0.049	
ξ		1.05	1.30	最大接地圧算定用〔解説図 20.2 より〕
$A=\xi N/f_e$	(m²)	6.62	5.79	
$l'=A/l$	(m)	2.54	2.23	→よって，$l=l'=2.6$ (m) による．
l/a		4.33	4.33	
$e'=M/N'$	(m)	0.032	0.143	
e'/l		0.012	0.055	
ξ		1.07	1.33	基礎スラブ設計用応力算定用〔解説図 20.2 より〕
Q_F/N'		0.402	0.463	解説図 20.6 より（$l/a, e'/l$ が与条件）
Q_F	(kN)	442.2	648.2	
D	(mm)	750	750	仮定寸法
l'	(mm)	2 600	2 600	
$j=(7/8)d$	(mm)	586	586	$d=670$ (mm)
$\tau=Q_F/l'j$	(N/mm²)	0.29<0.73	0.43<1.10	せん断補強不要，$D=750$ (mm) とする．
$M_F/N'a$		0.338	0.399	解説図 20.6 より（$l/a, e'/l$ が与条件）
M_F	(kNm)	223.1	335.2	
$a_t=M_F/f_t j$	(mm²)	1 952	1 939	
D 13, D 16 平均本数 (本)		12.0	11.9	→「6-D 13 + 7-D 16」とする．

付着の検討

①使用鉄筋径をD 16（=16 mm）とした場合の付着応力度 τ_{a2} を，16 条 1.(4) から求める．
②鉄筋端には 180°の標準フックを付ける．
③16 条 1.(5) 4) の構造規定により最小付着長さを 300 mm 以上とする．
④付着長さ l_d は，設計せん断応力度がコンクリートの許容せん断応力度を大きく下回り，せん断ひび割れに対して十分な余裕があることから，16 条 1.(3) の解説に従い柱面から折曲げ開始点までとする．設計かぶりを 70 mm とすれば，フーチング側面から 180°フックの折曲げ開始点までは

　　　$70+3.5 d_b = 70+3.5 \times 16 = 126$ → 130 (mm) となる．

　よって，$l_d = 1 000-130 = 870$ (mm) > 300 mm

$$\tau_{a2} = \frac{{}_L\sigma_t \cdot d_b}{4 \cdot l_d} = \frac{195 \times 2/3 \times 16}{4 \times 870} = 0.60$$

　　$0.8 \times {}_L f_a = 1.85$

　　$\tau_{a2} < 0.8 {}_L f_a$ → 可

ⅱ) モーメントの作用方向と直角方向（偏心がない場合として考えればよい）

要　項	長　期	短　期	備　考
$M_F/N'a$	0.321	0.321	解説図 20.7 より
M_F (kNm)	212	270	
$j=(7/8)d$ (mm)	569	569	$d=650$ (mm)
$a_t=M_F/f_t j$ (mm²)	1 911	1 609	必要鉄筋断面積
D 13, D 16 平均本数	11.7	9.9	「6－D 13＋7－D 16」とする.

［注］付着応力度の検討はⅰ）と同様である.

ⅲ) パンチングの検討

$$b_0 = 600 \times 4 + \frac{670}{2} \times 2 \times 3.14 = 4\,504 \text{ (mm)}$$

b_0 によって囲まれる面積 A_0

$$A_0 = 0.6^2 + 0.6 \times \frac{0.67}{2} \times 4 + \left(\frac{0.67}{2}\right)^2 \times 3.14 = 1.52 \text{ (m}^2\text{)}$$

パンチングに対する設計用せん断力 Q_{PD} は，短期柱荷重が長期の 1.5 倍未満であるので長期で決定する.

$$Q_{PD} = 1\,100 \times \frac{2.6^2 - 1.52}{2.6^2} = 853 \text{ (kN)}$$

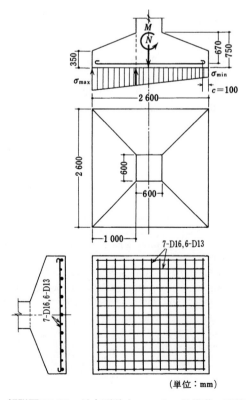

解説図 20.23 長方形独立フーチング基礎の配筋

パンチングに対する許容せん断力 Q_{PA}

$$Q_{PA} = 1.5 \times b_0 \times j \times f_s = 1.5 \times 4\,504 \times 569 \times 0.73 \times 10^{-3} = 2\,806 \text{ (kN)} > Q_{PD} \quad 可$$

以上の計算結果より，配筋は解説図 20.23 のようにする．

【計算例 2】

下記条件のもとに，解説図 20.24 に示す x 方向に基礎梁がない杭基礎を設計する．

条　　件			長　期	短　期	備　　考
柱軸方向圧縮力	N'	(kN)	1 510	1 810	柱軸方向のみ
モーメント	M	(kNm)	280	1 530	
杭の許容支持力	Ra	(kN)	1 000	2 000	場所打ちコンクリート杭，径 600 mm
コンクリートの許容圧縮応力度	f_c	(N/mm²)	7	14	$F_c = 21$ (N/mm²)
コンクリートの許容せん断応力度	f_s	(N/mm²)	0.7	1.05	
主筋の許容引張応力度	$_sf_t$	(N/mm²)	215	345	異形鉄筋 SD 345
せん断補強筋の許容引張応力度	$_wf_t$	(N/mm²)	195	295	異形鉄筋 SD 295
柱のせい	a	(m)	0.7	0.7	
〃	a'	(m)	0.9	0.9	
杭頭モーメント	T'	(kNm)	−	150	
杭せん断力	Q_p	(kN)	−	100	

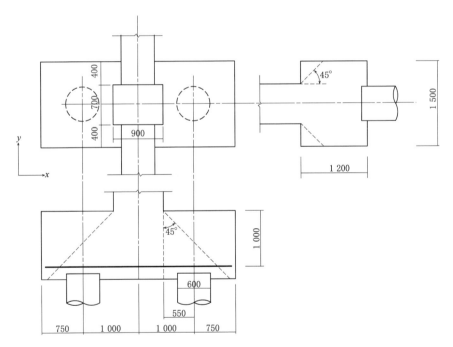

解説図 20.24 杭基礎の仮定断面

ⅰ）x 方向（モーメント作用方向）

　　柱フェイスから杭芯までの距離 $l_p = 550$ mm，基礎スラブの有効せい $d = 1\,000$ mm より，

　　　$d/l_p = 1\,000/550 = 1.82 < 2$

　　したがって，許容曲げモーメント M_A の算定は規準 (20.4) 式を用いてよい．

要　項		長　期	短　期	備　考
N	(kN)	1 690	1 990	基礎自重＋埋戻し土重量(180 kN)を含む.
杭本数　n		2	2	
杭頭モーメントによる基礎スラブ芯位置での曲げモーメント $T=T'+Q_p(D-100)/2$	(kNm)	—	205	
杭1に作用する荷重 $R1$	(kN)	985＜1 000	1 965＜2 000	長期：$N/n+\Delta N$　短期：$N/n+\Delta N+T/(C/2)$ $R1<Ra$　可
杭2に作用する荷重 $R2$	(kN)	705	25	長期：$N/n-\Delta N$　短期：$N/n-\Delta N-T/(C/2)$ 短期荷重時に引抜力は生じない
Q_F	(kN)	985	1 965	$=R1$
D	(mm)	1 200	1 200	
$j=(7/8)d$	(mm)	875	875	$d=1 000$ mm
l'	(mm)	1 500	1 500	
$\alpha=4/\{(M/Qd)+1\}\leqq 2$		2.0	2.0	$M/Qd=1 000/d=1.0$
$\tau=Q_F/l'j\alpha$	(N/mm²)	0.38＜0.70	0.75＜1.05	
M_F1	(kNm)	542	876	長期：$0.55 R1$　短期：$0.55 R1-T$
M_F2	(kNm)	388	219	長期：$0.55 R2$　短期：$0.55 R2+T$
M_F	(kNm)	542	876	$\max(M_F1, M_F2)$
$a_{t(下)}=M_F/f_t j$	(mm²)	2 880	2 901	
$n_{(下)}=a_{t(下)}/a_0$	(本)	10.0	10.1	→13-D 19 とする　　(＝11+2)
$M'=\max[0.55\{(N-N')/n-R2\}, T]$	(kNm)	—	205	
$a_{t(上)}=M'/f_t j$	(mm²)	—	679	
$n_{(上)}=a_{t(上)}/a_0$	(本)	—	2.4	→10-D 19 とする　　(＝3+7)
$\sigma_t(下)=M_F/\sum a_0 j$	(N/mm²)	166	268	$n=13, \sum a_0=3 731$ mm²

［注］ΔN：曲げモーメント（M）による杭1本あたりの付加軸力．x 方向の杭芯間隔 C とすれば，本計算例では杭に引抜きが生じないので ΔN は次のように求まる．
　　　　$C=2.0$ (m)，$\Delta N=M/C$ (kN)

　長期の曲げモーメントおよびせん断力は，解説図 20.25（a）および（b）の各応力の重ね合わせで求まる．短期の曲げモーメントおよびせん断力は，同様に，解説図 20.25（a）および（b）ならびに解説図 20.26（a）～（c）の5つの応力の重ね合わせで求まる．

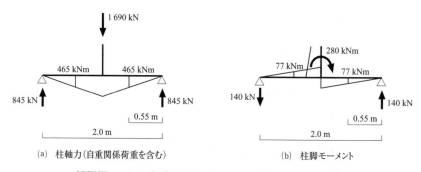

(a)　柱軸力(自重関係荷重を含む)　　　　　　(b)　柱脚モーメント

解説図 20.25　基礎スラブの設計用応力（長期荷重時）

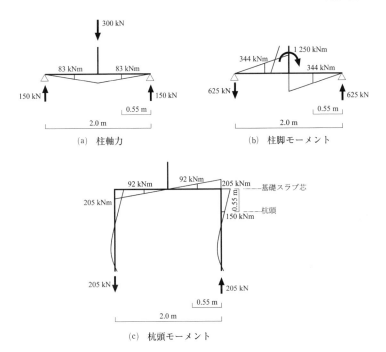

解説図20.26 基礎スラブの設計用応力（地震時荷重）

使用鉄筋径D19（$d_b=19$ mm）について，16条1．（3）より付着応力度条 τ_{a2} を求める．付着応力度は引張鉄筋の存在応力度 σ_t を用いて算定し，16条1．（4）の構造規定より最小付着長さを300 mm以上とする．また，鉄筋端部は90°に折り曲げて，その末端には90°フックを付けるものとする．

要　　項		長　期	短　期	備　　考
σ_t	(N/mm²)	166×2/3=111	268×2/3=179	フック付き
d_b	(mm)	19	19	
l_d	(mm)	600	600	杭中心から折曲げ開始点までとする
τ_{a2}	(N/mm²)	0.88	1.42	
f_a	(N/mm²)	1.4(2.1)	2.1(3.15)	$F_c=21$（N/mm²） f_a は上端筋（下端筋）の数値
$\tau_{a2}<0.8f_a$		可	可	

[注] 付着長さ l_d は，短期設計せん断応力度がコンクリートの長期許容せん断応力度を上回ることからテンションシフトを考慮することとし，せん断力が柱面と杭との間で生じるのでテンションシフトを杭中心までとして，杭中心から鉄筋の折曲げ開始点までの距離を l_d とする．
　設計かぶりを70 mmとすれば，フーチング側面から鉄筋の折曲げ開始点までは
　　$70+3d_b=70+3×19=127$ → 150（mm）とする．
　よって，$l_d=750-150=600$（mm）

ⅱ) ねじりの検討

モーメント作用方向に直交する方向の杭頭モーメントを解説図20.27に示すように基礎スラブのねじり抵抗を介して基礎梁に伝達させることとし，22条解説1．（4）ⅲ) B．に従い，ねじりモーメントに対する断面算定を行う．

条　　件			長期	短期	備　　考
y 方向の柱軸方向圧縮力	$N'_{(y)}$	(kN)	—	1 660	
y 方向の杭頭モーメント	$T'_{(y)}$	(kNm)	—	180	
y 方向の杭せん断力	$Q_{p(y)}$	(kN)	—	120	

要　　項			長期	短期	備　　考
$N_{(y)}$		(kN)	—	1 840	
n		(本)	—	2	
$T_{(y)} = T'_{(y)} + Q_{p(y)}(D-100)/2$		(kNm)	—	246	
T_0		(kNm)	—	869	$= b_T{}^2 D_T (1.15) f_s / 3 \quad b_T = 1\,200\,\text{mm},\ D_T = 1\,500\,\text{mm}$
Q_0		(kN)	—	2 728	$= bj\alpha f_s$
Q_F		(kN)	—	920	$= N/n$
M		(kNm)	—	506	$= Q_F \times 0.55\,\text{m}$
$(T/T_0)^2 + (Q_F/Q_0)^2$			—	0.19	(解 22.10) 式　≦1 可
ω			—	1.49	$= 1\,340/900$
T/M			—	0.49	
$0.4/(1+\omega)$			—	0.16	
$T/M \leq 0.4/(1+\omega)$			—	不可	(解 22.11) 式
$a_s = 0.0016\,bD(1+1/\omega)({}_w f_t/{}_s f_t)$		(mm²)	—	4 117	(解 22.12) 式
付加 $n = a_s/a_0$			—	14.3	→上端筋が所要＋7 本，下端筋が所要＋2 本であるため，6-D 19 の軸方向筋を腹部に配筋する

［注］　$N,\ T,\ Q_F,\ M$ は y 方向に地震力が作用する場合の柱軸力，基礎スラブのねじりモーメント，せん断力および曲げモーメントをそれぞれ示す〔解説図 20.27〕．

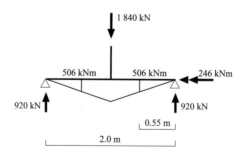

解説図 20.27　ねじりモーメント

ⅲ）パンチングの検討

　　基礎スラブおよび杭頭周囲両者はいずれも柱表面より 45° の範囲に杭が納まっているので検討を要しない〔解説図 20.24 参照〕．

ⅳ）基礎スラブの配筋

　　以上の計算結果より解説図 20.28 のように配筋する．上下の主筋は，「付 11．配筋標準」に従って，鉄筋端部を 90° で鉛直に折り曲げ，上端筋の曲下げ部と下端筋の曲上げ部を基礎スラブの中心を越えて $10\,d_b$ 延長し，さらに，内側へ 90° 折り曲げて $4\,d_b$ の余長を設ける．また，

腹筋はねじり応力を負担するので,鉄筋端部を 90°で水平に折り曲げ,余長部で直線定着長さ l を確保する.直線定着長さ l は,16 条 3 項(鉄筋の部材内定着)に従い,(解 16.11)式を用いて以下のように算定する.

$$l \geq \frac{\sigma_t \cdot d_b}{4 f_a} = \frac{345 \times d_b}{4 \times 3.15} = 27.3 \, d_b \quad \rightarrow \quad l = 35 \, d_b = 35 \times 19 = 665 \text{ mm}\ とする.$$

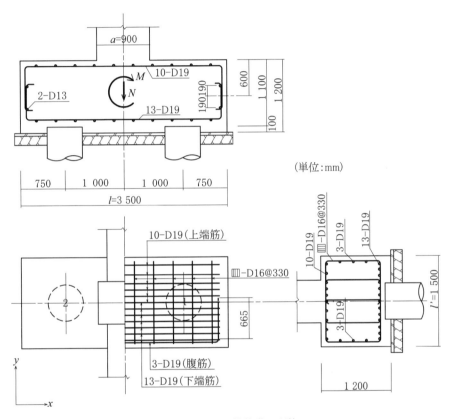

解説図 20.28 杭基礎の配筋

【計算例 3】

下記条件のもとに,解説図 20.29 に示す 1 本杭偏心基礎の長期軸力に対する検討を行う.

条　　件				諸　　量
柱断面	幅×せい		mm	1 000×1 000
基礎梁断面	幅×せい		mm	800×2 000
基礎断面	幅×せい×高さ		mm	2 000×2 000×1 500
杭径	軸部〜底部		mm	1 600〜2 000
柱長期軸力	N		kN	7 800
偏心距離	e		mm	400
コンクリートの長期許容圧縮応力度	f_c		N/mm²	13.3
鉄筋の長期許容引張応力度	f_t		N/mm²	195　　種別 SD 345

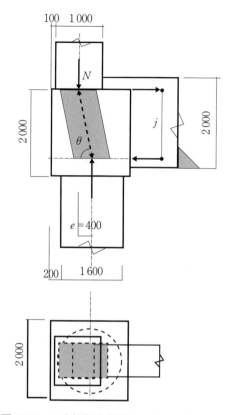

解説図 20.29 1本杭偏心基礎のストラット・タイモデル

敷地に余裕がなく柱芯と杭芯を合わせることができず，400 mm 偏心が生じている場合を想定する．1 階柱軸力と 1 階床荷重の合計が当該杭軸力 7 800 kN とする．この軸力伝達を解説図 20.29 に示すストラット・タイモデルで考える．

斜め圧縮ストラットと釣り合う水平力として基礎梁の圧縮合力と鉄筋引張力を考える．

ⅰ）ストラットの圧縮力

　　ストラットのせい j は基礎梁の応力中心距離とする．

　　　　$j = (2\,000 - 110) \times 0.875 = 1\,654$ （mm）

　偏心距離 $e = 400$ mm のため，傾斜角 θ とし

　　　　$\sin\theta = j/\sqrt{j^2 + e^2} = 0.972$

　ストラットの圧縮軸力　　$C = N/\sin\theta = 7\,800/0.972 = 8\,025$ kN

　ストラットの圧縮応力度　$\sigma = C/(A_s \times \sin\theta)$

　ここで A_s はストラットの断面積とし，柱断面積の 0.8 倍とする．

　　　　$\sigma = 8\,025/(0.8 \times 1\,000 \times 1\,000 \times 0.972) \times 1\,000 = 10.3\ \text{N/mm}^2 \leqq f_c = F_c/3 = 13.3\ \text{N/mm}^2$

　　　　　　　　　　　　　　　　　　　　　　　　　　　　　　　　　　　O.K.

ⅱ）タイの引張力

　　タイの引張力の検討は偏心曲げモーメント $M = N \times e = 7\,800 \times 0.4 = 3\,120$ kNm に対して基

礎梁の曲げ設計を行えばよい．釣合鉄筋比以下のため
$$a_t = M/(f_t \cdot j) = 3\,120 \times 10^6/(195 \times 1\,654) = 9\,674 \text{ mm}^2$$
よって，SD 345 の 9-D 38 を上端筋に配筋すればよい．

　ストラット断面積は，以下の検討に基づいている．すなわち，柱断面内ではストラットの圧縮力が偏在していると考えられる．そこで，文献 7)～9) の RC 柱と鋼管コンクリート杭が偏心接合された基礎の柱頭部に圧縮力を載荷した実験における柱軸力の最大荷重とストラット断面積 A_s を変数にして $1.0\,A_c$，$0.9\,A_c$，$0.8\,A_c$（A_c は柱断面積）とした場合の計算耐力を比較する．計算値に対する実験値の比は次表に示すとおりであるが，柱断面積 A_c を 0.8 倍とした計算値 3 を用いると実験値は 1.14～1.26 倍となり十分な安全率をもって評価できることがわかる．したがって，ストラット断面積 A_s はここでは柱断面積の 0.8 倍とした．なお，解説図 20.29 からわかるように，偏心距離が基礎梁せいに対して過大となると，ストラットが柱せいからはみ出すなど有効なストラットが形成されないおそれがあるため，e/j は実験範囲内の 0.5 以下とすることが望ましい．

試験体		実験値(kN)	実験値／計算値 1 $A_s = 1.0\,A_c \sin\theta$	実験値／計算値 2 $A_s = 0.9\,A_c \sin\theta$	実験値／計算値 3 $A_s = 0.8\,A_c \sin\theta$
文献 7)	NO	1 215	0.89	0.99	1.14
文献 8)，9)	ED 123	1 160	0.94	1.04	1.17
	ED 196	980	0.91	1.02	1.14

21条　鉄筋のかぶり厚さ

> 鉄筋に対するコンクリートのかぶり厚さは，JASS 5 に定めるところによる．ただし，梁および柱の主筋では，そのかぶり厚さを主筋の呼び名の数値（mm）の 1.5 倍以上とすることが望ましい．

1.　鉄筋に対するコンクリートのかぶり厚さ

　「鉄筋に対するコンクリートのかぶり厚さ」は，鉄筋コンクリート部材において鉄筋を覆うコンクリートの厚さ，つまり鉄筋表面とそれを覆うコンクリートの表面までの最短距離のことであり，通常「鉄筋のかぶり厚さ」または単に「かぶり厚さ」という．

　かぶり厚さは，鉄筋コンクリート造建築物の構造耐力・耐久性および耐火性に大きく影響するので，設計におけるかぶり厚さの適切な設定と施工におけるかぶり厚さの精度の確保が，鉄筋コンクリート造建築物の品質確保のうえで極めて重要である．

　以下に，かぶり厚さとこれらの性能との関係について概説するが，詳しくは，JASS 5 を参照されたい．

　（1）　構造耐力上必要なかぶり厚さ

　主筋のかぶり厚さが鉄筋径に対して小さいと，主筋に大きな応力が作用した場合に，主筋に沿ってコンクリートにひび割れ（付着割裂ひび割れ）が生じ，部材耐力の急激な低下をもたらすことがあ

上下弦材の軸方向補強筋は，引張弦材が（解22.5.a）式，圧縮弦材が（解22.5.b）式により算定する．

$$a_t = Q_D(l_0+j_t)/\{2(j_t+j_c)f_y\} \qquad (解22.5.a)$$

$$a_c = Q_D(l_0+j_c)/\{2(j_t+j_c)f_y\} \qquad (解22.5.b)$$

記号　a_t：引張弦材に使用する軸方向補強筋の必要断面積
　　　a_c：圧縮弦材に使用する軸方向補強筋の必要断面積
　　　Q_D：安全性確保のための設計用せん断力
　　　l_0：長方形孔の長さ
　　　j_t：引張鉄筋から引張弦材の軸方向補強筋までの重心間距離
　　　j_c：圧縮鉄筋から圧縮弦材の軸方向補強筋までの重心間距離
　　　f_y：軸方向補強筋の降伏強度

B．開口位置での許容せん断力

2018年版では，長方形孔を有する梁の長期許容せん断力 Q_{A0} はコンクリート寄与項と補強筋寄与項の和として次式で規定している〔記号は2018年版参照〕．

$$Q_{A0} = bj\alpha f_s(1-h_0/D) + b(j_1+j_2)\{0.5_w f_t(p_w-0.002)\} \qquad (解22.6.a)$$

このうち，コンクリート寄与項は（解22.1.b）式を用いているが，長方形孔の場合は正方形孔に比べて有孔梁の斜めひび割れ荷重や最大荷重の実験値がさらに低下することが報告されているため[14]，（解22.1.b）式による評価は過大となるおそれがある．一方，補強筋寄与項は，円形孔や正方形孔のように孔周囲の補強筋有効範囲 c 内の補強筋を考慮するのではなく，上下弦材を梁と考えてそのあばら筋を考慮している．すなわち，孔周囲のコンクリート寄与分と上下弦材の補強筋寄与分をそのまま加算していることになるが，その妥当性について十分な検証が行われているわけではなく，実験データによる裏付けも不足している．また，損傷制御のための短期許容せん断力 Q_{A0S} についても，長期と同様に次式で規定している．

$$Q_{A0S} = bj(2/3)\alpha f_s(1-h_0/D) + b(j_1+j_2)\{0.5_w f_t(p_w-0.002)\} \qquad (解22.7.a)$$

長方形孔を有するRC梁の数少ない実験結果によれば，孔の上下部分が二重梁の性格を表し，この二重梁のせん断破壊が原因で梁が破壊すると報告されている[14]．そこで，2024年の改定では，長方形孔の開口位置での許容せん断力は2018年版の考え方をそのまま踏襲するのではなく，開口の上下弦材を梁と考えてその許容せん断力を加算することとし，コンクリート寄与分は上下弦材の α 効果を考慮せずに安全側に評価することとした．すなわち，長方形孔を有する梁の開口位置での許容せん断力は，長期許容せん断力が（解22.6）式，損傷制御のための短期許容せん断力が（解22.7）式によることとする．

$$Q_{A0L} = b(j_t+j_c)\{_L f_s + 0.5_{Lw} f_t(p_w-0.002)\} \qquad (解22.6)$$

$$Q_{A0S} = b(j_t+j_c)\{(2/3)_S f_s + 0.5_{Sw} f_t(p_w-0.002)\} \qquad (解22.7)$$

記号　b：梁幅
　　　j_t：引張鉄筋から引張弦材の軸方向補強筋までの重心間距離
　　　j_c：圧縮鉄筋から圧縮弦材の軸方向補強筋までの重心間距離

る．このような破壊を防止するために，設計かぶり厚さに対し，16条により付着の検定を行う．

（2）　耐久性の確保に必要なかぶり厚さ

硬化したコンクリートが，表面から空気中の炭酸ガスを吸収すると，コンクリート中の水酸化カルシウムは炭酸カルシウムに変化し，その結果，コンクリートのアルカリ性が失われていく．この現象を中性化というが，中性化がコンクリート中の鉄筋位置まで進行すると，酸素と水分の作用によって，鉄筋にさび（錆）が発生する．さびが進行すると鉄筋表面においてさびの体積が著しく大きくなるので，さびによる膨張力によってかぶりコンクリートを破壊し，鉄筋に沿ってひび割れを起こす．このひび割れからさらに水分と空気（酸素）が浸入し，ますます鉄筋の腐食が進行することとなり，構造耐力が低下したり，コンクリートのはく離やはく落が生じ，美観や機能および日常安全性が低下する．

中性化の速度は，使用するセメントの種類，コンクリートの種類，屋内外の環境条件，仕上げの有無および仕上げの種類によって異なるので，セメント・骨材・混和材料などの使用材料の種類と品質，コンクリートの種類と品質，特に水セメント比，仕上げの有無とその種類，施工精度および鉄筋位置まで中性化が進行するまでの時間を考慮して，かぶり厚さを定める必要がある．

（3）　耐火上必要なかぶり厚さ

鉄筋コンクリート造建築物で火災が発生すると，表面のコンクリートが劣化するだけでなく，内部の鉄筋およびコンクリートの温度上昇によって鉄筋の強度・降伏点およびコンクリートの強度が低下する．鉄筋の降伏点およびコンクリートの強度がそれぞれの長期許容応力度以下に低下すると，常時荷重下での耐力が不足し，火災時の建築物の荷重状態によっては部材の過大なたわみや変形を生じることになる．したがって，火災時においても部材の構造耐力の低下や過大なたわみや変形をきたすような鉄筋および内部コンクリートの劣化を生じないように，鉄筋のかぶり厚さを定める必要がある．

（4）　法令上必要なかぶり厚さ

鉄筋のかぶり厚さは，建築基準法施行令第79条において，「耐力壁以外の壁又は床にあっては20mm以上，耐力壁，柱，又ははりにあっては30mm以上，直接土に接する壁，柱，床若しくははり又は布基礎の立上り部分にあっては40mm以上，基礎（布基礎の立上り部を除く）にあっては捨てコンクリートの部分を除いて60mm以上としなければならない」と規定されている．

2. 設計かぶり厚さ

解説表21.1にJASS 5で規定する各部材の設計に用いるかぶり厚さ（設計かぶり厚さ）の標準値と最小かぶり厚さを示す．これらの数値は，部材の最も外側の鉄筋に対して適用するもので，柱ではフープ，梁ではスターラップが対象となる．2022年版JASS 5では，建物の計画供用期間に応じて耐久性を保証する考えから，かぶり厚さもこれに応じて確保することを規定している．

設計かぶり厚さは，鉄筋や型枠の加工組立て時の誤差，コンクリートを打ち込む際の鉄筋や型枠の移動による誤差などの施工誤差を考慮しても，JASS 5や法令に定められた最小かぶり厚さを満足できるように，施工精度に応じた割増しをする必要があり，JASS 5では，通常の場合，一般的な鉄筋工事における割増しの値として10mmを用いてよいとしている．解説表21.1は，この値に

基づいて定められているが，この値は配筋のばらつきをすべて保証できる数値として定められたわけでもないことから，設計かぶり厚さには，さらに余裕を持たせておくことが望ましい．太径の鉄筋を使用する場合や曲面を有する部材など，かぶり厚さのばらつきが大きくなると予想される部材の場合には，特に注意が必要である．

解説表 21.1 最小かぶり厚さと設計かぶり厚さの規定値（mm） JASS 5（2022）

部位・部材の種類		最小かぶり厚さ				設計かぶり厚さ			
		一般劣化環境（非腐食環境）	一般劣化環境（腐食環境）計画供用期間の級			一般劣化環境（非腐食環境）	一般劣化環境（腐食環境）計画供用期間の級		
			短期	標準・長期[2]	超長期[2]		短期	標準・長期[2]	超長期[2]
構造部材	柱・梁・耐力壁	30	30	40	40	40	40	50	50
	床スラブ・屋根スラブ	20	20	30	40	30	30	40	50
非構造部材	構造部材と同等の耐久性を要求する部材	20	20	30	40	30	30	40	50
	計画供用期間中に保全を行う部材[1]	20	20	30	30	30	30	40	40
直接土に接する柱・梁・壁・床および布基礎の立上り部		40				50			
基礎		60				70			

[注] 1) 計画供用期間の級が超長期で計画供用期間中に保全を行う部材では，保全の周期に応じて定める．
2) 計画供用期間の級が標準，長期および超長期で，耐久性上有効な仕上げを施す場合は，一般劣化環境（腐食環境）では，かぶり厚さを 10 mm 減じることができる．（ただし，基礎，直接土に接する柱・梁・壁・床および布基礎の立上り部を除く）

3. 構造計算に用いるかぶり厚さ

構造計算では，鉄筋の中心位置が重要であるので，かぶり厚さの計算は施工誤差を考慮し安全側の結果となるように行う必要がある．JASS 5 では，かぶり厚さのばらつき（標準偏差 10 mm 弱）を見込んで，最小かぶり厚さ（下回ってはならない値）に 10 mm を付加した値を設計かぶり厚さ（設計図面に記される値）としている．したがって，例えば曲げ材の引張縁，圧縮縁から鉄筋重心までの距離 d_t や d_c は，最小かぶり厚さではなく，設計かぶり厚さを用いて計算するのがよい．

4. 目地位置などにおけるかぶり厚さ

目地を設ける場合には，目地底からのかぶり厚さを適用する．ひさしやバルコニー先端部に設ける目地部分は特にかぶり厚さが不足しやすいので，配筋詳細を示し，施工に対する注意を促すことが望ましい．

5. 配筋詳細によるかぶり厚さの検討

柱梁接合部，大梁と小梁との接合部や開口補強など，配筋が複雑な部分では，配筋詳細図を作成するなどして，所定のかぶり厚さを確保した配筋ができていることを確認することが必要である．特に太径鉄筋を使用する場合には所要の折曲げ内法半径も大きくなるので，注意が必要であろう．

22条　特殊な応力その他に対する構造部材の補強

> 1. 構造物の各部は，21条までの各条に基づく算定のほか，建物の不同沈下による応力，コンクリートの自己収縮および温度変化などによる自己ひずみ応力，ねじり応力などを考慮し，特に問題となるものについては，必要に応じて構造部材を補強する．
> 2. 構造物の各部は，採用したモデルによる応力・変形解析結果の変動，過積載や偏荷重による影響，施工条件，ならびに材料特性のばらつき，腐食・摩耗などによる断面性能の低下などを考慮し，特に問題となるものについては必要に応じて構造部材を補強する．

21条までの各条では，建物を線材にモデル化し，弾性解析または非線形解析による許容応力度設計法に基づいた計算方法を規定しているが，構造物を線材等に置換した骨組にモデル化すること自体に，構造物に生じる実際の応力や変形との相違が生じている．また，実在の建物では，21条までの各条で検討し対応することができた応力のほかに，種々の要因によって生じる応力もあり，場合によっては，これらが建物の大きな損傷の原因となる．さらに，許容応力度設計法における短期設計は，必ずしも建物の地震時や強風時の終局の構造耐力を評価するものではない．したがって，単に，許容応力度計算によってこれまでの各条の規定を満足するだけでなく，建物全体のバランスを考えて，構造部材の設計を行うことが望ましい．

第1項に挙げたものは本来計算によって扱うものであるが，現実的には境界条件や環境条件など難しい点が多いために，実際の計算に取り入れていないものもある．それぞれ，後述する方針に従って過度な応力が生じないように配慮し，大きな応力が生じることが予想される場合には有限要素法解析などの適切な解析法を利用して検討し，必要に応じて構造部材を補強して，建物の損傷を防止しなければならない．

一方，第2項に挙げたものは，理想的にはまったくなくなることが望ましい．建物のモデル化や品質管理，施工管理を厳密に行い，また，環境条件を十分に把握したうえで，適切な材料の選定を行えば，これらの影響は少なくすることができる．

1. 必要に応じて構造部材を補強するなど考慮することが望ましい特殊な応力等

（1）不同沈下による応力

建物の不同沈下による応力は意外に大きく，実際の建物について不同沈下量を実測し，これに対応する上部構造の応力を計算してみると短期応力をはるかに上回るような数値となることが珍しくない．不同沈下による応力は，コンクリートの自己収縮，温度変化などによって生じる応力と同様に，骨組として内的に釣り合って生じるものであり，部材接合部その他を適切に補強して骨組に靱性を付与しておくことにより，地震などの外力に対する終局の構造耐力にはあまり影響しないという考え方もある．しかし，過大な不同沈下は，必ず常時における構造ひび割れの発生を伴うこととなり，決して好ましいことではないことから，不同沈下量もある限度内に抑えることが必要である．適切な地盤調査を行い，土質工学の知見を活用すれば，終局不同沈下量を推定することは実務的に可能であるが，不同沈下の限度を決めることは，建物の用途・機能などを総合的に考慮する必要があり容易ではない．現状では，地盤条件に応じて上部構造の計画，基礎構・工法の選択，設計などを適切に行い，極力，不同沈下の発生を防止するか，小さくするよう配慮することが望ましい．

上部構造の剛性が大きい場合，基礎の条件は同一でも不同沈下量が減少することは事実であることから，可能な限り水平方向に連続した壁を設けるか，基礎梁のせいを十分大きくするなどの対策を取ることによって，建物の剛性が高まり，不同沈下量を抑える有力な手段となる．この場合，特に建物の下層を剛にすることが望ましく，基礎梁の剛比を最下層内柱の2～3倍の数値となるよう設計することなどは，一つの実用上の目安となる．

（2）温度，収縮などに基づく自己ひずみ応力

鉄筋コンクリート造の建物では，コンクリートの自己収縮，乾燥収縮，温度変化による伸縮などが，不静定の骨組に拘束されながら生じるために，骨組各部にいわゆる自己ひずみ応力が生じる．

例えば，収縮の場合には，スラブではコンクリートにスパン方向引張力（建物長手方向に特に大きい）および隅角部から中央に向かう引張力〔解説図22.1（a）〕などを生じ，剛節骨組では柱頭が水平方向に強制変形を受けて生じる部材応力〔解説図22.1（b）〕などとなって現れ，実在の建物のひび割れ原因としても，この種の応力によるものが多いことが知られている．

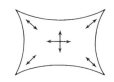 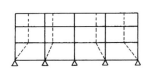

(a) 収縮による床スラブの引張応力　　(b) 収縮による剛節骨組の変形

解説図22.1　収縮による応力と変形

また，温度変化の場合には，部材温度の上昇・降下により膨張・収縮が生じ，熱ひずみが発生する．そのときに何らかの拘束があれば，熱変形による付加応力が発生する．代表的な拘束としては，温度変化の比較的緩やかな地盤内に設置された基礎，水平剛性の大きな耐震壁のような部材などが考えられる．

このような乾燥収縮による応力と温度変化による応力が不利に組み合わされる場合，あるいは煙突を建物内に内蔵する場合の煙道壁で温度応力の著しい場合などはひび割れが生じやすいので，特に注意を要する．

ｉ）スラブの収縮ひび割れ

スラブの収縮ひび割れの問題は，防水工法に関連して研究されている[1]～[3]．拘束されたスラブの収縮ひび割れは，コンクリートの収縮率がコンクリートの引張限界ひずみを超えたときに発生するが，コンクリートの引張限界ひずみは，コンクリートの引張破断ひずみとコンクリートの引

---

1) 狩野春一・仕入豊和：コンクリートの収縮拘束きれつ発生装置に関する研究，日本建築学会論文報告集，No. 66, 1960.10 ほか一連の論文
2) 大野和男：モルタルおよびコンクリートの乾燥収縮ときれつ防止に関する研究，北海道大学工学部研究報告，No. 9, 1953.12
3) 田中一彦：コンクリートの乾燥による自由収縮とキレツに関する研究，日本建築学会論文報告集，No. 52, 1956.3

解説表 22.1 コンクリートの自由収縮率 ε_1，引張破断ひずみ ε_2 および引張クリープひずみ ε_3

コンクリート種類	使 用 骨 材	ε_1	ε_2	ε_3
普通コンクリート	普通細骨材・普通粗骨材	$5〜8\times10^{-4}$	$1〜1.2\times10^{-4}$	ε_2 の 1.2 倍〜2 倍弱
軽量コンクリート 1 種	普通細骨材・人工軽量粗骨材	$5〜7\times10^{-4}$	$1.2〜1.6\times10^{-4}$	ε_2 の約 2 倍
軽量コンクリート 2 種	人工軽量細骨材・人工軽量粗骨材	$4〜6\times10^{-4}$	$1.2〜1.8\times10^{-4}$	ε_2 の約 2 倍

張クリープひずみの和として与えられる．コンクリートの自由収縮率，引張破断ひずみおよび引張クリープひずみは解説表 22.1 に示す程度の数値となる[1)〜7)]ことから，完全に拘束されたスラブでは，ひび割れの発生を避けることは難しい．

実在の建物では，自己ひずみ応力による変形や剛節骨組自体の収縮などもあってスラブの拘束度が低下すると考えられるから，ひび割れは発生しにくくなるはずである．しかし，スラブは梁などに比べて収縮が早く進行することや，骨組は水平力に対して，普通，剛強に設計されることなどを考えると，現状ではスラブのひび割れは避けられないと考えたほうがよい．特に，スラブの建物長手方向，スラブ隅角部など拘束の強い場所や，屋上スラブ，片持スラブ（特に長手方向）など外部環境の影響を受けやすい位置にあるスラブではひび割れの実例も多いので，ひび割れによる障害を防止するよう，適切な配慮をすることが望ましい．ここで，ひび割れによる障害を防止するというのは，ひび割れの発生を防止するということだけではなく，その幅を小さくするということも含まれる．このため，材料的には収縮の小さいコンクリート（密実で単位水量の少ないもの）を使用するよう心がけるべきであり，構造的には溶接金網や鉄筋を密に配置してひび割れの分散を図るなどの対策を講じることが望ましい．詳しくは，本会「鉄筋コンクリート造建築物の収縮ひび割れ制御設計・施工指針・同解説」[8)]を参照されたい．

ⅱ）剛節骨組の自己ひずみ応力

温度変化に基づく剛節骨組の自己ひずみ応力が大きくなる条件は，①温度差が大きい，②部材長さが長い，③拘束が大きい，である．したがって，通常と異なる温度変化が予測される部材，体育館やホールのような大スパン屋根部材を受ける部材などを有する建物においては，建設地の気象条件，あるいは室内温度条件を十分に考慮し，設計用の温度変動を適切に設定して設計することが望ましい．

剛節骨組の自己ひずみ応力を理論的に計算する方法としては，たわみ角法・固定法などを応用することによって，比較的容易に略算する方法[9)〜13)]があり，弾性的には応力計算を行うことがで

---

4) 白山和久：軽量コンクリートの調合方法の検討，日本建築学会論文報告集，No. 54，1956.9
5) 武藤　清：エキスパンションジョイントの研究，日本建築学会論文報告集，No. 54，1956.9
6) 向井　毅：鉄筋で拘束されたコンクリートの乾燥収縮およびきれつに関する検討，コンクリートジャーナル，Vol. 8，No. 11，1970
7) 日本コンクリート工学協会：コンクリート便覧［第二版］，技報堂出版，1996
8) 日本建築学会：鉄筋コンクリート造建築物の収縮ひび割れ制御設計・施工指針・同解説，2023
9) 青山博之・梅村　魁：構造物の自己ひずみ応力（第 1 報）鉄筋コンクリート建物の温度応力，日本建築学会論文報告集，No. 54，1956.9 ほか

きる.しかし,弾性応力解析結果に基づいてひび割れを防止しようとすれば,相当な断面を要することになり非現実的となる.実際には鉄筋コンクリート部材のクリープが関係したり,計算の基本となる部材の自己収縮,乾燥収縮,温度伸縮などの実状が明確でなかったりする.

不同沈下の場合にも述べたように,自己ひずみによる応力は骨組として内的に釣り合って生じるもので,部材接合部その他を適切に補強し骨組に靱性を付与しておけば,建物の終局の構造耐力にはあまり影響しないという考え方もあるが,あまり過度の応力を常時に生じさせることは望ましいことではないことから,長大な建物ではエキスパンションジョイントを設けるなど,自己ひずみ応力の発生を防止するようにするのがよい.

(3) 梁の貫通孔周囲の補強

鉄筋コンクリート造梁に貫通孔が設けられると,梁の構造性能は低下する.特に,せん断終局強度の低下は著しいことが知られている.また,孔周囲には応力集中によるひび割れも発生しやすいことから,孔周囲は,適切に補強することが必要である.

せん断に対する補強として,従来,あばら筋と斜め補強筋による方法が一般的であったが,施工が難しいことから,各種の補強方法が考えられてきた.今日では,第三者機関の技術評価を得た工場生産による補強金物が市販されており,これらの利用が増加している.これらの製品は技術評価条件によって使用可能な位置やせん断終局強度等の評価式などが決められているのが一般的であり,その場合はそれらの技術評価条件に従わなければならない.以下は,上記のような工場生産による補強金物を使用しない一般の補強方法について記したものである.

せん断補強が十分に行われても,梁の剛性の低下は補われないので,大きな貫通孔を設けたり,連続した貫通孔を設けたりすることは避けるべきである.この場合,円形孔の直径は,梁せいの1/3以下とし,同一の梁に2個以上の円形孔が設けられる場合,円形孔の中心間隔は孔径の3倍以上とすることが望ましい.また,正方形開口や長方形開口などの矩形孔の場合は,円形孔に比べて,有孔梁の斜めひび割れ荷重や最大荷重の実験値が低下することが報告されており[14],注意が必要である.

孔が梁のスパンの中央で,かつ高さの中央にあり,かつ孔周囲が十分に補強されている場合には,曲げ終局強度や変形性能に対する影響はほぼ無視できるが,柱際に寄ったり,梁下端方向に偏心したりすると,無視できないものとなる.しかし,このような研究は十分ではなく,梁の塑性ヒンジ域や梁せい方向に偏心した位置に貫通孔を有する部材の性状は未解明な部分もある.梁の塑性ヒンジ域に孔を設けた場合では,曲げ降伏後に孔周囲がせん断破壊しないためには十分なせん断余裕度

---

10) 小幡 守:矩形ラーメンの温度応力について その1,日本建築学会研究報告,No. 35-1,1956.6 ほか
11) 梅村 魁・園部泰寿・青山博之:ラーメンの温度応力の略算法(第3報),日本建築学会研究報告,No. 39,1957.8 ほか
12) 武藤 清:耐震設計シリーズ2,鉄筋コンクリート構造物の塑性設計,丸善,1964
13) 武藤 清:耐震設計シリーズ5,構造力学の応用,丸善,1967
14) 松下清夫,小倉弘一郎:鉄筋コンクリート有孔ばりに関する研究(その4・角孔をもつ有孔ばり小形試験体実験),日本建築学会論文報告集,No. 66,pp. 453-456,1960.10

を確保する必要があることも指摘されているが，設計で保証すべき塑性ヒンジ域の回転性能に対する孔周囲のせん断余裕度については十分に解明されていない．したがって，このような位置には，貫通孔を設けないことが望ましい．

有孔梁の設計においては，一般の梁と同様に，長期応力と短期応力に対して安全になるように設計すべきであるが，有孔梁のせん断ひび割れ強度やクリープなどの変形性状に関する研究は少なく，現状では，当該梁を含む架構がメカニズムに達したときのせん断力に対して十分な強度と変形性能が期待できることを確認することとしている場合が多い．本規準でも，同様の設計法を採用することとした．すなわち，長期荷重時に孔位置に生じる応力が，長期許容耐力を超えないことを確認する．また，短期荷重時に孔位置に生じる応力が，短期許容耐力を超えないことを確認する．ただし，短期許容耐力は，終局強度に対して十分な余裕をもって定めるものとする．なお，以下に規定する孔形状，補強筋配筋などを満足する場合は，孔による剛性低下の影響を無視するとともに孔部分で上下に分割された断面は一体に挙動するものと考えてよく，曲げモーメントに対する検討は省略してもよいものとする．また，有孔梁のせん断終局強度は，当該梁を含む架構がメカニズムに達したときのせん断力に対して十分な強度と変形性能が期待できる場合を除き，原則として孔がない場合の梁のせん断終局強度を下回らないものとする．

2010年の改定で，有孔梁の区分を「単独の円形孔を有する場合」と「複数の円形孔が近接する場合または長方形孔を有する場合」の2種類とし，2018年版でもこれを踏襲したが，2024年の改定では「単独の円形孔」に「単独の正方形孔」を追加し，「複数の円形孔が近接する場合または長方形孔を有する場合」と区別して，それぞれの長期・短期許容せん断力とせん断終局強度を規定することとした．

ⅰ）単独の円形孔または正方形孔を有する梁の孔周囲の補強

A．有孔梁のせん断ひび割れ強度

2018年版では，単独の円形孔を有する梁の長期許容せん断力は次式で算定することとしていた．

$$Q_{A0} = bj\{\alpha f_s(1-H/D) + 0.5\,_w f_t(p_s - 0.002)\} \qquad (解22.1.a)$$

記号　b：梁幅

　　　j：梁の応力中心距離で，規準（15.2）式に用いるものと同じとする．

　　　α：梁のせん断スパン比 $M/(Qd)$ による割増係数で，規準（15.2）式に用いるものと同じとする．

　　　f_s：コンクリートの長期許容せん断応力度

　　　H：孔の直径

　　　D：梁せい

　　　$_w f_t$：解説図22.2に示す孔周囲補強筋のせん断補強用長期許容引張応力度

　　　p_s：孔周囲補強筋比で，次式による．ただし，p_s が 0.006 を超える場合には 0.006 として長期許容せん断力を計算する．

$$p_s = \sum\{a_s(\sin\theta + \cos\theta)\}/(bc)$$

a_s：孔の片側 c の範囲内にある1組の補強筋の断面積

θ：孔周囲補強筋が梁材軸となす角度

c：孔周囲の補強筋の有効な範囲で，円形孔中心と円形孔中心より 45°方向に引いた直線が引張鉄筋重心と交わる位置との距離〔解説図 22.2〕

上式のコンクリート寄与項の（解 22.1.b）式は，長期荷重によるせん断ひび割れを許容しない無孔梁の長期許容せん断力である規準（15.1）式から導かれており，孔部分のコンクリート断面積分を控除することにより有孔梁のせん断ひび割れ強度を近似的に表したものとなっている．

$$Q_{A0} = bj\alpha f_s(1 - H/D) \tag{解 22.1.b}$$

北山らは，円形孔を有する有孔梁の実験データベースに基づいてせん断ひび割れ強度の実験値と（解 22.1.b）式による計算値を比較した結果，計算値に対する実験値の比が 1 未満の試験体の割合が 42.3%であることを報告している[15]．すなわち，（解 22.1.b）式は，円形孔を有する有孔梁のせん断ひび割れ強度を安全側に評価しているとはいえない．

一方，有孔梁のひび割れ強度算定式として，津村らは次式を提案している[16]．

$$\frac{Q_{cmean}}{bj} = \frac{0.085 k_c (500 + F_c)}{\dfrac{M}{Qd} + 1.7}\left(1 - 1.65\frac{H}{D}\right) \quad （単位：kgf/cm^2） \tag{解 22.1.c}$$

（解 22.1.c）式は，本規準 15 条の解説図 15.1 に示される無孔梁のせん断ひび割れ強度の実験式に，開口による低減率 $(1 - 1.65H/D)$ を乗じて導かれている．文献 16）によれば，中央に円形孔があいた有孔梁の実験でせん断ひび割れを生じた 98 体の実験値と（解 22.1.c）式による計算値との比較では，実験値／計算値の平均が 1.02，標準偏差が 0.255 であったことが報告されている．

本規準 15 条では，無孔梁のせん断ひび割れ強度の実験式に 0.77 を乗じた（解 15.1）式をせん断ひび割れ発生時の下限せん断力として，せん断ひび割れを許容しない長期許容せん断力の（15.1）式を導いているが，同様にして（解 22.1.c）式に 0.77 を乗じたうえで 15 条と同様に誘導すると（解 22.1.d）式を得る．

$$Q_{A0} = bj\alpha f_s(1 - 1.61 H/D) \tag{解 22.1.d}$$

（解 22.1.d）式は，文献 17）～19）に基づき，H/D の係数 1.65 を 1.61 としている．北山ら

---

15) 落合 等，北山和宏：せん断破壊する RC 梁および有孔梁のせん断性能評価に関する研究，コンクリート工学年次論文集，Vol. 34, No. 2, pp. 193-198, 2012.7

16) 津村浩三，遠藤利根穂，清水 泰，能勢泰延：斜めワイヤメッシュで補強した鉄筋コンクリート造有孔梁の多数回くり返し水平加力実験（その7）孔部せん断ひびわれ強度の推定，日本建築学会大会学術講演梗概集，C. 構造 II, pp. 501-502, 1985.9

17) 松下清夫，黒正清治：鉄筋コンクリート有孔ばりに関する研究 その 10・終局強度実験式，日本建築学会論文報告集，No. 69, pp. 541-544, 1961.10

18) 広沢雅也・清水 泰：鉄筋コンクリート造有孔ばりのせん断強度と靱性，建築技術，1979.3

19) 日本建築学会：鉄筋コンクリート終局強度設計に関する資料－鉄筋コンクリート有孔ばりの強度と靱性，1987

による有孔梁の実験データベースに基づく検討では，せん断ひび割れ強度の実験値と（解22.1.d）式による計算値を比較した結果，計算値に対する実験値の比が1未満の試験体の割合が8.1%に低減することを報告しており[15]，（解22.1.b）式に比べて有孔梁のせん断ひび割れ強度の評価が大幅に改善されている．

正方形孔の場合は円形孔に比べて，有孔梁の斜めひび割れ荷重や最大荷重の実験値が低下することが報告されている[14]．広沢ら[18]は孔周囲が無補強の有孔梁について，最大荷重の実験値と計算値を比較検討しており，計算値は文献17）で提案されているせん断終局強度のコンクリート寄与項である（解22.1.e）式を用いている．

$$Q_c = 0.143 b j F_c (1 - 1.61 H/D) \qquad \text{（解22.1.e）}$$

その結果，直径が H の円形孔を有する有孔梁11体の実験値／計算値は平均1.143，標準偏差0.369であったのに対して，1辺の長さが H の正方形孔を有する有孔梁28体の実験値／計算値は平均0.770，標準偏差0.284であり[18]，正方形孔は平均で円形孔の約2/3倍であった．さらに正方形孔については，等面積の円形孔の直径を H とした場合の実験値／計算値が平均0.947，標準偏差0.393，外接円の直径を H とした場合が平均値1.174，標準偏差が0.560であり[18]，正方形孔は外接円の直径を用いた場合が円形孔と同程度であった．

以上の点を踏まえて，単独の正方形孔の場合は円形孔の（解22.1.d）式を修正した（解22.1.f）式を用いることとする．

$$Q_{A0} = b j \alpha f_s (1 - 1.61 H_e/D) \qquad \text{（解22.1.f）}$$

ここに，H_e は正方形孔の対角線長さ（正方形孔に外接する円の直径）であり，正方形孔の1辺の長さ H の $\sqrt{2}$ 倍である．すなわち，正方形孔の1辺の長さ H を用いれば

$$Q_{A0} = b j \alpha f_s (1 - 1.61 \times 1.41 H/D) = b j \alpha f_s (1 - 2.27 H/D)$$

例えば，開口径 H が梁せい D の1/3～1/4である円形孔の場合は，（解22.1.d）式から

$$Q_{A0} = b j \alpha f_s (1 - 1.61 H/D) = 0.463 \sim 0.598 b j \alpha f_s$$

一方，1辺の長さ H が梁せい D の1/3～1/4である正方形孔の場合は，（解22.1.f）式から

$$Q_{A0} = b j \alpha f_s (1 - 1.61 H_e/D) = 0.243 \sim 0.433 b j \alpha f_s$$

となり，正方形の1辺の長さと円の直径が等しい場合には正方形孔が円形孔の5～7割程度の数値となる．

B. 孔周囲の補強筋の有効範囲

単独の円形孔または正方形孔を有する梁の孔周囲の長期許容せん断力は，ひび割れの可能性がある範囲を解説図22.2の c の範囲と考え，孔周囲のせん断ひび割れ強度にひび割れの拡大に抵抗できる補強筋の効果を加算して算定する．ここで，c は孔周囲の補強筋が有効な範囲を表しており，孔中心と孔中心より45°方向に引いた直線が主筋重心と交わる位置との距離で定義する．なお，孔の上下には，孔際と同程度以上のあばら筋比となるようにあばら筋を配筋するのが望ましい〔解説図22.6参照〕．

単独の正方形孔を有する梁は解説図22.2(b)のようにその正方形孔に外接する円形孔を有する有孔梁として，単独の円形孔を有する梁と同様に，長期・短期許容せん断力とせん断終局強度を

以下に規定する．なお，正方形孔の場合には円形孔と違って開口の隅角部からひび割れを生じる恐れがあるため，後述の長方形孔の補強要領〔解説図22.4〕に倣って，正方形孔の両側のあばら筋と上下の軸方向補強筋を配筋するのが望ましい．これらの補強筋は長方形孔の規定に準拠して必要鉄筋量を定めて配筋すればよい．

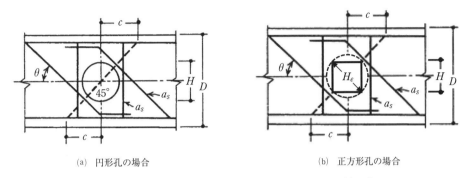

(a) 円形孔の場合　　　　　　　　　　(b) 正方形孔の場合

解説図22.2　円形孔および正方形ならびに孔周囲補強筋

C. 孔周囲の長期許容せん断力

単独の円形孔または正方形孔を有する梁の孔周囲の長期許容せん断力 Q_{A0L} は，(解22.1.d) 式および (解22.1.f) 式に基づいて，規準 (15.2) 式による梁の長期許容せん断力から孔部分のコンクリート断面積を 1.61 倍に割り増して控除した (解22.1) 式による．(解22.1) 式では，ひび割れの可能性がある範囲を解説図22.2 の c の範囲と考え，想定するひび割れの拡大に抵抗できる補強筋の効果を加算できるものとしている．

$$Q_{A0L}=bj\{\alpha f_s(1-1.61H_e/D)+0.5{}_wf_t(p_s-0.002)\} \qquad (\text{解} 22.1)$$

記号　b：梁幅

　　　j：梁の応力中心距離で，規準 (15.2) 式に用いるものと同じとする．

　　　α：梁のせん断スパン比 $M/(Qd)$ による割増係数で，規準 (15.2) 式に用いるものと同じとする．(孔位置での M や Q ではない)

　　　f_s：コンクリートの短期許容せん断応力度

　　　H_e：円形孔の直径または正方形孔の対角線長さで，$D/3$ 以下とする．

　　　D：梁せい

　　　${}_wf_t$：解説図22.2 に示す孔周囲補強筋のせん断補強用長期許容引張応力度

　　　p_s：孔周囲補強筋比で，次式による．ただし，p_s が 0.006 を超える場合には 0.006 として長期許容せん断力を計算する．

　　　　　$p_s=\sum\{a_s(\sin\theta+\cos\theta)\}/(bc)$

　　　a_s：孔の片側 c の範囲内にある1組の補強筋の断面積（軸方向の補強筋は含まない）

　　　θ：孔周囲補強筋が梁材軸となす角度

　　　c：孔周囲の補強筋の有効な範囲で，孔中心と孔中心より45°方向に引いた直線が主筋重心と交わる位置との距離〔解説図22.2〕

円形孔を有する梁の実験[20]によると，有孔梁を（解22.1）式による長期許容せん断力まで載荷したときのひび割れ幅が，無孔梁を規準（15.2）式による長期許容せん断力まで載荷したときのひび割れ幅と同程度であった．以上に鑑み，2024年の改定では，有孔梁の長期許容せん断力を従来の（解22.1.a）式ではなく（解22.1）式のように修正することにより，長期荷重時に孔周囲に生じるひび割れが有孔梁の使用性を損なう恐れが少ない範囲にとどまるものと判断される．

D．孔周囲の損傷制御を目的とする短期許容せん断力

単独の円形孔または正方形孔を有する梁の孔周囲の損傷制御を目的とする短期許容せん断力 Q_{A0S} は，規準（15.3）式による梁の短期許容せん断力から孔部分のコンクリート断面積分を1.61倍に割り増して控除した（解22.2）式による．

$$Q_{A0S} = bj\{(2/3)\alpha f_s(1-1.61H_e/D) + 0.5_wf_t(p_s-0.002)\} \qquad \text{（解22.2）}$$

記号　b：梁幅

j：梁の応力中心距離で，規準（15.3）式に用いるものと同じとする．

α：梁のせん断スパン比 $M/(Qd)$ による割増係数で，規準（15.3）式に用いるものと同じとする．（孔位置での M や Q ではない）

f_s：コンクリートの短期許容せん断応力度

H_e：円形孔の直径または正方形孔の対角線長さで，$D/3$ 以下とする．

D：梁せい

$_wf_t$：解説図22.2に示す孔周囲補強筋のせん断補強用短期許容引張応力度．ただし，$_wf_t$ が 390 N/mm² を超える場合は，390 N/mm² として短期許容せん断力を計算する．

p_s：孔周囲補強筋比で，次式による．ただし，p_s が 0.012 を超える場合には 0.012 として短期許容せん断力を計算する．

$p_s = \sum\{a_s(\sin\theta + \cos\theta)\}/(bc)$

a_s：孔の片側 c の範囲内にある1組の補強筋の断面積（軸方向の補強筋は含まない）

θ：孔周囲補強筋が梁材軸となす角度

c：孔周囲の補強筋の有効な範囲で，孔中心と孔中心より 45° 方向に引いた直線が主筋重心と交わる位置との距離〔解説図22.2〕

円形孔を有する梁の実験[20]によると，（解22.2）式による短期許容せん断力まで載荷したのちに（解22.1）式による長期許容せん断力まで除荷したときの残留ひび割れ幅は 0.1〜0.2 mm 程度であり，試験体の縮尺を考慮しても，機能上および耐久性上問題とならない範囲に収まるものと考えられる．以上に鑑み，2024年の改定では，有孔梁の孔周囲の損傷制御を目的とする短期許容せん断力を（解22.2）式のように修正することにより，中地震動後の長期荷重時に孔周囲

---

20) 西村康志郎：RC有孔梁の許容せん断力とひび割れ幅に関する考察，日本建築学会大会学術講演梗概集，構造Ⅳ，pp. 289-290，2023.9

に生じる残留ひび割れが有孔梁の継続使用を損なう恐れが少ない範囲にとどまるものと判断される．

E．孔周囲の大地震に対する安全性の確保を目的とした検討

単独の円形孔または正方形孔を有する梁の孔周囲の大地震に対する安全性の検討は，梁メカニズム時のせん断力に対して，(解22.3)式のせん断終局強度式を適用するものとする．

この元となった実験式（下式のF_cをσ_Bとした式）は，実際の梁に近い条件を有する円形孔または正方形孔を有する有孔梁の試験体（$H_e/D>1/3$，$p_s=0$，$p_s\geq1.2\%$のものを含まない）220体の実験結果を安全側にまとめたものであり，この式による計算値に対する実験値の比の平均値は1.10，標準偏差は0.22となっている[18),19)]．この比が1を下回るものは220体中7体のみである．また，この式による計算値を曲げ終局強度時せん断力の1.3倍以上とした梁は，部材角4/100程度の正負繰返し加力に対しても耐力低下が少なかったと報告されている[19),21)]．なお，円形孔周囲の補強に工場生産された特殊な金物を用いた有孔梁の安全性の評価は，それぞれの製品の技術評価条件（本式を準用している場合が多い[21)～23)]）に従えばよい．このほかにもトラス作用を考慮した式も提案されているので参照されたい[24)]．

$$Q_{su0}=\left\{\frac{0.092k_uk_p(F_c+18)}{\frac{M}{Qd}+0.12}\left(1-1.61\frac{H_e}{D}\right)+0.85\sqrt{\sum p_{s1s}\sigma_y}\right\}bj \qquad (解22.3)$$

記号　Q_{su0}：単独の円形孔または正方形孔を有する梁の孔周囲のせん断終局強度（N）
　　　k_u：有効せいdによる係数で，$d\geq400$ mmのときは0.72で一定とする〔15条参照〕．
　　　k_p：引張鉄筋比p_tによる係数（$k_p=2.36p_t^{0.23}$）
　　　p_t：引張鉄筋比（小数）で，次式による．
　　　　　$p_t=a_t/(b\cdot d)$
　　　a_t：孔位置における引張鉄筋断面積（mm²）
　　　b：梁幅（mm）
　　　d：梁の有効せい（mm）
　　　j：応力中心距離（mm）
　　　F_c：コンクリートの設計基準強度（N/mm²）
　　　H_e：円形孔の直径または正方形孔の対角線長さで，$D/3$以下とする．
　　　D：梁せい

---

21) 東　洋一・遠藤利根穂・清水　泰・日向俊二：鉄筋コンクリート造有孔梁のせん断補強方法に関する実験研究，第4回コンクリート工学年次講演会講演論文集，1982.5
22) 佐藤立美：薄肉鋼板で補強した鉄筋コンクリート有孔梁の耐力に関する実験的研究，日本建築学会中国支部研究報告第7号，1987.3
23) 岸田慎司・牛垣和正・杉浦泰樹・林　靜雄：鉄筋コンクリート造有孔梁のせん断補強法に関する研究，コンクリート工学年次論文報告集17-2, 1995
24) 日本建築学会：鉄筋コンクリート造建物の靭性保証型耐震設計指針・同解説，1999

$M/(Qd)$：シアスパン比で，3以上の場合には3とし，1以下の場合は1とする．

M：梁の最大モーメント（N・mm）

Q：梁の最大せん断力（N）

p_{s1}：補強筋1組あたりの孔周囲補強筋比で，次式による．ただし，孔の片側 c の範囲内にある p_{s1} の合計が0.012を超える場合には，合計で0.012を超えないものとする．

$$p_{s1}=a_s(\sin\theta+\cos\theta)/(bc)$$

a_s：孔の片側 c の範囲内にある1組の補強筋の断面積（軸方向の補強筋は含まない）（mm²）

θ：孔周囲補強筋が梁材軸となす角度

c：孔周囲の補強筋の有効な範囲で，孔中心と孔中心より45°方向に引いた直線が主筋重心と交わる位置との距離〔解説図22.2〕

$_s\sigma_y$：孔周囲補強筋の規格降伏点（N/mm²）

ⅱ）複数の孔が近接する場合または長方形孔を有する梁の孔周囲の補強

同一の梁に2個以上の円形孔または正方形孔が設けられる場合で，孔の中心間隔を円形孔の直径または正方形孔の対角線長さの3倍以上とする場合は，ⅰ）項によってそれぞれが単独の孔であるとして孔周囲の補強を計算してよい．なお，それぞれの間隔が十分に確保されない場合は，複数の孔を包含する長方形孔が設けられているものとして孔周囲の補強を計算するべきである．

内法高さが h_0，内法長さが l_0 の長方形孔の対角線長さを $H_e=\sqrt{h_0^2+l_0^2}$ とした場合に，梁せい D に対する比が $H_e/D\leq1/3$ の小規模な長方形孔の場合は，正方形孔の場合と同様に長期許容せん断力を（解22.1）式，短期許容せん断力を（解22.2）式，せん断終局強度を（解22.3）式により算定してよい．ただし，偏平な開口（例えば，$l_0/h_0>2$ 程度の長方形孔）を有する場合を除く．

梁せい D に対する対角線長さの比が $H_e/D>1/3$ の場合の長方形孔または正方形孔の場合ならびに $l_0/h_0>2$ の偏平な長方形孔の場合は，以下の各項による．なお，正方形孔は，内法長さ l_0 が内法高さ h_0 に等しい長方形孔として扱う．

長方形孔に対する孔周囲の補強は，解説図22.3に示すように，本会の「プレストレストコンクリート設計施工規準・同解説」[25]（以下，PC規準と略記）を参考にして長方形孔上下の弦材に軸方向補強筋と閉鎖形状の弦材あばら筋を配筋する．弦材には，弦材のせいを超えない範囲でコアコンクリートがあばら筋と中子筋で区画されるように，適切に配筋することが望ましい．長方形孔の左右には，上下の弦材のせい h_e（下弦材 h_1 と上弦材 h_2 で異なる場合は大なるほうの数値）以上の範囲で，弦材に配筋した弦材あばら筋と同じあばら筋量を延長して配筋するものとする．軸方向補強筋の定着長さ l_a は，孔際から必要定着長さ l_{ab} かつ h_e 以上とする．軸方向補強筋の定着形式は図中では180°フック付きとしているが，135°フック付き，90°フック付きとして

---

25) 日本建築学会：プレストレストコンクリート設計施工規準・同解説，2022

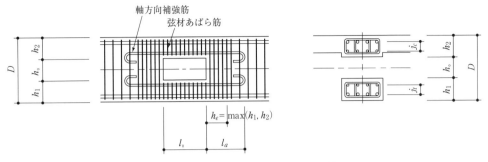

解説図22.3 長方形孔および孔周囲の補強

もよく，また，直線定着も可とする．

　　　　記号　D：梁せい

　　　　　　　h_0：長方形孔の内法高さで，$D/3$ 以下とする．

　　　　　　　h_1：下弦材せいで，$D/3$ 以上確保する．

　　　　　　　h_2：上弦材せいで，$D/3$ 以上確保する．

　　　　　　　h_e：h_1 と h_2 の大なるほうの数値

　　　　　　　l_0：長方形孔の内法長さで，$(2/3)D$ 以下とする．

　　　　　　　l_a：弦材に配筋した軸方向補強筋の定着長さで，$l_a \geq l_{ab}$ かつ h_e とする．

　　　　　　　j_t：引張鉄筋から引張弦材の軸方向補強筋までの重心間距離

　　　　　　　j_c：圧縮鉄筋から圧縮弦材の軸方向補強筋までの重心間距離

　長方形孔は，原則として梁の内法スパンの両側から梁せいの2倍の範囲内には設けないこととする．ただし，$h_1 \geq D/3$，$h_2 \geq D/3$，$l_0 \leq D/5$ および $h_0 \leq D/5$ の条件をすべて満たす場合は，上記の2倍を1.5倍と読み替えてよいが，そのような場合には，弦材に生じる変動軸力に対して注意が必要となることがある．

　なお，長方形孔に隣接してさらに孔を設ける場合には，孔中心間隔 X_0 は，梁せい D と長方形孔の内法長さ l_0（隣り合う孔の内法長さが異なる場合はその平均値）の3倍との大なるほうの数値以上とする．

A．開口位置でのせん断終局強度

　$H/D \leq 1/3$ の円形孔および $H_e/D \leq 1/3$ の正方形孔の場合は，解説図22.2に示すように，孔中心から45°方向に引いた直線が引張鉄筋重心と交わる位置から孔中心までの距離 c を孔周囲の補強筋が有効な範囲としてせん断終局強度を算定することにしている．一方，長方形孔を有する RC 梁の実験データは少なく，2018年版では開口の上弦材と下弦材それぞれを梁とした場合の（解15.2）式によるせん断終局強度の和として算定することにしているが，実験的な検証が十分になされているわけではない．

　これに対して本会の PC 規準[25]では，矩形開口を有するプレストレストコンクリート梁（以下，PC 梁と略記）に関する数多くの実験結果[例えば26),27)]に基づいて，長方形孔を有する PC 梁の開口位置でのせん断終局強度を開口上下の弦材のせん断終局強度の和として算定することとし，上下弦

材のせん断終局強度は傾斜角 45°のトラス機構による強度で表し，アーチ機構による強度は無視することにしている．2024 年の改定ではこの PC 規準に準拠して，長方形孔の開口位置でのせん断終局強度は（解 22.4）式により算定することとする．

$$Q_{su} = b(j_t + j_c) p_w \, {}_wf_y \qquad (解 22.4)$$

記号　b：梁幅
　　　j_t：引張鉄筋から引張弦材の軸方向補強筋までの重心間距離
　　　j_c：圧縮鉄筋から圧縮弦材の軸方向補強筋までの重心間距離
　　　${}_wf_y$：解説図 22.3 に示す弦材あばら筋の降伏強度で，390 N/mm² を超える場合は 390 N/mm² とする．
　　　p_w：弦材あばら筋比で，次式による．ただし，p_w が 0.012 を超える場合は 0.012 とする．
　　　　　$p_w = a_w/(b \cdot x)$
　　　a_w：1 組の弦材あばら筋の断面積
　　　x：弦材あばら筋の間隔

孔周囲の大地震に対する安全性の確保のための設計用せん断力 Q_D に対する上下弦材の必要あばら筋比は，（解 22.4）式より次式で算定される．

$$p_w \geq \frac{Q_D}{b(j_t + j_c) {}_wf_y} \qquad (解 22.4.a)$$

また，長方形孔の両側には，次式によるあばら筋を解説図 22.4 に示す j_s の範囲内に配筋する．なお，j_s は j_t と j_c のいずれか小さいほうとする．

$$a_w \geq \frac{Q_D}{{}_wf_y} \qquad (解 22.4.b)$$

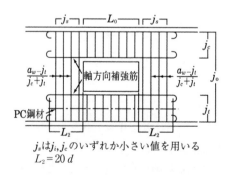

解説図22.4　長方形孔周囲の強度要領[25]

---

26) 浜原正行，中山　優，本岡順二郎：プレストレストコンクリート有孔梁の終局強度設計法，日本建築学会構造系論文報告集，No. 442, pp. 133-139, 1992.12

27) 浜原正行，斎藤こずえ，辻　英一，森高英夫：プレキャストプレストレストコンクリート造有孔梁の力学的挙動に関する実験的研究，プレストレストコンクリート，Vol. 41, No. 3, 1999.5

$_Lf_s$, $_sf_s$：コンクリートの長期，短期の許容せん断応力度

$_{Lw}f_t$, $_{sw}f_t$：解説図22.3に示す弦材あばら筋の長期，短期のせん断補強用許容引張応力度．ただし，$_{sw}f_t$が390 N/mm²を超える場合は390 N/mm²として短期許容せん断力を計算する．

p_w：弦材あばら筋比で，次式による．ただし，p_wが（解22.6）式で0.006を超える場合は0.006，（解22.7）式で0.012を超える場合は0.012とする．

$$p_w = a_w / (b \cdot x)$$

a_w：1組の弦材あばら筋の断面積

x：弦材あばら筋の間隔

文献14）の長方形孔を有するRC梁の実験では，試験体は幅142 mm，せい223 mmの長方形断面の複筋梁で，せん断スパン500 mmの中央に60 mm×120 mmの長方形孔を有している．長方形孔周囲の補強方法と実験結果を解説表22.2（a）に示す．

実験では長方形孔の隅部から斜めひび割れが上下に進展するが，孔隅を補強することにより斜めきれつ荷重や最大荷重が増大している．これらの試験体の許容せん断力を（解22.6）式，（解22.7）式を用いて計算した結果を解説表22.2（b）に示す．計算では，上下弦材の鉄筋重心間距離の和を$j_t + j_c = 0.8 \times (223 - 60) = 130$ mmと仮定し，コンクリートの長期許容せん断応力度を$_Lf_s = \sigma_B / 30 = 116/30 = 3.86$ kgf/cm²，鉄筋の許容引張応力度をSR 235の規格値である長期1 600 kgf/cm²，短期2 400 kgf/cm²としている．

長期，短期の許容せん断力の計算値は斜めきれつ荷重の実験値よりも小さく，実験結果に対して十分に安全側の評価となっている．上下弦材のあばら筋比が等しい試験体は許容せん断力の計算値が同じ数値となっているが，開口両側のあばら筋や開口上下の軸方向補強筋が多い試験体のほうが斜めきれつ荷重と最大荷重の実験値が大きくなっている．そのため，開口両側のあばら筋は（解22.4.b）式，開口上下の軸方向補強筋は（解22.5.a），（解22.5.b）式を用いて必要鉄筋量を算定し，孔周囲に配筋することとする．その際に，式中の$_wf_y$とf_yは補強筋の短期許容引張応力度$_wf_t$とf_tを用い，Q_Dは短期設計用せん断力を用いることとする．なお，孔周囲の斜め補強筋については，開口の状況や設計用せん断力の大きさなどから，設計者が適切に判断して必要に応じて配筋することとする．

（解22.5.a）式と（解22.5.b）式は長方形孔を有するRC梁の実験データが少ないために，長

解説表22.2（a）　長方形孔を有するRC梁の実験[14]

試験体名	長方形孔周囲の補強				実験結果	
	上下弦材のあばら筋	開口両側のあばら筋	開口上下の軸方向補強筋	孔周囲の斜め補強筋	斜めきれつ荷重（tf）	最大荷重（tf）
23S'V	なし	2-6 φ	なし	なし	1.25	8.0
23S'VHD	2-6 φ	2-6 φ	2-6 φ	2-6 φ	2.5	9.7
23S'V'H'D'	2-6 φ	2-9 φ	2-9 φ	2-9 φ	3.75	11.05

解説表 22.2（b） 長方形孔を有する RC 梁の許容せん断力の計算値

試験体名	上下弦材のあばら筋比 p_w (%)	長期許容せん断力			短期許容せん断力		
		コンクリート項 Q_c (tf)	補強筋項 Q_w (tf)	Q_c+Q_w (tf)	コンクリート項 Q_c (tf)	補強筋項 Q_w (tf)	Q_c+Q_w (tf)
23S'V	0	0.71	0	0.71	0.71	0	0.71
23S'VHD	0.33	0.71	0.19	0.90	0.71	0.29	1.00
23S'V'H'D'	0.33	0.71	0.19	0.90	0.71	0.29	1.00

期の使用性，短期の損傷制御性に関するひび割れ幅の検証を行っていない．そのため，今後の長方形孔の有孔梁の実験データの蓄積を待ってひび割れ幅の検証を行う必要があるが，当面の安全上の配慮として，せん断終局強度 Q_{su} に安全率として長期に対して 1/3，損傷制御のための短期に対して 2/3 を乗じたせん断力を上限として許容せん断力を制限することが推奨される．すなわち，長方形孔の開口位置での許容せん断力は，長期に対して（解 22.6.b）式，損傷制御のための短期に対して（解 22.7.b）式を上限とすることが望ましい〔記号は（解 22.4）式参照〕．

$$Q_{A0L} \leq \frac{1}{3}Q_{su} = \frac{1}{3}b(j_t+j_c)p_w\,_wf_y \qquad (\text{解 22.6.b})$$

$$Q_{A0S} \leq \frac{2}{3}Q_{su} = \frac{2}{3}b(j_t+j_c)p_w\,_wf_y \qquad (\text{解 22.7.b})$$

記号　b：梁幅

j_t：引張鉄筋から引張弦材の軸方向補強筋までの重心間距離

j_c：圧縮鉄筋から圧縮弦材の軸方向補強筋までの重心間距離

$_wf_y$：解説図 22.3 に示す弦材あばら筋の降伏強度で，390 N/mm² を超える場合は 390 N/mm² とする．

p_w：弦材あばら筋比で，次式による．ただし，p_w が（解 22.6.b）式で 0.006 を超える場合は 0.006，（解 22.7.b）式で 0.012 を超える場合は 0.012 とする．
$p_w = a_w/(b \cdot x)$

a_w：1 組の弦材あばら筋の断面積

x：弦材あばら筋の間隔

【計算例】

（解 22.3）式を用いて，「付 2．構造設計例」の梁 3BA3 の中央部分に円形孔を設けた場合〔解説図 22.5〕について，円形孔部分の大地震に対する安全性の確保を目的とした許容せん断力の検討例を以下に示す．設計用せん断力として 15 条 2．による場合や，開口がないときのその梁のせん断終局強度とする場合など，さまざまな考え方があるが，ここでは，梁の両端に降伏ヒンジが生じたときのせん断力にせん断設計上の余裕度 1.2 を考慮した数値に長期荷重時のせん断力を加算した数値を設計用せん断力とし，参考のため開口がないときのせん断終局強度も上回るようにした．

梁幅 500 mm，梁せい 950 mm，クリアスパン 7.815 m の梁の中央部で梁心からやや下の位置に直径 150 mm の円形孔を設けるものとする．

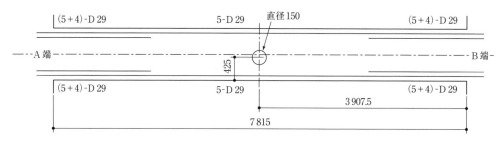

解説図22.5 梁および円形孔の概要

梁の主筋は SD 390 を使用するものとし，中央（孔位置）では，上端筋下端筋とも 5－D 29，両端部では上端筋下端筋とも(5＋4)－D 29 の 2 段配筋とする．

①設計条件

  梁の内法長さ $l'=7\,815\,(\text{mm})$

  梁断面 $b\times D=500\times 950\,(\text{mm})$ 両側スラブ付き（スラブ厚さ $t=150\,(\text{mm})$）

  円形孔の直径 $H=150\,(\text{mm})$

  端部梁主筋 A 端上端 (5＋4)－D 29 (SD 390) $a_t=9\times 642=5\,778\,(\text{mm}^2)$

       B 端下端 (5＋4)－D 29 (SD 390) $a_t=9\times 642=5\,778\,(\text{mm}^2)$

  中央部梁主筋 上下端とも 5－D 29 (SD 390) $a_t=5\times 642=3\,210\,(\text{mm}^2)$

  梁表面から 1 段目主筋中心までの距離 $d_{t1}=90\,(\text{mm})$

  梁表面から 2 段目主筋中心までの距離 $d_{t2}=170\,(\text{mm})$

  梁端部表面から 2 段配筋の主筋重心位置までの距離

$$d_t=(5\times 90+4\times 170)/9=126\,(\text{mm})$$

  梁端部の有効せい A 端上端用 $d=D-d_t=950-126=824\,(\text{mm})$

        B 端下端用 $d=D-d_t=950-126=824\,(\text{mm})$

  梁中央部表面から主筋重心位置までの距離 $d_t=d_{t1}=90\,(\text{mm})$

  中央部梁の有効せい 上下端とも $d=D-d_t=950-90=860\,(\text{mm})$

  あばら筋 全断面 4－D 16 (SD 295)@150 $a_w=4\times 199=796\,(\text{mm}^2)$

  スラブ筋（片側 1 m 有効とする） 上端は D 13 (SD 295)@200，下端は D 10 (SD 295)@200

  スラブ筋は上端筋のみ有効とすると，有効断面積は $a_s=2\times (5\times 127)=1\,270\,(\text{mm}^2)$

  梁下面からスラブ筋までの距離 $d=D-d_{st}=950-36.5=913.5\,(\text{mm})$

  コンクリートの設計基準強度 $F_c=30\,(\text{N/mm}^2)$

②無孔部分のせん断設計

  梁端部の長期せん断力 $Q_L=220\,(\text{kN})\,(\text{A 端}),\,-214\,(\text{kN})\,(\text{B 端})$

  A 端上端の曲げ強度 $M_{u\text{上}}=0.9\times 5\,778\times 1.1\times 390\times 824$

          $+0.9\times 1\,270\times 1.1\times 295\times 913.5$

         $=1\,838\times 10^6+339\times 10^6=2\,177\,(\text{kNm})$

  B 端下端の曲げ強度 $M_{u\text{下}}=0.9\times 5\,778\times 1.1\times 390\times 824$

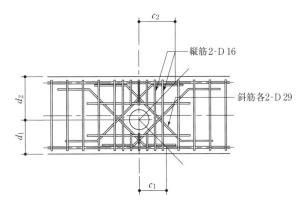

解説図22.6 円形孔周囲の補強詳細

$$= 1\,838 \times 10^6 = 1\,838\,(\text{kNm})$$

せん断設計上の余裕度　本計算例では $\alpha = 1.2$ とする

設計用せん断力 　　　　　　　　　　$Q_{UD} = Q_L + \alpha \times \sum M_u / l'$

$$= 220 + 1.2 \times (2\,177 + 1\,838)/7.815$$

$$= 837\,(\text{kN})$$

端部引張鉄筋比 　　　　　　　　　　$p_t = 5\,778/(500 \times 824) = 0.0140$

あばら筋比 　　　　　　　　　　　　$p_w = 796/(500 \times 150) = 0.0106$

$M/(Qd) = 2\,177/[\{220 + (2\,177 + 1\,838)/7.815\} \times 0.824] = 3.60 \;\to\; 3$ とする

$Q_{su} = \{0.092 \times 0.72 \times 2.36 \times 0.0140^{0.23} \times (30+18)/(3+0.12) + 0.85 \times (0.0106 \times 295)^{0.5}\} \times 500$

　　　　$\times 824 \times 7/8$

　　　$= (0.901 + 1.50) \times 361 \times 10^3 = 867\,(\text{kN}) > Q_{UD}$

③孔周囲のせん断設計〔解説図22.6 参照〕

孔周囲補強筋の有効範囲　孔の下側　$c_1 = d_1 - d_t = 425 - 90 = 335\,(\text{mm})$

c_1 範囲内の補強筋　縦筋 4-D 16 (SD 295)，斜筋 2-D 29 (SD 390)

c_1 範囲内の補強筋比

　　$p_{s1} = \{4 \times 199 + 2 \times 642 \times (\sin 45° + \cos 45°)\}/(500 \times 335) = (796 + 1\,816)/167\,500 = 0.0156$

孔周囲補強筋の有効範囲　孔の上側　$c_2 = d_2 - d_t = 525 - 90 = 435\,(\text{mm})$

c_2 範囲内の補強筋　縦筋 4-D 16 (SD 295)，斜筋 2-D 29 (SD 390)

c_2 範囲内の補強筋比

　　$p_{s2} = \{4 \times 199 + 2 \times 642 \times (\sin 45° + \cos 45°)\}/(500 \times 435) = (796 + 1\,816)/217\,500 = 0.0120$

$p_s = \min(p_{s1}, p_{s2}) = 0.0120$

$k_u = 0.72$

中央部引張鉄筋比 　　　　　　　　　$p_t = 3\,210/(500 \times 860) = 0.0075$

$k_p = 2.36 \times p_t^{0.23} = 2.36 \times 0.0075^{0.23} = 0.77$

$Q_{su0} = \{0.092 \times 0.72 \times 0.77 \times (30+18)/(3+0.12) \times (1 - 1.61 \times 150/950)$

$$+0.85\times(295\times0.0037+390\times0.0083)^{0.5}\}\times500\times860\times7/8$$
$$=(0.784\times0.746+1.77)\times376\times10^3=885(\mathrm{kN})>Q_{su}$$

（4） ねじり応力について

ⅰ） ねじりの影響

　ねじりモーメントは，従来二次的なものと考えられ，計算上無視することが多かった．しかし，ねじりモーメントは，部材の構造性能に関し，以下に示すような影響を有することから，設計に際しては，適切に考慮する必要がある．

　　a．ねじり応力に基づく斜張力によって，斜めひび割れが生じることがある．
　　b．斜めひび割れの発生後，ねじり剛性が大幅に低下する．
　　c．ねじりモーメントとせん断力および曲げモーメントとの間には解説図 22.7 に示すように相互作用があり，斜めひび割れ強度および終局強度を相互に低下させる．

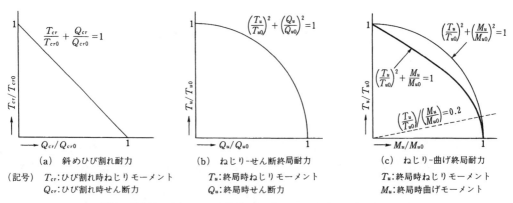

（図中で最後尾に添字0のついた記号は相互作用のない場合の強度を意味する）

解説図 22.7　長方形断面梁における相関曲線[29]

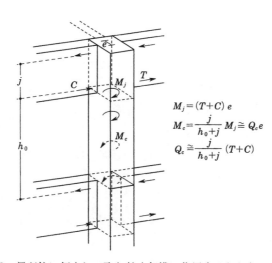

解説図22.8　梁が柱に偏心して取り付く架構に作用するねじりモーメント[28]

d．ねじりが支配的な場合，補強筋量が少ないと，斜めひび割れの発生後，急激な耐力低下が生じる．

斜めひび割れが発生する場合は，ねじりに対する補強筋が必要である．通常，ねじり補強筋として，閉鎖形あばら筋と軸方向筋の組合せ，または，45°方向のらせん筋を配置する．また，T形梁やL形梁では，ねじりに対してフランジが有効に抵抗すると考えてよい．

1995年兵庫県南部地震では，梁が柱に偏心接合されている架構の，柱や柱梁接合部にねじりの影響によると思われる被害が見られたと報告されている[28]．これは，解説図22.8に示すように，梁の曲げモーメントによる偶力が，接合部パネル上下の水平面において，柱の軸心に対して逆向きのねじりモーメントをもたらし，このねじりモーメントによって，柱のせん断強度や接合部せん断強度が低下したものと考えられている．このねじりモーメントによる強度低下を考慮した，柱や柱梁接合部のせん断設計の方法については，文献28)に詳しく述べられているので参照されたい．このほか，ねじりについては，文献29)〜32)などを参照するのがよい．

ⅱ）ねじりを受ける部材の設計の原則

　A．部材に対するねじりの生じ方には，次の2種がある．

　a．ねじりモーメントを考慮しないと，釣合条件が満足されない場合

　b．ねじりモーメントを考慮しなくても，釣合条件を満足できる場合（不静定構造の中で，部材間の変形を適合させるために生じるねじり）

一般に，前者を釣合ねじり，後者を変形適合ねじりと呼ぶ．鉄筋コンクリート構造では，ねじ

解説図22.9　釣合ねじりの例

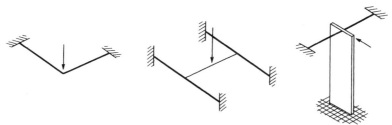

解説図22.10　変形適合ねじりの例

---

28) 日本建築学会：阪神・淡路大震災と今後のRC構造設計—特徴的被害の原因と設計への提案—, 1998
29) 日本建築学会：鉄筋コンクリート終局強度設計に関する資料, 35〜37章, 1987.9
30) 土木学会：コンクリート標準示方書, 構造性能照査編, 6.4, 2002
31) 土木学会：コンクリート標準示方書, 構造性能照査編, 7章, 2002
32) American Concrete Institute：Building Code Requirements for Structural Concrete (ACI 318-19) and Commentary (ACI 318 R-19), 2019

りは変形適合ねじりとして作用するように計画するのを原則とする.

釣合ねじりと変形適合ねじりを受ける架構の例を解説図22.9, 22.10に示し, ねじりを受ける部材を太線で示した.

B. 変形適合ねじりの場合は, あばら筋量が過少でなければ, 斜めひび割れ発生後にねじり剛性低下によるモーメントの再配分が生じ, 終局強度算定上ねじりの影響を無視することができる[30)~33)]. したがって, 応力計算でねじり剛性を無視した場合は, 15条で定めるあばら筋量以上を配筋することを条件として, ねじり材の断面計算ではねじりの影響を無視してよい. ただし, ねじり材を含む骨組の応力計算で, ねじり剛性を考慮し, ねじりモーメントを無視すると, 釣合いが成立しなくなるような設計用応力を仮定したときは, 算定されたねじりモーメントに対して次項の釣合ねじりの場合と同様に算定する必要がある.

変形適合ねじりの場合でも, ねじり材に常時大きなひび割れが生じていることは好ましくない. したがって, ねじり変形を強制する部材(小梁など)の剛性はできるだけ大きくしておくことが望ましい. 既往の実験資料を通観すると, ねじりスパン長さが断面せいの3倍以上のときは, ねじり材に強制されるねじり角が 1.5×10^{-2} rad. 程度以下であれば問題は少ないと考えられる. 小梁を支える大梁の場合は, 大梁のねじり剛性を無視して算定される小梁の長期たわみが小梁スパン長さの1/200程度以下であれば, 過度なひび割れの拡大のおそれはないとしてよかろう. また, 大梁のひび割れ拡大を防止するために, 大梁断面外周に沿って腹筋(D10以上)を300 mm以下の間隔で配置しておくのがよい.

ねじりモーメントの影響を無視したねじり材に曲げ・せん断に対する十分な靱性を期待する場合は, 短期設計用せん断力 Q_D の数値をねじりが作用しない場合より10~20%程度割り増しておくことを推奨する.

C. 釣合ねじりの場合は, ねじりモーメントに対する断面算定を行う必要がある. 釣合ねじりの場合は, 設計用応力が斜めひび割れ強度を超えないようにすることが望ましいが, 斜めひび割れが生じるおそれのあるときは, ひび割れ発生後にねじり剛性が大幅に低下することを考慮しても変形上の支障がないことを確認しておく必要があろう.

iii) ねじりモーメントに対する断面算定

ここでは, 長方形断面の梁を対象として, ねじりに対する補強筋の算定方法を示す. T形梁やL形梁でフランジの効果を算入するときは, 文献30)や32)などを参照されたい.

A. ねじりモーメントにより生じるせん断応力度

短辺 b_T, 長辺 D_T の長方形断面の部材がねじりモーメント M_t を受けるとき, 材軸に直角な断面には解説図22.11のようにせん断応力度が生じる. せん断応力度 τ は断面のねじり中心から縁辺に近づくにつれて増大し, 最大せん断応力度は τ_{max} は長辺の中央に生じる. 弾性学の教科書[34)]

---

33) M. P. Collins, P. Lampert: Redistribution of Moments at Cracking-The Key to Simpler Torsion Design?, Publication No. 71-21, Dept. of Civil Engineering, University of Toronto, 1971.2

34) 例えば, Timoshenko, S.P. and Goodier. J.N: Theory of Elasticity, Third Edition, McGrow Hill, 1970

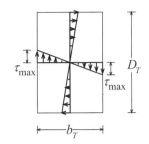 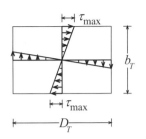

解説図 22.11 せん断応力度の分布

解説表 22.3 せん断応力度に関する係数

D_T/b_T	1	2	5	無限大
弾性学[34] $\dfrac{\tau_{max} b_T{}^2 D_T}{M_t}$	4.81	4.07	3.44	3.00
近似式 $3+\dfrac{2.6}{0.45+\dfrac{D_T}{b_T}}$	4.79	4.06	3.48	3.00

によれば，$\tau_{max} b_T{}^2 D_T/M_t$ の比は，解説表 22.3 の 1 段目に示すような値を取る．この値は，解説表 22.3 の 2 段目に示す式で近似できる．これを Bach の近似式という．

$$\tau_{max}=\left(3+\dfrac{2.6}{0.45+\dfrac{D_T}{b_T}}\right)\dfrac{T}{b_T{}^2 D_T} \tag{解 22.8}$$

記号　b_T：梁の幅とせいのうち，小さいほうの長さ
　　　D_T：梁の幅とせいのうち，大きいほうの長さ
　　　T：設計用ねじりモーメント

梁がスラブと一体になっているときは，スラブとの協力を考えて，梁のねじりモーメントを減少することができる．

いま，材軸と 45° および 135° をなす方向の断面を考えれば，各断面には主引張応力度 σ_t と主圧縮応力度 σ_c が作用し，その大きさは軸に直角な断面のせん断応力度 τ に等しい．

$$\sigma_t=\sigma_c=\tau \tag{解 22.9}$$

実験によると鉄筋コンクリート材にひび割れが発生するまでは，せん断応力度の分布は鉄筋に関係なく上に述べた弾性体の場合とほぼ等しい．長方形梁では τ_{max} が約 $F_c/12 \sim F_c/8$ に達すると，主引張応力度 σ_t によって材表面から材軸に斜め方向のひび割れが発生する．

B. 最小補強筋を配置した梁で許容し得る応力の組合せ

本規準 15 条で規定する最小あばら筋比（0.2％）を有する長方形断面梁が，ねじりとせん断を同時に受けるときの設計用ねじりモーメント T と設計用せん断力 Q は，（解 22.10）式を満たす必要がある．なお，この場合，設計用ねじりモーメント T と設計用曲げモーメント M との比が（解 22.11）式を満たさないときは，（解 22.12）式によって求められる合計断面積 a_s を，曲げモ

ーメントに対して算定される軸方向筋の断面積に付加して配置するものとする．

$$(T/T_0)^2+(Q/Q_0)^2 \leq 1 \tag{解 22.10}$$

ここに，$T_0 = b_T{}^2 D_T (1.15) f_s / 3$

$Q_0 = bj\alpha f_s$

$$T/M \leq 0.4/(1+\omega) \tag{解 22.11}$$

$$a_s = 0.0016\, b D (1+1/\omega)(_w f_t /_s f_t) \tag{解 22.12}$$

記号　b_T：梁の幅とせいのうち，小さいほうの長さ

　　　D_T：梁の幅とせいのうち，大きいほうの長さ

　　　b：梁の幅

　　　j：応力中心距離で，$(7/8)d$ としてよい．

　　　d：梁の有効せい

　　　α：15条参照

　　　ω：あばら筋の中心線で囲まれたコンクリートの長辺長さ d_0 のあばら筋の中心線で囲まれたコンクリートの短辺長さ b_0 に対する比（$=d_0/b_0$）

　　　D：梁せい

　　　f_s：コンクリートの許容せん断応力度

　　　$_w f_t$：あばら筋のせん断補強用許容引張応力度

　　　$_s f_t$：軸方向筋の許容引張応力度

（解 22.10）式によって得られる短期許容耐力は，中山・狩野の提案式〔文献 29）の 36 章〕による終局強度下限値とほぼ等しい値となる．

（解 22.11）式，（解 22.12）式は，ねじりと曲げとの相互作用を考慮するものである．中山・狩野の提案式に基づいて整理すると，（解 22.11）式を満たすときは $(T_u/T_{u0})/(M_u/M_{u0})$ の値が 0.2 以下となり，解説図 22.7（c）によってわかるように，ねじりモーメントによる曲げ耐力の低下を無視することができる．（解 22.12）式は，簡便のため，純ねじりの場合を想定して，0.2％のあばら筋量に釣り合うために必要な軸方向筋量を後述の Rausch の式によって求め，これを付加軸筋量としたものである．ただし，d_0/D の値を 0.8 と仮定してある．

また，（解 22.10）式によって得られる長期許容耐力は，斜めひび割れ強度を安全側に表現していると考えてよい．

C．ねじり補強筋の算定

土木学会標準示方書[30),31)]や ACI 規準[32)]などには，ねじりに対する補強筋の算定方法が詳細に規定されている．ここでは，簡便でなじみの深い方法として，Rausch の簡易公式[29),35)]を用いる方法を示す．

a）計算方針

曲げ，せん断と同時にねじりを受ける部材の補強筋は，曲げモーメント，せん断力に対して

---

35) E. Rausch：Bewehrung des Eisenbetons gegen Verdrehung und Abscheren, Berlin, Springer, 1938

それぞれ算定される補強筋量に，b）項で算定される補強筋量を加算して配筋する．ただし，せん断に対して必要なあばら筋比の値 p_{ws} は 0.1% 以上とし，必要なあばら筋の総量は 1.2% を超えてはならない．また，設計用ねじりモーメントは，（解 22.13）式を満たすものとする．

$$T \leqq b_T{}^2 D_T f_s (4/3) \tag{解 22.13}$$

記号　T：設計用ねじりモーメント

　　　b_T, D_T, f_s：（解 22.10）〜（解 22.12）式参照

b）ねじりモーメントに対する補強筋量の算定

材軸に沿い，x の間隔で配置する閉鎖形あばら筋 1 本の必要断面積 a_1 は（解 22.14）式による．

$$a_1 = Tx/(2_w f_t A_0) \tag{解 22.14}$$

記号　a_1：ねじりモーメントに対して必要な閉鎖形あばら筋 1 本の断面積

　　　T：設計用ねじりモーメント

　　　x：閉鎖形あばら筋の間隔

　　　$_w f_t$：あばら筋のせん断補強用許容引張応力度

　　　A_0：閉鎖形あばら筋の中心で囲まれるコンクリート核の断面積

軸方向筋の必要全断面積 a_s は（解 22.15）式で求め，断面の外周に沿って 300 mm 以下の間隔で均等に配筋する．

$$a_s = T\phi_0/(2_s f_t A_0) \tag{解 22.15}$$

記号　a_s：ねじりモーメントに対して必要な軸方向筋全断面積

　　　T：設計用ねじりモーメント

　　　ϕ_0：閉鎖形あばら筋の中心で囲まれるコンクリート核の周長

　　　$_s f_t$：軸方向筋の許容引張応力度

　　　A_0：閉鎖形あばら筋の中心で囲まれるコンクリート核の断面積

なお，ねじりモーメントに対する軸方向筋として腹筋を用いる場合は，その腹筋を部材全長にわたり連続させ（または有効な継手を用い），端部では柱梁接合部等の支持部材内に有効に定着させる必要がある．

c）上記の方法は，同一断面・同一配筋の梁で，ねじりとせん断，ねじりと曲げに対してそれぞれ解説図 22.12 に実線で示すような相関曲線を仮定することに相当する．

あばら筋のうち，少なくとも 0.1% をせん断補強用として考慮するようにしたのは，ねじりに対して余裕のある設計にすることと，相関曲線の凸部が危険側にならないようにするためである．

また，Rausch の簡易公式は，ねじり応力度が約 $0.2 F_c$ を超えると危険側になるところから[29]，ねじりに対して補強可能な限度を設けた．

文献 32）には，斜めひび割れ強度を保持するために必要な補強筋量を求める式が示されている．釣合ねじりを受ける部材に靭性を付与するための方法については，文献 29），36）などを参照されたい．

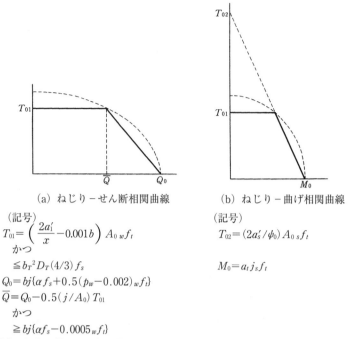

(a) ねじり－せん断相関曲線　　(b) ねじり－曲げ相関曲線

（記号）
$$T_{01} = \left(\frac{2a'_t}{x} - 0.001b\right) A_0 \, _w f_t$$
かつ
$$\leq b_T{}^2 D_T (4/3) f_s$$
$$Q_0 = bj\{\alpha f_s + 0.5(p_w - 0.002)\, _w f_t\}$$
$$\overline{Q} = Q_0 - 0.5(j/A_0) T_{01}$$
かつ
$$\geq bj\{\alpha f_s - 0.0005\, _w f_t\}$$

（記号）
$$T_{02} = (2a'_s/\psi_0) A_{0\,s} f_t$$

$$M_0 = a_t j_s f_t$$

［注］　記号は(解22.10)～(解22.15)式を参照．ただし，a'_t は x の間隔で配置される閉鎖形あばら筋1本の断面積，a'_s は軸方向筋の全断面積，a_t は引張鉄筋の断面積とする．

解説図 22.12　ねじりモーメントを受ける材の設計用相関曲線

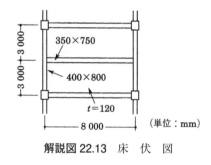

解説図 22.13　床　伏　図

【計算例】小梁を支持する大梁のねじりに対する検討

小梁を支持することによって大梁に生じるねじりを検討する場合，前述したように，ねじりによる影響を特に考えない代わりに，梁の短期設計用せん断力を割増しする方法と，ねじりモーメントによるせん断力の増加を計算し，補強を行う方法とがある．

ここでは，ねじりモーメントの影響を考慮した場合の補強筋量の計算の一例を示す．

①設計条件

大梁の主筋は，SD 345 の D 22 を使用し，大梁の断面は 400 mm×800 mm とし，$d = 740$ mm

---

36)　竹村寿一・狩野芳一・中山達雄：ねじりと曲げせん断をうける部材のじん性制御の可能性について，第6回コンクリート工学年次講演会論文集，1984

解説表 22.4 大梁の設計用の曲げモーメントとせん断力

		端部	中央部	備考
長期	M	-120 kNm	85 kNm	
	Q	95 kN		
水平荷重時	M	± 210 kNm	0	
	Q	70 kN		
短期	M	-330 kNm 90 kNm	85 kNm	
	Q	235 kN		$Q_D = Q_C + n \cdot Q_E, n=2$

（下端引張），710 mm（上端引張，2段配筋）とし，せん断補強筋はSD 295のD 10を使用するものとする．コンクリートの設計基準強度は$F_c=24$ N/mm²とする．

大梁の伏図を解説図22.13に，設計用の曲げモーメントとせん断力を解説表22.4に示す．

　　床荷重　$w=7$ kN/m²

　　小梁自重 $=0.35\times(0.75-0.12)\times 24 = 5.29$ kN/m

② 小梁の応力

小梁の曲げモーメント図を解説図22.14に示す．

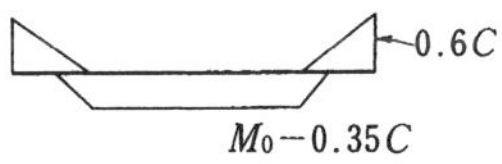

　　$w_b = 7\times 3 + 5.29 = 26.3$ kN/m

　　$W = 26.3 \times 8 = 210.4$ kN

　　$C = 0.083Wl$，$M_0 = 0.125Wl$

　　$0.6C = 84$ kNm，$M_0 - 0.35C = 162$ kNm

解説図 22.14 小梁の曲げモーメント図

③ 大梁のねじりモーメント

　　$T = 0.6C/2 = 84/2 = 42$ kNm

④ (解 22.10) 式による検討

　　$f_s = 0.73$ N/mm²（長期）

　　　$= 1.095$ N/mm²（短期）

許容ねじりモーメントおよび許容せん断力を解説表22.5に示す．

解説表 22.5 許容ねじりモーメントおよび許容せん断力

	長期	短期
$T_0 = b_T{}^2 D_T (1.15) f_s / 3$	35.8 kNm	53.7 kNm
$Q_0 = bj\alpha f_s$	189 kN	284 kN

（安全側として，$\alpha=1$とする）

a）長期 $(T/T_0)^2 + (Q/Q_0)^2 = (42/35.8)^2 + (95/189)^2 = 1.63 > 1$

したがって，最小配筋では不可．小梁は，単純支持などを仮定してたわみ障害が生じないこ

とを確認する．

　b）短期 $(T/T_0)^2+(Q/Q_0)^2=(42/53.7)^2+(235/284)^2=1.30>1$

　　短期に対しても補強が必要である．

⑤ねじりに対する大梁の補強

$$A_0=(400-45\times2)\times(800-45\times2)=220\,100\text{ mm}^2$$

$$\phi_0=\{(400-45\times2)+(800-45\times2)\}\times2=2\,040\text{ mm}$$

　a）設計用ねじりモーメントの（解22.13）式による確認

$$b_T{}^2D_Tf_s(4/3)=400^2\times800\times0.73\times(4/3)=125\times10^6=125\text{(kNm)}>42\text{ kNm}（長期）$$

$$b_T{}^2D_Tf_s(4/3)=400^2\times800\times1.095\times(4/3)=187\times10^6=187\text{(kNm)}>42\text{ kNm}（短期）$$

　b）あばら筋

　　（解22.14）式を用いると，必要あばら筋比は次のとおり得られる．

$$a_1=Tx/(2{}_wf_tA_0)$$

$$p_{wt}=2a_1/(bx)=T/({}_wf_tA_0b)=42.0\times10^6/(295\times220\,100\times400)=0.00162\text{（短期）}$$

$$p_{wt}=0.00245\text{（長期）}$$

　c）軸方向筋

　　SD 295 と仮定する．

$${}_sf_t=195\text{ N/mm}^2（長期，せん断補強用）$$

$$=295\text{ N/mm}^2（短期，せん断補強用）$$

　　（解22.15）式より

$$a_s=T\phi_0/(2{}_sf_tA_0)=999\text{ mm}^2（長期）$$

$$=660\text{ mm}^2（短期）$$

⑥曲げモーメントおよびせん断力に対する算定

　a）曲げモーメントに対する梁主筋断面積の算定：

　　（長期）　端部，上端　：　$a_t=120\times10^6/(215\times710\times7/8)=898\text{ mm}^2$

　　　　　　　中央部，下端：　$a_t=85\times10^6/(215\times740\times7/8)=611\text{ mm}^2$

　　（短期）　端部，上端　：　$a_t=330\times10^6/(345\times710\times7/8)=1\,540\text{ mm}^2$

　　　　　　　端部，下端　：　$a_t=90\times10^6/(345\times740\times7/8)=403\text{ mm}^2$

　　　　　　　中央部，上端：　$a_t=0\text{ mm}^2\rightarrow 2-\text{D}22$

　　　　　　　中央部，下端：　$a_t=85\times10^6/(345\times740\times7/8)=381\text{ mm}^2$

　b）せん断力に対する算定　$Q_D=235\text{ kN}$

$$Q_D/(bj)=235\times10^3/(400\times710\times7/8)=0.946\text{ N/mm}^2<f_s=1.095$$

よって，最小配筋でよい．　$p_{ws}=0.001$

⑦曲げ補強筋，せん断補強筋の加算

　ねじりに対する軸方向補強筋として，4-D 13（508 mm²）を配筋する．さらに，ねじりに必要な軸方向筋断面積から軸方向補強筋断面積を差し引いて，足りない分を上下に分けて，曲げに必要な主筋に加算した断面積に対して配筋する．

解説表 22.6 ねじり応力による曲げ補強筋およびせん断補強筋の必要加算断面積

			曲げ補強, せん断補強		ねじり補強筋の加算	配　筋
			長　期	短　期		
端　部	a_t(mm^2)	上端	898	[1 540]	[1 540] + 76 = 1 616	5-D 22 (1 935 mm^2)
		中間			508	4-D 13 (508 mm^2)
		下端	0	[403]	[403] + 76 = 479	3-D 22 (1 161 mm^2)
	p_w(%)		0 → 0.1	0 → [0.1]	[0.1] + 0.245 = 0.345	□-D 10@100 (0.355%)
中央部	a_t(mm^2)	上端	0	0	0 + 245.5 = 245.5	3-D 22 (1 161 mm^2)
		中間	—	—	508	4-D 13 (508 mm^2)
		下端	[611]	381	[611] + 245.5 = 857	3-D 22 (1 161 mm^2)
	p_w(%)		(0.1)	(0.1)	(0.345)	□-D 10@100 (0.355%)

[注] 四角で囲んだ数値は，配筋を決定した数値であり，（　）は端部の数値を準用したものである．
なお，配筋欄に示した配筋は，必要量として 2-D 22 であっても配筋バランスを考えて 3-D 22 としたものが含まれている．

　短期の場合では，(660 mm^2 - 508 mm^2)/2 = 76 mm^2 を，長期の場合では，(999 mm^2 - 508 mm^2)/2 = 245.5 mm^2 を上下に割り振る．

　曲げ補強筋，せん断補強筋の必要加算断面積を解説表 22.6 に示す．

⑧大梁断面図を解説図 22.15 に示す．

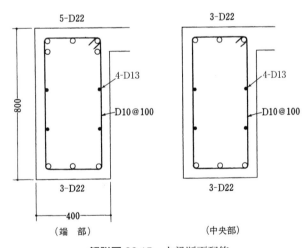

解説図 22.15 大梁断面配筋

付　　録

付1. 鉄筋コンクリート構造物の耐震対策[1]
—— 阪神・淡路大震災と今後の鉄筋コンクリート構造設計 ——

　1995年1月17日早朝に発生した兵庫県南部地震は関東大震災以来の大被害をもたらし，阪神・淡路大震災として我々を震撼させた．この震災以降，日本建築学会（以下，本会と略記）は全組織を挙げて災害の実態調査を行うとともに，その結果を研究分野ごとに整理し，以後の設計ならびに研究に反映させるべく組織的な活動を開始した．構造委員会では，建築物の構造被害の調査と被害の原因究明ならびに調査結果に基づく各種規準，指針などに対する見直しの要否を主眼に運営委員会ごとに横の連絡をとりつつ活動することとした．以下に鉄筋コンクリート構造運営委員会の対応と今後の設計への提案を中心に述べる．

　鉄筋コンクリート構造運営委員会でも上記調査の一翼を担うべく，ただちにコンクリート構造物を対象に「兵庫県南部地震災害調査小委員会」を発足させ，運営委員会としての最終報告書を「1995年兵庫県南部地震・鉄筋コンクリート造建築物の被害調査報告書・第Ⅰ編～第Ⅵ編」として1997年3月にまとめた．その後まもなく調査結果を踏まえながら，震災の教訓を将来の設計法に反映させるための検討を主な目的とした「耐震問題検討小委員会（以下，小委員会と略記）」を発足させた．その主な検討項目は次のとおりである．

1) 鉄筋コンクリート構造物に見られる特徴的被害とその原因の究明
2) 鉄筋コンクリート構造運営委員会編の規準，指針における見直しを必要とする部分の指摘とその内容
3) 新耐震基準以前の既存建築物に対する所見と対応

　小委員会での初期の検討において，鉄筋コンクリート構造物に関する被害の特徴と問題点に関するキーワードとして挙げられた主なものを列挙（順不同）すると，以下の17項目になる．

　1) 1階の層崩壊，2) 中間階の層崩壊，3) 配筋詳細（フック，カットオフ，副帯筋），4) 施工不良（コンクリート，鉄筋圧接），5) 剛性率，偏心率，高さ方向の強度分布，6) 二次壁の被害，7) 建設年代別被害度，8) 柱梁接合部破壊，9) 既存不適格建築物の耐震診断，改修，10) 梁曲げ降伏型全体抵抗機構と被害の容認度，11) 地震と要求性能，12) 重要度係数，13) 基礎，杭，14) 階段，渡廊下，エクスパンション・ジョイント，15) 地震動（大きさ，上下動），16) 地盤との相互作用，17) その他

　1995年6月には本会理事会から「これまでの調査結果から現段階で早急に提言あるいは指摘すべき事項」の提言要請を受けた．同時にこの提言は構造だけではなく建築の全分野にわたるため，できるだけ内容を絞るようにとの要請もあり，鉄筋コンクリート構造運営委員会は次の三点に絞っ

---

[1] 付1は1999年改定版で全面的に更新された．表題と同名の本会報告書「阪神・淡路大震災と今後のRC構造設計—特徴的被害の原因と設計への提案—」の序文の内容に追記編集されたものである．さらに，2010年版の改定では2005年の構造計算書偽装を契機に建築基準法および関連法が改正されたことなどが追記されているが，報告書序文としての表現が主体になっている．

て提言を行った.
1) 新耐震設計法以前の建築物に対する耐震診断と補強
2) 柱帯筋端部折曲げの詳細規定を法規に明記すること
3) ピロティ建築物の剛性率規定の強化と高さ方向の保有水平耐力分布の確保

これらについてはすでに国としての対応が一応取られている. その後, 地震被害の調査報告の最終結果を待つことなく, 現状での検討を進めていくこととなり, 小委員会の下に以下の作業部会 (WG) を設置した. 1)層崩壊 WG, 2)配筋・継手 WG, 3)柱梁接合部 WG, 4)非構造部材 WG

1) の層崩壊 WG はコンクリート系建築構造物の特徴的被害の一つである 1 階および中間階での層崩壊の原因究明と, これに関連した鉄筋コンクリート造建築物の構造設計上改善すべき事項の提言, および既存建築物の耐震診断や補強を行う場合に留意すべき点の指摘を主な目的としている. 1996 年 9 月の本会大会においては「鉄筋コンクリート系建築物の層崩壊の要因を探る」というテーマのパネルディスカッションが行われた. そこでは層崩壊に関する過去の被害の例とその要因が概説され, 続いていわゆるピロティ構造物に目立った 1 階の崩壊および中層建築物の中間階崩壊の具体例を取り上げ, 詳細な解析により要因には主因と誘因があり, ほぼその内容は確定できることが示された. 中間階の崩壊は崩壊層の耐力不足や耐力低下が主因, 壁の偏心配置などが誘因となって生じ, 降伏形 (特に全体降伏形) の意識の薄かった旧耐震基準 (1981 年以前) の建築物に集中した. この点では, 1982 年以降の法規はおおむね妥当であると思われる. また, 本会では, 本震災以前から「鉄筋コンクリート造建物の終局強度型耐震設計指針・同解説」(以下, 終局強度型指針と略記) において全体降伏形を打ち出している. さらに, 同指針の改定作業中に今回の地震が発生したため, 1997 年 7 月には地震後の動向を取り入れて, 変形で定義した設計クライテリアによって耐震性能を規定する「鉄筋コンクリート造建物の靱性保証型耐震設計指針 (案)・同解説」(以下, 靱性保証型指針と略記) を新たに示した. しかし, 1 階の崩壊については 1982 年以降の建築物にも見られ, 問題となった. 中破以上の鉄筋コンクリート造建築物の建設年代別比率としては, 一般建築物・ピロティ建築物どちらについても 1982 年以降の比率がそれ以前と比べて大幅に少ないとはいえ, 一部の激震地域を対象とした鉄筋コンクリート造建築物の全数調査[2]によれば, 一般建築物の被害率 (ピロティ以外の一般建築物全数に対する被害を受けた一般建築物の比率) とピロティ建築物の被害率 (ピロティ建築物全数に対する被害を受けたピロティ建築物の比率) ではピロティ建築物の被害率が 4 倍近くになり, これは 1982 年以降についてもいえる. この点については, 前述のようにとりあえず剛性率の規定改定により建設省で対応がなされている.

2) の配筋・継手 WG は, 鉄筋の配筋詳細 (フック, カットオフなど), 継手 (ガス圧接, 溶接など), その他の配筋一般に起因する被害の原因と将来への提言を主な目的としている. せん断補強筋端部の 135° フックについては, 本会「鉄筋コンクリート構造計算規準・同解説」では以前から構造規定に取り入れられていたが, 法規ではその角度まで規定していなかったため, 被害を受けた建物には 90° フックが多かった. この点はすでに法規上の改正が行われている. ガス圧接部の

---

2) 日本建築学会近畿支部:1995 年兵庫県南部地震コンクリート系建物被害調査報告書, 1996.7

破断は鉄筋の主流が高炉から電炉に移行する間に溶接性に問題があった時期もあるが，現在では，施工が適切であれば問題は少ないとの認識が一般的である．

3) の柱梁接合部 WG は，過去の日本の地震被害ではあまり見られなかった柱梁接合部の被害が，今回の地震ではかなり顕著に見られたことに鑑み，本会としての対応を検討するために設けられた．この WG 報告では柱梁接合部破壊の詳細，接合部破壊と建築物の崩壊との関係，接合部の余裕度の考え方，さらに柱と梁の偏心取付きによるねじりの影響などが検討された．柱梁接合部についての規定はすでに「終局強度型指針」や「靱性保証型指針」にその設計法が示されているが，1999年版の「鉄筋コンクリート構造計算規準・同解説」改定にあたり新たに追加された柱梁接合部の内容は，この WG の努力に負うところが少なくない．

柱梁接合部については，1999年版改定により今後の設計では問題が少ないと思われるが，既存建築物ではこの接合部の設計がなされていないものがほとんどで，問題となる場合が出てきている．既存建築物の耐震診断や補強設計にあたっては，これらの資料を基に，この接合部の検討を盛り込む必要もある．一般に既存の柱梁接合部の補強は困難であり，接合部に問題がある建物では，強度指標や靱性指標などに反映させることになろうが，建築物の変形を大きくしない手法も有効である．

4) の非構造部材 WG はいわゆる二次壁を中心に，その力学的な挙動と構造的な取扱いに対しての見直しと今後の設計に対する考え方を示す目的で設けられた．二次壁とスリットに関する本会資料は，1988年に「構造目地を設けた鉄筋コンクリート造二次壁に関する研究資料」(絶版)として発表されている．この WG 報告は，この資料にその後の知見と震災経験を踏まえた新たな設計資料を提供する意味を持っている．

今回の地震では，部分スリットによる二次壁の非耐力壁扱いが実構造物の挙動と異なる場合が多いこと，このために間違った計算仮定に基づく設計となる危険性について指摘がなされている．新耐震基準で設計されたピロティ建築物の崩壊にもこの二次壁の扱いが原因した事例がある．「終局強度型指針」では，壁を非耐力壁扱いとする場合は，力学的に明快となるように構造部材と切り離すこととしているが，現実の設計ではそうでない場合が多い．また，今度の地震で鉄筋コンクリート造共同住宅の二次壁に多くの被害が見られたが，住民には構造部材の被害との区別が難しいことや補修のための種々の問題で取り壊しになってしまった例もある．改修や取り壊しのための住民の合意に要する時間と心労などから，容認できる損傷 (acceptable damage) の議論もある．これについては，震災後特にクローズアップされてきた，入力と建築物の損傷の程度を考えた，いわゆる性能 (performance) 設計で最終的に取り入れられる．

また，震度7といわれる今回の地震動と震災経験を反映して，「靱性保証型指針」では，地震荷重レベルと限界状態を次のように扱っている．すなわち，設計限界状態では地震動レベルに数百年程度の再現期待値 (40～50 kine，300～500 gal，レベル2) を考え，この状態に「補修が必要ではあるが，継続使用も可能」という復旧可能性のイメージを持つ損傷制御限界状態を意味づけている．そして，終局限界状態には地震動レベルに数千年の再現期待値 (60 kine 以上，600 gal 以上，レベル3) を考え，この状態を「人命保護という立場で建築物の崩壊を避ける最終的な構造機能の限界」と考えている．

以上は，本会における今回の地震被害と今後の対応についての鉄筋コンクリート構造運営委員会での活動概要である．

　なお，レベル3規模の内陸直下型地震について，文献3)では，この規模の地震あるいはそれ以上の地震が日本において過去にも何度も発生したと推測される点を指摘している．そしてこの事実の認識が薄いのは，過去の地震記録が十分ではないこと，被害を受けた建物のほとんどが木造だったことなどによるものであり，また，たまたま近代的建築物が密集する大都市が襲われたために甚大な被害が生じ，地震動も強烈であったとの印象によると推定しており，今後の過大な地震動の予測の必要性とレベル3地震動に対する鉄筋コンクリート構造の対応の必要性を強調している．

　一方，1995年兵庫県南部地震で深刻な被害を経験してからすでに長い年月が経過し，また，東北地方太平洋沖地震や熊本地震などによる震災も経験した．その間，仕様規定型設計から性能規定型設計へと法改正があり構造設計者の設計の自由度とその範囲は広がったが，同時に設計者の判断と責任の重さが増したといえる．しかし，2005年の秋に構造計算書の偽装が発覚して世間の注目を浴び，構造設計者に対する不審が一気に広がった．その対策として2007年6月に法改正が行われ，構造計算書の詳細書式や技術基準運用の詳細化，およびそれらに従った構造計算が義務づけられるようになった．しかし，合理的な耐震設計を進めるには，これらの精緻な規則の背景を十分に理解した上で適用することが望ましく，場合によっては，規則を上回る耐震設計上の配慮が必要になることもある．その意味で，過去の地震被害の教訓を風化させることなく，その背景にある震災の詳細や新しい技術に関する知識，震災調査経験，構造実験経験などがより重要視されることとなろう．また，性能保証をどのように確立していくかも大きな問題である．品質や性能を保証するには，建築に携わるすべての人間の意識改革が必要となる．具体的には，構造設計者はもとより意匠設計者・設備設計者・建築施工者，さらに建築使用者に対する耐震教育，自己責任意識や倫理観の確立，設計や施工技術の末端までの伝達，次世代への伝達，人的マイナス要因の排除などが挙げられよう．

---

3) 日本コンクリート工学協会:「塑性域の繰り返し劣化性状」に関するシンポジウム－過大地震入力による構造物の崩壊防止をめざして－, 1998.8

付 2. 構造設計例

Ⅰ. まえがき

　鉄筋コンクリート造（以下，RC 造と略記）建物は，コンクリートと鉄筋の高強度化に伴い，高層化，大スパン化しており，従来では鉄骨鉄筋コンクリート造で建てられたものも，RC 造として建設されている．また，1981 年の建築基準法の改正以来，大地震時の安全性を二次設計にて確認する設計が一般化した．ほぼ同時期より構造設計はコンピューターによる一貫計算で行われるようになり，さらに 2007 年には，構造設計の詳細におよぶ法規定化が行われた．

　このような背景を受けて，本設計例は，実際によく用いられる建物規模と計算手法を選定し，構造設計実務者が設計時に遭遇する課題のいくつかを含むものとした．本設計例の特徴を以下に示す．

- 「国土交通省住宅局建築指導課ほか：2020 年版建築物の構造関係技術基準解説書，全国官報販売協同組合」（以下，建築物の構造関係技術基準解説書と略記）に準拠する．
- 地上 7 階建て，最大スパンは 9 m の事務所ビルとする．
- コンピューターによる一貫計算を前提とする．
- 一次設計，二次設計を行うルート 3 の設計とする．
- 袖壁，腰壁に構造スリットを設けない．
- 骨組外の壁も構造体として考慮する．

　袖壁付き柱，腰壁付き梁の弾塑性性状に関しては未解明な問題も多い．本例以外にも種々の設計法がありうることを強調しておきたい．本設計例ではすべての壁で許容応力度を超えないことを目標に短期設計を行っているが，1 条の解説で示すように，一部の超過を許容する設計も考えられる．

　なお，本設計例では，主要な構造部材の許容応力度設計を中心に説明し，Ⅱで許容応力度設計に関する構造設計内容を，Ⅲで保有水平耐力計算について「鉄筋コンクリート構造保有水平耐力計算規準・同解説（2021）」（以下，保有水平耐力規準と略記）との整合性を示し，最後にⅣで構造図面を示す．

　付図 2.1 に構造計算フローを示す．

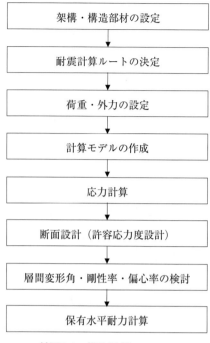

付図2.1　構造計算のフロー

Ⅱ．構造設計

1．一般事項

1.1　建物概要

　本建物の平面形状は，36.0 m×14.4 m の長方形であり，中央部片側に，階段・EV・WC 等のコア部を有する高さ28.3 m の 7 階建（地下なし）事務所ビルである．建設地は地震地域係数 $Z=1.0$ で多雪区域でない一般地域とし，地盤は第 2 種地盤を想定した．付表2.1に本設計例の建物概要を，付図2.2, 2.3に基準階平面図および断面図を示す．

付表2.1　建物概要

主要用途	事務所	階数	地上7階
延べ床面積	3 628.8 m²	最高高さ	28.30 m
建築面積	518.4 m²	軒高さ	27.60 m
構造種別	鉄筋コンクリート造	基礎深さ	GL−1.6 m

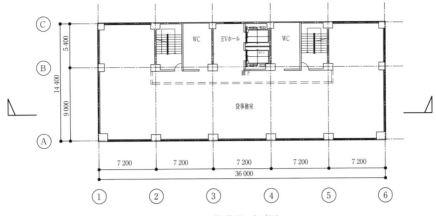

付図2.2　基準階平面図

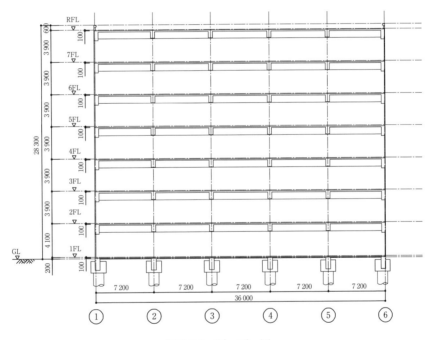

付図2.3　断面図

建築各部の構造および仕上げの概要は，以下のとおりである．

- ⅰ）屋　　　根　RC造，スラブ厚150 mm，アスファルト露出防水
  勾配はスラブの傾斜により確保し，1/100とする．
- ⅱ）各　階　床　RC造，スラブ厚150 mm，タイルカーペット張り
- ⅲ）各　階　天　井　吸音テックス張り
- ⅳ）外　　　壁　RC造壁，吹付けタイル
  窓・ガラス，アルミサッシ
- ⅴ）内　　　壁　RC造壁，塗装仕上げおよび軽量鉄骨下地間仕切り
- ⅵ）梁　・　柱　RC造，外部吹付けタイル，内部塗装仕上げ

1.2 構造計画

本建物は事務所ビルとしてフレキシブルな利用が可能な，比較的スパンが大きく，外壁3面が開放された建物となっている．したがって，

・柱・梁の骨組に加えて壁により必要な耐震強度を得ること．
・長辺方向でⒸ通りに剛心が偏ることによる偏心問題を解決すること．

の2つの課題がある．そこで，以下の計画を採用した．

・コア周囲に耐震壁を設ける．
・Ⓑ通りの強度を上げるために袖壁を活用する．
・Ⓐ通りの剛性を上げるために腰壁を活用する．

袖壁・腰壁に構造スリットを設けて，当該壁を無視する設計がよく行われる．構造スリットは，壁が取り付く部材が短柱や短スパン梁となることを防止する効果がある．また，当該壁にせん断力が集中し，早期に損傷することを防止する効果もある．しかし，本建物では，袖壁・腰壁を無視した場合は偏心率が0.3を超えるのに対して，これらを評価することで0.16程度に抑えることができる．また，袖壁により建物の水平耐力を増大することができる．ここでは19条，付10等に従い，袖壁・腰壁を適切に評価して，建物全体の強度・剛性の増大とバランスのよい建物とすることを意図して，計画を行った．

以下に構造計画を示す．

1) 平面規模は，X方向は7.2m×5スパン，Y方向は9.0m，5.4mの2スパンで，36.0m×14.4mの長方形平面である．階高は1階4.1m，2階以上3.9mで軒高は27.6m，地上部分のY方向の塔状比は$27.6/(14.4+0.18)=1.89$である．床伏図を付図2.4に，軸組図を付図2.5～2.11に示す．

2) 構造種別はRC造とし，架構形式はX方向・Y方向ともコア部分に耐震壁を有するラーメン構造とする．RC造壁は外壁および内壁の一部に使用し，構造スリットを設けず構造体として扱う．

3) X方向Ⓐ通りは純ラーメン架構であるが，大梁上に高さ$h=850$ mmの腰壁を設ける．腰壁を考慮しても，梁降伏が先行するよう柱せいを大きくする．ただし，柱内法高さは，柱せいの2倍以上とする．

4) X方向Ⓑ通りの階段室およびEVシャフトのRC造内壁は袖壁として扱う．

5) X方向Ⓒ通り②～②d通り間，④d～⑤通り間の階段室部のRC造壁（付図2.4中の W20A ）は，壁端部において直交する階段室壁（付図2.4中の W18 ）と一体となって立体的に挙動する耐震壁とする．ただし，②d通りとⒸ通りの交点および④d通りとⒸ通りの交点には杭が配置されていないため，当該壁のせん断力負担は小さい．また，③～④通り間には開口付きの耐震壁を設ける．

6) Ⓒ通り②d～③通り間，④～④d通り間の梁は連層耐震壁につながる境界梁となり短スパンかつ大きなたわみ角が生じると考えられるためX形配筋梁とし，変形能力の確保を図る．

7) Y方向の①，③，④，⑥通りは2スパンの純ラーメン架構とし，②，⑤通りにはⒷ～Ⓒ通り間に耐震壁を配置する．階段室横の②d，④d通りの壁は，骨組外であるので無視するという選択も

ありうるが，本設計例では両側柱なし壁として評価する．

8) 当該敷地は地盤沈下，斜面崩壊，液状化等のおそれはなく，安定した地盤と考え，支持地盤はGL－30.0 m以深のN値60以上の砂礫層とする．

9) 杭は，アースドリル工法による場所打ちコンクリート杭を用い1柱1本とする．

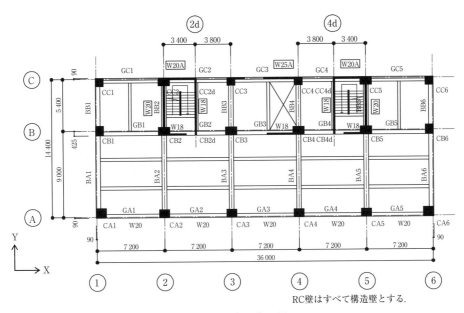

付図2.4 床伏図

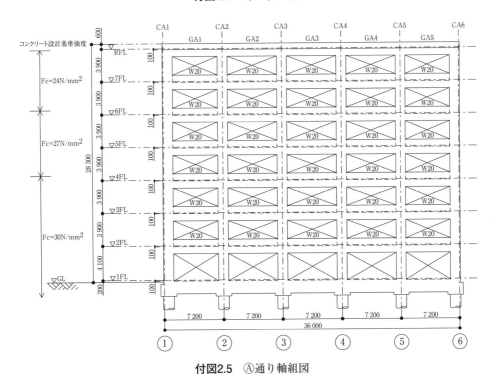

付図2.5 Ⓐ通り軸組図

—434— 付　録

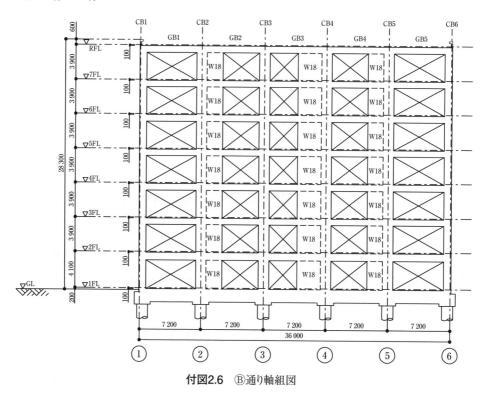

付図2.6　Ⓑ通り軸組図

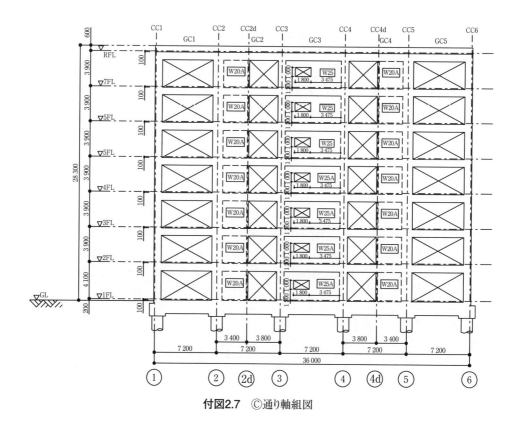

付図2.7　Ⓒ通り軸組図

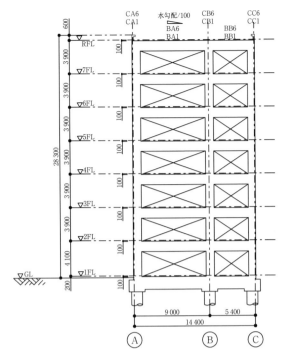

付図2.8 ①, ⑥通り軸組図

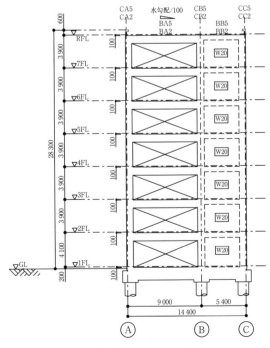

付図2.9 ②, ⑤通り軸組図

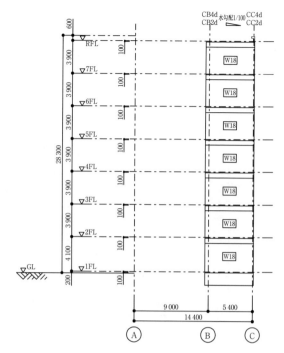

付図2.10 ②d, ④d通り軸組図

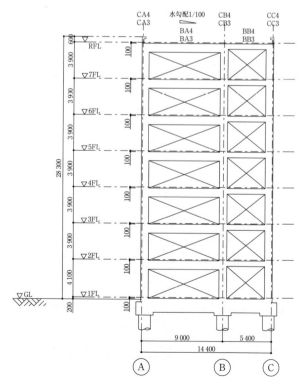

付図2.11 ③, ④通り軸組図

1.3 構造設計方針

本計算は，本規準および建築基準法・同施行令・関連告示に従って行う．

本計算書には，固定荷重 G，積載荷重 P および地震力 K に対する計算を示す．なお，積雪荷重 S，風荷重 W は断面を決定する荷重でないことを確認している．以下に，上部構造，基礎構造の設計方針を示す．

（1） 上 部 構 造

（全体方針）

1) 構造計算はルート3とする．大地震時には全体崩壊メカニズムを形成するように計画する．
2) $F_c=24$，27，30 N/mm² の普通コンクリートとSD 295，SD 345，SD 390 の鉄筋を使用する．
3) 地盤は第2種地盤とし，告示式を用いて地震力を設定する．
4) 荷重計算，応力解析，断面設計には，一貫構造計算プログラムを使用する．

（解析，モデル化方針）

1) 剛性の大きく異なるラーメン骨組と構造壁が混在するため，応力解析は一次設計においても，ひび割れによる部材の剛性低下を考慮した立体非線形増分解析により行う[1]．
2) パラペットは重量のみ考慮し，強度・剛性への影響は無視する．
3) 梁の部材モデルは，材端にひび割れと降伏を考慮した非線形回転ばね付き曲げ・せん断線材要素とする．柱は同様に，材端にひび割れと降伏を考慮した曲げ・せん断・軸力線材要素とする．梁要素と柱要素の回転ばねは，曲げひび割れ強度と曲げ降伏強度を考慮したトリリニア復元力特性とする．せん断ばねと軸方向ばねは，降伏のみ考慮するバイリニア復元力特性とする．
4) 両側柱付き壁と両側柱なし壁は，付図2.12のように，上下の剛梁に接続する3本の柱要素を有する耐震壁モデルとする．中央柱要素の回転ばねは，曲げひび割れ強度と曲げ降伏強度を考慮したトリリニア復元力特性とする．せん断ばねは，せん断ひび割れ強度とせん断強度を考慮したトリリニア復元力特性とする．軸方向ばねは，降伏のみ考慮するバイリニア復元力特性とする．Ⓒ通りの片側柱付き壁も，壁端に直交壁が付くため，上記と同じモデルとする．Ⓑ通りの片側柱付き壁は，壁端に直交壁がなく，しかも壁が柱せいに比べてさほど長くないので，柱と同じく線材にモデル化する．付図2.4～2.10では，耐震壁モデルを用いる壁を W20 のよ

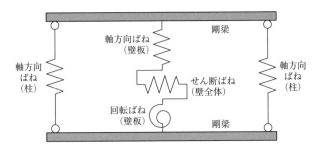

付図2.12 耐震壁モデル

---

1) 付10の剛性低下率を用いるなどして，線形解析で一次設計を行う方法もありうる．

うに四角で囲み，線材モデルを用いる壁を W20 のように囲みなしで表現している．
5) 柱（片側柱付き壁を含む）および耐震壁（両側柱付き壁）の軸変形は長期では無視し，水平荷重時にのみ考慮する．なお，柱と同じく線材にモデル化する片側柱付き壁の軸方向剛性は袖壁部分の断面積を無視し，本体柱部分の軸方向剛性のみを考慮する．
6) 床はコア部分に EV と階段による開口を有するが，せん断力を伝えるに十分な厚さのスラブが接続していることから剛床を仮定する．
7) 層間変形角，偏心率，剛性率は，剛性低下を考慮した非線形増分解析結果にて算定する．

(断面設計)
1) 断面算定用応力は，長期荷重時，水平荷重時ともに節点ではなくフェイス位置の値を用いる．
2) 柱および梁は，せん断終局強度に基づいてせん断破壊に対する安全性を確認する．このため，短期設計では損傷制御性の確保を目的にしたせん断設計を行う．
3) 柱梁接合部は，せん断終局強度に基づいてせん断破壊に対する安全性を確認するため，15条の検討は行わない．
4) 梁は付着割裂強度に基づいて付着破壊に対する安全性の検討を行う．このため短期設計では，損傷制御性の確保を目的とした付着設計を行う．
5) 腰壁付き梁は腰壁の柱に対する偏心量が大きいため，柱梁接合部のねじれに対する検討を行う．
6) 腰壁付き梁では梁せいが大きいため，大地震時の軸方向変形（部材伸び）が通常の梁より大きくなる．その結果，1階側柱（C_{A1}, C_{A6}）ではせん断力や水平変形が大きくなる可能性がある[2]ため，せん断強度に余裕を持たせた設計を行う．さらに，梁に圧縮軸力が生じて曲げ強度が上昇する可能性もあるので，Ⓐ通り全体の柱の曲げ，せん断強度にも余裕を持たせた設計を行う．
7) 本設計例の袖壁付き柱は，接続する梁に比べて剛性と強度が格段に大きいので，片側柱付き「壁」と考える．したがって，曲げ付着や接合部の検討は行わない．
8) Ⓒ通りの壁の②ⓓ，④ⓓ側端部の隅角部，②ⓓ，④ⓓ通り壁端部，Ⓑ通り袖壁端部の壁端部主筋は，拘束筋を用いて横拘束をする．
9) 袖壁の開口および袖壁上部の梁部開口の検討は，耐震壁の開口，梁の開口と同様に扱う．
10) Ⓒ通り連層壁に接続する境界梁 G_{C2}, G_{C4} は文献 4) に従い X 形配筋の設計を行う．
11) 配筋詳細は，本会「建築工事標準仕様書・同解説　JASS 5　鉄筋コンクリート工事」（2022年版）および本会「鉄筋コンクリート造配筋指針・同解説」（2021年版）に従う．

---

2) 梁の軸変形の影響は，梁せいだけでなく，梁の塑性変形量やスパン数が増えると大きくなる．本建物の場合，後の増分解析で示すようにベースシア係数が大きい（0.53 程度）ので，大地震時でも塑性変形量は小さい．さらに，スパン数も少ない（5 スパン）ことから，影響はさほど大きくないと考えられる．詳細は，下記の文献3)などを参照されたい．
3) 真田靖士・壁谷澤寿海：拘束剛性から推定される梁の軸方向変形に基づく柱のせん断力増分の評価，コンクリート工学年次論文報告集，Vol. 21, No. 3, pp. 49-54, 1999.6

(2) 基 礎 構 造

1) 基礎支点は，終局引抜き抵抗力を超えると浮上りを生じる剛塑性のピン支持モデルとする[5].
2) 短期荷重時には，杭軸力が短期許容引抜き抵抗力以下になることを確認する．
3) 杭の地震時水平力に対する設計では，杭の水平剛性に応じて水平力を分担させる．杭頭モーメントは，すべて基礎梁にて負担させる[6]．ただし，本設計例では，基礎の設計の説明を省略する．

1.4 使用材料の許容応力度

コンクリートと鉄筋の許容応力度は，付表2.2および付表2.3による．

付表2.2 コンクリートの許容応力度 (単位：N/mm^2)

基準強度	長 期				短 期			
	圧 縮	せん断	付 着		圧 縮	せん断	付 着	
			上端筋	その他			上端筋	その他
24	8	0.73	1.54	2.31	16	1.09	2.31	3.46
27	9	0.76	1.62	2.43	18	1.14	2.43	3.64
30	10	0.79	1.70	2.55	20	1.18	2.55	3.82

付表2.3 鉄筋の許容応力度 (単位：N/mm^2)

		長 期		短 期	
		圧縮・引張	せん断	圧縮・引張	せん断
D 10～D 16	SD 295	195	195	295	295
D 19～D 25	SD 345	215	195	345	345
D 29～D 32	SD 390	195	195	390	390

---

4) 日本建築学会：鉄筋コンクリートX形配筋部材設計施工指針・同解説，2010
5) 本建物の場合，耐震壁直下の鉛直ばねの弾性変形を考慮すると，Ⓒ通りの剛性が低下し，X方向の偏心率を過小評価するおそれがある．よって，剛塑性ばねとする方が安全側と判断した．剛塑性ばねのデメリットは，一次設計時の柱と梁のせん断力負担を過小評価する可能性があることである．ただし，この建物の場合は，短期許容応力度に関して大きな余裕があるので，問題ないものと判断した．基礎ばねを弾塑性とする場合は，その弾性剛性を十分に検討し，かつ設定値のばらつきも考慮した設計が望まれる．
6) 1階柱壁以上の上部構造材の解析において杭頭モーメントを無視することにより，片側柱付き壁の応力も変化するが，この影響も小さいため無視する．

1.5 固定荷重・積載荷重

1. 床単位荷重

i) 固定荷重

屋　　根

アスファルト防水層 9.0		750
均しモルタル	30 mm	
スラブ	150 mm	3 600
天井（吸音テックス・下地・吊木とも）		150
打増し等※		200
		4 700

各　階　床

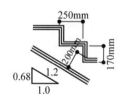

タイルカーペット	100 mm	300
OA フロア		
スラブ	150 mm	3 600
天井（同上）		150
間仕切り	$0.4\,\mathrm{m^2/m^2}\times 200$	80
打増し等※		200
		4 330
		→ 4 500

階　段（水平面に対し）

250mm　200mm　170mm
0.68　1.2　1.0

P タイル	5 mm	$600\times\dfrac{0.25+0.17}{0.25}=1\,008$
モルタル	25 mm	
スラブ	200 mm	$4\,800\times 1.2 = 5\,760$
天井（仕上げ・下地とも）		$200\times 1.2 = 240$
打増し等※		200
		7 208
		→ 7 300

（単位：N/m²）

［注］※「打増し等」には，打増しによるコンクリート増加分，仕上げ変更などの余裕分を含む．

ⅱ）床単位荷重表

積載荷重は，各階とも事務所としての数値を採用する．屋根は非歩行であるが，住居用の数値の1/2とする．固定荷重と積載荷重の和を付表2.4に示す．

付表2.4　床単位荷重表

（単位：N/m²）

	屋　上（非歩行）			各　階　床			階　　段		
	固定	積載	計	固定	積載	計	固定	積載	計
スラブ用	4 700	900	5 600	4 500	2 900	7 400	7 300	2 900	10 200
ラーメン用	4 700	650	5 350	4 500	1 800	6 300	7 300	1 800	9 100
地震用	4 700	300	5 000	4 500	800	5 300	7 300	800	8 100

2．パラペット・壁単位荷重

ⅰ）パラペット単位重量

　　3.3 kN/m

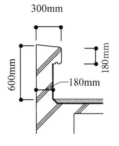

ⅱ）壁仕上げ単位荷重

　　内壁（仕上げを含む）360 N/m²
　　外壁仕上げ 30 N/m²

　　　　内　壁　　　　外壁仕上げ

2. 許容応力度計算

2.1 地震力の算定

建築基準法施行令第88条および建設省告示第1793号によって各階の地震時層せん断力 Q_i を算定する.

$$Q_i = C_i \sum_{j=i}^{7} W_j, \quad C_i = Z R_t A_i C_0$$

ここに,W_j は付表2.5に示す各階重量である.

地震地域係数

$\quad Z = 1.0$

振動特性係数

$\quad$ 第2種地盤として $\quad T_c = 0.6$ 秒

$\quad$ 建物高さ $\quad h = 0.20\,\mathrm{m} + 4.1\,\mathrm{m} + 3.9\,\mathrm{m} \times 6 - 0.1\,\mathrm{m} = 27.6\,\mathrm{m}$

$\quad$ 設計用一次固有周期 $\quad T = 0.02h = 0.55$ 秒 $< T_c \quad \therefore R_t = 1.0$

地震層せん断力の高さ方向の分布を表す係数

$$A_i = 1 + (1/\sqrt{\alpha_i} - \alpha_i) \cdot 2T/(1+3T) = 1 + 0.42(1/\sqrt{\alpha_i} - \alpha_i)$$

$$\alpha_i = \sum_{j=i}^{7} W_j \Big/ \sum_{j=1}^{7} W_j$$

標準せん断力係数

$\quad C_0 = 0.2$ (許容応力度設計用)

地震荷重表を付表2.5に示す.

付表 2.5 地震荷重表

方向	階	階高 (m)	地震用重量 (kN) 積載荷重	地震用重量 (kN) 固定荷重	各階重量 W_j (kN)	合計重量 (kN)	平均重量 (kN/m²)	A_i 分布	層せん断力係数 C_i	層せん断力 Q_i (kN)	層水平力 H_i (kN)
X・Y	7	3.9	158	6 046	6 204	6 204	11.8	2.11	0.422	2 615	2 615
	6	3.9	408	6 616	7 024	13 228	13.8	1.68	0.336	4 449	1 834
	5	3.9	408	6 617	7 025	20 253	13.8	1.47	0.294	5 951	1 502
	4	3.9	408	6 629	7 036	27 289	13.8	1.32	0.264	7 204	1 253
	3	3.9	408	6 650	7 058	34 347	13.8	1.20	0.240	8 239	1 035
	2	3.9	408	6 650	7 058	41 405	13.8	1.10	0.219	9 068	829
	1	4.1	408	6 699	7 107	48 512	14.0	1.00	0.200	9 702	634
	F	—	406	11 042	11 448	59 960	21.8	—	(0.10)*	10 847	1 145

[注] ＊は基礎の水平震度0.1を示す.

2.2 解析モデル

Ⓐ通りの解析モデルを付図2.13に示す．腰壁付き梁は，大梁芯の位置で線材にモデル化する．柱スパンは柱芯々間距離とする．9条の解説図9.5に従い剛域を設定し，剛域端は材の縁より取り付く部材の全せい（腰壁を含む）の1/4入った位置とする

Ⓑ通りの解析モデルを付図2.14に示す．柱付き壁（袖壁付き柱）も，柱芯の位置で線材にモデル化する．これは，部材せいがスパンに比べて比較的小さい[7]からである．柱付き壁としての図心と柱芯が異なることの影響は，部材の復元力特性を付10に基づいて算定することにより，自動的に補正される．Ⓑ通り以外の壁は，3本の柱要素を有する耐震壁モデルとする．

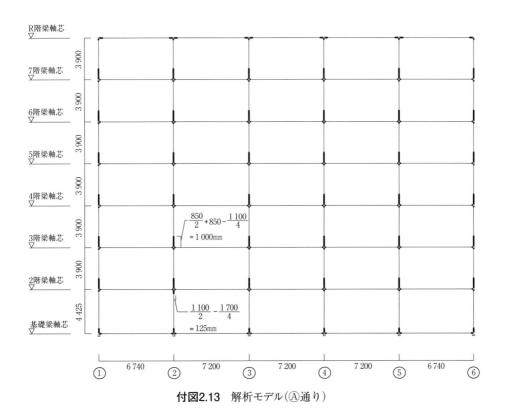

付図2.13 解析モデル（Ⓐ通り）

---

7) 田中弘臣・増田寛之・高橋 之ほか：壁付きRC部材の設計モデル（その3），日本建築学会大会学術講演梗概集，構造IV，pp.471-472，2009.8

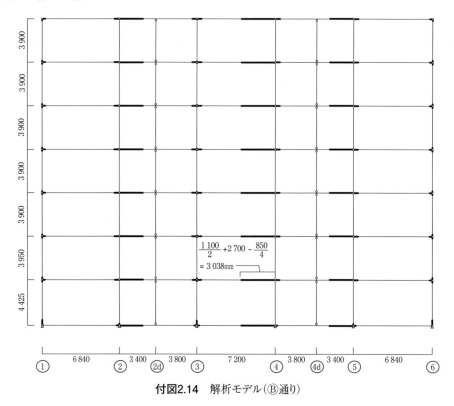

付図2.14 解析モデル(Ⓑ通り)

2.3 長期荷重時応力と短期荷重時応力

付図 2.17～2.20 に，代表的な通りの長期荷重時の応力図を示す．また，付図 2.21～2.25 に短期荷重時（正加力時のみを示す）の応力図を示す．凡例は付図 2.15，付図 2.16 のとおりである．

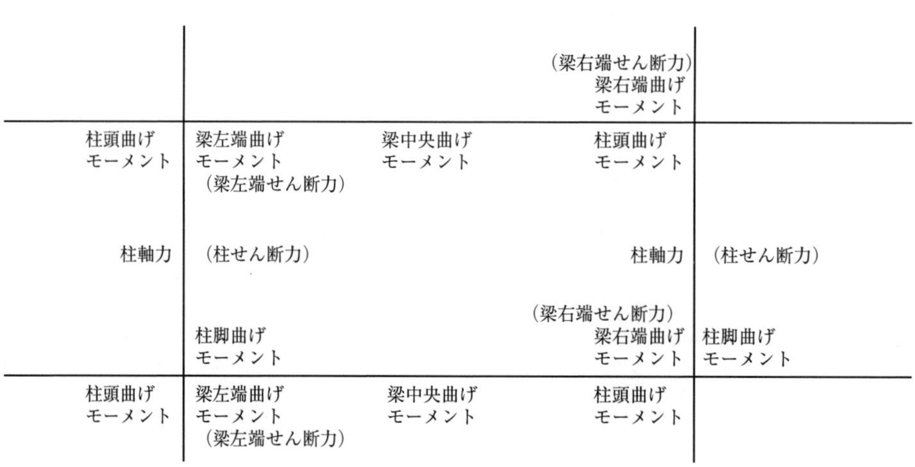

			(梁右端せん断力) 梁右端曲げ モーメント	
柱頭曲げ モーメント	梁左端曲げ モーメント (梁左端せん断力)	梁中央曲げ モーメント	柱頭曲げ モーメント	
柱軸力	(柱せん断力)		柱軸力	(柱せん断力)
		(梁右端せん断力) 梁右端曲げ モーメント		柱脚曲げ モーメント
	柱脚曲げ モーメント			
柱頭曲げ モーメント	梁左端曲げ モーメント (梁左端せん断力)	梁中央曲げ モーメント	柱頭曲げ モーメント	

単位：曲げモーメント kNm
　　　軸力，せん断力 kN
符号：曲げモーメント　＋右まわり，－左まわり
　　　せん断力　　　　＋右まわり，－左まわり
　　　軸力　　　　　　＋圧縮，－引張

付図 2.15 架構応力図の凡例

付2. 構造設計例

付図2.16 耐震壁周囲の架構応力図の凡例

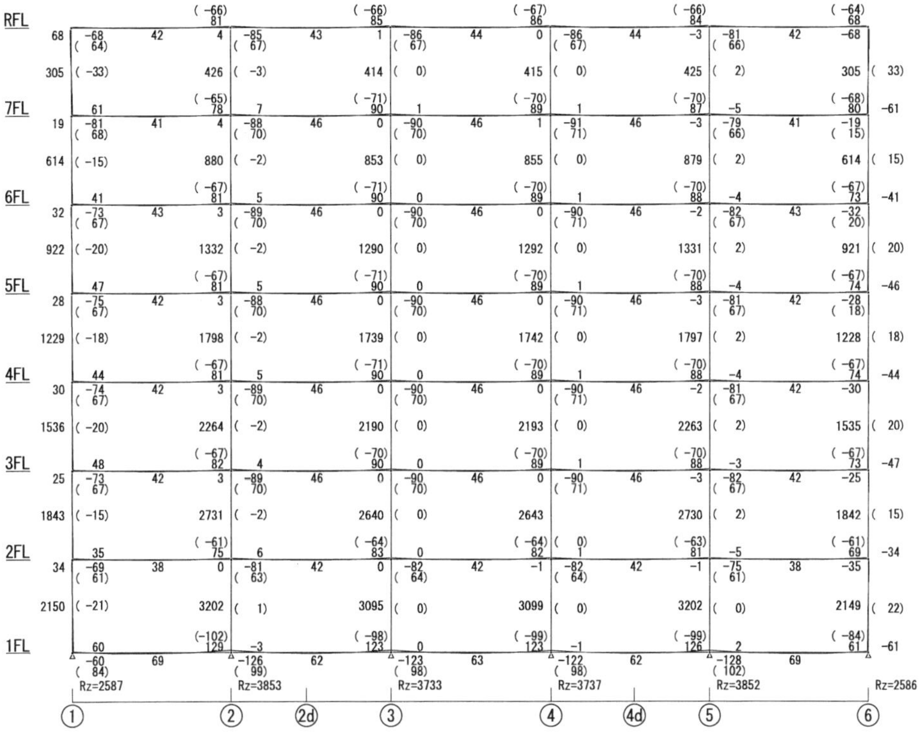

付図2.17 長期応力（Ⓐ通り）

— 446 — 付　録

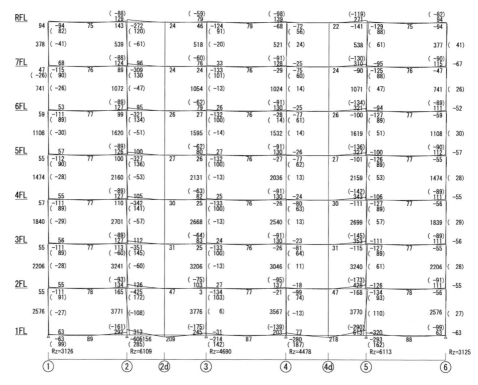

付図2.18　長期応力（Ⓑ通り）

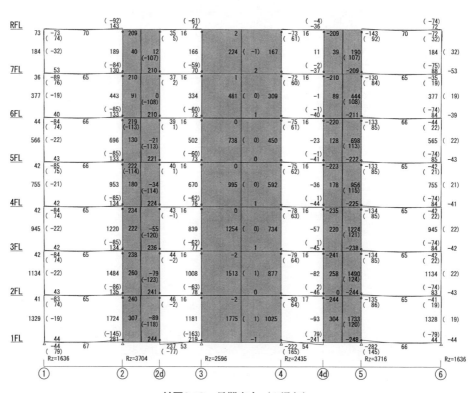

付図2.19　長期応力（Ⓒ通り）

付2. 構造設計例

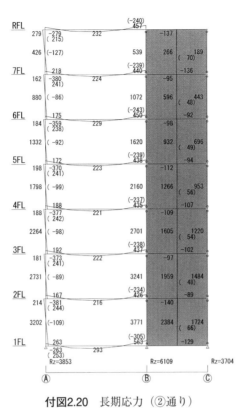

付図2.20 長期応力（②通り）

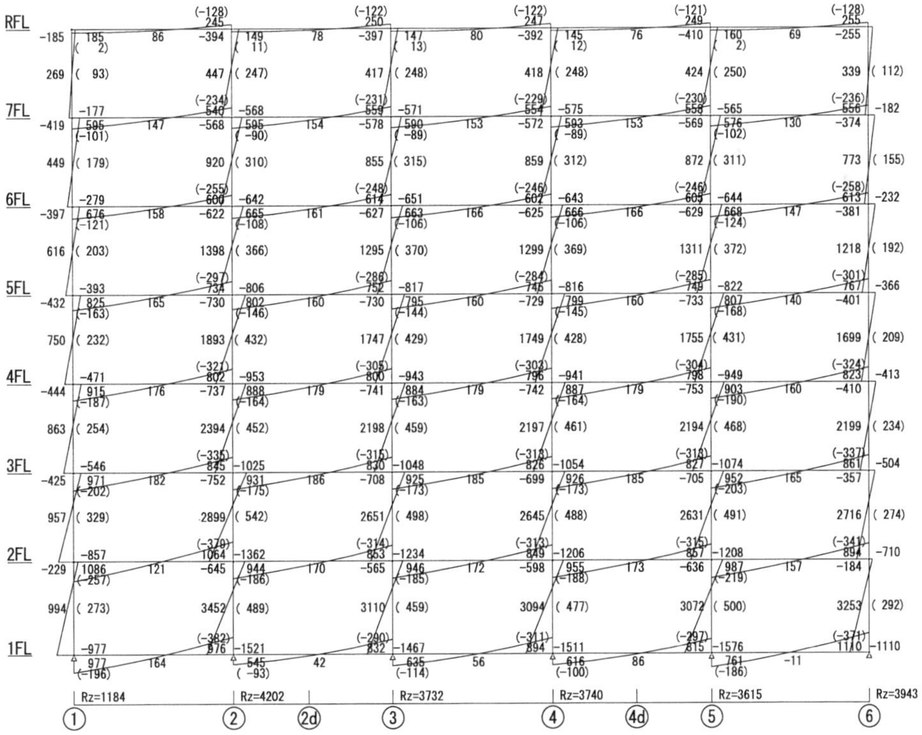

付図2.21 X方向正加力時短期応力（Ⓐ通り）

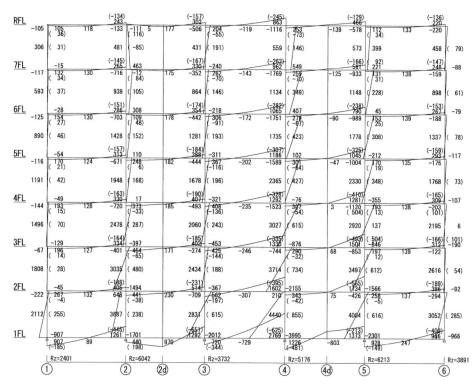

付図2.22 X方向正加力時短期応力（Ⓑ通り）

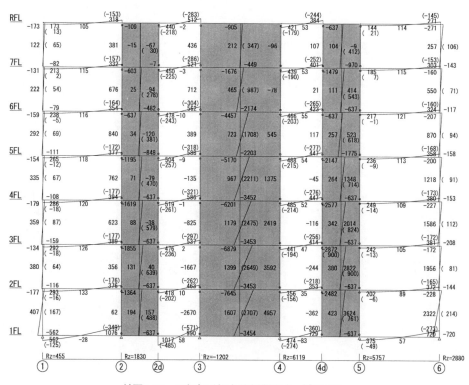

付図2.23 X方向正加力時短期応力（Ⓒ通り）

付2. 構造設計例 —449—

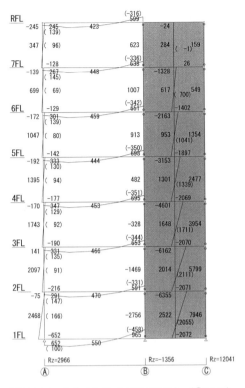

付図2.24 Y方向正加力時短期応力（②通り）

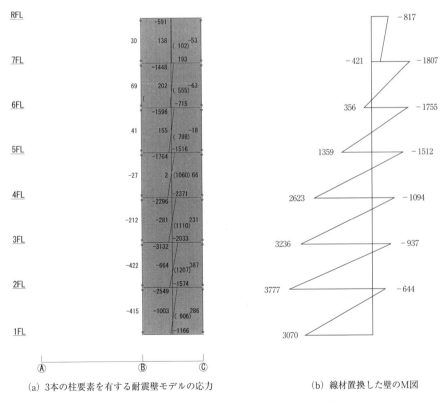

(a) 3本の柱要素を有する耐震壁モデルの応力　　　(b) 線材置換した壁のM図

付図2.25 Y方向正加力時短期応力（②d通り）

2.4 層間変形角,剛性率および偏心率

付表2.6に最大層間変形角および剛性率を,付表2.7に偏心率をそれぞれ示す.

X方向,Y方向とも地震層せん断力の正加力時の値のみ示す.最大層間変形角は,各フレームの最大層間変位から求めた変形角とする.

なお,剛性率の算定に際しては層の平均的な値として,層剛性と層せん断力から計算した層間変位を階高で除した層間変形角を用いて算出する.

付表2.6 最大層間変形角および剛性率

方向	階	階高(m)	最大層間変形角	剛性率	F_s
X	7	3.9	1/1 543	1.34	1.00
	6	3.9	1/1 272	1.12	1.00
	5	3.9	1/1 100	0.98	1.00
	4	3.9	1/ 997	0.89	1.00
	3	3.9	1/ 932	0.83	1.00
	2	3.9	1/ 938	0.83	1.00
	1	4.1	1/1 156	1.02	1.00
Y	7	3.9	1/1 105	1.07	1.00
	6	3.9	1/ 999	0.97	1.00
	5	3.9	1/ 955	0.93	1.00
	4	3.9	1/ 931	0.90	1.00
	3	3.9	1/ 937	0.91	1.00
	2	3.9	1/ 991	0.96	1.00
	1	4.1	1/1 293	1.26	1.00

偏心率の算定にあたり,耐震要素(柱と壁)の水平剛性 K_x と K_y は次式で計算した[8].

$$K_x = \frac{\text{立体非線形解析で得られた当該要素のX方向せん断力}}{\text{当該位置でのX方向の層間変位}}$$

$$K_y = \frac{\text{立体非線形解析で得られた当該要素のY方向せん断力}}{\text{当該位置でのY方向の層間変位}}$$

---

[8] 本来の偏心率の定義からすると,耐震要素の水平剛性は,並進のみが生じるように設定した平面解析結果から計算するのが正しい.しかし,上記の手法によれば,耐震要素の剛性の相違をより強調することになるので,安全側と判断した.

付表2.7 偏心率

方向	階	階高 (m)	重心位置 (m)	剛心位置 (m)	偏心距離 (m)	ねじり剛性 (×10⁵kNm)	弾力半径 (m)	偏心率	F_e
X	7	3.9	18.0	18.0	0.02	2 013	13.5	0.01	1.00
X	6	3.9	18.0	18.0	0.02	2 316	12.1	0.09	1.00
X	5	3.9	18.0	18.0	0.01	2 764	12.3	0.14	1.00
X	4	3.9	18.0	18.0	0.00	3 063	12.5	0.15	1.01
X	3	3.9	18.0	18.0	0.03	3 404	12.6	0.16	1.03
X	2	3.9	18.0	18.0	0.03	3 843	12.8	0.14	1.00
X	1	4.1	18.0	18.0	0.02	5 097	13.1	0.15	1.00
Y	7	3.9	7.4	7.2	0.15	2 013	16.5	0.00	1.00
Y	6	3.9	7.5	8.5	1.07	2 315	14.3	0.00	1.00
Y	5	3.9	7.5	9.2	1.69	2 764	13.8	0.00	1.00
Y	4	3.9	7.5	9.4	1.89	3 064	13.3	0.00	1.00
Y	3	3.9	7.5	9.5	2.01	3 404	13.1	0.00	1.00
Y	2	3.9	7.5	9.3	1.82	3 843	12.9	0.00	1.00
Y	1	4.1	7.5	9.4	1.90	5 097	12.9	0.00	1.00

2.5 せん断力分担率

付表2.8に各柱と壁の負担せん断力を，X方向，Y方向とも正加力時の値のみ示す．なお，袖壁付き柱は片側柱付き壁とし，壁の負担せん断力分に含める．

付表2.8 各階柱・壁の負担せん断力

方向	階	柱 Q_f(kN)	壁 Q_w(kN)	層せん断力合計 Q(kN)
X	7	1 674 (64)	942 (36)	2 616 (100)
X	6	1 959 (44)	2 490 (56)	4 449 (100)
X	5	2 361 (40)	3 590 (60)	5 951 (100)
X	4	2 766 (39)	4 338 (61)	7 104 (100)
X	3	2 959 (36)	5 284 (64)	8 243 (100)
X	2	3 054 (34)	6 014 (66)	9 068 (100)
X	1	4 036 (42)	5 665 (58)	9 701 (100)
Y	7	2 412 (92)	203 (8)	2 615 (100)
Y	6	1 939 (44)	2 511 (56)	4 450 (100)
Y	5	2 266 (38)	3 683 (62)	5 949 (100)
Y	4	2 440 (34)	4 764 (66)	7 204 (100)
Y	3	2 574 (31)	5 663 (69)	8 237 (100)
Y	2	2 412 (27)	6 654 (73)	9 066 (100)
Y	1	3 753 (39)	5 944 (61)	9 697 (100)

[注] ( )は分担率％を示す．

3. 部材のモデル化と断面算定

ここでは，腰壁付き梁，片側柱付き壁，両側柱付き壁のモデル化と断面算定を示す．長方形断面の梁・柱の断面算定については，4章（13〜17条）の解説を参照されたい．曲げ終局強度を計算する場合の鉄筋強度は，基準強度を1.1倍した値を用いる．

3.1　3階 G_{A2} 梁のモデル化

腰壁付き梁（3階 G_{A2}）の配筋詳細を付図2.26に示す．厚さ20 cm の腰壁にD 25を使用するのは異例である．短期設計という観点からは 4−D 25 を 4−D 16 としても可であるが，A 通りの強度を高めることでねじれ応答を防ぐとともに，建物全体の保有水平耐力を高めるという目的から，太径の鉄筋を使用するものとした．

腰壁圧縮時の変形能力を高めるため，壁筋D 10 は，閉鎖型に準じたディテールとしている．内壁側は梁のコア内に向かうので，300 mm の直線定着とする．外壁側はフック付きの必要定着長さ，かつ梁成の1/2以上の直線定着部を確保し，折曲げ寸法等を考慮して460 mm 下がった位置で投影長さ150 mm の90°折曲げ定着とする．

設計方針に従って梁要素（線材）にモデル化する．ここでは腰壁引張時の復元力特性を算定する．

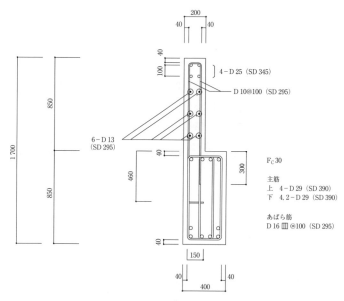

付図2.26　腰壁付き梁（3階 G_{A2}）の配筋詳細

（1）　断面二次モーメント（付10による）

全断面積　　$A = 200 \times 850 + 400 \times 850 = 510\,000 \text{ mm}^2$

構造芯から断面図心までの距離〔付図2.27参照〕

$$e = -\frac{b_3 D_3 (D_2 + D_3)}{2A} = -\frac{200 \times 850 \times (850 + 850)}{2 \times 510\,000} = -283 \text{ mm}$$

断面図心まわりの断面二次モーメント

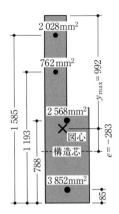

付図 2.27 鉄筋のグループ化（腰壁引張時）

$$I = \frac{b_2 D_2^3}{12} + b_2 D_2 e^2 + \frac{b_3 D_3^3}{12} + b_3 D_3 \left(\frac{D_2 + D_3}{2} + e\right)^2$$

$$= \frac{400 \times 850^3}{12} + 400 \times 850 \times 283^2 + \frac{200 \times 850^3}{12} + 200 \times 850 \times \left(\frac{850 + 850}{2} - 283\right)^2$$

$$= 11.26 \times 10^{10} \text{ mm}^4$$

（2） 曲げひび割れモーメント（付 10 による）

断面の図心から引張縁までの距離　　　$y_{max} = 850 + \frac{850}{2} - 283 = 992$ mm

断面係数　　　$Z = \dfrac{I}{y_{max}} = \dfrac{11.26 \times 10^{10}}{992} = 11.35 \times 10^7$ mm^3

曲げひび割れモーメント　　　$M_c = 0.56\sqrt{F_c}\,Z = 0.56\sqrt{30} \times 11.35 \times 10^7 \times 10^{-6} = 348$ kNm

（3） 曲げ終局強度

中立軸位置は，（付 10.4）式により計算する．

$$x_n = \frac{2}{5}(L - y_{max}) = \frac{2}{5}(1\,700 - 992) = 283 \text{ mm}$$

主筋を付図 2.27 のようにグループ化し，曲げ終局強度を（付 10.5）式により計算する．

$$M_0 = \sum a_{ti} \sigma_{yi}\left(d_i - \frac{x_n}{2}\right)$$

$$= \left\{2\,568 \times 390 \times \left(788 - \frac{283}{2}\right) + 762 \times 295 \times \left(1\,193 - \frac{283}{2}\right) + 2\,028 \times 345 \times \left(1\,585 - \frac{283}{2}\right)\right\}$$

$$\times 1.1 \times 10^{-6} = 2\,085 \text{ kNm}$$

（4） 降伏時の剛性低下率

ヤング係数比 n は 5 条によって求める．

$$n = \frac{2.05 \times 10^5}{3.35 \times 10^4 \times (23/24)^2 \times (30/60)^{1/3}} = 8.4$$

x_n は，終局強度算出時の値 283 mm を用いる．

引張鉄筋比 p_t は，(付 10.16) 式によって計算する．

$$p_t = \frac{\sum a_{ti}}{A} = \frac{2\,568 + 762 + 2\,028}{400 \times 850 + 200 \times 850} = 0.011$$

有効せい d は，(付 10.17) 式によって計算する．

$$d = \frac{\sum a_{ti}(d_i - x_n)^2}{\sum a_{ti}(d_i - x_n)} + x_n$$

$$= \frac{2\,028 \times (1\,585 - 283)^2 + 762 \times (1\,193 - 283)^2 + 2\,568 \times (788 - 283)^2}{2\,028 \times (1\,585 - 283) + 762 \times (1\,193 - 283) + 2\,568 \times (788 - 283)} + 283 = 1\,305 \text{ mm}$$

両端にヒンジが生じると予想される部材なので，せん断スパン長さ a は，クリアスパン長さの半分，つまり 3 000 mm とする．

これから，剛性低下率を算定する．

$$\therefore \alpha_y = \left(0.043 + 1.64 n p_t + 0.043 \frac{a}{D} + 0.33 \eta_0\right)\left(\frac{d}{D}\right)^2$$

$$= \left(0.043 + 1.64 \times 8.4 \times 0.0105 + 0.043 \times \frac{3\,000}{1\,700} + 0.33 \times 0\right)\left(\frac{1\,305}{1\,700}\right)^2 = 0.155$$

当該梁を長さ 3 000 mm の単純梁とし，一端に曲げモーメントを加えたときの M-θ 関係を描くと付図 2.28 の実線のようになる．図中の破線は腰壁を無視したときの関係である．図中の白丸は，後述の短期許容曲げモーメント（引張縁の鉄筋グループのみを考慮した値）を示す．腰壁によって剛性と耐力は著しく向上するが，許容曲げモーメントの上昇はそれほどでない（特に壁引張側）．図中の黒丸は，後述の短期荷重時フェイスモーメントを示す．許容曲げモーメントに比べてかなり小さな値となっている．

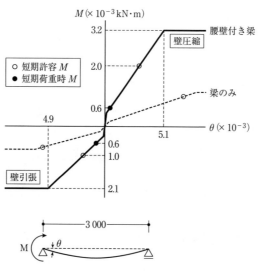

付図 2.28　3 階 G_{A2} 梁の荷重変形関係

3.2 3階 G_{A2} 梁の断面算定

（1） 短期許容曲げモーメント（腰壁引張時）

長期許容曲げモーメントは，明らかに余裕があるので検討を省略する．

中立軸位置は，（付10.31）式により計算する．

$$x_n = \frac{2}{3}(L - y_{\max}) = \frac{2}{3}(1\,700 - 992) = 472 \text{ mm}$$

圧縮縁から最も遠い鉄筋（2-D 25）までの距離は $d_e = 1\,700 - (40+11+14) = 1\,635$ mm

引張縁の鉄筋グループ（4-D 25）までの距離は $d_t = 1\,700 - (40+11+14+50) = 1\,585$ mm

圧縮縁のコンクリートの応力度を（付10.20）式で計算する．

$$\sigma_c = \min\left[f_c, \frac{x_n}{d_e - x_n} \cdot \frac{f_t}{n}\right] = \min\left[20, \frac{472}{1\,635 - 472} \cdot \frac{345}{13}\right] = \min[20, 11]$$

$$= 11 \text{ N/mm}^2$$

引張縁の鉄筋グループ（4-D 25）の応力度を（付10.23）式で計算する．

$$\sigma_t = \frac{d_t - x_n}{x_n} \times n\sigma_c = \frac{1\,585 - 472}{472} \times 13 \times 11 = 338 \text{ N/mm}^2$$

短期許容曲げモーメントを（付10.22）式で計算する．

$$M_0 = a_t \sigma_t \left(d_t - \frac{x_n}{3}\right) = 2\,028 \times 338 \times \left(1\,585 - \frac{472}{3}\right) \times 10^{-6} = 981 \text{ kNm}$$

正加力の短期荷重による右端での節点モーメントは830 kNm，せん断力は315 kNである〔付図2.21〕．節点から柱端までの距離が0.6 mであるため，フェイスモーメントは $M_s = 830 - 315 \times 0.6 = 641$ kNm となる．よって，$M_s = 641$ kNm に関して検定を行う．

981 kNm＞641 kNm　　O. K.

参考までに，すべての鉄筋グループ〔付図2.27参照〕を考慮して計算すると下記のようになる．

$$M_0 = \sum a_t \sigma_i \left(d_t - \frac{x_n}{3}\right)$$

$$= \left[3\,852 \times (-117) \times \left(85 - \frac{472}{3}\right) + 2\,568 \times 96 \times \left(788 - \frac{472}{3}\right) + 762 \times 218 \times \left(1\,193 - \frac{472}{3}\right)\right.$$

$$\left. + 2\,028 \times 338 \times \left(1\,585 - \frac{472}{3}\right)\right] = (33 + 155 + 172 + 981) \times 10^6 \text{ Nmm} = 1\,341 \text{ kNm}$$

（2） 長期許容せん断力（使用性）

長期設計用せん断力　　　$Q_d = Q_L = 70$ kN〔付図2.17参照〕，f_s（長期）$= 0.79$ N/mm²，

$Q_1 = t(\sum l' + \sum D)f_s = 200 \times (850 + 850) \times 0.79 \times 10^{-3} = 269$ kN

∴ $Q_1 = 269$ kN＞70 kN　　O. K.

（3） 短期許容せん断力（損傷制御性）

短期設計用せん断力　　　$Q_{DS} = Q_L + Q_E = 315$ kN〔付図2.21参照〕

　　f_s（短期）$= 1.18$ N/mm²，$\alpha = 1.0$

$Q_1 = t(\sum l' + \sum D)f_s = 200 \times (850 + 850) \times 1.18 \times 10^{-3} = 401$ kN

$Q_1 = 401$ kN > 315 kN　　O.K.としてもよいが，参考までに Q_2 も計算する．

壁板のせん断補強筋比は以下により算定する．鉛直方向のせん断力検討のため，縦横を読み替える．

$p_s = \dfrac{2 \times 71.3}{200 \times 100} = 0.0071$　　（縦筋 D 10@100 ダブル）

$Q_w = p_s t l_e f_t = 0.0071 \times 200 \times 0.9 \times 850 \times 295 \times 10^{-3} = 320$ kN

$p_w = \dfrac{4 \times 199}{400 \times 100} = 0.0199 > 0.012$　　（あばら筋 4-D 16@100）　　∴ $p_w = 0.012$

$Q_G = bj\{\alpha f_s + 0.5 {}_w f_t(p_w - 0.002)\}$
　　$= 400 \times 0.8 \times 850 \times \{1.0 \times 1.18 + 0.5 \times 295 \times (0.012 - 0.002)\} \times 10^{-3} = 722$ kN

$Q_2 = 320 + 722 = 1\,042$ kN

$Q_A = \max(Q_1, Q_2) = 1\,042$ kN > 315 kN　　O.K.

大地震時に対する安全性の検討は別途行っているが，ここでは省略する．

(4)　短期許容付着応力度（損傷制御性）

短期荷重によって生じる曲げ付着応力度 τ_{a1} に関して検討を行う．本来は，腰壁端部主筋，梁上端筋，梁下端筋のすべてについて検討すべきであるが，梁上端筋は，壁引張時・圧縮時いずれも引張応力となるので，その τ_{a1} は相当小さなものになると予想される．そこで安全側の簡略化として，腰壁端部主筋と梁下端筋の付着応力度 τ_{a1} だけですべてのせん断力 Q を負担するものとして検討を行う．以下，腰壁端部主筋（4-D 25）の検討結果を例示する．

$F_c = 30$ N/mm², ${}_s f_a = \left(0.9 + \dfrac{2}{75} \times 30\right) \times 1.5 = 2.55$ N/mm²

$\sum \phi = 80 \times 4 = 320$ mm　（4-D 25）

$d = 1\,700 - 40 - 11 - \dfrac{28}{2} - \dfrac{100}{2} = 1\,585$ mm

$j = \dfrac{7}{8}d = \dfrac{7}{8} \times 1\,585$ mm $= 1\,387$ mm

$\tau_{a1} = \dfrac{Q_L + Q_E}{\sum \phi \cdot j} = \dfrac{(70 + 245) \times 10^3}{320 \times 1\,387} = 0.71$ N/mm² < 2.55 N/mm²　　O.K.

長期荷重に対する使用性，大地震時に対する安全性の検討は別途行っているが，ここでは省略する．

3.3　3階 C_{B2} 壁のモデル化

付図 2.29 に示す片側柱付き壁（3階 C_{B2}）の袖壁圧縮時についてモデル化を行う．後述の解析により，壁板の端部には大きな圧縮ひずみ度が発生することはないので，簡易なディテールとした．

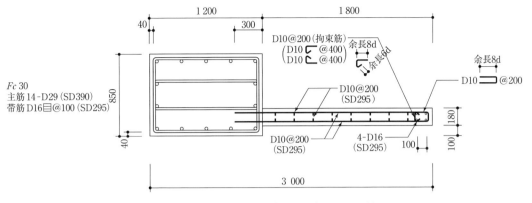

付図 2.29 片側柱付き壁（3 階 C_{B2}）の断面詳細

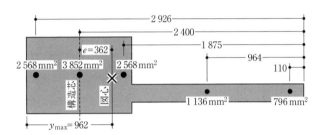

付図 2.30 鉄筋のグループ化（袖壁圧縮時）

（1） 断面二次モーメント

全断面積　　　$A = 850 \times 1\,200 + 180 \times 1\,800 = 1\,344\,000 \text{ mm}^2$

構造芯から断面図心までの距離〔付図 2.30 参照．ただし，付 10 の定義より $D_1 = 1\,800$ mm となる〕

$$e = \frac{b_1 D_1 (D_1 + D_2)}{2A} = \frac{180 \times 1\,800 \times (1\,800 + 1\,200)}{2 \times 1\,344\,000} = 362 \text{ mm}$$

断面図心まわりの断面二次モーメント

$$I = \frac{180 \times 1\,800^3}{12} + 180 \times 1\,800 \times \left(\frac{1\,200 + 1\,800}{2} - 362\right)^2 + \frac{850 \times 1\,200^3}{12} + 850 \times 1\,200 \times 362^2$$

$$= 7.63 \times 10^{11} \text{ mm}^4$$

（2） 曲げひび割れモーメント

長期荷重時の軸力　　　$N_L = 2\,701$ kN

断面の図心から引張縁までの距離　　　$y_{\max} = \dfrac{1\,200}{2} + 362 = 962$ mm

断面係数　　　$Z = \dfrac{7.63 \times 10^{11}}{962} = 7.93 \times 10^8 \text{ mm}^3$

曲げひび割れモーメント

$$M_c = \left(0.56\sqrt{F_c} + \frac{N}{A}\right)Z + Ne$$

$$= \left\{\left(0.56\sqrt{30} + \frac{2\,701 \times 10^3}{1\,344\,000}\right) \times 7.93 \times 10^8 + 2\,701 \times 10^3 \times 362\right\} \times 10^{-6} = 5\,004 \text{ kNm}$$

軸力 N と曲げひび割れモーメント M_c の関係を，壁引張時も含めて付図 2.31 に実線で示す．図心から構造芯までの距離 e が大きいため，非対称性が強い．断面を一様に引張るときのひび割れ軸

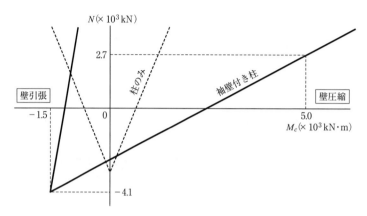

付図 2.31　軸力とひび割れモーメントの関係

力は $N = 0.56\sqrt{F_c}A = 4.1 \times 10^3$ kN であり，このとき，構造芯まわりには $M = Ne = 1.5 \times 10^3$ kNm の曲げモーメントが生じる．図中の破線は，柱のみのひび割れモーメントを表す．

（3）　曲げ終局強度

正加力の保有水平耐力時の軸力　$N = 1\,485$ kN

軸力が 0 の時

$$x_n = \frac{2}{5}(L - y_{\max}) = \frac{2}{5}(3\,000 - 962) = 815 \text{ mm}$$

$$M_0 = \sum a_{ti}\sigma_{yi}\left(d_i - \frac{x_n}{2}\right)$$

$$= \left\{1\,136 \times 295 \times \left(964 - \frac{815}{2}\right) + 2\,568 \times 390 \times \left(1\,875 - \frac{815}{2}\right) + 3\,852 \times 390 \times \left(2\,400 - \frac{815}{2}\right)\right.$$

$$\left. + 2\,568 \times 390 \times \left(2\,926 - \frac{815}{2}\right)\right\} \times 1.1 \times 10^{-6} = 7\,889 \text{ kNm}$$

同様にして，(N_1, M_1)，(N_2, M_2) を求めると付図 2.32 の実線のようになる．図中の破線は，柱単体に付 10 の方法を適用して得られる曲げ終局強度を示す．

（4）　剛性低下率

x_n は，（付 10.15）式を用いて算定する．

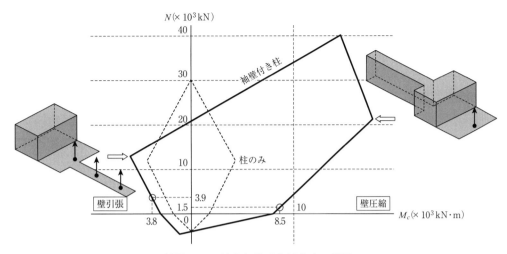

付図 2.32 軸力と曲げ終局強度の関係

$$x_n = x_{n0} + \frac{N}{N_1}(x_{n1} - x_{n0}) = 815 + \frac{2\,701}{21\,267}(2\,400 - 815) = 1\,016 \text{ mm}$$

引張鉄筋比 p_t は（付 10.14）式によって計算する．

$$p_t = \frac{\sum a_{ti}}{A} = \frac{2\,568 + 3\,852 + 2\,568}{1\,200 \times 850 \times 180 \times 1\,800} = 0.0067$$

軸力比 η_0 は，長期軸力を壁付き部材の全断面積とコンクリートの圧縮強度で除した数値とする．

$$\eta_0 = \frac{N}{AF_c} = \frac{2\,701 \times 10^3}{(180 \times 1\,800 + 850 \times 1\,200) \times 30} = 0.067$$

有効せい d は，（付 10.17）式によって計算する．

$$d = \frac{\sum a_{ti}(d_i - x_n)^2}{\sum a_{ti}(d_i - x_n)} + x_n$$

$$= \frac{2\,568 \times (1\,875 - 1\,016)^2 + 3\,852 \times (2\,400 - 1\,016)^2 + 2\,568 \times (2\,925 - 1\,016)^2}{2\,568 \times (1\,875 - 1\,016) + 3\,852 \times (2\,400 - 1\,016) + 2\,568 \times (2\,925 - 1\,016)} + 1\,016 = 2\,514 \text{ mm}$$

壁の剛性が梁の剛性に比べて相当大きいので，せん断スパン長さ a は，クリアスパン高さ，つまり 3 150 mm とする．

$$\alpha_y = \left(0.043 + 1.64 \times 8.4 \times 0.0067 + 0.043 \times \frac{3\,150}{3\,000} + 0.33 \times 0.067\right)\left(\frac{2\,514}{3\,000}\right)^2 = 0.142$$

当該壁を長さ 3 150 mm の単純梁とし，一端に曲げモーメントを加えたときの M-θ 関係を描くと付図 2.33 の実線のようになる．腰壁付き梁〔付図 2.28〕に比べて非対称性が強い．これは，柱に比べて袖壁が薄く長いためである．壁引張側の短期許容曲げモーメント（図中の白丸，後述）は 1.7×10^3 kNm で，曲げ終局強度 4.0×10^3 kNm に比べて非常に小さい．これは，壁端部の縦筋（4-D 16）が少ないためである．図中の黒丸は，後述の短期荷重時フェイスモーメントを示す．

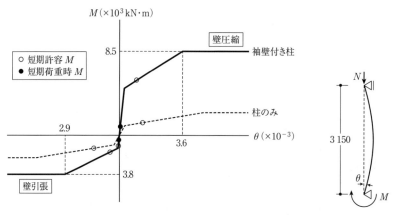

付図 2.33　3階 C_{B2} 壁の荷重変形関係

3.4　3階 C_{B2} 壁の断面算定

（1）　短期許容曲げモーメント

付10の概算法で，全面引張時の軸力とモーメントは

$N_T = -\sum a_i \times \min(f_{ti}) = -(2\,568 \times 2 + 3\,852 + 1\,136 + 796) \times 295 = -3\,221$ kN

$M_T = N_T e = -3\,221 \times 362 = -1\,166$ kNm

中立軸が柱と壁の境界に一致するとき（$x_n = 1\,800$）の圧縮縁のコンクリートの応力度は

$\sigma_c = \min\left[f_c, \dfrac{x_n}{d_e - x_n} \cdot \dfrac{f_t}{n}\right] = \min\left[20, \dfrac{1\,800}{2\,926 - 1\,800} \cdot \dfrac{390}{13}\right] = \min[20, 48]$

$= 20$ N/mm^2

このときの軸力は

$N_1 = \dfrac{b_1 x_n \sigma_c}{2} = \dfrac{180 \times 1\,800 \times 20}{2} = 3\,240$ kN

引張縁の鉄筋グループ（4-D 29）の応力度は

$\sigma_t = \dfrac{d_t - x_n}{x_n} \times n\sigma_c = \dfrac{2\,926 - 1\,800}{1\,800} \times 13 \times 20 = 163$ N/mm^2

引張縁の鉄筋グループのみを考慮して M_1 を計算すると，下記のようになる．

$M_1 = N_1\left(L_0 - \dfrac{x_n}{3}\right) + a_t \sigma_t (d_t - L_0)$

$= 3\,240 \times \left(2\,400 - \dfrac{1\,800}{3}\right) + 2\,568 \times 163 \times (2\,926 - 2\,400) = 6\,052$ kNm

M-N 相関関係の全体像は，付図2.34の実線のようになる．図中の破線は鉄筋をすべて考慮した場合の M-N 相関関係である．一点鎖線は，柱単体に付10の方法を適用して得られる M-N 相関関係を示す．

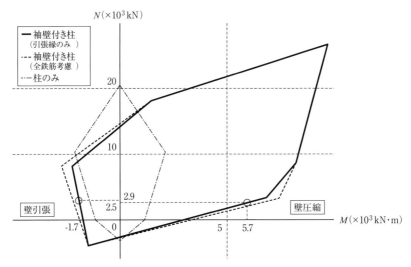

付図 2.34 軸力と短期許容曲げモーメントの関係

短期荷重時（$N_s=2\,478$ kN）の許容曲げモーメントは，以下のようになる．

$$M=M_T+\frac{N-N_T}{N_1-N_T}(M_1-M_T)=-1\,166+\frac{2\,478+3\,221}{3\,240+3\,221}\times(6\,804+1\,166)=5\,714 \text{ kNm}$$

正加力の短期荷重による脚部の節点モーメントは 397 kNm である〔付図 2.22〕．剛域がないため，フェイスモーメントは節点モーメントに等しい．

$5\,714$ kNm ＞ 397 kNm　　O.K.

（2）短期許容せん断力（損傷制御性）

短期設計用せん断力 $Q_{DS}=287$ kN，f_s（短期）$=1\,185$ N/mm²，$\alpha=1.0$

$$p_{sh}=p_{sv}=\frac{2\times71.3}{180\times200}=0.00396 \quad (\text{横筋 D 10@200 ダブル})$$

$$p_w=\frac{4\times199}{850\times100}=0.00936 \quad (\text{帯筋 D 16} \equiv @100)$$

$Q_1=t(\sum l'+\sum D)f_s=180\times(1\,800+1\,200)\times1.185\times10^{-3}=640$ kN

$Q_2=\sum Q_w+\sum Q_c=\sum p_s tl_e f_t+\sum bj\{\alpha f_s+0.5_w f_t(p_w-0.002)\}$

　　$=0.00396\times180\times0.9\times1\,800\times295+850\times0.8\times1\,200\times\{1.0\times1.185+0.5\times295$

　　　$(0.00936-0.002)\}$

　　$=344+1\,858=2\,202$ kN

$Q_A=\max(Q_1,Q_2)=2\,202$ kN ＞ 287 kN　　O.K.

なお，この部材は壁が柱せいに比べて長く，接続する梁に比べて剛性と強度が格段に大きいので，片側柱付き「壁」と見なしている．したがって，接合部の検討は行っていない．

3.5 Ⓒ通り1階の両側柱付き壁のモデル化と断面算定

Ⓒ通り1階の両側柱付き壁〔付図2.35〕には，3本の柱要素を有する耐震壁モデルを使用する．

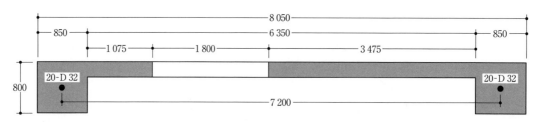

付図 2.35 両側柱付き壁（Ⓒ通り1階）

（1） 短期許容曲げモーメント

長期許容曲げモーメントは，明らかに余裕があるので検討を省略する．

短期荷重時の側柱の軸力は，$N_1=4\,957$ kN，$N_2=-2\,670$ kN である．中央の壁要素が負担する軸力は，$N_w=1\,607$ kN である．壁全体の軸力は，3本の柱が負担する軸力の総和

$$N_s = N_1 + N_2 + N_w = 4\,957 - 2\,670 + 1\,607 = 3\,894 \text{ kN}$$

である．

短期荷重時に中央の壁要素が負担する曲げモーメントは，$M_w=3\,454$ kNm である．よって，壁全体の曲げモーメントは

$$M_s = M_w + (N_1 - N_2) \times \frac{l}{2} = 3\,454 + (4\,957 + 2\,670) \times \frac{7.2}{2} = 30\,911 \text{ kNm}$$

である．

19条解説の簡略法に従って，壁全体の軸力と曲げモーメントを側柱の圧縮力 C_s と引張力 T_s のみで負担することを考える．

$$C_s = \frac{N_s}{2} + \frac{M_s}{l} = \frac{3\,894}{2} + \frac{30\,911}{7.2} = 1\,947 + 4\,293 = 6\,240 \text{ kN}$$

$$T_s = \frac{N_s}{2} - \frac{M_s}{l} = \frac{3\,894}{2} - \frac{30\,911}{7.2} = 1\,947 - 4\,293 = -2\,346 \text{ kN} \quad （圧縮）$$

一方，側柱の短期許容軸力は

$$C_A = bDf_c = 800 \times 850 \times 20 \times 10^{-3} = 13\,600 \text{ kN}$$

$$T_A = \sum af_t = 20 \times 794 \times 390 \times 10^{-3} = 6\,193 \text{ kN} \quad （20-\text{D}\,32,\ \text{SD}\,390）$$

$C_s < C_A$, $T_s < T_A$ より　O.K.

（2） 開口を無視した短期許容せん断力（損傷制御性）

f_s（短期）$=1.185$ N/mm^2, $\alpha=1.5$

$$Q_1 = t(\sum l' + \sum D)f_s = 250 \times (6\,350 + 850 \times 2) \times 1.185 \times 10^{-3} = 2\,385 \text{ kN}$$

$$p_w = \frac{4 \times 199}{800 \times 100} = 0.00995 \quad （帯筋 D 16 ⊞ @100）$$

$$p_w \times \frac{b}{t} = 0.00995 \times \frac{800}{250} = 0.0318 > 0.012$$

$$p_{sh} = \frac{2 \times 199}{250 \times 125} = 0.0127 > 0.012 \quad (横筋\ D\ 16@125\ ダブル)$$

$$p_{sv} = \frac{2 \times 199}{250 \times 200} = 0.00796 \quad (縦筋\ D\ 16@200\ ダブル)$$

$2p_{sv} = 0.016 > 0.012$

19 条第 3 項（2）より，$p_s = 0.012$

$$\begin{aligned}Q_2 &= \Sigma Q_w + \Sigma Q_c = \Sigma p_s t l_e f_t + \Sigma bj\{\alpha f_s + 0.5_w f_t (p_w - 0.002)\} \\ &= 0.012 \times 250 \times 6\,350 \times 295 + [800 \times 0.8 \times 850 \times \{1.5 \times 1.185 + 0.5 \times 295(0.00995 - 0.002)\}] \times 2 \\ &= 5\,620 + 3\,210 = 8\,830\ \text{kN}\end{aligned}$$

$Q_A = \max(Q_1, Q_2) = 8\,830\ \text{kN}$

(3) 開口による低減

1) 開口の長さによる係数 r_1

$$r_1 = 1 - 1.1 \times \frac{l_{0p}}{l} = 1 - 1.1 \times \frac{1\,800}{8\,050} = 0.75$$

2) 開口周比による係数 r_2

$$r_2 = 1 - 1.1 \times \sqrt{\frac{h_{0p} l_{0p}}{hl}} = 1 - 1.1 \times \sqrt{\frac{1\,000 \times 1\,800}{4\,100 \times 8\,050}} = 0.74$$

3) 開口の高さによる係数 r_3

損傷制御の検討なので $\lambda = 1.0$ とする．

Σh は当該階床から最上層までの高さであるので

$\Sigma h = 4\,100 + 3\,900 \times 6 = 27\,500$ mm である．

$$r_3 = 1 - \lambda \frac{\Sigma h_0}{\Sigma h} = 1 - 1.0 \times \frac{7\,000}{27\,500} = 0.75$$

$r = \min(r_1, r_2, r_3) = 0.74$

$Q_{A0} = rQ_A = 0.74 \times 8\,830 = 6\,534\ \text{kN}$

短期設計用せん断力 $Q_s = 2\,707\ \text{kN} < 6\,534\ \text{kN}$ 　　　O. K.

(4) 開口補強

1) 開口隅角部の付加斜張力（必要量）は

$$T_d = \frac{h_0 + l_0}{2\sqrt{2} \cdot l} Q_D = \frac{1\,000 + 1\,800}{2\sqrt{2} \times 8\,050} \times 2\,707 = 333\ \text{kN}$$

である．一方，許容引張力は，開口補強筋（斜め筋 2−D 13, 縦筋 4−D 16, 横筋 4−D 16）より計算して

$$\left(A_d + \frac{A_v + A_h}{\sqrt{2}}\right) f_t = \left\{2 \times 127 + \frac{(4+4) \times 199}{\sqrt{2}}\right\} \times 295 \times 10^{-3} = 407\ \text{kN} > 333\ \text{kN} \quad \text{O. K.}$$

2) 開口左右の付加曲げモーメントは

$$\frac{h_0}{2}Q_D = \frac{1.0}{2} \times 2\,707 = 1\,354 \text{ kNm}$$

である．一方，許容曲げモーメントは，開口補強筋（斜め筋 2-D 13，縦筋 2-D 16）と縦筋比 $p_{sv}=0.00796$ を考慮して

$$(l-l_{0p})\left(\frac{A_d f_t}{\sqrt{2}} + A_{v0} f_t\right) + \frac{t(l-l_{0p})^2}{4(n_h+1)} p_{sv} f_t$$

$$= 6\,250 \times \left(\frac{2 \times 127}{\sqrt{2}} + 4 \times 199\right) \times 295 \times 10^{-6} + \frac{250 \times 6\,250^2}{4 \times 2} \times 0.00796 \times 295 \times 10^{-6}$$

$$= 1\,799 + 2\,866 = 4\,665 \text{ kNm} > 1\,354 \text{ kNm} \quad \text{O. K.}$$

3) 開口上下の付加曲げモーメントは

$$\frac{l_0}{2}\frac{h}{l}Q_D = \frac{1\,800}{2} \times \frac{4\,100}{8\,050} \times 2\,707 \times 10^{-3} = 1\,241 \text{ kNm}$$

である．一方，許容曲げモーメントは，開口補強筋（斜め筋 2-D 13，横筋 4-D 16）と横筋比 $p_{sh}=0.012$ を考慮して

$$(h-h_{0p})\left(\frac{A_d f_t}{\sqrt{2}} + A_{h0} f_t\right) + \frac{t(h-h_{0p})^2}{4n_v} p_{sh} f_t$$

$$= 3\,100 \times \left(\frac{2 \times 127}{\sqrt{2}} + 4 \times 199\right) \times 295 \times 10^{-6} + \frac{250 \times 3\,100^2}{4 \times 1} \times 0.012 \times 295 \times 10^{-6}$$

$$= 892 + 2\,126 = 3\,018 \text{ kNm} > 1\,241 \text{ kNm} \quad \text{O. K.}$$

（5） 柱・梁型拘束域の寸法（せん断に対する検討）

19条の（解19.60）式による．

1) 最小壁厚さ：$t' = \dfrac{Q_D \times \dfrac{Q_w}{Q_w + \sum Q_c}}{p_s' l_e f_t} = \dfrac{2\,707 \times \dfrac{5\,620}{5\,620 + 3\,210}}{0.012 \times 6\,350 \times 295} \times 10^3 = 77 \text{ mm}$

2) 短辺の長さ：$s = l' = 6\,350$ mm　（連層耐震壁であるため l' が短辺になる）

3) 最小断面積：$\dfrac{st'}{2} = \dfrac{6\,350 \times 77}{2} = 244 \times 10^3 \text{ mm}^2$

　　実際の柱の断面積　　　：$800 \times 850 = 680 \times 10^3 \text{ mm}^2$　　O. K.

　　実際の基礎梁の断面積：$500 \times 1\,500 = 750 \times 10^3 \text{ mm}^2$　　O. K.

4) 最小径：$\max(\sqrt{st'/3}, 2t') = \max(\sqrt{6\,350 \times 77/3}, 2 \times 77) = \max(404, 154) = 404$ mm

　　実際の柱の幅　　　：800 mm　　O. K.

　　実際の基礎梁の幅：500 mm　　O. K.

3.6　階段室壁のモデル化

階段室まわりの壁は，付図2.36（a）のようなボックス形をしている．このうち，Ⓑ通りの②，㉔通り間の片側柱付き壁については3.3節でモデル化が終了している．残りの壁を付図2.36（b）

のようにモデル化する．

②d通り1階の壁の断面詳細を付図2.37（a）に示す．壁の©通り端において，破線で示すような600 mm×600 mmの領域を考える．この領域は，直交壁により，X，Y方向いずれの加力でも壁板の面外方向への座屈が生じない．この領域の断面積は，$A = 200 \times 600 + 180 \times 400 = 192\,000$ mm^{2}である．これを，付図2.37（b）のように等面積の正方形断面（438 mm×438 mm）に置換する．ただし，拘束領域（拘束筋と横筋に囲まれた領域）の面積が小さく，拘束効果が小さいと予想されるので，この柱の圧縮強度はAF_cとし，縦筋12−D16の寄与分を無視する．600 mm×600 mmの領域を「仮想柱」と見なすことの危険性については，十分な注意を払う必要がある．壁モデルではこの領域に一様な応力度が生じると考えているのに対し，実際には応力勾配が発生し，今回のモデル化のように壁厚よりも幅が大きい仮想柱とした場合，①仮想柱の幅が実際の壁厚に比べて大きく実際よりも応力勾配が緩和されてしまう，②実際には十分な主筋や横拘束筋が配筋されない，③仮想柱が長いほど実際よりも応力勾配が緩和されてしまう，ことが考えられるからである．したがって，仮想柱にモデル化する際は必要に応じてこれらの影響を考慮し，壁端部圧縮縁の応力が許容値以内に収まっていることを確認する必要があり，本設計例では問題ないことを確認した．©通

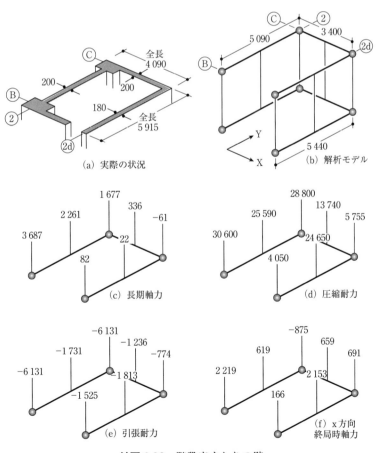

付図2.36 階段室まわりの壁

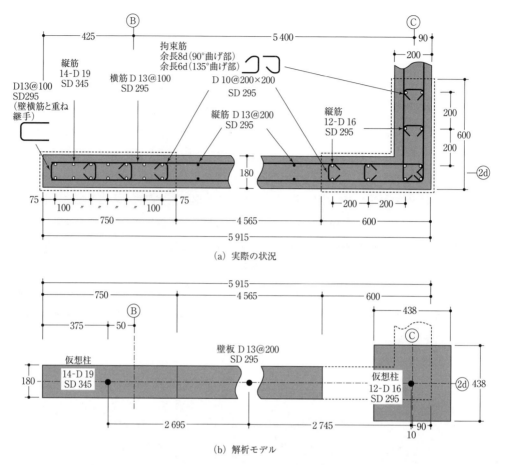

付図 2.37　②d通り1階壁の詳細

り壁（X方向）のせん断に関しては，全長 4 090 mm の「片側柱付き壁」として評価する．

②d通り壁の®通り端については，縦筋 14－D 19 が配筋された 180 mm×750 mm の領域を「仮想柱」とする．この領域は直交壁がないため圧縮剛性が低下すると座屈するおそれがあるので，仮想柱の圧縮強度は，180 mm×750 mm に $0.85 F_c$ を乗じた値とする．また，応力勾配を考慮しても壁端部圧縮縁の応力が許容値以内に収まっていることも確認している．

中央の壁要素の曲げばねと軸方向ばねは，付図 2.37（a）で縦筋 D 13@200 が配筋された長さ 4 565 mm の領域の復元力特性とする．せん断ばねの復元力特性は，本来の壁長さ 5 915 mm に基づいて定める．

階段室壁の各柱要素の長期軸力と終局時軸力を付図 2.36（c）（f）に示す．ここで，②d通りの柱要素は，長期軸力も地震時軸力が小さいことから，19条の「柱型拘束域」と見なす必要はないことが確認できる．なお，②通りの壁板が大きな軸力を負担しているのは，基礎梁の剛性を無限大にしているためである．杭の配置を考えると，このうちの一部が C_{B2}，C_{C2} の柱に移行する可能性が高い．なお，壁板要素の曲げモーメント負担は小さいので表示を省略している．

次に，階段室壁要素の圧縮・引張耐力を付図 2.36（d）（e）に示す．このうち，C_{C2d} 柱の圧

縮耐力は5755 kNであり，C_{C2}柱の軸力1677 kNと引張耐力6131 kNの和7808 kNに比べて小さいため，X方向正加力時に圧縮破壊が生じる可能性がある．

そこで，後述の増分解析による，X方向終局時（頂部変形角1/50）の軸力を付図2.36（f）に示す．C_{C2d}柱の終局時軸力（691 kN）は，圧縮耐力（5755 kN）に比べて非常に小さな値であった．この理由は下記の2つである．

（1） 階段室の壁が立体的かつ一体的に曲げモーメントに抵抗し，②通りと同様に基礎梁の剛性を無限大にした㉔通りの壁板が大きな圧縮力（2153 kN）を負担したこと．

（2） ⓒ通りの②，③通り間の基礎梁が曲げ降伏したこと．つまり，㉔通り位置において，基礎梁が沈下するために，圧縮力が抑えられたこと．

上記のうち，（1）については，㉔通り壁直下にもⓒ通りと同寸法（500 mm×1500 mm）の基礎梁があることから，実際の建物でも同様な立体効果が期待できるが，斜め方向の地震力を考えると，C_{C2d}柱の圧縮力が増加する事態も考えられる．（2）についても，基礎梁直下の地反力を考慮すると，実際の建物では圧縮力の増加がありうる．しかし，付図2.36（d）（e）（f）を比較すると，C_{C2d}柱の圧縮余裕度は極めて大きく，上記の軸力増加があったとしても，C_{C2d}柱の圧縮破壊は生じにくいと判断できる．なお，この検討は，本建物の地震時挙動を理解するために行ったものであり，実際の設計でここまでの検討を行う必要はない．

3.7　1階㉔通り壁の断面算定

（1）　短期許容曲げモーメント

長期許容曲げモーメントは，明らかに余裕があるので検討を省略する．

短期荷重時（Y方向正加力）の側柱の軸力は，$N_1=-415$ kN，$N_2=286$ kNである．中央の壁要素が負担する軸力は，$N_w=-1003$ kNである．壁全体の軸力は，3本の柱が負担する軸力の総和，

$$N_s = N_1 + N_2 + N_w = -415 + 286 - 1003 = -1132 \text{ kN}$$

である．N_sが引張となるのは，付図2.36（f）と同様，立体効果によりⓒ通りの壁板が圧縮力を負担するためである．

短期荷重時に中央の壁要素が負担する曲げモーメントは，$M_w=-1166$ kNmである．また，両側の柱の中心間距離は$l=2.695+2.745=5.44$ mである．よって，壁全体の曲げモーメントは

$$M_s = M_w + (N_1 - N_2) \times \frac{l}{2} = -1166 + (-415 - 286) \times \frac{5.44}{2} = -3073 \text{ kNm}$$

である．

19条解説の簡略法に従って，壁全体の軸力と曲げモーメントを側柱の圧縮力C_sと引張力T_sのみで負担することを考える．

$$C_s = \frac{N_s}{2} - \frac{M_s}{l} = \frac{-1132}{2} - \frac{-3073}{5.44} = -566 + 565 = -1 \text{ kN}$$

$$T_s = \frac{N_s}{2} + \frac{M_s}{l} = \frac{-1132}{2} + \frac{-3073}{5.44} = -566 - 565 = -1131 \text{ kN}$$

一方，側柱の短期許容軸力は

$C_A = bDf_c = 180 \times 750 \times 20 \times 10^{-3} = 2\,700$ kN

$T_A = \sum af_t = 14 \times 287 \times 345 \times 10^{-3} = 1\,386$ kN　　（14－D 19, SD 345）

$C_s < C_A,\ T_s < T_A$ より　　O. K.

（2）　短期許容せん断力（損傷制御性）

Y 方向正加力時に対して検討する．両側柱なし壁の規定を適用する．壁の全長は，本来の壁長さ 5 915 mm とする．

短期設計用せん断力 $Q_D = 906$ kN

f_s（短期）$= 1\,185$ N/mm^2

$p_{sh} = \dfrac{2 \times 127}{180 \times 100} = 0.0141 > 0.006$　（横筋 D 13@100 ダブル）

$p_{sv} = \dfrac{2 \times 127}{180 \times 200} = 0.00706$　（縦筋 D 13@200 ダブル）　　19 条第 3 項より，$p_s = 0.006$

$Q_1 = t(\sum l' + \sum D)f_s = 180 \times (5\,915 + 0) \times 1.185 = 1\,262$ kN

$Q_2 = \sum Q_w + \sum Q_c = \sum p_s t l_e f_t + 0 = 0.006 \times 180 \times 0.8 \times 5\,915 \times 295 + 0 = 1\,508$ kN

$Q_A = \max(Q_1, Q_2) = 1\,508$ kN > 906 kN　　O. K.

（3）　柱・梁型拘束域の寸法（せん断に対する検討）

柱については，軸力負担が小さいので検討しない．基礎梁について検討する．

最小壁厚さ：$t' = \dfrac{Q_D \times \dfrac{Q_w}{Q_w + \sum Q_c}}{p_s' l_e f_t} = \dfrac{906 \times 1}{0.012 \times 0.8 \times 5\,915 \times 295} \times 10^3 = 54$ mm

短辺の長さ：$s = l = 5\,915$ mm

最小断面積：$\dfrac{st'}{2} = \dfrac{5\,915 \times 54}{2} = 160 \times 10^3$ mm^2

　　実際の基礎梁の断面積：$500 \times 1\,500 = 750 \times 10^3$ mm^2　　O. K.

最　小　径：$\max(\sqrt{st'/3}, 2t') = \max(\sqrt{5\,915 \times 54/3}, 2 \times 54) = \max(326, 108) = 326$ mm

　　実際の基礎梁の幅：500 mm　　O. K.

3.8　階段室壁の設計の別法

今回は，Ⓑ通り②，③通り間の壁を付図 2.38（a）のように設計した．そのため，②，②d通り間の梁には，X 方向負加力時と Y 方向正加力時に，かなりのせん断力が発生した．また，②d通りのⒷ通り端部に多くの縦筋（14－D 19）が必要になった．別法として，付図 2.38（b）のように階段室入口を移動し，その上部に垂壁を設けることも考えられる．この場合，開口周比による係数 r_2 は

$$r_2 = 1 - 1.1 \times \sqrt{\dfrac{h_0 p l_{0p}}{hl}} = 1 - 1.1 \times \sqrt{\dfrac{2\,100 \times 910}{3\,900 \times 4\,090}} = 1 - 1.1 \times \sqrt{0.120} = 0.62$$

となる．19 条の規準本文の適用下限 0.7 をやや下回るが，19 条の解説の記述により，問題ないものと判断できる．解析モデルは，付図 2.38（c）のようなボックス壁になる．この設計であれば，

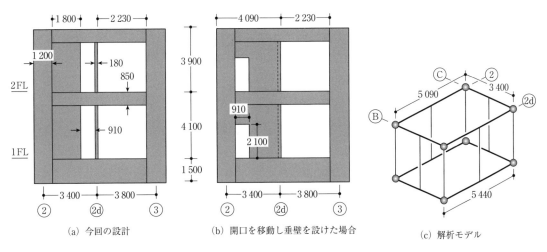

付図 2.38 Ⓑ通りⓐ, ③通り間の壁の別法

ⓐ, ⓐd通り間の梁せん断力の問題を回避することができる．また，Y方向正加力時にⒷ通りの壁が引張力を負担するため，ⓐd通りのⒷ通り端部の縦筋を大幅に減らすことができる．

4. まとめ

本設計例では耐震部材に注目して床，小梁，基礎，階段の設計を省略している．それらについては，該当する各条項の計算例を参照されたい．また，許容応力度設計法の説明を主としたものであり，二次設計については次章Ⅲで，大変形時の塑性ヒンジ形成と層せん断力−層間変形角関係を中心に，大地震時の安全性確認について簡単な考察を加えた．

本設計例ではRC造の壁に構造スリットは設けていない．これは1.2構造計画で示すように剛性バランスと水平耐力に配慮したものであるが，安易なスリットの設置により，耐久性が損なわれる可能性を考慮したものでもある．

建物によっては靭性を確保するために構造スリットの設置がやむを得ない場合もあり，建物に応じて柔軟に判断をする必要がある．ただし，腰壁を切断するタイプの構造スリットを採用した場合は，スリット位置の梁端部に塑性変形が集中し塑性化領域が小さくなり，主筋の付着劣化が懸念される[9]という報告もある．また，弾性剛性の評価法にも注意が必要である．

なお，ここで扱った腰壁付き梁や片側柱付き壁については，未解明な問題が多い．今後のさらなる研究が待たれるところである．

---

9) 市之瀬敏勝，青山博之：腰壁を切断した鉄筋コンクリート造はり柱接合部の実験的研究，コンクリート工学，Vol. 20, No. 7, pp. 97-110, 1982.7

Ⅲ. 大地震時の安全性確認について

1. 保有水平耐力の検討

構造設計方針で示したように本設計例の構造計算はルート3で，柱および梁の安全性を別途確認するとして，短期設計では損傷制御性の確保を目的とした設計を行っている．ここでは，大地震時の安全性確認として，保有水平耐力の計算について簡単な考察を加える．

1.1 検討方針

1) 計算は，ひび割れおよび降伏を考慮した立体非線形増分解析による．解析モデルは，一次設計と同じ架構モデルとする．外力分布は A_i に対応した分布とする．
2) 杭軸力が終局引抜き抵抗力に達した時点で，基礎支点の鉛直方向剛性を0とする．浮上りを考慮した非線形解析を行う．
3) 最大層間変形角がおおむね1/50程度まで増分解析を行う．この時点まで，いずれの部材にもせん断破壊・付着割裂破壊などの脆性的な破壊は生じないことを確認する．せん断余裕度は，両端ヒンジ梁では1.1以上（最小値1.17），非ヒンジ部材の梁では1.2以上（最小値1.61），非ヒンジ部材の柱・壁では1.25以上（柱の最小値1.35，壁の最小値1.26）とする．
4) 曲げ塑性ヒンジ発生許容部位は，大梁端部，引張り側柱，最下階柱脚，最上階柱頭とする．
5) 一般的な矩形断面のせん断終局強度は，荒川 mean 式を用いる．
6) 片側柱付き壁，腰壁付き梁のせん断終局強度は等価な矩形断面に置き換えるのでなく，壁部分，柱，梁部分をそれぞれに評価して足し合わせて求める．いくつかの提案があるが，ここではトラス・アーチ機構による提案式[10]を用いる．

1.2 塑性ヒンジ図と層せん断力-層間変形角関係

付図2.41〜2.49に，最大層間変形角1/100時点の塑性ヒンジ図を示す．凡例は付図2.39のとおりである．塑性ヒンジ図の数値は最大層間変形角1/100時のたわみ角（$\times 10^{-3}$rad）を示し，たわみ角の定義は付図2.40に示す．

X方向は最大層間変形角1/100時点〔付図2.41〜2.43〕で，おおむね梁端に曲げヒンジが生じる全体崩壊メカニズムとなる．最も大きな塑性変形を生じるのはⒸ通りの②，③通り間 G_{C2}，④，⑤通り間 G_{C4} の梁である．これらの梁では変形能力確保のためにX形配筋とし，せん断余裕度を2倍程度確保する．

Y方向では最大層間変形角1/100時点〔付図2.44〜2.49〕で，梁端に曲げヒンジが発生しているが，壁はまだ崩壊形には至っていない．しかし，最終崩壊形は1階の曲げ破壊で全体崩壊形であることを確認している．

付図2.50〜2.52に，層せん断力－層間変形角関係を示す．図の横軸は，Ⅱ章2.4で記述したよ

---

10) 林　静雄，香取慶一ほか：袖壁付き柱の破壊形式を考慮したせん断終局強度に関する実験及び考察，日本建築学会構造系論文集，Vol. 553, pp. 81-88, 2002.3

うに，層の平均的な値として層剛性と層せん断力から計算した層間変位を階高で除した層間変形角である．

Y方向負加力時には，ⓒ通りの②，⑤通り耐震壁直下の基礎に浮上りが生じるため，加力方向の正負で水平耐力が異なっている〔付図2.51，2.52〕．

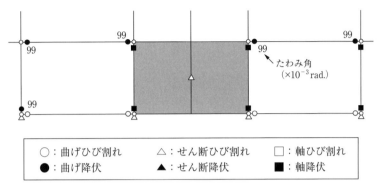

※曲げ降伏●に付記した数値（例示では99）は最大層間変形角1/100時のたわみ角（×10^{-3}rad）を示す．

付図2.39　塑性ヒンジ図の凡例

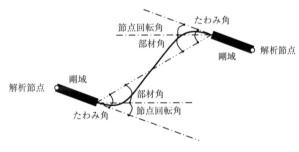

付図2.40　たわみ角の定義

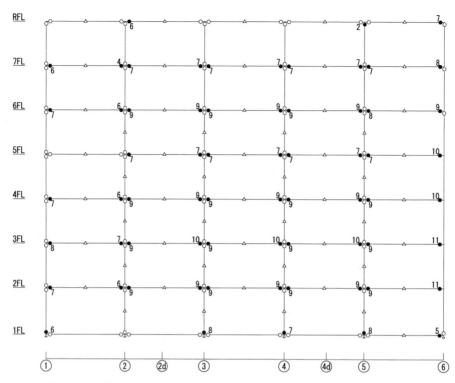

付図2.41 Ⓐ通り塑性ヒンジ図（X方向正加力・最大層間変形角1/100時）

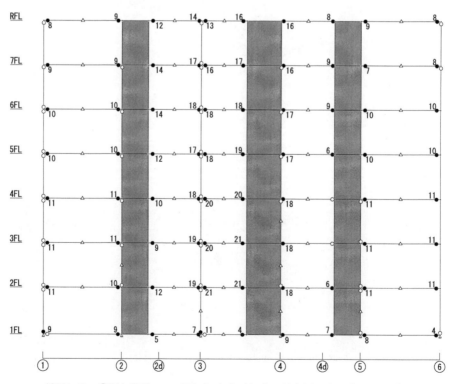

付図2.42 Ⓑ通り塑性ヒンジ図（X方向正加力・最大層間変形角1/100時）

付2. 構造設計例 —473—

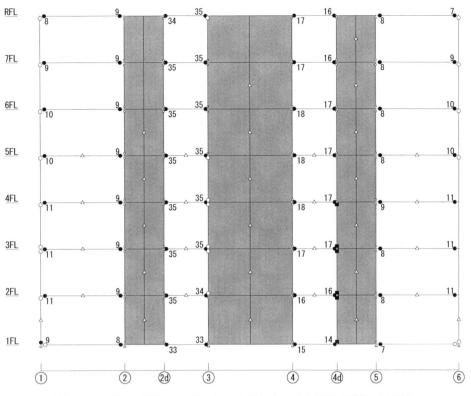

付図2.43 ⓒ通り塑性ヒンジ図（X方向正加力・最大層間変形角1/100時）

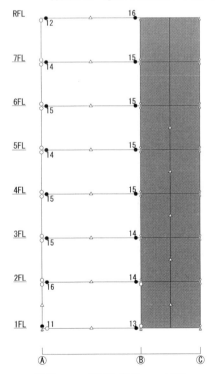

付図2.44 ②通り塑性ヒンジ図
（Y方向正加力・最大層間変形角1/100時）

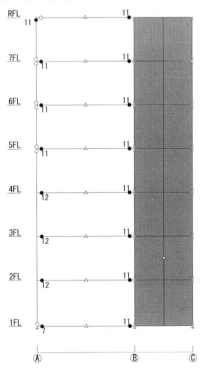

付図2.45 ②通り塑性ヒンジ図
（Y方向負加力・最大層間変形角1/100時）

—474— 付　　録

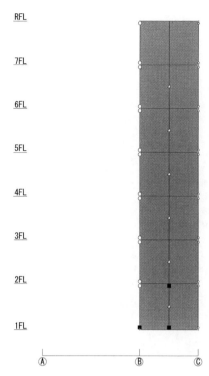

付図2.46　㉔通り塑性ヒンジ図
（Y方向正加力・最大層間変形角1/100時）

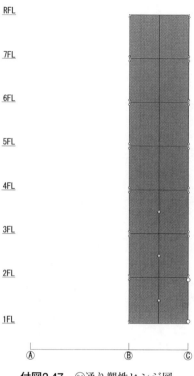

付図2.47　㉔通り塑性ヒンジ図
（Y方向負加力・最大層間変形角1/100時）

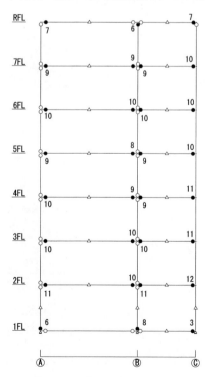

付図2.48　③通り塑性ヒンジ図
（Y方向正加力・最大層間変形角1/100時）

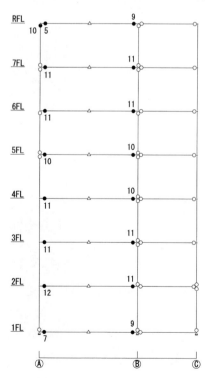

付図2.49　③通り塑性ヒンジ図
（Y方向負加力・最大層間変形角1/100時）

付2. 構造設計例 —475—

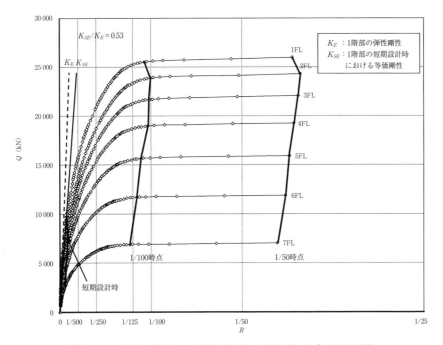

付図2.50 層せん断力Q-層間変形角R関係（X方向正加力時）

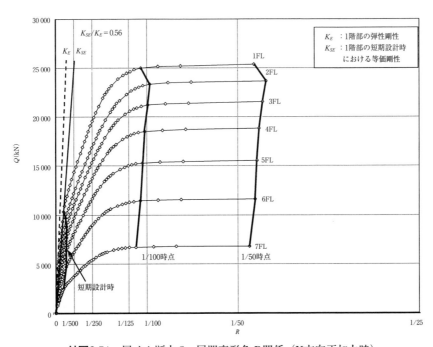

付図2.51 層せん断力Q-層間変形角R関係（Y方向正加力時）

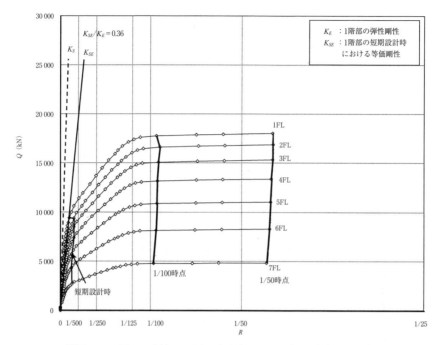

付図2.52 層せん断力Q-層間変形角R関係（Y方向負加力時）

2. 保有水平耐力規準との整合性

本設計例は本会「鉄筋コンクリート構造計算規準・解説（2010）」刊行時に掲載されたもので，保有水平耐力規準が発刊されていなかったため，本設計例の保有水平耐力を確認した時点ではいくつかの検討が未了であった．以下では，保有水平耐力規準との整合性を確認する．

2.1 適用ルート

保有水平耐力規準7条（崩壊形）に示す適用ルートは，靭性抵抗型・全体崩壊形のAルートである．Aルートの適用にあたっては，余耐力法・崩壊率算定法の適用条件，部材の保証設計，柱梁接合部の釣合破壊や接合部降伏破壊の検討が必要であるが，それらについて以下の各節に示す．

2.2 各種耐力式の整合性

保有水平耐力規準との整合性確認に先立ち，本設計例の保有水平耐力計算に用いた解析モデルの各種耐力式が保有水平耐力規準と整合しているか確認を行った．付表2.9に示すように，一部で完全に整合していない耐力式などもあるが，結果に大きな影響を与えるものはないことを確認した．

2.3 余耐力法・崩壊率算定法の適用条件

適用ルートをAルートとして余耐力法を適用するにあたり，保有水平耐力規準8条（必要保有水平耐力）に則り，未崩壊層もおおむね崩壊形に近い状態であることを確認する．

建物の簡易な等価線形化として，第1層の層せん断力Q_1と最上階の水平変形$\varDelta$の関係に着目し，初期剛性K_0とiステップの接線剛性K_iから付図2.53のように接線剛性比（K_i/K_0）と頂部の水平変位（$\varDelta$）の関係を見る．

付表2.9 各種耐力式等の比較

	梁	柱	耐震壁	腰壁付き梁	袖壁付き柱	両側柱なし壁
初期剛性	○	○	○	○	○	○
剛性低下率	○	○	○	○ (※4)	○ (※4)	○
部材モデル	○	○	○	○	○	○
非線形復元力特性	○	○	○	○	○	○
ひび割れモーメント	○	○	※2	○	○	○
曲げ降伏強度	○	※1	※2	○	○	○
せん断終局強度	○	○	○	○ (※4)	○ (※4)	○
せん断ひび割れ強度	○	○	○	○	○	○
開口による低減	—	—	※3	—	—	—

○：設計例で適用した設計式が保有水平耐力規準と整合している．
※1：耐力式は異なるが解析結果に影響を与えないため問題ない．
　　保有水平耐力規準は19条（柱部材）の柱軸力に応じた（19.2-4）式が示されているが，本構造設計例においては8条略算式（解8.20）式で計算している．
※2：本規準には特に記載がなく，「建築物の構造関係技術基準解説書」に基づいて計算している．
　　保有水平耐力規準では21条（壁部材）で（21.2.1）式，（21.2.4）式が示されているが，解析結果に与える影響は小さく問題ないと判断した．
※3：耐力式は異なるが解析結果に与える影響は小さく問題ない．
　　保有水平耐力規準では21条（壁部材）で（21.5.1~8）式が示され，本構造設計例では「建築物の構造関係技術基準解説書」に基づいて計算している．
※4：本設計例の方法は保有水平耐力規準においてそのまま引用されている．

本設計例では保有水平耐力規準に示されたように，接線剛性比（K_i/K_o）が0.05まで低下したステップの最上階水平変位（Δ_o）に対して，$3\Delta_o$以上まで解析を実行している．したがって，建物は負担している水平力が増加できない状態に達していると判断できる．

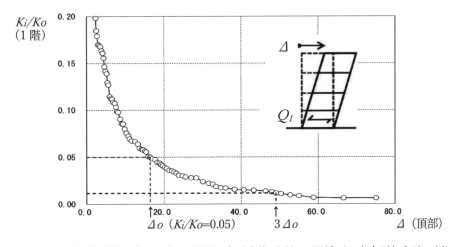

付図2.53 接線剛性比（K_i/K_o）と頂部の水平変位（Δ）の関係（X方向正加力時の例）

また，付図 2.54 の各階の層せん断力 Q と層間変形角 R の関係を見ると，すべての階で解析終了時の最大の層間変形角（R_{max}）に対して $R_{max}/2$ 以上に達しており，保有水平耐力規準に示された 70% 以上の層という条件を満足する．

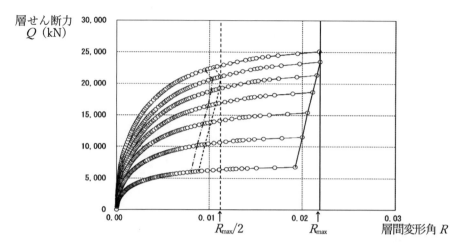

付図 2.54 各階の層せん断力と層間変形角の関係（X 方向正加力の例）

以上より，解析終了時の応力から崩壊形形成時の応力を推定する余耐力法の適用は可能である．

なお，崩壊形形成時地震力の解析終了時地震力に対する比（Λ）は $\Lambda=1.01$ で，連層壁分担率（$_m\beta_u$）の適用は行っていない．

2.4 柱・梁の靭性確保のための保証設計について

本設計例では，保有水平耐力規準 18 条（梁部材）や 19 条（柱部材）に整合する保有水平耐力を計算している．したがって，いずれの部材にもせん断破壊や付着割裂破壊などの脆性的な破壊が生じないことは確認しているが，10 条（保証設計）については未検証であった．

ここでは，非ヒンジ柱の曲げ耐力の確保と柱曲げ破壊時層水平耐力の確認を行う．

・非ヒンジ柱の曲げ耐力の確保

　引張軸力となる柱を除くすべての柱で余裕度 $a_m≧1.25$ を満足することを確認した．

・柱曲げ破壊時層水平耐力の確認

　曲げ終局モーメントを基に算定した各柱の崩壊耐力を崩壊形形成時せん断力と比較した余裕度 a_m は 1.75～4.32 となり，いずれも $a_m≧1.40$ であり問題ないことを確認した．

2.5 柱梁接合部の検討

本設計例における柱梁接合部は，「建築物の構造関係技術基準解説書」に保証設計として示されたせん断終局強度に基づく安全性確認を行っていた．ここでは，保有水平耐力規準 20 条（柱梁接合部）に記載された柱梁接合部の釣合破壊・接合部降伏破壊について確認する．

検討結果としては，Y 方向加力時の引張側柱の強度低下率 β_j の検討が厳しく，柱梁接合部のせん断補強筋断面積 A_{jw} を増やすため，A 通り柱と C 通り柱の Y 方向加力時用せん断補強筋を，付表 2.10 のように「鉄筋コンクリート構造計算規準・解説（2010）」刊行時に掲載されたものから変更している．構造計算上は接合部のせん断補強筋を増やすのみでよいが，付図 2.56～2.58 の柱リ

付表2.10 柱リストのせん断補強筋の変更前後の比較表

柱符合	階	変更前	変更後
CA1 CA6	7	[2,2]D 13@100	[2,2]D 16@100
	6,5	[2,2]D 13@100	[2,4]D 16@100
	4,3	[2,2]D 13@100	[2,4]D 16@100
	2	[2,2]D 13@100	[2,4]D 16@100
	1	[2,2]D 16@100	[2,4]D 16@100
CA2 CA5	7	[2,2]D 13@100	[2,2]D 16@100
	6,5	[2,2]D 13@100	[2,2]D 16@100
	4,3	[2,2]D 13@100	[2,4]D 16@100
	2	[2,2]D 13@100	[2,4]D 16@100
	1	[4,2]D 16@100	[4,4]D 16@100
CA3 CA4	7	[2,2]D 13@100	[2,2]D 16@100
	6,5	[2,2]D 13@100	[2,2]D 16@100
	4,3	[4,2]D 13@100	[4,4]D 16@100
	2	[4,2]D 13@100	[4,4]D 16@100
	1	[4,2]D 16@100	[4,4]D 16@100
CC1 CC6	7	[2,2]D 13@100	[2,2]D 16@100
	6,5	[2,2]D 13@100	[2,2]D 16@100
	4,3	[2,2]D 13@100	[2,4]D 16@100
	2	[2,2]D 13@100	[2,4]D 16@100
	1	[4,4]D 13@100	[4,4]D 16@100
CC3 CC4	7	[2,2]D 13@100	[2,2]D 16@100
	6,5	[2,2]D 13@100	[2,2]D 16@100
	4,3	[4,4]D 13@100	[4,4]D 16@100
	2	[4,4]D 13@100	[4,4]D 16@100
	1	[4,4]D 13@100	変更なし

[凡例] [2,4]はX方向用2本，Y方向用4本で□□を示す．

ストでは便宜的に軸部も含めて変更した．

・構造規定としての接合部横補強筋比

　接合部横補強筋比 $p_{jw} \geq 0.003$ は，いずれの柱梁接合部内も満足していることを確認した．

・柱梁接合部の釣合破壊

　付図2.55（保有水平耐力規準の解説図20.18「十字形柱梁接合部の釣合破壊の判定値と接合部せん断耐力（靭性保証指針式）との比較」を転載）は，本設計例で柱梁接合部の安全性確認に用いた靭性保証型指針式を，保有水平耐力規準の釣合破壊の検討式（解20.1a）と比較したものである．これより，保有水平耐力規準にも記載のとおり，接合部降伏破壊が生じないことが確認できれば，釣合破壊も起こさないと判断できる．

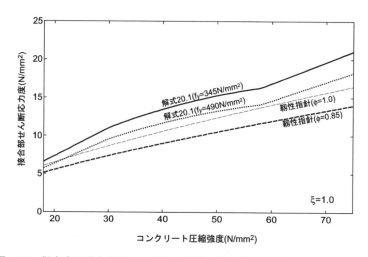

付図 2.55 保有水平耐力規準による釣合破壊の判定値と靭性保証型指針式の比較

・接合部降伏破壊の検討

　柱梁接合部降伏による強度低下率 β_j を算出し，部材群ランクや壁分担率 β_u，および決定した構造特性係数 D_s とともに付表 2.11 に示す．

　構造断面やコンクリート強度，ならびに鉄筋径などの切替え位置の関係から，強度低下率 β_j はいずれの方向においても 5 階で最小値となった．X 方向，および Y 方向負加力時は $\beta_j \geqq 1.5$ を満足するものの，Y 方向正加力時の引張側柱では $1.5 > \beta_j \geqq 1.0$ となった．したがって，Y 方向正加力時には耐力は十分発揮されるとしても，接合部降伏破壊が起こる可能性は排除できず，柱部材群ランクは FA としていたが FB 柱部材が存在することを加味して，構造特性係数 D_s は当初設定の 0.35 ではなく 0.40 として必要保有水平耐力を計算する．

　なお，片側柱付き壁と考えることができる袖壁付き柱，および腰壁付き梁における β_j の算定は行っていない．

付表 2.11　構造特性係数 D_s の算定

方向	柱部材群ランク	壁部材群ランク	壁分担率 β_u	強度低下率 β_j の最小値	構造特性係数 D_s
X（正）	FA ⇒ FA* ⇒ FB	WA	0.32〜0.42	2.34	0.35 ⇒ 0.40[※1]
Y（正）	FA	WA	0.41〜0.65	1.26	0.35 ⇒ 0.40[※2]
Y（負）	FA	WA	0.44〜0.53	1.68	0.35

※1：構造計算システムでは FA ランクとなるが，次節 2.6 にしたがって，袖壁付き柱部材を FA*部材（FB 部材として扱うことになる）とし，腰壁付き梁部材が FB 部材となることによる．
※2：強度低下率 β_j が 1.5 未満となるため安全側の判断とする．

2.6　袖壁付き柱や腰壁付き梁の部材種別

　本設計例の主眼の一つは，袖壁付き柱や腰壁付き梁の適切な損傷制御設計の実施で，ここでは耐力式や部材種別の整合性を確認する．

耐力式については 2.2 で示したように，本設計例の方法は保有水平耐力規準においても引用されているため問題ない．

保有水平耐力規準 21 条（壁部材）には，袖壁付き柱の部材種別表 21.3.1，および腰壁付き梁の部材種別表 21.4.1 が示されている．これらの部材種別表に当てはめると，本設計例の袖壁付き柱部材は FA*部材に分類され，保有水平耐力規準では FB 部材として扱うように明記されている．また，本設計例の腰壁付き梁部材は $0.15 < \tau_u \leqq 0.2$ より FA*部材ではなく，FB 部材である．

以上より，本設計例の保有水平耐力計算においては，本会「鉄筋コンクリート構造計算規準・解説（2010）」刊行時に FA 部材として扱っていた袖壁付き柱を FB 部材として扱うことが求められ，付表 2.11 のように X 方向の構造特性係数 D_s は 0.40 としなければならない．

3. 必要保有水平耐力と保有水平耐力

前節までの検討のとおり，X 方向の構造特性係数 D_s を当初の 0.35 から 0.40 に変更し，Y 方向についても正加力時のみ安全のため構造特性係数 D_s を 0.40 とすることが妥当であると判断し，保有水平耐力は付表 2.12 のようにまとめられる．

付表 2.12 保有水平耐力の確認

方向	階	各階重量 W_j (kN)	合計重量 (kN)	A_i 分布	F_{es}	D_s	必要保有水平耐力 Q_{un} (kN)	保有水平耐力 Q_u (kN)	Q_u/Q_{un}	
X (正)	7	6 204	6 204	2.11	1.00	0.40	5 236	6 885	1.31	OK
	6	7 024	13 228	1.68	1.00	0.40	8 889	11 715	1.32	OK
	5	7 025	20 253	1.47	1.00	0.40	11 909	15 668	1.32	OK
	4	7 036	27 289	1.32	1.01	0.40	14 553	18 968	1.30	OK
	3	7 058	34 347	1.20	1.03	0.40	16 981	21 694	1.28	OK
	2	7 058	41 405	1.10	1.00	0.40	18 218	23 875	1.31	OK
	1	7 107	48 512	1.00	1.00	0.40	19 405	25 546	1.32	OK
Y (正)	7	6 204	6 204	2.11	1.00	0.40	5 236	6 731	1.71	OK
	6	7 024	13 228	1.68	1.00	0.40	8 889	11 452	1.47	OK
	5	7 025	20 253	1.47	1.00	0.40	11 909	15 317	1.47	OK
	4	7 036	27 289	1.32	1.00	0.40	14 409	18 543	1.47	OK
	3	7 058	34 347	1.20	1.00	0.40	16 487	21 208	1.47	OK
	2	7 058	41 405	1.10	1.00	0.40	18 218	23 340	1.46	OK
	1	7 107	48 512	1.00	1.00	0.40	19 405	24 974	1.47	OK
Y (負)	7	6 204	6 204	2.11	1.00	0.35	4 582	4 787	1.04	OK
	6	7 024	13 228	1.68	1.00	0.35	7 778	8 144	1.05	OK
	5	7 025	20 253	1.47	1.00	0.35	10 420	10 893	1.05	OK
	4	7 036	27 289	1.32	1.00	0.35	12 608	13 186	1.05	OK
	3	7 058	34 347	1.20	1.00	0.35	14 426	15 081	1.05	OK
	2	7 058	41 405	1.10	1.00	0.35	15 941	16 598	1.04	OK
	1	7 107	48 512	1.00	1.00	0.35	16 979	17 759	1.05	OK

Ⅳ. 構 造 図 面

設計結果を構造図面に示す．一般に構造図面は次のようなものが描かれている．
- ⅰ）伏図：各階の通り心間寸法，それに対する柱・梁・壁・床スラブの付き方および記号を示す．
- ⅱ）軸組図：各架構の立面を示し，高さ関係を明示する．耐震壁，その他の壁の付き方，開口の位置なども記入する．
- ⅲ）柱断面リスト：各柱の断面配筋図を一覧にする．
- ⅳ）梁断面リスト：各梁の断面配筋図を一覧にする．
- ⅴ）基礎配筋詳細図および基礎リスト
- ⅵ）スラブ配筋詳細図およびスラブリスト
- ⅶ）壁配筋詳細図および壁リスト
- ⅷ）階段その他部分詳細図
- ⅸ）配筋詳細図：代表的な架構や柱梁接合部等の重要な部分の配筋詳細を記入する．

以上のほか，特記仕様書として使用材料および調合・地盤，杭許容支持力・配筋標準図・必要な試験・検査などを明記する．設計図の作成にあたっては，規準その他に掲げてある計算外の規定や，施工の便を考え，また，計算書に記載の諸条件を考慮し，計算書の内容をさらに完全なものにするよう心がけるのがよい．

本設計例では，Ⅱ章1.2構造計画で示した伏図〔付図2.4〕，軸組図〔付図2.5～2.11〕のほかに，柱リスト〔付図2.56～2.58〕，大梁リスト〔付図2.59～2.68〕，壁リスト〔付図2.69〕，部分配筋詳細図〔付図2.70, 2.71〕を示す．

付2. 構造設計例 —483—

特記なき限り
帯 筋：実線・鉄筋種別はD10～D16をSD295, D19～D25をSD345, D29～D32をSD390とする.
幅止筋：破線・帯筋の[2,4]はX方向用2本, Y方向用4本で□□を示す.
・幅止め筋はD10@500とする.
・（ は2段筋を示す.
・仕口内帯筋は，下階柱帯筋と同本数・同強度・同径・同ピッチとする.

柱リスト

階	名称	C_{A1}, C_{A6}	C_{A2}, C_{A5}	C_{A3}, C_{A4}	C_{B1}, C_{B6}
7	断面	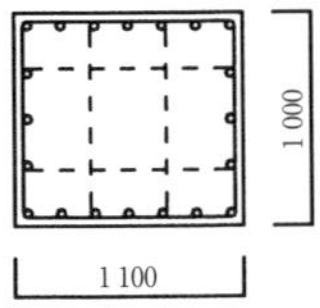 1100 × 1000	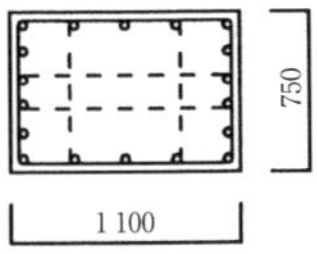 1100 × 750	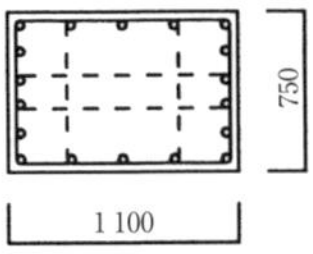 1100 × 750	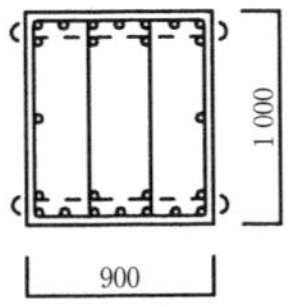 900 × 1000
	主筋	20-D25	18-D25	18-D25	24-D25
	帯筋	[2,2] D16@100	[2,2] D16@100	[2,2] D16@100	[2,4] D16@100
6・5	断面	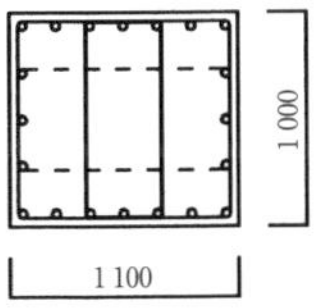 1100 × 1000	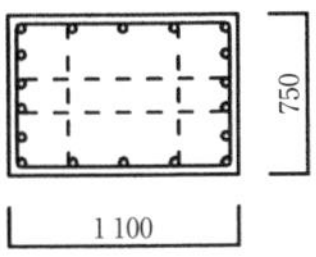 1100 × 750	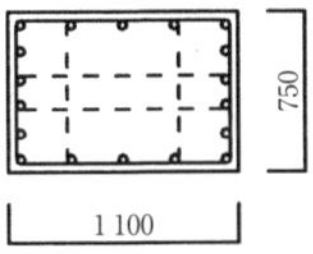 1100 × 750	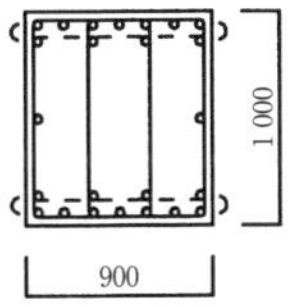 900 × 1000
	主筋	20-D25	18-D25	18-D25	24-D25
	帯筋	[2,4] D16@100	[2,2] D16@100	[2,2] D16@100	[2,4] D16@100
4・3	断面	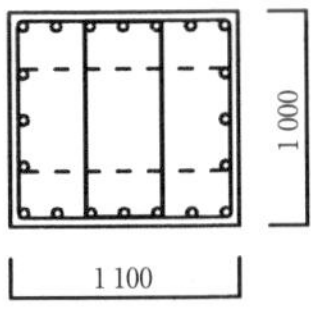 1100 × 1000	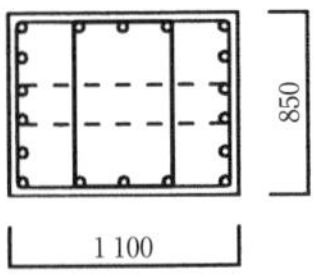 1100 × 850	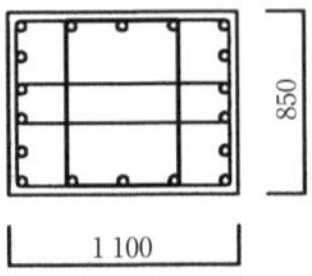 1100 × 850	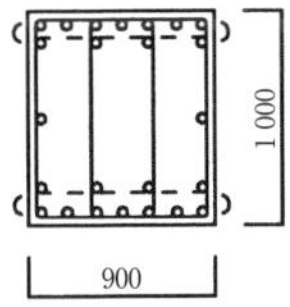 900 × 1000
	主筋	20-D29	18-D29	18-D29	24-D29
	帯筋	[2,4] D16@100	[2,4] D16@100	[4,4] D16@100	[2,4] D16@100
2	断面	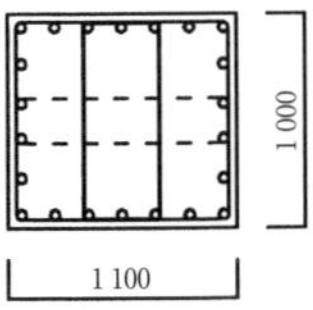 1100 × 1000	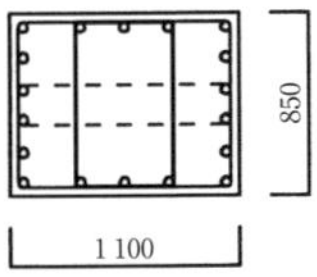 1100 × 850	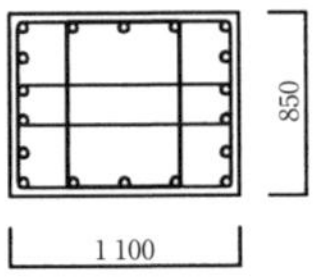 1100 × 850	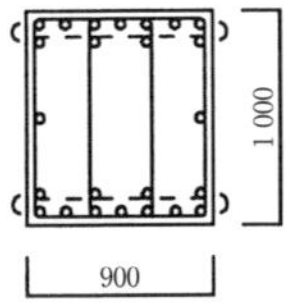 900 × 1000
	主筋	22-D29	18-D29	18-D29	24-D29
	帯筋	[2,4] D16@100	[2,4] D16@100	[4,4] D16@100	[2,4] D16@100
1	断面	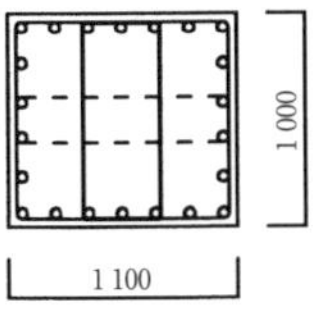 1100 × 1000	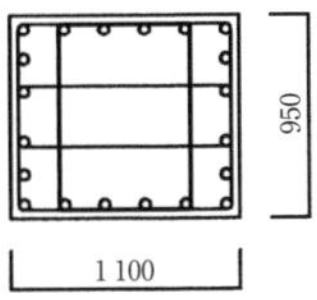 1100 × 950	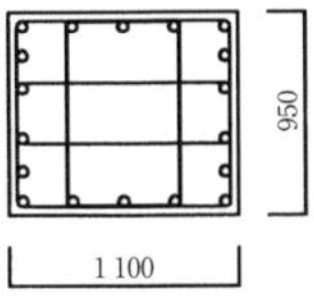 1100 × 950	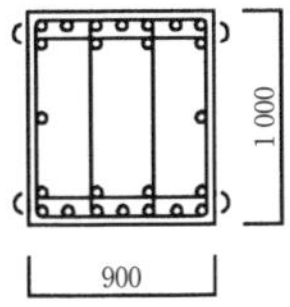 900 × 1000
	主筋	22-D32	20-D32	18-D32	24-D32
	帯筋	[2,4] D16@100	[4,4] D16@100	[4,4] D16@100	[4,4] D16@100

付図 2.56 柱リスト (1)

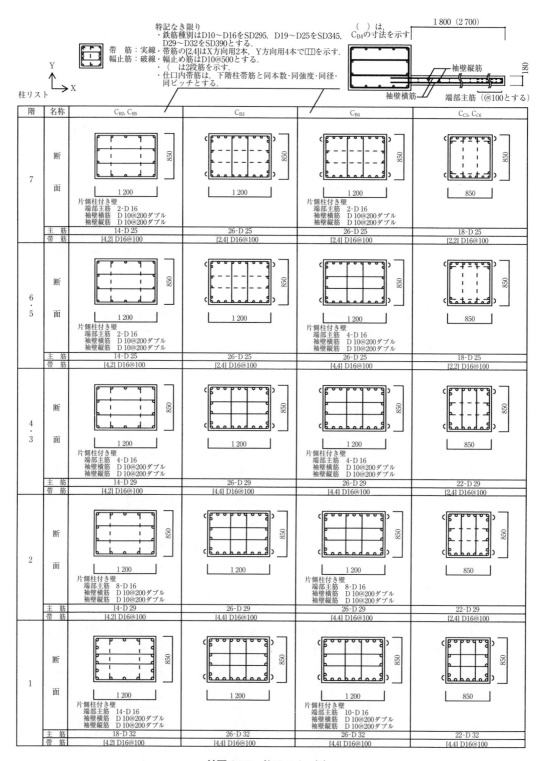

付図 2.57 柱リスト (2)

付2. 構造設計例 －485－

特記なき限り
帯　筋：実線
幅止筋：破線
・鉄筋種別はD10～D16をSD295，D19～D25をSD345，D29～D32をSD390とする．
・帯筋の[2,4]はX方向用2本，Y方向用4本で□□を示す．
・幅止め筋はD10@500とする．
・（　）は2段筋を示す．
・仕口内帯筋は，下階柱帯筋と同本数・同強度・同径・同ピッチとする．
・SPは拘束筋を示し，D10@200×200（D10c@400／D10c@400）とする．
拘束筋の形状
余長8d（90°曲げ部）
余長6d（135°曲げ部）

階	名称		$_CC_2$, $_CC_5$	$_CC_3$, $_CC_4$	$_CB_{2d}$, $_CB_{4d}$	$_CC_{2d}$, $_CC_{4d}$
7	断面		800×1200	800×850	180	200/200
	主筋		20-D25	12-D25	4-D16@100	12-D16@200
	帯筋		[4,2] D16@100	[2,2] D16@100	SP	SP
6・5	断面		800×1200	800×850	180	200/200
	主筋		20-D25	12-D25	8-D16@100	12-D16@200
	帯筋		[4,2] D16@100	[2,2] D16@100	SP	SP
4・3	断面		800×1200	800×850	180	200/200
	主筋		22-D29	16-D29	14-D16@100	12-D16@200
	帯筋		[2,2] D16@100	[4,4] D16@100	SP	SP
2	断面		800×1200	800×850	180	200/200
	主筋		22-D29	18-D29	14-D19@100	12-D16@100
	帯筋		[4,2] D16@100	[4,4] D16@100	SP	SP
1	断面		800×1200	800×850	180	200/200
	主筋		22-D32	20-D32	14-D19@100	12-D16@200
	帯筋		[4,2] D16@100	[4,4] D16@100	SP	SP

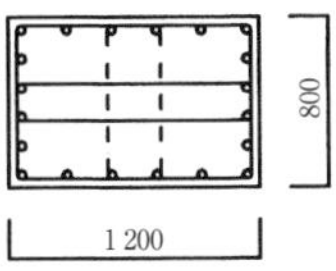

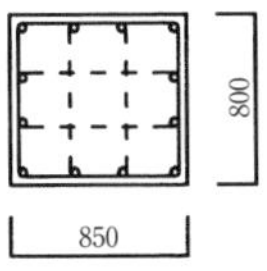

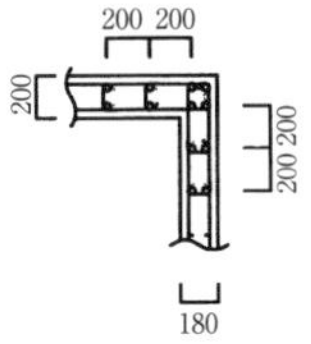

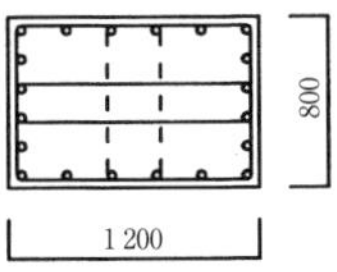

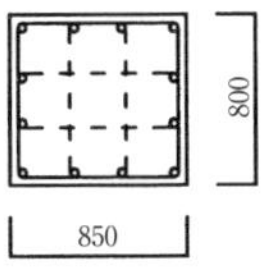

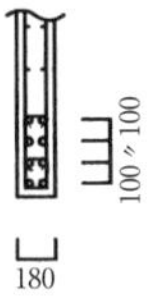

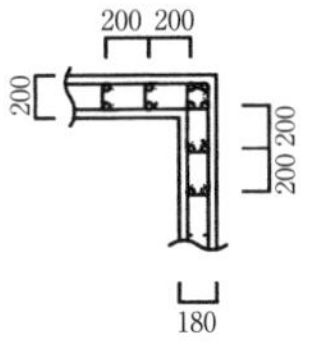

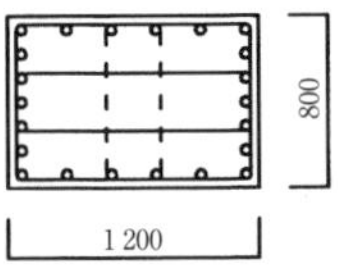

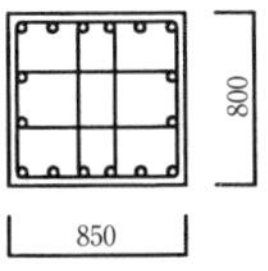

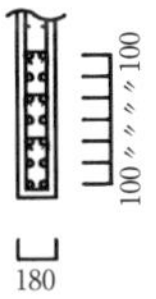

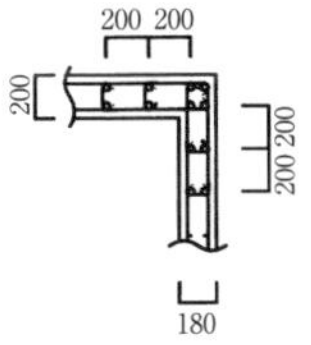

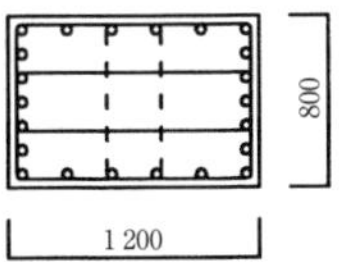

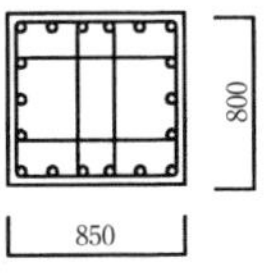

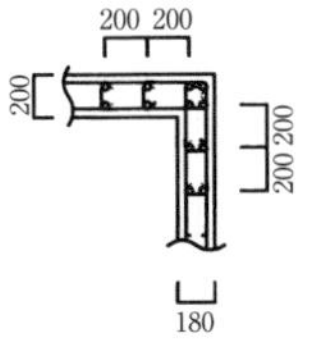

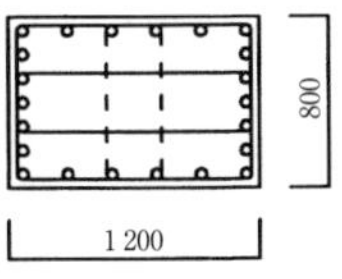

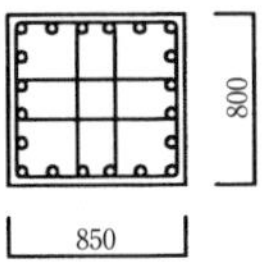

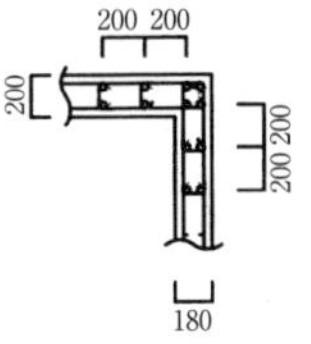

付図2.58　柱リスト（3）

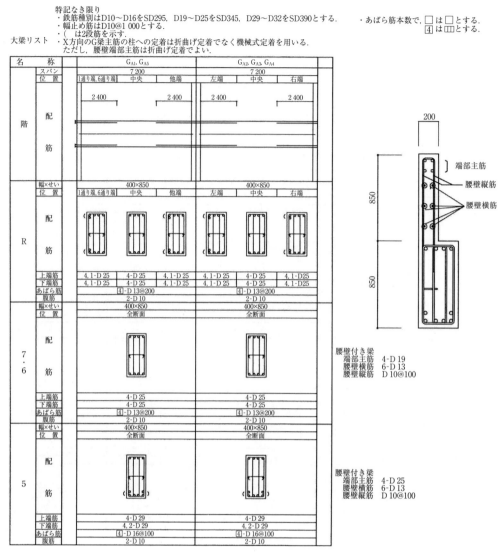

付図 2.59 大梁リスト（X方向）(1)

名称		G_{A1}, G_{A5}			G_{A2}, G_{A3}, G_{A4}			
階	スパン	7 200			7 200			
	位置	1通り端,6通り端	中央	他端	左端	中央	右端	
	配筋	2 400						
4・3	幅×せい	400×850			400×850			
	位置	全断面			全断面			腰壁付き梁
	配筋							端部主筋 4-D 25 腰壁横筋 6-D 13 腰壁縦筋 D 10@100
	上端筋	4-D 29			4-D 29			
	下端筋	4, 2-D 29			4, 2-D 29			
	あばら筋	④-D 16@100			④-D 16@100			
	腹筋	2-D 10			2-D 10			
2	幅×せい	400×850			400×850			
	位置	全断面			全断面			腰壁付き梁
	配筋							端部主筋 4-D 25 腰壁横筋 6-D 13 腰壁縦筋 D 10@100
	上端筋	4-D 29			4-D 29			
	下端筋	4, 2-D 29			4, 2-D 29			
	あばら筋	④-D 16@100			④-D 16@100			
	腹筋	4-D 10			4-D 10			
1	幅×せい	600×1 500			600×1 500			
	位置	1通り端,6通り端	中央	他端	全断面			
	配筋							
	上端筋	5, 2-D 32	5, 1-D 32	5, 1-D 32	5, 1-D 32			
	下端筋	5, 2-D 32	5, 1-D 32	5, 1-D 32	5, 1-D 32			
	あばら筋		④-D 13@200		□-D 13@200			
	腹筋		8-D 10		8-D 10			

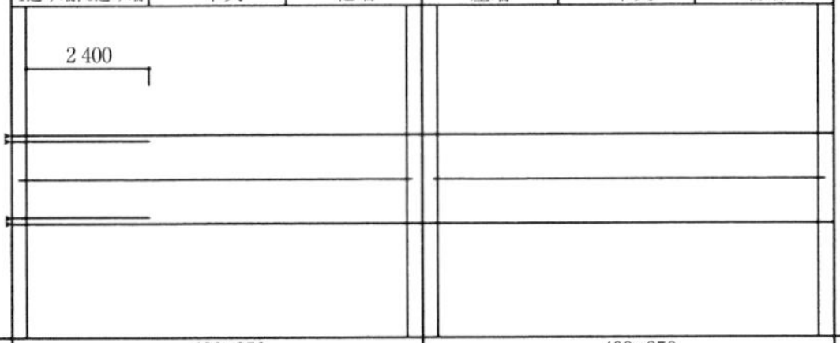

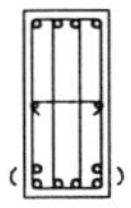

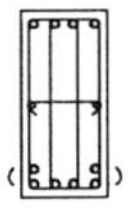

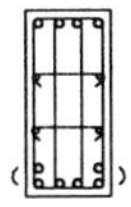

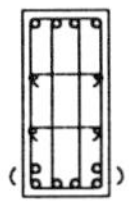

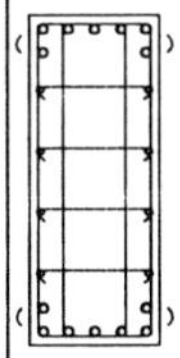

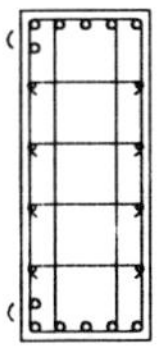

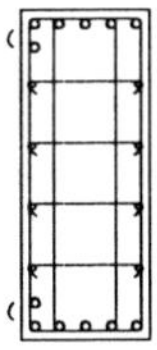

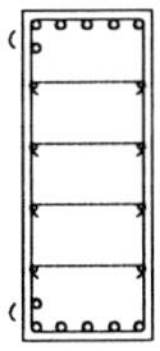

付図2.60 大梁リスト (X方向) (2)

大梁リスト

特記なき限り
・鉄筋種別はD10～D16をSD295，D19～D25をSD345，D29～D32をSD390とする．
・幅止め筋はD10@1 000とする．
・（ ）は2段筋を示す．
・X方向のG梁主筋の柱への定着は折曲げ定着でなく機械式定着を用いる．

・あばら筋本数で，□は□とする．
　4は□とする．

名称		G_{B1}, G_{B5}			G_{B2}, G_{B4}	G_{B3}
階	スパン	7 200			7 200	7 200
	位置	1通り端,6通り端	中央	他端	全断面	全断面
	配筋	2 400		2 400	袖壁 2通り,5通り端	袖壁
					袖壁 2通り,5通り端	袖壁
R	幅×せい	400×750			400×750	400×750
	位置	全断面			全断面	全断面
	配筋	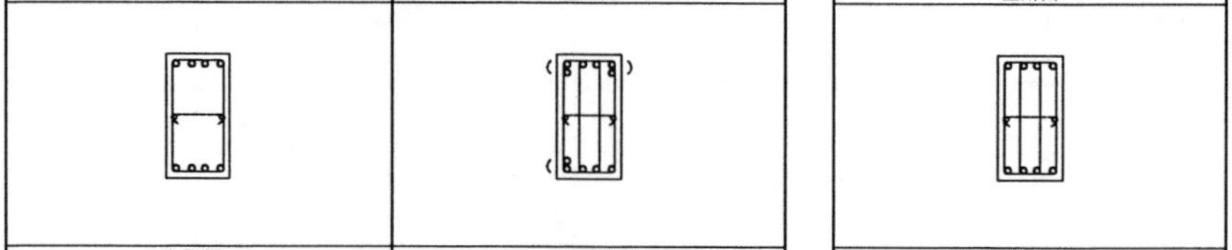				
	上端筋	4-D25			4,2-D25	4-D25
	下端筋	4-D25			4,1-D25	4-D25
	あばら筋	□-D16@200			4-D16@100	4-D16@100
	腹筋	2-D10			2-D10	2-D10
7・6	幅×せい				400×750	400×750
	位置	1通り端,6通り端	中央	他端	全断面	中央
	配筋	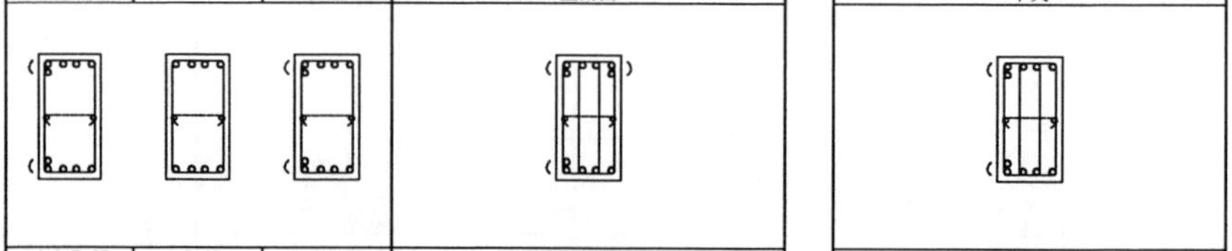				
	上端筋	4,1-D25	4-D25	4,1-D25	4,2-D25	4,1-D25
	下端筋	4,1-D25	4-D25	4,1-D25	4,1-D25	4,1-D25
	あばら筋	□-D16@200			4-D16@100	4-D16@100
	腹筋	2-D10			2-D10	2-D10
5	幅×せい	400×750			400×750	400×750
	位置	1通り端,6通り端	中央	他端	全断面	全断面
	配筋	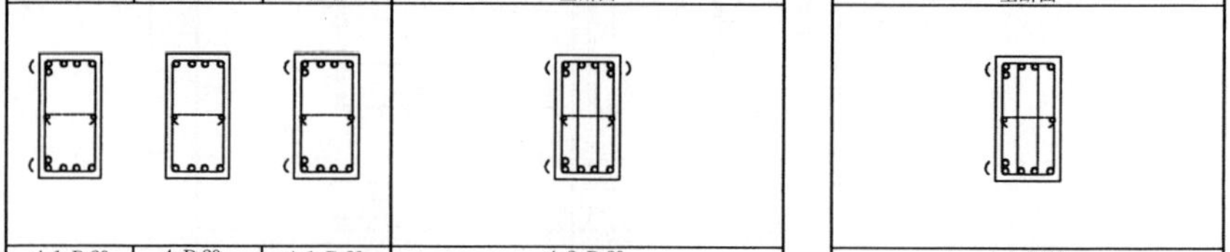				
	上端筋	4,1-D29	4-D29	4,1-D29	4,2-D29	4,1-D29
	下端筋	4,1-D29	4-D29	4,1-D29	4,1-D29	4,1-D29
	あばら筋	□-D16@200			4-D16@100	4-D16@100
	腹筋	2-D10			2-D10	2-D10

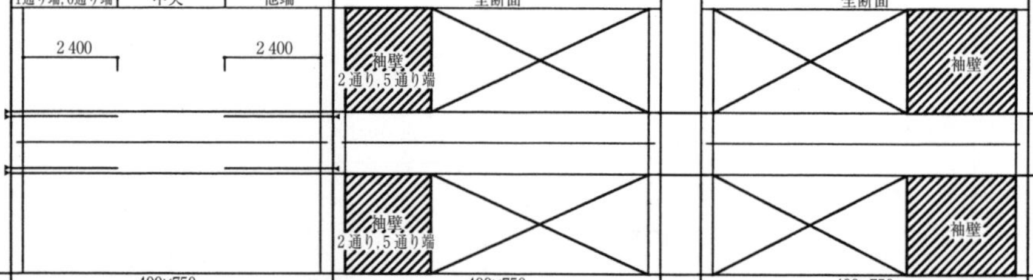

付図 2.61　大梁リスト（X方向）（3）

名称			G_{B1}, G_{B5}			G_{B2}, G_{B4}	G_{B3}
R階	スパン		7 200			7 200	7 200
	位置		1通り端,6通り端	中央	他端	全断面	全断面
	配筋			2 400　　　　2 400		袖壁 2通り,5通り端	袖壁
4・3	幅×せい		400×750			400×750	400×750
	位置		1通り端,6通り端	中央	他端	全断面	全断面
	配筋						
	上端筋		4,1-D 29	4-D 29	4,1-D 29	4,2-D 29	4,1-D 29
	下端筋		4,1-D 29	4-D 29	4,1-D 29	4,1-D 29	4,1-D 29
	あばら筋		□-D 16@200			4-D 16@100	4-D 16@100
	腹筋		2-D 10			2-D 10	2-D 10
2	幅×せい		400×850			400×850	400×850
	位置		1通り端,6通り端	中央	他端	全断面	全断面
	配筋						
	上端筋		4,1-D 29	4-D 29	4,1-D 29	4,1-D 29	4,1-D 29
	下端筋		4,1-D 29	4-D 29	4,1-D 29	4,1-D 29	4,1-D 29
	あばら筋		□-D 16@200			4-D 16@100	4-D 16@100
	腹筋		2-D 10			2-D 10	2-D 10
1	幅×せい		600×1 500			600×1 500	600×1 500
	位置		1通り端,6通り端	中央	他端	全断面	全断面
	配筋						
	上端筋		5,1-D 32	5,1-D 32	5-D 32	5-D 32	5-D 32
	下端筋		5,1-D 32	5,1-D 32	5-D 32	5-D 32	5-D 32
	あばら筋		4-D 13@200			4-D 16@100	□-D 16@200
	腹筋		8-D 10			8-D 10	8-D 10

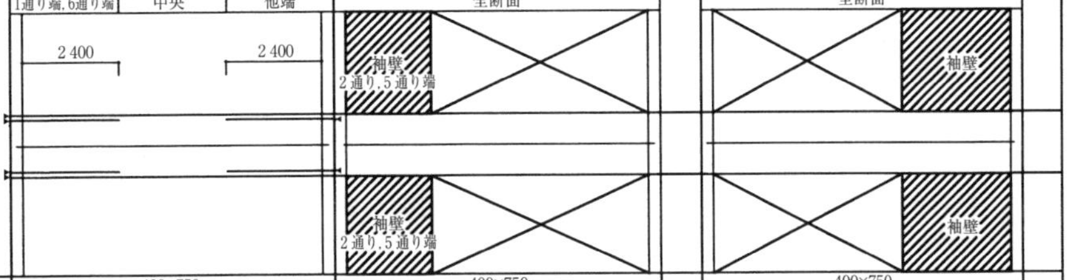

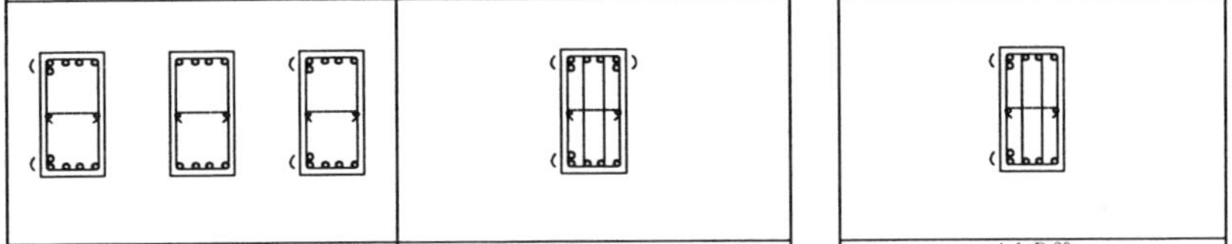

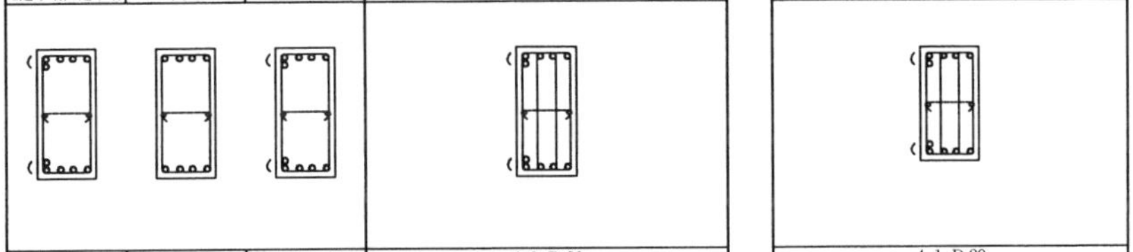

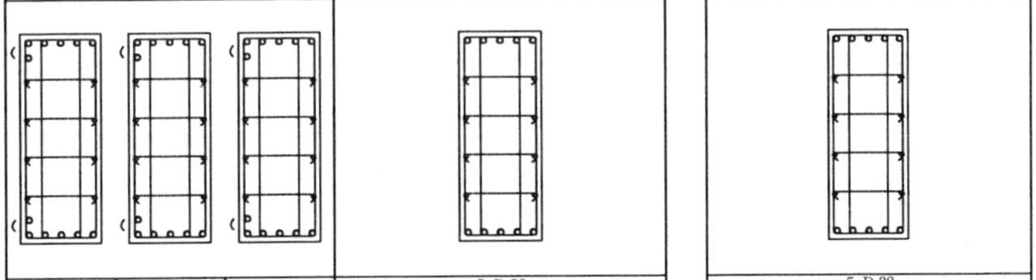

付図 2.62　大梁リスト（X方向）（4）

付録

特記なき限り
・鉄筋種別はD10〜D16をSD295，D19〜D25をSD345，D29〜D32をSD390とする．
・幅止め筋はD10@1 000とする．
大梁リスト ・( )は2段筋を示す．
・X方向のG梁主筋の柱への定着は折曲げ定着でなく機械式定着を用いる．
・あばら筋本数で，▱は▢とする．
・×-○-D○○は，X形配筋を示す．

名称		G_{C1}, G_{C5}			G_{C2}, G_{C4}		G_{C3}
階	スパン	7 200			7 200		7 200
	位置	1通り端	中央	他端	2通り端，5通り端	他端	全断面
	配筋	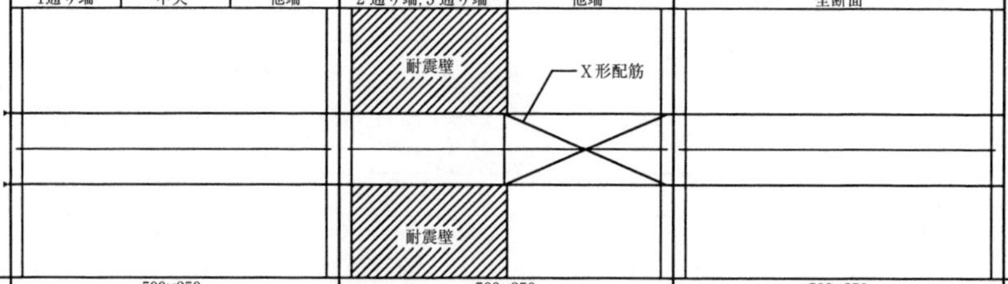			耐震壁 / X形配筋 / 耐震壁		
	幅×せい	500×850			500×850		500×850
	位置	全断面			2通り端，5通り端	他端	全断面
R	配筋	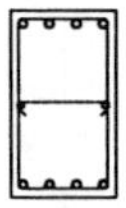			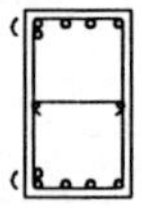 X-2-D 25	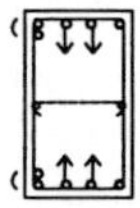	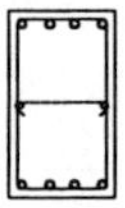
	上端筋	4-D 25			4, 1-D 25	4, 1-D 25	4-D 25
	下端筋	4-D 25			4, 1-D 25	4, 1-D 25	4-D 25
	あばら筋	▢-D 13@200			▢-D 13@200	▢-D 13@100	▢-D 13@200
	腹筋	2-D 10			2-D 10		2-D 10
	幅×せい	500×850			500×850		500×850
	位置	全断面			2通り端，5通り端	他端	全断面
7・6	配筋	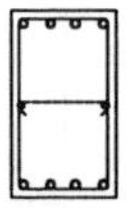			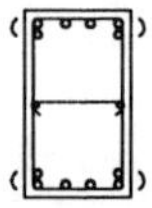 X-2-D 25	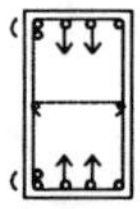	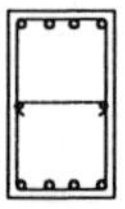
	上端筋	4-D 25			4, 2-D 25	4, 1-D 25	4-D 25
	下端筋	4-D 25			4, 2-D 25	4, 1-D 25	4-D 25
	あばら筋	▢-D 13@200			▢-D 13@200	▢-D 13@100	▢-D 13@200
	腹筋	2-D 10			2-D 10		2-D 10
	幅×せい	500×850			500×850		500×850
	位置	全断面			2通り端，5通り端	他端	全断面
5	配筋	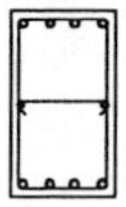			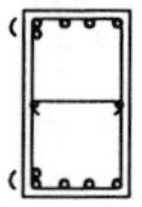 X-2-D 29	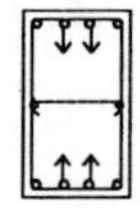	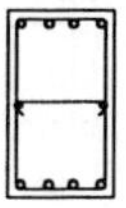
	上端筋	4-D 29			4, 1-D 29	4-D 29	4-D 29
	下端筋	4-D 29			4, 1-D 29	4-D 29	4-D 29
	あばら筋	▢-D 13@200			▢-D 13@200	▢-D 13@100	▢-D 13@200
	腹筋	2-D 10			2-D 10		2-D 10

付図 2.63 大梁リスト（X方向）（5）

名称		G_{C1}, G_{C5}			G_{C2}, G_{C4}			G_{C3}	
階	スパン	7 200			7 200			7 200	
	位置	1通り端	中央	他端	2通り端,5通り端		他端	全断面	
	配筋	2 400			耐震壁 / 耐震壁	X形配筋			
4・3	幅×せい	500×850			500×850			500×850	
	位置	全断面			2通り端,5通り端		他端	全断面	
	配筋				X-2-D 29				
	上端筋	4-D 29			4,1-D 29		4-D 29	4-D 29	
	下端筋	4-D 29			4,1-D 29		4-D 29	4-D 29	
	あばら筋	□-D 13@200			□-D 13@200		□-D 13@100	□-D 13@200	
	腹筋	2-D 10			2-D 10			2-D 10	
2	幅×せい	500×850			500×850			500×850	
	位置	全断面			2通り端,5通り端		他端	全断面	
	配筋				X-2-D 29				
	上端筋	4-D 29			4,1-D 29		4-D 29	4-D 29	
	下端筋	4-D 29			4,1-D 29		4-D 29	4-D 29	
	あばら筋	□-D 13@200			□-D 13@200		□-D 13@100	□-D 13@200	
	腹筋	2-D 10			2-D 10			2-D 10	
1	幅×せい	600×1 500			600×1 500			600×1 500	
	位置	1通り端	中央	他端	2通り端,5通り端		他端	全断面	
	配筋				X-2-D 32				
	上端筋	5,1-D 32	5-D 32	5-D 32	5-D 32		5-D 32	5-D 32	
	下端筋	5,1-D 32	5-D 32	5-D 32	5-D 32		5-D 32	5-D 32	
	あばら筋	□-D 13@200			□-D 13@200		□-D 13@100	□-D 13@200	
	腹筋	8-D 10			8-D 10			8-D 10	

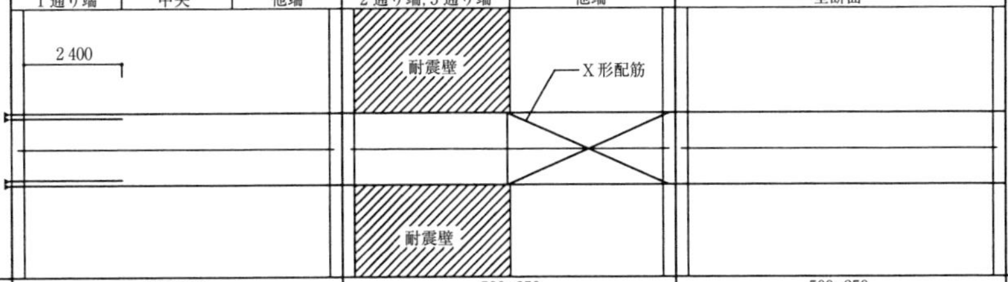

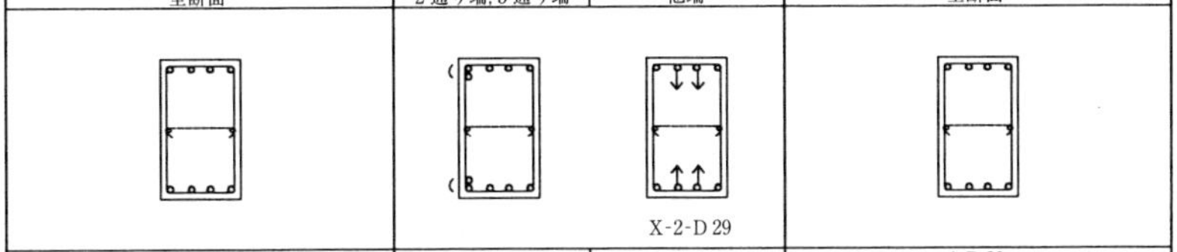

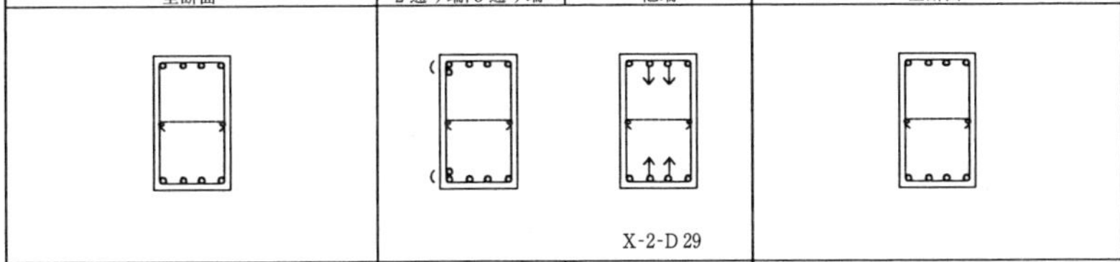

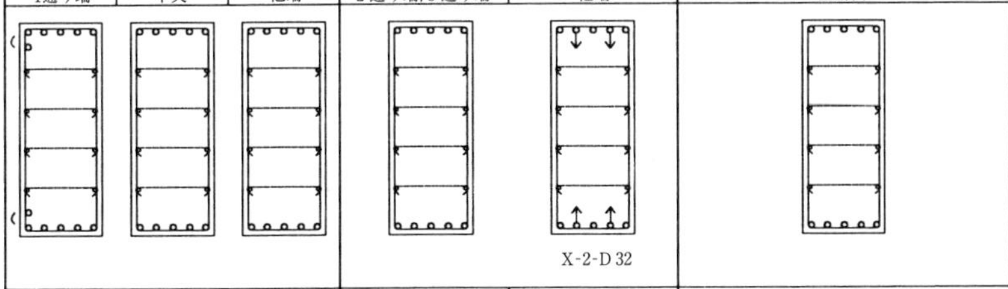

付図2.64 大梁リスト (X方向) (6)

大梁リスト

特記なき限り
- 鉄筋種別はD10〜D16をSD295, D19〜D25をSD345, D29〜D32をSD390とする.
- 幅止め筋はD10@1 000とする.
- （ ）は2段筋を示す.
- あばら筋本数で, ☐は☐とする. ④は▥とする.

名称		B_{A1}, B_{A6}			B_{B1}, B_{B6}		B_{A2}, B_{A5}			B_{B2}, B_{B5}
	スパン	9 000			5 400		9 000			5 400
	位置	A通り端	中央	他端	B通り端	中央・他端	A通り端	中央	他端	全断面
階	配筋	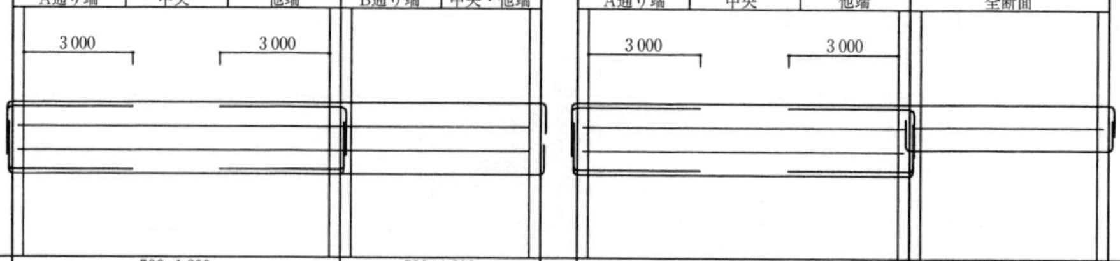 3 000		3 000			3 000		3 000	
	幅×せい	500×1 200			500×1 200		500×950			500×600
	位置	A通り端	中央	他端	B通り端	中央・他端	A通り端	中央	他端	全断面
R	配筋	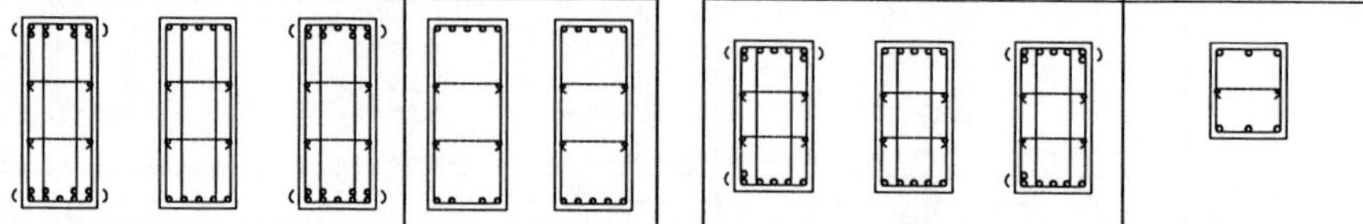								
	上端筋	5, 4-D 25	5-D 25	5, 4-D 25	5-D 25	5-D 25	5, 2-D 25	5-D 25	5, 2-D 25	3-D 25
	下端筋	5, 4-D 25	5-D 25	5, 4-D 25	5-D 25	5-D 25	5, 1-D 25	5-D 25	5, 1-D 25	3-D 25
	あばら筋	④-D 13@200			☐-D 13@200		④-D 13@200			☐-D 13@200
	腹筋	4-D 10			4-D 10		4-D 10			2-D 10
	幅×せい	500×1 200			500×1 200		500×950			500×600
	位置	A通り端	中央	他端	全断面		A通り端	中央	他端	全断面
7・6	配筋	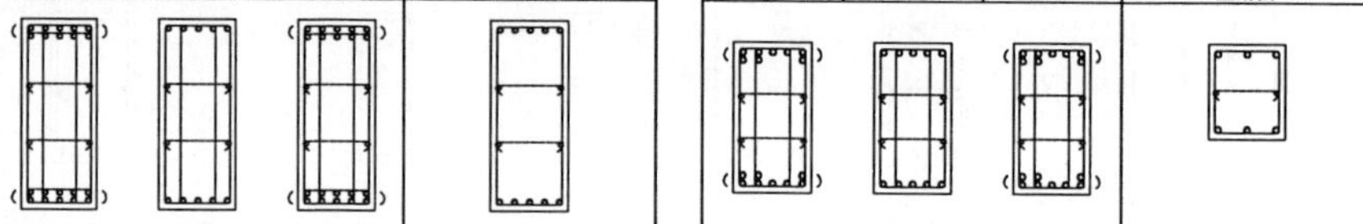								
	上端筋	5, 5-D 25	5-D 25	5, 5-D 25	5-D 25		5, 3-D 25	5-D 25	5, 3-D 25	3-D 25
	下端筋	5, 5-D 25	5-D 25	5, 5-D 25	5-D 25		5, 3-D 25	5-D 25	5, 3-D 25	3-D 25
	あばら筋	④-D 13@200			☐-D 13@200		④-D 13@200			☐-D 13@200
	腹筋	4-D 10			4-D 10		4-D 10			2-D 10
	幅×せい	500×1 200			500×1 200		500×950			500×600
	位置	A通り端	中央	他端	全断面		A通り端	中央	他端	全断面
5	配筋	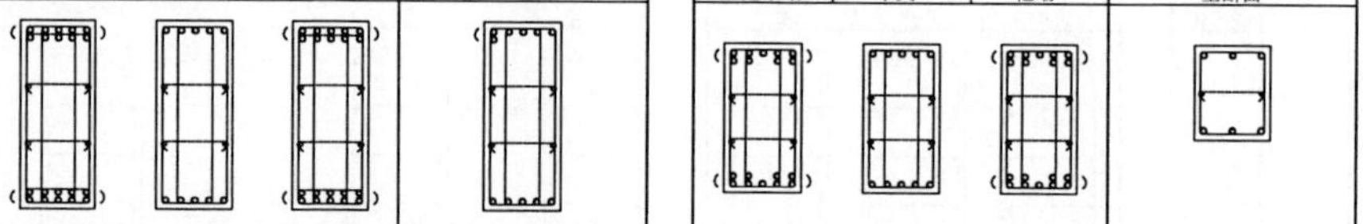								
	上端筋	5, 5-D 29	5-D 29	5, 5-D 29	5, 1-D 29		5, 4-D 29	5-D 29	5, 4-D 29	3-D 29
	下端筋	5, 5-D 29	5-D 29	5, 5-D 29	5-D 29		5, 4-D 29	5-D 29	5, 4-D 29	3-D 29
	あばら筋	④-D 16@200			④-D 16@200		④-D 16@150			☐-D 13@200
	腹筋	4-D 10			4-D 10		4-D 10			2-D 10

付図 2.65 大梁リスト（Y方向）（1）

名称		B_{A1}, B_{A6}			B_{B1}, B_{B6}		B_{A2}, B_{A5}			B_{B2}, B_{B5}
	スパン	9 000			5 400		9 000			5 400
	位置	A通り端	中央	他端	B通り端	中央・他端	A通り端	中央	他端	全断面
階	配筋									
	幅×せい	500×1 200			500×1 200		500×950			500×600
	位置	A通り端	中央	他端	全断面		A通り端	中央	他端	全断面
4・3	配筋	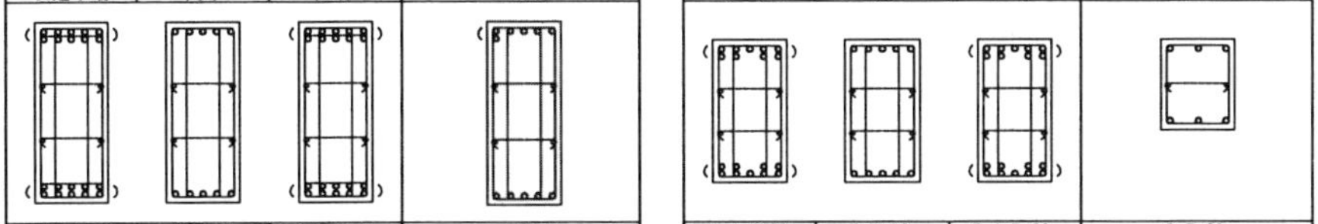								
	上端筋	5, 5-D 29	5-D 29	5, 5-D 29	5, 1-D 29		5, 4-D 29	5-D 29	5, 4-D 29	3-D 29
	下端筋	5, 5-D 29	5-D 29	5, 5-D 29	5-D 29		5, 4-D 29	5-D 29	5, 4-D 29	3-D 29
	あばら筋	④-D 16@200			④-D 16@200		④-D 16@150			□-D 13@200
	腹筋	4-D 10			4-D 10		4-D 10			2-D 10
	幅×せい	500×1 200			500×1 200		500×950			500×600
	位置	A通り端	中央	他端	全断面		A通り端	中央	他端	全断面
2	配筋	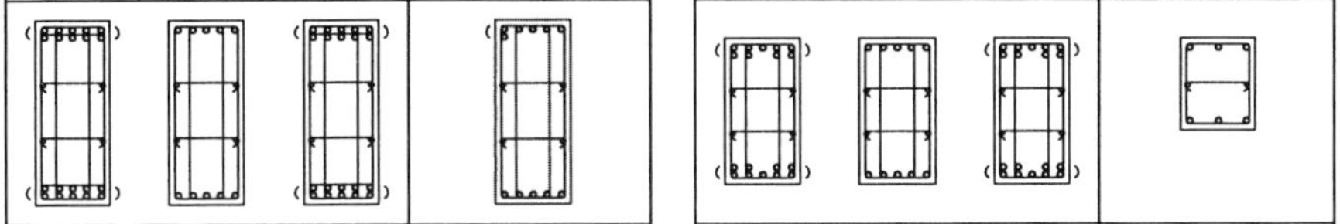								
	上端筋	5, 5-D 29	5-D 29	5, 5-D 29	5, 1-D 29		5, 4-D 29	5-D 29	5, 4-D 29	3-D 29
	下端筋	5, 5-D 29	5-D 29	5, 5-D 29	5-D 29		5, 4-D 29	5-D 29	5, 4-D 29	3-D 29
	あばら筋	④-D 16@200			④-D 16@200		④-D 16@150			□-D 13@200
	腹筋	4-D 10			4-D 10		4-D 10			2-D 10
	幅×せい	600×1 500			600×1 500		600×1 500			600×1 500
	位置	A通り端	中央	他端	B通り端	中央・他端	A通り端	中央	他端	全断面
1	配筋	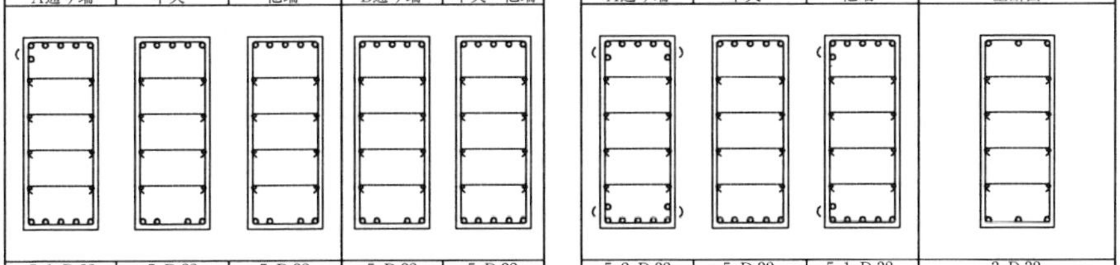								
	上端筋	5, 1-D 32	5-D 32	5-D 32	5-D 32	5-D 32	5, 2-D 32	5-D 32	5, 1-D 32	3-D 32
	下端筋	5-D 32	4-D 32	4-D 32	4-D 32	5-D 32	5, 2-D 32	5-D 32	5, 1-D 32	3-D 32
	あばら筋	□-D 13@200			□-D 13@200		□-D 13@200			□-D 13@200
	腹筋	8-D 10			8-D 10		8-D 10			8-D 10

付図2.66 大梁リスト(Y方向)(2)

大梁リスト

特記なき限り
・鉄筋種別はD10〜D16をSD295, D19〜D25をSD345, D29〜D32をSD390とする.
・幅止め筋はD10@1 000とする.
・( )は2段筋を示す.
・あばら筋本数で, □は□とする.
  ④は⊞とする.

名称			B_{A3}, B_{A4}			B_{B3}, B_{B4}	
	スパン		9 000			5 400	
	位置		A通り端	中央	他端	B通り端	中央・他端
階	配筋		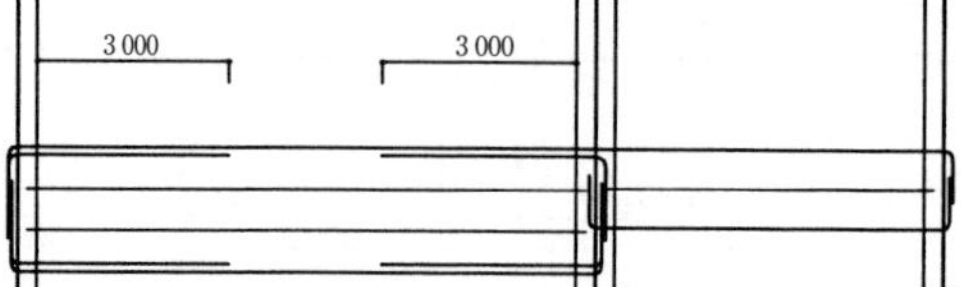 3 000		3 000		
	幅×せい		500×950			500×600	
	位置		A通り端	中央	他端	全断面	
R	配筋						
	上端筋		5, 2-D 25	5-D 25	5, 2-D 25	4-D 25	
	下端筋		5, 1-D 25	5-D 25	5, 1-D 25	4-D 25	
	あばら筋		④-D 13@200			④-D 13@200	
	腹筋		4-D 10			2-D 10	
	幅×せい		500×950			500×600	
	位置		A通り端	中央	他端	全断面	
7・6	配筋						
	上端筋		5, 2-D 25	5-D 25	5, 2-D 25	4-D 25	
	下端筋		5, 2-D 25	5-D 25	5, 2-D 25	4-D 25	
	あばら筋		④-D 13@200			④-D 13@200	
	腹筋		4-D 10			2-D 10	
	幅×せい		500×950			500×600	
	位置		A通り端	中央	他端	全断面	
5	配筋						
	上端筋		5, 4-D 29	5-D 29	5, 4-D 29	4-D 29	
	下端筋		5, 4-D 29	5-D 29	5, 4-D 29	4-D 29	
	あばら筋		④-D 16@150			④-D 16@200	
	腹筋		4-D 10			2-D 10	

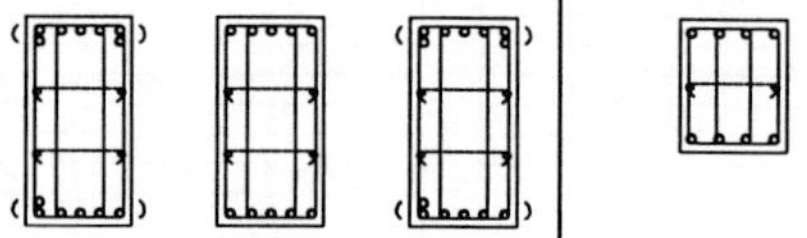

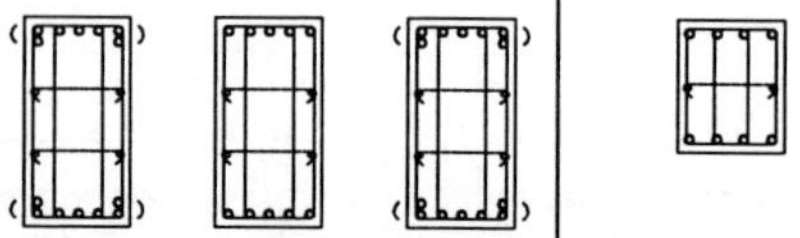

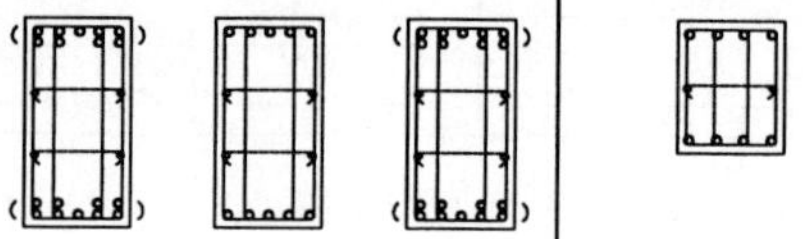

付図 2.67 大梁リスト(Y方向)(3)

名称		B_{A3}, B_{A4}			B_{B3}, B_{B4}
階	スパン	9 000			5 400
	位置	A通り端	中央	他端	全断面
	配筋	3 000		3 000	
4・3	幅×せい	500×950			500×600
	位置	A通り端	中央	他端	全断面
	配筋	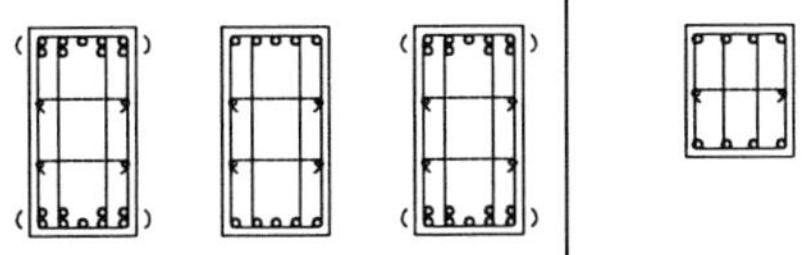			
	上端筋	5, 4-D 29	5-D 29	5, 4-D 29	4-D 29
	下端筋	5, 4-D 29	5-D 29	5, 4-D 29	4-D 29
	あばら筋	④-D 16@150			④-D 16@200
	腹筋	4-D 10			2-D 10
2	幅×せい	500×950			500×600
	位置	A通り端	中央	他端	全断面
	配筋	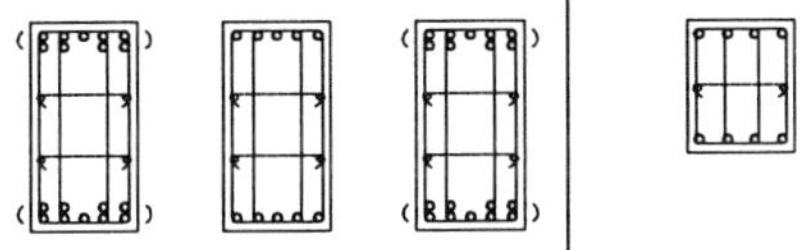			
	上端筋	5, 4-D 29	5-D 29	5, 4-D 29	4-D 29
	下端筋	5, 4-D 29	5-D 29	5, 4-D 29	4-D 29
	あばら筋	④-D 16@150			④-D 16@200
	腹筋	4-D 10			2-D 10
1	幅×せい	600×1 500			600×1 500
	位置	A通り端	中央	他端	全断面
	配筋	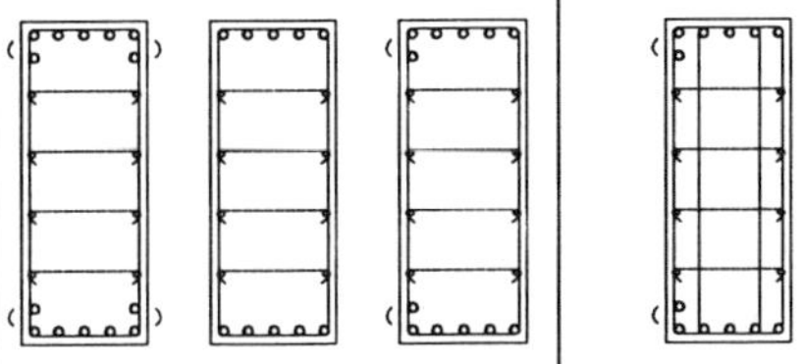			
	上端筋	5, 2-D 32	5-D 32	5, 1-D 32	5, 1-D 32
	下端筋	5, 2-D 32	5-D 32	5, 1-D 32	5, 1-D 32
	あばら筋	□-D 13@200			④-D 16@100
	腹筋	8-D 10			8-D 10

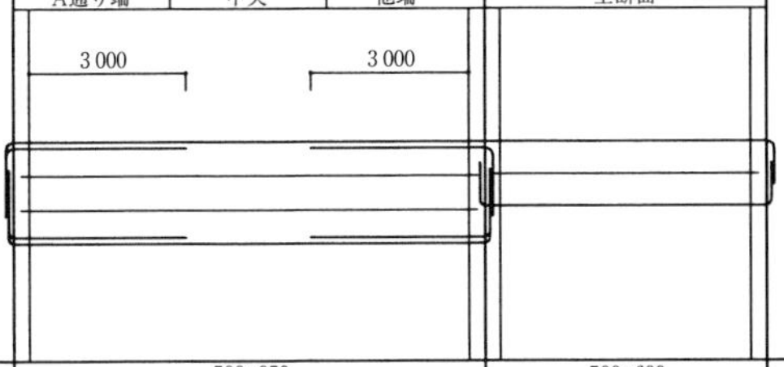

付図2.68 大梁リスト(Y方向)(4)

特記なき限り鉄筋種別はSD 295とする.

名　称		W18	W20	W20A	W25	W25A
断　面		180	200	200	250	250
縦筋		D 13@200（ダブル）	D 13@200（ダブル）	D 13@200（ダブル）	D 13@200（ダブル）	D 16@200（ダブル）
横筋		D 13@100（ダブル）	D 13@200（ダブル）	D 13@100（ダブル）	D 13@100（ダブル）	D 16@125（ダブル）
幅止筋		D 10@800	D 10@800	D 10@800	D 10@800	D 10@800
開口部補強筋	縦筋	―	―	―	2-D 16	4-D 16
	横筋	―	―	―	2-D 16	4-D 16
	斜め筋	―	―	―	2-D 13	2-D 13

付図 2.69　壁リスト

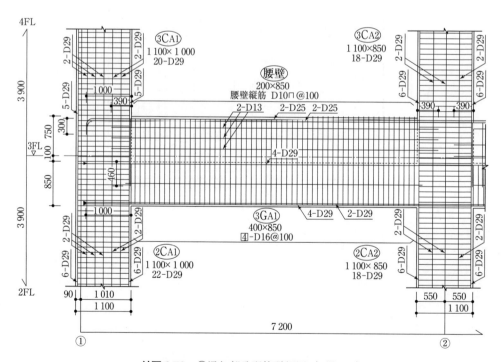

付図 2.70　Ⓐ通り部分配筋詳細図（3階 G_{A1}）

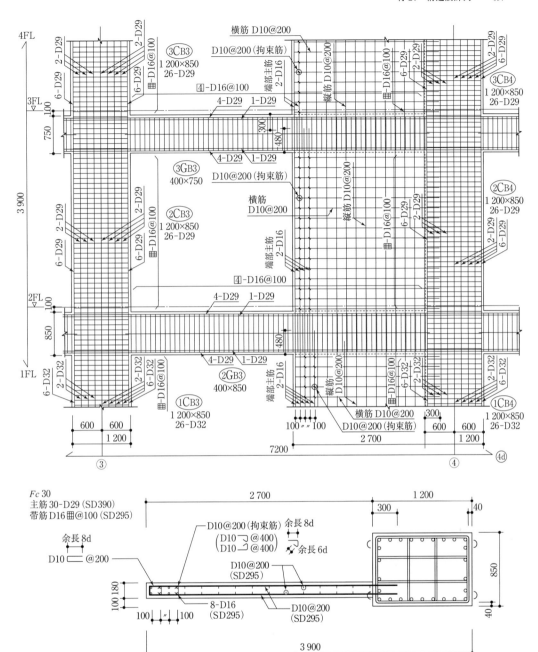

付図 2.71 Ⓑ通り部分配筋詳細図（2階 C_{B4}）

付3. フラットスラブ構造計算例

フラットスラブの構造設計は規準11条3項の構造制限に従って部材寸法を定め，1，2項によりラーメン計算を行って各部分の設計応力を求め，断面算定を行う．フラットスラブの配筋は床スラブに準じて行い，その曲げモーメントおよびせん断力の分布に適合した配筋を行わなければならない．

以下に3階建てフラットスラブ構造の計算例を示す．計算は3階床スラブの長辺方向のみについて示す．この例の場合にはl_xとl_yの相違が少ないので，鉛直荷重については規準11条解説の略算公式を用いた．また，本設計例では$x，y$の二方向に十分な耐震壁が配置されているとして，水平荷重によるラーメンの負担せん断力は30％としている．

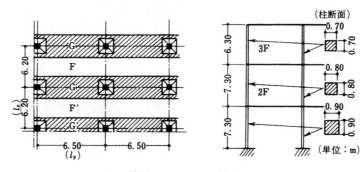

付図3.1　ラーメン構造

(1) 計算仮定

　　　p：積載荷重 $18\,\text{kN/m}^2$

　　　g：固定荷重 $8\,\text{kN/m}^2$

　　　$w = p + g = 26\,\text{kN/m}^2$

　　　t：床スラブ厚 $0.30\,\text{m}$（上面仕上げあり，下面なし）

　　　$l_x \times l_y$　　$6.2\,\text{m} \times 6.5\,\text{m}$

以上の条件のもとに3階床スラブを設計する．

鉄筋はSD 345，コンクリートは$F_c = 24\,\text{N/mm}^2$の普通のコンクリートを用いる．

(2) 柱頭および支板

　(i) 柱頭の最小有効径 c

　　規準本文の図11.3より　　$c \geq \dfrac{2}{10}l = \dfrac{2}{10} \times \dfrac{6.5 + 6.2}{2} = 1.27\,\text{m}$

　　cの値として$1.40\,\text{m}$を採用する．

(ii) 支板幅 b

$$b \geqq \frac{4}{10}l = 0.4 \times 6.5 = 2.60 \text{ m}$$

両方向ともに 2.60 m とする．

また，$t' = 1.5t = 1.5 \times 0.3 = 0.45$ m

$c = 1.40$ m　　　$b = 2.60$ m

$t = 0.30$ m　　　$t' = 0.45$ m

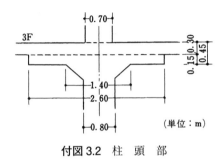

付図 3.2　柱　頭　部

(3) 柱および仮想梁とその剛比

(i) 上層柱

$h = 6.30$ m　　　　$D = 0.7$ m

$I = 2.00 \times 10^{-2}$ m^4　　$K = 3.17 \times 10^{-3}$ m^3

(ii) 下層柱

$h = 7.30$ m　　　　$D = 0.8$ m

$I = 3.41 \times 10^{-2}$ m^4　　$K = 4.68 \times 10^{-3}$ m^3

(iii) 仮想梁

$l = 6.50$ m　　　　$l_x \times t = 6.2 \text{ m} \times 0.3 \text{ m}$

$I = 1.40 \times 10^{-2}$ m^4　　$K = 2.15 \times 10^{-3}$ m^3

(4) 曲げモーメントの計算

鉛直荷重に対し，常時均等分布荷重載荷と考えられる場合の計算を行う．特に，載荷が不均等で大きい場合には，最も不利な場合をとって別に考えなければならない．

l_x, l_y の制限に対し $l_y \geqq l_x$ のとき，$l_x \geqq 0.8 l_y$ を適用すると

　　　$6.2 \text{ m} \geqq 0.8 \times 6.50 = 5.20$ m

したがって，11 条解説 2.（2）の略算公式を適用しうる．

柱列帯 G，柱間隔 F に対し計算位置 1～5 を付図 3.3 のように定める．

(i) 鉛直荷重による曲げモーメント

　　スラブ曲げモーメント（単位幅について）

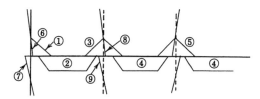

付図3.3 計 算 位 置

$$\begin{cases} M_{F1} = -\dfrac{6.5^2}{36}(8+18) = -30.5 \text{ kN·m/m} \\ M_{G1} = -\dfrac{6.5^2}{12}(8+18) = -91.5 \text{ kN·m/m} \end{cases}$$

$$\begin{cases} M_{F2} = 6.5^2\left(\dfrac{8}{26}+\dfrac{18}{16}\right) = 60.5 \text{ kN·m/m} \\ M_{G2} = 6.5^2\left(\dfrac{8}{20}+\dfrac{18}{13}\right) = 75.4 \text{ kN·m/m} \end{cases}$$

$$\begin{cases} M_{F3} = -\dfrac{6.5^2}{24}(8+18) = -45.8 \text{ kN·m/m} \\ M_{G3} = -\dfrac{6.5^2}{8}(8+18) = -137.3 \text{ kN·m/m} \end{cases}$$

$$\begin{cases} M_{F4} = 6.5^2\left(\dfrac{8}{32}+\dfrac{18}{16}\right) = 58.1 \text{ kN·m/m} \\ M_{G4} = 6.5^2\left(\dfrac{8}{26}+\dfrac{18}{13}\right) = 71.5 \text{ kN·m/m} \end{cases}$$

$$\begin{cases} M_{F5} = -\dfrac{6.5^2}{30}(8+18) = -36.6 \text{ kN·m/m} \\ M_{G5} = -\dfrac{6.5^2}{10}(8+18) = -109.8 \text{ kN·m/m} \end{cases}$$

本例では中間の柱列帯,柱間帯に対して考えるものとするが,外側の柱列帯,柱間帯に対しては,11条解説の2.(2)の略算公式により割引きすることができる.

柱の曲げモーメント

$$M_6 = \dfrac{Wl}{12}\dfrac{k_1}{k+k_1+k_2} = \dfrac{26\times 6.2\times 6.5\times 6.5}{12}\times \dfrac{3.17}{2.15+3.17+4.68} = 180 \text{ kN·m}$$

$$M_7 = \dfrac{Wl}{12}\dfrac{k_2}{k+k_1+k_2} = \dfrac{26\times 6.2\times 6.5\times 6.5}{12}\times \dfrac{4.68}{2.15+3.17+4.68} = 266 \text{ kN·m}$$

$$M_8 = \dfrac{Pl}{12}\dfrac{k_1}{k+k_1+k_2} = \dfrac{18\times 6.2\times 6.5\times 6.5}{12}\times \dfrac{3.17}{2\times 2.15+3.17+4.68} = 103 \text{ kN·m}$$

$$M_9 = \dfrac{Pl}{12}\dfrac{k_2}{k+k_1+k_2} = \dfrac{18\times 6.2\times 6.5\times 6.5}{12}\times \dfrac{4.68}{2\times 2.15+3.17+4.68} = 151 \text{ kN·m}$$

(ⅱ) 水平力による曲げモーメント

水平力による応力はスラブを幅 $6.2 \text{ m}\times\dfrac{3}{4}$,せい 0.3 m の梁と考えてラーメン計算によって求めるのが正しいが,ここでは付図3.4のように仮定した(モーメントのサフィクス

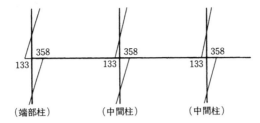

付図3.4 水平力による中間ラーメン柱端部曲げモーメント（単位：kN·m）

は鉛直荷重の場合と同じものとする．）

$M_1 = \pm(133+358) = \pm 491 \text{ kN·m}$

$M_2 = \pm(M_1 - M_3)/2 = \pm 123 \text{ kN·m}$

$M_3 = \pm(133+358)/2 = \pm 246 \text{ kN·m}$

$M_4 = 0$

$M_4 = M_3 = \pm 246 \text{ kN·m}$

M_1 を柱間帯と柱列帯に 0.3：0.7 の比で配分すると

$M_{F1} = 0.3M_1 = \pm 148 \text{ kN·m}$, また $M_{G1} = 0.7M_1 = \pm 343 \text{ kN·m}$

これを単位幅のモーメントで表せば

$M_{F1} = \pm 148/3.1 = \pm 47.7 \text{ kN·m/m}$, $M_{G1} = \pm 343/3.1 = \pm 110.8 \text{ kN·m/m}$

以下，同様に分割することにより，次の表を得る．

付表 3.1

（単位：kN·m/m）

位置		①	②	③	④	⑤
柱間帯 F	鉛直荷重による M	−30.5	60.5	−45.8	58.1	−36.6
	水平荷重による M	±47.7	±11.9	±23.8	0	±23.8
	短期	−78.2 / +17.2	+72.4	−69.6	+58.1	−60.4
柱列帯 G	鉛直荷重による M	−91.5	75.4	−137.3	71.5	−109.8
	水平荷重による M	±110.8	±27.8	±55.6	0	±55.6
	短期	−202.3 / 19.3	103.2	−192.9	+71.5	−165.4

（5）鉄筋量の算定

有効せい　スラブ配筋は長辺方向を上側にするものとして有効せいを決める．

　　　柱列帯端部　負曲げに対し　$d = 0.45 - 0.04 = 0.41$ m（仕上げあり）

　　　　　　　　　正曲げに対し　$d = 0.45 - 0.07 = 0.38$ m（仕上げなし）

　　その他　　負　　$d = 0.30 - 0.04 = 0.26$ m

　　　　　　　正　　$d = 0.30 - 0.07 = 0.23$ m

$M = a_t f_t j$ による.

柱間帯 (F)

$$a_{F1} = \frac{78\,200}{345 \times \frac{7}{8} \times 0.26} = 996 \text{ mm}^2/\text{m} \quad (\text{D 19, D 16}-@\,180\text{ 交互})$$

$$a_{F2} = \frac{60\,500}{215 \times \frac{7}{8} \times 0.23} = 1\,398 \text{ mm}^2/\text{m} \quad (\text{D 19}-@\,180)$$

$$a_{F3} = \frac{69\,600}{345 \times \frac{7}{8} \times 0.26} = 886 \text{ mm}^2/\text{m} \quad (\text{D 19, D 16}-@\,180\text{ 交互})$$

$$a_{F4} = \frac{58\,100}{215 \times \frac{7}{8} \times 0.23} = 1\,342 \text{ mm}^2/\text{m} \quad (\text{D 19}-@\,180)$$

$$a_{F5} = \frac{60\,400}{345 \times \frac{7}{8} \times 0.26} = 769 \text{ mm}^2/\text{m} \quad (\text{D 19, D 16}-@\,180\text{ 交互})$$

柱列帯 (G)

$$a_{G1} = \frac{202\,300}{345 \times \frac{7}{8} \times 0.41} = 1\,634 \text{ mm}^2/\text{m} \quad (\text{D 19}-@\,150)$$

$$a_{G2} = \frac{75\,400}{215 \times \frac{7}{8} \times 0.23} = 1\,742 \text{ mm}^2/\text{m} \quad (\text{D 19}-@\,150)$$

$$a_{G3} = \frac{137\,300}{215 \times \frac{7}{8} \times 0.41} = 1\,780 \text{ mm}^2/\text{m} \quad (\text{D 19}-@\,150)$$

$$a_{G4} = \frac{71\,500}{215 \times \frac{7}{8} \times 0.23} = 1\,652 \text{ mm}^2/\text{m} \quad (\text{D 19}-@\,150)$$

$$a_{G5} = \frac{165\,400}{345 \times \frac{7}{8} \times 0.41} = 1\,336 \text{ mm}^2/\text{m} \quad (\text{D 19}-@\,150)$$

（6） せん断力に対する検討

フラットスラブのせん断力については，大きな局部荷重がない限り柱頭まわりが最も厳しいので，この箇所について検討すればよい．本例では，11 条解説 4．（3）による設計式を適用する．

（ⅰ） 鉛直力および不釣合いモーメントの計算

算定断面は付図 3.5 の破線位置の断面とする．

有効せい[1]　$d = (0.41 + 0.38)/2 = 0.395$ m

柱に伝達される鉛直力（V_D のサフィックスは付図 3.3 の節点位置を表す）

（長　期）[2]

$$V_{D1} = w\left(\frac{l_y}{2} + 0.4\right)l_x + 0.15\left(\frac{b}{2} + 0.4\right)b \times 24 - 1.297 \times 1.795 \times (w + 0.15 \times 24)$$

---

1) 側面ねじり効果が大きいので，有効せいは，正曲げ用と負曲げ用の平均をとった．
2) V_{D1} の算定においては，外周壁が負担する分を差し引いた．

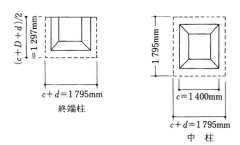

付図 3.5　算 定 断 面

$$-w\frac{(l_x-1.795)^2}{4}=409 \text{ kN}$$

$$V_{D3}=V_{D5}=wl_xl_y+0.15\times b^2\times 24-1.795^2\times(w+0.15\times 24)=977 \text{ kN}$$

（水平荷重時）

$$V_{D1}=(491+246)/6.5=113 \text{ kN}$$

V_{D3}, V_{D5} は無視する．

柱に伝達される不釣合いモーメント（M_D のサフィックスは付図 3.3 の節点位置を表す）

（長　期）

$$M_{D1}=180+266=446 \text{ kN·m}$$

$$M_{D3}=M_{D5}=103+151=254 \text{ kN·m}$$

（水平荷重時）

$$M_{D1}=M_{D3}=M_{D5}=491 \text{ kN·m}$$

以上の結果を一覧表にすると，次のようになる．

付表 3.2　（短期応力は水平荷重時応力を 1.5 倍して算入）

位置	①		③, ⑤	
	V_D (kN)	M_D (kN·m)	V_D (kN)	M_D (kN·m)
長　期	409	446	977	254
水平荷重時	±113	±491	—	±491
短　期	579	1 183		991

(ii)　許容耐力の検定

終端部（①）

（長　期）

$$V_A=A_cf_s=(2\times 1.297+1.795)\times 0.395\times 0.73\times 10^3=1\,266 \text{ kN}$$

$$M_f=a_tf_tj=12^{3)}\times 287\times 0.215\times\frac{7}{8}\times 0.395=256 \text{ kN·m}$$

$$M_s = \frac{1}{2}d(c+d)^2 f_s = \frac{1}{2} \times 0.395 \times 1.795^2 \times 0.73 \times 10^3 = 465 \text{ kN·m}$$

$$M_t = 6d^2\left(\frac{c+D+d}{2} - \frac{d}{3}\right)f_s = 6 \times 0.395^2 \times \left(1.297 - \frac{0.395}{3}\right) \times 0.73 \times 10^3 = 796 \text{ kN·m}$$

$$\therefore M_A = M_f + M_s + M_t = 1\,517 \text{ kN·m}$$

$$\frac{V_D}{V_A} + \frac{M_D}{M_A} = \frac{409}{1\,266} + \frac{446}{1\,517} = 0.32 + 0.29 = 0.61 < 1.0$$

（短　期）

$$V_A = 1.5 \times 1\,266 = 1\,899 \text{ kN}$$

$$M_f = a_t f_t j = 12^{3)} \times 287 \times 0.345 \times \frac{7}{8} \times 0.395 = 411 \text{ kN·m}$$

$$M_s = 465 \times 1.5 = 698 \text{ kN·m}$$

$$M_t = 796 \times 1.5 = 1\,194 \text{ kN·m}$$

$$\therefore M_A = M_f + M_s + M_t = 2\,303 \text{ kN·m}$$

$$\frac{V_D}{V_A} + \frac{M_D}{M_A} = \frac{579}{1\,899} + \frac{1\,183}{2\,303} = 0.30 + 0.51 = 0.81 < 1.0$$

中間部（③，⑤）

（長　期）

$$V_A = A_c f_s = 4 \times 1.795 \times 0.395 \times 0.73 \times 10^3 = 2\,070 \text{ kN}$$

$$M_f = \sum a_t f_t j = 256 + 6^{3)} \times 287 \times 0.215 \times \frac{7}{8} \times 0.395 = 384 \text{ kN·m}$$

$$M_s = d(c+d)^2 f_s = 930 \text{ kN·m}$$

$$M_t = 6d^2\left(c + \frac{2}{3}d\right)f_s = 1\,137 \text{ kN·m}$$

$$M_A = M_f + M_s + M_t = 2\,451 \text{ kN·m}$$

$$\frac{V_D}{V_A} + \frac{M_D}{M_A} = \frac{977}{2\,070} + \frac{254}{2\,451} = 0.47 + 0.10 = 0.57 < 1.0$$

短期は省略する．

付図 3.6 にフラットスラブ配筋図を示す．直交方向の配筋は，同様な計算を行い決定できる．なお，ここでは省略したが，柱列帯の補強筋については，梁と同様の付着検定が必要である．

3）　算定断面を貫通する主筋は上端 12-D 19，下端 6-D 19 とした．

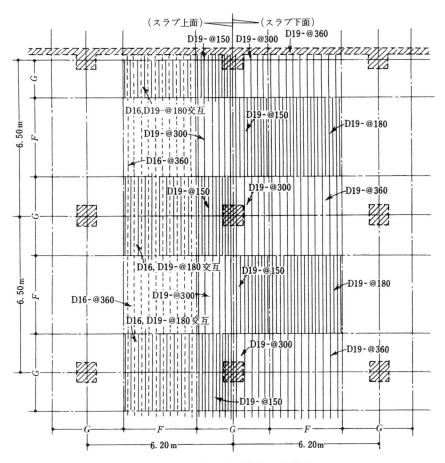

付図3.6　3階床，長手方向配筋位置

付4. 断面二次モーメント計算式

1. 長方形断面の断面二次モーメント I_0

$$I_0 = \frac{bD^3}{12}$$

2. T形断面の断面二次モーメント I

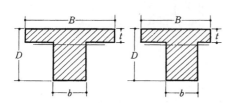

$$I = \phi \frac{bD^3}{12} = \phi I_0$$

ここに, $\phi = 4\alpha - 3\dfrac{\beta^2}{\gamma}$

$$\begin{cases} \alpha = 1 + (b_1 - 1) t_1{}^3 \\ \beta = 1 + (b_1 - 1) t_1{}^2 \\ \gamma = 1 + (b_1 - 1) t_1 \end{cases} \begin{cases} b_1 = \dfrac{B}{b} \\ t_1 = \dfrac{t}{D} \end{cases}$$

3. ト形断面の断面二次モーメント I

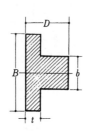

$$I = \phi \frac{Db^3}{12} = \phi I_0$$

ここに, $\phi = 1 + (b_1{}^3 - 1) t_1$

$$\begin{cases} b_1 = \dfrac{B}{b} \\ t_1 = \dfrac{t}{D} \end{cases}$$

4. L形断面の断面二次モーメント I

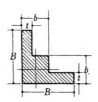

$$I = \phi \frac{b^4}{12} = \phi I_0$$

ここに, $\phi = 4\alpha - 3\dfrac{\beta^2}{\gamma}$

$$\begin{cases} \alpha = 1 + (b_1 - 1) t_1{}^3 + (b_1{}^3 - 1) t_1 \\ \beta = 1 + (b_1 - 1) t_1{}^2 + (b_1{}^2 - 1) t_1 \\ \gamma = 1 + 2(b_1 - 1) t_1 \end{cases} \begin{cases} b_1 = \dfrac{B}{b} \\ t_1 = \dfrac{t}{b} \end{cases}$$

付5. 床スラブの振動評価

1. 床スラブの振動苦情・障害

　大たわみを生じた床スラブが振動障害を伴う事例はよく知られている．たわみ障害のない場合でも床が振動して困るとか，不快音がこもるなどの苦情はある．振動の発生源が空調関係の機械などの場合には，床スラブの共振が励起されることもあり，土木工事・交通機関，あるいは単に床上を歩行することによっても有感レベルの振動が生じることもある．

　そのような床スラブ振動は，居住性・作業環境を損なうこともあり，振動を嫌う精密機器類にとっては支障をきたす元になる．どの程度の振動が苦情・障害となるかについては，対象が人間である場合には画一的に定めることは困難となるが，付5では振動評価基準について述べ，振動の影響度を判定する一助となることを意図している．床スラブの設計にあたり，特に振動が問題となりうる場合には検討を行うことが望ましい．

　従来，振動感覚の評価曲線としてMeisterの振動感覚曲線が広く用いられてきたが，これは振動に対する知覚の度合いを示したものであるため，建物の用途によってどの知覚限界を設計の目標とすればよいか明確でなかった．ここでは，振動感覚の評価について，定常振動に対して建物の用途ごとに定義される評価基準を実効値で示すとともに，衝撃などによる減衰振動の場合の補正についても定義を明らかにした．

2. 振動感覚の評価

　振動感覚評価の研究は1930年代にさかのぼるが，Reiher, Meister, Zeller, Janeway, Dieckmannらによるいき値（連続的に変化する物理量を無から有の飛躍的な変化として受け入れる際の感じ方の境界値）や不快感の評価に関する研究はわが国にも紹介されてきた．人体の振動感覚は振動の方向と振動数，継続時間，姿勢，環境によって影響を受けるが，評価尺度はいずれも振幅と振動数によって表示されている．ISOをはじめとして，ANSI, BSI, DINなど諸外国の振動評価基準をみると，いずれも定常振動に対する感覚いき値として示される基本曲線を定め，これを基に建物の用途によって評価曲線を定義している．

　ここでは，ISO 2631/2 (Draft)[1]に準じて，建物の用途に応じて定義される振動評価曲線を付図5.1に示した．この曲線は水平・上下全方向の定常振動に対する評価曲線であり，実効値で定義されている．基本曲線は，定常振動に対する最も敏感な人の感覚いき値として示されたものであり，基本曲線に建物の用途によって定まる環境係数を乗じることにより各評価曲線を求めている．ただし，環境係数は現段階で妥当と考えられる値として提案されているもので，今後の研究により変更

---

[1] ISO/DIS 2631/2 1985 Draft International Standard, Evaluation of Human Exposure to Whole-body Vibration-Part 2: Evaluation of Human Exposure to Vibration and Shock in Buildings (1 to 80 Hz).

されることもありうる.

　振動の評価は,現象が連続正弦振動の場合には振幅を $\sqrt{2}$ で除して実効値を求め,基本振動数について評価曲線と比較すればよいが,ランダム振動の場合には,多くの振動数成分から成るため,1/3 オクターブ分析結果を比較することが望ましい[2].衝撃などによる減衰振動の場合には,定常振動に比べて感じにくくなるため,実測値を補正する必要がある.ここでは,三輪の研究[3]に基づき $C_r = \sqrt{2}(2f_0)^{0.35}$ なる係数で実測値の最大振幅を除して評価するものとする.ここに,f_0 は床スラブの一次固有振動数である.

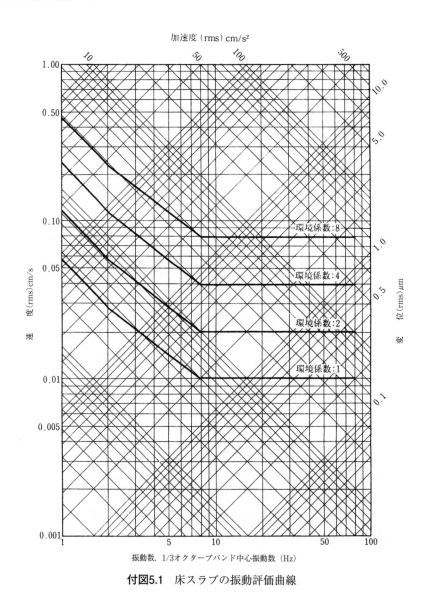

付図5.1 床スラブの振動評価曲線

---

2) JIS C 1513 オクターブおよび 1/3 オクターブバンド分析器
3) 三輪俊輔・米川善晴：振動の評価法 1, 2, 3, 日本音響学会誌, 27 巻, 1 号, 1971

[注] 人体反応を考慮した建物振動の大きさに関する環境係数

用　　途	環境係数
精密作業区域	1.0
住宅・病院	2.0
事務所・学校	4.0
作　業　所	8.0

	振　動　現　象		評　価　法
定常	正弦振動	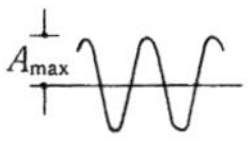	$A = A_{\max}/\sqrt{2}$
定常	ランダム振動	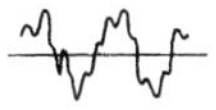	1/3オクターブ分析を行う
非定常	減衰振動	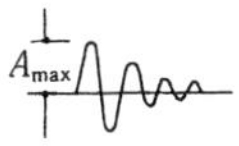	$A = A_{\max}/C_\gamma$ $= A_{\max}/[\sqrt{2}(2f_0)^{0.35}]$

(f_0：床スラブの一次固有振動数)

振動評価曲線は実効値で定義されているため，上記評価法により最大振幅を実効値に換算する．

参考資料：Meister の振動感覚曲線

振動評価曲線と Meister の振動感覚曲線の関係をみるため，Meister の振動感覚曲線を 3 軸表示したものを示す．ただし，振動評価曲線は実効値で示されているのに対し，Meister の振動感覚曲線は正弦波の最大振幅（半振幅）として示されているため，両者を比較する場合には，Meister の振動感覚曲線上の値を $\sqrt{2}$ で除する必要がある．

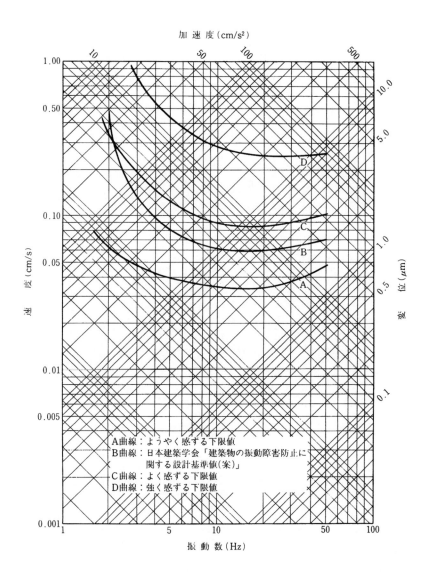

A曲線：ようやく感ずる下限値
B曲線：日本建築学会「建築物の振動障害防止に関する設計基準値（案）」
C曲線：よく感ずる下限値
D曲線：強く感ずる下限値

付6. 鉄筋コンクリート床梁応力計算式

1.

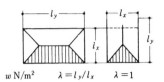

計算式（梁の両側にスラブがついている場合）

$$C = 2\left(\frac{\lambda^2}{24} - \frac{1}{48} + \frac{1}{192\lambda}\right)wl_x^3$$

$$M_0 = 2\left(\frac{\lambda^2}{16} - \frac{1}{48}\right)wl_x^3$$

$$Q_0 = 2\left(\frac{\lambda}{4} - \frac{1}{8}\right)wl_x^2$$

2.

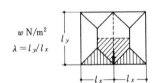

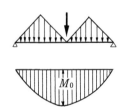

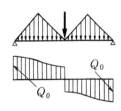

計算式（梁の両側にスラブがついている場合）

$$C = 2\left(\frac{\lambda}{8} + \frac{5}{192}\right)wl_x^3$$

$$M_0 = \frac{\lambda}{2}wl_x^3$$

$$Q_0 = 2\left(\frac{\lambda}{4} + \frac{1}{8}\right)wl_x^2$$

3.

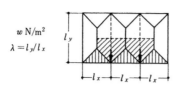

計算式（梁の両側にスラブがついている場合）

$C = 2\left(\dfrac{\lambda}{3} + \dfrac{5}{192}\right)wl_x^3$

$M_0 = 2\left(\dfrac{\lambda}{2} + \dfrac{1}{24}\right)wl_x^3$

$Q_0 = 2\left(\dfrac{\lambda}{2} + \dfrac{1}{8}\right)wl_x^2$

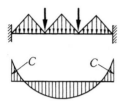 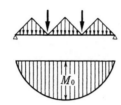 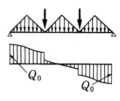

4.

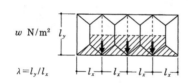

計算式（梁の両側にスラブがついている場合）

$C = 2\left(\dfrac{5}{8}\lambda + \dfrac{5}{192}\right)wl_x^3$

$M_0 = 2\lambda\, wl_x^3$

$Q_0 = 2\left(\dfrac{3}{4}\lambda + \dfrac{1}{8}\right)wl_x^2$

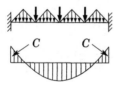 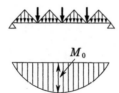 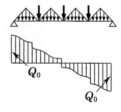

付7. 長期荷重時におけるひび割れと変形

1. ひび割れ幅から定まる鉄筋の引張応力度

1.1 はじめに

本規準は部材のひび割れ幅を直接制御する設計体系になっていないが，性能設計への移行に伴い，梁材および床スラブなどにおいて曲げひび割れ幅の検討，あるいはひび割れ幅を考慮した設計を行う必要があることも予想されるので本項を提示することとした．

本規準ではひび割れ幅に対する配慮を，鉄筋の長期許容引張応力度を一律に 195 N/mm²，あるいは 215 N/mm² 以下とすることにより間接的に行っている．しかしながら，ひび割れ幅は鉄筋応力のみの影響で定まるはずはなく，側面，底面からのかぶり厚さ，鉄筋量，鉄筋間隔，コンクリートの乾燥収縮，引張強度および付着性状などその他諸々の要因の影響を受ける．

コンクリート構造物の耐久性は鉄筋の腐食に左右され，鉄筋の腐食はひび割れの位置から始まることを考えると，コンクリート部材設計において可能な限りひび割れの制御設計の立場に立つことが必要と考えられる．ちなみに本会「プレストレスト鉄筋コンクリート（Ⅲ種PC）構造設計・施工指針」[1]（以下，PRC指針と略記）においては，ひび割れ制御設計に基づいた設計体系となっている．

本付録では，ある曲げひび割れ幅に対する鉄筋の引張応力度を，PRC指針にも用いられている曲げひび割れ幅算定式である（付7.1）～（付7.7）式[2]に基づいて，簡単に求めることができるように作成した算定図ならびに算定式を示した．これらの図や式を用いれば，0.1 mm，0.2 mm あるいは 0.3 mm などに設定した制御目標曲げひび割れ幅に対応する鉄筋の引張応力度 σ_{tw} が簡単に求まる．なお，これらの式は，圧縮強度 60～100 N/mm² の高強度コンクリートにも適用できる[3]．

1.2 曲げひび割れ幅算定式

ひび割れ制御目標値 w_D と鉄筋位置での最大ひび割れ幅 $w_{\max}$

最大ひび割れ幅

$$w_{\max}=\frac{d-x_n}{D-x_n}w_D=1.5w_{av} \text{ または } w_{\max}=\frac{d-x_n}{t-x_n}w_D=1.5w_{av} \tag{付7.1}$$

平均ひび割れ幅

$$w_{av}=l_{av}\varepsilon_{s.av}+l_{av}\varepsilon_{sh} \tag{付7.2}$$

---

1) 日本建築学会：プレストレスト鉄筋コンクリート（Ⅲ種PC）構造設計・施工指針・同解説，2003
2) 鈴木計夫・大野義照：プレストレスト鉄筋コンクリートはりの曲げひび割れ幅に関する研究（その1），日本建築学会論文報告集，No. 303，1981.5
3) 西 拓馬・大野義照・中川隆夫・グエンテクオン：高強度コンクリートを用いた鉄筋コンクリート梁の曲げひび割れ性状，コンクリート工学年次論文集，Vol. 29，No. 3，2007

ε_{sh}：乾燥収縮ひずみ（ひび割れ幅増加量算定用）

平均ひび割れ間隔

$$l_{av} = 2 \times \left(C + \frac{s}{10}\right) + k \frac{d_b}{p_e} \tag{付7.3}$$

$k = 0.1$　　　　　：梁の場合　　　　$k = 0.00025 \times t,\ k \leq 0.1$：スラブの場合

$C = (C_s + C_b)/2$　：梁の場合　　　　$C = C_b$：スラブの場合

平均鉄筋ひずみ[1]

$$\varepsilon_{s.av} = \frac{1}{E_s}\left(\sigma_t - k_1 k_2 \times \frac{F_t}{p_e}\right) \tag{付7.4}$$

$$k_1 k_2 = 1/(2 \times 10^3 \times \varepsilon_{s.av} + 0.8) \tag{付7.5}$$

ただし，　　$\varepsilon_{s.av} \geq 0.4\sigma_t/E_s$ 　　　　　　　　　　　　　　　　　　　　(付7.6)

かつ，　　　$\varepsilon_{s.av} \geq (\sigma_t - 105)/E_s$ 　　　　　　　　　　　　　　　　　(付7.7)

　　s：鉄筋間隔

　　d_b：鉄筋径（異なる径の鉄筋が並ぶ場合はその平均）

　　C：かぶり厚

　　b：部材幅

　　D：部材せい

　　d：有効せい

　　t：スラブ厚（mm）

　　σ_t：ひび割れ断面における引張鉄筋の応力度（N/mm²）

　　x_n：圧縮縁から中立軸の距離

　　a_t：鉄筋の断面積（多段配筋の場合は一段目の鉄筋の断面積）

　　E_s：鉄筋のヤング係数（N/mm²）

　　F_t：コンクリートの曲げ引張強度（N/mm²）

　　A_{ce}：有効引張断面積

　　　　梁の場合：$(2C_b + d_b)b$

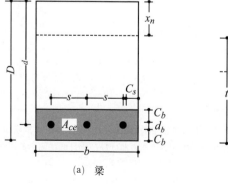
(a) 梁

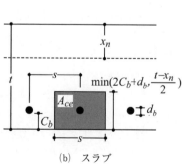
(b) スラブ

付図7.1　梁とスラブの断面と記号

スラブの場合：$\min(2C_b+d_b, (t-x_n)/2)\times s$ 鉄筋1本あたり

p_e：有効引張鉄筋比（$=a_t/A_{ce}$）

1.3 梁のひび割れ幅から定まる鉄筋応力度

1.3.1 精算法と略算法

梁断面が決まれば（付7.3）式より l_{av} が求まり，鉄筋高さ位置のひび割れ幅 w_{max}，およびひび割れ間コンクリートの乾燥収縮 ε_{sh} を与えれば，（付7.1），（付7.2）式より平均鉄筋ひずみ $\varepsilon_{s.av}$ が求まり，それを（付7.4），（付7.5）式に代入すると鉄筋応力度 σ_t が求まる．ただし，ひび割れ発生直後の中立軸が低い段階において付図7.1の定義ではコンクリートの有効引張断面積を過大に評価し，$\varepsilon_{s.av}$ を小さく，すなわち σ_t を過大に算定する場合があるので（付7.6）式の制限を設けている．また，スラブのような有効引張鉄筋比が小さい場合には，ひび割れ発生と同時に平均鉄筋ひずみが大きく増加することを考慮して（付7.7）式の制限を設けている[1),2)]．梁引張縁でのひび割れ幅を制御目標にする場合は，梁側面でのひび割れ幅は中立軸からの距離に比例するので，制御目標値に $(d-x_n)/(D-x_n)$ を乗じて鉄筋高さ位置の制御ひび割れ幅を定める．

次に鉄筋応力度を略算的に求める方法を紹介する．通常の設計で使用する範囲に限定し，（付7.3）式から有効引張鉄筋比（p_e）とひび割れ間隔／鉄筋径（l_{av}/d_b）の関係を求めると，次式のような関係式が得られる[4)]．なお，文献4)では p_e を％表示としているが，ここでは無次元数とする．

$$\frac{l_{av}}{d_b}=0.868 p_e^{-0.642} \tag{付7.8}$$

算定条件：鉄筋径 ：D22～D41

　　　　　梁幅 ：300～800 mm

　　　　　鉄筋本数：2～1段配筋が可能な最大本数

通常の断面の場合，$(D-x_n)/(d-x_n)$ は1.2以下なので，引張縁でのひび割れ幅は鉄筋位置高さでの幅の1.2倍とする．また，引張鉄筋比 p_t は，$p_e=a_t/(0.2/0.9)Bd=4.5p_t$ の関係より，有

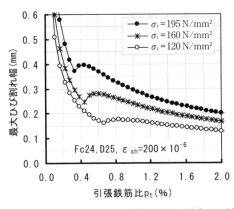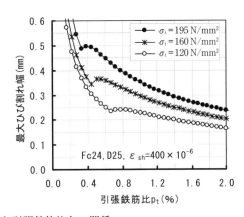

付図7.2 最大ひび割れ幅と引張鉄筋比との関係

---

4) 日本建築構造技術者協会：RC建築構造の設計，オーム社，2019

効引張鉄筋比 p_e の1/4.5倍とする．ただし，引張鉄筋比は2段配筋の場合でも1段目の鉄筋のみ考慮し，鉄筋の応力度についてはすべての鉄筋を考慮して求める．このようにして求められた最大ひび割れ幅と引張鉄筋比との関係を付図7.2に示す．

これらの図は，コンクリート設計基準強度 $F_c=24 \text{ N/mm}^2$，D 25，乾燥収縮ひずみ $=2\times10^{-4}$，4×10^{-4} の場合について，鉄筋応力度が 195，160，120 N/mm² の場合の関係である．これらの図から，乾燥収縮が 2×10^{-4} と 4×10^{-4} では同一ひび割れ幅に対する鉄筋応力度が大きく異なることがわかる．

1.3.2　梁のひび割れ幅から定まる鉄筋応力度算定図表

梁側面の鉄筋高さ位置でのひび割れ幅から定まる鉄筋引張応力度の算定図表を付図7.3に示す．この図の作成条件は，

　　　設計基準強度　　　　$F_c=24 \text{ N/mm}^2$（図の利用条件 $F_c \geqq 24 \text{ N/mm}^2$）
　　　乾燥収縮ひずみ　　　$\varepsilon_{sh}=2\times10^{-4}$（図の利用条件 $\varepsilon_{sh} \leqq 2\times10^{-4}$）
　　　主筋径　　　　　　　D 19，D 22，D 25，D 29
　　　主筋本数　　　　　　3～9本
　　　梁幅　　　　　　　　300～600 mm
　　　主筋のかぶり厚さ　　40 or 50 mm（側面）
　　　　　　　　　　　　　40，50，60，70，80 mm（下面）

となっている．これら算定図を用いる際の F_c，ε_{sh} の値の範囲は，括弧の中に示したように F_c については上記の値以上，ε_{sh} については上記の値以下である．これらの図を利用することによって，設定した制御目標ひび割れ幅に対応する鉄筋の引張応力度 σ_{tw} を，上記のような種々の要因を考慮して求めることができる．

【例題】

梁のひび割れ幅制御目標値 w_D（梁側面鉄筋高さ位置での幅とした場合）から定まる鉄筋の引張応力度 σ_{tw} の算定

算定条件：梁幅 $b=450$ mm，主筋のかぶり厚さ C_s，C_b：50 mm，使用鉄筋 D 25，一段目に配筋された引張鉄筋の本数 $m=5$，$w_D=0.1$，0.2，0.3 mm

［解］付図7.3（b）において矢印の線に沿って D 25 用の縦軸の目盛を読み取れば，$\varepsilon_{sh}=2\times10^{-4}$ が考慮されている場合の σ_{tw} が求まる．

　　　　　　$w_D=0.1$ mm ——— $\sigma_{tw}=70 \text{ N/mm}^2$
　　　　　　$w_D=0.2$ mm ——— $\sigma_{tw}=140 \text{ N/mm}^2$
　　　　　　$w_D=0.3$ mm ——— $\sigma_{tw}=215 \text{ N/mm}^2$

1.4　スラブのひび割れ幅から定まる鉄筋応力度

床スラブのひび割れ幅の算定において梁と異なる点は，部材せい（梁せい D，スラブ厚さ t）が小さく，かつ鉄筋間隔 s が広いことである．したがって，コンクリートの有効引張断面積 A_{ce} の算定に際して，梁の場合は $A_{ce}=(2C_b+d_b)b$ で求まるのに対して，スラブの場合は鉄筋1本あたりの A_{ce} は，せい方向の長さを $2C_b+d_b$ と $(t-x_n)/2$ の小さいほうとし，幅方向は長さを表18.2に規

付7．長期荷重時におけるひび割れと変形 —517—

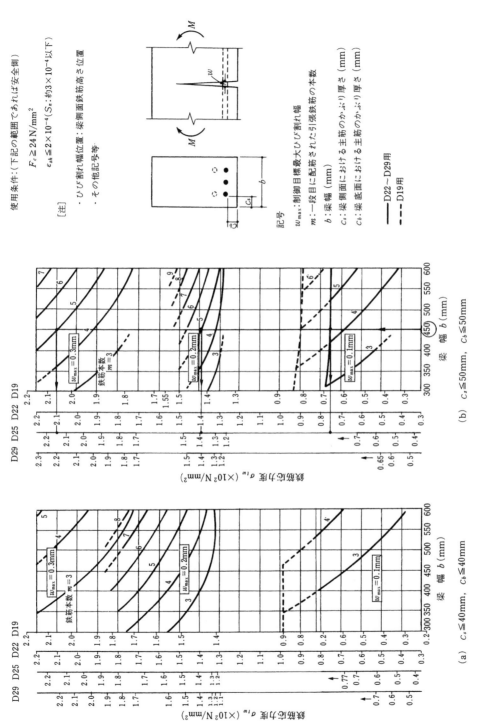

付図7.3(1) ひび割れ幅制御目標値から定まる鉄筋の引張応力度 σ_{tw}（梁の場合―その1）

(a) $c_s \leqq 40mm$, $c_b \leqq 40mm$

(b) $c_s \leqq 50mm$, $c_b \leqq 50mm$

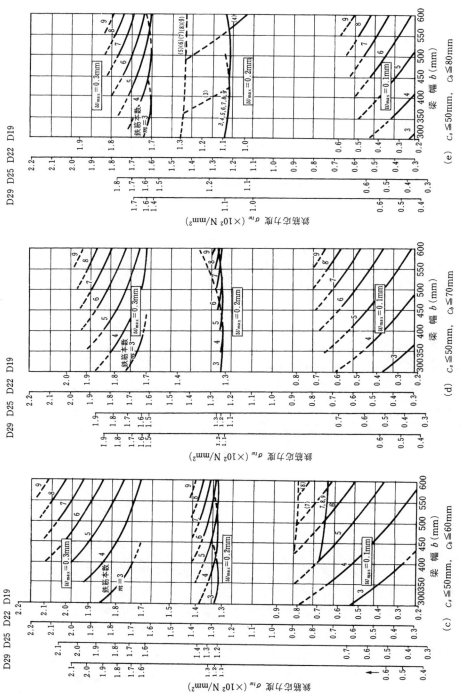

付図7.3(2) ひび割れ幅制御目標値から定まる鉄筋の引張応力度 σ_{tw} (梁の場合-その2)

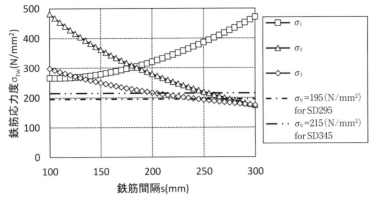

（$W_D=0.3\,\text{mm}$，$\varepsilon_{sh}=3\times10^{-4}$，D 10・D 13 交互配筋，$C=30\,\text{mm}$，$t=200\,\text{mm}$ の場合）

付図 7.4 ひび割れ幅（W_D）$0.3\,\text{mm}$ に対する鉄筋間隔 s と鉄筋応力度 σ_{tw} との関係

定されている範囲では鉄筋間隔 s とし，両者の積で求める．

一例として，床スラブ引張縁での制御目標ひび割れ幅 $w_D=0.3\,\text{mm}$，乾燥収縮ひずみ $\varepsilon_{sh}=3\times10^{-4}$，鉄筋 D 10・D 13 交互配筋，かぶり厚さ $C(=C_b)=30\,\text{mm}$，スラブ厚 $t=200\,\text{mm}$ の場合，（付 7.4），（付 7.6），（付 7.7）式より求まる鉄筋応力度 σ_1，σ_2，σ_3 と鉄筋間隔 s との関係を付図 7.4 に示す．同図において，そのうち最も小さい鉄筋応力度がひび割れ幅から定まる鉄筋応力度 σ_{tw} となる．スラブの場合は有効引張鉄筋比が小さいので，σ_2 あるいは σ_3 が σ_{tw} となる場合が多い．

同様にして，ひび割れ幅，乾燥収縮，鉄筋径，かぶり厚さ，およびスラブ厚さがひび割れ幅から決まる鉄筋応力度と鉄筋間隔 s との関係に及ぼす影響を調べた．その結果，鉄筋径とスラブ厚さの両者の関係に及ぼす影響は小さいことを確認している．これを踏まえて，鉄筋径，スラブ厚さを要因とした鉄筋応力度と鉄筋間隔の関係は鉄筋応力度を小さい側に包絡して一つにまとめて評価する．それ以外の要因であるひび割れ幅，乾燥収縮ひずみ，およびかぶり厚さ別に鉄筋応力度と鉄筋間隔 s との関係を床スラブ引張縁でのひび割れ幅に対する鉄筋応力度の算定図表[5]として付図 7.5 に示す．付図 7.5 より鉄筋間隔 s と該当する乾燥収縮ひずみ，かぶり厚さの曲線との交点から，ひび割れ幅から定まる鉄筋応力度を求めることができる．適用の範囲は，コンクリートの圧縮強度は 24 N/mm^2 以上，鉄筋径 D 10，D 10・D 13 交互配筋，D 13，スラブ厚さ 150〜250 mm である．なお，乾燥収縮ひずみ ε_{sh} は，乾燥収縮によるひび割れ幅増加量算定用の値，すなわちひび割れ発生後のひび割れ間のコンクリートの収縮ひずみで，$2\sim4\times10^{-4}$ 程度とする[1]．同図において $w_D=0.2\,\text{mm}$ で $\varepsilon_{sh}=3\times10^{-4}$，$C=40\,\text{mm}$ の場合，$s\geq275\,\text{mm}$ で $\sigma_{tw}=0$ となっているが，これは乾燥収縮のみによるスラブ引張縁でのひび割れ幅が $0.2\,\text{mm}$ 以上となっていることを意味している．

【計算例】

スラブのひび割れ幅制御目標値 w_D から定まる鉄筋の引張応力度 σ_{tw} を付図 7.5 から求める．

算定条件（1）：ひび割れ幅制御目標値 $w_D=0.3\,\text{mm}$，乾燥収縮ひずみ $\varepsilon_{sh}=3\times10^{-4}$，使用鉄筋

---

5) 岩田樹美・大野義照：鉄筋コンクリートスラブの曲げひび割れ幅算定式に用いるコンクリート有効引張断面積の検討，日本建築学会大会学術講演梗概集，2015.9

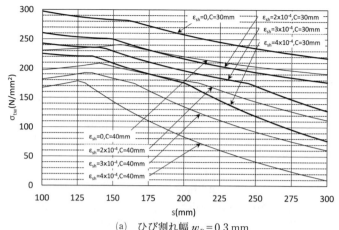

(a) ひび割れ幅 $w_D = 0.3$ mm

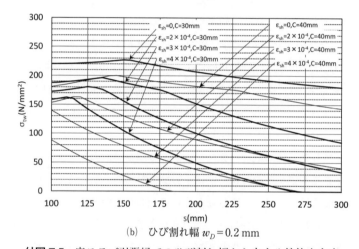

(b) ひび割れ幅 $w_D = 0.2$ mm

付図 7.5 床スラブ引張縁でのひび割れ幅から定まる鉄筋応力度

D 10・D 13（交互配筋），かぶり厚さ $C=30$ mm，スラブ厚 $t=150$ mm，鉄筋間隔 $s=200$ mm

付図 7.5 の略算値：$\varepsilon_{sh}=3\times10^{-4}$，$C=30$ mm の関係における $s=200$ mm の値を読み取ると $\sigma_{tw}=195$ N/mm^2

精算値：$x_n=34.5$ mm，$l_{av}=150$ mm，$\varepsilon_{s,av}=6.19\times10^{-4}$

$\sigma=\min(284, 319, 232)=232$ N/mm^2

$\sigma_{tw}=195$ N/mm^2（SD 295），215 N/mm^2（SD 345）

算定条件（2）：ひび割れ幅制御目標値 $w_D=0.3$ mm，乾燥収縮ひずみ $\varepsilon_{sh}=3\times10^{-4}$，使用鉄筋 D 13，主筋のかぶり厚さ $C=40$ mm，スラブ厚 $t=250$ mm，鉄筋間隔 $s=150$ mm

付図 7.5 の略算値：$\varepsilon_{sh}=3\times10^{-4}$，$C=40$ mm の関係における $s=150$ mm の値を読み取ると $\sigma_{tw}=182$ N/mm^2

精算値：$x_n=59.2$ mm，$l_{av}=199$ mm，$\varepsilon_{s,av}=4.59\times10^{-4}$

$\sigma=\min(269, 235, 199)=199$ N/mm^2

$\sigma_{tw}=195$ N/mm^2（SD 295），199 N/mm^2（SD 345）

2. 長期たわみ計算法

2.1 はじめに

鉄筋コンクリート曲げ部材のたわみに影響を及ぼす要因は，コンクリートのひび割れ・クリープ・乾燥収縮などの物性要因と，スパン長さや鉄筋比・部材寸法など断面特性のほか，荷重の大きさやその分布，支持条件など多岐にわたっているため，これらを考慮した長期たわみの予測を行うことは容易ではない．

そこで，本規準18条では，多くの研究者が行った一方向帯スラブ長期載荷実験結果の報告を整理し，弾性たわみ計算値に対する長期たわみの倍率が両端固定で12～18，単純支持の場合6～12であることを明らかにした．また，この関係を便宜的に，一律16倍と設定したときの長期たわみが許容値以下となるような最小スラブ厚さを提示している．

梁や床スラブの長期たわみの制御をよりきめ細かく行う場合には，上記要因の影響をすべて考慮したたわみ予測式の確立が望まれる．

以下に，主として，物性要因と断面特性を勘案した長期たわみ計算法について述べる．

2.2 たわみ許容値

床スラブや梁のたわみ制限については，各国とも付表7.1のように定めているので，これを参考にしながら建物使用条件などに応じたたわみ許容値を決める．

本規準18条では，周辺固定現場施工床スラブのたわみ限界値を $l_x/250$ と設定しているが，用途に応じて多少配慮するほうがよい．集合住宅では，居住者の感覚的鋭敏性や建具の納まり具合を考慮し，$l_x/400$ 以下とするほうが望ましい．また，許容たわみ量の規定も必要で，小梁の有無にかかわらず四隅の柱で囲まれたスパン中央で，20 mm 以下とするのがよい．

付表7.1 各国のたわみ制限

国 名	規準 (改訂年)	対 象	瞬時たわみ (ひび割れ考慮)	長期付加たわみ	長期たわみ
アメリカ	ACI 318-14 (2014)	非構造部材が取り付かない場合	$\dfrac{l}{360}$	—	—
		非構造部材が大たわみにより損傷を受ける場合	—	$\dfrac{l}{480}$	—
		非構造部材が大たわみにより損傷を受けない場合	—	$\dfrac{l}{240}$	—
ニュージーランド	NZS 3101 (1995)	—	—	—	$\dfrac{l}{250}$
CEB-FIP モデルコード	CEB-FIP (1990)	—	—	—	$\dfrac{l}{300}$
ヨーロッパ	Eurocode 2 (2004)	—	—	$\dfrac{l}{500}$	$\dfrac{l}{250}$

[記号] l：スパン長さ

2.3 長期たわみの予測式
2.3.1 基 本 式

コンクリートの曲げひび割れおよびクリープと収縮を考慮した床スラブ・梁部材の長期たわみの予測式を以下のように弾性たわみに対する倍率で表す．

$$\text{長期たわみ} = (K_1 + K_2 + K_3) \times \text{弾性たわみ} \tag{付7.9}$$

弾性たわみ：設計荷重作用時の弾性剛性（$E \cdot I_0$）を用いたたわみ

K_1：ひび割れによる倍率　　K_2：クリープによる倍率　　K_3：乾燥収縮による倍率

それぞれの係数については，付表7.2, 7.3, 7.4を参照にして決める．これらの表は，クリープ係数 $\varphi = 3.0$，乾燥収縮 $S_n = 4 \times 10^{-4}$ として設定している．

長期たわみ計算に用いる実建物のスラブに生じる乾燥収縮ひずみは，コンクリートの配合条件（調合，骨材の種類，混和材料），施工条件（養生条件，支保工撤去時期，仕上げ材および工事時期），環境条件（温度，湿度）等によって異なるので，一律に与えることができないことから原則として設計者の判断によることとする．

コンクリートの物性としては 8×10^{-4} 前後の乾燥収縮が見込まれるが，上記の 4×10^{-4} は仕上げ施工時以降の乾燥収縮を対象とし，部材寸法，仕上げ等の影響を考慮して設定したものである．長期たわみ計算に用いる乾燥収縮ひずみの評価にあたっては，以下に示す乾燥収縮ひずみに与える影響に関する知見を参考に設定する．乾燥が著しい場合や支保工撤去時からの長期たわみを計算する場合等で，例えば 6.0×10^{-4} を使用する場合には，付表7.4の数値の1.5倍の値を用いる．

（1）　部材寸法の影響

乾燥収縮ひずみの大きさは部材寸法の影響を受け[6),7)]，その評価法として例えばRüschによる方法[6)]によれば，実際のスラブで発生する乾燥収縮ひずみは有効部材厚（$=2\times$（乾燥断面積）/（乾燥断面の周長））によって評価できる．四辺を梁で囲まれたスラブの場合，有効部材厚はスラブ厚さに等しくなる．

後述する付図7.8, 付図7.12のうち乾燥収縮ひずみ実験値の存在する一方向スラブ試験体17体の乾燥収縮ひずみ測定値を乾燥収縮ひずみ最終値に換算すると平均 6.5×10^{-4} 程度となる．一方向スラブ試験体のスラブ厚は平均144 mmであるが，有効部材厚にするとスパン方向の小口面がシールされていないため，100 mm程度となる．実建物のスラブとして有効部材厚200 mmとすると，最終値は 5.5×10^{-4} 程度となる．

（2）　仕上げ施工時までの乾燥収縮ひずみ

仕上げ施工時を材齢1～2か月程度とすると，Rüschによる方法によれば，仕上げ施工時までに発生する乾燥収縮ひずみは全ひずみの20～30%程度となる．（1）に示した一方向スラブ実験における載荷開始時（平均材齢28日）の収縮ひずみも最終値の20%程度となっている．

---

6) H. Rüsch・D. Jungwirth：コンクリート構造物のクリープと乾燥収縮（百島祐信訳），pp. 117-120, 鹿島出版会，1976

7) 井上和政・三井健郎・大野定俊・岩清水隆：乾燥収縮量が異なるコンクリートの乾燥収縮量に及ぼす部材厚の影響，コンクリート工学年次論文集，Vol. 24, No. 1, 2002

（3） 外部拘束の影響

スラブは柱，梁の周辺フレームにより収縮ひずみが拘束される．鉄筋コンクリートスラブを対象とした約6年間の載荷実験[8]において，軸方向の平均ひずみが自由収縮ひずみの約60％であったと報告されている．

（4） 仕上げによる乾燥抑制

仕上げ材がコンクリートの乾燥収縮に及ぼす影響に関する研究は非常に少ないが，仕上げを施したコンクリートの乾燥収縮を測定した実験[9]では，仕上げ材による乾燥収縮抑制効果が認められている．

この（付7.9）式から得られる長期たわみは，予想平均たわみである．最大たわみは，環境条件，材料・施工のばらつきなどを考慮して，

$$予想最大たわみ ≒ 予想平均たわみ \times 1.5 \qquad (付7.10)$$

と考える．この予想最大のたわみが許容値以下になるように床スラブや小梁の設計を安全側に行うことが望ましい．

付表7.2〜7.4では，圧縮筋の影響も考慮し，複筋比1.0と0.0のケースを準備しており，中間値は複筋比に応じて取り扱う．

両端固定梁の場合，端部，中央部の断面形状について，K_1，K_2，K_3を求めて，その平均値を部材のたわみ倍率とする．また，床スラブの場合，短辺方向の端部，中央部について同様の手法で部材のたわみ倍率を求める．

なお，対象断面にひび割れが生じない場合は，$K_1=1.0$となる．ひび割れ発生の有無により，クリープと乾燥収縮による倍率は異なるが，付表7.3，7.4には安全側の値としてひび割れ剛性を用いて計算したK_2，K_3値を掲げた．

弾性剛性あるいはひび割れ剛性を選定するためのひび割れモーメントを$M_c=0.50\sqrt{F_c}\,(bD^2/6)$と設定する．瞬時外力を受けるときの曲げひび割れモーメントは$0.56\sqrt{F_c}\,(bD^2/6)$を採用することが多いが，ここでは持続荷重を対象にしているため，若干低めの値としている．ここに，F_cはコンクリートの設計基準強度（N/mm²），bは部材幅，Dは部材せいである．ただし，本規準22条にも示したように特にスラブの場合は荷重による曲げ応力に加えて鉄筋や周辺フレームによる拘束応力によりひび割れは避けられないと考えたほうがよく，ひび割れ剛性を用いる等安全側に評価することが望ましい．

この計算式は，長期たわみの予測を簡便にできるように提案しており，その根拠については後述する．基本的には，文献10）に報告された内容に基づいており，その妥当性は実験データとの比

---

8) 山本俊彦：曲げおよび乾燥収縮ひび割れを生じる鉄筋コンクリート造床スラブの動的特性の変化に関する実験研究，コンクリート工学年次論文集，Vol. 32, No. 2, 2010
9) 今本啓一：表面仕上げを施したコンクリートの乾燥収縮性状に関する研究，コンクリート工学年次論文集，Vol. 26, No. 1, 2004
10) 武田寿一・小柳光生：拘束スラブの長期たわみに関する研究，コンクリート工学論文，Vol. 23, 1985.1

較検討からおおよそ確認されている．

最大たわみを平均たわみの1.5倍としたが，これはたわみ実態調査[11),12)]から同一条件スラブのたわみ変動係数が20〜50%と判断されることから，たわみが正規分布すると仮定し，変動係数30%，危険率5%（1.64×標準偏差）から設定した．

既往の梁たわみ実用計算式のうち，代表的な海外規準の一つとしてACIコード318-14があるが，このACIコードの計算法は，主に梁部材の実験から誘導しており，二方向スラブのたわみについて適切な手法を確立していないことを認めている．国内の一方向スラブに関する実験結果をACIコードの計算法と対比したところ，床スラブについては，ACI計算法は，かなり過小評価することが明らかになっている．この理由は，コンクリートそのものの違い（単位水量など）のほか，梁部材と床スラブ部材のたわみ挙動の違いの影響もあると思われる．

2.3.2 たわみを起こす物性要因とその推定方法

（1）梁部材の長期たわみ

梁の弾性たわみは，以下の弾性曲率の公式を用いて算定される．

$$\phi = M/EI \tag{付7.11}$$

記号　ϕ：曲率　　M：曲げモーメント　　EI：曲げ剛性

部材の曲率分布が求まると，モールの定理などからたわみを求めることができる．

次に，弾性たわみを上回るたわみを生じさせる物性要因として，短期的にはひび割れ現象，長期的にはクリープ・乾燥収縮そして付着劣化などの問題がある．これらの要因について計算法を示す．

a）ひび割れ

ひび割れモーメントを超える曲げ外力が作用すると部材にひび割れを生じるが，このとき，曲げ剛性も低下する．

ここでは，たわみ計算式の基本となる全断面剛性（鉄筋無視）とひび割れ断面剛性（引張コンクリート部無視，鉄筋考慮）それぞれの算定式を掲げる〔付図7.6参照〕．

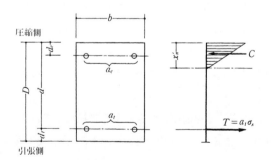

付図7.6　断 面 形 状

---

11) 土橋由造・井野　智・大たわみをもつ鉄筋コンクリート障害床スラブの実態調査とその対策，日本建築学会論文報告集, No. 272, 1978.10

12) 武田寿一・中根　淳・小柳光生・鉄筋コンクリート床スラブの長期たわみに関する研究, 日本建築学会論文報告集, No. 365, 1986.7

$$EI = EbD^3/12 \tag{付7.12}$$

$$EI_{cr} = E\{bx_n'^3/3 + na_t(d-x_n')^2 + a_c(n-1)(x_n'-d_c)^2\} \tag{付7.13}$$

このとき,ひび割れ断面の中立軸は,下式で表される.

$$x_n' = -n(a_t+a_c)/b + \sqrt{\{n(a_t+a_c)/b\}^2 + 2n(a_t d + a_c d_c)/b}$$

b:部材幅 D:部材せい d:有効せい E:コンクリートのヤング係数
a_t:引張鉄筋の断面積 a_c:圧縮鉄筋の断面積 n:ヤング係数比(E_s/E)
d_c:圧縮端から圧縮筋重心位置までの距離

付表7.2 に(付7.12),(付7.13)式を用いて計算した弾性剛性時の曲率に対するひび割れ断面剛性時の曲率の比を示す.この表から,鉄筋量が少なく,部材せいが低い場合,ひび割れによるたわみ増大が著しくなることがわかる.

付表7.2 ひび割れ剛性の曲率増加倍率:K_1(弾性曲率 ϕ_0 も含む)($\phi_0=M_d/(EI)$ に対する倍率)
($E=2.05\times10^4$ (N/mm^2), $n=10$)

a_t/bD 厚	床スラブ $d_t=30$ mm				梁部材 $d_t=50$ mm			梁部材 $d_t=70$ mm		
	120 mm	150 mm	200 mm	300 mm	500 mm	700 mm	1000 mm	500 mm	700 mm	1000 mm
0.2%	10.01 9.84	8.72 8.70	7.66 7.66	6.78 6.73	6.78 6.73	6.34 6.26	6.04 5.93	7.47 7.46	6.78 6.73	6.32 6.24
0.3%	7.13 7.07	6.20 6.20	5.43 5.41	4.80 4.73	4.80 4.73	4.49 4.38	4.27 4.14	5.30 5.27	4.80 4.73	4.47 4.36
0.4%	5.65 5.63	4.90 4.90	4.29 4.25	3.79 3.69	3.79 3.69	3.54 3.41	3.36 3.22	4.18 4.13	3.79 3.69	3.52 3.40
0.5%	4.74 4.74	4.11 4.10	3.59 3.54	3.17 3.06	3.17 3.06	2.95 2.82	2.81 2.65	3.50 3.43	3.17 3.06	2.94 2.81
0.6%	4.12 4.12	3.57 3.55	3.12 3.05	2.74 2.62	2.74 2.62	2.56 2.41	2.43 2.27	3.04 2.96	2.74 2.62	2.55 2.40
0.8%	3.34 3.33	2.88 2.84	2.51 2.41	2.21 2.06	2.21 2.06	2.06 1.89	1.95 1.77	2.44 2.34	2.21 2.06	2.05 1.88
1.0%	2.85 2.83	2.46 2.39	2.14 2.02	1.87 1.72	1.87 1.72	1.75 1.57	1.66 1.47	2.08 1.95	1.87 1.72	1.74 1.56

[注] 上段は $a_c=0$ のケース,下段は $a_c=a_t$ のケース

b) クリープによるたわみ

コンクリートのクリープを考慮した曲げ変形計算法として,経時的にクリープを考慮しながら,逐次追跡する精解法があるが,修正ヤング係数法が簡便であり,また精度もよい.この方法はクリープ係数を φ とするとき,コンクリートのヤング係数 E を(付7.14)式の E_t に置き換えて,算定するものである.

$$E_t = E/(1+\varphi) \tag{付7.14}$$

すなわち,クリープを考慮した弾性剛性,ひび割れ剛性の式はそれぞれ(付7.12),(付7.13)

式において E, n の代わりに E_t, $n_t=n(1+\varphi)$ を用いる．この式は圧縮鉄筋，引張鉄筋をともに考慮した計算式であるため，たわみに及ぼすそれぞれの影響を定量的に比較できる．

設計応力 $M_d=(7/8)a_t\sigma_s d$（$\sigma_s=0.195$ kN/mm^2）作用時における曲率 $\phi_0=M_d/EI$（EI は弾性剛性）を 1.0 としたとき，クリープ係数 $\varphi=3.0$ によるひび割れ剛性 EI_{cr} の曲率増大比（短期の弾性曲率分およびひび割れ剛性曲率分は除く），すなわち $K_2=EI/E_tI_{cr}-K_1$ を付表 7.3 に示す．この表で，上段は圧縮鉄筋 $a_c=0$，下段は $a_c=a_t$ のケースである．

クリープ係数の設定については，CEB-FIP 国際規準（1990 年）の規定[13]が参考になろう．

c) 乾燥収縮によるたわみ

非対称に鉄筋が配置されている断面の場合，乾燥収縮によってひずみ勾配ができ，収縮たわみを生じる．曲げひび割れを生じた断面における収縮の影響も無視できない．つまり，ひび割れ断面の場合，圧縮側コンクリートは乾燥収縮によって縮むものの，引張側鉄筋ひずみはほとんど変わらない（ひび割れ間のコンクリートは縮むが，その分のひび割れ幅が拡大するため全体としては変わらない）のでたわみを増大させることになる．

付表 7.3 クリープ $\varphi=3.0$ による曲率増加倍率：K_2（$\phi_0=M_d/(EI)$ に対する倍率）
($E=2.05\times 10^4$ (N/mm^2), $n=10$)

厚 a_t/bD	床スラブ $d_t=30$ mm				梁部材 $d_t=50$ mm			梁部材 $d_t=70$ mm		
	120 mm	150 mm	200 mm	300 mm	500 mm	700 mm	1 000 mm	500 mm	700 mm	1 000 mm
0.2%	3.33 3.48	2.80 2.64	2.38 1.98	2.05 1.48	2.04 1.48	1.88 1.26	1.77 1.12	2.31 1.87	2.05 1.48	1.88 1.25
0.3%	2.94 2.86	2.47 2.11	2.09 1.54	1.80 1.13	1.80 1.13	1.65 0.95	1.55 0.84	2.03 1.45	1.80 1.13	1.64 0.95
0.4%	2.71 2.46	2.27 1.77	1.93 1.28	1.65 0.92	1.65 0.92	1.51 0.77	1.42 0.67	1.87 1.19	1.65 0.92	1.51 0.76
0.5%	2.56 2.17	2.14 1.54	1.81 1.09	1.55 0.78	1.55 0.78	1.42 0.64	1.34 0.56	1.76 1.02	1.55 0.78	1.42 0.64
0.6%	2.45 1.95	2.05 1.35	1.73 0.95	1.48 0.67	1.48 0.67	1.36 0.55	1.28 0.48	1.68 0.88	1.48 0.67	1.35 0.54
0.8%	2.30 1.62	1.92 1.09	1.62 0.75	1.38 0.52	1.38 0.52	1.27 0.42	1.19 0.36	1.57 0.69	1.38 0.52	1.26 0.42
1.0%	2.20 1.38	1.84 0.91	1.55 0.61	1.32 0.42	1.32 0.42	1.21 0.34	1.14 0.29	1.50 0.56	1.32 0.42	1.20 0.33

これらの乾燥収縮によるたわみは，中立軸の変化を無視すれば，クリープと同様に数式で誘導できる[10]．

---

13) COMITE EURO-INTERNATIONAL DU BETON・CEB-FIP model code for concrete structures, 1990

乾燥収縮ひずみ S_n による曲率増加分は，弾性剛性，ひび割れ剛性それぞれ（付 7.15），（付 7.16）式で表される．

弾性剛性での曲率増加

$$\phi_{sh1}=\int EyS_n dA/\int Ey^2 dA=0.5ES_n b\{x_n^2-(D-x_n)^2\}/EI \tag{付 7.15}$$

ひび割れ剛性での曲率増加

$$\phi_{sh2}=0.5ES_n bx_n'^2/EI_{cr} \tag{付 7.16}$$

EI, EI_{cr}：それぞれ（付 7.12），（付 7.13）式に示す剛性

 x_n：弾性断面中立軸〔解説図 8.2 の g〕

 x_n'：ひび割れ断面中立軸

乾燥収縮による曲率増加は，外力モーメントの大きさにあまり関係しないが，他の要因との取扱いを考慮して設計応力作用時の弾性曲率 ϕ_0 に対応させる．付表 7.4 に，ひび割れ断面の場合における乾燥収縮 $S_n=4\times10^{-4}$ による曲率増加を ϕ_0 に対する比率で示す．

付表 7.4 乾燥収縮ひずみ $S_n=4\times10^{-4}$ による曲率増加倍率：K_3（$\phi_0=M_d/(EI)$ に対する倍率）
（$E=2.05\times10^4$（N/mm²），$n=10$）

a_t/bD \ 厚	床スラブ $d_t=30$ mm				梁部材 $d_t=50$ mm			梁部材 $d_t=70$ mm		
	120 mm	150 mm	200 mm	300 mm	500 mm	700 mm	1 000 mm	500 mm	700 mm	1 000 mm
0.2%	3.82 4.24	3.35 3.51	2.96 2.91	2.64 2.42	2.64 2.42	2.48 2.18	2.36 2.02	2.89 2.80	2.64 2.42	2.47 2.17
0.3%	2.58 2.79	2.27 2.29	2.00 1.88	1.78 1.55	1.78 1.55	1.67 1.40	1.60 1.29	1.96 1.81	1.78 1.55	1.67 1.39
0.4%	1.96 2.06	1.72 1.68	1.52 1.38	1.35 1.13	1.35 1.13	1.27 1.01	1.21 0.93	1.48 1.32	1.35 1.13	1.26 1.00
0.5%	1.58 1.63	1.39 1.32	1.23 1.07	1.09 0.88	1.09 0.88	1.02 0.78	0.98 0.72	1.20 1.03	1.09 0.88	1.02 0.78
0.6%	1.33 1.34	1.17 1.08	1.03 0.87	0.92 0.71	0.92 0.71	0.86 0.63	0.82 0.58	1.01 0.84	0.92 0.71	0.86 0.63
0.8%	1.01 0.98	0.89 0.78	0.78 0.63	0.70 0.50	0.70 0.50	0.65 0.45	0.62 0.41	0.77 0.60	0.70 0.50	0.65 0.45
1.0%	0.82 0.76	0.72 0.60	0.64 0.48	0.56 0.38	0.56 0.38	0.53 0.34	0.51 0.31	0.62 0.46	0.56 0.38	0.53 0.34

［注］ 本来，収縮たわみはモーメントに関係しないが，各鉄筋比における M_d を使って ϕ_0 を求め，この値との比較で示している．

d） 付着劣化によるたわみへの影響

鉄筋とコンクリートの付着性能は，持続応力の作用で徐々に低下してくる．しかし，ひび割れの程度についてはばらつきがあることなどから，付着劣化を考慮して精度よくたわみを推定することは現状では困難である．曲げ部材が持続荷重を受ける場合，その鉄筋の存在応力が大きいと鉄筋コ

ンクリートの付着性能が劣化し，ひび割れ断面剛性と考えるほうがよいという指摘[14]もある．なお，異形棒鋼よりも丸鋼を使用する場合にたわみが大きくなるのも，この付着性能の違いによるものである．

　e）T形梁としての影響

　前述のたわみ予測計算で，長期たわみ倍率は長方形梁として算定しているが，協力スラブを持つT形梁の場合でも，この倍率を用いても問題ないことが確認されている[15]．

（2）床スラブの長期たわみ

　床スラブの場合，基本的な長期たわみ解析法は，梁部材の解法と同じであるが，一般に梁に比べて部材せいが小さく使用鉄筋量も少ない．付図7.7に，弾性たわみに対する長期たわみの倍率を$\varphi=3.0$，$S_n=4\times10^{-4}$で単筋配筋の場合について示すが，梁と床スラブではその倍率はかなり異なることや，例えば厚さ120 mmで鉄筋比が小さい床スラブの場合，端部筋の抜出しを考慮しなくても弾性たわみの10倍になりうることなどがわかる[12]．

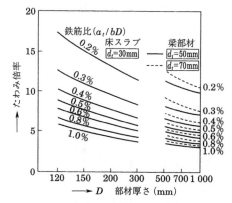

付図7.7 弾性たわみに対する長期たわみの倍率
（$\varphi=3.0$，$S_n=4\times10^{-4}$，複筋比$\gamma=0$の場合）

　その他，二方向で支持されていることや固定支持端でひび割れを生じて，その支持部材に定着されている鉄筋が徐々に滑り出してくる現象を起こす点が梁と異なる．

　a）二方向支持の影響

　二方向支持床スラブは，ひび割れ後の直交スパン方向での荷重再配分が予想されるため，梁のような一方向支持に比べて，たわみ制御の面でやや有利と考えられている．

　b）支持端部筋抜出しの影響

　支持端の引張筋に抜出しが生じると，固定度が低下し曲げモーメントの再配分が生じる．この場

---

14) 狩野芳一・金沢　稔：人工軽量骨材を使用した鉄筋コンクリート曲げ材の長期たわみ性状に関する研究，日本建築学会関東支部研究報告集，1973
15) 杉野目章・井野　智・伊藤正義・駒込　環・山田宏樹：使用荷重下における鉄筋コンクリート梁のたわみについて，日本建築学会北海道支部研究報告集，1988.3

合，たわみ制御の面で不利に作用する．端部筋の抜出しによって抜出しを考慮しない場合の1.2～1.3倍のたわみになりうることが指摘されている[16]．

また，付着性状を考慮した詳細な解析により，端部筋の抜出しを考慮したたわみが考慮しない場合の1.4～1.6倍になること[17]，さらに片持梁（スラブ）の場合は，抜出し量の影響が大きく，長期たわみは抜出しを考慮しない場合の1.8～2.5倍になること[18]が報告されている．

c） 配筋施工誤差の影響

数多くの損傷床スラブの調査から，スラブ筋の施工精度が悪く，構造的にも重要な端部上端筋が所定の位置より下がっていたものが多かったという報告[11]もある．端部上端筋の下がりによるたわみへの影響は大きく，支持端の有効せい比（設計上の有効せい／施工レベルでの有効せい）に比例してたわみが増加するという解析結果[16]もあり，この施工誤差が過大たわみの大きな要因の一つとなった可能性もある．

2.3.3 長期たわみ倍率の実験値と計算値との比較

長期たわみの予測提案式（付7.9）に示す K_1, K_2, K_3 の各倍率の合計と，一方向帯スラブ長期載荷実験の長期たわみを計算による弾性たわみで除した実験の長期たわみ倍率との比較を付図7.8に示す．長期載荷実験は，既往の実情把握を行った結果[19]に加え，それ以降に各研究機関等に発表された実験報告[20]（2007年まで：総数140体）を対象とした．データの多くは通常のスラブ（中実スラブ）であり，長期載荷日数は500日前後が多い．計算に用いたクリープ係数 φ および乾燥収縮ひずみ S_n はそれぞれ 3.0，4.0×10^{-4} である．実験値は施工のばらつきなどを考慮した「予想最大たわみ」計算値にほぼ包含されている．

また，付図7.8から，合成床板の試験体の実験値は，両端固定および単純支持の両方とも，現場打ちコンクリート床板の試験体の実験値より小さいことがわかる．合成床板の実験値の平均は，両端固定および単純支持の場合で，長期たわみ倍率が6.08，4.65であるのに対して，現場打ちコンクリート床板の実験値の平均は，8.24，9.95になっている．この原因はプレキャスト板を前もって工場にて製造するため，乾燥収縮による自由収縮が，施工現場にて現場打ちコンクリートを打設するまでに生じているので，影響が少なくなると考えられる．

---

16) 武田寿一・高橋久雄・小柳光生：床スラブの長期たわみに関する研究，コンクリート工学論文，Vol. 21，1983.9
17) 岩田樹美・李 振宝・大野義照：端部筋の抜け出しを考慮した鉄筋コンクリートスラブの長期たわみの算定，日本建築学会構造系論文集，Vol. 63，No. 510，1998.8
18) 大野義照・李 振宝・鈴木計夫：持続荷重下における端部鉄筋の抜け出しによる鉄筋コンクリート片持ち梁の付加たわみ，日本建築学会構造系論文集，Vol. 60，No. 467，1995.1
19) 松崎育弘・星野克征：鉄筋コンクリート造床スラブの長期たわみ量の定量化に関する研究，日本建築学会関東支部研究報告集，1982
20) 渡部雄二・佐藤眞一郎・塩原 等・楠原文雄・Trinh Viet A・佐藤法喬：多様化した鉄筋コンクリート床スラブの長期たわみに関する研究（その1）／（その2），日本建築学会大会学術講演梗概集，2006.9／2007.9

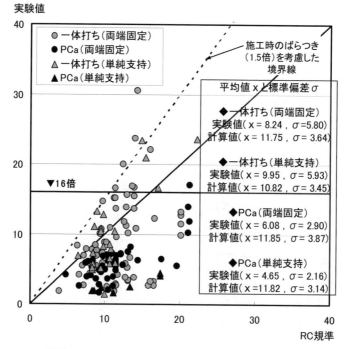

付図7.8 長期たわみ倍率の実験値と計算値との比較

2.4 端部筋の抜出しを考慮したスラブの長期たわみ計算法

前述の2.3では梁・スラブ部材の簡便な長期たわみの一計算法を紹介し，18条「床スラブ」の解説で，実験資料を整理して導いたたわみ倍率の根拠の一つを示すとともに，梁部材の計算法の一つの方向性を紹介している．ただし，簡便な計算法を提案するという趣旨から，二方向スラブの取扱いや端部筋抜出しの影響などを盛り込むには至っていない．

そこで，以下に特にスラブの長期たわみに及ぼす影響の大きい要因である，固定支持部からの鉄筋の抜出しを考慮した二方向スラブの長期たわみ計算法[21]を紹介する．なお，本たわみ計算法の適合性について，既往の鉄筋コンクリートスラブ実験結果を基に検討し，クリープと乾燥収縮データのある場合，実験値/計算値の平均値は0.8程度，変動係数は20%程度で，クリープと乾燥収縮データの得られない場合，平均値は0.8～0.9程度，変動係数30%程度であり，簡易な手法として必要な精度を確保しつつ，予測値のばらつきに対する割増係数を考慮することで実際より小さく予測することはほとんどないことが確認されている[21]．

（1） 長期たわみの評価方法

長期たわみ δ_L は，前述の予測式と同様にたわみ倍率 K を用いて表すこととする．K は付図7.9に示す4つの要因の和として計算する．設計用の K には予測値のばらつきに対する割増係数とし

---

21) 岩田樹美・大野義照：鉄筋コンクリートスラブの簡易法による長期たわみ算定とその予測精度，日本建築学会構造系論文集，Vol. 78, No. 683, pp. 130-137, 2013.1

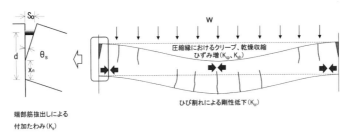

付図7.9　固定支持スラブのたわみ増大要因

て1.3を乗じる．二方向スラブの弾性たわみ δ_e は，交差梁理論による本文解説の（解18.2）式により求め，短辺方向のたわみ倍率を用いて長期たわみを計算する．

$$\delta_L = 1.3 K \delta_e \quad (付7.17)$$

$$K = K_{cr} + K_{cp} + K_{sh} + K_s$$

K_{cr}：ひび割れによるたわみ倍率

K_{cp}：クリープによるたわみ倍率

K_{sh}：乾燥収縮によるたわみ倍率

K_s：端部筋の抜出しによるたわみ倍率

本計算法の特徴は，以下のとおりである．

・ひび割れ発生領域の大きさを考慮することができる．

・乾燥収縮によるたわみは外力の大きさには直接関係しないことから，曲率による比ではなく，たわみの比で求める方法としている．

・端部筋の抜出しを考慮している．

・計算方法が簡易であるにもかかわらず，上記を考慮することで予測精度が向上している．

（2）　ひび割れおよびクリープによるたわみ倍率

ひび割れ発生領域の大きさとひび割れの有無に応じた断面二次モーメントから，スパン全長に対して等価な断面二次モーメント I_e を求める．全断面有効部分の曲率との比として，下式によりひび割れによるたわみ倍率 K_{cr} を計算する．

$$K_{cr} = \frac{M/EI_e}{M/EI_g} \quad (付7.18)$$

M：曲げモーメント

E：コンクリートのヤング係数

I_g（端部 I_{g1}，中央部 I_{g2}）：全断面有効断面二次モーメント（鉄筋の存在を無視）

I_e（端部 I_{e1}，中央部 I_{e2}）は，（付7.19）～（付7.21）式により求める．I_e の算定式は，等分布荷重を受ける両端固定支持部材のひび割れを考慮した付図7.10に示す③の曲率分布から，モールの定理により定式化したものである[22]．最大応力 M_a（端部 M_{a1}，中央部 M_{a2}）は，（付7.22）式により計算する．M_{a2} については，固定支持部における固定度の低下を考慮して，10条「スラブの解析」と同様に両端固定支持として求められる応力の4/3倍とする．曲げひび割れ耐力 M_{cr}（端部

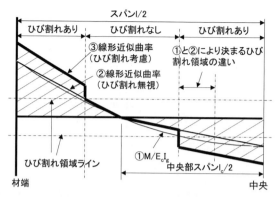

付図 7.10 ひび割れによる曲率分布

M_{cr1},中央部 M_{cr2})は,長期的な影響による耐力の低下を考慮する必要があり,例えば(付 7.23)式で計算する[22]. I_e の計算に必要な中立軸比 x_{n1},ひび割れ領域断面二次モーメント I_{cr}(端部 I_{cr1},中央部 I_{cr2})は,本来は鉄筋とコンクリート間の付着特性を考慮して求めるべきであるが,実用性を考慮してひび割れ断面の値を用いる[21].

$$I_{e1} = \left(\frac{M_{cr1}}{M_{a1}}\right)^4 I_{g1} + \left\{1 - \left(\frac{M_{cr1}}{M_{a1}}\right)^4\right\} I_{cr1} \tag{付 7.19}$$

$$I_{e2} = \left(\frac{M_{cr2}}{M_{a2}}\right)^{15} I_{g2} + \left\{1 - \left(\frac{M_{cr2}}{M_{a2}}\right)^{15}\right\} I_{cr2} \tag{付 7.20}$$

$$I_e = \frac{2I_{e1} + 3I_{e2}}{5} \tag{付 7.21}$$

$$M_{a1} = \frac{w_x l_x^2}{12}, \quad M_{a2} = \frac{w_x l_x^2}{18} \tag{付 7.22}$$

$$M_{cr} = (0.56\sqrt{F_c} \times 0.7 - \sigma_{sh}) Z \tag{付 7.23}$$

σ_{sh}:乾燥収縮を鉄筋が拘束することにより生じる引張応力

Z:引張縁の断面係数

クリープによる影響は,クリープ係数 φ を用いて等価ヤング係数法により評価する.ひび割れとクリープによるたわみ倍率 $K_{cr} + K_{cp}$ は,下式より計算する.

$$K_{cr} + K_{cp} = \frac{EI_g}{E/(1+\varphi) \times I_e} = \frac{I_g}{I_e}(1+\varphi) \tag{付 7.24}$$

(3) 乾燥収縮によるたわみ倍率

乾燥収縮によるたわみ倍率 K_{sh} は,ひび割れの有無を考慮した等価な乾燥収縮による曲率 ϕ_{she} を用いて計算した乾燥収縮によるたわみ δ_{sh} を弾性たわみ δ_e で除して求める. ϕ_{she} は,乾燥収縮ひ

---

22) 岩田樹美・大野義照・吉村 満・李 振宝:鉄筋とコンクリート間の付着特性に基づく鉄筋コンクリートスラブの長期たわみ実用計算法,日本建築学会構造系論文集,Vol. 72,No. 617,pp. 153-160,2007.7

ずみ S_n による全断面有効曲率 ϕ_{shg2},ひび割れ領域曲率 ϕ_{shcr2} を用いて,(付 7.25)式により求めたスパン中央部(ϕ_{she2})の値とする.ϕ_{she} の算定式は,乾燥収縮ひずみによるひび割れを考慮した付図 7.11 に示す②の曲率分布から,モールの定理により定式化したものである[22].引張鉄筋より圧縮鉄筋が多く,かつひび割れが生じないスラブの場合等,条件によってはたわみ倍率がマイナスとなることもあるが,その場合は 0 として扱う.

$$\phi_{she2} = \left(\frac{M_{cr2}}{M_{a2}}\right)^2 \phi_{shg2} + \left\{1-\left(\frac{M_{cr2}}{M_{a2}}\right)^2\right\}\phi_{shcr2} \tag{付 7.25}$$

$$\phi_{shg2} = 0.5 S_n b \{x_n^2 - (t-x_n)^2\}/I_g \tag{付 7.26}$$

$$\phi_{shcr2} = \{-k_H(0.077\varphi+0.091)\gamma p_t + 1.2\}S_n/d \tag{付 7.27}$$

k_H:部材せいに関する係数[22]

γ:複筋比

p_t:引張鉄筋比(%)

x_n:弾性断面中立軸

δ_{sh} と $\phi_{she} \times l^2$ との関係がほぼ線形関係にあることから,δ_{sh} は(付 7.28)式で,K_{sh} は(付 7.29)式で計算する.

$$\delta_{sh} = \frac{\phi_{she2} l_x^2}{12} \tag{付 7.28}$$

$$K_{sh} = \frac{\delta_{sh}}{\delta_e} = \frac{8}{3}\phi_{she2}\frac{1+\lambda^4}{\lambda^4}\frac{E t^3}{w l_x^2} \tag{付 7.29}$$

λ:スラブの辺長比(l_y/l_x)

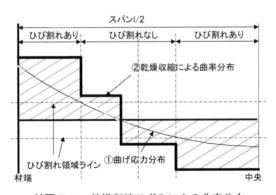

付図 7.11 乾燥収縮ひずみによる曲率分布

(4) 端部筋の抜出しによるたわみ倍率

端部筋の抜出しによるたわみ倍率 K_s は,付図 7.9 に示す端部筋の抜出し量 S_o による回転角 θ により生じるたわみ,すなわち計算した端部筋の抜出しによるたわみ δ_s を δ_e で除して(付 7.33)式により求める.S_o は,付着応力 τ- すべり s 関係が弾性域にある場合の抜出し量 S_{eo} を(付 7.30)式により求め,$\tau-s$ 関係が弾塑性両域にわたる場合のすべり量 S_o を(付 7.31)式により計算する[21],[22].

$$S_{eo} = \left\{ \frac{\sigma_s}{E_s}\left(1 + \frac{n'p}{35 d_b \alpha(t)}\right) + S_n \right\} / \alpha(t) \tag{付7.30}$$

$$\alpha(t) = \sqrt{\frac{1+n'p}{E_s a_t} U K_t}, \ n' = E_s / \{E/(1+\varphi)\}, \ p = a_t / A_{ce}, \ A_{ce} = (2C_b + d_b)^2, \ d_b \text{ は鉄筋径}$$

$$\left.\begin{array}{ll} S_o = S_{eo} & (S_{eo}/S_{yt} \leq 1.0) \\ S_o = \{0.7(S_{eo}/S_{yt})^2 + 0.3\} S_{yt} & (S_{eo}/S_{yt} > 1.0) \end{array}\right\} \tag{付7.31}$$

$$S_{yt} = \tau_{yt}/K_t$$

$$\delta_s = \frac{S_o l_x}{4d(1-x_{n1})} \tag{付7.32}$$

$$K_s = \frac{\delta_s}{\delta_e} = \frac{8 S_o}{d(1-x_{n1})} \frac{1+\lambda^4}{\lambda^4} \frac{E t^3}{w l_x^3} \tag{付7.33}$$

σ_s：鉄筋応力

U：単位幅あたりの鉄筋周長

τ_{yt}：$\tau - s$ 関係における付着強度[22]

K_t：$\tau - s$ 関係における付着剛性[22]

a_t：単位幅あたりの引張鉄筋断面積

（5） たわみ倍率の実験値と計算値の比較

2.3.3「長期たわみ倍率の実験値と計算値の比較」で取り上げられた合成床板を除く実験データについて，抜出しを考慮した長期たわみ計算法による計算値と実験値を比較して付図7.12に示す．計算値は（付7.17）式における1.3倍しない K であり，計算に用いたクリープ係数 φ および乾燥

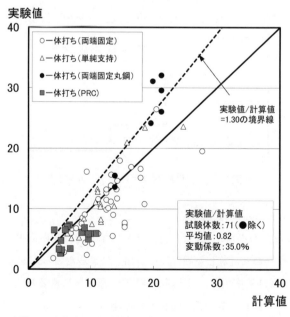

付図7.12 長期たわみ倍率の実験値と計算値の比較（抜出しを考慮した計算法）

収縮ひずみ S_n は，それぞれ 3.0, 4.0×10^{-4} とした．φ および S_n が実測値でないこともあり，実験値に対するばらつきは見られるが，全体として載荷日数が 500 日前後である実験値の傾向を捉えている．丸鋼を使用した両端固定試験体の実験値は付着特性が異形鉄筋と異なることから計算値に比べて大きくなっている．図中の破線は丸鋼を使用した試験体を除く 71 体を対象とし，実験値/計算値が正規分布すると仮定し実験値が計算値を超過する確率，すなわち危険率を 5% とした場合の実験値/計算値 = 1.30 の関係を示す．長期たわみ倍率を計算値の 1.3 倍とすれば，たわみを実際より小さく予測することはほとんどないことがわかる．

【計算例】

（1）設 計 条 件

用　　　途：集合住宅

ス　パ　ン：短辺方向 $l_x = 6.2$ m　　長辺方向 $l_y = 10.2$ m　　辺長比 $\lambda = 1.65$

積 載 荷 重：1 800 N/m²　　仕上げ荷重：400 N/m²　　積載荷重と仕上げ荷重の和 $w_p = 2\,200$ N/m²

コンクリートの材料特性

設計基準強度：24 N/mm²　　クリープ係数：3.0

乾燥収縮ひずみ：仕上げ施工時以降の値として 4×10^{-4} とする

（2）長期たわみ許容値

$l_x/250$ 以下として許容値 δ_{ta} を設定する．

$$\delta_{ta} = l_x/250 = 24.8 \text{ mm}$$

（3）スラブ断面の設計

スラブ厚さ t を 18 条の表 18.1 により仮定し，荷重条件から求めた応力に対してスラブ断面を設計する．

$$t = 0.02 \left(\frac{\lambda - 0.7}{\lambda - 0.6} \right) \left(1 + \frac{w_p}{10} + \frac{l_x}{10\,000} \right) l_x = 206 \text{ mm} \rightarrow 210 \text{ mm}$$

設計した配筋を下記に示す．

　　短辺方向上端端部：D 13－@150（$p_t = 0.49\%$）　　中央部：D 10・D 13－@150

　　　　　下端端部：D 10・D 13－@150　　　　　　中央部：D 10・D 13－@150（$p_t = 0.38\%$）

　　長辺方向上端端部：D 13－@200（$p_t = 0.38\%$）　　中央部：D 10・D 13－@200

　　　　　下端端部：D10・D 13－@200　　　　　　中央部：D 10・D 13－@200（$p_t = 0.30\%$）

短辺方向の有効せい d は，端部（上端引張），中央部（下端引張）ともに $210 - 36.5 = 173.5$ mm とする．

（4）長期たわみ計算

・弾性たわみ

$$\delta_e = \frac{1}{32} \frac{\lambda^4}{1 + \lambda^4} \frac{wl_x^4}{Et^3} = \frac{1}{32} \frac{1.65^4}{1 + 1.65^4} \frac{0.00724 \cdot 6\,200^4}{22\,669 \cdot 2\,100^3} = 1.40 \text{ mm}$$

・たわみ倍率

ひび割れ + クリープ

ひび割れ領域断面の中立軸比

$$x_{n1} \text{（端部）} = x_n/d = n(1+\varphi)(1+\gamma)p_t\left(\sqrt{1+\frac{2(1+\gamma d_{c1})}{n(1+\varphi)(1+\gamma)^2 p_t}}-1\right)$$

$$= 9.04(1+3.0)(1+0.78)0.0049\left(\sqrt{1+\frac{2(1+0.78\cdot 36.5/173.5)}{9.04(1+3.0)(1+0.78)^2 0.0049}}-1\right)=0.400$$

x_{n1}（中央部） $=0.364$

乾燥収縮ひずみにより生じる鉄筋の圧縮応力

$$P_{sh}=\frac{E_s a_t(\gamma+1)A_c S_n}{na_t(\gamma+1)(1+\varphi)+A_c}=\frac{205\,000\cdot 847(0.78+1)210\,000\cdot 4\times 10^{-4}}{9.04\cdot 847(0.78+1)(1+3.0)+210\,000}=98\,148\text{ N}$$

コンクリート断面重心位置と全鉄筋重心位置との距離

$$e=g-\frac{t}{2}=\frac{173.5+36.5\cdot 0.78}{1+0.78}-\frac{210}{2}=8.47\text{ mm}$$

$$\sigma_{sh}=\frac{P_{sh}}{A_c}(1+A_c e/Z)=\frac{98\,148}{210\,000}(1+210\,000\cdot 8.47/7\,350\,000)=0.580\text{ N/mm}^2$$

$$w_x=\frac{l_y^4}{l_x^4+l_y^4}w=\frac{10.2^4}{6.2^4+10.2^4}\cdot 7.24=6.37\text{ kN/mm}^2$$

$M_{a1}=w_x l_x^2/12=6.37\cdot 6.2^2/12=20.41\text{ kNm}$

$M_{a2}=w_x l_x^2/18=6.37\cdot 6.2^2/18=13.60\text{ kNm}$

$M_{cr1}=(0.56\sqrt{F_c}\times 0.7-\sigma_{sh})Z=(0.56\sqrt{24}\times 0.7-0.580)\cdot 7\,350\,000\times 10^{-6}=9.85\text{ kNm}$

$M_{cr2}=(0.56\sqrt{24}\times 0.7-0.420)\cdot 7\,350\,000\times 10^{-6}=11.03\text{ kNm}$

$I_{g1}=I_{g2}=bt^3/12=1\,000\cdot 210^3/12=7.72\times 10^8\text{ mm}^4$

$$I_{cr1}=\left\{\frac{x_{n1}^3}{3}+n(1+\varphi)p_t(1-x_{n1})^2+n(1+\varphi)p_t\gamma(x_{n1}-d_{c1})^2\right\}bd^3$$

$$=\left\{\frac{0.400^3}{3}+9.04(1+3.0)\cdot 0.0049(1-0.400)^2+9.04(1+3.0)\cdot 0.049\cdot 0.78\left(0.400-\frac{36.5}{173.5}\right)^2\right\}$$

$1\,000\cdot 173.5^3=4.69\times 10^8\text{ mm}^4$

$$I_{cr2}=\left\{\frac{0.364^3}{3}+9.04(1+3.0)\cdot 0.0038(1-0.364)^2+9.04(1+3.0)\cdot 0.0038\cdot 1.00\right.$$

$$\left.\left(0.364-\frac{36.5}{173.5}\right)^2\right\}1\,000\cdot 173.5^3=3.92\times 10^8\text{ mm}^4$$

$$I_{e1}=\left(\frac{M_{cr1}}{M_{a1}}\right)^4 I_{g1}+\left\{1-\left(\frac{M_{cr1}}{M_{a1}}\right)^4\right\}I_{cr1}=\left(\frac{9.85}{20.41}\right)^4 7.72\times 10^8+\left\{1-\left(\frac{9.85}{20.41}\right)^4\right\}4.69\times 10^8$$

$=4.86\times 10^8\text{ mm}^4$

$$I_{e2}=\left(\frac{M_{cr2}}{M_{a2}}\right)^{15}I_{g2}+\left\{1-\left(\frac{M_{cr2}}{M_{a2}}\right)^{15}\right\}I_{cr2}=\left(\frac{11.03}{13.60}\right)^{15}7.72\times10^8+\left\{1-\left(\frac{11.03}{13.60}\right)^{15}\right\}3.92\times10^8$$

$$=4.08\times10^8\text{ mm}^4$$

$$I_e=\frac{2I_{e1}+3I_{e2}}{5}=4.39\times10^8\text{ mm}^4$$

$$K_{cr}+K_{cp}=\frac{I_g}{I_e}(1+\varphi)=\frac{7.72\times10^8}{4.39\times10^8}(1+3.0)=7.03$$

乾燥収縮

全断面有効断面の中立軸

x_n（中央部）=

$$\frac{0.5bt^2+\{n(1+\varphi)-1\}(a_t d+a_c d_c)}{bt+\{n(1+\varphi)-1\}(a_t+a_c)}=\frac{0.5\cdot1\,000\cdot210^2+\{9.04(1+3.0)-1\}(660\cdot173.5+660\cdot36.5)}{1\,000\cdot210+\{9.04(1+3.0)-1\}(660+660)}$$

$$=105\text{ mm}$$

$$\phi_{shg2}=0.5\cdot4\times10^{-4}\cdot1\,000\{105^2-(210-105)^2\}/7.72\times10^8=0\text{ mm}^{-1}$$

$$\phi_{shcr2}=\{-k_H(0.077\varphi+0.091)\gamma p_t+1.2\}S_n/d$$

$$=\{-1.69(0.077\cdot3.0+0.091)1.0\cdot0.377+1.2\}4.0\times10^{-4}/173.5=2.29\times10^{-6}\text{ mm}^{-1}$$

$$\phi_{she2}=\left(\frac{M_{cr2}}{M_{a2}}\right)^2\phi_{shg2}+\left\{1-\left(\frac{M_{cr2}}{M_{a2}}\right)^2\right\}\phi_{shcr2}=\left(\frac{11.03}{13.60}\right)^2 0+\left\{1-\left(\frac{11.03}{13.60}\right)^2\right\}2.29\times10^{-6}$$

$$=7.85\times10^{-7}\text{ mm}^{-1}$$

$$K_{sh}=\frac{8}{3}\phi_{she2}\frac{1+\lambda^4}{\lambda^4}\frac{Et^3}{wl_x^2}=\frac{8}{3}\cdot7.85\times10^{-7}\frac{1+1.65^4}{1.65^4}\frac{22\,669\cdot210^3}{0.00724\cdot6\,200^2}=1.79$$

端部筋抜出し

$$A_{ce}=(2C+d_b)^2\cdot B/s=(2\cdot30+13)^2\cdot1\,000/150=35\,227\text{ mm}^2$$

$$p=a_t/A_{ce}=847/35\,527=0.0238\text{（幅1 m あたりの鉄筋断面とコンクリート断面で計算）}$$

$$U=39.9\cdot1\,000/150\text{(mm)}=267\text{ mm }\text{（幅1 m あたりの鉄筋周長）}$$

$$\alpha(t)=\sqrt{\frac{1+n'p}{E_s a_t}}UK_t=\sqrt{\frac{1+9.04(1+3.0)\cdot0.0238}{205\,000\cdot847}}267\cdot57.5=0.0128$$

$$\sigma_s=\frac{M_{a1}}{a_t d(1-x_{n1}/3)}=\frac{20.41\times10^6}{847\cdot173.5(1-0.400/3)}=160\text{ N/mm}^2$$

$$S_{eo}=\left\{\frac{\sigma_s}{E_s}\left(1+\frac{n'p}{35d_b\alpha(t)}\right)+S_n\right\}/\alpha(t)$$

$$=\left\{\frac{160}{205\,000}\left(1+\frac{9.04(1+3.0)\cdot0.0238}{35\cdot13\cdot0.0128}\right)+4\times10^{-4}\right\}/0.0128=0.101\text{ mm}$$

$$K_t=k_1 K_0=0.5\times115\times\left(\frac{F_c}{24}\right)^{2/3}\left(\frac{13}{d_b}\right)=57.5\text{ N/mm}^3$$

$$\tau_{yt}=k_2\tau_{y0}=0.75\times3.41\times\left(\frac{F_c}{24}\right)^{2/3}=2.56\text{ N/mm}^2$$

$S_{yt}=\tau_{yt}/K_t=0.044$ mm $< S_{eo}$

→ $S_o=\{0.7(S_{eo}/S_{yt})^2+0.3\}S_{yt}=\{0.7(0.101/0.044)^2+0.3\}0.044=0.174$ mm

$$K_s=\frac{8S_o}{d(1-x_{n1})}\frac{1+\lambda^4}{\lambda^4}\frac{Et^3}{wl_x^3}=\frac{8\cdot0.174}{173.5(1-0.400)}\frac{1+1.65^4}{1.65^4}\frac{22\,669\cdot210^3}{0.00724\cdot6\,200^3}=1.85$$

全たわみ倍率

$$K=K_{cr}+K_{cp}+K_{sh}+K_s=7.03+1.79+1.85=10.68$$

・長期たわみ

$\delta_L=1.3K\delta_e=19.5$ mm $< \delta_{ta}=24.8$ mm

以上より，長期たわみは許容値を下回るため，たわみに対する性能を満足する．

ただし，集合住宅を考慮して，たわみの許容値を $l_x/400$ かつ 20 mm 以下とすると，$\delta_{ta}=15.5$ mm となり，長期たわみが許容値を上回る．また直仕上げスラブとする場合，制御すべきたわみを支保工撤去時からのたわみとして乾燥収縮ひずみを 6.0×10^{-4} とすると $\delta_L=25.0$ mm となり，この場合も長期たわみが許容値を上回る．このような場合は，スラブ厚さや鉄筋量を増やす，あるいは乾燥収縮ひずみの小さいコンクリートを使用する等により，さらに長期たわみを抑える必要がある．

付8. 梁の断面算定

　従来，本規準では，一般的な材料を使用した梁の断面計算図表を示してきた．しかし，コンクリートの設計基準強度の適用範囲が拡大したこと，ヤング係数比 n が一定値ではなくなったこと，コンピューターの利用が一般的となったことを踏まえ，付録としての断面計算図表を掲載しないこととした．ここでは，市販の表計算ソフトを利用した梁の断面算定図表を作成する一例として，$F_c=24\,\text{N/mm}^2$ と SD 345 を用いた場合の短期許容応力度に対する算定例を付表8.1，8.2に，また，梁の長期および短期許容曲げモーメントに及ぼすコンクリートの設計基準強度の影響を付図8.1，

付表8.1 梁の許容曲げモーメントの計算図表の説明

列番号	計 算 式 （添え字の i は行番号を示す）	説　明
A	入力	コンクリートの許容圧縮応力度（N/mm²）
B	入力	鉄筋の許容引張応力度（N/mm²）
C	入力	ヤング係数比
D	入力	$d_{c1}=d_c/d$（下図参照）
E	入力	引張鉄筋比　p_t
F	入力	複筋比　γ
G	$=1.+F_i$	$(1+\gamma)$
H	$=G_i^2+2.*(1.+F_i*D_i)/(C_i*E_i)$	中立軸比の準備計算
I	$=C_i*E_i*(\text{SQRT}(H_i)-G_i)$	中立軸比の計算
J	$=A_i/I_i$	σ_0 の計算（コンクリートで決まる場合）
K	$=B_i/C_i/(1.-I_i)$	同上（鉄筋で決まる場合）
L	$=\text{MIN}(J_i,\ K_i)$	小さいほうの選択
M	$=(I_i-D_i)^2*F_i+(1.-I_i)^2$	
N	$=L_i*(I_i^3/3.+C_i*E_i*M_i)$	計算結果：許容曲げモーメント係数

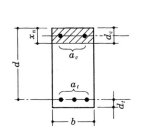 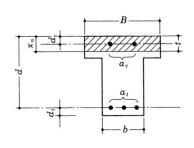

$M=Cbd^2$ または CBd^2

$\gamma=\dfrac{a_c}{a_t},\ x_{n1}=\dfrac{x_n}{d}$

$p_t=\dfrac{a_t}{bd}$ または $\dfrac{a_t}{Bd}$

8.2に示しておく．圧縮鉄筋とコンクリートの重複を無視し，$(n-1)$ ではなく n を使用して計算をしている．

付表8.2　梁の断面算定図表例

	A	B	C	D	E	F	G	H	I	J	K	L	M	N	O
1	f_c	f_t	n	d_{c1}	p_t	γ	A	B	x_{n1}	S_c	S_s	S	D	M/bd^2	
2	16	345	15	0.1	0.004	0.2	1.2	35.44	0.29	56.10	32.18	32.18	0.52	1.25	
3	16	345	15	0.1	0.005	0.2	1.2	28.64	0.31	51.39	33.40	33.40	0.48	1.55	
4	16	345	15	0.1	0.006	0.2	1.2	24.11	0.33	47.92	34.53	34.53	0.45	1.84	
5	16	345	15	0.1	0.007	0.2	1.2	20.87	0.35	45.24	35.59	35.59	0.43	2.13	
6	16	345	15	0.1	0.008	0.2	1.2	18.44	0.37	43.09	36.58	36.58	0.41	2.42	
7	16	345	15	0.1	0.009	0.2	1.2	16.55	0.39	41.32	37.53	37.53	0.39	2.71	
8	16	345	15	0.1	0.010	0.2	1.2	15.04	0.40	39.83	38.44	38.44	0.38	3.00	
9	16	345	15	0.1	0.011	0.2	1.2	13.80	0.42	38.55	39.32	38.55	0.36	3.22	
10	16	345	15	0.1	0.012	0.2	1.2	12.77	0.43	37.44	40.16	37.44	0.35	3.33	
11	16	345	15	0.1	0.013	0.2	1.2	11.90	0.44	36.47	40.98	36.47	0.34	3.43	
12	16	345	15	0.1	0.014	0.2	1.2	11.15	0.45	35.61	41.77	35.61	0.33	3.53	
13	16	345	15	0.1	0.015	0.2	1.2	10.51	0.46	34.83	42.54	34.83	0.32	3.62	
14	16	345	15	0.1	0.016	0.2	1.2	9.94	0.47	34.14	43.29	34.14	0.31	3.71	
15	16	345	15	0.1	0.017	0.2	1.2	9.44	0.48	33.51	44.02	33.51	0.30	3.79	
16	16	345	15	0.1	0.018	0.2	1.2	9.00	0.49	32.94	44.73	32.94	0.29	3.87	
17	16	345	15	0.1	0.019	0.2	1.2	8.60	0.49	32.41	45.43	32.41	0.29	3.95	
18	16	345	15	0.1	0.020	0.2	1.2	8.24	0.50	31.93	46.11	31.93	0.28	4.03	

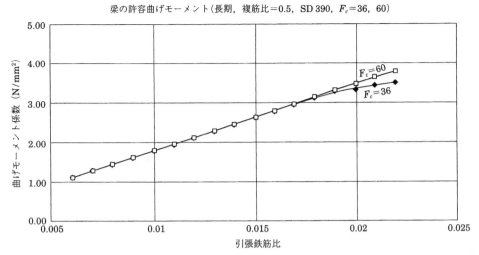

付図 8.1 梁の長期許容曲げモーメントに及ぼすコンクリート設計基準強度の影響 ($\gamma=0.5$)

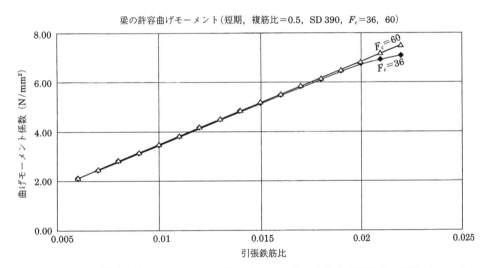

付図 8.2 梁の短期許容曲げモーメントに及ぼすコンクリート設計基準強度の影響 ($\gamma=0.5$)

付9. 長方形断面柱の断面算定

従来，本規準では，一般的な材料を使用した長方形断面柱の断面算定図表を示してきた．しかし，コンクリートの設計基準強度の適用範囲が拡大したこと，ヤング係数比 n が一定値ではなくなったこと，コンピューターの利用が一般的となったことを踏まえ，付録としての断面算定図表を掲載しないこととした．ここでは，市販の表計算ソフトを利用した柱の断面算定図表を作成する一例として $F_c = 24\,\mathrm{N/mm^2}$ と SD 345 を用いた場合の短期許容応力度に対する算定例を付表9.1，9.2に，

付表9.1 柱の許容曲げモーメントと許容軸力の計算図表の説明

列番号	計 算 式 （添え字のiは行番号を示す）	説　　明
A	入力	コンクリートの許容圧縮応力度($\mathrm{N/mm^2}$)
B	入力	鉄筋の許容引張応力度 ($\mathrm{N/mm^2}$)
C	入力	ヤング係数比
D	入力	d_c/D（下図参照）
E	入力	引張鉄筋比（＝圧縮鉄筋比） p_t
F	入力	中立軸比 x_{n1}（下図参照）
G	$= A_i / F_i$	σ_0の計算（コンクリートで決まる場合）
H	$= B_i / C_i / (F_i - D_i)$	同上（圧縮鉄筋で決まる場合）
I	$= B_i / C_i / (1. - D_i - F_i)$	同上（引張鉄筋で決まる場合）
J	$= \mathrm{MIN}(G_i, H_i, \mathrm{ABS}(I_i))$	小さいほうの選択
K	$= J_i * F_i^2 / 2$	コンクリートの負担力の計算
L	$= J_i * C_i * E_i * (F_i - D_i)$	圧縮鉄筋の負担力の計算
M	$= J_i * C_i * E_i * (1. - D_i - F_i)$	引張鉄筋の負担力の計算
N	$= K_i + L_i - M_i$	計算結果：許容軸方向応力度
O	$= K_i * (0.5 - F_i/3.) + (L_i + M_i) * (0.5 - D_i)$	計算結果：許容曲げモーメント係数

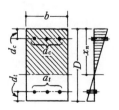

$p_c = p_t$
$d_c = d_t$
$x_{n1} = \dfrac{x_n}{D},\ p_t = \dfrac{a_t}{bD}$

長期および短期許容軸方向力と許容曲げモーメントの関係に及ぼすコンクリートの設計基準強度の影響を付図9.1, 9.2に示しておく．圧縮鉄筋とコンクリートの重複を無視し，$(n-1)$ ではなく n を使用して計算をしている．なお，このプログラムは x_{n1} が1より大きい場合には対応していない．

付表9.2 柱の断面算定図表例

	A	B	C	D	E	F	G	H	I	J	K	L	M	N	O	P
1	f_c	f_t	n	d_{c1}	p_t	x_{n1}	S_c	S_{cs}	S_s	S	C_c	C_s	T	N/bD	M/bd^2	
2	16	345	15	0.1	0.005	1.00	16.00	25.56	(230.00)	16.00	8.00	1.08	(0.12)	9.20	1.72	
3	16	345	15	0.1	0.005	0.95	16.84	27.06	(460.00)	16.84	7.60	1.07	(0.06)	8.74	1.80	
4	16	345	15	0.1	0.005	0.90	17.78	28.75	######	17.78	7.20	1.07	0.00	8.27	1.87	
5	16	345	15	0.1	0.005	0.85	18.82	30.67	460.00	18.82	6.80	1.06	0.07	7.79	1.93	
6	16	345	15	0.1	0.005	0.80	20.00	32.86	230.00	20.00	6.40	1.05	0.15	7.30	1.97	
7	16	345	15	0.1	0.005	0.75	21.33	35.38	153.33	21.33	6.00	1.04	0.24	6.80	2.01	
8	16	345	15	0.1	0.005	0.70	22.86	38.33	115.00	22.86	5.60	1.03	0.34	6.29	2.04	
9	16	345	15	0.1	0.005	0.65	24.62	41.82	92.00	24.62	5.20	1.02	0.46	5.75	2.06	
10	16	345	15	0.1	0.005	0.60	26.67	46.00	76.67	26.67	4.80	1.00	0.60	5.20	2.08	
11	16	345	15	0.1	0.005	0.55	29.09	51.11	65.71	29.09	4.40	0.98	0.76	4.62	2.09	
12	16	345	15	0.1	0.005	0.50	32.00	57.50	57.50	32.00	4.00	0.96	0.96	4.00	2.10	
13	16	345	15	0.1	0.005	0.45	35.56	65.71	51.11	35.56	3.60	0.93	1.20	3.33	2.11	
14	16	345	15	0.1	0.005	0.40	40.00	76.67	46.00	40.00	3.20	0.90	1.50	2.60	2.13	
15	16	345	15	0.1	0.005	0.35	45.71	92.00	41.82	41.82	2.56	0.78	1.73	1.62	1.99	
16	16	345	15	0.1	0.005	0.30	53.33	115.00	38.33	38.33	1.73	0.57	1.73	0.57	1.61	
17	16	345	15	0.1	0.005	0.25	64.00	153.33	35.38	35.38	1.11	0.40	1.73	(0.22)	1.31	
18	16	345	15	0.1	0.005	0.20	80.00	230.00	32.86	32.86	0.66	0.25	1.73	(0.82)	1.07	

（　）は負の値
は表示不能を示す

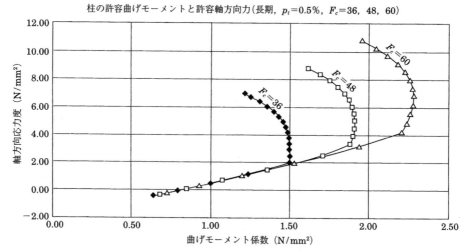

付図9.1　柱の長期許容曲げモーメントと軸方向力関係に及ぼす
コンクリート設計基準強度の影響　($p_t=0.5\%$)

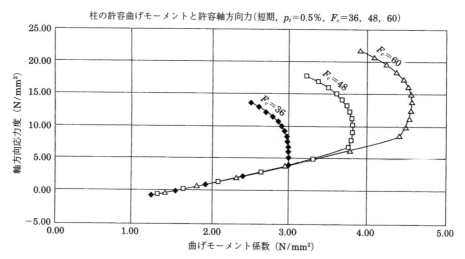

付図9.2　柱の短期許容曲げモーメントと軸方向力関係に及ぼす
コンクリート設計基準強度の影響　($p_t=0.5\%$)

付10. 壁付き部材の復元力モデルと許容曲げモーメント

1. はじめに

この付録では，付図10.1に示す壁付き部材を線材にモデル化し，復元力特性と許容曲げモーメントを算定するための一つの手法を示す．構造芯（構造解析上の材軸）は，柱または梁の中心に置くものとする．ただし，柱のせいに比べて袖壁が長い場合や，袖壁に直交する壁がある場合などでは，壁端に仮想柱を設けて，両側柱付き壁と同様のモデルとする方が適切である．

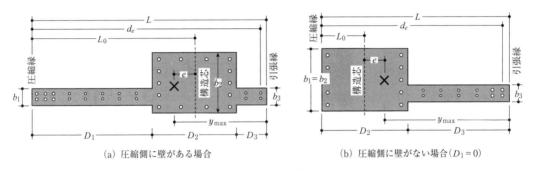

付図10.1 壁付き部材の断面

2. 断面二次モーメント

付図10.1に示す断面において，構造芯を基準とする断面図心の座標eは，次式で計算できる．eの符号は，付図10.1（a）のように図心が構造芯より圧縮縁に近い時を正とする．Aは部材の全断面積とする．

$$e = \frac{b_1 D_1 (D_1 + D_2) - b_3 D_3 (D_2 + D_3)}{2A} \tag{付10.1}$$

図心まわりの断面二次モーメントは，次式により計算できる．構造芯と図心が異なる場合であっても，断面二次モーメントは次式の値を使用する．

$$I = \frac{b_1 D_1^3}{12} + b_1 D_1 \left(\frac{D_1 + D_2}{2} - e\right)^2 + \frac{b_2 D_2^3}{12} + b_2 D_2 e^2 + \frac{b_3 D_3^3}{12} + b_3 D_3 \left(\frac{D_2 + D_3}{2} + e\right)^2 \tag{付10.2}$$

3. ひび割れモーメント

壁付き部材の構造芯まわりのひび割れモーメントM_cは，次式により計算する．

$$M_c = \left(0.56\sqrt{F_c} + \frac{N}{A}\right) Z + Ne \tag{付10.3}$$

ここで，

N：断面の軸力（圧縮を正とする）

Z：断面係数　　$Z = I/y_{\max}$

〔I は図心まわりの断面二次モーメント，$y_{\max}$ は図心から引張縁までの距離 $=\dfrac{D_2}{2}+D_3+e$，付図10.1参照〕

軸力とひび割れモーメントの関係は，付図10.2のようになる．ただし，縦軸と横軸は，見かけの引張強度 $0.56\sqrt{F_c}$ で基準化している．図中の○は，全断面が一様に引張強度を負担する状態であり，このとき，構造芯まわりには，e による曲げモーメントが生じる．図中の●は軸力が0のときの M_c を表す．曲げモーメントの向きによって $y_{\max}$ が異なるため，M_c も正負で異なる値をとる．

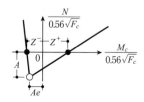

付図10.2 軸力とひび割れモーメントの関係

4．終局曲げモーメント
4.1 腰壁付き梁

下記の方法で終局曲げモーメントを概算してもよい．

（1）鉄筋を付図10.3のようにグループ化する．

（2）中立軸位置を次式で推定する[1]．

$$x_n = \dfrac{2}{5}\left(L - y_{\max}\right) \tag{付10.4}$$

（3）中立軸より引張側にある鉄筋グループの断面積を a_{ti} とする．〔付図10.4参照（圧縮側の鉄筋は無視する）〕

（4）次式により終局曲げモーメントを概算する．ここで，σ_{yi} は鉄筋の降伏強度（通常，規格降伏点の1.1倍）とする．

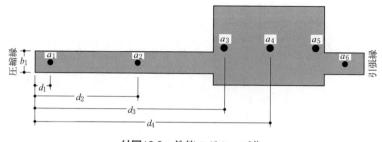

付図10.3 鉄筋のグループ化

---

1) これは，通常の梁で $j \approx 0.9d \rightarrow x_n \approx 2\times(d-j) \approx 0.2D = \dfrac{2}{5}\times\dfrac{D}{2}$ と仮定していることからの類推である．

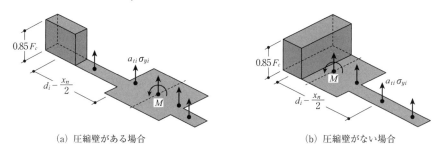

(a) 圧縮壁がある場合　　　　　　　　(b) 圧縮壁がない場合

付図10.4　N_0, M_0の計算で仮定する応力度分布

$$M_0 = \sum a_{ti}\sigma_{yi}\left(d_i - \frac{x_n}{2}\right) \tag{付 10.5}$$

4.2　袖壁付き柱

（1）付図10.5のように，中立軸が柱の中心軸に一致するとき（$x_n = L_0$）の軸力を次式で計算する[2]．

$$N_1 = A_c \times 0.85 F_c \tag{付 10.6}$$

ここで，A_cは圧縮領域の面積で次式による．

$$A_c = b_1 D_1 + \frac{b_2 D_2}{2} \tag{付 10.7}$$

また，このときの曲げモーメントを次式で計算する．

$$M_1 = \sum a_{ti}\sigma_{yi}(d_i - L_0) + S_c \times 0.85 F_c \tag{付 10.8}$$

ここで，S_cは柱中心軸まわりの圧縮領域の断面一次モーメントで次式による．

$$S_c = \frac{D_1 + D_2}{2} \times b_1 D_1 + \frac{b_2 D_2^2}{8} \tag{付 10.9}$$

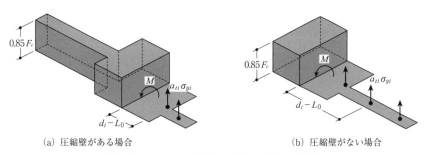

(a) 圧縮壁がある場合　　　　　　　　(b) 圧縮壁がない場合

付図10.5　N_1, M_1の計算で仮定する応力度分布

---

2) 圧縮壁が長い場合は，壁板の圧縮破壊や座屈のため，付図10.5（a）のような応力分布が生じることは考えにくい．よって，(付 10.6)，(付 10.8) 式のN_1, M_1は過大評価となる．ただし，柱の軸力はN_1よりかなり小さな値となると予想されるので，実用上の問題は少ないと予想される．

（2） 全断面が圧縮となるときの軸力と曲げモーメントを次式で計算する．

$$N_2 = AF_c \quad \text{(付 10.10)}$$

$$M_2 = N_2 e \quad \text{(付 10.11)}$$

（3） 全断面が引張となるときの軸力と曲げモーメントを次式で計算する．

$$N_T = -\sum a_i \sigma_{yi} \quad \text{(付 10.12)}$$

$$M_T = N_T e \quad \text{(付 10.13)}$$

上記の計算により，付図10.6のような相関図が得られるので，補間により終局曲げモーメントを概算する．ほとんどの場合，$0<N<N_1$ となり，次式で算定できる．

$$M = M_0 + \frac{N}{N_1}(M_1 - M_0) \quad \text{(付 10.14)}$$

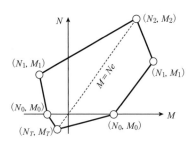

付図10.6 $N-M$相関折線

5. 剛性低下率

片側または両側に壁を有する柱または梁の剛性低下率は，以下に示す方法でパラメータを算出すれば，8条解説の（解8.23）式によっておおむね評価できる．

（1） 中立軸位置 x_n を，終局曲げモーメント算定時の値と仮定する．$0<N<N_1$ の場合は，軸力が0のときの中立軸位置 x_{n0} と軸力 N_1 のときの x_{n1} を用いて補間する．

$$x_n = x_{n0} + \frac{N}{N_1}(x_{n1} - x_{n0}) \quad \text{(付 10.15)}$$

（2） 引張鉄筋比 p_t は，上記の x_n より引張側にある鉄筋の断面積 a_{ti} の和を壁付き部材の全断面積 A で除したものとする．

$$p_t = \sum a_{ti}/A \quad \text{(付 10.16)}$$

（3） 軸力比 η_0 は軸力を壁付き部材の全断面積とコンクリートの圧縮強度との積で除したものとする．

（4） 全せい D は壁と柱（梁）を含む部材全長とする．

（5） 有効せい d は次式で算出する．これは，引張縁の鉄筋が降伏する時の圧縮縁から引張力の重心までの距離を表す〔付図10.7〕．

$$d = \frac{\sum a_{ti}(d_i - x_n)^2}{\sum a_{ti}(d_i - x_n)} + x_n \quad \text{(付 10.17)}$$

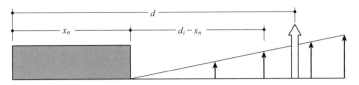

付図10.7 剛性低下率算定用の有効せい

以上の方法で算出した剛性低下率と，既往の実験結果[3]〜[5]から算出した剛性低下率との比較を付図10.8に示す．壁のない柱や梁と同程度の精度が得られている．また，通常の柱・梁に比べて小さな値となる．

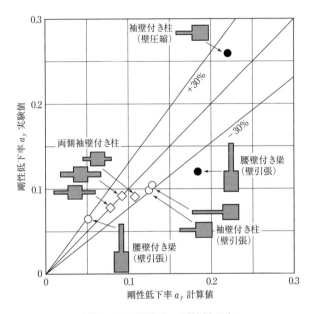

付図10.8 降伏時の剛性低下率

6. 許容曲げモーメント

許容曲げモーメントは，19条解説のように，中立軸位置 x_n に関する二次方程式を解くことによって正解が得られるが，下記の概算法を用いても安全側の値を得ることができる[6]．なお，文献7)

---

3) 市之瀬敏勝・青山博之：腰壁を切断した鉄筋コンクリート造はり柱接合部の実験的研究, コンクリート工学, Vol. 20, No. 7, pp. 97-110, 1982.7
4) 大宮 幸・松浦康人・香取慶一・林 靜雄：袖壁付き柱の破壊形式を考慮したせん断終局強度に関する実験及び考察, 日本建築学会構造系論文集, Vol. 67, No. 553, pp. 81-88, 2002.3
5) 裵 根國・Phan Van Quang・壁谷澤寿海ほか：片側そで壁付き柱に関する実験的研究（その1 実験概要および結果), 日本地震工学会年次大会論文梗概集, 2008.11
6) 祖父江美枝・高橋 之ほか：壁つきRC部材の設計モデル, 日本建築学会大会学術講演梗概集, 2009.8
7) 高橋 之・上田博之ほか：腰壁と袖壁を有する鉄筋コンクリート部材の曲げ設計モデル, 日本建築学会構造系論文集, Vol. 74, No. 641, pp. 1321-1326, 2009.7

のように，引張縁の鉄筋とコンクリートが同時に許容応力度に達するときの N, M を計算すれば，より正確な値を得ることができる．

(1) 全断面が一様に引張を受け，鉄筋が最初に許容応力度に達するときの軸力と曲げモーメントを次式で推定する．

$$N_T = -\sum a_i \times \min(f_{ti}) \qquad (付10.18)$$

$$M_T = N_T e \qquad (付10.19)$$

ここで，$\min(f_{ti})$：使われている鉄筋の許容引張応力度の最小値

(2) 中立軸が柱と壁の境界に一致するときの圧縮縁のコンクリートの応力度 σ_c を，下式に $x_n = D_1$ を代入して計算する〔付図10.9（a）参照〕．ただし，付図10.9（b）のように圧縮側に壁がない場合は $x_n = D_2$ とする．

$$\sigma_c = \min\left[f_c, \frac{x_n}{d_e - x_n} \cdot \frac{f_t}{n} \right] \qquad (付10.20)$$

ここで，

f_c：コンクリートの許容圧縮応力度

d_e：圧縮縁から最も遠い引張鉄筋までの距離〔付図10.1参照〕

f_t：圧縮縁から最も遠い引張鉄筋の許容引張応力度

n：ヤング係数比（12条による）

このときの軸力を次式で概算する[8]．

$$N_1 = \frac{b_1 x_n \sigma_c}{2} \qquad (付10.21)$$

このときの曲げモーメントを，引張縁の鉄筋グループのみを考慮して次式で概算する．

$$M_1 = N_1\left(L_0 - \frac{x_n}{3}\right) + a_t \sigma_t (d_t - L_0) \qquad (付10.22)$$

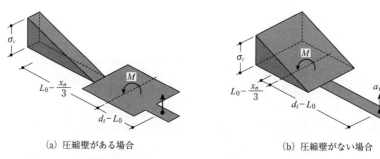

(a) 圧縮壁がある場合　　　　　(b) 圧縮壁がない場合

付図10.9 N_1, M_1 の計算で仮定する応力度分布

---

8) 圧縮鉄筋の圧縮力と引張鉄筋の引張力は同程度と仮定し，鉄筋の軸力寄与分を無視している．

ここで，　　　a_t：引張縁にある鉄筋グループの断面積

σ_t：上記鉄筋グループの応力度，$\sigma_t = \dfrac{d_t - x_n}{x_n} \times n\sigma_c$ （付 10.23）

d_t：上記鉄筋グループの圧縮縁からの距離

下記のようにすべての鉄筋グループを考慮すると，精度が向上する．

$$M_1 = N_1\left(L_0 - \dfrac{x_n}{3}\right) + \sum a_i \sigma_i (d_i - L_0) \tag{付 10.24}$$

ここで，σ_i は i 番目の鉄筋グループの応力度：$\sigma_i = \dfrac{d_i - x_n}{x_n} \times n\sigma_c$ （付 10.25）

(3) 中立軸が引張縁と一致するときの軸力を次式で概算する〔付図 10.10 参照〕．

$$N_2 = \dfrac{y_{\max}}{L} A f_c \tag{付 10.26}$$

このときの曲げモーメントを次式で概算する．

$$M_2 = \dfrac{I}{L} f_c + N_2 e \tag{付 10.27}$$

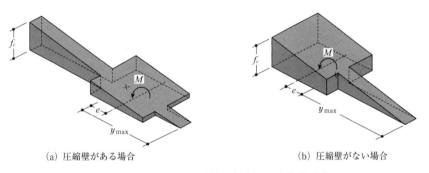

(a) 圧縮壁がある場合　　　　　　　(b) 圧縮壁がない場合

付図 10.10　N_2, M_2 の計算で仮定する応力度分布

(4) コンクリートの応力度が一様に f_c となるときの軸力と曲げモーメントを次式で概算する．

$$N_3 = A f_c \tag{付 10.28}$$

$$M_3 = A f_c e \tag{付 10.29}$$

(5) 付図 10.11 を参照して，許容曲げモーメントを補間する．例えば，軸力が N_T 以上 N_1 以下の時は次式による．梁の場合は $N = 0$ とする．

$$M = M_T + \dfrac{N - N_T}{N_1 - N_T}(M_1 - M_T) \tag{付 10.30}$$

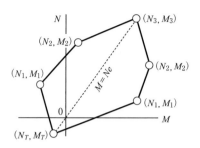

付図10.11 $N-M$ 相関折線

（6） 腰壁付き梁の場合，中立軸位置 x_n を次式で推定し[9]，（付10.20）式と（付10.22）式，または（付10.24）式に代入して許容曲げモーメントを計算してもよい．

$$x_n = \frac{2}{3}(L - y_{\max}) \tag{付10.31}$$

上記の記号は付図10.1による．

上記のほかにも，種々の略算法が考えられる．例えば，柱筋を無視し，壁厚を b，壁の全長を D，壁端部補強筋を主筋と見なして，長方形柱の断面算定図表を使用すれば，安全側の略算値が得られる．

---

[9] これは，通常の梁で $j \approx \frac{7}{8}d \rightarrow x_n \approx 3 \times (d-j) = \frac{3}{8}d \approx \frac{3}{9}D = \frac{2}{3} \times \frac{D}{2}$ と仮定していることからの類推である．

付11. 配筋標準

ここでは，本規準による配筋設計の考え方および標準的な配筋方法を示す．

I．共通事項

1．鉄筋の折曲げ

付表11.1 鉄筋折曲げ形状・寸法の標準値
(d_bは丸鋼では径，異形鉄筋では呼び名に用いた数値)

図	折曲げ角度	鉄筋の種類	鉄筋の径による区分	鉄筋の折曲げ内法直径(D)
180° d_b D 余長$4d_b$以上 135° d_b D 余長$6d_b$以上 90° d_b D 余長$8d_b$以上	180° 135° 90°	SR 235 SR 295 SD 295 SD 345	16φ以下 D 16以下	$3d_b$以上
			19φ D 19～D 41	$4d_b$以上
		SD 390	D 41以下	$5d_b$以上
	90°	SD 490	D 25以下	
			D 29～D 41	$6d_b$以上

[注] 1) 柱梁接合部での柱筋，梁筋の定着では，鉄筋の定着部の側面かぶり厚さが17条の表17.3の側面かぶり厚さの最小値以上とする．
 2) 片持スラブの上端の先端，壁の自由端に用いるフック形状は，135°，90°折曲げであっても余長$4d_b$以上でよい．
 3) 帯筋，あばら筋では，末端部の折曲げ角度を135°または180°とし，折曲げ角度90°は帯筋と併用して用いる副帯筋でコア内へ折り曲げる場合，スラブと同時に打ち込む梁に用いるU字形あばら筋と対になるタイや，あばら筋と併用して用いる副あばら筋で用いてよい(梁，柱の端部で主筋の降伏が想定される領域では下図の併用副あばら筋の90°フックを135°または180°フックとすることが望ましい．)

（コア内に折り曲げる副帯筋）　（U字形あばら筋と対になるタイ）　（併用副あばら筋）

 4) SD 490の鉄筋を90°を超えて折り曲げる場合は，曲げ試験を行い，支障のないことを確認する．

2．鉄筋の付着，重ね継手および定着

鉄筋の付着，重ね継手および定着の検定は16条，17条による．ただし，16条による検定では，束ね筋は断面の等価な1本の鉄筋として取り扱う．

3. 継　　手

1) 継手位置は，応力の小さい位置に設けることを原則とする．
2) 直径の異なる鉄筋の重ね継手は，細いほうの鉄筋の継手長さによる．
3) 原則として D 35 以上の太径異形鉄筋には，重ね継手を設けてはならない．
4) 鉄筋径の差が 7 mm を超える場合は，原則として圧接継手を設けてはならない．
5) 圧接継手の標準的な配置は下図による．

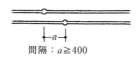

間隔：$a \geqq 400$

6) 重ね継手の標準的な配置は下図による．

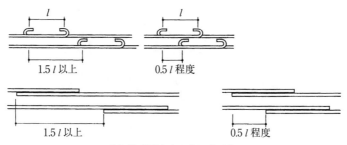

l：重ね継手長さ(16条による)

4. かぶり厚さ

かぶり厚さは，21条による．かぶり厚さは，下図のとおり部材断面において，表面に最も近い鉄筋までの距離である．

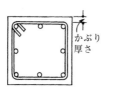

拡大図

5. 鉄筋のあき

付表 11.2 鉄筋の間隔・あきの最小寸法 (mm)

		鉄筋間隔	鉄筋のあき
異形鉄筋	(図)	・呼び名の数値の 1.5 倍 + 最外径 ・粗骨材最大寸法の 1.25 倍 + 最外径 ・25 mm + 最外径 のうち最も大きい数値	・呼び名の数値の 1.5 倍 ・粗骨材最大寸法の 1.25 倍 ・25 mm のうち最も大きい数値
丸　鋼	(図)	・鉄筋径の 2.5 倍 ・粗骨材最大寸法の 1.25 倍 + 鉄筋径 ・25 mm + 鉄筋径 のうち最も大きい数値	・鉄筋径の 1.5 倍 ・粗骨材最大寸法の 1.25 倍 ・25 mm のうち最も大きい数値

[注] D：鉄筋の最外径　d：鉄筋径

6. 鉄筋端の折曲げ

下記の 1)〜4) に示す鉄筋の末端部にはフックを設ける．

1) 丸　　　鋼
2) あばら筋および帯筋
3) 煙突の鉄筋
4) 柱および梁（基礎梁を除く）の出隅部分の鉄筋〔下図参照〕

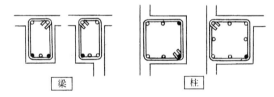

上図の●印の鉄筋の末端には標準フックが必要．

Ⅱ．各部配筋

7. 基　　礎

1) 直接基礎

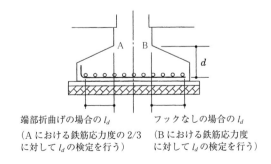

端部折曲げの場合の l_d　　フックなしの場合の l_d
（A における鉄筋応力度の 2/3　（B における鉄筋応力度
に対して l_d の検定を行う）　に対して l_d の検定を行う）

・付着長さ l_d の検定は 16 条による．

2) 杭基礎（複数杭が剛接合される場合）

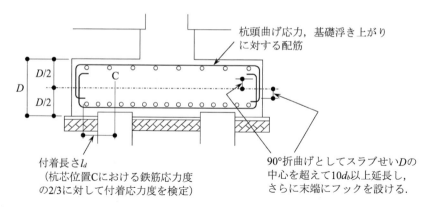

・杭芯位置からの付着長さ l_d の検定は16条による．なお，せん断ひび割れの発生によるテンションシフトは柱フェイスから杭芯Cまでの距離と想定し，有効せい d を減じずに l_d の平均付着応力度を検定してよい．

8．柱主筋の付着・定着

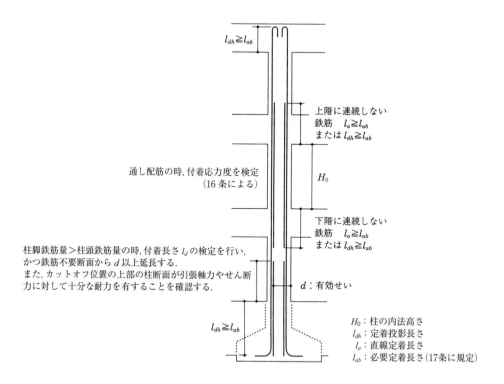

・付着長さ l_d の検討は16条による．当該規定は，有効せい d を減じた l_d-d の平均付着応力度を検定するものであるが，せん断ひび割れを生じないことが確かめられた場合には，有効せい d を減じなくてもよい．

9. 柱主筋の継手

・柱の継手の望ましい位置は下図による．

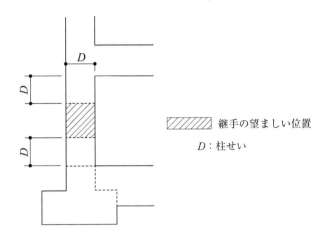

10. 帯　　筋

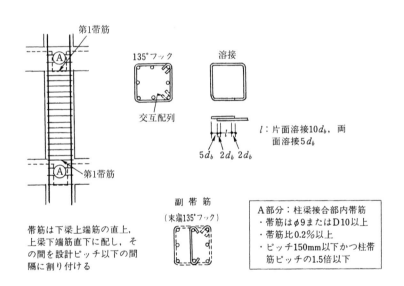

11. 大梁主筋の付着，定着

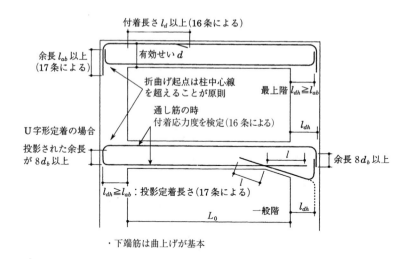

・梁ハンチ部の下端筋の付着長さ l は，16条3.「鉄筋の部材内定着」による．

12. 大梁主筋の継手

・大梁主筋の継手の望ましい位置は下図による．

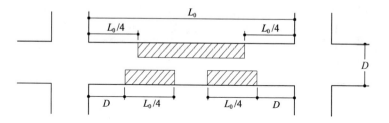

13. あばら筋

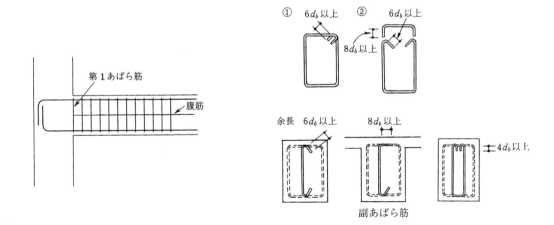

14. 梁（一般）の補助筋

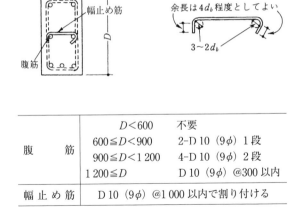

腹　　筋	$D<600$	不要
	$600 \leq D < 900$	2-D 10（9φ）1 段
	$900 \leq D < 1\,200$	4-D 10（9φ）2 段
	$1\,200 \leq D$	D 10（9φ）@300 以内
幅 止 め 筋	D 10（9φ）@1 000 以内で割り付ける	

15. 小梁の付着・定着

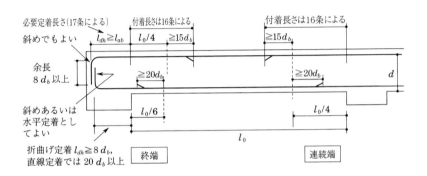

16. 片持梁の付着・定着

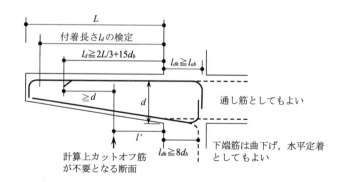

- 上端筋の先端部はフックつきとし，余長部は下端筋位置まで折り曲げることを基本とする．
- 鉛直振動により引張応力度が作用する下端筋は，定着長さを $l_{dh} \geq l_{ab}$ とする．
- 付着長さ l_d の検定は 16 条，投影定着長さ l_{dh}，必要定着長さ l_{ab} は 17 条による．
- 元端と先端で上端鉄筋量を変える場合のカットオフ筋は 1/2 以内の鉄筋本数とし，図のように元端筋の付着長さ l_d は元端からカットオフ位置までの長さとし，残される鉄筋の付着長さ l_d は元端からフックの折曲げ起点までの長さとする．16 条により，有効せい d を減じた l_d-d に対して平均付着応力度を検定する．せん断ひび割れが生じない場合は l_d に対して平均付着応力度を検定してよい．

17. スラブの付着・定着および継手

1) 一般スラブ

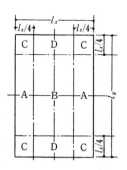

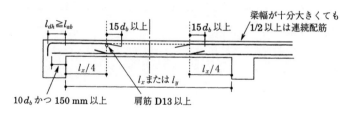

スラブ筋の継手位置は，原則として次表による．

付表 11.3 スラブ筋の継手位置

鉄　筋	方　　向	標準継手位置
上端筋	短辺方向	B　D
	長辺方向	A　B
下端筋	短辺方向	A　C
	長辺方向	C　D

[注] スラブ筋の継手は，梁幅内には設けないことが望ましい．

2) 片持スラブ

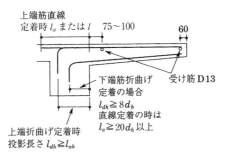

- l_a：直線定着長さで 17 条による，l：定着長さで 16 条 3．「鉄筋の部材内定着」による，l_{dh}：投影定着長さ，l_{ab}：必要定着長さは 17 条による．
- 鉛直振動により引張応力度が作用する下端筋は，定着長さを $l_{dh} \geq l_{ab}$ とする．

18. 壁・スラブの開口補強筋

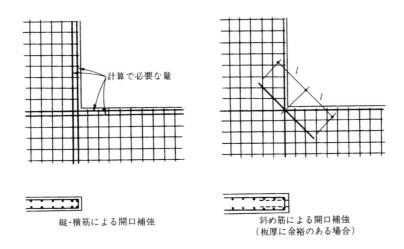

- 定着長さ l は，16 条 3．「鉄筋の部材内定着」による．

付12. 鉄筋の断面積・周長および定尺表

付表12.1 丸鋼(溶接金網を含む)の断面積および周長

φ (mm)	単位質量 (kg/m)	断面積 (mm²) 周長 (mm)
6	0.222	28.27 / 18.8
7	0.302	38.48 / 22.0
8	0.395	50.27 / 25.1
9	0.499	63.62 / 28.3
12	0.888	113.1 / 37.7
13	1.04	132.7 / 40.8
16	1.58	201.1 / 50.3
19	2.23	283.5 / 59.7

付表12.2 異形棒鋼の断面積および周長

呼び名	単位質量 (kg/m)	断面積 (mm²) 周長 (mm)
D 6	0.249	31.67 / 20
D 10	0.560	71.33 / 30
D 13	0.995	126.7 / 40
D 16	1.56	198.6 / 50
D 19	2.25	286.5 / 60
D 22	3.04	387.1 / 70
D 25	3.98	506.7 / 80
D 29	5.04	642.4 / 90
D 32	6.23	794.2 / 100
D 35	7.51	956.6 / 110
D 38	8.95	1 140 / 120
D 41	10.5	1 340 / 130

付表12.3 鉄筋定尺 (単位:m)

丸鋼・異形棒鋼	3.5	4.0	4.5	5.0	5.5	6.0	6.5	7.0	8.0	9.0	10.0

付13. 鉄筋本数と部材幅の最小寸法

(本会「鉄筋コンクリート造配筋指針・同解説(2021)」より抜粋)

1) 梁

付表13.1 鉄筋本数と梁幅の最小寸法(主筋・あばら筋とも異形鉄筋,U字形・フック先曲げ,交互フック・フック先曲げ) (単位:mm)

主筋	あばら筋	2	3	4	5	6	7	8	9	10
D 16	D 10 D 13	210 245	245 260	285 305	340 355	390 405	440 455	490 505	540 560	595 610
D 19	D 10 D 13	210 245	250 270	295 310	350 365	405 420	460 475	510 530	565 580	620 635
D 22	D 10 D 13	215 245	260 280	310 325	370 385	430 445	490 505	545 565	605 620	665 680
D 25	D 10 D 13 D 16	215 250 285	280 295 315	335 350 375	400 420 440	470 485 505	535 550 575	605 620 640	670 685 710	735 755 775
D 29	D 10 D 13 D 16	225* 250 285	305* 315 330	375* 380 395	450* 460 475	525* 535 550	605* 610 630	680* 690 705	760* 765 780	835* 845 860
D 32	D 13 D 16	260* 285	335* 345	410* 420	495* 505	580* 590	665* 675	750* 760	835* 845	920* 930
D 35	D 13 D 16	270* 290*	365* 365*	445* 445*	540* 540*	635* 635*	725* 725*	820* 820*	910* 910*	1 005* 1 005*
D 38	D 13 D 16	285* 305*	390* 390*	480* 480*	580* 580*	680* 680*	780* 780*	880* 880*	980* 980*	1 080* 1 080*
D 41	D 16	320*	420*	520*	630*	735*	845*	955*	1 065*	1 175*

[注]
(1) あばら筋の形状は図のようにする.
(2) U字形のあばら筋はスラブと同時にコンクリートを打ち込むT形およびL形梁にのみ用いる.
(3) あばら筋が9φ,13φ,16φの場合には,それぞれD10,D13,D16の表を準用する.
(4) 両側が屋外で耐久性上有効な仕上げのない場合は,表の数値に20 mmを加える.
片側が屋外で耐久性上有効な仕上げのない場合は,表の数値に10 mmを加える.
(5) 両側が土に接する場合は,表の数値に20 mmを加える.
片側が土に接する場合は,表の数値に10 mmを加える.
(6) *印のかぶり厚さは,主筋から呼び名の数値の1.5倍+10 mmで決まる.

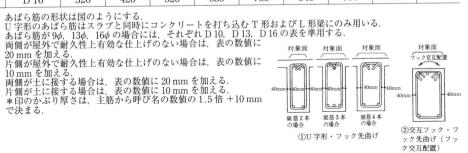

①U字形・フック先曲げ ②交互フック・フック先曲げ(フック交互配置)

2) 柱

付表 13.2 鉄筋本数と柱幅の最小寸法（主筋・帯筋とも異形鉄筋，交互フック・フック先曲げ）

（単位：mm）

主筋	主筋本数(本) 帯筋	2	3	4	5	6	7	8	9	10
D 16	D 10 D 13	205 235	240 260	280 300	330 350	380 405	430 455	485 505	535 555	585 605
D 19	D 10 D 13	210 235	245 270	290 310	345 365	400 420	450 475	505 530	560 580	615 635
D 22	D 10 D 13	210 240	260 280	310 325	370 385	425 445	485 505	545 565	605 620	665 680
D 25	D 10 D 13 D 16	215 245 275	280 285 315	335 345 375	400 410 440	470 475 505	535 545 575	605 610 640	670 680 710	735 745 775
D 29	D 13 D 16	245 280	310 325	375 395	450 470	530 545	605 625	685 700	760 780	835 855
D 32	D 13 D 16	260* 285	335* 340	410* 415	495* 500	580* 585	665* 670	750* 755	835* 840	920* 925
D 35	D 13 D 16	270* 295*	365* 365*	445* 445*	540* 540*	635* 635*	725* 725*	820* 820*	910* 910*	1 005* 1 005*
D 38	D 16	305*	390*	480*	580*	680*	780*	880*	980*	1 080*
D 41	D 16	320*	420*	520*	630*	735*	845*	955*	1 065*	1 175*

［注］（1）帯筋の形状は図のようにし，末端部折曲げは交互に異なる隅を折り曲げる．
（2）帯筋が9φ，13φ，16φ の場合には，それぞれ D 10，D 13，D 16 の表を準用する．
（3）両側が屋外で耐久性上有効な仕上げのない場合は，表の数値に 20 mm を加える．
　　片側が屋外で耐久性上有効な仕上げのない場合は，表の数値に 10 mm を加える．
（4）両側が土に接する場合は，表の数値に 20 mm を加える．
　　片側が土に接する場合は，表の数値に 10 mm を加える．
（5）＊印のかぶり厚さは，主筋から主筋の呼び名の数値の 1.5 倍 +10 mm で決まる．

付14. 耐震壁の基礎回転の計算資料

構造物の基礎に生じる回転量を概算するには，次のような方法が適用できる．すなわち，まず地盤を半無限弾性体と仮定すると，その表面に置かれた剛な盤の回転抵抗は近似的に（付14.1）式で表される．

$$\kappa = \frac{8}{\pi} kI \tag{付14.1}$$

ここに，　κ：回転係数（N mm/rad）．すなわち，モーメント-回転角曲線の勾配
　　　　　k：地盤係数（N/mm^3）．すなわち，圧縮応力度-沈下曲線の勾配
　　　　　I：盤底面の断面二次モーメント

したがって，基礎盤が置かれている地盤の性質がある深さまで比較的一様であれば，（付14.1）式に見られるように，基礎盤の回転抵抗は地盤係数を与えることによって求められる．

地盤係数を求める方法としては，ⅰ）地盤を前述の仮定と同様均質な半無限弾性体として，その表面に置かれた剛な盤の荷重-沈下曲線を弾性論により解析する方法および，ⅱ）地盤を多数のばねに置き換えて，ばねの表面に置かれた盤の荷重-沈下曲線を検討する方法の2つが考えられる．

ⅰ）の方法は，地盤の弾性係数を地盤調査により求めれば，理論的に地盤係数を求めることが可能である．しかし，現在においては，半無限弾性体に根入れを有する長方形の剛な盤に関しては理論解は求められてなく，また，盤の接地圧分布も明らかでない．このために，接地圧が一様分布であると仮定して，地盤係数を求めると（付14.2）式で表される．

$$k_s = C_1 \times C_2 \times \frac{E}{B} \tag{付14.2}$$

ここに，　k_s：静的荷重に対する地盤係数（N/mm^3）
　　　　　C_1：基礎盤の形状に対する係数（無次元）
　　　　　C_2：基礎盤の根入れ深さに対する係数（無次元）
　　　　　E：地盤のヤング係数（N/mm^2）
　　　　　B：基礎の短辺長さ（mm）

C_1およびC_2の値については，過去の研究（例えば，Jambuほか[1]およびTerzaghi[2]ら）を参考にして，建築物の基礎の実用範囲では，おおよそ次の式で求めることができる．

---

1) Jambu, N., et al.: Vielding ued losning au fundarmenteringsoppgaver, Norwegian Geotechnical Inst., Publication No.16, Oslo, 1966
2) Terzaghi, K.: Evaluation of Coefficients of Subgrade Reaction, Geotechnique, Vol. V, No.4, p.297, 1955

$$C_1 = \frac{L+B}{2L} \qquad (付 14.3)$$

$$C_2 = \frac{3D+B}{2D+B} \qquad (付 14.4)$$

ここに，　L：基礎の長辺長さ

　　　　　D：基礎の根入れ深さ

地盤のヤング係数 E （N/mm²）の値については，D' Appolonia ほか[3]および中瀬明男の研究[4]を基にして，次の式で求めることにする．

粘性土地盤　　　　$E = 70 q_u$ 　　　　　　　　　　　　　　　　　　　（付 14.5）

砂質土地盤　　　　$E = N + 25$ 　　　　　　　　　　　　　　　　　　（付 14.6）

ここに，　q_u：土の1軸圧縮強度（N/mm²）

　　　　　N：地盤の標準貫入試験の打撃回数（N 値）

（付 14.5）および（付 14.6）式において，土の乱さない試料採取が困難な固い粘性土（N 値が 4〜5 以上）の場合には，粘性土であっても N 値を使って（付 14.6）式により E を求めてもよい．また，N 値が 50 以上の場合には測定誤差が大きいから，（付 14.6）式により E を求めるときには N 値の最大値を 50 とし，それ以上の N 値が得られてもその値を 50 に低減して使うことが望ましい．

地盤調査を行い，q_u または N の値を求め，基礎盤の形状および根入れ深さが与えられれば[5]，静的荷重に対する地盤係数の値は，（付 14.2）〜（付 14.6）式を使って求められる．

ii）の方法は，地盤をばねとして置き換えるので，いわゆる地盤のばね定数を求めることが必要である．基礎盤より B の 2〜3 倍の深さまでの地盤が一様である場合には，基礎スラブと同一面上において載荷試験を行い，その結果を Terzaghi[2]が提案した計算式などにより修正して，基礎盤に対する地盤係数の値を求めることができる．

粘性土地盤　　　　$k = C_1 \times C_2 \times k_b \times \dfrac{b}{B}$ 　　　　　　　　　　　　　（付 14.7）

砂質土地盤　　　　$k = C_1 \times C_2 \times k_b \times \left(\dfrac{B+300}{b+300} \dfrac{b}{B} \right)^2$ 　　　　　（付 14.8）

ここに，k_b：載荷盤（b mm × b mm の正方形）を使って試験して求めた地盤係数の実測値（N/mm³）

　　　　b：載荷盤の1辺の長さ（mm）

載荷試験によって得られる地盤係数の値は，載荷速度および試験時の応力条件などにより大きな

---

3) D' Appolonia, David J., et al.：Settlement of Spread footings on Sand, (Discussion), Journal of the Soil Mech. and Found. Div., ASCE, Vol.96, No.SM2, 1970.3

4) 中瀬明男ほか：わかりやすい基礎工法，鹿島研究所出版会，1970

5) q_u または N の値は地盤調査を行って決めるのが原則であるが，設計時に概略の値を知るためには，日本建築学会・土質工学会編「東京・大阪・名古屋地盤図」，建設省計画局編「全国都市地盤図」あるいは各都道府県で編集した地盤図などの資料を参考にすることができる．

影響を受けるから，地震時における耐震壁の基礎盤の回転量を求めるためには，載荷速度を速めた急速載荷を行い，荷重も耐震壁に作用する長期荷重とそれに対応する短期荷重の変動を考慮して，基礎盤の下に生じる接地圧と載荷盤の下に生じる接地圧とが同じ応力条件になるように決めて載荷試験を行うべきである．これから得られた地盤係数を使って，(付 14.1) 式の計算を行えばよい．

(付 14.2) 式により求めた k_s の値は静的荷重に対する地盤係数であり，この値には前述の載荷速度や応力条件の影響が入っていない．耐震壁の基礎盤の回転量を求めるために (付 14.2) 式より求めた k_s の値を使うときには，前述の影響を考慮して k_s の値を修正して (付 14.1) 式の計算に使う k の値とすることが必要である．この問題は，現状では明確な値を与えることは困難であるが，現在までに行われた実験結果などから類推するに，(付 14.1) 式の計算に使う k の値は，(付 14.2) 式で得られた k_s の値を 3〜5 倍して使うことが好ましいようである．

耐震壁の側柱脚部が杭基礎で支持される場合には，地中における杭の伸縮量や杭先端の沈み込み量に基づき回転ばね定数を評価して，基礎回転量を算定する必要があろう．

【計算例 1】

砂質土地盤上に独立基礎を有する付図 14.1 のような耐震壁の回転量を求める．ただし，基礎盤底面より深さ 6.0 m の範囲の N 値の深さ方向に対する分布の平均値は 25 とする．

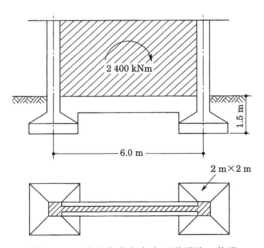

付図 14.1 独立基礎を有する耐震壁の基礎

耐震壁に作用する回転モーメント
$$M = 2\,400 \text{ kN m}$$
独立フーチングの寸法
$$2.0 \text{ m} \times 2.0 \text{ m}$$
(付 14.3) 式より
$$C_1 = \frac{2\,000 + 2\,000}{2 \times 2\,000} = 1.0$$

(付14.4) 式より

$$C_2 = \frac{3 \times 1\,500 + 2\,000}{2 \times 1\,500 + 2\,000} = 1.3$$

(付14.6) 式より

$$E = 25 + 25 = 50 \text{ N/mm}^2$$

(付14.2) 式より

$$k_s = 1.0 \times 1.3 \times \frac{50}{2\,000} = 0.0325 \text{ N/mm}^3$$

(付14.1) 式の計算に使う k の値

$$k \fallingdotseq 5 \times k_s = 0.163 \rightarrow 0.15 \text{ N/mm}^3$$

一つの独立フーチングに作用する圧縮荷重および圧縮接地圧

$$P = 2\,400/6 = 400 \text{ kN} = 400\,000 \text{ N}$$

$$p = \frac{P}{B \times B} = \frac{400\,000}{2\,000 \times 2\,000} = 0.1 \text{ N/mm}^2$$

圧縮荷重による独立フーチングの沈下量

$$\delta = \frac{p}{k} = \frac{0.1}{0.15} \fallingdotseq 0.67 \text{ mm}$$

引張荷重により反対側のフーチングが同じ量だけ浮き上がることを考慮して,耐震壁の回転角を求める.

$$\theta = \frac{2 \times 0.67}{6\,000} \fallingdotseq 0.22 \times 10^{-3} \text{ rad}$$

【計算例2】

粘性土地盤上に布基礎を有する付図14.2のような耐震壁の回転量を求める.ただし,粘性土の一軸圧縮強度は 0.2 N/mm^2 とする.

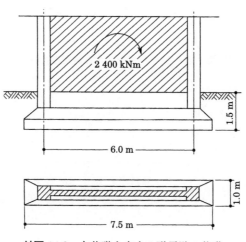

付図14.2 布基礎を有する耐震壁の基礎

耐震壁に作用する回転モーメント
$$M = 2\,400 \text{ kNm}$$
布基礎の寸法
$$7.5 \text{ m} \times 1.0 \text{ m}$$
(付 14.3), (付 14.4) 式より
$$C_1 = \frac{7\,500 + 1\,000}{2 \times 7\,500} = 0.57$$

$$C_2 = \frac{3 \times 1\,500 + 1\,000}{2 \times 1\,500 + 1\,000} = 1.37$$

(付 14.5) 式より
$$E = 70 \times 0.2 = 14 \text{ N/mm}^2$$
(付 14.2) 式より
$$k_s = 0.57 \times 1.37 \times \frac{14}{1\,000} = 0.011 \text{ N/mm}^3$$

(付 14.1) 式の計算に使う k の値
$$k \fallingdotseq 3 \times k_s = 0.033 \text{ N/mm}^3$$

布基礎スラブ底面の断面二次モーメント
$$I = \frac{1}{12} \times 1\,000 \times (7\,500)^3 = 3.52 \times 10^{13} \text{ mm}^4$$

布基礎スラブの回転係数は, (付 14.1) 式より
$$\kappa = \frac{8}{\pi} k I = \frac{8}{\pi} \times 0.033 \times 3.52 \times 10^{13} = 2.96 \times 10^{12} \text{ N mm/rad}$$

耐震壁の回転角は, 下記の関係より求まる.
$$\theta = \frac{M}{\kappa} = \frac{2.40 \times 10^9}{2.96 \times 10^{12}} = 0.81 \times 10^{-3} \text{ rad}$$

なお, (付 14.1) 式については, 文献 6) で数値計算に基づく定性的な検討が行われている.

---

6) 市之瀬敏勝・高橋 之：RC 規準の基礎回転剛性評価式, 日本建築学会大会学術講演梗概集（北海道), pp. 713-714, 2013.8

付 15. 長方形スラブの応力とたわみ

等分布荷重が作用する長方形スラブの 4 辺支持条件に応じたスラブの応力とたわみの関係を付図 15.1～15.9 に示す.

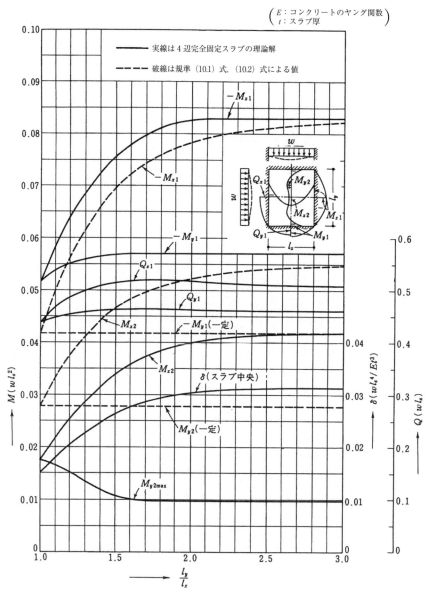

付図 15.1　等分布荷重時 4 辺固定スラブの応力図と中央点のたわみ δ [1]　$(\nu=0)$

---

1)　東　洋一・小森清司：建築構造学大系 11 巻，平板構造，彰国社，1970

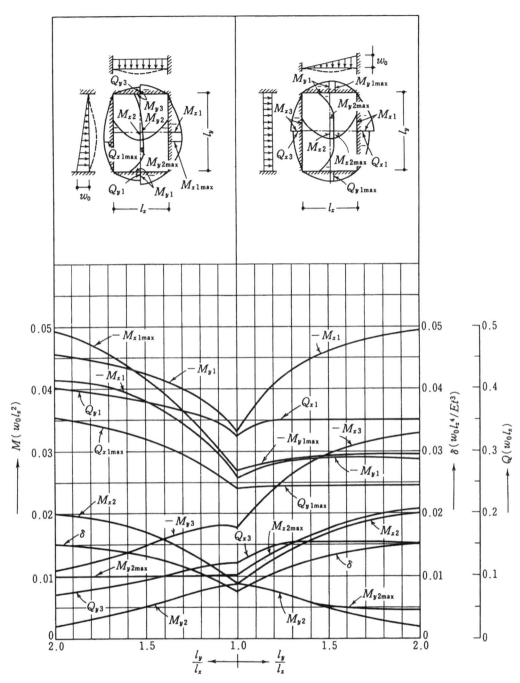

付図 15.2 等変分布荷重時 4 辺固定スラブの応力図と中央点のたわみ $\delta^{1)}$ ($v=0$)

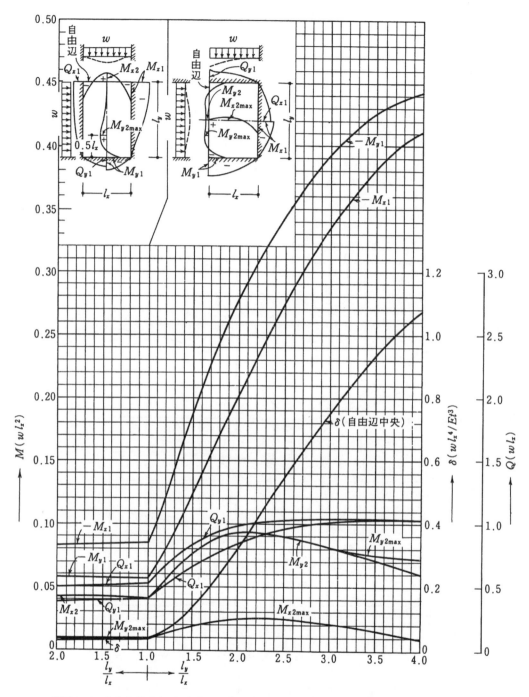

付図 15.3 等分布荷重時 3 辺固定 1 辺自由スラブの応力図と自由辺中央のたわみ δ [1] ($v=0$)

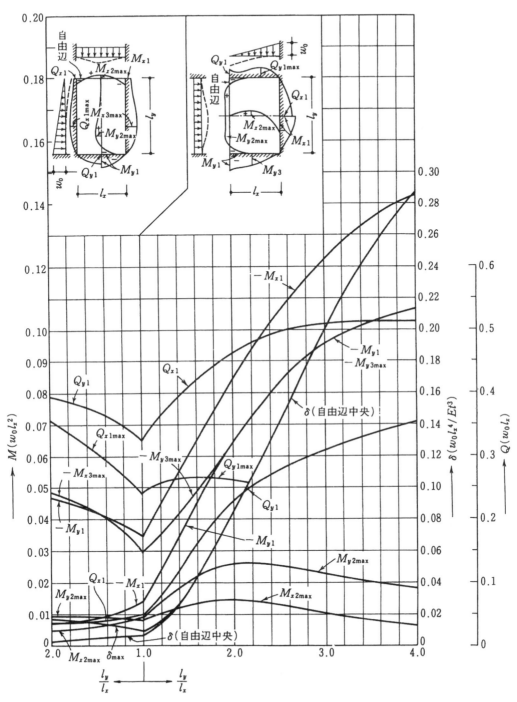

付図 15.4 等変分布荷重時 3 辺固定 1 辺自由スラブの応力図と自由辺中央のたわみ δ [1] ($v=0$)

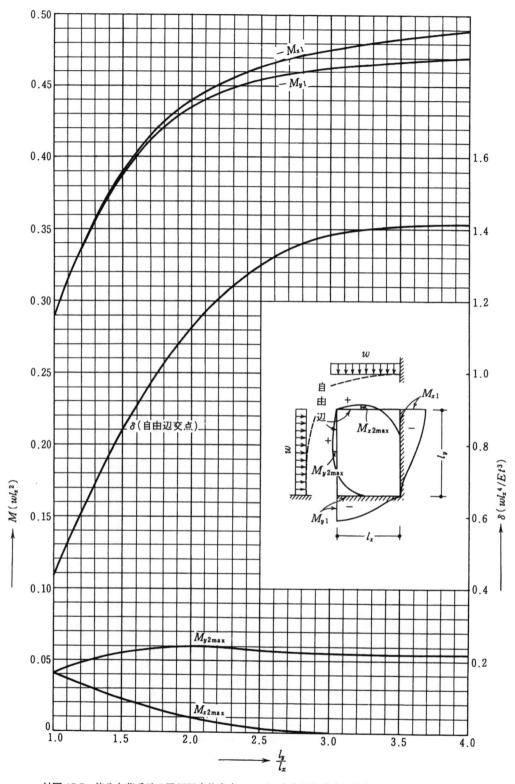

付図 15.5 等分布荷重時2隣辺固定他自由スラブの応力図と自由辺交点のたわみ δ [1] ($v=0$)

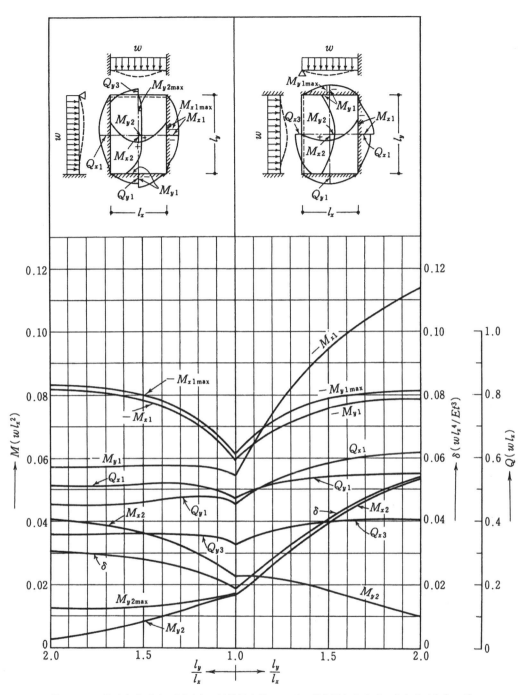

付図 15.6 等分布荷重時 3 辺固定 1 辺単純支持スラブの応力図と中央点のたわみ δ [1] ($v=0$)

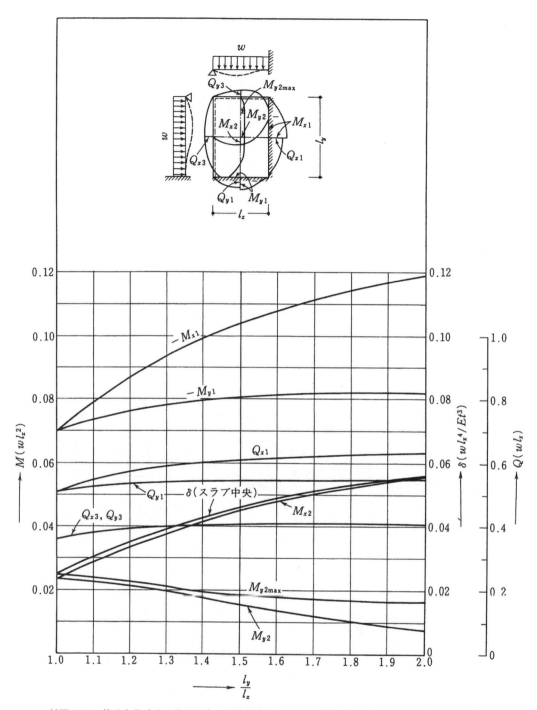

付図 15.7 等分布荷重時 2 隣辺固定 2 辺単純支持スラブの応力図と中央点のたわみ δ [1] $(v=0)$

付15. 長方形スラブの応力とたわみ —577—

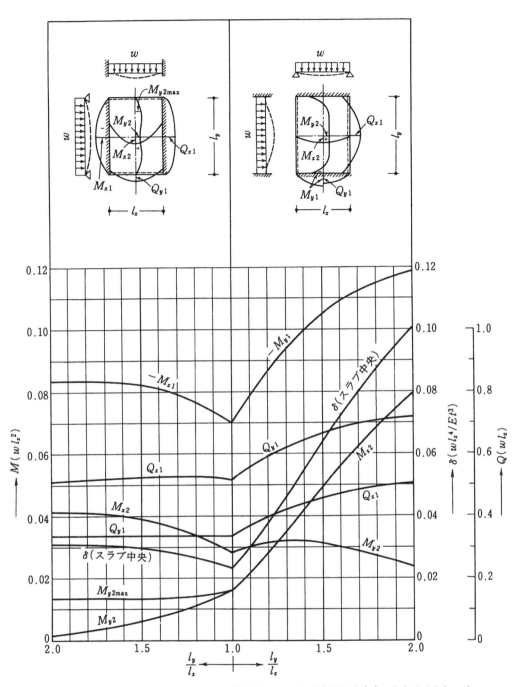

付図 15.8 等分布荷重時2対辺固定他辺単純支持スラブの応力図と中央点のたわみ δ [1] ($v=0$)

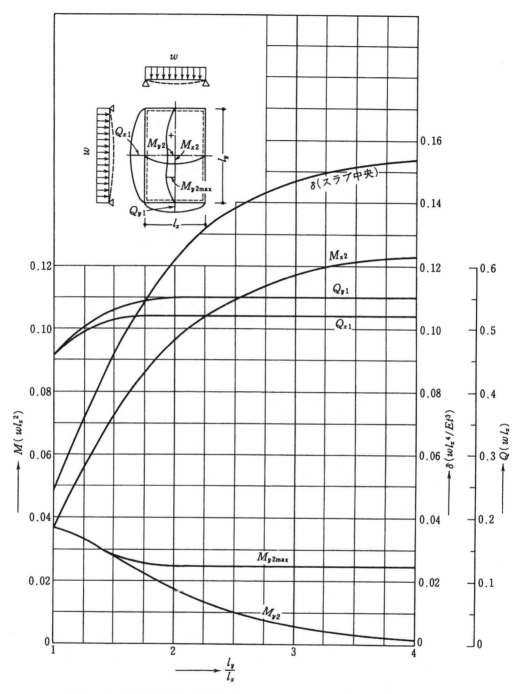

付図 15.9 等分布荷重時 4 辺単純支持スラブの応力図と中央点のたわみ δ [1] ($v=0$)

鉄筋コンクリート構造計算規準・同解説

1971年 5月20日	第 1 版第 1 刷
1975年 8月19日	第 2 版第 1 刷
1979年11月 5日	第 3 版第 1 刷
1982年 6月15日	第 4 版第 1 刷
1988年 7月25日	第 5 版第 1 刷
1991年 4月 5日	第 6 版第 1 刷
1999年11月 1日	第 7 版第 1 刷
2010年 2月20日	第 8 版第 1 刷
2018年12月 5日	第 9 版第 1 刷
2024年12月10日	第10版第 1 刷

編　集
著作人　一般社団法人　日本建築学会
印刷所　株式会社　東京印刷
発行所　一般社団法人　日本建築学会
　　　　108-8414　東京都港区芝 5-26-20
　　　　電　話・(03) 3456-2051
　　　　ＦＡＸ・(03) 3456-2058
　　　　http://www.aij.or.jp/
発売所　丸善出版株式会社
　　　　101-0051　東京都千代田区神田神保町 2-17
　　　　神田神保町ビル
　　　　電　話・(03) 3512-3256

ⓒ 日本建築学会 2024

ISBN978-4-8189-0682-2　C3052